suhrkamp taschenbuch 2378

Diese zweibändige, seit vielen Jahren lieferbare Sammlung deutscher Erzählungen wird nun erstmals im Taschenbuch vorgelegt. Als »wahre Schatzkammer« erzählender Prosa aus zwei Jahrhunderten ist die Ausgabe zum Standardwerk geworden.

Der erste Band der *Deutschen Erzähler*, herausgegeben von Hugo von Hofmannsthal, erschien erstmals 1912. Die Kritik apostrophierte ihn als »eines der schönsten deutschsprachigen Hausbücher«. Hugo von Hofmannsthal begründete seine Auswahl in der Einleitung, die inzwischen selbst zu einem Stück klassischer deutscher Prosa geworden ist: »Ich habe diese Erzählungen nur um der besonderen Schönheit willen zusammengetragen, mit der sie mein Herz in früherem oder späterem Alter berührt haben und mir unvergeßlich geworden sind, so daß ich, um sie aneinanderzureihen, keines Hilfsmittels bedurfte als meines Gedächtnisses ... Sie schienen mir stets die schönsten unter allen deutschen Erzählungen, die ich kannte.«

Dieses außerordentliche Buch rechtfertigte das Unternehmen eines zweiten Bandes: er erschien 1972, herausgegeben von Marie Luise Kaschnitz.

Deutsche Erzähler des 19. Jahrhunderts

Ausgewählt und eingeleitet von
Hugo von Hofmannsthal

Suhrkamp

Umschlagillustration:
C.D. Friedrich, »Der Morgen«, um 1821 (Ausschnitt)
Niedersächsisches Landesmuseum, Hannover

suhrkamp taschenbuch 2378
Erste Auflage dieser Ausgabe 1994

Druck: Ebner Ulm
Printed in Germany
Umschlag nach Entwürfen von
Willy Fleckhaus und Rolf Staudt

1 2 3 4 5 6 – 99 98 97 96 95 94

Einleitung

Ich habe diese Erzählungen nur um der besonderen Schönheit willen zusammengetragen, mit der sie mein Herz in früherem oder späterem Alter berührt haben und mir unvergeßlich geworden sind, so daß ich, um sie aneinanderzureihen, keines Hilfsmittels bedurfte als meines Gedächtnisses. Alles, was ich später sagen werde, bin ich erst allmählich an ihnen gewahr geworden. Sie schienen mir stets die schönsten unter allen deutschen Erzählungen, die ich kannte, und indem ich sie mir schon früher wenigstens in Gedanken oder im Wunsch zu einer Kette zusammenfügte, so folgte ich einem Drange, der jedem Menschen innewohnt und in den Kindern und den Menschen des alten reinen Zeitalters deutlich hervortritt: daß wir von dem Harmonischen ergriffen werden, ihm uns einzuordnen oder zu dienen, das Reiche noch reicher zu machen oder, wie die Schrift es ausdrückt, dem, der hat, noch dazu zu geben.

So räumen die Kinder Erde und Sand hinweg, damit eine Wasserader in die andere überlaufen könne und das Klare zum Klaren komme, so ehrten die Perserkönige einen schönen alten Baum mit einem goldenen Gehänge, noch heute schenkt der reisende Monarch für einen schönen Garten eine Statue oder schmückt einen schönen Hügel mit einer Kapelle, der einsame Wanderer erhöht die Schönheit einer schweigenden Bergwiese mit einem Gebet oder einem erhobenen Gedanken, und ich kannte einen Mann, der weiter keinen Grundbesitz hatte, aber einen verlassenen kleinen Friedhof kaufte und so das verbriefte Recht erwarb, die Ruhe dieser umgestürzten Grabkreuze, auf denen wechselweise der Schnee lag oder Schmetterlinge saßen, und die schönen über den Weg wuchernden Blumen zu bewachen und gleichsam etwas von seiner Seele dem stummen Weben dieses Friedensortes zuzugießen.

Worin die besondere Schönheit lag, durch welche mein Gemüt ergriffen werden mußte, gerade diese zu seinen Lieblingen zu machen und sie in eine Reihe zu bringen, die aus so verschiedenen Seelen dreier aufeinanderfolgenden Geschlechter hervorgewachsen sind, das kann erst allmählich der Betrachtung klar werden. Alle, deren Erzählungen hier vereinigt liegen, sind von einer reinen, schöpferischen Liebe zum Darstellen irgendeiner Seite des Daseins getrieben worden; irgend etwas in der Welt, irgendein Zusammenhang zwischen dem Menschenwesen und der Welt hatte sich in ihnen besonders offenbart. So macht sich in allen diesen Hervorbringungen eine höhere Eigenart geltend, nicht die dürftige des Verstandes oder der Fertigkeit, sondern eine tiefe, unkäufliche des Gemüts, und da sie etwas wahrnehmen und sagen mußten, was nur ihnen so lebendig und besonders war, so war auch ihre Sprache von innen heraus gereinigt und gesondert. Zugleich aber geschah es, daß das deutsche Gesamtwesen, das nur durch viele einzelne sich offenbaren kann, in jedem von diesen Erzählern eine Seite mit besonderer Kraft heraustrieb: in *Goethe* ein großes, frommes Anschauen des menschlichen Daseins, so wie man von einem hohen Berge herab die Welt unter sich liegen sieht, daß man glauben würde, es gäbe in ihr nichts Niedriges, noch Widriges – in *Jean Paul*, diesem gerade entgegengesetzt, das äußerst zart verhäkelte Kleine, Widerstreitende und scheinbar Niedrige, Nichtige des Lebens, gleichsam der zarte Dunst, der um jedes Lebende herum ist, und von der zartesten, persönlichsten Wärme durchstrahlt. In *Eichendorff* wieder das Beglänzte, Traumüberhangene, das Schweifende, mit Lust Unmündige im deutschen Wesen, worin etwas Bezauberndes ist, das aber ein Maß in sich haben muß, sonst wird es leer und abstoßend. In *Brentano* und *Hauff* das reine unzerstörte Volkswesen, mit seinen geistigen und Seelenmächten, bis zum Aberglauben, seinen Begriffen von Recht und Ehrbarkeit, in denen es festgebunden ist – oder soll ich sagen war? –, denn die neuere Zeit hat dies alles aufgelockert, und nur da und dort hält das uralt Gegründete ihr noch stand. In *Tieck* und *Hoffmann* das Geheimnisvolle der Seele, der innere Abgrund, Einsamkeit und Hinüberlangen nach einer anderen Welt. Dann das einsame Kind *Hebbel*, der zerrüttete Jüngling *Lenz* im öden Bergtal, der *Hagestolz* abgesperrt von den Menschen auf seiner Insel, der *arme Spielmann* einsam mitten unter den Menschen mit seiner Musik, lauter Arme-Reiche, und was für deutsche Figuren in ihrer Armut und ihrem Reichtum. In *Gotthelf* dann, aus einer Landschaft hervorgesponnen ein einfaches Leben, ein einfaches Glück, in der *Droste* ein unheimliches Geschick und auch aus dem Weben der Landschaft hervorgesponnen: hält man diese beiden nebeneinander, so fühlt man, wie groß Deutschland ist. Es ist, als hörte man, zu Bremen auf der Weser fahrend, in den Salzhauch der Nordsee das Läuten von Kühen herein, die in Tirol von der Alpe gehen: aber innerlich ist es ein noch weiteres Land. *Arnim* und *Kleist* sind wahre Novellisten, das Große und Einmalige, Nichtwiederkehrende der Begebenheit ist ihr Gegenstand, es ist seltsam und bedeutungsvoll, daß sie beide ihre Begebenheit in fremdes, romanisches Land verlegen: aber wie der Verlauf der Erzählung das Herz der Hauptfiguren bloßgelegt, ob einer duldenden Frau oder eines heldenmütigen Jünglings, so sind es deutsche Herzen, die den Figuren in die Brust gelegt sind. Im *Geisterseher* sind große Verhältnisse dargestellt, weit angelegte Staatsintrigen, vielerlei Menschen in ein großes Geschick verknüpft, dafür hatte *Schiller* ein Auge, damit steht er fast allein unter den Deutschen, diese Seite ist sonst ihre Stärke nicht; in ihrem größten Dichter blitzt freilich da und dort auch das Politische auf, als gediegenes Metall, mitten unter dem sonstigen Weltwesen: so das Gespräch der Regentin mit dem Machiavell in ›Egmont‹. In *Sealsfield* ist etwas vorgebildet und nichts Geringes: der deutsche Amerikaner. Die Seele ist deutsch, aber durch eine fremde große Schule durchgegangen. Er reiht sich an die andern, und ist doch besonders. Haben sie ihn drüben vergessen, so ist es traurig, hier durfte er nicht fehlen, er erzählt in einer Weise, daß keiner ihn vergißt, der ihm einmal zugehört hat. Einen sehe ich immer vor mir, von dem doch hier nichts gebracht wird: *Immermann*. Die kleineren Erzählungen sind unter den schwächern seiner Arbeiten; die Romane sind groß angelegt und von einem seltenen Reichtum des Geistes, Kraft, Zartheit, eindringendem Weltverstand, Übersicht, Lauterkeit; er suchte einen Übergang herzustellen: die Anfänge dessen, was unserer damals beginnenden Zeit den Stempel aufdrückte, des Fabrikwesens, des alles überwuchernden Geldwesens, stellte er hin und zeigte das deutsche Seelenhafte im Kampf damit. Dem einen großen Roman ist die westfälische Dorfschulzengeschichte eingeflochten, diese herauszureißen, erschien mir frevelhaft, manche habens getan, doch wer es nachtut, bezeigt, daß ihm keine Ehrfurcht innewohnt, und wo wäre Ehrfurcht am Platz, wenn nicht gegen eine hoheitsvolle reine Seele wie Immermann? So wollte ich auch den *Chamisso* nicht gerne missen, der nicht als ein Deutscher geboren ist, aber sich mit schönen Werken eingekauft hat in die deutsche Dichterschaft. Sein Schlemihl ist freilich wundervoll angefangen, die Erfindung ist von hohem Rang, doch fällt die Erzählung ab, wird trüb und matt. Wäre es auch äußerlich ein Bruchstück, wie es innerlich gebrochen ist, ich hätte eher gewagt, es den anderen anzureihen.

So sind es die *älteren* deutschen Erzähler, die ich hier gesammelt habe, und unsere Zeit will doch nur von sich selber wissen und treibt eine Abgötterei mit dem wesenlosen Begriff des Gegenwärtigen. Im einzelnen Menschen gibt es nichts schlechthin Gegenwärtiges, Entwicklung ist alles, eins wirkt sich ins andere; spreche ich mit einem neunzigjährigen Freund, den ich habe, befrage ich ihn nach einer Zeit seines

Lebens, den vierziger oder sechziger Jahren des verflossenen Jahrhunderts, so werde ich gewahr, wie für ihn eins ins andere eingeht, der hingeschwundene Zeitraum im nächsten weiterlebt und alles ein und dasselbe Wesen bleibt: so für den einzelnen, so für das ganze Volk. Die Gegenwart ist breit, die Vergangenheit tief; die Breite verwirrt, die Tiefe ergötzt; warum sollten wir immer nur in die Breite gehen? Von einem treuen Freund, einer lieblichen Freundin will ich die Kindheit erforschen, hören, was sie waren, bevor ich sie fand und kannte, – nicht nach tausend gleichgültigen Menschen fragen, denen sie am heutigen Tage begegnet sind.

In diesen Erzählungen ist ein Deutschland, das nicht mehr ganz da ist: der Wald steht nicht mehr so uralt und dicht, auf der Landstraße ist ein anderes und geringeres Leben, in den Dörfern sind es nicht bloß die Dächer, die sich verändert haben; es ist alles da und nichts da, es ist dieselbe Heimat und doch eine andere. So ists auch mit dem, was sich nicht mit Augen sehen und nicht mit Händen greifen läßt. Lebensformen, geistige Formen unseres geheimnisvollen, undeutlich erkennbaren Volks sind hier kristallisiert, eine ältere deutsche Atmosphäre umfängt uns, nehmen wir sie in uns ein, so wird die herrschende Atmosphäre aufgehoben oder wenigstens gereinigt. Der Menschen waren weit weniger im Lande und doch die Verhältnisse zwischen ihnen dichter; schärfer hoben sich die Stände voneinander ab und waren doch enger verbunden als heute. Sprichwörter, volksmäßige Redensarten kommen den Figuren viel in den Mund, alter Brauch und alter Glaube haftet an den Menschen, an den Häusern und Geräten, zuweilen ist es Aberglaube, aber alles aus einem redlichen, ungebrochenen Gemüt. Unsere Atmosphäre dagegen ist dick voller Vorurteile, die aber nicht ehrliche Vorurteile sind wie die der Alten und vergeblich der Aufhebung durch die Kräfte des Gemüts harren; alles bedarf der Klärung, überall ist Zwiespalt, Zerspaltenheit, innerer Vorbehalt, die Nervenübel sind die letzten Ausläufer. Der tiefsinnige Lichtenberg schrieb aus seinem Addison ein Wort heraus: The whole man must move at once – der ganze Mensch muß sich *auf eins* regen – er sagte: das müsse sich jeder Deutsche auf den Fingernagel schreiben, das war vor hundertundfünfzig Jahren, aber heute gilt es mehr als je.

In diesen Geschichten ist ein unmeßbarer Reichtum geistiger und gemütlicher Beziehungen darin gegeben, wie die Figuren zueinander stehen; die Liebe ist überall drinnen, aber nicht allein die des Mannes zum Weib, des Jünglings zur Jungfrau, sondern auch des Freundes zum Freund, des Kindes zu den Eltern, des Menschen zu Gott, auch des Einsamen zu einer Blume, zu einer Pflanze, zu einem Tier, zu seiner Geige, zur Landschaft: es ist eine verteilte Liebe, das ist die deutsche Liebe. Nirgends in diesen vielen Geschichten ist es die wilde, ausschließende Besessenheit vom Mann zum Weib, nie das völlig dunkle, erdgebundene Trachten, das in den Geschichten der Romanen so mächtig und unheimlich hervortritt. Würde man französische Erzähler zusammenstellen, so ergäbe sich, daß es innerlich ein älteres Volk ist, alles ist scharf begrenzt, diesseitig, hier in den deutschen Erzählern ist über alles Wirkliche hinaus ein beständiges Einatmen des Jenseitigen, Verborgenen. Das Wunderhafte der Märchen ist nirgends ganz abgestreift, es ist, als wären beständig unter den Kohlen und der Herdasche Edelsteine versteckt. Ein junges Gemüt des Volkes offenbart sich, ein ahnungsvolles, und ein namenloser Zug dorthin, wo alle Wölkchen unter der Hand des Schöpfers sich lösen. Auch wo der Tod gemalt wird, wie beim Sterben des Schulmeisterleins *Wuz*, bleibt ein inniges, sanftes Gefühl zurück, kein beklommenes. Das schöne *Annerl* und der brave *Kasperl* sterben freilich jäh, aber es ist ein Glanz um ihren Tod, der den Tod selber besiegt. So wird in der *Novelle* der Löwe glorreich besiegt, in *Mozart* die Schwere des Lebens, im *Invaliden* der Teufel und der Wahnsinn, in *Barthli* die Finsternis und Härte der Armut, im *Hagestolz* der Menschenhaß. Für das kalte

Herz wird dem *Kohlenmunkpeter* sein warmes fühlendes wieder in die Brust gelegt, im Kind *Hebbel* wächst eine starke funkelnde Seele aus dem Dunkel ans Licht empor, ja auch im *armen Spielmann* liegt Auflösung aus Verklärung. Des unglücklichen *Lenz* Geschichte bricht finster ab, aber hinter diesem Finstern dämmert ein Höheres, und seine Seele, fühlen wir, streift nur die Verzweiflung, verfällt ihr nicht. So sind alle diese Geschichten wie Gesichter, aus denen kein kalter, gottfremder Blick uns trifft. Es sind liebevolle Gesichter, die zu unserer großen Freundschaft gehören: mit diesem Wort nennt das Volk ja die Verwandtschaft, wie sie sich zu feierlicher Gelegenheit, Geburt und Tod, in einem Hause zusammenfindet. In den reifsten, bedeutendsten Gesichtern tritt der Familienzug am schärfsten heraus, und überfliegt man diese bedeutenden Deutschen, so sieht man, daß Verwandte einander gegenübersitzen. So kommen sie den heutigen Deutschen ins Haus, ein liebevoller Zug von Männern, eine Frau auch darunter im weißen Kleid mit tiefen dunklen Augen: die Zeiten sind ernst und beklommen für die Deutschen, vielleicht stehen dunkle Jahre vor der Tür. Vor hundert Jahren waren auch die Jahre dunkel, und doch waren die Deutschen innerlich nie so reich wie im ersten Jahrzehnt des neunzehnten Jahrhunderts, und vielleicht sind für dies geheimnisvolle Volk die Jahre der Heimsuchung gesegnete Jahre.

Unser Volk hat ein schlaffes Gedächtnis und eine träumende Seele, trotz allem; was es besitzt, verliert es immer wieder, aber es ruft sich nachts zurück, was es am Tage verloren hat. Den Reichtum, der ihm eignet, zählt es nicht und ist fähig, seiner Krongüter zu vergessen, aber zuzeiten sehnt es sich nach sich selber, und niemals ist es reiner und stärker als in solchen Zeiten.

Geschrieben 1912 *Hugo von Hofmannsthal*

JOHANN WOLFGANG VON GOETHE

Novelle

Ein dichter Herbstnebel verhüllte noch in der Frühe die weiten Räume des fürstlichen Schloßhofes, als man schon mehr oder weniger durch den sich lichtenden Schleier die ganze Jägerei zu Pferde und zu Fuß durcheinander bewegt sah. Die eiligen Beschäftigungen der nächsten ließen sich erkennen: man verlängerte, man verkürzte die Steigbügel, man reichte sich Büchse und Patrontäschchen, man schob die Dachsranzen zurecht, indes die Hunde ungeduldig am Riemen den Zurückhaltenden mit fortzuschleppen drohten. Auch hie und da gebärdete ein Pferd sich mutiger, von feuriger Natur getrieben oder von dem Sporn des Reiters angeregt, der selbst hier in der Halbhelle eine gewisse Eitelkeit sich zu zeigen nicht verleugnen konnte. Alle jedoch warteten auf den Fürsten, der, von seiner jungen Gemahlin Abschied nehmend, allzulange zauderte.

Erst vor kurzer Zeit zusammen getraut, empfanden sie schon das Glück übereinstimmender Gemüter; beide waren von tätig-lebhaftem Charakter, eines nahm gern an des andern Neigungen und Bestrebungen Anteil. Des Fürsten Vater hatte noch den Zeitpunkt erlebt und genutzt, wo es deutlich wurde, daß alle Staatsglieder in gleicher Betriebsamkeit ihre Tage zubringen, in gleichem Wirken und Schaffen, jeder nach seiner Art, erst gewinnen und dann genießen sollte.

Wie sehr dieses gelungen war, ließ sich in diesen Tagen gewahr werden, als eben der Hauptmarkt sich versammelte, den man gar wohl eine Messe nennen konnte. Der Fürst hatte seine Gemahlin gestern durch das Gewimmel der aufgehäuften Waren zu Pferde geführt und sie bemerken lassen, wie gerade hier das Gebirgsland mit dem flachen Lande einen glücklichen Umtausch treffe; er wußte sie an Ort und Stelle auf die Betriebsamkeit seines Länderkreises aufmerksam zu machen.

Wenn sich nun der Fürst fast ausschließlich in diesen Tagen mit den Seinigen über diese zudringenden Gegenstände unterhielt, auch besonders mit dem Finanzminister anhaltend arbeitete, so behielt doch auch der Landjägermeister sein Recht, auf dessen Vorstellung es unmöglich war, der Versuchung zu widerstehen, an diesen günstigen Herbsttagen eine schon verschobene Jagd zu unternehmen, sich selbst und den vielen angekommenen Fremden ein eignes und seltnes Fest zu eröffnen.

Die Fürstin blieb ungern zurück; man hatte sich vorgenommen, weit in das Gebirg hineinzudringen, um die friedlichen Bewohner der dortigen Wälder durch einen unerwarteten Kriegszug zu beunruhigen.

Scheidend versäumte der Gemahl nicht, einen Spazierritt vorzuschlagen, den sie im Geleit Friedrichs, des fürstlichen Oheims, unternehmen sollte; »auch lasse ich«, sagte er, »dir unsern Honorio, als Stall- und Hofjunker, der für alles sorgen wird«; und im Gefolg dieser Worte gab er im Hinabsteigen einem wohlgebildeten jungen Mann die nötigen Aufträge, verschwand sodann bald mit Gästen und Gefolge.

Die Fürstin, die ihrem Gemahl noch in den Schloßhof hinab mit dem Schnupftuch nachgewinkt hatte, begab sich in die hintern Zimmer, welche nach dem Gebirg eine freie Aussicht ließen, die um desto schöner war, als das Schloß selbst von dem Flusse herauf in einiger Höhe stand und so vor- als hinterwärts mannigfaltige bedeutende Ansichten gewährte. Sie fand das treffliche Teleskop noch in der Stellung, wo man es gestern abend gelassen hatte, als man, über Busch, Berg und Waldgipfel die hohen Ruinen der uralten Stammburg betrachtend, sich unterhielt, die in der Abendbeleuchtung merkwürdig hervortraten, indem alsdann die größten Licht- und Schattenmassen den deutlichsten Begriff von einem so ansehnlichen Denkmal alter Zeit verleihen konnten. Auch zeigte sich heute früh durch die annähernden Gläser recht auffallend die herbstliche Färbung jener mannigfaltigen Baumarten, die zwischen dem Gemäuer ungehindert und ungestört durch lange Jahre emporstrebten. Die schöne Dame richtete jedoch das Fernrohr etwas tiefer nach einer öden steinigen Fläche, über welche der Jagdzug weggehen mußte; sie erharrte den Augenblick mit Geduld und betrog sich nicht: denn bei der Klarheit und Vergrößerungsfähigkeit des Instrumentes erkannten ihre glänzenden Augen deutlich den Fürsten und den Oberstallmeister; ja sie enthielt sich nicht, abermals mit dem Schnupftuche zu winken, als sie ein augenblickliches Stillhalten und Rückblicken mehr vermutete als gewahr ward.

Fürst Oheim, Friedrich mit Namen, trat sodann, angemeldet, mit seinem Zeichner herein, der ein großes Portefeuille unter dem Arm trug. »Liebe Cousine,« sagte der alte rüstige Herr, »hier legen wir die Ansichten der Stammburg vor, gezeichnet, um von verschiedenen Seiten anschaulich zu machen, wie der mächtige Trutz- und Schutzbau von alten Zeiten her dem Jahr und seiner Witterung sich entgegenstemmte und wie doch hie und da sein Gemäuer weichen, da und dort in wüste Ruinen zusammenstürzen mußte. Nun haben wir manches getan, um diese Wildnis zugänglicher zu machen, denn mehr bedarf es nicht, um jeden Wanderer, jeden Besuchenden in Erstaunen zu setzen, zu entzücken.«

Indem nun der Fürst die einzelnen Blätter deutete, sprach er weiter: »Hier, wo man, den Hohlweg durch die äußern Ringmauern heraufkommend, vor die eigentliche Burg gelangt, steigt uns ein Felsen entgegen von den festesten des ganzen Gebirgs; hierauf nun steht gemauert ein Turm, doch niemand wüßte zu sagen, wo die Natur aufhört, Kunst und Handwerk aber anfangen. Ferner sieht man seitwärts Mauern angeschlossen und Zwinger terrassenmäßig herab sich erstreckend. Doch ich sage nicht recht, denn es ist eigentlich ein Wald, der diesen uralten Gipfel umgibt; seit hundertundfunfzig Jahren hat keine Axt hier geklungen, und überall sind die mächtigsten Stämme emporgewachsen; wo Ihr Euch an den Mauern andrängt, stellt sich der glatte Ahorn, die rauhe Eiche, die schlanke Fichte mit Schaft und Wurzeln entgegen; um diese müssen wir uns herumschlängeln und unsere Fußpfade verständig führen. Seht nur, wie trefflich unser Meister dies Charakteristische auf dem Papier ausgedrückt hat, wie kenntlich die verschiedenen Stamm- und Wurzelarten zwischen das Mauerwerk verflochten und die mächtigen Äste durch die Lücken durchgeschlungen sind! Es ist eine Wildnis wie keine, ein zufällig-einziges Lokal, wo die alten Spuren längst verschwundener Menschenkraft mit der ewig lebenden und fortwirkenden Natur sich in dem ernstesten Streit erblicken lassen.«

Ein anderes Blatt aber vorlegend, fuhr er fort: »Was sagt Ihr nun zum Schloßhofe, der, durch das Zusammenstürzen des alten Torturmes unzugänglich, seit undenklichen Jahren von niemand betreten ward? Wir suchten ihm von der Seite beizukommen, haben Mauern durchbrochen, Gewölbe gesprengt und so einen bequemen, aber geheimen Weg bereitet. Inwendig bedurft es keines Aufräumens, hier findet sich ein flacher Felsgipfel von der Natur geplättet, aber doch haben mächtige Bäume hie und da zu wurzeln Glück und Gelegenheit gefunden; sie sind sachte, aber entschieden aufgewachsen, nun erstrecken sie ihre Äste bis in die Galerien hinein, auf denen der Ritter sonst auf und ab schritt; ja durch Türen durch und Fenster in die gewölbten Säle, aus denen wir sie nicht vertreiben wollen; sie sind eben Herr geworden und mögens bleiben. Tiefe Blätterschichten wegräumend, haben wir den merkwürdigsten Platz geebnet gefunden, dessengleichen in der Welt vielleicht nicht wieder zu sehen ist.

Nach allem diesem aber ist es immer noch bemerkenswert

und an Ort und Stelle zu beschauen, daß auf den Stufen, die in den Hauptturm hinaufführen, ein Ahorn Wurzel geschlagen und sich zu einem so tüchtigen Baume gebildet hat, daß man nur mit Not daran vorbeidringen kann, um die Zinne, der unbegrenzten Aussicht wegen, zu besteigen. Aber auch hier verweilt man bequem im Schatten, denn dieser Baum ist es, der sich über das Ganze wunderbar hoch in die Luft hebt.

Danken wir also dem wackern Künstler, der uns so löblich in verschiedenen Bildern von allem überzeugt, als wenn wir gegenwärtig wären; er hat die schönsten Stunden des Tages und der Jahreszeit dazu angewendet und sich wochenlang um diese Gegenstände herumbewegt. In dieser Ecke ist für ihn und den Wächter, den wir ihm zugegeben, eine kleine angenehme Wohnung eingerichtet. Sie sollten nicht glauben, meine Beste, welch eine schöne Aus- und Ansicht er ins Land, in Hof und Gemäuer sich dort bereitet hat. Nun aber, da alles so rein und charakteristisch umrissen ist, wird er es hier unten mit Bequemlichkeit ausführen. Wir wollen mit diesen Bildern unsern Gartensaal zieren, und niemand soll über unsere regelmäßigen Parterre, Lauben und schattigen Gänge seine Augen spielen lassen, der nicht wünschte, sich dort oben in dem wirklichen Anschauen des Alten und Neuen, des Starren, Unnachgiebigen, Unzerstörlichen und des Frischen, Schmiegsamen, Unwiderstehlichen seine Betrachtungen anzustellen.«

Honorio trat ein und meldete, die Pferde seien vorgeführt; da sagte die Fürstin, zum Oheim gewendet: »Reiten wir hinauf und lassen Sie mich in der Wirklichkeit sehen, was Sie mir hier im Bilde zeigten. Seit ich hier bin, hör ich von diesem Unternehmen und werde jetzt erst recht verlangend, mit Augen zu sehen, was mir in der Erzählung unmöglich schien und in der Nachbildung unwahrscheinlich bleibt.« – »Noch nicht, meine Liebe,« versetzte der Fürst, »was Sie hier sahen, ist, was es werden kann und wird; jetzt stockt noch manches im Beginnen; die Kunst muß erst vollenden, wenn sie sich vor der Natur nicht schämen soll.« – »Und so reiten wir wenigstens hinaufwärts, und wär es nur bis an den Fuß; ich habe große Lust, mich heute weit in der Welt umzusehen.« – »Ganz nach Ihrem Willen«, versetzte der Fürst. – »Lassen Sie uns aber durch die Stadt reiten,« fuhr die Dame fort, »über den großen Marktplatz, wo eine zahllose Menge von Buden die Gestalt einer kleinen Stadt, eines Feldlagers angenommen hat. Es ist, als wären die Bedürfnisse und Beschäftigungen sämtlicher Familien des Landes umher, nach außen gekehrt, in diesem Mittelpunkt versammelt, an das Tageslicht gebracht worden; denn hier sieht der aufmerksame Beobachter alles, was der Mensch leistet und bedarf; man bildet sich einen Augenblick ein, es sei kein Geld nötig, jedes Geschäft könne hier durch Tausch abgetan werden; und so ist es auch im Grunde. Seitdem der Fürst gestern mir Anlaß zu diesen Übersichten gegeben, ist es mir gar angenehm zu denken, wie hier, wo Gebirg und flaches Land aneinandergrenzen, beide so deutlich aussprechen, was sie brauchen und was sie wünschen. Wie nun der Hochländer das Holz seiner Wälder in hundert Formen umzubilden weiß, das Eisen zu einem jeden Gebrauch zu vermannigfaltigen, so kommen jene drüben mit den vielfältigsten Waren ihm entgegen, an denen man den Stoff kaum unterscheiden und den Zweck oft nicht erkennen mag.«

»Ich weiß,« versetzte der Fürst, »daß mein Neffe hierauf die größte Aufmerksamkeit wendet; denn gerade zu dieser Jahreszeit kommt es hauptsächlich darauf an, daß man mehr empfange als gebe; dies zu bewirken, ist am Ende die Summe des ganzen Staatshaushaltes, so wie der kleinsten häuslichen Wirtschaft. Verzeihen Sie aber, meine Beste, ich reite niemals gern durch Markt und Messe: bei jedem Schritt ist man gehindert und aufgehalten, und dann flammt mir das ungeheure Unglück wieder in die Einbildungskraft, das sich mir gleichsam in die Augen eingebrannt, als ich eine solche Güter- und Warenbreite in Feuer aufgehen sah. Ich hatte mich kaum ...«

»Lassen Sie uns die schönen Stunden nicht versäumen«, fiel

ihm die Fürstin ein, da der würdige Mann sie schon einigemal mit ausführlicher Beschreibung jenes Unheils geängstigt hatte, wie er sich nämlich, auf einer großen Reise begriffen, abends im besten Wirtshause auf dem Markte, der eben von einer Hauptmesse wimmelte, höchst ermüdet zu Bette gelegt und nachts durch Geschrei und Flammen, die sich gegen seine Wohnung wälzten, gräßlich aufgeweckt worden.

Die Fürstin eilte, das Lieblingspferd zu besteigen, und führte, statt zum Hintertore bergauf, zum Vordertore bergunter ihren widerwillig-bereiten Begleiter; denn wer wäre nicht gern an ihrer Seite geritten, wer wäre ihr nicht gern gefolgt. Und so war auch Honorio von der sonst so ersehnten Jagd willig zurückgeblieben, um ihr ausschließlich dienstbar zu sein.

Wie vorauszusehen, durften sie auf dem Markte nur Schritt vor Schritt reiten; aber die schöne Liebenswürdige erheiterte jeden Aufenthalt durch eine geistreiche Bemerkung. »Ich wiederhole«, sagte sie, »meine gestrige Lektion, da denn doch die Notwendigkeit unsere Geduld prüfen will.« Und wirklich drängte sich die ganze Menschenmasse dergestalt an die Reitenden heran, daß sie ihren Weg nur langsam fortsetzen konnten. Das Volk schaute mit Freuden die junge Dame, und auf so viel lächelnden Gesichtern zeigte sich das entschiedene Behagen, zu sehen, daß die erste Frau im Lande auch die schönste und anmutigste sei.

Untereinandergemischt standen Bergbewohner, die zwischen Felsen, Fichten und Föhren ihre stillen Wohnsitze hegten, Flachländer von Hügeln, Auen und Wiesen her, Gewerbsleute der kleinen Städte und was sich alles versammelt hatte. Nach einem ruhigen Überblick bemerkte die Fürstin ihrem Begleiter, wie alle diese, woher sie auch seien, mehr Stoff als nötig zu ihren Kleidern genommen, mehr Tuch und Leinwand, mehr Band zum Besatz. Ist es doch, als ob die Weiber nicht brauschig und die Männer nicht pausig genug sich gefallen könnten.

»Wir wollen ihnen das ja lassen,« versetzte der Oheim; »wo

auch der Mensch seinen Überfluß hinwendet, ihm ist wohl dabei, am wohlsten, wenn er sich damit schmückt und aufputzt.« Die schöne Dame winkte Beifall.

So waren sie nach und nach auf einen freien Platz gelangt, der zur Vorstadt hinführte, wo am Ende vieler kleinen Buden und Kramstände ein größeres Brettergebäude in die Augen fiel, das sie kaum erblickten, als ein ohrzerreißendes Gebrülle ihnen entgegentönte. Die Fütterungsstunde der dort zur Schau stehenden wilden Tiere schien herangekommen; der Löwe ließ seine Wald- und Wüstenstimme aufs kräftigste hören, die Pferde schauderten, und man konnte der Bemerkung nicht entgehen, wie in dem friedlichen Wesen und Wirken der gebildeten Welt der König der Einöde sich so furchtbar verkündige. Zur Bude näher gelangt, durften sie die bunten kolossalen Gemälde nicht übersehen, die mit heftigen Farben und kräftigen Bildern jene fremden Tiere darstellten, welche der friedliche Staatsbürger zu schauen unüberwindliche Lust empfinden sollte. Der grimmig ungeheure Tiger sprang auf einen Mohren los, im Begriff, ihn zu zerreißen; ein Löwe stand ernsthaft majestätisch, als wenn er keine Beute seiner würdig vor sich sähe; andere wunderliche bunte Geschöpfe verdienten neben diesen mächtigen weniger Aufmerksamkeit.

Wir wollen«, sagte die Fürstin, »bei unserer Rückkehr doch absteigen und die seltenen Gäste näher betrachten.« – »Es ist wunderbar,« versetzte der Fürst, »daß der Mensch durch Schreckliches immer aufgeregt sein will. Drinnen liegt der Tiger ganz ruhig in seinem Kerker, und hier muß er grimmig auf einen Mohren losfahren, damit man glaube, dergleichen inwendig ebenfalls zu sehen; es ist an Mord und Totschlag noch nicht genug, an Brand und Untergang; die Bänkelsänger müssen es an jeder Ecke wiederholen. Die guten Menschen wollen eingeschüchtert sein, um hinterdrein erst recht zu fühlen, wie schön und löblich es sei, frei Atem zu holen.«

Was denn aber auch Bängliches von solchen Schreckensbildern mochte übrig geblieben sein, alles und jedes war sogleich ausgelöscht, als man, zum Tore hinausgelangt, in die heiterste Gegend eintrat. Der Weg führte zuerst am Flusse hinan, an einem zwar noch schmalen, nur leichte Kähne tragenden Wasser, das aber nach und nach als größter Strom seinen Namen behalten und ferne Länder beleben sollte. Dann ging es weiter durch wohlversorgte Frucht- und Lustgärten sachte hinaufwärts, und man sah sich nach und nach in der aufgetanen wohlbewohnten Gegend um, bis erst ein Busch, sodann ein Wäldchen die Gesellschaft aufnahm und die anmutigsten Örtlichkeiten ihren Blick begrenzten und erquickten. Ein aufwärts leitendes Wiesental, erst vor kurzem zum zweiten Male gemäht, sammetähnlich anzusehen, von einer oberwärts lebhaft auf einmal reich entspringenden Quelle gewässert, empfing sie freundlich, und so zogen sie einem höhern freieren Standpunkt entgegen, den sie, aus dem Walde sich bewegend, nach einem lebhaften Stieg erreichten, alsdann aber vor sich noch in bedeutender Entfernung über neuen Baumgruppen das alte Schloß, den Zielpunkt ihrer Wallfahrt, als Fels- und Waldgipfel hervorragen sahen. Rückwärts aber – denn niemals gelangte man hierher, ohne sich umzukehren – erblickten sie durch zufällige Lücken der hohen Bäume das fürstliche Schloß links, von der Morgensonne beleuchtet; den wohlgebauten höhern Teil der Stadt, von leichten Rauchwolken gedämpft, und so fort nach der Rechten zu die untere Stadt, den Fluß in einigen Krümmungen, mit seinen Wiesen und Mühlen; gegenüber eine weite nahrhafte Gegend.

Nachdem sie sich an dem Anblick ersättigt, oder vielmehr, wie es uns bei dem Umblick auf so hoher Stelle zu geschehen pflegt, erst recht verlangend geworden nach einer weitern, weniger begrenzten Aussicht, ritten sie eine steinige breite Fläche hinan, wo ihnen die mächtige Ruine als ein grüngekrönter Gipfel entgegenstand, wenig alte Bäume tief unten um seinen Fuß; sie ritten hindurch, und so fanden sie sich gerade vor der steilsten, unzugänglichsten Seite. Mächtige

Felsen standen von Urzeiten her, jedem Wechsel unangetastet, fest, wohlgegründet voran, und so türmte sichs aufwärts; das dazwischen Herabgestürzte lag in mächtigen Platten und Trümmern unregelmäßig übereinander und schien dem Kühnsten jeden Angriff zu verbieten. Aber das Steile, Jähe scheint der Jugend zuzusagen; dies zu unternehmen, zu erstürmen, zu erobern, ist jungen Gliedern ein Genuß. Die Fürstin bezeigte Neigung zu einem Versuch, Honorio war bei der Hand, der fürstliche Oheim, wenn schon bequemer, ließ sichs gefallen und wollte sich doch auch nicht unkräftig zeigen; die Pferde sollten am Fuß unter den Bäumen halten, und man wollte bis zu einem gewissen Punkte gelangen, wo ein vorstehender mächtiger Fels einen Flächenraum darbot, von wo man eine Aussicht hatte, die zwar schon in den Blick des Vogels überging, aber sich doch noch malerisch genug hintereinanderschob.

Die Sonne, beinahe auf ihrer höchsten Stelle, verlieh die klarste Beleuchtung: das fürstliche Schloß mit seinen Teilen, Hauptgebäuden, Flügeln, Kuppeln und Türmen erschien gar stattlich; die obere Stadt in ihrer völligen Ausdehnung; auch in die untere konnte man bequem hineinsehen, ja durch das Fernrohr auf dem Markte sogar die Buden unterscheiden. Honorio war immer gewohnt, ein so förderliches Werkzeug überzuschnallen; man schaute den Fluß hinauf und hinab, diesseits das bergartig terrrassenweis unterbrochene, jenseits das aufgleitende flache und in mäßigen Hügeln abwechselnde fruchtbare Land; Ortschaften unzählige: denn es war längst herkömmlich, über die Zahl zu streiten, wieviel man deren von hier oben gewahr werde.

Über die große Weite lag eine heitere Stille, wie es am Mittag zu sein pflegt, wo die Alten sagten, Pan schlafe und alle Natur halte den Atem an, um ihn nicht aufzuwecken.

»Es ist nicht das erste Mal,« sagte die Fürstin, »daß ich auf so hoher weitumschauender Stelle die Betrachtung mache, wie doch die klare Natur so reinlich und friedlich aussieht und den Eindruck verleiht, als wenn gar nichts Widerwärtiges in der Welt sein könne; und wenn man denn wieder in die Menschenwohnung zurückkehrt, sie sei hoch oder niedrig, weit oder eng, so gibts immer etwas zu kämpfen, zu streiten, zu schlichten und zurechtzulegen.« – Honorio, der indessen durch das Sehrohr nach der Stadt geschaut hatte, rief: »Seht hin! seht hin! auf dem Markte fängt es an zu brennen.« Sie sahen hin und bemerkten wenigen Rauch, die Flamme dämpfte der Tag. »Das Feuer greift weiter um sich!« rief man, immer durch die Gläser schauend; auch wurde das Unheil den guten unbewaffneten Augen der Fürstin bemerklich; von Zeit zu Zeit erkannte man eine rote Flammenglut, der Dampf stieg empor, und Fürst Oheim sprach: »Laßt uns zurückkehren, das ist nicht gut; ich fürchtete immer, das Unglück zum zweiten Male zu erleben.« Als sie, herabgekommen, den Pferden wieder zugingen, sagte die Fürstin zu dem alten Herrn: »Reiten Sie hinein, eilig, aber nicht ohne den Reitknecht, lassen Sie mir Honorio, wir folgen sogleich.« Der Oheim fühlte das Vernünftige, ja das Notwendige dieser Worte und ritt so eilig, als der Boden erlaubte, den wüsten steinigen Hang hinunter.

Als die Fürstin aufsaß, sagte Honorio: »Reiten Euer Durchlaucht, ich bitte, langsam! In der Stadt wie auf dem Schloß sind die Feueranstalten in bester Ordnung, man wird sich durch einen so unerwartet außerordentlichen Fall nicht irre machen lassen. Hier aber ist ein böser Boden, kleine Steine und kurzes Gras, schnelles Reiten ist unsicher; ohnehin, bis wir hineinkommen, wird das Feuer schon nieder sein.« Die Fürstin glaubte nicht daran, sie sah den Rauch sich verbreiten, sie glaubte einen aufflammenden Blitz gesehen, einen Schlag gehört zu haben, und nun bewegten sich in ihrer Einbildungskraft alle die Schreckbilder, welche des trefflichen Oheims wiederholte Erzählung von dem erlebten Jahrmarktsbrande leider nur zu tief eingesenkt hatte.

Fürchterlich wohl war jener Fall, überraschend und eindringlich genug, um zeitlebens eine Ahnung und Vorstellung wiederkehrenden Unglücks ängstlich zurückzulassen, als zur Nachtzeit auf dem großen budenreichen Marktraum ein plötzlicher Brand Laden auf Laden ergriffen hatte, ehe noch die in und an diesen leichten Hütten Schlafenden aus tiefen Träumen geschüttelt wurden; der Fürst selbst als ein ermüdet angelangter, erst eingeschlafener Fremder ans Fenster sprang, alles fürchterlich erleuchtet sah, Flamme nach Flamme, rechts und links sich überspringend, ihm entgegenzüngelte. Die Häuser des Marktes, vom Widerschein gerötet, schienen schon zu glühen, drohend, sich jeden Augenblick zu entzünden und in Flammen aufzuschlagen; unten wütete das Element unaufhaltsam, die Bretter prasselten, die Latten knackten, Leinwand flog auf, und ihre düstern, an den Enden flammend ausgezackten Fetzen trieben in der Höhe sich umher, als wenn die bösen Geister, in ihrem Elemente um- und umgestaltet, sich mutwillig tanzend verzehren und da und dort aus den Gluten wieder auftauchen wollten. Dann aber mit kreischendem Geheul rettete jeder, was zur Hand lag; Diener und Knechte mit den Herren bemühten sich, von Flammen ergriffene Ballen fortzuschleppen, von dem brennenden Gestell noch einiges wegzureißen, um es in die Kiste zu packen, die sie denn doch zuletzt den eilenden Flammen zum Raube lassen mußten. Wie mancher wünschte nur einen Augenblick Stillstand dem heranprasselnden Feuer, nach der Möglichkeit einer Besinnung sich umsehend, und er war mit aller seiner Habe schon ergriffen; an der einen Seite brannte, glühte schon, was an der andern noch in finsterer Nacht stand. Hartnäckige Charaktere, willensstarke Menschen widersetzten sich grimmig dem grimmigen Feinde und retteten manches, mit Verlust ihrer Augenbraunen und Haare. Leider nun erneuerte sich vor dem schönen Geiste der Fürstin der wüste Wirrwarr, nun schien der heitere morgendliche Gesichtskreis umnebelt, ihre Augen verdüstert, Wald und Wiese hatten einen wunderbaren bänglichen Anschein.

In das friedliche Tal einreitend, seiner labenden Kühle nicht achtend, waren sie kaum einige Schritte von der lebhaften Quelle des nahe fließenden Baches herab, als die Fürstin ganz unten im Gebüsche des Wiesentals etwas Seltsames erblickte, das sie alsobald für den Tiger erkannte; heranspringend, wie sie ihn vor kurzem gemalt gesehen, kam er entgegen; und dieses Bild zu den furchtbaren Bildern, die sie soeben beschäftigten, machte den wundersamsten Eindruck. »Flieht! gnädige Frau,« rief Honorio, »flieht!« Sie wandte das Pferd um, dem steilen Berg zu, wo sie herabgekommen waren. Der Jüngling aber, dem Untier entgegen, zog die Pistole und schoß, als er sich nahe genug glaubte; leider jedoch war gefehlt, der Tiger sprang seitwärts, das Pferd stutzte, das ergrimmte Tier aber verfolgte seinen Weg, aufwärts unmittelbar der Fürstin nach. Sie sprengte, was das Pferd vermochte, die steile, steinige Strecke hinan, kaum fürchtend, daß ein zartes Geschöpf, solcher Anstrengung ungewohnt, sie nicht aushalten werde. Es übernahm sich, von der bedrängten Reiterin angeregt, stieß am kleinen Gerölle des Hanges an und wieder an und stürzte zuletzt nach heftigem Bestreben kraftlos zu Boden. Die schöne Dame, entschlossen und gewandt, verfehlte nicht, sich strack auf ihre Füße zu stellen, auch das Pferd richtete sich auf; aber der Tiger nahte schon, obgleich nicht mit heftiger Schnelle; der ungleiche Boden, die scharfen Steine schienen seinen Antrieb zu hindern, und nur daß Honorio unmittelbar hinter ihm herflog, neben ihm gemäßigt heraufritt, schien seine Kraft aufs neue anzuspornen und zu reizen. Beide Renner erreichten zugleich den Ort, wo die Fürstin am Pferde stand; der Ritter beugte sich herab, schoß und traf mit der zweiten Pistole das Ungeheuer durch den Kopf, daß es sogleich niederstürzte und ausgestreckt in seiner Länge erst recht die Macht und Furchtbarkeit sehen ließ, von der nur noch das Körperliche übriggeblieben dalag. Honorio war vom Pferde gesprungen und kniete schon auf dem Tiere, dämpfte seine letzten Bewegungen und hielt den gezogenen

Hirschfänger in der rechten Hand. Der Jüngling war schön, er war herangesprengt, wie ihn die Fürstin oft im Lanzen- und Ringelspiel gesehen hatte. Ebenso traf in der Reitbahn seine Kugel im Vorbeisprengen den Türkenkopf auf dem Pfahl gerade unter dem Turban in die Stirne; ebenso spießte er, flüchtig heransprengend, mit dem blanken Säbel das Mohrenhaupt vom Boden auf. In allen solchen Künsten war er gewandt und glücklich, hier kam beides zustatten.

»Gebt ihm den Rest,« sagte die Fürstin, »ich fürchte, er beschädigt Euch noch mit den Krallen.« – »Verzeiht!« erwiderte der Jüngling, »er ist schon tot genug, und ich mag das Fell nicht verderben, das nächsten Winter auf Eurem Schlitten glänzen soll.« – »Frevelt nicht!« sagte die Fürstin; »alles, was von Frömmigkeit im tiefen Herzen wohnt, entfaltet sich in solchem Augenblick.« – »Auch ich«, rief Honorio, »war nicht frömmer als jetzt eben, deshalb aber denk ich ans Freudigste, ich blicke dieses Fell nur an, wie es Euch zur Lust begleiten kann.« – »Es würde mich immer an diesen schrecklichen Augenblick erinnern«, versetzte sie. – »Ist es doch«, erwiderte der Jüngling mit glühender Wange, »ein unschuldigeres Triumphzeichen, als wenn die Waffen erschlagener Feinde vor dem Sieger her zur Schau getragen wurden.« – »Ich werde mich an Eure Kühnheit und Gewandtheit dabei erinnern und darf nicht hinzusetzen, daß Ihr auf meinen Dank und auf die Gnade des Fürsten lebenslänglich rechnen könnt. Aber steht auf; schon ist kein Leben mehr im Tiere, bedenken wir das weitere, vor allen Dingen steht auf!« – »Da ich nun einmal kniee,« versetzte der Jüngling, »da ich mich in einer Stellung befinde, die mir auf jede andere Weise untersagt wäre, so laßt mich bitten, von der Gunst, von der Gnade, die Ihr mir zuwendet, in diesem Augenblick versichert zu werden. Ich habe schon so oft Euren hohen Gemahl gebeten um Urlaub und Vergünstigung einer weitern Reise. Wer das Glück hat, an Eurer Tafel zu sitzen, wen Ihr beehrt, Eure Gesellschaft unterhalten zu dürfen, der muß die Welt gesehen haben. Reisende strömen von allen Orten her, und wenn von einer Stadt, von einem wichtigen Punkte irgendeines Weltteils gesprochen wird, ergeht an den Eurigen jedesmal die Frage, ob er daselbst gewesen sei. Niemanden traut man Verstand zu, als wer das alles gesehen hat; es ist, als wenn man sich nur für andere zu unterrichten hätte.«

»Steht auf!« wiederholte die Fürstin, »ich möchte nicht gern gegen die Überzeugung meines Gemahls irgend etwas wünschen und bitten; allein, wenn ich nicht irre, so ist die Ursache, warum er Euch bisher zurückhielt, bald gehoben. Seine Absicht war, Euch zum selbständigen Edelmann herangereift zu sehen, der sich und ihm auch auswärts Ehre machte wie bisher am Hofe; und ich dächte, Eure Tat wäre ein so empfehlender Reisepaß, als ein junger Mann nur in die Welt mitnehmen kann.«

Daß anstatt einer jugendlichen Freude eine gewisse Trauer über sein Gesicht zog, hatte die Fürstin nicht Zeit zu bemerken, noch er, seiner Empfindung Raum zu geben, denn hastig den Berg herauf, einen Knaben an der Hand, kam eine Frau, geradezu auf die Gruppe los, die wir kennen; und kaum war Honorio, sich besinnend, aufgestanden, als sie sich heulend und schreiend über den Leichnam herwarf und an dieser Handlung, sowie an einer, obgleich reinlich anständigen, doch bunten und seltsamen Kleidung sogleich erraten ließ, sie sei die Meisterin und Wärterin dieses dahingestreckten Geschöpfes, wie denn der schwarzaugige, schwarzlockige Knabe, der eine Flöte in der Hand hielt, gleich der Mutter weinend, weniger heftig, aber tief gerührt, neben ihr knieete.

Den gewaltsamen Ausbrüchen der Leidenschaft dieses unglücklichen Weibes folgte, zwar unterbrochen stoßweise, ein Strom von Worten, wie ein Bach sich in Absätzen von Felsen zu Felsen stürzt. Eine natürliche Sprache, kurz und abgebrochen, machte sich eindringlich und rührend; vergebens würde man sie in unsern Mundarten übersetzen wollen; den ungefähren Inhalt dürfen wir nicht verhehlen. »Sie haben dich ermordet, armes Tier! ermordet ohne Not! Du warst zahm und hättest dich gern ruhig niedergelassen und auf uns gewartet; denn deine Fußballen schmerzten dich, und deine Krallen hatten keine Kraft mehr! Die heiße Sonne fehlte dir, sie zu reifen. Du warst der Schönste deinesgleichen; wer hat je einen königlichen Tiger so herrlich ausgestreckt im Schlafe gesehen, wie du nun hier liegst, tot, um nicht wieder aufzustehen. Wenn du des Morgens aufwachtest beim frühen Tagschein und den Rachen aufsperrtest, ausstreckend die rote Zunge, so schienst du uns zu lächeln, und, wenn schon brüllend, nahmst du doch spielend dein Futter aus den Händen einer Frau, von den Fingern eines Kindes! Wie lange begleiteten wir dich auf deinen Fahrten, wie lange war deine Gesellschaft uns wichtig und fruchtbar! Uns! uns ganz eigentlich kam die Speise von den Fressern und süße Labung von den Starken. So wird es nicht mehr sein! Wehe, wehe!«

Sie hatte nicht ausgeklagt, als über die mittlere Höhe des Bergs am Schlosse herab Reiter heransprengten, die alsobald für das Jagdgefolge des Fürsten erkannt wurden, er selbst voran. Sie hatten, in den hintern Gebirgen jagend, die Brandwolken aufsteigen sehen und durch Täler und Schluchten, wie auf gewaltsam hetzender Jagd, den geraden Weg nach diesem traurigen Zeichen genommen. Über die steinige Blöße einhersprengend, stutzten und starrten sie, nun die unerwartete Gruppe gewahr werdend, die sich auf der leeren Fläche merkwürdig auszeichnete. Nach dem ersten Erkennen verstummte man, und nach einigem Erholen ward, was der Anblick nicht selbst ergab, mit wenigen Worten erläutert. So stand der Fürst vor dem seltsamen unerhörten Ereignis, einen Kreis umher von Reitern und Nacheilenden zu Fuße. Unschlüssig war man nicht, was zu tun sei; anzuordnen, auszuführen war der Fürst beschäftigt, als ein Mann sich in den Kreis drängte, groß von Gestalt, bunt und wunderlich gekleidet wie Frau und Kind. Und nun gab die Familie zu-

sammen Schmerz und Überraschung zu erkennen. Der Mann aber, gefaßt, stand in ehrfurchtsvoller Entfernung vor dem Fürsten und sagte: »Es ist nicht Klagenszeit; ach, mein Herr und mächtiger Jäger, auch der Löwe ist los, auch hier nach dem Gebirg ist er hin, aber schont ihn, habt Barmherzigkeit, daß er nicht umkomme wie dies gute Tier.«
»Der Löwe?« sagte der Fürst, »hast du seine Spur?« – »Ja, Herr! Ein Bauer dort unten, der sich ohne Not auf einen Baum gerettet hatte, wies mich weiter hier links hinauf, aber ich sah den großen Trupp Menschen und Pferde vor mir, neugierig und hülfsbedürftig eilt ich hierher.« – »Also«, beorderte der Fürst, »muß die Jagd sich auf diese Seite ziehen; ihr ladet eure Gewehre, geht sachte zu Werk, es ist kein Unglück, wenn ihr ihn in die tiefen Wälder treibt; aber am Ende, guter Mann, werden wir Euer Geschöpf nicht schonen können; warum wart Ihr unvorsichtig genug, sie entkommen zu lassen?« – »Das Feuer brach aus,« versetzte jener, »wir hielten uns still und gespannt, es verbreitete sich schnell, aber fern von uns; wir hatten Wasser genug zu unserer Verteidigung, aber ein Pulverschlag flog auf und warf die Brände bis an uns heran, über uns weg; wir übereilten uns und sind nun unglückliche Leute.«
Noch war der Fürst mit Anordnungen beschäftigt, aber einen Augenblick schien alles zu stocken, als oben vom alten Schloß herab eilig ein Mann heranspringend gesehen ward, den man bald für den angestellten Wächter erkannte, der die Werkstätte des Malers bewachte, indem er darin seine Wohnung nahm und die Arbeiter beaufsichtigte. Er kam außer Atem springend, doch hatte er bald mit wenigen Worten angezeigt: oben hinter der höhern Ringmauer habe sich der Löwe im Sonnenschein gelagert, am Fuße einer hundertjährigen Buche, und verhalte sich ganz ruhig. Ärgerlich aber schloß der Mann: »Warum habe ich gestern meine Büchse in die Stadt getragen, um sie ausputzen zu lassen! Hätte ich sie bei der Hand gehabt, er wäre nicht wieder aufgestanden; das

Fell wäre doch mein gewesen, und ich hätte mich dessen, wie billig, zeitlebens gebrüstet.«
Der Fürst, dem seine militärischen Erfahrungen auch hier zustatten kamen, da er sich wohl schon in Fällen gefunden hatte, wo von mehreren Seiten unvermeidliches Übel herandrohte, sagte hierauf: »Welche Bürgschaft gebt Ihr mir, daß, wenn wir Eures Löwen schonen, er nicht im Lande unter den Meinigen Verderben anrichtet?«
»Hier diese Frau und dieses Kind«, erwiderte der Vater hastig, »erbieten sich, ihn zu zähmen, ihn ruhig zu erhalten, bis ich den beschlagenen Kasten heraufschaffe, da wir ihn denn unschädlich und unbeschädigt wieder zurückbringen werden.«
Der Knabe schien seine Flöte versuchen zu wollen, ein Instrument von der Art, das man sonst die sanfte, süße Flöte zu nennen pflegte; sie war kurz geschnäbelt wie die Pfeifen; wer es verstand, wußte die anmutigsten Töne daraus hervorzulocken. Indes hatte der Fürst den Wärtel gefragt, wie der Löwe hinaufgekommen. Dieser aber versetzte: »Durch den Hohlweg, der, auf beiden Seiten vermauert, von jeher der einzige Zugang war und der einzige bleiben soll; zwei Fußpfade, die noch hinaufführten, haben wir dergestalt entstellt, daß niemand als durch jenen ersten engen Anweg zu dem Zauberschlosse gelangen könne, wozu es Fürst Friedrichs Geist und Geschmack ausbilden will.«
Nach einigem Nachdenken, wobei sich der Fürst nach dem Kinde umsah, das immer sanft gleichsam zu präludieren fortgefahren hatte, wendete er sich zu Honorio und sagte: »Du hast heute viel geleistet, vollende das Tagwerk. Besetze den schmalen Weg, haltet eure Büchsen bereit, aber schießt nicht eher, als bis ihr das Geschöpf nicht sonst zurückscheuchen könnt; allenfalls macht ein Feuer an, vor dem er sich fürchtet, wenn er herunter will. Mann und Frau möge für das übrige stehen.« Eilig schickte Honorio sich an, die Befehle zu vollführen.

Das Kind verfolgte seine Melodie, die keine war, eine Tonfolge ohne Gesetz, und vielleicht ebendeswegen so herzergreifend; die Umstehenden schienen wie verzaubert von der Bewegung einer liederartigen Weise, als der Vater mit anständigem Enthusiasmus zu reden anfing und fortfuhr:
»Gott hat dem Fürsten Weisheit gegeben und zugleich die Erkenntnis, daß alle Gotteswerke weise sind, jedes nach seiner Art. Seht den Felsen, wie er feststeht und sich nicht rührt, der Witterung trotzt und dem Sonnenschein; uralte Bäume zieren sein Haupt, und so gekrönt schaut er weit umher; stürzt aber ein Teil herunter, so will es nicht bleiben, was es war, es fällt zertrümmert in viele Stücke und bedeckt die Seite des Hanges. Aber auch da wollen sie nicht verharren, mutwillig springen sie tief hinab, der Bach nimmt sie auf, zum Flusse trägt er sie. Nicht widerstehend, nicht widerspenstig, eckig, nein, glatt und abgerundet gewinnen sie schneller ihren Weg und gelangen von Fluß zu Fluß, endlich zum Ozean, wo die Riesen in Scharen daherziehen und in der Tiefe die Zwerge wimmeln.
Doch wer preist den Ruhm des Herrn, den die Sterne loben von Ewigkeit zu Ewigkeit! Warum seht ihr aber im Fernen umher? Betrachtet hier die Biene! Noch spät im Herbst sammelt sie emsig und baut sich ein Haus, winkel- und waagerecht, als Meister und Geselle; schaut die Ameise da! sie kennt ihren Weg und verliert ihn nicht; sie baut sich eine Wohnung aus Grashalmen, Erdbröslein und Kiefernadeln, sie baut es in die Höhe und wölbet es zu; aber sie hat umsonst gearbeitet, denn das Pferd stampft und scharrt alles auseinander; seht hin! es zertritt ihre Balken und zerstreut ihre Planken, ungeduldig schnaubt es und kann nicht rasten; denn der Herr hat das Roß zum Gesellen des Windes gemacht und zum Gefährten des Sturms, daß es den Mann dahin trage, wohin er will, und die Frau, wohin sie begehrt. Aber im Palmenwald trat er auf, der Löwe, ernsten Schrittes durchzog er die Wüste, dort herrscht er über alles Getier, und nichts widersteht ihm.

Doch der Mensch weiß ihn zu zähmen, und das grausamste der Geschöpfe hat Ehrfurcht vor dem Ebenbilde Gottes, wornach auch die Engel gemacht sind, die dem Herrn dienen und seinen Dienern. Denn in der Löwengrube scheute sich Daniel nicht; er blieb fest und getrost, und das wilde Brüllen unterbrach nicht seinen frommen Gesang.«

Diese mit dem Ausdruck eines natürlichen Enthusiasmus gehaltene Rede begleitete das Kind hie und da mit anmutigen Tönen; als aber der Vater geendigt hatte, fing es mit reiner Kehle, heller Stimme und geschickten Läufen zu intonieren an, worauf der Vater die Flöte ergriff, im Einklang sich hören ließ, das Kind aber sang:

Aus den Gruben, hier im Graben
Hör ich des Propheten Sang;
Engel schweben, ihn zu laben,
Wäre da dem Guten bang?
Löw und Löwin, hin und wider,
Schmiegen sich um ihn heran;
Ja, die sanften, frommen Lieder
Habens ihnen angetan!

Der Vater fuhr fort, die Strophe mit der Flöte zu begleiten, die Mutter trat hie und da als zweite Stimme mit ein.

Eindringlich aber ganz besonders war, daß das Kind die Zeilen der Strophe nunmehr zu anderer Ordnung durcheinanderschob und dadurch, wo nicht einen neuen Sinn hervorbrachte, doch das Gefühl in und durch sich selbst aufregend erhöhte.

Engel schweben auf und nieder,
Uns in Tönen zu erlaben,
Welch ein himmlischer Gesang!
In den Gruben, in dem Graben
Wäre da dem Kinde bang?
Diese sanften, frommen Lieder
Lassen Unglück nicht heran;
Engel schweben hin und wider,
Und so ist es schon getan.

Hierauf mit Kraft und Erhebung begannen alle drei:

Denn der Ewge herrscht auf Erden,
Über Meere herrscht sein Blick;
Löwen sollen Lämmer werden,
Und die Welle schwankt zurück;
Blankes Schwert erstarrt im Hiebe,
Glaub und Hoffnung sind erfüllt;
Wundertätig ist die Liebe,
Die sich im Gebet enthüllt.

Alles war still, hörte, horchte, und nur erst als die Töne verhallten, konnte man den Eindruck bemerken und allenfalls beobachten. Alles war wie beschwichtigt; jeder in seiner Art gerührt. Der Fürst, als wenn er erst jetzt das Unheil übersähe, das ihn vor kurzem bedroht hatte, blickte nieder auf seine Gemahlin, die, an ihn gelehnt, sich nicht versagte, das gestickte Tüchlein hervorzuziehen und die Augen damit zu bedecken. Es tat ihr wohl, die jugendliche Brust von dem Druck erleichtert zu fühlen, mit dem die vorhergehenden Minuten sie belastet hatten. Eine vollkommene Stille beherrschte die Menge, man schien die Gefahren vergessen zu haben: unten den Brand und von oben das Erstehen eines bedenklich ruhenden Löwen.

Durch einen Wink, die Pferde näher herbeizuführen, brachte der Fürst zuerst wieder in die Gruppe Bewegung, dann wendete er sich zu dem Weibe und sagte: »Ihr glaubt also, daß Ihr den entsprungenen Löwen, wo Ihr ihn antrefft, durch Euren Gesang, durch den Gesang dieses Kindes, mit Hülfe dieser Flötentöne beschwichtigen und ihn sodann unschädlich sowie unbeschädigt in seinen Verschluß wieder zurückbringen könntet?« Sie bejahten es, versichernd und beteuernd; der Kastellan wurde ihnen als Wegweiser zugegeben. Nun entfernte der Fürst mit wenigen sich eiligst, die Fürstin folgte langsamer mit dem übrigen Gefolge; Mutter aber und Sohn stiegen, von dem Wärtel, der sich eines Gewehrs bemächigt hatte, begleitet, steiler gegen den Berg hinan.

Vor dem Eintritt in den Hohlweg, der den Zugang zu dem Schloß eröffnete, fanden sie die Jäger beschäftigt, dürres Reisig zu häufen, damit sie auf jeden Fall ein großes Feuer anzünden könnten. – »Es ist nicht Not,« sagte die Frau, »es wird ohne das alles in Güte geschehen.«

Weiter hin, auf einem Mauerstücke sitzend, erblickten sie Honorio, seine Doppelbüchse in den Schoß gelegt, auf einem Posten als wie zu jedem Ereignis gefaßt. Aber die Herankommenden schien er kaum zu bemerken, er saß wie in tiefen Gedanken versunken, er sah umher wie zerstreut. Die Frau sprach ihn an mit Bitte, das Feuer nicht anzünden zu lassen, er schien jedoch ihrer Rede wenig Aufmerksamkeit zu schenken; sie redete lebhaft fort und rief: »Schöner junger Mann, du hast meinen Tiger erschlagen – ich fluche dir nicht; schone meine Löwen, guter junger Mann – ich segne dich.«

Honorio schaute gerad vor sich hin, dorthin, wo die Sonne auf ihrer Bahn sich zu senken begann. – »Du schaust nach Abend,« rief die Frau, »du tust wohl daran, dort gibts viel zu tun; eile nur, säume nicht, du wirst überwinden. Aber zuerst überwinde dich selbst.« Hierauf schien er zu lächeln, die Frau stieg weiter, konnte sich aber nicht enthalten, nach dem Zurückbleibenden nochmals umzublicken; eine rötliche Sonne überschien sein Gesicht, sie glaubte nie einen schönern Jüngling gesehen zu haben.

»Wenn Euer Kind,« sagte nunmehr der Wärtel, »flötend und singend, wie Ihr überzeugt seid, den Löwen anlocken und beruhigen kann, so werden wir uns desselben sehr leicht bemeistern, da sich das gewaltige Tier ganz nah an die durchbrochenen Gewölbe hingelagert hat, durch die wir, da das Haupttor verschüttet ist, einen Eingang in den Schloßhof gewonnen haben. Lockt ihn das Kind hinein, so kann ich die Öffnung mit leichter Mühe schließen und der Knabe, wenn es ihm gut deucht, durch eine der kleinen Wendeltreppen, die er in der Ecke sieht, dem Tiere entschlüpfen.

Wir wollen uns verbergen, aber ich werde mich so stellen, daß meine Kugel jeden Augenblick dem Kinde zu Hülfe kommen kann.«

»Die Umstände sind alle nicht nötig; Gott und Kunst, Frömmigkeit und Glück müssen das Beste tun.« – »Es sei,« versetzte der Wärtel, »aber ich kenne meine Pflichten. Erst führ ich Euch durch einen beschwerlichen Stieg auf das Gemäuer hinauf, gerade dem Eingang gegenüber, den ich erwähnt habe; das Kind mag hinabsteigen, gleichsam in die Arena des Schauspiels, und das besänftigte Tier dort hereinlocken.«

Das geschah; Wärtel und Mutter sahen versteckt von oben herab, wie das Kind die Wendeltreppen hinunter in dem klaren Hofraum sich zeigte und in der düstern Öffnung gegenüber verschwand, aber sogleich seinen Flötenton hören ließ, der sich nach und nach verlor und endlich verstummte. Die Pause war ahnungsvoll genug, den alten, mit Gefahr bekannten Jäger beengte der seltene menschliche Fall. Er sagte sich, daß er lieber persönlich dem gefährlichen Tiere entgegenginge; die Mutter jedoch, mit heiterm Gesicht, übergebogen horchend, ließ nicht die mindeste Unruhe bemerken.

Endlich hörte man die Flöte wieder, das Kind trat aus der Höhle hervor mit glänzend befriedigten Augen, der Löwe hinter ihm drein, aber langsam und, wie es schien, mit einiger Beschwerde. Er zeigte hie und da Lust, sich niederzulegen, doch der Knabe führte ihn im Halbkreise durch die wenig entblätterten, buntbelaubten Bäume, bis er sich endlich in den letzten Strahlen der Sonne, die sie durch eine Ruinenlücke hereinsandte, wie verklärt niedersetzte und sein beschwichtigendes Lied abermals begann, dessen Wiederholung wir uns auch nicht entziehen können.

Aus den Gruben, hier im Graben
Hör ich des Propheten Sang;
Engel schweben, ihn zu laben,

Wäre da dem Guten bang?
Löw und Löwin, hin und wider,
Schmiegen sich um ihn heran;
Ja, die sanften, frommen Lieder
Habens ihnen angetan!

Indessen hatte sich der Löwe ganz knapp an das Kind hingelegt und ihm die schwere rechte Vordertatze auf den Schoß gehoben, die der Knabe fortsingend anmutig streichelte, aber gar bald bemerkte, daß ein scharfer Dornzweig zwischen die Ballen eingestochen war. Sorgfältig zog er die verletzende Spitze hervor, nahm lächelnd sein buntseidenes Halstuch vom Nacken und verband die greuliche Tatze des Untiers, so daß die Mutter sich vor Freuden mit ausgestreckten Armen zurückbog und vielleicht angewohnter Weise Beifall gerufen und geklatscht hätte, wäre sie nicht durch einen derben Faustgriff des Wärtels erinnert worden, daß die Gefahr nicht vorüber sei.

Glorreich sang das Kind weiter, nachdem es mit wenigen Tönen vorgespielt hatte:

Denn der Ewge herrscht auf Erden,
Über Meere herrscht sein Blick;
Löwen sollen Lämmer werden,
Und die Welle schwankt zurück;
Blankes Schwert erstarrt im Hiebe,
Glaub und Hoffnung sind erfüllt;
Wundertätig ist die Liebe,
Die sich im Gebet enthüllt.

Ist es möglich zu denken, daß man in den Zügen eines so grimmigen Geschöpfs, des Tyrannen der Wälder, des Despoten des Tierreiches, einen Ausdruck von Freundlichkeit, von dankbarer Zufriedenheit habe spüren können, so geschah es hier, und wirklich sah das Kind in seiner Verklärung aus wie ein mächtiger siegreicher Überwinder, jener zwar nicht wie der Überwundene, denn seine Kraft blieb in ihm verborgen, aber doch wie der Gezähmte, wie der dem eigenen friedlichen Willen Anheimgegebene. Das Kind flötete und sang so weiter, nach seiner Art die Zeilen verschränkend und neue hinzufügend:

Und so geht mit guten Kindern
Selger Engel gern zu Rat,
Böses Wollen zu verhindern,
Zu befördern schöne Tat.
So beschwören, festzubannen
Liebem Sohn ans zarte Knie
Ihn, des Waldes Hochtyrannen,
Frommer Sinn und Melodie.

HEINRICH VON KLEIST

Das Erdbeben in Chili

In St. Jago, der Hauptstadt des Königreichs Chili, stand gerade in dem Augenblicke der großen Erderschütterung vom Jahre 1647, bei welcher viele tausend Menschen ihren Untergang fanden, ein junger, auf ein Verbrechen angeklagter Spanier, namens Jeronimo Rugera, an einem Pfeiler des Gefängnisses, in welches man ihn eingesperrt hatte, und wollte sich erhenken. Don Henrico Asteron, einer der reichsten Edelleute der Stadt, hatte ihn ungefähr ein Jahr zuvor aus seinem Hause, wo er als Lehrer angestellt war, entfernt, weil er sich mit Donna Josephe, seiner einzigen Tochter, in einem zärtlichen Einverständnis befunden hatte. Eine geheime Bestellung, die dem alten Don, nachdem er die Tochter nachdrücklich gewarnt hatte, durch die hämische Aufmerksamkeit seines stolzen Sohnes verraten worden war, entrüstete ihn dergestalt, daß er sie in dem Karmeliter-Kloster Unsrer Lieben Frauen vom Berge daselbst unterbrachte. Durch einen glücklichen Zufall hatte Jeronimo hier die Verbindung von neuem anzuknüpfen gewußt und in einer verschwiegenen Nacht den Klostergarten zum Schauplatze seines vollen Glückes gemacht. Es war am Fronleichnamsfeste, und die feierliche Prozession der Nonnen, welchen die Novizen folgten, nahm eben ihren Anfang, als die unglückliche Josephe bei dem Anklange der Glocken in Mutterwehen auf den Stufen der Kathedrale niedersank. Dieser Vorfall machte außerordentliches Aufsehn, man brachte die junge Sünderin ohne Rücksicht auf ihren Zustand sogleich in ein Gefängnis, und kaum war sie aus den Wochen erstanden, als ihr schon auf

Befehl des Erzbischofs der geschärfteste Prozeß gemacht ward. Man sprach in der Stadt mit einer so großen Erbitterung von diesem Skandal, und die Zungen fielen so scharf über das ganze Kloster her, in welchem er sich zugetragen hatte, daß weder die Fürbitte der Familie Asteron noch auch sogar der Wunsch der Äbtissin selbst, welche das junge Mädchen wegen ihres sonst untadelhaften Betragens lieb gewonnen hatte, die Strenge, mit welcher das klösterliche Gesetz sie bedrohte, mildern konnte. Alles, was geschehen konnte, war, daß der Feuertod, zu dem sie verurteilt wurde, zur großen Entrüstung der Matronen und Jungfrauen von St. Jago durch einen Machtspruch des Vizekönigs in eine Enthauptung verwandelt ward. Man vermietete in den Straßen, durch welche der Hinrichtungszug gehen sollte, die Fenster, man trug die Dächer der Häuser ab, und die frommen Töchter der Stadt luden ihre Freundinnen ein, um dem Schauspiele, das der göttlichen Rache gegeben wurde, an ihrer schwesterlichen Seite beizuwohnen. Jeronimo, der inzwischen auch in ein Gefängnis gesetzt worden war, wollte die Besinnung verlieren, als er diese ungeheure Wendung der Dinge erfuhr. Vergebens sann er auf Rettung: überall, wohin ihn auch der Fittich der vermessensten Gedanken trug, stieß er auf Riegel und Mauern, und ein Versuch, die Gitterfenster zu durchfeilen, zog ihm, da er entdeckt ward, eine nur noch engere Einsperrung zu. Er warf sich vor dem Bildnisse der heiligen Mutter Gottes nieder und betete mit unendlicher Inbrunst zu ihr als der einzigen, von der ihm jetzt noch Rettung kommen könnte. Doch der gefürchtete Tag erschien, und mit ihm in seiner Brust die Überzeugung von der völligen Hoffnungslosigkeit seiner Lage. Die Glocken, welche Josephen zum Richtplatze begleiteten, ertönten, und Verzweiflung bemächtigte sich seiner Seele. Das Leben schien ihm verhaßt, und er beschloß, sich durch einen Strick, den ihm der Zufall gelassen hatte, den Tod zu geben. Eben stand er, wie schon gesagt, an einem Wandpfeiler und befestigte den

Strick, der ihn dieser jammervollen Welt entreißen sollte, an eine Eisenklammer, die an dem Gesimse desselben eingefugt war, als plötzlich der größte Teil der Stadt mit einem Gekrache, als ob das Firmament einstürzte, versank und alles, was Leben atmete, unter seinen Trümmern begrub. Jeronimo Rugera war starr vor Entsetzen; und gleich, als ob sein ganzes Bewußtsein zerschmettert worden wäre, hielt er sich jetzt an dem Pfeiler, an welchem er hatte sterben wollen, um nicht umzufallen. Der Boden wankte unter seinen Füßen, alle Wände des Gefängnisses rissen, der ganze Bau neigte sich, nach der Straße zu einzustürzen, und nur der seinem langsamen Fall begegnende Fall des gegenüberstehenden Gebäudes verhinderte durch eine zufällige Wölbung die gänzliche Zubodenstreckung desselben. Zitternd, mit sträubenden Haaren, und Knieen, die unter ihm brechen wollten, glitt Jeronimo über den schiefgesenkten Fußboden hinweg der Öffnung zu, die der Zusammenschlag beider Häuser in die vordere Wand des Gefängnisses eingerissen hatte. Kaum befand er sich im Freien, als die ganze, schon erschütterte Straße auf eine zweite Bewegung der Erde völlig zusammenfiel. Besinnungslos, wie er sich aus diesem allgemeinen Verderben retten würde, eilte er über Schutt und Gebälk hinweg, indessen der Tod von allen Seiten Angriffe auf ihn machte, nach einem der nächsten Tore der Stadt. Hier stürzte noch ein Haus zusammen und jagte ihn, die Trümmer weit umherschleudernd, in eine Nebenstraße; hier leckte die Flamme schon, in Dampfwolken blitzend, aus allen Giebeln und trieb ihn schreckenvoll in eine andere; hier wälzte sich, aus seinem Gestade gehoben, der Mapochofluß an ihn heran und riß ihn brüllend in eine dritte. Hier lag ein Haufen Erschlagener, hier ächzte noch eine Stimme unter dem Schutte, hier schrieen Leute von brennenden Dächern herab, hier kämpften Menschen und Tiere mit den Wellen, hier war ein mutiger Retter bemüht, zu helfen; hier stand ein anderer bleich wie der Tod und streckte sprachlos zitternde Hände zum Himmel. Als

Jeronimo das Tor erreicht und einen Hügel jenseits desselben bestiegen hatte, sank er ohnmächtig auf demselben nieder. Er mochte wohl eine Viertelstunde in der tiefsten Bewußtlosigkeit gelegen haben, als er endlich wieder erwachte und sich mit nach der Stadt gekehrtem Rücken halb auf dem Erdboden erhob. Er befühlte sich Stirn und Brust, unwissend, was er aus seinem Zustande machen sollte, und ein unsägliches Wonnegefühl ergriff ihn, als ein Westwind vom Meere her sein wiederkehrendes Leben anwehte und sein Auge sich nach allen Richtungen über die blühende Gegend von St. Jago hinwandte. Nur die verstörten Menschenhaufen, die sich überall blicken ließen, beklemmten sein Herz; er begriff nicht, was ihn und sie hiehergeführt haben konnte, und erst, da er sich umkehrte, und die Stadt hinter sich versunken sah, erinnerte er sich des schrecklichen Augenblicks, den er erlebt hatte. Er senkte sich so tief, daß seine Stirn den Boden berührte, Gott für seine wunderbare Errettung zu danken; und gleich als ob der eine entsetzliche Eindruck, der sich seinem Gemüt eingeprägt hatte, alle früheren daraus verdrängt hätte, weinte er vor Lust, daß er sich des lieblichen Lebens voll bunter Erscheinungen noch erfreue. Drauf, als er eines Ringes an seiner Hand gewahrte, erinnerte er sich plötzlich auch Josephens und mit ihr seines Gefängnisses, der Glocken, die er dort gehört hatte, und des Augenblicks, der dem Einsturze desselben vorangegangen war. Tiefe Schwermut erfüllte wieder seine Brust; sein Gebet fing ihn zu reuen an, und fürchterlich schien ihm das Wesen, das über den Wolken waltet. Er mischte sich unter das Volk, das überall, mit Rettung des Eigentums beschäftigt, aus den Toren stürzte, und wagte schüchtern nach der Tochter Asterons, und ob die Hinrichtung an ihr vollzogen worden sei, zu fragen; doch niemand war, der ihm umständliche Auskunft gab. Eine Frau, die auf einem fast zur Erde gedrückten Nacken eine ungeheure Last von Gerätschaften und zwei Kinder an der Brust hängend trug, sagte im Vorbeigehen, als ob sie es selbst angesehen hätte, daß sie enthauptet worden sei. Jeronimo kehrte sich um; und da er, wenn er die Zeit berechnete, selbst an ihrer Vollendung nicht zweifeln konnte, so setzte er sich in einem einsamen Walde nieder und überließ sich seinem vollen Schmerz. Er wünschte, daß die zerstörende Gewalt der Natur von neuem über ihn einbrechen möchte. Er begriff nicht, warum er dem Tode, den seine jammervole Seele suchte, in jenen Augenblicken, da er ihm freiwillig von allen Seiten rettend erschien, entflohen sei. Er nahm sich fest vor, nicht zu wanken, wenn auch jetzt die Eichen entwurzelt werden und ihre Wipfel über ihn zusammenstürzen sollten. Darauf nun, da er sich ausgeweint hatte und ihm mitten unter den heißesten Tränen die Hoffnung wieder erschienen war, stand er auf und durchstreifte nach allen Richtungen das Feld. Jeden Berggipfel, auf dem sich die Menschen versammelt hatten, besuchte er; auf allen Wegen, wo sich der Strom der Flucht noch bewegte, begegnete er ihnen; wo nur irgendein weibliches Gewand im Winde flatterte, da trug ihn sein zitternder Fuß hin; doch keines deckte die geliebte Tochter Asterons. Die Sonne neigte sich und mit ihr seine Hoffnung schon wieder zum Untergange, als er den Rand eines Felsens betrat und sich ihm die Aussicht in ein weites, nur von wenig Menschen besuchtes Tal eröffnete. Er durchlief, unschlüssig, was er tun sollte, die einzelnen Gruppen derselben und wollte sich schon wieder wenden, als er plötzlich an einer Quelle, die die Schlucht bewässerte, ein junges Weib erblickte, beschäftigt, ein Kind in ihren Fluten zu reinigen. Und das Herz hüpfte ihm bei diesem Anblick, er sprang voll Ahndung über die Gesteine herab und rief: »O Mutter Gottes, du Heilige!« und erkannte Josephen, als sie sich bei dem Geräusche schüchtern umsah. Mit welcher Seligkeit umarmten sie sich, die Unglücklichen, die ein Wunder des Himmels gerettet hatte! Josephe war auf ihrem Gang zum Tode dem Richtplatze schon ganz nahe gewesen, als durch den krachenden Einsturz der Gebäude plötzlich der ganze Hinrichtungszug auseinandergesprengt ward. Ihre ersten entsetzenvollen Schritte trugen sie hierauf dem nächsten Tore zu; doch die Besinnung kehrte ihr bald wieder, und sie wandte sich, um nach dem Kloster zu eilen, wo ihr kleiner hilfloser Knabe zurückgeblieben war. Sie fand das ganze Kloster schon in Flammen, und die Äbtissin, die ihr in jenen Augenblicken, die ihre letzten sein sollten, Sorge für den Säugling angelobt hatte, schrie eben, vor den Pforten stehend, nach Hilfe, um ihn zu retten. Josephe stürzte sich unerschrocken durch den Dampf, der ihr entgegenqualmte, in das von allen Seiten schon zusammenfallende Gebäude, und gleich als ob alle Engel des Himmels sie umschirmten, trat sie mit ihm unbeschädigt wieder aus dem Portal hervor. Sie wollte der Äbtissin, welche die Hände über ihr Haupt zusammenschlug, eben in die Arme sinken, als diese mit fast allen ihren Klosterfrauen von einem herabfallenden Giebel des Hauses auf eine schmähliche Art erschlagen ward. Josephe bebte bei diesem entsetzlichen Anblicke zurück; sie drückte der Äbtissin flüchtig die Augen zu und floh, ganz von Schrecken erfüllt, den teuern Knaben, den ihr der Himmel wiedergeschenkt hatte, dem Verderben zu entreißen. Sie hatte noch wenig Schritte getan, als ihr auch schon die Leiche des Erzbischofs begegnete, die man soeben zerschmettert aus dem Schutt der Kathedrale hervorgezogen hatte. Der Palast des Vizekönigs war versunken, der Gerichtshof, in welchem ihr das Urteil gesprochen worden war, stand in Flammen, und an die Stelle, wo sich ihr väterliches Haus befunden hatte, war ein See getreten und kochte rötliche Dämpfe aus. Josephe raffte alle ihre Kräfte zusammen, sich zu halten. Sie schritt, den Jammer von ihrer Brust entfernend, mutig mit ihrer Beute von Straße zu Straße und war schon dem Tore nah, als sie auch das Gefängnis, in welchem Jeronimo geseufzt hatte, in Trümmern sah. Bei diesem Anblicke wankte sie und wollte besinnungslos an einer Ecke niedersinken; doch in demselben Augenblick jagte sie der Sturz eines Gebäudes hinter ihr, das die Erschütterungen schon ganz aufgelöst hatten, durch das Entsetzen gestärkt, wieder auf; sie küßte das Kind, drückte sich die Tränen aus den Augen und erreichte, nicht mehr auf die Greuel, die sie umringten, achtend, das Tor. Als sie sich im Freien sah, schloß sie bald, daß nicht jeder, der ein zertrümmertes Gebäude bewohnt hatte, unter ihm notwendig müsse zerschmettert worden sein. An dem nächsten Scheidewege stand sie still und harrte, ob nicht einer, der ihr nach dem kleinen Philipp der liebste auf der Welt war, noch erscheinen würde. Sie ging, weil niemand kam und das Gewühl der Menschen anwuchs, weiter und kehrte sich wieder um und harrte wieder und schlich, viel Tränen vergießend, in ein dunkles, von Pinien beschattetes Tal, um seiner Seele, die sie entflohen glaubte, nachzubeten, und fand ihn hier, diesen Geliebten, im Tale, und Seligkeit, als ob es das Tal von Eden gewesen wäre. Dies alles erzählte sie jetzt voll Rührung dem Jeronimo und reichte ihm, da sie vollendet hatte, den Knaben zum Küssen dar. – Jeronimo nahm ihn und hätschelte ihn in unsäglicher Vaterfreude und verschloß ihm, da er das fremde Antlitz anweinte, mit Liebkosungen ohne Ende den Mund. Indessen war die schönste Nacht herabgestiegen, voll wundermilden Duftes, so silberglänzend und still, wie nur ein Dichter davon träumen mag. Überall längs der Talquelle hatten sich im Schimmer des Mondscheins Menschen niedergelassen und bereiteten sich sanfte Lager von Moos und Laub, um von einem so qualvollen Tage auszuruhen. Und weil die Armen immer noch jammerten, dieser, daß er sein Haus, jener, daß er Weib und Kind, und der dritte, daß er alles verloren habe, so schlichen Jeronimo und Josephe in ein dichteres Gebüsch, um durch das heimliche Gejauchz ihrer Seelen niemand zu betrüben. Sie fanden einen prachtvollen Granatapfelbaum, der seine Zweige voll duftender Früchte weit ausbreitete; und die Nachtigall flötete im Wipfel ihr wollüstiges Lied. Hier ließ sich Jeronimo am Stamme nieder, und Josephe in seinem, Philipp in Josephens Schoß, saßen sie, von seinem Mantel bedeckt, und ruhten. Der Baumschatten zog mit seinen vertreuten Lichtern über sie hinweg, und der Mond erblaßte schon wieder vor der Morgenröte, ehe sie einschliefen. Denn Unendliches hatten sie zu schwatzen, vom Klostergarten und den Gefängnissen, und was sie umeinander gelitten hätten; und waren sehr gerührt, wenn sie dachten, wie viel Elend über die Welt kommen mußte, damit sie glücklich würden! Sie beschlossen, sobald die Erderschütterungen aufgehört haben würden, nach La Conception zu gehen, wo Josephe eine vertraute Freundin hatte, sich mit einem kleinen Vorschuß, den sie von ihr zu erhalten hoffte, von dort nach Spanien einzuschiffen, wo Jeronimos mütterliche Verwandten wohnten, und daselbst ihr glückliches Leben zu beschließen. Hierauf, unter vielen Küssen, schliefen sie ein.

Als sie erwachten, stand die Sonne schon hoch am Himmel, und sie bemerkten in ihrer Nähe mehrere Familien, beschäftigt, sich am Feuer ein kleines Morgenbrot zu bereiten. Jeronimo dachte eben auch, wie er Nahrung für die Seinigen herbeischaffen sollte, als ein junger wohlgekleideter Mann mit einem Kinde auf dem Arm zu Josephen trat und sie mit Bescheidenheit fragte, ob sie diesem armen Wurme, dessen Mutter dort unter den Bäumen beschädigt liege, nicht auf kurze Zeit ihre Brust reichen wolle. Josephe war ein wenig verwirrt, als sie in ihm einen Bekannten erblickte; doch da er, indem er ihre Verwirrung falsch deutete, fortfuhr: »Es ist nur auf wenige Augenblicke, Donna Josephe, und dieses Kind hat seit jener Stunde, die uns alle unglücklich gemacht hat, nichts genossen«, so sagte sie: »Ich schwieg – aus einem andern Grunde, Don Fernando; in diesen schrecklichen Zeiten weigert sich niemand, von dem, was er besitzen mag, mitzuteilen« und nahm den kleinen Fremdling, indem sie ihr eigenes Kind dem Vater gab, und legte ihn an ihre Brust. Don Fernando war sehr dankbar für die Güte und fragte, ob sie sich nicht mit ihm zu jener Gesellschaft verfügen wollten, wo eben jetzt beim Feuer ein kleines Frühstück bereitet werde. Josephe antwortete, daß sie dies Anerbieten mit Vergnügen annehmen würde, und folgte ihm, da auch Jeronimo nichts einzuwenden hatte, zu seiner Familie, wo sie auf das innigste und zärtlichste von Don Fernandos beiden Schwägerinnen, die sie als sehr würdige junge Damen kannte, empfangen ward. Donna Elvire, Don Fernandos Gemahlin, welche schwer an den Füßen verwundet auf der Erde lag, zog Josephen, da sie ihren abgehärmten Knaben an der Brust derselben sah, mit vieler Freundlichkeit zu sich nieder. Auch Don Pedro, sein Schwiegervater, der an der Schulter verwundet war, nickte ihr liebreich mit dem Haupte zu. – In Jeronimos und Josephes Brust regten sich Gedanken von seltsamer Art. Wenn sie sich mit so vieler Vertraulichkeit und Güte behandelt sahen, so wußten sie nicht, was sie von der Vergangenheit denken sollten, vom Richtplatze, von dem Gefängnisse und der Glocke, und ob sie bloß davon geträumt hätten. Es war, als ob die Gemüter seit dem fürchterlichen Schlage, der sie durchdröhnt hatte, alle versöhnt wären. Sie konnten in der Erinnerung gar nicht weiter als bis auf ihn zurückgehen. Nur Donna Elisabeth, welche bei einer Freundin auf das Schauspiel des gestrigen Morgens eingeladen worden war, die Einladung aber nicht angenommen hatte, ruhte zuweilen mit träumerischem Blicke auf Josephen; doch der Bericht, der über irgendein neues gräßliches Unglück erstattet ward, riß ihre der Gegenwart kaum entflohene Seele schon wieder in dieselbe zurück. Man erzählte, wie die Stadt gleich nach der ersten Haupterschütterung von Weibern ganz voll gewesen, die vor den Augen aller Männer niedergekommen seien, wie die Mönche darin mit dem Kruzifix in der Hand umhergelaufen wären und geschrieen hätten: das Ende der Welt sei da! wie man einer Wache, die auf Befehl des Vizekönigs verlangte, eine Kirche zu räumen, geantwortet hätte: es gäbe keinen Vizekönig von Chili mehr! wie der Vizekönig in den schrecklichsten Augenblicken hätte müssen Galgen aufrichten lassen, um der Dieberei Einhalt zu tun; und wie ein Unschuldiger, der sich von hinten durch ein brennendes Haus gerettet, von dem Besitzer aus Übereilung ergriffen und sogleich auch aufgeknüpft worden wäre. Donna Elvire, bei deren Verletzungen Josephe viel beschäftigt war, hatte in einem Augenblick, da gerade die Erzählungen sich am lebhaftesten kreuzten, Gelegenheit genommen, sie zu fragen, wie es denn ihr an diesem fürchterlichen Tage ergangen sei. Und da Josephe ihr mit beklemmtem Herzen einige Hauptzüge davon angab, so ward ihr die Wollust, Tränen in die Augen dieser Dame treten zu sehen; Donna Elvire ergriff ihre Hand und drückte sie und winkte ihr zu schweigen. Josephe dünkte sich unter den Seligen. Ein Gefühl, das sie nicht unterdrücken konnte, nannte den verfloßnen Tag, so viel Elend er auch über die Welt gebracht hatte, eine Wohltat, wie der Himmel noch keine über sie verhängt hatte. Und in der Tat schien, mitten in diesen gräßlichen Augenblicken, in welchen alle irdischen Güter der Menschen zugrunde gingen und die ganze Natur verschüttet zu werden drohte, der menschliche Geist selbst wie eine schöne Blume aufzugehn. Auf den Feldern, soweit das Auge reichte, sah man Menschen von allen Ständen durcheinanderliegen, Fürsten und Bettler, Matronen und Bäuerinnen, Staatsbeamte und Tagelöhner, Klosterherren und Klosterfrauen einander bemitleiden, sich wechselseitig Hilfe reichen, von dem, was sie zur Erhaltung ihres Lebens gerettet haben mochten, freudig mitteilen, als ob das allgemeine Unglück alles, was ihm entronnen war, zu *einer* Familie gemacht hätte. Statt der nichtssagenden Unterhaltungen, zu welchen sonst die Welt an den Teetischen den Stoff hergegeben hatte, erzählte man jetzt Beispiele von ungeheuern Taten: Menschen, die man sonst in der Gesellschaft wenig geachtet hatte, hatten Römergröße gezeigt; Beispiele zu Haufen von Unerschrockenheit, von freudiger Verachtung der Gefahr, von Selbstverleugnung und der göttlichen Aufopferung, von ungesäumter Wegwerfung des Lebens, als ob es dem nichtswürdigsten Gute gleich auf dem nächsten Schritte schon wiedergefunden würde. Ja, da nicht einer war, für den nicht an diesem Tage etwas Rührendes geschehen wäre oder der nicht selbst etwas Großmütiges getan hätte, so war der Schmerz in jeder Menschenbrust mit so viel süßer Lust vermischt, daß sich, wie sie meinte, gar nicht angeben ließ, ob die Summe des allgemeinen Wohlseins nicht von der einen Seite um ebensoviel gewachsen war, als sie von der anderen abgenommen hatte. Jeronimo nahm Josephen, nachdem sich beide in diesen Betrachtungen stillschweigend erschöpft hatten, beim Arm und führte sie mit unaussprechlicher Heiterkeit unter den schattigen Lauben des Granatwaldes auf und nieder. Er sagte ihr, daß er bei dieser Stimmung der Gemüter und dem Umsturz aller Verhältnisse seinen Entschluß, sich nach Europa einzuschiffen, aufgebe; daß er vor dem Vizekönig, der sich seiner Sache immer günstig gezeigt, falls er noch am Leben sei, einen Fußfall wagen würde; und daß er Hoffnung habe (wobei er ihr einen Kuß aufdrückte), mit ihr in Chili zurückzubleiben. Josephe antwortete, daß ähnliche Gedanken in ihr aufgestiegen wären; daß auch sie nicht mehr, falls ihr Vater nur noch am Leben sei, ihn zu versöhnen zweifle; daß sie aber statt des Fußfalles lieber nach La Conception zu gehen und von dort aus schriftlich das Versöhnungsgeschäft mit dem Vizekönig zu betreiben rate, wo man auf jeden Fall in der Nähe des Hafens wäre, und für den besten, wenn das Geschäft die erwünschte Wendung nähme, ja leicht wieder nach St. Jago zurückkehren könnte. Nach einer kurzen Überlegung gab Jeronimo der Klugheit dieser Maßregel seinen Beifall, führte sie noch ein wenig, die heitern Momente der Zukunft überfliegend, in den Gängen umher und kehrte mit ihr zur Gesellschaft zurück.

Inzwischen war der Nachmittag herangekommen, und die Gemüter der herumschwärmenden Flüchtlinge hatten sich, da die Erdstöße nachließen, nur kaum wieder ein wenig beruhigt, als sich schon die Nachricht verbreitete, daß in der

Dominikanerkirche, der einzigen, welche das Erdbeben verschont hatte, eine feierliche Messe von dem Prälaten des Klosters selbst gelesen werden würde, den Himmel um Verhütung ferneren Unglücks anzuflehen. Das Volk brach schon aus allen Gegenden auf und eilte in Strömen zur Stadt. In Don Fernandos Gesellschaft ward die Frage aufgeworfen, ob man nicht auch an dieser Feierlichkeit teilnehmen und sich dem allgemeinen Zuge anschließen solle. Donna Elisabeth erinnerte mit einiger Beklemmung, was für ein Unheil gestern in der Kirche vorgefallen sei, daß solche Dankfeste ja wiederholt werden würden und daß man sich der Empfindung alsdann, weil die Gefahr schon mehr vorüber wäre, mit desto größerer Heiterkeit und Ruhe überlassen könnte. Josephe äußerte, indem sie mit einiger Begeisterung sogleich aufstand, daß sie den Drang, ihr Antlitz vor dem Schöpfer in den Staub zu legen, niemals lebhafter empfunden habe als eben jetzt, wo er seine unbegreifliche und erhabene Macht so entwickle. Donna Elvire erklärte sich mit Lebhaftigkeit für Josephens Meinung. Sie bestand darauf, daß man die Messe hören sollte, und rief Don Fernando auf, die Gesellschaft zu führen, worauf sich alles, Donna Elisabeth auch, von den Sitzen erhob. Da man jedoch letztere mit heftig arbeitender Brust die kleinen Anstalten zum Aufbruche zaudernd betreiben sah und sie auf die Frage, was ihr fehle, antwortete, sie wisse nicht, welch eine unglückliche Ahndung in ihr sei, so beruhigte sie Donna Elvire und forderte sie auf, bei ihr und ihrem kranken Vater zurückzubleiben. Josephe sagte: »So werden Sie mir wohl, Donna Elisabeth, diesen kleinen Liebling abnehmen, der sich schon wieder, wie Sie sehen, bei mir eingefunden hat.« »Sehr gern«, antwortete Donna Elisabeth und machte Anstalten, ihn zu ergreifen; doch da dieser über das Unrecht, das ihm geschah, kläglich schrie und auf keine Art dareinwilligte, so sagte Josephe lächelnd, daß sie ihn nur behalten wolle, und küßte ihn wieder still. Hierauf bot Don Fernando, dem die ganze Würdigkeit und Anmut ihres Betragens sehr gefiel, ihr den Arm; Jeronimo, welcher den kleinen Philipp trug, führte Donna Konstanzen; die übrigen Mitglieder, die sich bei der Gesellschaft eingefunden hatten, folgten; und in dieser Ordnung ging der Zug nach der Stadt. Sie waren kaum fünfzig Schritte gegangen, als man Donna Elisabeth, welche inzwischen heftig und heimlich mit Donna Elvire gesprochen hatte, »Don Fernando!« rufen hörte und dem Zuge mit unruhigen Tritten nacheilen sah. Don Fernando hielt und kehrte sich um, harrte ihrer, ohne Josephen loszulassen, und fragte, da sie, gleich als ob sie auf sein Entgegenkommen wartete, in einiger Ferne stehen blieb, was sie wolle. Donna Elisabeth näherte sich ihm hierauf, obschon, wie es schien, mit Widerwillen, und raunte ihm, doch so, daß Josephe es nicht hören konnte, einige Worte ins Ohr. »Nun?« fragte Don Fernando, »und das Unglück, das daraus entstehen kann?« Donna Elisabeth fuhr fort, ihm mit verstörtem Gesicht ins Ohr zu zischeln. Don Fernando stieg eine Röte des Unwillens ins Gesicht; er antwortete: es wäre gut! Donna Elvire möchte sich beruhigen; und führte seine Dame weiter. – Als sie in der Kirche der Dominikaner ankamen, ließ sich die Orgel schon mit musikalischer Pracht hören, und eine unermeßliche Menschenmenge wogte darin. Das Gedränge erstreckte sich bis weit vor den Portalen auf den Vorplatz der Kirche hinaus, und an den Wänden hoch, in den Rahmen der Gemälde, hingen Knaben und hielten mit erwartungsvollen Blicken ihre Mützen in der Hand. Von allen Kronleuchtern strahlte es herab, die Pfeiler warfen bei der einbrechenden Dämmerung geheimnisvolle Schatten, die große, von gefärbtem Glas gearbeitete Rose in der Kirche äußerstem Hintergrund glühte wie die Abendsonne selbst, die sie erleuchtete, und Stille herrschte, da die Orgel jetzt schwieg, in der ganzen Versammlung, als hätte keiner einen Laut in der Brust. Niemals schlug aus einem christlichen Dom eine solche Flamme der Inbrunst gen Himmel wie heute aus dem Dominikanerdom zu St. Jago; und keine menschliche Brust gab wärmere Glut dazu her als Jeronimos und Josephens! Die Feierlichkeit fing mit einer Predigt an, die der ältesten Chorherren einer, mit dem Festschmuck angetan, von der Kanzel hielt. Er begann gleich mit Lob, Preis und Dank, seine zitternden, vom Chorhemde weit umflossenen Hände hoch gen Himmel erhebend, daß noch Menschen seien auf diesem in Trümmer zerfallenden Teile der Welt, fähig, zu Gott emporzustammeln. Er schilderte, was auf den Wink des Allmächtigen geschehen war; das Weltgericht kann nicht entsetzlicher sein; und als er das gestrige Erdbeben gleichwohl, auf einen Riß, den der Dom erhalten hatte, hinzeigend, einen bloßen Vorboten davon nannte, lief ein Schauder über die ganze Versammlung. Hierauf kam er im Flusse priesterlicher Beredsamkeit auf das Sittenverderbnis der Stadt; Greuel, wie Sodom und Gomorrha sie nicht sahen, straft' er an ihr: und nur der unendlichen Langmut Gottes schrieb er es zu, daß sie noch nicht gänzlich vom Erdboden vertilgt worden sei. Aber wie dem Dolche gleich fuhr es durch die von dieser Predigt schon ganz zerrissenen Herzen unserer beiden Unglücklichen, als der Chorherr bei dieser Gelegenheit umständlich des Frevels erwähnte, der in dem Klostergarten der Karmeliterinnen verübt worden war; die Schonung, die er bei der Welt gefunden hatte, gottlos nannte und in einer von Verwünschungen erfüllten Seitenwendung die Seelen der Täter, wörtlich genannt, allen Fürsten der Hölle übergab! Donna Konstanze rief, indem sie an Jeronimos Armen zuckte: »Don Fernando!« Doch dieser antwortete so nachdrücklich und doch so heimlich, wie sich beides verbinden ließ: »Sie schweigen, Donna, Sie rühren auch den Augapfel nicht und tun, als ob Sie in eine Ohnmacht versänken, worauf wir die Kirche verlassen.« Doch ehe Donna Konstanze diese sinnreich zur Rettung erfundene Maßregel noch ausgeführt hatte, rief schon eine Stimme, des Chorherrn Predigt laut unterbrechend, aus: »Weichet fern hinweg, ihr Bürger von St. Jago, hier stehen diese gottlosen Menschen!« Und als eine andere

Stimme schreckenvoll, indessen sich ein weiter Kreis des Entsetzens um sie bildete, fragte: »Wo?« – »Hier!« versetzte ein dritter und zog, heiliger Ruchlosigkeit voll, Josephen bei den Haaren nieder, daß sie mit Don Fernandos Sohne zu Boden getaumelt wäre, wenn dieser sie nicht gehalten hätte. »Seid ihr wahnsinnig?« rief der Jüngling und schlug den Arm um Josephen; »Ich bin Don Fernando Ormez, Sohn des Kommandanten der Stadt, den ihr alle kennt.« »Don Fernando Ormez?« rief, dicht vor ihn hingestellt, ein Schuhflikker, der für Josephen gearbeitet hatte und diese wenigstens so genau kannte als ihre kleinen Füße. »Wer ist der Vater zu diesem Kinde?« wandte er sich mit frechem Trotz zur Tochter Asterons. Don Fernando erblaßte bei dieser Frage. Er sah bald den Jeronimo schüchtern an, bald überflog er die Versammlung, ob nicht einer sei, der ihn kenne. Josephe rief, von entsetzlichen Verhältnissen gedrängt: »Dies ist nicht mein Kind, Meister Pedrillo, wie Er glaubt«; indem sie, in unendlicher Angst der Seele, auf Don Fernando blickte. »Dieser junge Herr ist Don Fernando Ormez, Sohn des Kommandanten der Stadt, den ihr alle kennt!« Der Schuster fragte: »Wer von euch, ihr Bürger, kennt diesen jungen Mann?« Und mehrere der Umstehenden wiederholten: »Wer kennt den Jeronimo Rugera? Der trete vor!« Nun traf es sich, daß in demselben Augenblicke der kleine Juan, durch den Tumult erschreckt, von Josephens Brust weg Don Fernando in die Arme strebte. Hierauf: »Er *ist* der Vater!« schrie eine Stimme, und: »Er *ist* Jeronimo Rugera!« eine andere, und: »Sie *sind* die gotteslästerlichen Menschen!« eine dritte; und: »Steinigt sie! steinigt sie!« die ganze im Tempel Jesu versammelte Christenheit! Drauf jetzt Jeronimo: »Halt! Ihr Unmenschlichen! Wenn ihr den Jeronimo Rugera sucht, hier ist er! Befreit jenen Mann, welcher unschuldig ist!« – Der wütende Haufen, durch die Äußerung Jeronimos verwirrt, stutzte; mehrere Hände ließen Don Fernando los; und da in demselben Augenblick ein Marine-Offizier von bedeutendem Rang herbeieilte und, indem er sich durch den Tumult drängte, fragte: »Don Fernando Ormez! Was ist Euch widerfahren?«, so antwortete dieser, nun völlig befreit, mit wahrer heldenmütiger Besonnenheit: »Ja, sehn Sie, Don Alonzo, die Mordknechte! Ich wäre verloren gewesen, wenn dieser würdige Mann sich nicht, die rasende Menge zu beruhigen, für Jeronimo Rugera ausgegeben hätte. Verhaften Sie ihn, wenn Sie die Güte haben wollen, nebst dieser jungen Dame, zu ihrer beiderseitigen Sicherheit; und diesen Nichtswürdigen,« indem er Meister Pedrillo ergriff, »der den ganzen Aufruhr angezettelt hat!« Der Schuster rief: »Don Alonzo Onoreja, ich frage Euch auf Euer Gewissen, ist dieses Mädchen nicht Josephe Asteron?« Da nun Don Alonzo, welcher Josephen sehr genau kannte, mit der Antwort zauderte und mehrere Stimmen, dadurch von neuem zur Wut entflammt, riefen: »Sie ists, sie ists!« und »Bringt sie zum Tode!«, so setzte Josephe den kleinen Philipp, den Jeronimo bisher getragen hatte, samt dem kleinen Juan auf Don Fernandos Arm und sprach: »Gehn Sie, Don Fernando, retten Sie Ihre beiden Kinder und überlassen Sie uns unserm Schicksale!« Don Fernando nahm die beiden Kinder und sagte, er wolle eher umkommen, als zugeben, daß seiner Gesellschaft etwas zuleide geschehe. Er bot Josephen, nachdem er sich den Degen des Marineoffiziers ausgebeten hatte, den Arm und forderte das hintere Paar auf, ihm zu folgen. Sie kamen auch wirklich, indem man ihnen, bei solchen Anstalten, mit hinlänglicher Ehrerbietigkeit Platz machte, aus der Kirche heraus und glaubten sich gerettet. Doch kaum waren sie auf den von Menschen gleichfalls erfüllten Vorplatz derselben getreten, als eine Stimme aus dem rasenden Haufen, der sie verfolgt hatte, rief: »Dies ist Jeronimo Rugera, ihr Bürger, denn ich bin sein eigner Vater!« und ihn an Donna Konstanzens Seite mit einem ungeheuren Keulenschlage zu Boden streckte. »Jesus Maria!« rief Donna Konstanze und floh zu ihrem Schwager; doch: »Klostermetze!« erscholl es schon mit einem zweiten Keulenschlage von einer andern Seite, der sie leblos neben Jeronimo niederwarf. »Ungeheuer!« rief ein Unbekannter, »dies war Donna Konstanze Xares!« »Warum belogen sie uns!« antwortete der Schuster, »sucht die rechte auf und bringt sie um!« Don Fernando, als er Konstanzens Leichnam erblickte, glühte vor Zorn; er zog und schwang das Schwert und hieb, daß er ihn gespalten hätte, den fanatischen Mordknecht, der diese Greuel veranlaßte, wenn derselbe nicht durch eine Wendung dem wütenden Schlag entwichen wäre. Doch da er die Menge, die auf ihn eindrang, nicht überwältigen konnte: »Leben Sie wohl, Don Fernando, mit den Kindern!« rief Josephe – und: »Hier, mordet mich, ihr blutdürstenden Tiger!« und stürzte sich freiwillig unter sie, um dem Kampf ein Ende zu machen. Meister Pedrillo schlug sie mit der Keule nieder. Drauf, ganz mit ihrem Blute bespritzt: »Schickt ihr den Bastard zur Hölle nach!« rief er und drang mit noch ungesättigter Mordlust von neuem vor. Don Fernando, dieser göttliche Held, stand jetzt, den Rücken an die Kirche gelehnt; in der Linken hielt er die Kinder, in der Rechten das Schwert. Mit jedem Hiebe wetterstrahlte er einen zu Boden; ein Löwe wehrt sich nicht besser. Sieben Bluthunde lagen tot vor ihm, der Fürst der satanischen Rotte selbst war verwundet. Doch Meister Pedrillo ruhte nicht eher, als bis er der Kinder eines bei den Beinen von seiner Brust gerissen und, hochher im Kreise geschwungen, an eines Kirchpfeilers Ecke zerschmettert hatte. Hierauf ward es still, und alles entfernte sich. Don Fernando, als er seinen kleinen Juan vor sich liegen sah, mit aus dem Hirne vorquellendem Mark, hob voll namenlosen Schmerzes seine Augen gen Himmel. Der Marineoffizier fand sich wieder bei ihm ein, suchte ihn zu trösten und versicherte ihn, daß seine Untätigkeit bei diesem Unglück, obschon durch mehrere Umstände gerechtfertigt, ihn reue; doch Don Fernando sagte, daß ihm nichts vorzuwerfen sei, und bat ihn nur, die Leichname jetzt fortschaffen zu helfen. Man trug sie alle bei der Finsternis der einbrechenden Nacht in Don Alonzos Wohnung, wohin Don Fernando ihnen, viel über das Antlitz des kleinen Philipp weinend, folgte. Er übernachtete auch bei Don Alonzo und säumte lange unter falschen Vorspiegelungen, seine Gemahlin von dem ganzen Umfang des Unglücks zu unterrichten; einmal, weil sie krank war, und dann, weil er auch nicht wußte, wie sie sein Verhalten bei dieser Begebenheit beurteilen würde; doch kurze Zeit nachher, durch einen Besuch zufällig von allem, was geschehen war, benachrichtigt, weinte diese treffliche Dame im stillen ihren mütterlichen Schmerz aus und fiel ihm mit dem Rest einer erglänzenden Träne eines Morgens um den Hals und küßte ihn. Don Fernando und Donna Elvire nahmen hierauf den kleinen Fremdling zum Pflegesohn an, und wenn Don Fernando Philippen mit Juan verglich, und wie er beide erworben hatte, so war es ihm fast, als müßte er sich freuen.

FRIEDRICH HEBBEL

Aus meiner Jugend

1

Mein Vater besaß zur Zeit meiner Geburt ein kleines Haus, an das ein Gärtchen stieß, in welchem sich einige Fruchtbäume, namentlich ein sehr ergiebiger Birnbaum, befanden. In dem Hause waren drei Wohnungen, deren freundlichste und geräumigste wir einnahmen; ihr Hauptvorzug bestand darin, daß sie gegen die Sonnenseite lag. Die andern beiden wurden vermietet; die uns gegenüberliegende war von dem alten Mauermann Claus Ohl nebst seiner kleinen krummen Frau bewohnt, und die dritte, zu der ein Hintereingang durch den Garten führte, von einer Tagelöhnerfamilie. Die Mietsleute wechselten nie, und für uns Kinder gehörten sie zum Hause wie Vater und Mutter, von denen sie sich auch, was die liebreiche Beschäftigung mit uns anlangte, kaum oder gar nicht unterschieden. Unser Garten war von andern Gärten umgeben. An der einen Seite befand sich der Garten eines jovialen Tischlermeisters, der mich gern neckte und von dem ich noch heute nicht begreife, wie er, was er doch später tat, sich selbst das Leben nehmen konnte. Ich hatte einmal als ganz kleines Bürschchen mit altklugem Gesicht über den Zaun zu ihm herüber gesagt: »Nachbar, es ist sehr kalt!« und er wurde nicht müde, dieses Wort gegen mich zu wiederholen, besonders in den heißen Sommermonaten.

An den Garten des Tischlers stieß der des Predigers. Dieser war von einer hohen hölzernen Planke eingefaßt, die uns Kindern das Überschauen verwehrte, nicht aber das Durchblinzeln durch Spalten und Risse. Dies machte uns im Frühling, wenn die fremden schönen Blumen wiederkamen, an denen der Garten reich war, eine unendliche Freude; nur zitterten wir, der Prediger möchte uns gewahr werden. Vor diesem hatten wir eine unbegrenzte Ehrfurcht, die sich ebensosehr auf sein ernstes, strenges, milzsüchtiges Gesicht und seinen kalten Blick, als auf seinen Stand und seine uns imponierenden Funktionen, zum Beispiel auf sein Herwandeln hinter Leichen, die immer an unserem Hause vorbeikamen, gegründet haben mag. Wenn er zu uns hinüber sah, was er zuweilen tat, hörten wir jedesmal zu spielen auf und schlichen uns ins Haus zurück.

Nach einer andern Seite bildete ein alter Brunnen die Grenze zwischen unserem Garten und dem nachbarlichen. Von Bäumen beschattet und tief, wie er war, die hölzerne Bedachung gebrechlich und dunkelgrün bemoost, konnte ich ihn nie ohne Schauer betrachten. Geschlossen wurde das längliche Viereck durch den Garten eines Milchhändlers, der wegen der Kühe, die er hielt, bei der ganzen Nachbarschaft in einem Herrenansehen stand, und durch den Hof eines Weißgerbers, des verdrießlichsten aller Menschen, von dem meine Mutter immer sagte, er sähe aus, als ob er einen verzehrt hätte und den andern eben beim Kopf kriegen und anbeißen wolle. Dies war die Atmosphäre, in der ich als Kind atmete. Sie konnte nicht enger sein, dennoch erstreckten sich ihre Eindrücke bis auf den gegenwärtigen Tag. Noch sieht mir der lustige Tischler über den Zaun, noch der grämliche Pfarrer über die Planke. Noch sehe ich den vierschrötigen, wohlgenährten Milchhändler, die Hände in der Tasche, zum Zeichen, daß sie nicht leer sei, in seiner Tür stehen, noch den Weißgerber mit seinem galliggelben Gesicht, den ein Kind schon durch seine roten Backen beleidigte und der mir noch schrecklicher vorkam, wenn er zu lächeln anfing. Noch sitze ich auf der kleinen Bank unter dem breiten Birnbaum und harre, während ich mich an seinem Schatten erquicke, ob sein von der Sonne beschienener Gipfel nicht eine wegen

Wurmstichs frühreife Frucht fallen läßt; noch flößt mir der Brunnen, an dessen Bedachung alle Augenblick etwas genagelt werden mußte, ein unheimliches Gefühl ein.

2

Mein Vater war im Hause sehr ernster Natur, außer demselben munter und gesprächig; man rühmte an ihm die Gabe, Märchen zu erzählen, es vergingen aber viele Jahre, ehe wir sie mit eigenen Ohren kennen lernten. Er konnte es nicht leiden, wenn wir lachten und uns überhaupt hören ließen; dagegen sang er an den langen Winterabenden in der Dämmerung gern Choräle, auch wohl weltliche Lieder, und liebte es, wenn wir mit einstimmten. Meine Mutter war äußerst gutherzig und etwas heftig; aus ihren blauen Augen leuchtete die rührendste Milde; wenn sie sich leidenschaftlich aufgeregt fühlte, fing sie zu weinen an. Ich war ihr Liebling, mein zwei Jahre jüngerer Bruder der Liebling meines Vaters. Der Grund war, weil ich meiner Mutter glich und mein Bruder meinem Vater zu gleichen schien, denn es war, wie sich später zeigte, keineswegs der Fall. Meine Eltern lebten im besten Frieden miteinander, solange sich Brot im Hause befand; wenn es mangelte, was im Sommer selten, im Winter, wo es an Arbeit fehlte, öfter vorkam, ergaben sich zuweilen ängstliche Szenen. Ich kann mich der Zeit nicht erinnern, wo mir diese, obgleich sie nie ausarteten, nicht fürchterlicher als alles gewesen wären, und eben darum darf ich sie nicht mit Stillschweigen übergehen.
Eines Auftritts anderer Art erinnere ich mich aus meiner frühesten Kindheit. Es ist der erste, dessen ich gedenke, er mag in mein drittes Jahr fallen, wenn nicht noch ins zweite. Ich darf ihn erzählen, ohne mich an dem mir heiligen Andenken meiner Eltern zu versündigen, denn wer in ihm etwas Besonderes sieht, der kennt die unteren Stände nicht. Mein Vater wurde, wenn er seinem Handwerk nachging, meistens bei

den Leuten, bei denen er arbeitete, beköstigt. Dann aßen wir zu Hause, wie alle Familien, um die gewöhnliche Zeit zu Mittag. Mitunter mußte er sich aber gegen eine Entschädigung im Tagelohn selbst die Kost halten. Dann wurde das Mittagessen verschoben und zur Abwehr des Hungers um zwölf Uhr nur ein einfaches Butterbrot genossen. Es war in dem kleinen Haushalt, der keine doppelte Hauptmahlzeit vertrug, eine billige Einrichtung. An einem solchen Tage buk meine Mutter Pfannkuchen, sicher mehr, um uns Kinder zu erfreuen, als um ein eigenes Gelüst zu stillen. Wir verzehrten sie mit dem größten Appetit und versprachen, dem Vater am Abend nichts davon zu sagen. Als er kam, waren wir bereits zu Bett gebracht und lagen im tiefen Schlaf. Ob er gewohnt sein mochte, uns noch auf den Beinen zu finden, und aus dem Gegenteil den Verdacht schöpfte, daß gegen die Hausordnung gefehlt worden sei, weiß ich nicht; genug, er weckte mich auf, liebkoste mich, nahm mich auf den Arm und fragte mich, was ich gegessen hätte. »Pfannkuchen!« erwiderte ich schlaftrunken. Hierauf hielt er es der Mutter vor, die nichts zu entgegnen hatte und ihm sein Essen auftrug, mir aber einen unheilverkündenden Blick zuwarf. Als wir am nächsten Tag wieder allein waren, gab sie mir nach ihrem Ausdruck mit der Rute eine eindringliche Lektion im Stillschweigen. Zu andern Zeiten schärfte sie mir wieder die strengste Wahrheitsliebe ein. Man sollte denken, diese Widersprüche hätten schlimme Folgen haben können. Es war nicht der Fall und wird nie der Fall sein, denn das Leben bringt noch ganz andere, und die menschliche Natur ist auch auf diese eingerichtet. Eine Erfahrung machte ich aber allerdings, die ein Kind besser spät macht oder niemals, nämlich die, daß der Vater zuweilen dies will und die Mutter das. Daß ich in frühester Kindheit wirklich gehungert hätte, wie später, erinnere ich nicht, wohl aber, daß die Mutter sich zuweilen mit dem Zusehen begnügen mußte und gern begnügte, wenn wir Kinder aßen, weil wir sonst nicht satt geworden wären.

3

Der Hauptreiz der Kindheit beruht darauf, daß alles, bis zu den Haustieren herab, freundlich und wohlwollend gegen sie ist, denn daraus entspringt ein Gefühl der Sicherheit, das bei dem ersten Schritt in die feindselige Welt hinaus entweicht und nie zurückkehrt. Besonders in den untern Ständen ist dies der Fall. Das Kind spielt nicht vor der Tür, ohne daß die benachbarte Dienstmagd, die zum Einkaufen oder Wasserschöpfen über die Straße geschickt wird, ihm eine Blume schenkt; die Obsthändlerin wirft ihm aus ihrem Korb eine Kirsche oder eine Birne zu, ein wohlhabender Bürger wohl gar eine kleine Münze, für die es sich eine Semmel kaufen kann; der Fuhrmann knallt vorüberkommend mit seiner Peitsche, der Musikant entlockt seinem Instrument im Gehen einige Töne, und wer nichts von allem tut, der fragt es wenigstens nach seinem Namen und Alter oder lächelt es an. Freilich muß es reinlich gehalten sein. Dieses Wohlwollen wurde auch mir und meinem Bruder in reichlichem Maße zuteil, besonders von den Mitbewohnern unseres Hauses, den vorzugsweise sogenannten Nachbarn, die uns fast ebensoviel galten als die Mutter und mehr als der strenge Vater. Im Sommer hatten sie ihre Arbeit und konnten sich nur wenig mit uns abgeben, da war es aber auch nicht notwendig, denn wir spielten von früh bis spät, von der Betzeit bis zur Bettzeit im Garten und hatten an den Schmetterlingen Gesellschaft genug. Aber im Winter, bei Regen und Schnee, wo wir auf das Haus beschränkt waren, ging fast alles, was uns unterhielt und erheiterte, von ihnen aus. Die Frau des Tagelöhners, Meta mit Namen, eine riesige, etwas vorwärtsgebeugte Figur mit einem alttestamentarisch ehernen Gesicht, an das ich durch die Cumäische Sibylle des Michelangelo in der Sixtinischen Kapelle lebhaft wieder erinnert worden bin, kam gewöhnlich, ein rotes Tuch um den Kopf gewunden, in den langen Winterabenden zur Zeit der Däm-

merung zu uns herum und blieb bis zum Lichtanzünden. Dann erzählte sie Hexen- und Spukgeschichten, die aus ihrem Munde eindringlicher wie aus jedem andern klangen; wir hörten vom Blocksberg und vom höllischen Sabbat; der Besenstiel, der so verächtlich erscheinende, erhielt seine unheimliche Bedeutung, und die finstere Schornsteinhöhle, die in jedem Hause, und also auch in dem unsrigen, auf eine so boshafte Weise von den Mächten der Hölle und ihren Dienerinnen gemißbraucht werden konnte, flößte uns Entsetzen ein. Genau erinnere ich mich noch des Eindrucks, den die Erzählung von der verruchten Müllerin, die sich nachts in eine Katze verwandelte, auf mich machte, und wie ich mich beruhigte, daß sie für diesen schlechten Streich doch endlich die gebührende Strafe erhielt; der Katze wurde nämlich, als sie einmal den nächtlichen Spaziergang antrat, von dem Müllerburschen, dem sie verdächtig vorkam, eine Pfote abgehauen, und am nächsten Tag lag die Müllerin mit blutigem rechtem Arm ohne Hand im Bett.
Wenn Licht angezündet wurde, gingen wir gewöhnlich zum Nachbar Ohl hinüber, und in seiner Stube war es uns freilich heimlicher als in Metas Atmosphäre. Der Nachbar Ohl war ein Mann, den ich nie verdrießlich gesehen habe, sooft er auch Ursache hatte, es zu sein. Mit leerem Magen, ja, was bei ihm mehr sagen wollte, mit leerer Pfeife, tanzte, sang und pfiff er uns etwas vor, wenn wir kamen, und sein immer freundliches, ja vergnügtes Gesicht leuchtet mir, trotz der beträchtlich geröteten Nase, die ich mir nach der Erzählung meiner Mutter einmal mit Sehnsucht gewünscht haben soll, als ich, auf den Knieen von ihm geschaukelt, zu ihm hinaufsah, und trotz der gewalkten, spitz zulaufenden Mütze, die er beständig trug, noch jetzt wie ein Stern. Es hatte eine Zeit gegeben, wo er der einzige Maurer im Ort und Herr von zwanzig bis dreißig Gesellen gewesen war, von denen sich später viele zu Meistern aufwarfen und ihm die Arbeit wegnahmen; damals hätte er, wie man ihm nachsagte, sich eine

sorgenfreie Zukunft gründen können, wenn er nicht zu oft die Kegelbahn besucht und ein gutes Glas Wein zu sehr geliebt hätte. Aber wer die bösen Tage trug wie er, der war wegen des unbekümmerten Genusses der guten nicht zu schelten. Ich kann seiner nicht ohne Rührung gedenken; wie sollte ich auch? Er hat den Paukenschläger und den Trompeter, die er mir und meinem Bruder einst zum Jahrmarkt schenkte, von dem Spielwarenverkäufer mit größter Mühe erborgt und sich, da seine Armut ihm das Abtragen der kleinen Schuld erst spät gestattete, noch nach Jahren, als ich schon lang und altklug an seiner Seite ging, darum mahnen lassen müssen. Unerschöpflich war er in Erfindungen, uns zu unterhalten, und da hiezu bei Kindern nichts als guter Wille gehört, so mißlang es ihm nie. Eine Hauptfreude war es für uns, wenn er ein Stück Kreide in die Hand nahm, sich mit uns an seinen runden Tisch setzte und zu zeichnen anfing, Mühlen, Häuser, Tiere und was es weiter gab. Dabei kamen ihm die lustigsten Einfälle, die mir noch in den Ohren klingen. Selbst sein höchster Genuß war keiner für ihn, wenn wir ihn nicht teilten. Er bestand darin, daß er des Sonntags vormittags nach der Predigt und vor der Mahlzeit langsam zur Erinnerung an bessere Zeiten ein sogenanntes halbes Plank Branntwein trank und eine Pfeife dazu rauchte. Von diesem Branntwein mußten wir jeder einen Fingerhut voll bekommen, oder er schmeckte ihm selbst nicht. Das Getränk war allerdings nicht das schicklichste für uns, aber die Quantität war gering genug, um nachteilige Folgen zu verhüten; mein Vater verbot jedoch diese Sonntagsfeier, als er dahinterkam. Dies betrübte den guten Alten sehr, hielt ihn aber, wie ich hinzusetzen muß, nicht ab, uns wieder mittrinken zu lassen, nur daß es ganz in der Stille geschah und daß er uns dringend anempfahl, dem Vater nachher aus dem Wege zu gehen, damit er keine Gelegenheit erhalte, einen von uns zu küssen und so die Übertretung seiner Vorschrift zu entdecken; ein Kuß, den Lippen meines Bruders aufgedrückt, hatte ihm nämlich das erste Mal das Spiel verraten. Zuweilen brachte der eine oder der andere seiner beiden unverheirateten Brüder, die meistens im Lande umherstreiften und Taugenichtse sein mochten, den Winter bei ihm zu. Sie fanden bei ihm immer willig Aufnahme und blieben, bis sie der Frühling oder der Hunger forttrieb; er jagte sie nicht, so schmal sein Stück Brot war, er brach es mit Freuden noch einmal durch, aber wenn er gar nichts hatte, so konnte er freilich auch nichts geben. Wenn Onkel Hans oder Johann kamen, war es für uns ein Fest, denn sie ließen ein neues Stück Welt in unser Nest fallen. Sie erzählten uns von Wäldern und ihren Abenteuern darin, von Räubern und Mördern, denen sie kaum entgangen seien, von Schwarzsauer, das sie in einsamen Waldschenken gegessen, und von Menschenfingern und Zehen, die sie zuletzt auf dem Grunde der Schüssel gefunden haben wollten. Der Hausfrau waren die aufschneiderischen Schmarotzerschwäger höchst unwillkommen, denn sie trug die Last des Lebens nicht so leichten Muts wie ihr Mann, und sie wußte, daß sie nicht wieder gingen, solange noch ein Stück Speck im Schornstein hing, aber sie begnügte sich, heimlich zu murren und etwa gegen meine Mutter ihr Herz auszuschütten. Uns Kinder hatte auch sie gern, und sie beschenkte uns im Sommer, sooft sie konnte, mit roten und weißen Johannisbeeren, die sie sich selbst von einer geizigen Freundin erbettelte. Ich scheute jedoch ihre zu große Nähe, denn sie machte sich ein Geschäft daraus, mir die Nägel zu beschneiden, sooft es not tat, und das war mir, wegen des damit verbundenen prikkelnden Gefühls in den Nervenenden, äußerst verhaßt. Sie las fleißig in der Bibel, und der erste starke, ja fürchterliche Eindruck aus diesem düstern Buch kam mir, lange bevor ich selbst darin zu lesen vermochte, durch sie, indem sie mir aus dem Jeremias die schreckliche Stelle vorlas, worin der zürnende Prophet weissagt, daß zur Zeit der großen Not die Mütter ihre eigenen Kinder schlachten und sie essen würden. Ich erinnere mich noch, welch ein Grausen diese Stelle mir einflößte, als ich sie hörte, vielleicht, weil ich nicht wußte, ob sie sich auf die Vergangenheit oder auf die Zukunft, auf Jerusalem oder auf Wesselburen bezog, und weil ich selbst ein Kind war und eine Mutter hatte.

4

In meinem vierten Jahre wurde ich in eine Klippschule gebracht. Eine alte Jungfer, Susanna mit Namen, hoch und männerhaft von Wuchs, mit freundlichen blauen Augen, die wie Lichter aus einem graublassen Gesicht hervorschimmerten, stand ihr vor. Wir Kinder wurden in dem geräumigen Saal, der zur Schulstube diente und ziemlich finster war, an den Wänden herumgepflanzt, die Knaben an der einen Seite, die Mädchen auf der andern. Susannas Tisch, mit Schulbüchern beladen, stand in der Mitte, und sie selbst saß, ihre weiße tönerne Pfeife im Munde und eine Tasse Tee vor sich, in einem respekteinflößenden, urväterlichen Lehnstuhl dahinter. Vor ihr lag ein langes Lineal, das aber nicht zum Linienziehen, sondern zu unserer Abstrafung benutzt wurde, wenn wir mit Stirnerunzeln und Räuspern nicht länger im Zaum zu halten waren; eine Tüte vol Rosinen, zur Belohnung außerordentlicher Tugenden bestimmt, lag daneben. Die Klapse fielen jedoch regelmäßiger als die Rosinen, ja die Tüte war, so sparsam Susanne auch mit dem Inhalt umging, zuweilen völlig leer; wir lernten daher Kants kategorischen Imperativ zeitig genug kennen. An den Tisch wurde groß und klein von Zeit zu Zeit herangerufen, die vorgerückteren Schüler zum Schreibunterricht, der Troß, um seine Lektion aufzusagen und, wie es nun kam, Schläge auf die Finger mit dem Lineal oder Rosinen in Empfang zu nehmen. Eine unfreundliche Magd, die sich hin und wieder sogar einen Eingriff ins Strafamt erlaubte, ging ab und zu und ward von dem jüngsten Zuwachs mitunter auf äußerst unerfreuliche Weise in Anspruch genommen, weshalb sie scharf darüber wachte, daß er nicht zu viel von den mitgebrachten Süßigkeiten zu sich nahm. Hinter dem Hause war ein kleiner Hof, an den Susannas Gärtchen stieß; auf dem Hof trieben wir in den Freistunden unsere Spiele. Das Gärtchen wurde vor uns verschlossen gehalten. Es stand voll Blumen, deren phantastische Gestalten ich noch im schwülen Sommerwind schwanken sehe. Von diesen Blumen brach Susanna uns bei guter Laune wohl hin und wieder einige ab, jedoch erst dann, wenn sie dem Welken nah waren. Früher raubte sie den sauber angelegten und sorgfältig gejäteten Beeten, zwischen denen sich Fußsteige hinzogen, die kaum für die hüpfenden Vögel breit genug schienen, nichts von ihrem Schmuck. Susanna verteilte ihre Geschenke übrigens sehr parteiisch. Die Kinder wohlhabender Eltern erhielten das Beste und durften ihre oft unbescheidenen Wünsche laut aussprechen, ohne zurechtgewiesen zu werden; die Ärmeren mußten mit dem zufrieden sein, was übrigblieb, und bekamen gar nichts, wenn sie den Gnadenakt nicht stillschweigend abwarteten. Das trat am schreiendsten zu Weihnachten hervor. Dann fand eine große Verteilung von Kuchen und Nüssen statt, aber in treuster Befolgung der Evangeliumsworte: ›Wer da hat, dem wird gegeben!‹ Die Töchter des Kirchspielschreibers, einer gewaltigen Respektsperson, die Söhne des Arztes usw. wurden mit halben Dutzenden von Kuchen, mit ganzen Tüchern voll Nüssen beladen; die armen Teufel dagegen, deren Aussichten für den Heiligen Abend im Gegensatz zu diesen ausschließlich auf Susannas milder Hand beruhten, wurden kümmerlich abgefunden. Der Grund war, weil Susanna auf Gegengeschenke rechnete, auch wohl rechnen mußte, und von Leuten, die nur mit Mühe das Schulgeld aufzubringen wußten, keine erwarten durfte. Ich wurde nicht ganz zurückgesetzt, denn Susanna erhielt im Herbst regelmäßig von unserem Birnbaum ihren Tribut, und ich genoß ohnehin meines ›guten Kopfes‹ wegen vor vielen eine Art von Vorzug, aber ich empfand den Unterschied doch auch und hatte besonders viel von der Magd zu leiden, die mir das Unschuldigste gehässig auslegte, das Ziehen eines Taschentuches zum Beispiel einmal als ein Zeichen, daß ich es gefüllt haben wolle, was mir die glühendste Schamröte auf die Wangen und die Tränen in die Augen trieb. Sobald Susannas Parteilichkeit und die Ungerechtigkeit ihrer Magd mir ins Bewußtsein traten, hatte ich den Zauberkreis der Kindheit überschritten. Es geschah sehr früh.

5

Noch jetzt sind mir aus dieser Schulstube zwei Momente lebhaft gegenwärtig. Ich erinnere mich zunächst, daß ich dort von der Natur und dem Unsichtbaren, den der ahnende Mensch hinter ihr vermutet, den ersten furchtbaren Eindruck empfing. Das Kind hat eine Periode, und sie dauert ziemlich lange, wo es die ganze Welt von seinen Eltern, wenigstens von dem immer etwas geheimnisvoll im Hintergrund stehenbleibenden Vater, abhängig glaubte und wo es sie ebensogut um schönes Wetter wie um ein Spielzeug bitten könnte. Diese Periode nimmt natürlich ein Ende, wenn es zu seinem Erstaunen die Erfahrung macht, daß Dinge geschehen, welche den Eltern so unwillkommen sind, wie ihm selbst die Schläge, und mit ihr entweicht ein großer Teil des mystischen Zaubers, der das heilige Haupt der Erzeuger umfließt, ja es beginnt erst, wenn sie vorüber ist, die eigentliche menschliche Selbständigkeit. Mir öffnete ein fürchterliches Gewitter, das mit einem Wolkenbruch und einem Schloßenfall verbunden war, die Augen über diesen Punkt.

Es war ein schwüler Sommernachmittag, einer von denen, welche die Erde ausdörren und alle Kreaturen rösten. Wir Kinder saßen träge und gedrückt mit unsern Katechismen oder Fibeln auf den Bänken umher, Susanna selbst nickte schlaftrunken ein und ließ uns die Späße und Neckereien, durch die wir uns wach zu erhalten suchten, nachsichtig hingehen. Nicht einmal die Fliegen summten, bis auf die ganz kleinen, die immer munter sind, als auf einmal der erste Donnerschlag erscholl und im wurmstichigen Gebälk des alten, ausgewohnten Hauses schmetternd und krachend nachdröhnte. In desperatester Mischung, wie es eben nur bei Gewittern des Nordens vorkommt, folgte nun ein Schloßengeprassel, welches in weniger als einer Minute an der Windseite alle Fensterscheiben zertrümmerte und gleich darauf, ja dazwischen, ein Regenguß, der eine neue Sintflut einzuleiten schien. Wir Kinder, erschreckt auffahrend, liefen schreiend und lärmend durcheinander; Susanna selbst verlor den Kopf, und ihrer Magd gelang es erst, die Läden zu schließen, als nichts mehr zu retten, sondern der bereits hereingebrochenen Überschwemmung zur Erhöhung des allgemeinen Entsetzens und zur Vermehrung der eingerissenen Verwirrung nur noch die ägyptische Finsternis beizugesellen war. In den Pausen zwischen dem einen Donnerschlag und dem anderen faßte Susanna sich zwar notdürftig wieder und suchte ihre Schützlinge, die sich, je nach dem Alter, entweder an ihre Schürze gehängt hatten oder für sich mit geschlossenen Augen in den Ecken kauerten, nach Kräften zu trösten und zu beschwichtigen; aber plötzlich zuckte wieder ein bläulich flammender Blitz durch die Ladenritzen, und die Rede erstarb ihr auf den Lippen, während die Magd, fast so ängstlich wie das jüngste Kind, heulend aufkreischte: »Der liebe Gott ist bös!« und wenn es wieder finster im Saal wurde, pädagogisch griesgrämlich hinzusetzte: »Ihr taugt auch alle nichts!« Dies Wort, aus so widerwärtigem Munde es auch kam, machte einen tiefen Eindruck auf mich, es nötigte mich, über mich selbst und über alles, was mich umgab, hinaufzublikken, und entzündete den religiösen Funken in mir. Aus der Schule ins väterliche Haus zurückgeholt, fand ich auch dort den Greuel der Verwüstung vor; unser Birnbaum hatte nicht bloß seine jungen Früchte, sondern auch seinen ganzen Blätterschmuck verloren und stand kahl da wie im Winter; ja ein sehr ergiebiger Pflaumenbaum, der nicht nur uns selbst, sondern noch obendrein den halben Ort und wenigstens unsere ziemlich weitläufige Gevatterschaft zu versorgen pflegte, war sogar um den reichsten seiner Äste gekommen und glich in seiner Verstümmelung einem Menschen mit gebrochenem Arm. War es nun schon für die Mutter ein leidiger Trost, daß unser Schwein jetzt auf acht Tage mit leckerer Kost versehen sei, so wollte er mir ganz und gar nicht eingehen, und kaum die reichlich umherliegenden Glasscherben, aus denen sich auf die leichteste Weise von der Welt durch Unterklebung mit feuchter Erde die trefflichsten Spiegel machen ließen, boten für die unwiederbringlichen Herbstfreuden einigen Ersatz. Jetzt aber begriff ichs auf einmal, warum mein Vater des Sonntags immer in die Kirche ging und warum ich nie ein reines Hemd anziehen durfte, ohne dabei ›Das walte Gott!‹ zu sagen; ich hatte den Herrn aller Herren kennen gelernt, seine zornigen Diener Donner und Blitz, Hagel und Sturm hatten ihm die Pforten meines Herzens weit aufgetan, und in seiner vollen Majestät war er eingezogen. Es zeigte sich auch kurz darauf, was innerlich mit mir vorgegangen war; denn als der Wind eines Abends wieder mächtig in den Schornstein blies und der Regen stark aufs Dach klopfte, während ich zu Bett gebracht wurde, verwandelte sich das eingelernte Geplapper meiner Lippen plötzlich in ein wirkliches ängstliches Gebet, und damit war die geistige Nabelschnur, die mich bis dahin ausschließlich an die Eltern gebunden hatte, zerrissen, ja es kam gar bald so weit, daß ich mich bei Gott über Vater und Mutter zu beklagen anfing, wenn ich ein Unrecht von ihnen erfahren zu haben glaubte.

Weiter knüpfte sich an diese Schulstube mein erster und vielleicht bitterster Martergang. Um deutlich zu machen, was ich sagen will, muß ich etwas weiter ausholen. Schon in der Kleinkinderschule finden sich alle Elemente beisammen, die der reifere Mensch in potenzierterem Maße später in der Welt antrifft. Die Brutalität, die Hinterlist, die gemeine Klugheit, die Heuchelei, alles ist vertreten, und ein reines Gemüt steht immer so da, wie Adam und Eva auf dem Bilde unter den wilden Tieren. Wieviel hievon der Natur, wieviel der ersten Erziehung oder vielmehr der Verwahrlosung von Haus aus beizumessen ist, bleibe hier unentschieden: die Tatsache unterliegt keinem Zweifel. Das war denn auch in Wesselburen der Fall. Von dem rohen Knaben an, der die Vögel bei lebendigem Leibe rupfte und den Fliegen die Beine ausriß, bis zu dem fixfingrigen Knirps herunter, der seinen Kameraden die buntpapiernen Merkzeichen aus der Fibel stahl, war jede Spezies vorhanden, und das Schicksal, das die besser gearteten und darum zum Leiden verdammten Mitschüler den jungen Sündern zuweilen im Zorn prophezeiten, wenn sie eben Gegenstand ihrer Foppereien oder ihrer Heimtücke geworden waren, ging an mehr als einem buchstäblich in Erfüllung. Der Auswurf hat immer insoweit Instinkt, daß er weiß, wen sein Stachel am ersten und am schärfsten trifft, und so war denn ich den boshaften Anzapfungen eine Zeit lang am meisten ausgesetzt.

Bald stellte sich einer, als ob er sehr eifrig im Katechismus läse, den er dicht vors Gesicht hielt, raunte mir aber übers Blatt weg allerlei Schändlichkeiten ins Ohr und fragte mich, ob ich noch dumm genug sei, zu glauben, daß die Kinder aus dem Brunnen kämen und daß der Storch sie heraufhole. Bald rief ein anderer mir zu: »Willst du einen Apfel haben, so nimm ihn dir aus meiner Tasche, ich habe einen für dich mitgebracht!« Und wenn ich das tat, so schrie er: »Susanna, ich werde bestohlen!« und leugnete sein Wort ab. Ein dritter bespuckte wohl gar sein Buch, fing dann zu heulen an und behauptete mit frecher Stirn, ich hätte es getan. War ich nun solchen Vexationen fast allein preisgegeben, teils weil ich sie am empfindlichsten aufnahm, und teils weil sie wegen meiner großen Arglosigkeit am besten bei mir glückten, so gab es dagegen auch andere, die sich alle ohne Ausnahme gefallen lassen mußten. Dazu gehörten vorzugsweise die Prahlereien einiger hoch aufgeschossener Rangen, die uns übrigen in Jahren beträchtlich voraus waren, aber trotzdem noch auf der Abc-Bank saßen und von Zeit zu Zeit die Schule schwänzten. Sie hatten an und für sich nichts davon als doppelte und dreifache Langeweile; denn nach Hause durften sie nicht kommen, und Spielkameraden fanden sie nicht. Es blieb ihnen daher nichts übrig, als sich hinter einen Zaun hinzuducken oder in einem ausgetrockneten Wassergraben zu lauern, bis die Erlösungsstunde schlug, und sich dann, als ob sie gewesen wären, wo sie sein sollten, auf dem Heimgang unter uns zu mischen. Aber sie wußten sich zu entschädigen und sich den Spaß nachträglich zu bereiten, wenn sie wieder in die Schule kamen und uns ihre Abenteuer berichteten. Da war einmal der Vater ganz dicht am Zaun vorbeigegangen, das spanische Rohr, womit er sie durchzuwalken pflegte, in der Hand, und hatte sie doch nicht bemerkt. Da war ein anderes Mal die Mutter, vom Spitz begleitet, an den Graben gekommen, der Hund hatte sie aufgeschnüffelt, die Mutter sie entdeckt und die Lüge, daß sie von Susanna selbst hergeschickt seien, um ihr Kamillenblumen zu pflücken, ihnen doch noch durchgeholfen. Dabei brüsteten sie sich wie alte Soldaten, die den verwunderten Rekruten ihre Heldentaten erzählen, und die Applikation lautete stets: Wir riskieren Peitsche und Stock, ihr höchstens die Rute, und dennoch wagt ihr nichts! Dies war verdrießlich und um so mehr, da sich die Wahrheit nicht ganz in Abrede stellen ließ. Als daher der Sohn eines Altflickers einst mit zerbläutem Rücken zur Schule kam und uns mitteilte, sein Vater habe ihn ertappt und ihn derb mit dem Knieriemen gezüchtigt, er werde es nun aber nur um so öfter probieren, denn er sei kein Hase, beschloß auch ich, meine Courage zu zeigen, und das noch denselben Nachmittag. Ich ging also, als meine Mutter mich zur gewohnten Stunde, mit zwei saftigen Birnen für den Durst ausgerüstet, fortschickte, nicht zu Susanna, sondern verkroch mich mit klopfendem Herzen und ängstlich rückwärts spähend in den

Holzschuppen unseres Nachbars, des Tischlers, von seinem Sohn, der viel älter war als ich und schon mit in der Werkstatt hantierte, dazu aufgemuntert und dabei unterstützt. Es war sehr heiß und mein Schlupfwinkel so dunkel als dumpf, die beiden Birnen hielten nicht lange vor. Auch aß ich sie nicht ohne Gewissensbisse, und eine im Hintergrund mit ihren Jungen kauernde alte Katze, die bei der geringsten meiner Bewegungen grimmig knurrte, trug nicht auf die angenehmste Weise zu meiner Zerstreuung bei. Die Sünde führte ihre Strafe unmittelbar mit sich, ich zählte alle viertel und halben Stunden der Uhr, deren Schläge gellend und, wie es mir vorkam, drohend vom hohen Turm zu mir herüber drangen. Ich ängstigte mich ab, ob ich auch wohl unbemerkt aus dem Schuppen wieder herauskommen werde und ich dachte nur sehr selten und äußerst flüchtig an den Triumph, den ich morgen zu feiern hoffte. Es war bereits ziemlich spät, da trat meine Mutter in den Garten und ging, vergnügt und fröhlich um sich blickend, zum Brunnen, um Wasser zu schöpfen. Sie kam fast an mir vorbei, und mir stockte schon davon der Atem, aber wie ward mir erst, als der Vertraute meines Geheimnisses sie plötzlich fragte, ob sie auch wohl wisse, wo Christian sei, und auf ihre stutzend abgegebene Antwort: »Bei Susanna!« halb schalkhaft, halb schadenfroh versetzte: »Nein! nein! bei der Katze!« und ihr blinzelnd und zwinkernd mein Versteck zeigte. Ich sprang, vor Wut außer mir, hervor und stieß nach dem lachenden Verräter mit dem Fuß, meine Mutter aber, das ganze Gesicht eine Flamme, setzte ihren Eimer beiseite und packte mich bei Armen und Haaren, um mich noch in die Schule zu bringen. Ich riß mich los, ich wälzte mich auf dem Boden, ich heulte und schrie, aber alles war umsonst, sie schleppte mich, viel zu empört darüber, in ihrem überall gepriesenen stillen Liebling einen solchen Missetäter zu entdecken, um auf mich zu hören, mit Gewalt fort, und mein fortgesetztes Widerstreben hatte keine andere Folge, als daß alle Fenster an der Straße aufgerissen wurden und alle Köpfe herausschauten. Als ich ankam, wurden meine Kameraden gerade entlassen, sie rotteten sich aber um mich herum und überhäuften mich mit Spott und Hohn, während Susanna, die einsehen mochte, daß die Lektion zu streng war, mich zu begütigen suchte. Seit jenem Tage glaube ich zu wissen, wie dem Spießrutenläufer zumute ist.

6

Ich hätte oben eigentlich noch einen dritten Moment nennen sollen, aber dieser, wie hoch oder wie niedrig man ihn auch anschlagen mag, wenn man auf ihn zurückschaut, ist jedenfalls im Menschenleben so einzig und unvergleichlich, daß man ihn mit keinem anderen zusammenstellen darf. Ich lernte in Susannas dumpfer Schulstube nämlich auch die Liebe kennen, und zwar in derselben Stunde, wo ich sie betrat, also in meinem vierten Jahre. Die erste Liebe! Wer lächelt nicht, indem er dies liest, wem schwebt nicht irgendein Ännchen oder Gretchen vor, das ihm auch einmal eine Sternenkrone zu tragen und in Himmelblau und Morgengold gekleidet zu sein schien und das jetzt vielleicht – es wäre frevelhaft, das Gegenbild auszumalen! Doch, wer sagt sich nicht auch, daß er damals, wie im Fluge, an jedem Honigkelch, der im Garten der Erde steht, vorübergeführt wurde, zu rasch freilich, um sich zu berauschen, aber langsam genug, um den heiligen Frühduft einzuatmen! Darum gesellt sich jetzt zum Lächeln die Rührung, indem ich des schönen Maimorgens gedenke, an welchem das längst beschlossene, immer wieder verschobene und endlich unwandelbar auf einen bestimmten Tag festgesetzte große Ereignis, nämlich meine Entlassung aus dem väterlichen Hause in die Schule, wirklich stattfand.

»Er wird weinen!« sagte Meta am Abend vorher und nickte sibyllenhaft, als ob sie alles wüßte. »Er wird nicht weinen, aber er wird zu spät aufstehen!« erwiderte die Nachbarin

Ohl. »Er wird sich tapfer halten und auch zur rechten Zeit aus dem Bett sein!« warf der gutmütige Alte dazwischen. Dann fügte er hinzu: »Ich habe etwas für ihn, und das geb ich ihm, wenn er morgen früh um sieben gewaschen und gekämmt in meine Tür kommt.« Ich war um sieben beim Nachbarn und bekam zur Belohnung einen kleinen hölzernen Kuckuck. Ich habe bis halb acht guten Mut und spielte mit unserm Mops, mir wurde um dreiviertel flau, aber ich ward gegen acht wieder ein ganzer Kerl, weil Meta mit schadenfrohem Gesicht eintrat, und machte mich, die neue Fibel mit Johann Ballhorns eierlegendem Hahn unterm Arm, beherzt auf den Weg. Die Mutter ging mit, um mich feierlich einzuführen, der Mops folgte, ich war noch nicht ganz verlassen und stand vor Susanna, ehe ichs dachte. Susanna klopfte mich nach Schulmeisterart auf die Backen und strich mir die Haare zurück, meine Mutter empfahl mir in strengem Ton, der sie viel Mühe kostete, Fleiß und Gehorsam und entfernte sich eilig, um nicht wieder weich zu werden. Der Mops war eine ziemliche Weile unschlüssig, zuletzt schloß er sich ihr an. Ich erhielt einen goldpapiernen Heiligen zum Geschenk, dann wurde mir mein Platz angewiesen, und ich war dem surrenden und sumsenden Kinderbienenstock einverleibt, welcher dem Auftritt neugierig und der Unterbrechung froh zugesehen hatte. Es dauerte einige Zeit, bis ich aufzuschauen wagte, denn ich fühlte, daß ich gemustert wurde, und das setzte mich in Verlegenheit. Endlich tat ichs, und mein erster Blick fiel auf ein schlankes, blasses Mädchen, das mir gerade gegenüber saß; sie hieß Emilie und war die Tochter des Kirchspielschreibers. Ein leidenschaftliches Zittern überflog mich, das Blut drang mir zum Herzen, aber auch eine Regung von Scham mischte sich gleich in mein erstes Empfinden, und ich schlug die Augen so rasch wieder zu Boden, als ob ich einen Frevel damit begangen hätte. Seit dieser Stunde kam Emilie mir nicht mehr aus dem Sinn, die vorher so gefürchtete Schule wurde mein Lieblingsaufenthalt, weil ich sie nur dort

sehen konnte. Die Sonn- und Feiertage, die mich von ihr trennten, waren mir so verhaßt, als sie mir sonst erwünscht gewesen sein würden, ich fühlte mich ordentlich unglücklich, wenn sie einmal ausblieb. Sie schwebte mir vor, wo ich ging und stand, und ich wurde nicht müde, still für mich hin ihren Namen auszusprechen, wenn ich mich allein befand. Besonders waren ihre schwarzen Augenbraunen und ihre sehr roten Lippen mir immer gegenwärtig, wogegen ich mich nicht erinnere, daß auch ihre Stimme Eindruck auf mich gemacht hätte, obgleich später gerade hievon alles bei mir abhing. Daß ich bald das Lob des fleißigen Schulgängers und des besten Schülers davontrug, versteht sich von selbst. Mir war dabei aber eigen zumut, denn ich wußte gar wohl, daß es nicht die Fibel war, die mich zu Susanna hintrieb, und daß ich nicht, um schnell lesen zu lernen, so emsig buchstabierte. Allein, niemand durfte ahnen, was in mir vorging, und Emilie am wenigsten: ich floh sie aufs ängstlichste, um mich nur ja nicht zu verraten. Ich erwies ihr, wenn die gemeinschaftlichen Spiele uns dennoch zusammenführten, eher Feindseligkeiten als etwas Freundliches; ich zupfte sie von hinten bei den Haaren, um sie doch einmal zu berühren, und tat ihr weh dabei, um nur keinen Verdacht zu erregen.
Ein einziges Mal jedoch brach die Natur sich gewaltsam Bahn, weil sie auf eine zu starke Probe gesetzt wurde. Als ich nämlich eines Nachmittags in der Tummelstunde, die dem Unterrichts stets voranging, weil die Kinder nur langsam zusammenkamen und Susanna auch gern ein Mittagsschläfchen hielt, in die Schulstube trat, bot sich mir ein höchst betrübsamer Anblick dar: Emilie wurde von einem Knaben gemißhandelt, und dieser war einer meiner besten Kameraden. Er zupfte und knuffte sie weidlich, und das ertrug ich noch, obgleich nicht ohne große Mühe und mit immer steigender, stiller Erbitterung. Endlich aber trieb er sie in einen Winkel, und als er sie wieder herausließ, blutete ihr der Mund, wahrscheinlich weil er sie irgendwo gekratzt hatte. Da konnte ich

mich nicht länger halten, der Anblick des Blutes versetzte mich in Raserei. Ich fiel über ihn her, warf ihn zu Boden und gab ihm seine Püffe und Schläge doppelt und dreifach zurück. Aber Emilie, weit entfernt, mir dankbar zu sein, rief selbst für ihren Feind nach Hülfe und Beistand, als ich gar nicht wieder aufhörte, und verriet so unwillkürlich, daß sie ihn lieber hatte als den Rächer. Susanna, durch das Geschrei aus ihrem Schlummer geweckt, eilte herbei und forderte mürrisch und unwillig, wie sie natürlich war, strenge Rechenschaft wegen meines plötzlichen Wutanfalls; was ich zur Entschuldigung hervorstotterte und -stammelte, war unverständlich und unsinnig, und so trug ich denn als Lohn für meinen ersten Ritterdienst eine derbe Züchtigung davon. Diese Neigung dauerte bis in mein achtzehntes Jahr und hatte sehr verschiedene Phasen; ich muß daher noch mehrmals darauf zurückkommen.

7

Schon in der frühesten Zeit war die Phantasie außerordentlich stark in mir. Wenn ich des Abends zu Bett gebracht wurde, so fingen die Balken über mir zu kriechen an, aus allen Ecken und Winkeln des Zimmers glotzten Fratzengesichter hervor, und das Vertrauteste, ein Stock, auf dem ich selbst zu reiten pflegte, der Tischfuß, ja die eigene Bettdecke mit ihren Blumen und Figuren wurden mir fremd und jagten mir Schrecken ein. Ich glaube, es ist hier zwischen der unbestimmten allgemeinen Furcht, die allen Kindern ohne Ausnahme eigen ist, und einer gesteigerten, die ihre Angstgebilde in schneidend scharfen Formen verkörpert und der jungen Seele wahrhaft objektiv macht, wohl zu unterscheiden. Jene teilte mein Bruder, der neben mir lag, aber ihm fielen immer sehr bald die Augen zu, und dann schlief er ruhig bis an den hellen Morgen; diese quälte mich allein, und sie hielt den Schlaf nicht bloß von mir fern, sondern scheuchte ihn auch, wenn er schon gekommen war, oft noch wieder fort und ließ mich mitten in der Nacht um Hilfe rufen. Wie tief sich die Ausgeburten derselben mir eingeprägt haben, geht daraus hervor, daß sie mit voller Gewalt in jeder ernsten Krankheit wiederkehren; sowie das fieberisch siedende Blut mir übers Gehirn läuft und das Bewußtsein ertränkt, stellen die ältesten Teufel, alle später geborenen vertreibend und entwaffnend, sich wieder ein, um mich zu martern, und das beweist ohne Zweifel am besten, wie sie mich einst gemartert haben müssen.

Aber auch am Tage war die Phantasie ungewöhnlich und vielleicht krankhaft rege in mir. Häßliche Menschen zum Beispiel, über die mein Bruder lachte und die er nachäffte, erfüllten mich mit Grauen. Ein kleiner buckligter Schneider, an dessen dreieckigem leichenblassem Gesicht freilich unmäßig lange Ohren saßen, die noch obendrein hochrot und durchsichtig waren, konnte nicht vorbeigehen, ohne daß ich schreiend ins Haus lief, und fast den Tod hätte ich davon genommen, als er mir, höchlich aufgebracht, einmal folgte, mich einen dummen Jungen scheltend und mit meiner Mutter keifend, weil er glaubte, daß sie ihn in der häuslichen Erziehung als Knecht Ruprecht verwende. Ich konnte keine Knochen sehen und begrub auch den kleinsten, der sich in unserem Gärtchen endecken ließ, ja, ich merzte später in Susannas Schule das Wort Rippe mit den Nägeln aus meinem Katechismus aus, weil es mir den eklen Gegenstand, den es bezeichnet, immer so lebhaft vergegenwärtigte, als ob er selbst in widerwärtiger Modergestalt vor mir läge.

Dagegen war mir aber auch ein Rosenblatt, das der Wind mir über den Zaun wehte, so viel und mehr, wie anderen die Rose selbst, und Wörter wie Tulpe und Lilie, wie Kirsche und Aprikose, wie Apfel und Birne versetzten mich unmittelbar in Frühling, Sommer und Herbst hinein, so daß ich die Fibelstücke, in denen sie vorkamen, vor allem gern laut buchstabierte und mich jedesmal ärgerte, wenn die Reihe mich nicht traf. Nur bedarf man leider in der Welt viel öfter des Verkleinerungs- als des Vergrößerungsglases, und davon ist selbst die schöne Jugendzeit nur in den seltensten Fällen ausgenommen. Denn wie man vom Pferde sagt, daß es den Menschen darum respektiert, weil es nach der Konstruktion seines Auges einen Riesen in ihm erblickt, so steht auch das mit Phantasie begabte Kind nur deshalb vor einem Sandkorn still, weil es ihm ein unübersteiglicher Berg scheint. Die Dinge selbst können hier also nicht den Maßstab abgeben, sondern man muß nach dem Schatten fragen, den sie werfen, und so kann der Vater oft lachen, während der Sohn Höllenqualen erleidet, weil die Gewichte, womit beide wägen, eben grundverschieden sind.

Ein an sich drolliger Vorfall gehört hieher, da er gerade diesen für die Erziehung höchst wichtigen Punkt ins klarste Licht setzt. Ich sollte einmal zu Mittag eine Semmel holen, die Bäckersfrau reichte sie mir und gab mir zugleich in großmütiger Laune einen alten Nußknacker, der sich beim Aufräumen irgendwo vorgefunden haben mochte, mit auf den Weg. Ich hatte noch nie einen Nußknacker gesehen, ich kannte keine seiner verborgenen Eigenschaften und nahm ihn hin wie jede andere Puppe, die sich durch rote Backen und glotzende Augen empfahl. Vergnügt den Rückweg antretend und den Nußknacker als neugewonnen Liebling zärtlich an die Brust drückend, bemerkte ich plötzlich, daß er den Rachen öffnet und mir zum Dank für die Liebkosung seine grimmigen weißen Zähne zeigt. Man male sich meinen Schreck aus! Ich kreischte hell auf, ich rannte wie gehetzt über die Straße, aber ich hatte nicht so viel Besinnung oder Mut, den Unhold von mir zu werfen, und da er natürlich nach Maßgabe meiner eigenen Bewegung während des Laufens sein Maul bald schloß, bald wieder aufriß, so konnte ich nicht umhin, ihn für lebendig zu halten, und kam halbtot zu Hause an. Hier wurde ich nun zwar ausgelacht und aufgeklärt, zuletzt gar gescholten, es half aber alles nichts, es war mir nicht möglich, mich mit dem Ungetüm wieder auszusöhnen, obgleich ich seine Unschuld erkannte, und ich ruhte nicht, bis ich die Erlaubnis erhielt, ihn an einen andern Knaben wieder zu verschenken. Als mein Vater die Sache erfuhr, meinte er, es gäbe keinen zweiten Jungen, dem so etwas begegnen könne; das war sehr wohl möglich, denn es gab vielleicht keinen, dem die Vettern des Nußknackers des Abends vor dem Eindämmern vom Boden und von den Wänden herab schon Gesichter geschnitten hatten. Bei Nacht gipfelte diese Tätigkeit meiner gärenden Phantasie in einem Traum, der so ungeheuerlich war und einen solchen Eindruck in mir zurückließ, daß er eben deshalb siebenmal hintereinander wiederkehrte. Mir war, als hätte der liebe Gott, von dem ich schon so manches gehört hatte, zwischen Himmel und Erde ein Seil ausgespannt, mich hineingesetzt und sich danebengestellt, um mich zu schaukeln. Nun flog ich denn ohne Rast und Aufenthalt in schwindelerregender Eile hinauf und hinunter; jetzt war ich hoch in den Wolken, die Haare flatterten mir im Winde, ich hielt mich krampfhaft fest und schloß die Augen; jetzt war ich dem Boden wieder so nah, daß ich den gelben Sand sowie die kleinen roten und weißen Steinchen deutlich erblicken, ja mit den Fußspitzen erreichen konnte. Dann wollte ich mich herauswerfen, aber das kostete doch einen Entschluß, und bevor es mir gelang, gings wieder in die Höhe, und mir blieb nichts übrig, als abermals ins Seil zu greifen, um nicht zu stürzen und zerschmettert zu werden. Die Woche, in welche dieser Traum fällt, war vielleicht die entsetzlichste meiner Kindheit, denn die Erinnerung an ihn verließ mich den ganzen Tag nicht, und da ich, sowie ich trotz meines Sträubens zu Bett gebracht wurde, die Angst vor seiner Wiederkehr gleich mit hinein, ja unmittelbar mit in den Schlaf hinüber nahm, so war es kein Wunder, daß er sich auch immer wieder einstellte, bis er sich allmählich abschwächte.

8

Ich blieb in Susannas Schule bis in mein sechstes Jahr und lernte dort fertig lesen. Zum Schreiben ward ich meiner Jugend wegen, wie es hieß, noch nicht zugelassen. Es war das letzte, was Susanna mitzuteilen hatte, darum hielt sie vorsichtig damit zurück. Aber die notwendigen ersten Gedächtnisübungen wurden auch schon mit mir angestellt, denn sowie der Knirps sich vom geschlechtslosen Rock zur Hose und von der Fibel zum Katechismus aufgedient hatte, mußte er die zehn Gebote und die Hauptstücke des christlichen Glaubens auswendig lernen, wie Doktor Martin Luther, der große Reformator, sie vor dreihundert Jahren als Richtschnur für die protestantische Kirche formuliert hat. Weiter gings nicht, und die ungeheuren Dogmen, die ohne Erklärung und Erläuterung aus dem Buch in das unentwickelte Kindergehirn hinüberspazierten, setzten sich hier natürlich in wunderliche und zum Teil groteske Bilder um, die jedoch dem jungen Gemüt keineswegs schadeten, sondern es heilsam anregten und eine ahnungsvolle Gärung darin hervorriefen. Denn was tuts, ob das Kind, wenn es von der Erbsünde oder von Tod und Teufel hört, an diese tiefsinnigen Symbole einen Begriff oder eine abenteuerliche Vorstellung knüpft; sie zu ergründen, ist die Aufgabe des ganzen Lebens, aber der werdende Mensch wird doch gleich beim Eingang an ein alles bedingendes Höheres gemahnt, und ich zweifle, ob sich das gleiche Ziel durch frühzeitige Einführung in die Mysterien der Regeldetri oder in die Weisheit der Äsopischen Fabeln erreichen läßt. Merkwürdig war allerdings dabei, daß Luther in meiner Einbildung fast unmittelbar neben Moses und Jesus Christus zu stehen kam, doch es hatte ohne Zweifel darin seinen Grund, daß sein donnerndes ›Was ist das?‹ immer augenblicklich hinter den majestätischen Lakonismen Jehovas herscholl und daß obendrein sein derbkerniges Gesicht, aus dem der Geist um so eindringlicher spricht, weil er offenbar mit dem widerstrebenden dicken Fleisch um den Sieg erst kämpfen muß, dem Katechismus in nachdrücklicher Schwärze vorgedruckt war. Aber auch das hatte meines Wissens für mich ebensowenig nachteilige Folgen als mein Glaube an die wirklichen Hörner und Klauen des Teufels oder an die Hippe des Todes, und ich lernte, sobald es not tat, sehr gut zwischen den Salvator und dem Reformator unterscheiden. Übrigens genügte der bescheidene Erwerb, den ich bei Susanna davontrug, vollkommen, mir zu Hause ein gewisses Ansehen zu verschaffen. Dem Meister Ohl imponierte es ungemein, daß ich bald besser wußte als er selbst, was der wahre Christ alles glaubt, und meine Mutter wurde fast zu Tränen gerührt, als ich ihr das erste Mal, ohne zu stottern oder gar zu stocken, bei der Lampe den Abendsegen vorlas, ja sie fühlte sich so davon erbaut, daß sie mir das Lektoramt für immer übertrug, welches in denn auch geraume Zeit mit vielem Eifer und nicht ohne Selbstgefühl versah.

Gegen das Ende meines sechsten Jahres trat in den holsteinischen Schuleinrichtungen und also auch in denen meines Vaterländchens eine große Veränderung, ja eine vollständige Umgestaltung ein. Bis dahin hatte der Staat sich in die erste Erziehung gar nicht, in die spätere wenig gemischt; die Eltern konnten ihre Kinder schicken, wohin sie wollten, und die Klipp- und Winkelschulen waren reine Privatinstitute, um die sich selbst die Prediger kaum kümmerten und die oft auf die seltsamste Weise entstanden. So war Susanna einmal an einem stürmischen Herbstabend, ohne einen Heller zu besitzen und völlig fremd, auf hölzernen Pantoffeln nach Wesselburen gekommen und hatte bei einer mitleidigen Pastorswitwe um Gottes willen ein Nachtquartier gefunden; diese entdeckt, daß die Pilgerin lesen und schreiben kann, auch in der Schrift nicht übel Bescheid weiß, und macht ihr daraufhin Knall und Fall den Vorschlag, im Ort, ja in ihrem Hause zu bleiben und Unterricht zu geben. Die Jugend, wenigstens der kriechende Teil derselben, war nämlich gerade verwaist, der bisherige Lehrer, lange Zeit wegen seiner strengen Zucht höchlich gepriesen, hatte ein naseweises kleines Mädchen zur Strafe für irgendeine Ungezogenheit entblößt auf einen heißen Ofen gesetzt, vielleicht um ein noch größeres Lob davonzutragen, und das war denn doch auch den unbedingtesten Verehrern der Rute zu stark gewesen.

Susanna stand ganz verlassen in der Welt da und wußte nicht, wohin sie sich wenden oder was sie ergreifen sollte; sie vertauschte die gewohnte Handarbeit daher gern, obgleich nicht ohne Angst, nach ihrem eigenen Ausdruck, mit der schweren Kopfarbeit, und die Spekulation glückte vollkommen und in kürzester Frist. Den mehr herangewachsenen Knaben und Mädchen öffneten sich freilich ernst und finster Rektorat und Konrektorat, die unter einer Art Kontrolle standen und sich nötigenfalls durch den weltlichen Arm rekrutierten, wenn der Nachwuchs nicht von selbst einsprach. Aber auch hier wurden trotz der pomphaften, nur bis zur Stunde rätselhaft gebliebenen Namen, womit sie stolzierten, nur die notdürftigen Realien traktiert und ein wegen seiner Gaben allgemein angestaunter Bruder meiner Mutter, den der keineswegs überbescheidene Rektor mit der feierlichen Erklärung entließ, daß er ihn nichts weiter lehren könne, weil er so viel wisse als er selbst, war allerdings ein gewaltiger Kalligraph und putzte seine Neujahrswünsche mit Tusche und Schnörkeln heraus, wie Fust und Schöffer ihre Inkunabeln, konnte jedoch nicht einen einzigen grammatikalischen Satz zustande bringen. Diesen unleugbar höchst mangelhaften und der Verbesserung bedürftigen Zuständen sollte nun ein für allemal ein Ende gemacht, das Volk sollte von der Wiege an erzogen und der Aberglaube bis auf die letzte Wurzel ausgerottet werden. Ob man gründlich erwog, was vorwiegend zu erwägen gewesen wäre, bleibe dahingestellt, denn der Begriff der Bildung ist äußerst relativ, und wie der ekelhafteste Rausch durchs Nippen aus allen Flaschen entsteht, so erzeugt das flache enzyklopädische Wissen, das sich allenfalls in die

Breite mitteilen läßt, gerade jenen widerwärtigen Hochmut, der sich keiner Autorität mehr beugt und doch zu der Tiefe, in der sich die geil aufschießenden dialektischen Widersprüche und Gegensätze von selbst lösen, nie hinabdringt. Jedenfalls ergriff man das rechte Mittel, indem man auf der einen Seite Seminarien stiftete und auf der anderen Elementarschulen errichtete, so daß der Abkläricht, der dort ausgekocht und als Rationalismus in die leeren Schulmeisterköpfe hineingetrichtert wurde, sich von hier aus gleich über das ganze Land ergießen konnte. Das Resultat war, daß auf eine etwas abergläubische Generation eine überaus superkluge folgte; denn es ist erstaunlich, wie der Enkel sich fühlt, wenn er weiß, daß ein nächtlicher Feuermeteor bloß aus brennenden Dünsten besteht, während der Großvater den Teufel darin erblickt, der in irgendeinen Schornstein mit seinen leuchtenden Geldsäcken hinein will. Doch wie es sich hiemit auch im allgemeinen verhalten mochte, ich wiederhole meine Überzeugung, daß der Durchschnittspunkt hier außerordentlich schwer zu treffen ist: für mich knüpfte sich an die Reform ein großes Glück. Auch Wesselburen erhielt nämlich seine Elementarschule, und an diese wurde ein Mann als Lehrer gewählt, dessen Namen ich nicht ohne ein Gefühl der tiefsten Dankbarkeit niederschreiben kann, weil er trotz seiner bescheidenen Stellung einen unermeßlichen Einfluß auf meine Entwicklung ausgeübt hat. Er hieß Franz Christian Dethlefen und kam aus dem benachbarten Eiderstedt, wo er schon eine kleine Bedienstung gehabt hatte, zu uns herüber.

9

Kein Haus ist so klein, daß es dem Kinde, welches darin geboren ward, nicht eine Welt schiene, deren Wunder und Geheimnisse es erst nach und nach entdeckt. Selbst die ärmlichste Hütte hat wenigstens ihren Boden, zu dem eine hölzerne Leiter hinaufführt, und mit welchem Gefühl wird diese zum ersten Mal erstiegen! Gewiß findet sich oben einiges altes Gerät, das, unbrauchbar und vergessen, in eine längst vergangene Zeit zurückdeutet und an Menschen mahnt, die schon bis auf den letzten Knochen vermodert sind. Hinterm Schornstein steht wohl eine wurmstichige Kiste, welche die Neugier reizt; handhoch liegt der Staub darauf, noch sitzt das Schloß, aber man braucht nicht nach dem Schlüssel zu suchen, denn man kann hineingreifen, wo man will, und wenn das Kind es mit Zittern und Zagen tut, so zieht es einen zerrissenen Stiefel oder die zerbrochene Kunkel eines Spinnrades hervor, das schon vor einem halben Jahrhundert beiseite gestellt wurde. Schaudernd schleudert es den Doppelfund wieder von sich, weil es sich unwillkürlich fragt, wo ist das Bein, das jenen trug, und wo die Hand, die diese in Schwung setzte; doch die Mutter hebt das eine oder das andere bedächtig wieder auf, weil sie gerade eines Riemens bedarf, der sich noch aus dem Stiefel des Großvaters herausschneiden läßt, oder weil sie glaubt, daß sie mit der Kunkel der Urtante noch einmal Feuer anmachen kann. Wäre die Kiste aber auch während des letzten harten Winters, der die Leute sogar nötigte, getrocknete Mistfladen zu brennen, mit in den Kachelofen gewandert, so steckt doch im Dach noch eine verrostete Sichel, die einst blank und fröhlich zu Felde zog und tausend goldgrüne Halme in einem Ausholen darniederstreckte, und darüber hängt die unheimliche Sense, an der sich vor Zeiten ein Knecht die Nase ablief, weil sie bis auf die Bodenluke hinabgeglitten war und er die Leiter zu rasch hinanstieg. Daneben piepsen in den Ecken die Mäuse, es springen wohl auch ein paar aus den Löchern hervor, um nach kurzem Tanz wieder hineinzuschlüpfen, ja ein blendend weißes Wieselchen wird für einen Augenblick sichtbar, das kluge Köpfchen samt den Vorderpfoten spähend und schnuppernd in die Höhe hebend, und der einzige Sonnenstrahl, der durch irgendeine verstohlene Spalte dringt, ist einem Goldfaden so vollkommen ähnlich, daß man ihn gleich um den Finger wickeln möchte. Von einem Keller weiß die Hütte nichts, wohl aber das Bürgerhaus, wenn auch nicht des Weines, sondern der Kartoffeln und der Rüben wegen, die der Ärmere im Freien unter einem tüchtigen Erdhaufen birgt, den er im Herbst aufwirft und im Winter bei starkem Frost noch vorsichtig mit Stroh oder Mist bedeckt. In den Keller zu kommen, will nun noch viel mehr heißen, als auf den Boden zu gelangen; wo aber wäre das Kind, welches nicht auch dieses Gelüst auf die eine oder andere Weise zu befriedigen wüßte! Es kann ja zum Nachbar gehen und sich schmeichelnd an die Schürze der Magd hängen, wenn sie gerade etwas heraufholen soll, es kann sogar den Augenblick erlauern, wo aus Versehen die Tür offen blieb, und sich auf eigene Faust hinunterwagen. Das ist freilich gefährlich, denn sie kann plötzlich zugeschlagen werden, und die sechzehnfüßigen Kanker, die in ekelhafter Mißgestalt an den Wänden umherkriechen, sowie das durchsickernde grünliche Wasser, das sich in den hie und da absichtlich gelassenen Vertiefungen sammelt, laden nicht zum langen Verweilen ein. Aber was tuts, man hat die Kehle ja bei sich, und wer ordentlich schreit, der wird zuletzt gehört!

Macht nun schon das Haus unter allen Umständen einen solchen Eindruck auf das Kind: wie muß ihm erst der Ort vorkommen! Es tritt, wenn es zum ersten Mal von der Mutter oder vom Vater mitgenommen wird, den Gang durch den Straßenknäuel gewiß nicht ohne Staunen an, es kehrt noch weniger ohne Schwindel von ihm zurück. Ja, es bringt von vielen Objekten vielleicht ewige Typen mit heim, ewig in dem Sinn, daß sie sich im Fortgang des Lebens eher unmerklich bis ins Unendliche recken und erweitern, als sich jemals wieder zerschlagen lassen, denn die primitiven Abdrücke der Dinge sind unzerstörbar und behaupten sich gegen alle späteren, wie weit diese sie auch an sich übertreffen mögen. So war es denn auch für mich ein unvergeßlicher und bis auf den gegenwärtigen Tag fortwirkender Moment, als meine Mutter mich den Abendspaziergang, den sie sich in der schönen Sommerzeit an Sonn- und Feiertagen wohl gönnte, zum ersten Mal teilen ließ. Mein Gott, wie groß war dies Wesselburen: fünfjährige Beine wurden fast müde, bevor sie ganz herum kamen! Und was traf man alles unterwegs! Schon die Namen der Straßen und Plätze, wie rätselhaft und abenteuerlich klangen sie! »Nun sind wir auf dem Lollfuß! Das ist Blankenau! Hier gehts zum Klingelberg hinüber! Dort steht das Eichennest!« Je weniger sich ein Anhaltspunkt für sie fand, um so sicherer mußten sie Mysterien verbergen! Nun gar die Sachen selbst! Die Kirche, deren metallene Stimme ich schon so oft gehört hatte, der Gottesacker mit seinen düstern Bäumen und seinen Kreuzen und Leichensteinen, ein uraltes Haus, das ein ›Achtundvierziger‹ bewohnt haben und in dessen Keller ein vom Teufel bewachter Schatz verborgen sein sollte, ein großer Fischteich: all diese Einzelheiten flossen für mich, als ob sie sich, wie die Glieder eines riesenhaften Tiers, organisch aufeinder bezögen, zu einem ungeheuren Totalbilde zusammen, und der Herbstmond übergoß es mit bläulichem Licht. Ich habe seitdem den Dom von St. Peter und jedes deutsche Münster gesehen, ich bin auf dem *Père La Chaise* und an der Pyramide des Cestius gewandelt; aber wenn ich im allgemeinen an Kirchen, Friedhöfe usw. denke, so schweben sie mir noch jetzt in der Gestalt vor, in der ich sie an jenem Abend erblickte.

10

Ungefähr um dieselbe Zeit, wo ich Susannas dumpfen Saal mit der neu erbauten, hellen und freundlichen Elementarschule vertauschte, mußte auch mein Vater sein kleines Haus verlassen und eine Mietswohnung beziehen. Das war nun für mich ein wunderlicher Kontrast. Die Schule hatte sich erweitert: ich schaute aus blanken Fenstern mit breiten Föhrenrahmen, statt das neugierige Auge an grünen Bouteillenscheiben mit schmutziger Bleieinfassung zu versuchen, und der Tag, der bei Susanna immer später anfing und früher aufhörte, als er sollte, kam zu seinem vollen Recht; ich saß an einem bequemen Tisch mit Pult und Tintenfaß, der frische Holz- und Farbengeruch, der noch jetzt einigen Reiz für mich hat, versetzte mich in eine Art von fröhlichem Taumel, und als ich auf mein Lesen hin vom inspizierenden Pfarrer angewiesen wurde, die dritte Bank, die ich bescheiden gewählt hatte, mit der ersten zu vertauschen und sogar auf dieser noch einen der obersten Plätze einzunehmen, fehlte mir nicht mehr viel zur Seligkeit.

Das Haus dagegen war zusammengeschrumpft und hatte sich verfinstert; jetzt gab es keinen Garten mehr, in dem ich mich mit meinen Kameraden bei gutem Wetter herumtummeln konnte, keine Diele, die uns bei Regen und Wind gastlich aufnahm: ich war auf die enge Stube beschränkt, in der ich mich kaum selbst rühren, in die ich aber keinen Spielgefährten mitbringen durfte, und auf den Platz vor der Tür, auf dem es, da die Straße unmittelbar daran vorüberlief, nur selten einer bei mir aushielt. Der Grund der ganzen folgenschweren Veränderung war eigen genug.

Mein Vater hatte sich bei seiner Verheiratung durch Übernahme einer Bürgschaft mit fremden Schulden beladen und würde ohne Zweifel schon viel früher ausgetrieben worden sein, wenn sein Gläubiger nicht glücklicherweise die lange Strafe einer Brandstiftung im Zuchthause abzubüßen gehabt hätte. Dies war einer der furchtbaren Menschen, die das Böse des Bösen wegen tun und den krummen Weg sogar dann noch vorziehen, wenn der gerade rascher und sicherer zum Ziele führt; er hatte den lauernd boshaften Höllenblick, den niemand aushält und der in einer noch kindlichen Zeit den Glauben an Hexen und Hexenmeister entzündet haben mag, weil die Freude über das Unheil in ihm einen Ausdruck findet, der das Unheil selbst notwendig vermehren zu müssen scheint. Krugwirt und Krämer seines Zeichens und für seinen Stand mehr als wohlhabend, hätte er die friedlichste und fröhlichste Existenz führen können; aber er mußte durchaus mit Gott und der Welt in Feindschaft stehen und einem wahrhaft teuflischen Humor, von dem mir später selbst in Kriminalgeschichten kein zweites Beispiel vorgekommen ist, den Zügel schießen lassen. So ließ er seine Frau einmal auf ihre Bitte am Sonnabend mit der größten Freundlichkeit zur Beichte gehen, verbot ihr aber, am Sonntag nach protestantischem Brauch auch das Abendmahl zu nehmen, weil sie ihn darum nicht ersucht hätte. Wenn irgendeinem seiner Nachbarn ein junges, schönes Pferd heranwuchs, so ging er zu ihm und bot ihm einen Spottpreis für das Tier. Wies dieser ihn ab, so sagte er: ich würde mirs doch überlegen und die alte Regel beherzigen, daß man alles hergeben soll, worum einmal gehandelt wurde; wer weiß, was geschieht! Und sicher ward das Pferd trotz aller Überwachung früher oder später auf der Wiese oder im Stall mit durchschnittener Fußsehne gefunden und mußte erstochen werden, so daß er zuletzt kaufen konnte, was ihm irgend gefiel. Seinem Schwiegersohn half er bereitwilligst zu einem betrügerischen Bankerott, zu dem er ihn selbst verleitet haben mochte; als dieser jedoch nach geschworenem Meineid die unterschlagenen Sachen zurückverlangte, lachte er ihn aus und forderte ihn auf, zu klagen. Beim Feuerlegen wurde er aber, von seiner eigenen Magd überrascht, ungeachtet seiner Schlauheit und seines ebenso großen Glücks auf der Tat ertappt, und diesem Umstand verdankte mein Vater, den er durch allerlei listige Vorspiegelungen in die Bürgschaft hineingeschwatzt hatte, die wenigen Jahre ruhigen Besitzes, deren er sich in seinem kurzen Leben erfreute. Sowie das Zuchthaus dem Gemeinwesen seinen Zögling zurückgab, mußten wir die Stätte verlassen, an der unsere Großeltern über ein halbes Jahrhundert Freude und Leid miteinander geteilt hatten; es war für mich und meinen Bruder wie Weltuntergang, als die alten Mobilien, die sonst kaum beim Weißen des Zimmers von der Stelle gerückt wurden, plötzlich auf die Straße hinauswanderten, als die ehrwürdige holländische Schlaguhr, die nie richtig ging und immer Verwirrung anstiftete, auf einmal, hell vom Strahl der Maisonne beschienen, an einem Ast des Birnbaumes hing, und der runde, wurmstichige Speisetisch, der uns, wenn gerade wenig darauf war, so oft den Wunsch abnötigte, daß wir alles haben möchten, was schon darauf verzehrt worden sei, wackelnd darunter stand. Doch war das Ganze natürlich ein Schauspiel für uns, und als sich sogar beim Aufräumen ein mir längst verloren gegangener bunter Pfeifenkopf in irgendeinem Rattenloch wiederfand und noch obendrein bei den mit uns ausziehenden Familien dies und jenes, was sich des Mitnehmens nicht zu verlohnen schien, für uns, die wir auch noch das Letzte brauchen konnten, beim Durchstöbern der Winkel abfiel, kam der Tag uns bald als ein Festtag vor, und wir schieden, zwar nicht ohne Rührung, aber doch ohne Schmerz von den Räumen, in denen wir geboren waren.

Was das eigentlich hieß, erfuhr ich erst nachher, aber freilich bald genug; ich war, ohne es selbst zu wissen, bis dahin ein kleiner Aristokrat gewesen und hatte nun aufgehört, es zu sein. Das hing so zusammen. An und für sich schaut der Kätner auf den Heuerling herab, wie der Bauer und der reiche Bürger auf ihn, und ebenso wird mit einem gewissen Respekt wieder zu ihm hinaufgeschaut. Er ist des ersten Grußes so sicher, als ob er einen Wechsel darüber in Händen hätte und ihn durch die Gerichte eintreiben könnte; kann er sich aber auf seiner Höhe nicht behaupten, so geht es ihm wie jeder Größe, die zu Falle kommt: die Unteren rächen sich dafür an ihm, daß er sie einst überragt hat. Die Kinder richten sich in allen diesen Stücken nach den Eltern, und so hatte ich die Ehre der Erhebung, aber auch die Schmach des Sturzes mit meinem Vater zu teilen. Als wir uns noch im Besitz befanden, wurde mein Ansehen als Kätnerssohn noch bedeutend durch den Birn- und den Pflaumenbaum unseres Gartens gesteigert. Selbst im Winter wurde es nicht ganz vergessen, daß ich im Sommer etwas zu verschenken habe, und mancher hartgefrorene Schneeball, der mir ursprünglich zugedacht war, flog doch an meinen Ohren vorüber, weil man besorgte, daß ich zu ungelegener Zeit Revanche nehmen möchte. Kam der Frühling heran, so begann man durch allerlei kleine Gaben um meine Protektion zu werben; bald erhielt ich ein Heiligenbild, bald ein buntes Merkzeichen, bald eine Muschel, und huldvoll versprach ich dafür, was man verlangte. Zeigten sich die ersten Blüten, so wurden mit Tischlers Wilhelm förmliche Geschäfte abgeschlossen; er überließ mir auf Kredit bald einen kleinen Wagen, bald einen Puppensarg, bald ein Schränkchen und ähnliche Spielereien, die er selbst zierlich genug aus den Holzabfällen seines Vaters zurechtzuschnitzeln wußte, und ich wies ihm dafür ganze oder halbe Körbe von Birnen und Pflaumen an. Prangten die Bäume im vollen Flor, so war die Ernte auch in der Regel schon verkauft, aber allerdings ganz in der Stille, denn meine Mutter war wenig geneigt, die von mir eingegangenen Kontrakte zu realisieren, und Wilhelm stand ihr gegenüber immer als großmütiger und uneigennütziger Schenker da. Waren die Früchte reif, ein Zeitpunkt, über den Kinder und Erwachsene bekanntlich weit voneinander abweichen, so warf mein Gläubiger von seinem Garten aus mit Knitteln und Steinen dazwischen, während ich aufpaßte, ob auch jemand käme, und das Gefallene hurtig und ängstlich für ihn zusammenlas. Wir wählten gewöhnlich die Mittagsstunde dazu, und oft glückte es mir, meine Schulden vollständig abzutragen, bevor die allgemeine Obstlese eintrat; oft wurden wir aber auch von dieser überrascht oder sonst ertappt, und dann holte Wilhelm sich ohne Erbarmen und ohne sich darum zu kümmern, daß er zuweilen den größten Teil des bedungenen Preises schon eingestrichen hatte, in günstiger Stunde seine Sachen wieder, indem er rasch über den Zaun sprang und sie mir wegriß. Das gleiche hätte er wahrscheinlich in unfruchtbaren Jahren getan; ich weiß mich aber eines solchen nicht zu erinnern. Dies alles hatte nun ein Ende, und die Folgen waren anfangs recht bitter. Zunächst wurden meine Eltern feierlich als ›Hungerleider‹ eingekleidet, denn es ist charakteristisch an den geringen Leuten, daß sie das Sprichwort: Armut ist keine Schande! zwar erfunden haben, aber keineswegs darnach handeln. Dazu trug nun nicht wenig mit bei, daß meine Mutter etwas zurückhaltender Natur war und auch jetzt noch nicht aufhörte, ihr oft ausgesprochenes Prinzip: ›Wegwerfen kann ich mich immer, damit hat es keine Eile!‹ zu befolgen. Dann fing man an, auf uns Kinder zu hacken. Die alten Spielkameraden zogen sich zurück oder ließen uns den eingetretenen Unterschied wenigstens empfinden, denn der Knabe, der einen Eierkuchen im Leibe hat, blickt den von der Seite an, der sich den Magen mit Kartoffeln füllen mußte. Die neuen hänselten uns und zeigten sich widerwärtig, wo sie konnten, ja, die ›Pflegehausjungen‹ drängten sich heran. Diese, arme Waisen, die auf öffentliche Kosten in einem Mitteldäng von Mildtätigkeitsanstalt und Hospital unterhalten wurden, bildeten nämlich die allerunterste Klasse; sie trugen graue Kittel, hatten in der Schule, wie die Grafen in Göttingen, ihre eigene Bank, nur aus andern Gründen, und wurden von allen gemieden, so daß sie sich selbst als halbe Aussätzige betrachteten und sich nur dem näherten, den sie verhöhnen zu dürfen glaubten. Doch hatte dies alles zuletzt sehr gute Folgen für mich. Ich war bis dahin ein Träumer gewesen, der sich am Tage gern hinter den Zaun oder den Brunnen verkroch, des Abends aber im Schoß der Mutter oder der Nachbarinnen kauerte und um Märchen und Gespenstergeschichten bat. Jetzt ward ich ins tätige Leben hineingetrieben, es galt, sich seiner Haut zu wehren, und wenn ich mich auf die erste Rauferei auch nur ›nach langem Zögern und vielen keineswegs kühnen Rettungsversuchen‹ einließ, so fiel sie doch so aus, daß ich die zweite nicht mehr scheute und an der dritten oder vierten schon Geschmack fand. Unsre Kriegserklärungen waren noch lakonischer als die der Römer oder der

Spartiaten. Der Herausforderer sah seinen Gegner während der Schulstunde, wenn der Lehrer für eine Minute den Rükken wandte, ernsthaft an, ballte die rechte Hand zur Faust und legte sie sich auf den Mund oder viel mehr aufs Maul. Der Gegner wiederholte das symbolische Zeichen in der nächsten sicheren Minute, ohne auch nur mit einem Blick auf ein ausführlicheres Manifest zu dringen, und mittags wurde der Handel auf dem Kirchhof in der Nähe eines alten Grabkellers, vor dem sich ein grünbewachsener Fleck befand, mit den Naturwaffen durch Ringen und Hauen, im äußersten Fall auch durch Beißen und Kratzen, bündig vor der ganzen Schule ausgemacht. Ich erhob mich zwar nie zum Rang eines eigentlichen Triariers, der seine Ehre dareinsetzte, das ganze Jahr mit blauem Auge oder verschwollener Nase umherzugehen, aber ich verscherzte doch sehr bald das mütterliche Lob, ein frommes Kind zu sein, das mir bis dahin so wohlgetan hatte, und stieg dafür im Ansehen bei meinem Vater, der es mit seinen Söhnen hielt wie Friedrich der Große mit seinen Offizieren, indem er sie bestrafte, wenn sie sich prügelten, und sie verhöhnte, wenn sie sich etwas bieten ließen.

Einst biß mich mein Gegner, als ich auf ihm lag und ihn gemächlich durchwalkte, bis auf den Knochen in den Finger, so daß ich die Hand wochenlang nicht mehr zum Schreiben brauchen konnte; das war aber auch die gefährlichste Wunde, deren ich mich erinnere, und sie führte, wie dies auch wohl noch später im Leben zu geschehen pflegt, zu einer innigen Freundschaft.

GOTTFRIED KELLER

Spiegel, das Kätzchen

Ein Märchen

Wenn ein Seldwyler einen schlechten Handel gemacht hat oder angeführt worden ist, so sagt man zu Seldwyla: Er hat der Katze den Schmer abgekauft! Dies Sprichwort ist zwar auch anderwärts gebräuchlich, aber nirgends hört man es so oft wie dort, was vielleicht daher rühren mag, daß es in dieser Stadt eine alte Sage gibt über den Ursprung und die Bedeutung dieses Sprichwortes.

Vor mehreren hundert Jahren, heißt es, wohnte zu Seldwyla eine ältliche Person allein mit einem schönen, grau und schwarzen Kätzchen, welches in aller Vergnügtheit und Klugheit mit ihr lebte und niemandem, der es ruhig ließ, etwas zuleide tat. Seine einzige Leidenschaft war die Jagd, welche es jedoch mit Vernunft und Mäßigung befriedigte, ohne sich durch den Umstand, daß diese Leidenschaft zugleich einen nützlichen Zweck hatte und seiner Herrin wohlgefiel, beschönigen zu wollen und allzusehr zur Grausamkeit hinreißen zu lassen. Es fing und tötete daher nur die zudringlichsten und frechsten Mäuse, welche sich in einem gewissen Umkreise des Hauses betreten ließen, aber diese dann mit zuverlässiger Geschicklichkeit; nur selten verfolgte es eine besonders pfiffige Maus, welche seinen Zorn gereizt hatte, über diesen Umkreis hinaus und erbat sich in diesem Falle mit vieler Höflichkeit von den Herren Nachbaren die Erlaubnis, in ihren Häusern ein wenig mausen zu dürfen, was ihm gerne gewährt wurde, da es die Milchtöpfe stehen ließ, nicht an die Schinken hinaufsprang, welche etwa an den Wänden hingen, sondern seinem Geschäfte still und aufmerksam oblag und, nachdem es dieses verrichtet, sich mit dem Mäuslein im Maule anständig entfernte. Auch war das Kätzchen gar nicht scheu und unartig, sondern zutraulich gegen jedermann und floh nicht vor vernünftigen Leuten; vielmehr ließ es sich von solchen einen guten Spaß gefallen und selbst ein bißchen an den Ohren zupfen, ohne zu kratzen; dagegen ließ es sich von einer Art dummer Menschen, von welchen es behauptete, daß die Dummheit aus einem unreifen und nichtsnutzigen Herzen käme, nicht das mindeste gefallen und ging ihnen entweder aus dem Wege oder versetzte ihnen einen ausreichenden Hieb über die Hand, wenn sie es mit einer Plumpheit molestierten.

Spiegel, so war der Name des Kätzchens wegen seines glatten und glänzenden Pelzes, lebte so seine Tage heiter, zierlich und beschaulich dahin, in anständiger Wohlhabenheit und ohne Überhebung. Er saß nicht zu oft auf der Schulter seiner freundlichen Gebieterin, um ihr die Bissen von der Gabel wegzufangen, sondern nur, wenn er merkte, daß ihr dieser Spaß angenehm war; auch lag und schlief er den Tag über selten auf seinem warmen Kissen hinter dem Ofen, sondern hielt sich munter und liebte es eher, auf einem schmalen Treppengeländer oder in der Dachrinne zu liegen und sich philosophischen Betrachtungen und der Beobachtung der Welt zu überlassen. Nur jeden Frühling und Herbst einmal wurde dies ruhige Leben eine Woche lang unterbrochen, wenn die Veilchen blühten oder die milde Wärme des Alteweibersommers die Veilchenzeit nachäffte. Alsdann ging Spiegel seine eigenen Wege, streifte in verliebter Begeisterung über die fernsten Dächer und sang die allerschönsten Lieder. Als ein rechter Don Juan bestand er bei Tag und Nacht die bedenklichsten Abenteuer, und wenn er sich zur Seltenheit einmal im Hause sehen ließ, so erschien er mit einem so verwegenen, burschikosen, ja liederlichen und zerzausten Aussehen, daß die stille Person, seine Gebieterin, fast unwillig ausrief: »Aber Spiegel! Schämst du dich denn nicht, ein solches Leben zu führen?« Wer sich aber nicht schämte, war Spiegel; als ein Mann von Grundsätzen, der wohl wußte, was er sich zur wohltätigen Abwechslung erlauben durfte, beschäftigte er sich ganz ruhig damit, die Glätte seines Pelzes und die unschuldige Munterkeit seines Aussehens wiederherzustellen, und er fuhr sich so unbefangen mit dem feuchten Pfötchen über die Nase, als ob gar nichts geschehen wäre.

Allein dies gleichmäßige Leben nahm plötzlich ein trauriges Ende. Als das Kätzchen Spiegel eben in der Blüte seiner Jahre stand, starb die Herrin unversehens an Altersschwäche und ließ das schöne Kätzchen herrenlos und verwaist zurück. Es war das erste Unglück, welches ihm widerfuhr, und mit jenen Klagetönen, welche so schneidend den bangen Zweifel an der wirklichen und rechtmäßigen Ursache eines großen Schmerzes ausdrücken, begleitete es die Leiche bis auf die Straße und strich den ganzen übrigen Tag ratlos im Hause und rings um dasselbe her. Doch seine gute Natur, seine Vernunft und Philosophie geboten ihm bald, sich zu fassen, das Unabänderliche zu tragen und seine dankbare Anhänglichkeit an das Haus seiner toten Gebieterin dadurch zu beweisen, daß er ihren lachenden Erben seine Dienste anbot und sich bereit machte, denselben mit Rat und Tat beizustehen, die Mäuse ferner im Zaume zu halten und überdies ihnen manche gute Mitteilung zu machen, welche die Törichten nicht verschmäht hätten, wenn sie eben nicht unvernünftige Menschen gewesen wären. Aber diese Leute ließen Spiegel gar nicht zu Worte kommen, sondern warfen ihm die Pantoffeln und das artige Fußschemelchen der Seligen an den Kopf, sooft er sich blicken ließ, zankten sich acht Tage lang untereinander, begannen endlich einen Prozeß und schlossen das Haus bis auf weiteres zu, so daß nun gar niemand darin wohnte.

Da saß nun der arme Spiegel traurig und verlassen auf der

steinernen Stufe vor der Haustüre und hatte niemand, der ihn hineinließ. Des Nachts begab er sich wohl auf Umwegen unter das Dach des Hauses, und im Anfang hielt er sich einen großen Teil des Tages dort verborgen und suchte seinen Kummer zu verschlafen; doch der Hunger trieb ihn bald an das Licht und nötigte ihn, an der warmen Sonne und unter den Leuten zu erscheinen, um bei der Hand zu sein und zu gewärtigen, wo sich etwa ein Maulvoll geringer Nahrung zeigen möchte. Je seltener dies geschah, desto aufmerksamer wurde der gute Spiegel, und alle seine moralischen Eigenschaften gingen in dieser Aufmerksamkeit auf, so daß er sehr bald sich selber nicht mehr gleichsah. Er machte zahlreiche Ausflüge von seiner Haustüre aus und stahl sich scheu und flüchtig über die Straße, um manchmal mit einem schlechten unappetitlichen Bissen, dergleichen er früher nie angesehen, manchmal mit gar nichts zurückzukehren. Er wurde von Tag zu Tag magerer und zerzauster, dabei gierig, kriechend und feig; all sein Mut, seine zierliche Katzenwürde, seine Vernunft und Philosophie waren dahin. Wenn die Buben aus der Schule kamen, so kroch er in einen verborgenen Winkel, sobald er sie kommen hörte, und guckte nur hervor, um aufzupassen, welcher von ihnen etwa eine Brotrinde wegwürfe, und merkte sich den Ort, wo sie hinfiel. Wenn der schlechteste Köter von weitem ankam, so sprang er hastig fort, während er früher gelassen der Gefahr ins Auge geschaut und böse Hunde oft tapfer gezüchtigt hatte. Nur wenn ein grober und einfältiger Mensch daherkam, dergleichen er sonst klüglich gemieden, blieb er sitzen, obgleich das arme Kätzchen mit dem Reste seiner Menschenkenntnis den Lümmel recht gut erkannte; allein die Not zwang Spiegelchen, sich zu täuschen und zu hoffen, daß der Schlimme ausnahmsweise einmal es freundlich streicheln und ihm einen Bissen darreichen werde. Und selbst wenn er statt dessen nun doch geschlagen oder in den Schwanz gekneift wurde, so kratzte er nicht, sondern duckte sich lautlos zur Seite und sah dann noch verlangend nach der Hand, die es geschlagen und gekneift und welche nach Wurst oder Hering roch.

Als der edle und kluge Spiegel so heruntergekommen war, saß er eines Tages ganz mager und traurig auf seinem Steine und blinzelte in der Sonne. Da kam der Stadthexenmeister Pineiß des Weges, sah das Kätzchen und stand vor ihm still. Etwas Gutes hoffend, obgleich es den Unheimlichen wohl kannte, saß Spiegelchen demütig auf dem Stein und erwartete, was der Herr Pineiß etwa tun oder sagen würde. Als dieser aber begann und sagte: »Na, Katze! soll ich dir deinen Schmer abkaufen?«, da verlor es die Hoffnung, denn es glaubte, der Stadthexenmeister wolle es seiner Magerkeit wegen verhöhnen. Doch erwiderte er bescheiden und lächelnd, um es mit niemand zu verderben: »Ach, der Herr Pineiß belieben zu scherzen!« »Mitnichten!« rief Pineiß, »es ist mir voller Ernst! Ich brauche Katzenschmer vorzüglich zur Hexerei; aber er muß mir vertragsmäßig und freiwillig von den werten Herren Katzen abgetreten werden, sonst ist er unwirksam. Ich denke, wenn je ein wackeres Kätzlein in der Lage war, einen vorteilhaften Handel abzuschließen, so bist du es! Begib dich in meinen Dienst; ich füttere dich herrlich heraus, mache dich fett und kugelrund mit Würstchen und gebratenen Wachteln. Auf dem ungeheuer hohen alten Dache meines Hauses, welches, nebenbei gesagt, das köstlichste Dach von der Welt ist für eine Katze, voll interessanter Gegenden und Winkel, wächst auf den sonnigsten Höhen treffliches Spitzgras, grün wie Smaragd, schlank und fein in den Lüften schwebend, dich einladend, die zartesten Spitzen abzubeißen und zu genießen, wenn du dir an meinen Leckerbissen eine leichte Unverdaulichkeit zugezogen hast. So wirst du bei trefflicher Gesundheit bleiben und mir dereinst einen kräftigen brauchbaren Schmer liefern!«

Spiegel hatte schon längst die Ohren gespitzt und mit wässerndem Mäulchen gelauscht; doch war seinem geschwächten Verstande die Sache noch nicht klar, und er versetzte daher: »Das ist soweit nicht übel, Herr Pineiß! Wenn ich nur wüßte, wie ich alsdann, wenn ich doch, um Euch meinen Schmer abzutreten, mein Leben lassen muß, des verabredeten Preises habhaft werden und ihn genießen soll, da ich nicht mehr bin?« »Des Preises habhaft werden?« sagte der Hexenmeister verwundert. »Den Preis genießest du ja eben in den reichlichen und üppigen Speisen, womit ich dich fett mache, das versteht sich von selber! Doch will ich dich zu dem Handel nicht zwingen.« Und er machte Miene, sich von dannen begeben zu wollen. Aber Spiegel sagte hastig und ängstlich: »Ihr müßt mir wenigstens eine mäßige Frist gewähren über die Zeit meiner höchsten erreichten Rundheit und Fettigkeit hinaus, daß ich nicht so jählings von hinnen gehen muß, wenn jener angenehme und ach! so traurige Zeitpunkt herangekommen und entdeckt ist!«

»Es sei!« sagte Herr Pineiß mit anscheinender Gutmütigkeit. »Bis zum nächsten Vollmond sollst du dich alsdann deines angenehmen Zustandes erfreuen dürfen, aber nicht länger! Denn in den abnehmenden Mond hinein darf es nicht gehen, weil dieser einen vermindernden Einfluß auf mein wohlerworbenes Eigentum ausüben würde.«

Das Kätzchen beeilte sich zuzuschlagen und unterzeichnete einen Vertrag, welchen der Hexenmeister im Vorrat bei sich führte, mit seiner scharfen Handschrift, welche sein letztes Besitztum und Zeichen besserer Tage war.

»Du kannst dich nun zum Mittagessen bei mir einfinden, Kater!« sagte der Hexer, »Punkt zwölf Uhr wird gegessen!« »Ich werde so frei sein, wenn Ihrs erlaubt!« sagte Spiegel und fand sich pünktlich um die Mittagsstunde bei Herrn Pineiß ein. Dort begann nun während einiger Monate ein höchst angenehmes Leben für das Kätzchen; denn es hatte auf der Welt weiter nichts zu tun, als die guten Dinge zu verzehren, die man ihm vorsetzte, dem Meister bei der Hexerei zuzuschauen, wenn es mochte, und auf dem Dache spazieren zu gehen. Dies Dach glich einem ungeheuren schwarzen Nebelspalter oder Dreiröhrenhut, wie man die großen Hüte der schwäbischen Bauern nennt, und wie ein solcher Hut ein Gehirn voller Nücken und Finten überschattet, so bedeckte dies Dach ein großes, dunkles und winkliges Haus voll Hexenwerk und Tausendsgeschichten. Herr Pineiß war ein Kann-Alles, welcher hundert Ämtchen versah, Leute kurierte, Wanzen vertilgte, Zähne auszog und Geld auf Zinsen lieh; er war der Vormünder aller Waisen und Witwen, schnitt in seinen Mußestunden Federn, das Dutzend für einen Pfennig, und machte schöne schwarze Tinte; er handelte mit Ingwer und Pfeffer, mit Wagenschmiere und Rosoli, mit Heftlein und Schuhnägeln, er renovierte die Turmuhr und machte jährlich den Kalender mit der Witterung, den Bauernregeln und dem Aderlaßmännchen; er verrichtete zehntausend rechtliche Dinge am hellen Tag um mäßigen Lohn und einige unrechtliche nur in der Finsternis und aus Privatleidenschaft, oder hing auch den rechtlichen, ehe er sie aus seiner Hand entließ, schnell noch ein unrechtliches Schwänzchen an, so klein wie die Schwänzchen der jungen Frösche, gleichsam nur der Possierlichkeit wegen. Überdies machte er das Wetter in schwierigen Zeiten, überwachte mit seiner Kunst die Hexen, und wenn sie reif waren, ließ er sie verbrennen; für sich trieb er die Hexerei nur als wissenschaftlichen Versuch und zum Hausgebrauch, so wie er auch die Stadtgesetze, die er redigierte und ins reine schrieb, unter der Hand probierte und verdrehte, um ihre Dauerhaftigkeit zu ergründen. Da die Seldwyler stets einen solchen Bürger brauchten, der alle unlustigen kleinen und großen Dinge für sie tat, so war er zum Stadthexenmeister ernannt worden und bekleidete dies Amt schon seit vielen Jahren mit unermüdlicher Hingebung und Geschicklichkeit, früh und spät. Daher war sein Haus von unten bis oben vollgestopft mit allen erdenklichen Dingen, und Spiegel hatte viel Kurzweil, alles zu besehen und zu beriechen.

Doch im Anfang gewann er keine Aufmerksamkeit für andere Dinge als für das Essen. Er schlang gierig alles hinunter, was Pineiß ihm darreichte, und mochte kaum von einer Zeit zur andern warten. Dabei überlud er sich den Magen und mußte wirklich auf das Dach gehen, um dort von den grünen Gräsern abzubeißen und sich von allerhand Unwohlsein zu kurieren. Als der Meister diesen Heißhunger bemerkte, freute er sich und dachte, das Kätzchen würde solcherweise recht bald fett werden, und je besser er daran wende, desto klüger verfahre und spare er im ganzen. Er baute daher für Spiegel eine ordentliche Landschaft in seiner Stube, indem er ein Wäldchen von Tannenbäumchen aufstellte, kleine Hügel von Steinen und Moos errichtete und einen kleinen See anlegte. Auf die Bäumchen setzte er duftig gebratene Lerchen, Finken, Meisen und Sperlinge, je nach der Jahreszeit, so daß da Spiegel immer etwas herunterzuholen und zu knabbern vorfand. In die kleinen Berge versteckte er in künstlichen Mauslöchern herrliche Mäuse, welche er sorgfältig mit Weizenmehl gemästet, dann ausgeweidet, mit zarten Speckriemchen gespickt und gebraten hatte. Einige dieser Mäuse konnte Spiegel mit der Hand hervorholen, andere waren zur Erhöhung des Vergnügens tiefer verborgen, aber an einen Faden gebunden, an welchem Spiegel sie behutsam hervorziehen mußte, wenn er diese Lustbarkeit einer nachgeahmten Jagd genießen wollte. Das Becken des Sees aber füllte Pineiß alle Tage mit frischer Milch, damit Spiegel in der süßen seinen Durst lösche, und ließ gebratene Gründlinge darin schwimmen, da er wußte, daß Katzen zuweilen auch die Fischerei lieben. Aber da nun Spiegel ein so herrliches Leben führte, tun und lassen, essen und trinken konnte, was ihm beliebte und wann es ihm einfiel, so gedieh er allerdings zusehends an seinem Leibe; sein Pelz wurde wieder glatt und glänzend und sein Auge munter; aber zugleich nahm er, da sich seine Geisteskräfte in gleichem Maße wieder ansammelten, bessere Sitten an; die wilde Gier legte sich, und weil er jetzt eine traurige Erfahrung hinter sich hatte, so wurde er nun klüger als zuvor. Er mäßigte sich in seinen Gelüsten und fraß nicht mehr, als ihm zuträglich war, indem er zugleich wieder vernünftigen und tiefsinnigen Betrachtungen nachging und die Dinge wieder durchschaute. So holte er eines Tages einen hübschen Krammetsvogel von den Ästen herunter, und als er denselben nachdenklich zerlegte, fand er dessen kleinen Magen ganz kugelrund angefüllt mit frischer unversehrter Speise. Grüne Kräutchen, artig zusammengerollt, schwarze und weiße Samenkörner und eine glänzendrote Beere waren da so niedlich und dicht ineinander gepfropft, als ob ein Mütterchen für ihren Sohn das Ränzchen zur Reise gepackt hätte. Als Spiegel den Vogel langsam verzehrt und das so vergnüglich gefüllte Mäglein an seine Klaue hing und philosophisch betrachtete, rührte ihn das Schicksal des armen Vogels, welcher nach so friedlich verbrachtem Geschäft so schnell sein Leben lassen gemußt, daß er nicht einmal die eingepackten Sachen verdauen konnte. »Was hat er nun davon gehabt, der arme Kerl,« sagte Spiegel, »daß er sich so fleißig und eifrig genährt hat, daß dies kleine Säckchen aussieht wie ein wohl vollbrachtes Tagewerk? Diese rote Beere ist es, die ihn aus dem freien Walde in die Schlinge des Vogelstellers gelockt hat. Aber er dachte doch, seine Sache noch besser zu machen und sein Leben an solchen Beeren zu fristen, während ich, der ich soeben den unglücklichen Vogel gegessen, daran mich nur um einen Schritt näher zum Tode gegessen habe! Kann man einen elenderen und feigeren Vertrag abschließen, als sein Leben noch ein Weilchen fristen zu lassen, um es dann um diesen Preis doch zu verlieren? Wäre nicht ein freiwilliger und schneller Tod vorzuziehen gewesen für einen entschlossenen Kater? Aber ich habe keine Gedanken gehabt, und nun, da ich wieder solche habe, sehe ich nichts vor mir als das Schicksal dieses Krammetsvogels; wenn ich rund genug bin, so muß ich von hinnen, aus keinem andern Grunde, als weil ich rund bin. Ein schöner Grund für einen lebenslustigen und gedankenreichen Katzmann! Ach, könnte ich aus dieser Schlinge kommen!

Er vertiefte sich nun in vielfältige Grübeleien, wie das gelingen möchte; aber da die Zeit der Gefahr noch nicht da war, so wurde es ihm nicht klar, und er fand keinen Ausweg; aber als ein kluger Mann ergab er sich bis dahin der Tugend der Selbstbeherrschung, welches immer die beste Vorschule und Zeitverwendung ist, bis sich etwas entscheiden soll. Er verschmähte das weiche Kissen, welches ihm Pineiß zurechtgelegt hatte, damit er fleißig darauf schlafen und fett werden sollte, und zog es vor, wieder auf schmalen Gesimsen und hohen gefährlichen Stellen zu liegen, wenn er ruhen wollte. Ebenso verschmähte er die gebratenen Vögel und die gespickten Mäuse und fing sich lieber auf den Dächern, da er nun wieder einen rechtmäßigen Jagdgrund hatte, mit List und Gewandtheit einen schlichten lebendigen Sperling oder auf den Speichern eine flinke Maus, und solche Beute schmeckte ihm vortrefflicher als das gebratene Wild in Pineißens künstlichem Gehege, während sie ihn nicht zu fett machte; auch die Bewegung und Tapferkeit sowie der wiedererlangte Gebrauch der Tugend und Philosophie verhinderten ein zu schnelles Fettwerden, so daß Spiegel zwar gesund und glänzend aussah, aber zu Pineißens Verwunderung auf einer gewissen Stufe der Beleibtheit stehen blieb, welche lange nicht das erreichte, was der Hexenmeister mit seiner freundlichen Mästung bezweckte; denn dieser stellte sich darunter ein kugelrundes, schwerfälliges Tier vor, welches sich nicht vom Ruhekissen bewegte und aus eitel Schmer bestand. Aber hierin hatte sich die Hexerei eben geirrt, und er wußte bei aller Schlauheit nicht, daß, wenn man einen Esel füttert, derselbe ein Esel bleibt, wenn man aber einen Fuchsen speiset, derselbe nichts anderes wird als ein Fuchs; denn jede Kreatur wächst sich nach ihrer Weise aus. Als Herr Pineiß entdeckte, wie Spiegel immer auf demselben Punkte einer wohlgenährten, aber geschmeidigen und rüstigen

Schlankheit stehen blieb, ohne eine erkleckliche Fettigkeit anzusetzen, stellte er ihn eines Abends plötzlich zur Rede und sagte barsch: »Was ist das, Spiegel? Warum frissest du die guten Speisen nicht, die ich dir mit so viel Sorgfalt und Kunst präpariere und herstelle? Warum fängst du die gebratenen Vögel nicht auf den Bäumen, warum suchst du die leckeren Mäuschen nicht in den Berghöhlen? Warum fischest du nicht mehr in dem See? Warum pflegst du dich nicht? Warum schläfst du nicht auf dem Kissen? Warum strapazierst du dich und wirst mir nicht fett?« »Ei, Herr Pineiß,« sagte Spiegel, »weil es mir wohler ist auf diese Weise! Soll ich meine kurze Frist nicht auf die Art verbringen, die mir am angenehmsten ist?« »Wie!« rief Pineiß, »du sollst so leben, daß du dick und rund wirst, und dich nicht abjagen! Ich merke aber wohl, wo du hinauswillst! Du denkst mich zu äffen und hinzuhalten, daß ich dich in Ewigkeit in diesem Mittelzustande herumlaufen lasse? Mitnichtem soll dir das gelingen! Es ist deine Pflicht, zu essen und zu trinken und dich zu pflegen, auf daß du dick werdest und Schmer bekommst! Auf der Stelle entsage daher dieser hinterlistigen und kontraktwidrigen Mäßigkeit, oder ich werde ein Wörtlein mit dir sprechen!«
Spiegel unterbrach sein behagliches Spinnen, das er angefangen, um seine Fassung zu behaupten, und sagte: »Ich weiß kein Sterbenswörtchen davon, daß in dem Kontrakt steht, ich solle der Mäßigkeit und einem gesunden Lebenswandel entsagen! Wenn der Herr Stadthexenmeister darauf gerechnet hat, daß ich ein fauler Schlemmer sei, so ist das nicht meine Schuld! Ihr tut tausend rechtliche Dinge des Tages, so lasset dieses auch noch hinzukommen und uns beide hübsch in der Ordnung bleiben; denn Ihr wißt ja wohl, daß Euch mein Schmer nur nützlich sei, wenn er auf rechtliche Weise erwachsen!« »Ei du Schwätzer!« rief Pineiß erbost. »Willst du mich belehren? Zeig her, wie weit bist du denn eigentlich gediehen, du Müßiggänger? Vielleicht kann man dich doch bald abtun!« Er griff dem Kätzchen an den Bauch; allein die-

ses fühlte sich dadurch unangenehm gekitzelt und hieb dem Hexenmeister einen scharfen Kratz über die Hand. Diesen betrachtete Pineiß aufmerksam, dann sprach er: »Stehen wir so miteinander, du Bestie? Wohlan, so erkläre ich dich hiemit feierlich, kraft des Vertrages, für fett genug! Ich begnüge mich mit dem Ergebnis und werde mich desselben zu versichern wissen! In fünf Tagen ist der Mond voll, und bis dahin magst du dich noch deines Lebens erfreuen, wie es geschrieben steht, und nicht eine Minute länger!« Damit kehrte er ihm den Rücken und überließ ihn seinen Gedanken.

Diese waren jetzt sehr bedenklich und düster. So war denn die Stunde doch nahe, wo der gute Spiegel seine Haut lassen sollte? Und war mit aller Klugheit gar nichts mehr zu machen? Seufzend stieg er auf das hohe Dach, dessen Firste dunkel in den schönen Herbstabendhimmel emporragten. Da ging der Mond über der Stadt auf und warf seinen Schein auf die schwarzen bemoosten Hohlziegel des alten Daches, ein lieblicher Gesang tönte in Spiegels Ohren, und eine schneeweiße Kätzin wandelte glänzend über einen benachbarten First weg. Sogleich vergaß Spiegel die Todesaussichten, in welchen er lebte, und erwiderte mit seinem schönsten Katerliede den Lobgesang der Schönen. Er eilte ihr entgegen und war bald im hitzigen Gefecht mit drei fremden Katern begriffen, die er mutig und wild in die Flucht schlug. Dann machte er der Dame feurig und ergeben den Hof und brachte Tag und Nacht bei ihr zu, ohne an den Pineiß zu denken oder im Hause sich sehen zu lassen. Er sang wie eine Nachtigall die schönen Mondnächte hindurch, jagte hinter der weißen Geliebten her über die Dächer, durch die Gärten und rollte mehr als einmal im heftigen Minnespiel oder im Kampfe mit den Rivalen über hohe Dächer hinunter und fiel auf die Straße; aber nur um sich aufzuraffen, das Fell zu schütteln und die wilde Jagd seiner Leidenschaften von neuem anzuheben. Stille und laute Stunden, süße Gefühle und zorniger Streit, anmutiges Zwiegespräch, witziger Gedankenaustausch, Ränke

und Schwänke der Liebe und Eifersucht, Liebkosungen und Raufereien, die Gewalt des Glückes und die Leiden des Unsterns ließen den verliebten Spiegel nicht zu sich selbst kommen, und als die Scheibe des Mondes voll geworden, war er von allen diesen Aufregungen und Leidenschaften so heruntergekommen, daß er jämmerlicher, magerer und zerzauster aussah als je. Im selben Augenblicke rief ihm Pineiß aus einem Dachtürmchen: »Spiegelchen, Spiegelchen! Wo bist du? Komm doch ein bißchen nach Hause!«
Da schied Spiegel von der weißen Freundin, welche zufrieden und kühl miauend ihrer Wege ging, und wandte sich stolz seinem Henker zu. Dieser stieg in die Küche hinunter, raschelte mit dem Kontrakt und sagte: »Komm, Spiegelchen, komm, Spiegelchen!«, und Spiegel folgte ihm und setzte sich in der Hexenküche trotzig vor den Meister hin in all seiner Magerkeit und Zerzaustheit. Als Herr Pineiß erblickte, wie er so schmählich um seinen Gewinn gebracht war, sprang er wie besessen in die Höhe und schrie wütend: »Was seh ich? Du Schelm, du gewissenloser Spitzbube! Was hast du mir getan?« Außer sich vor Zorn griff er nach einem Besen und wollte Spiegelein schlagen; aber dieser krümmte den schwarzen Rücken, ließ die Haare emporstarren, daß ein fahler Schein darüber knisterte, legte die Ohren zurück, prustete und funkelte den Alten so grimmig an, daß dieser voll Furcht und Entsetzen drei Schritt zurücksprang. Er begann zu fürchten, daß er einen Hexenmeister vor sich habe, welcher ihn foppe und mehr könne als er selbst. Ungewiß und kleinlaut sagte er: »Ist der ehrsame Herr Spiegel vielleicht vom Handwerk? Sollte ein gelehrter Zaubermeister beliebt haben, sich in Dero äußere Gestalt zu verkleiden, da Er nach Gefallen über Sein Leibliches gebieten und genau so beleibt werden kann, als es Ihm angenehm dünkt, nicht zuwenig und nicht zuviel, oder unversehens so mager wird wie ein Gerippe, um dem Tode zu entschlüpfen?«
Spiegel beruhigte sich wieder und sprach ehrlich: »Nein, ich

bin kein Zauberer! Es ist allein die süße Gewalt der Leidenschaft, welche mich so heruntergebracht und zu meinem Vergnügen Euer Fett dahingenommen hat. Wenn wir übrigens jetzt unser Geschäft von neuem beginnen wollen, so will ich tapfer dabei sein und dreinbeißen! Setzt mir nur eine recht schöne und große Bratwurst vor, denn ich bin ganz erschöpft und hungrig!« Da packte Pineiß den Spiegel wütend am Kragen, sperrte ihn in den Gänsestall, der immer leer war, und schrie: »Da sieh zu, ob dir deine süße Gewalt der Leidenschaft noch einmal heraushilft und ob sie stärker ist, als die Gewalt der Hexerei und meines rechtlichen Vertrages! Jetzt heißts: Vogel, friß und stirb!« Sogleich briet er eine lange Wurst, die so lecker duftete, daß er sich nicht enthalten konnte, selbst ein bißchen an beiden Zipfeln zu schlecken, ehe er sie durch das Gitter steckte. Spiegel fraß sie von vorn bis hinten auf, und indem er sich behaglich den Schnurrbart putzte und den Pelz leckte, sagte er zu sich selber: »Meiner Seel! es ist doch eine schöne Sache um die Liebe! Die hat mich für diesmal wieder aus der Schlinge gezogen. Jetzt will ich mich ein wenig ausruhen und trachten, daß ich durch Beschaulichkeit und gute Nahrung wieder zu vernünftigen Gedanken komme! Alles hat seine Zeit! Heute ein bißchen Leidenschaft, morgen ein wenig Besonnenheit und Ruhe, ist jedes in seiner Weise gut. Dies Gefängnis ist gar nicht so übel, und es läßt sich gewiß etwas Ersprießliches darin ausdenken!« Pineiß aber nahm sich nun zusammen und bereitete alle Tage mit aller seiner Kunst solche Leckerbissen und in solch reizender Abwechslung und Zuträglichkeit, daß der gefangene Spiegel denselben nicht widerstehen konnte; denn Pineißens Vorrat an freiwilligem und rechtmäßigem Katzenschmer nahm alle Tage mehr ab und drohte nächstens ganz auszugehen, und dann war der Hexer ohne dies Hauptmittel ein geschlagener Mann. Aber der gute Hexenmeister nährte mit dem Leibe Spiegels dessen Geist immer wieder mit, und es war durchaus nicht von dieser unbequemen Zutat loszukom-

men, weshalb auch seine Hexerei sich hier als lückenhaft erwies.
Als Spiegel in seinem Käfig ihm endlich fett genug dünkte, säumte er nicht länger, sondern stellte vor den Augen des aufmerksamen Katers alle Geschirre zurecht und machte ein helles Feuer auf dem Herd, um den lang ersehnten Gewinn auszukochen. Dann wetzte er ein großes Messer, öffnete den Kerker, zog Spiegelchen hervor, nachdem er die Küchentüre wohl verschlossen, und sagte wohlgemut: »Komm, du Sapperlöter, wir wollen dir den Kopf abschneiden vorderhand und dann das Fell abziehen! Dieses wird eine warme Mütze für mich geben, woran ich Einfältiger noch gar nicht gedacht habe! Oder soll ich dir erst das Fell abziehen und dann den Kopf abschneiden?« »Nein, wenn es Euch gefällig ist,« sagte Spiegel demütig, »lieber zuerst den Kopf abschneiden!« »Hast recht, du armer Kerl!« sagte Herr Pineiß, »wir wollen dich nicht unnütz quälen! Alles was recht ist!« »Dies ist ein wahres Wort!« sagte Spiegel mit einem erbärmlichen Seufzer und legte das Haupt ergebungsvoll auf die Seite. »O hätt ich doch jederzeit getan, was recht ist, und nicht eine so wichtige Sache leichtsinnig unterlassen, so könnte ich jetzt mit besserm Gewissen sterben, denn ich sterbe gern; aber ein Unrecht erschwert mir den sonst so willkommenen Tod; denn was bietet mir das Leben? Nichts als Furcht, Sorge und Armut und zur Abwechslung einen Sturm verzehrender Leidenschaft, die noch schlimmer ist als die stille zitternde Furcht!« »Ei, welches Unrecht, welche wichtige Sache?« fragte Pineiß neugierig. »Ach, was hilft das Reden jetzt noch,« seufzte Spiegel, »geschehen ist geschehen, und jetzt ist Reue zu spät!« »Siehst du Sappermenter, was für ein Sünder du bist«, sagte Pineiß, »und wie wohl du deinen Tod verdienst? Aber was Tausend hast du denn angestellt? Hast du mir vielleicht etwas entwendet, entfremdet, verdorben? Hast du mir ein himmelschreiendes Unrecht getan, von dem ich noch gar nichts weiß, ahne, vermute, du Satan? Das sind mir

schöne Geschichten! Gut, daß ich noch dahinterkomme! Auf der Stelle beichte mir, oder ich schinde und siede dich lebendig aus! Wirst du sprechen oder nicht?« »Ach nein!« sagte Spiegel, »wegen Euch habe ich mir nichts vorzuwerfen. Es betrifft die zehntausend Goldgülden meiner seligen Gebieterin – aber was hilft Reden! – Zwar – wenn ich bedenke und Euch ansehe, so möchte es vielleicht doch nicht ganz zu spät sein – wenn ich Euch betrachte, so sehe ich, daß Ihr ein noch ganz schöner und rüstiger Mann seid, in den besten Jahren – sagt doch, Herr Pineiß! habt Ihr noch nie etwa den Wunsch verspürt, Euch zu verehelichen, ehrbar und vorteilhaft? Aber was schwatze ich! Wie wird ein so kluger und kunstreicher Mann auf dergleichen müßige Gedanken kommen! Wie wird ein so nützlich beschäftigter Meister an törichte Weiber denken! Zwar allerdings hat auch die Schlimmste noch irgendwas an sich, was etwa nützlich für einen Mann ist, das ist nicht abzuleugnen! Und wenn sie nur halbwegs was taugt, so ist eine gute Hausfrau etwa weiß am Leibe, sorgfältig im Sinne, zutulich von Sitten, treu von Herzen, sparsam im Verwalten, aber verschwenderisch in der Pflege ihres Mannes, kurzweilig in Worten und angenehm in ihren Taten, einschmeichelnd in ihren Handlungen! Sie küßt den Mann mit ihrem Munde und streichelt ihm den Bart, sie umschließt ihn mit ihren Armen und kraut ihm hinter den Ohren, wie er es wünscht, kurz, sie tut tausend Dinge, die nicht zu verwerfen sind. Sie hält sich ihm ganz nah zu oder in bescheidener Entfernung, je nach seiner Stimmung, und wenn er seinen Geschäften nachgeht, so stört sie ihn nicht, sondern verbreitet unterdessen sein Lob in und außer dem Hause; denn sie läßt nichts an ihn kommen und rühmt alles, was an ihm ist! Aber das Anmutigste ist die wunderbare Beschaffenheit ihres zarten leiblichen Daseins, welches die Natur so verschieden gemacht hat von unserm Wesen bei anscheinender Menschenähnlichkeit, daß es ein fortwährendes Meerwunder in einer glücklichen Ehe bewirkt und eigentlich die allerdurchtriebenste Hexerei in sich birgt! Doch was schwatze ich da wie ein Tor an der Schwelle des Todes! Wie wird ein weiser Mann auf dergleichen Eitelkeiten sein Augenmerk richten! Verzeiht, Herr Pineiß, und schneidet mir den Kopf ab!«

Pineiß aber rief heftig: »So halt doch endlich inne, du Schwätzer! und sage mir: wo ist eine solche, und hat sie zehntausend Goldgülden?«

»Zehntausend Goldgülden?« sagte Spiegel.

»Nun ja,« rief Pineiß ungeduldig, »sprachest du nicht eben erst davon?«

»Nein,« antwortete jener, »das ist eine andere Sache! Die liegen vergraben an einem Orte!«

»Und was tun sie da, wem gehören sie?« schrie Pineiß.

»Niemand gehören sie, das ist eben meine Gewissensbürde, denn ich hätte sie unterbringen sollen! Eigentlich gehören sie jenem, der eine solche Person heiratet, wie ich eben beschrieben habe. Aber wie soll man drei solche Dinge zusammenbringen in dieser gottlosen Stadt: zehntausend Goldgülden, eine weiße, feine und gute Hausfrau und einen weisen rechtschaffenen Mann? Daher ist eigentlich meine Sünde nicht allzu groß, denn der Auftrag war zu schwer für eine arme Katze!«

»Wenn du jetzt«, rief Pineiß, »nicht bei der Sache bleibst und sie verständlich der Ordnung nach dartust, so schneide ich dir vorläufig den Schwanz und beide Ohren ab! Jetzt fang an!«

»Da Ihr es befehlt, so muß ich die Sache wohl erzählen,« sagte Spiegel und setzte sich gelassen auf seine Hinterfüße, »obgleich dieser Aufschub meine Leiden nur vergrößert!«

Pineiß steckte das scharfe Messer zwischen sich und Spiegel in die Diele und setzte sich neugierig auf ein Fäßchen, um zuzuhören, und Spiegel fuhr fort:

»Ihr wisset doch, Herr Pineiß, daß die brave Person, meine selige Meisterin, unverheiratet gestorben ist als eine alte Jungfer, die in aller Stille viel Gutes getan und niemandem zuwider gelebt hat. Aber nicht immer war es um sie her so still und ruhig zugegangen, und obgleich sie niemals von bösem Gemüt gewesen, so hatte sie doch einst viel Leid und Schaden angerichtet; denn in ihrer Jugend war sie das schönste Fräulein weit und breit, und was von jungen Herren und kecken Gesellen in der Gegend war oder des Weges kam, verliebte sich in sie und wollte sie durchaus heiraten. Nun hatte sie wohl große Lust, zu heiraten und einen hübschen, ehrenfesten und klugen Mann zu nehmen, und sie hatte die Auswahl, da sich Einheimische und Fremde um sie stritten und einander mehr als einmal die Degen in den Leib rannten, um den Vorrang zu gewinnen. Es bewarben sich um sie und versammelten sich kühne und verzagte, listige und treuherzige, reiche und arme Freier, solche mit einem guten und anständigen Geschäft und solche, welche als Kavaliere zierlich von ihren Renten lebten; dieser mit diesen, jener mit jenen Vorzügen, beredt oder schweigsam, der eine munter und liebenswürdig, und ein anderer schien es mehr in sich zu haben, wenn er auch etwas einfältig aussah; kurz, das Fräulein hatte eine so vollkommene Auswahl, wie es ein mannbares Frauenzimmer sich nur wünschen kann. Allein sie besaß außer ihrer Schönheit ein schönes Vermögen von vielen tausend Goldgülden, und diese waren die Ursache, daß sie nie dazu kam, eine Wahl zu treffen und einen Mann nehmen zu können, denn sie verwaltete ihr Gut mit trefflicher Umsicht und Klugheit und legte einen großen Wert auf dasselbe, und da nun der Mensch immer von seinen eigenen Neigungen aus andere beurteilt, so geschah es, daß sie, sobald sich ihr ein achtungswerter Freier genähert und ihr halbwegs gefiel, alsobald sich einbildete, derselbe begehre sie nur um ihres Gutes willen. War einer reich, so glaubte sie, er würde sie doch nicht begehren, wenn sie nicht auch reich wäre, und von den Unbemittelten nahm sie vollends als gewiß an, daß sie nur ihre Goldgülden im Auge hätten und sich daran gedächten gütlich zu tun, und das arme Fräulein, welches doch selbst so große Dinge auf den irdischen Besitz hielt, war nicht imstande, diese Liebe zu Geld und Gut an ihren Freiern von der Liebe zu ihr selbst zu unterscheiden oder, wenn sie wirklich etwa vorhanden war, dieselbe nachzusehen und zu verzeihen. Mehrere Male war sie schon so gut wie verlobt, und ihr Herz klopfte endlich stärker; aber plötzlich glaubte sie aus irgendeinem Zuge zu entnehmen, daß sie verraten sei und man einzig an ihr Vermögen denke, und sie brach unverweilt die Geschichte entzwei und zog sich voll Schmerzen, aber unerbittlich zurück. Sie prüfte alle, welche ihr nicht mißfielen, auf hundert Arten, so daß eine große Gewandtheit dazu gehörte, nicht in die Falle zu gehen, und zuletzt keiner mehr sich mit einiger Hoffnung nähern konnte, als wer ein durchaus geriebener und verstellter Mensch war, so daß schon aus diesen Gründen endlich die Wahl wirklich schwer wurde, weil solche Menschen dann zuletzt doch eine unheimliche Unruhe erwecken und die peinlichste Ungewißheit bei einer Schönen zurücklassen, je geriebener und geschickter sie sind. Das Hauptmittel, ihre Anbeter zu prüfen, war, daß sie ihre Uneigennützigkeit auf die Probe stellte und sie alle Tage zu großen Ausgaben, zu reichen Geschenken und zu wohltätigen Handlungen veranlaßte. Aber sie mochten es machen, wie sie wollten, so trafen sie doch nie das Rechte; denn zeigten sie sich freigebig und aufopfernd, gaben sie glänzende Feste, brachten sie ihr Geschenke dar oder anvertrauten ihr beträchtliche Gelder für die Armen, so sagte sie plötzlich, dies alles geschehe nur, um mit einem Würmchen den Lachs zu fangen oder mit der Wurst nach der Speckseite zu werfen, wie man zu sagen pflegt. Und sie vergabte die Geschenke sowohl wie das anvertraute Geld an Klöster und milde Stiftungen und speisete die Armen; aber die betrogenen Freier wies sie unbarmherzig ab. Bezeigten sich dieselben aber zurückhaltend oder gar knauserig, so war der Stab sogleich über sie gebrochen, da sie das noch viel übler nahm und daran eine schnöde und nackte Rücksichtslosigkeit und Eigenliebe zu erkennen glaubte. So kam es, daß sie, welche ein reines und nur ihrer Person hingegebenes Herz suchte, zuletzt von lauter verstellten, listigen und eigensüchtigen Freiersleuten umgeben war, aus denen sie nie klug wurde und die ihr das Leben verbitterten. Eines Tages fühlte sie sich so mißmutig und trostlos, daß sie ihren ganzen Hof aus dem Hause wies, dasselbe zuschloß und nach Mailand verreiste, wo sie eine Base hatte. Als sie über den Sankt Gotthard ritt auf einem Eselein, war ihre Gesinnung so schwarz und schaurig wie das wilde Gestein, das sich aus den Abgründen emportürmte, und sie fühlte die heftigste Versuchung, sich von der Teufelsbrücke in die tobenden Gewässer der Reuß hinabzustürzen. Nur mit der größten Mühe gelang es den zwei Mägden, die sie bei sich hatte und die ich selbst noch gekannt habe, welche aber nun schon lange tot sind, und dem Führer, sie zu beruhigen und von der finstern Anwandlung abzubringen. Doch langte sie bleich und traurig in dem schönen Land Italien an, und so blau dort der Himmel war, wollten sich ihre dunklen Gedanken doch nicht aufhellen. Aber als sie einige Tage bei ihrer Base verweilt, sollte unverhofft eine andere Melodie ertönen und ein Frühlingsanfang in ihr aufgehen, von dem sie bis dato noch nicht viel gewußt. Denn es kam ein junger Landsmann in das Haus der Base, der ihr gleich beim ersten Anblick so wohl gefiel, daß man wohl sagen kann, sie verliebte sich jetzt von selbst und zum ersten Mal. Er war ein schöner Jüngling, von guter Erziehung und edlem Benehmen, nicht arm und nicht reich zur Zeit, denn er hatte nichts als zehntausend Goldgülden, welche er von seinen verstorbenen Eltern ererbt und womit er, da er die Kaufmannschaft erlernt hatte, in Mailand einen Handel mit Seide begründen wollte; denn er war unternehmend und klar von Gedanken und hatte eine glückliche Hand, wie es unbefangene und unschuldige Leute oft haben; denn auch dies war der junge Mann; er schien, so wohlgelehrt er war, doch so arglos und unschuldig wie ein Kind. Und obgleich er ein Kaufmann war und ein so unbefangenes Gemüt, was schon zusammen eine köstliche Seltenheit ist, so war er doch fest und ritterlich in seiner Haltung und trug sein Schwert so keck zur Seite, wie nur ein geübter Kriegsmann es tragen kann. Dies alles, sowie seine frische Schönheit und Jugend bezwangen das Herz des Fräuleins dermaßen, daß sie kaum an sich halten konnte und ihm mit großer Freundlichkeit begegnete. Sie wurde wieder heiter, und wenn sie dazwischen auch traurig war, so geschah dies in dem Wechsel der Liebesfurcht und Hoffnung, welche immerhin ein edleres und angenehmeres Gefühl war als jene peinliche Verlegenheit in der Wahl, welche sie früher unter den vielen Freiern empfunden. Jetzt kannte sie nur eine Mühe und Besorgnis, diejenige nämlich, dem schönen und guten Jüngling zu gefallen, und je schöner sie selbst war, desto demütiger und unsicherer war sie jetzt, da sie zum ersten Male eine wahre Neigung gefaßt hatte. Aber auch der junge Kaufmann hatte noch nie eine solche Schönheit gesehen oder war wenigstens noch keiner so nahe gewesen und von ihr so freundlich und artig behandelt worden. Da sie nun, wie gesagt, nicht nur schön, sondern auch gut von Herzen und fein von Sitten war, so ist es nicht zu verwundern, daß der offene und frische Jüngling, dessen Herz noch ganz frei und unerfahren war, sich ebenfalls in sie verliebte, und das mit aller Kraft und Rückhaltlosigkeit, die in seiner ganzen Natur lag. Aber vielleicht hätte das nie jemand erfahren, wenn er in seiner Einfalt nicht aufgemuntert worden wäre durch des Fräuleins Zutulichkeit, welche er mit heimlichem Zittern und Zagen für eine Erwiderung seiner Liebe zu halten wagte, da er selber keine Verstellung kannte. Doch bezwang er sich einige Wochen und glaubte die Sache zu verheimlichen; aber jeder sah ihm von weitem an, daß er zum Sterben verliebt war, und wenn er irgend in die Nähe des Fräuleins geriet oder sie nur genannt wurde, so sah man auch gleich, in wen er verliebt war. Er war aber nicht lange verliebt, sondern begann wirklich zu lieben mit aller Heftigkeit seiner Jugend, so daß ihm das Fräulein das Höchste und Beste auf der Welt wurde, an welches er ein für allemal das Heil und den ganzen Wert seiner eigenen Person setzte. Dies gefiel ihr über die Maßen wohl; denn es war in allem, was er sagte oder tat, eine andere Art, als sie bislang erfahren, und dies bestärkte und rührte sie so tief, daß sie nun gleichermaßen der stärksten Liebe anheimfiel und nun nicht mehr von einer Wahl für sie die Rede war. Jedermann sah diese Geschichte spielen, und es wurde offen darüber gesprochen und vielfach gescherzt. Dem Fräulein war es höchlich wohl dabei, und indem ihr das Herz vor banger Erwartung zerspringen wollte, half sie den Roman von ihrer Seite doch ein wenig verwickeln und ausspinnen, um ihn recht auszukosten und zu genießen. Denn der junge Mann beging in seiner Verwirrung so köstliche und kindliche Dinge, dergleichen sie niemals erfahren und für sie ein Mal schmeichelhafter und angenehmer waren, als das andere. Er aber in seiner Gradheit und Ehrlichkeit konnte es nicht lange so aushalten; da jeder darauf anspielte und sich einen Scherz erlaubte, so schien es ihm eine Komödie zu werden, als deren Gegenstand ihm seine Geliebte viel zu gut und heilig war, und was ihr ausnehmend behagte, das machte ihn bekümmert, ungewiß und verlegen um sie selber. Auch glaubte er sie zu beleidigen und zu hintergehen, wenn er da lange eine so heftige Leidenschaft zu ihr herumtrüge und unaufhörlich an sie denke, ohne daß sie eine Ahnung davon habe, was doch gar nicht schicklich sei und ihm selber nicht recht! Daher sah man ihm eines Morgens von weitem an, daß er etwas vorhatte, und er bekannte ihr seine Liebe in einigen Worten, um es *einmal* und nie zum zweiten Mal zu sagen, wenn er nicht glücklich sein sollte. Denn er war nicht gewohnt zu denken, daß ein solches schönes und wohlbeschaffenes Fräulein etwa nicht ihre wahre Meinung sagen und nicht auch gleich zum ersten Mal ihr unwiderrufliches Ja oder Nein erwidern sollte. Er war ebenso zart gesinnt als heftig verliebt, ebenso spröde als kindlich und ebenso stolz als unbefangen, und bei ihm galt es gleich auf Tod und Leben, auf Ja oder Nein, Schlag um Schlag. In demselben Augenblicke aber, in welchem das Fräulein sein Geständnis anhörte, das sie so sehnlich erwartet, überfiel sie ihr altes Mißtrauen und es fiel ihr zur unglücklichen Stunde ein, daß ihr Liebhaber ein Kaufmann sei, welcher am Ende nur ihr Vermögen zu erlangen wünsche, um seine Unternehmungen zu erweitern. Wenn er daneben auch ein wenig in ihre Person verliebt sein sollte, so wäre ja das bei ihrer Schönheit kein sonderliches Verdienst und nur um so empörender, wenn sie eine bloße wünschbare Zugabe zu ihrem Golde vorstellen sollte. Anstatt ihm daher ihre Gegenliebe zu gestehen und ihn wohl aufzunehmen, wie sie am liebsten getan hätte, ersann sie auf der Stelle eine neue List, um seine Hingebung zu prüfen, und nahm eine ernste, fast traurige Miene an, indem sie ihm vertraute, wie sie bereits mit einem jungen Mann verlobt sei in ihrer Heimat, welchen sie auf das allerherzlichste liebe. Sie habe ihm das schon mehrmals mitteilen wollen, da sie ihn, den Kaufmann nämlich, als Freund sehr lieb habe, wie er wohl habe sehen können aus ihrem Benehmen, und sie vertraue ihm wie einem Bruder. Aber die ungeschickten Scherze, welche in der Gesellschaft aufgekommen seien, hätten ihr eine vertrauliche Unterhaltung erschwert; da er nun aber selbst sie mit seinem braven und edlen Herzen überrascht und dasselbe vor ihr aufgetan, so könne sie ihm für seine Neigung nicht besser danken, als indem sie ihm ebenso offen sich anvertraue. Ja, fuhr sie fort, nur demjenigen könne sie angehören, welchen sie einmal erwählt habe, und nie würde es ihr möglich sein, ihr Herz einem anderen Mannesbilde zuzuwenden, dies stehe mit goldenem Feuer in ihrer Seele geschrieben, und der liebe Mann wisse selbst nicht, wie lieb er ihr sei, so wohl er sie auch kenne! Aber ein trüber Unstern hätte sie betroffen; ihr Bräutigam sei ein Kaufmann, aber so arm wie eine Maus; darum hätte sie den Plan gefaßt, daß er aus den Mitteln der Braut einen Handel begründen solle; der Anfang sei gemacht und alles auf das beste eingeleitet, die Hochzeit sollte in diesen Tagen gefeiert werden, da wollte ein unverhofftes Mißgeschick, daß ihr ganzes Vermögen plötzlich ihr angetastet und abgestritten wurde und vielleicht für immer verloren gehe, während der arme Bräutigam in nächster Zeit seine ersten Zahlungen zu leisten habe an die Mailänder und venezianischen Kaufleute, worauf sein ganzer Kredit, sein Gedeihen und seine Ehre beruhe, nicht zu sprechen von ihrer Vereinigung und glücklichen Hochzeit! Sie sei in der Eile nach Mailand gekommen, wo sie begüterte Verwandte habe, um da Mittel und Auswege zu finden; aber zu einer schlimmen Stunde sei sie gekommen; denn nichts wolle sich fügen und schicken, während der Tag immer näher rücke, und wenn sie ihrem Geliebten nicht helfen könne, so müsse sie sterben vor Traurigkeit. Denn es sei der liebste und beste Mensch, den man sich denken könne, und würde sicherlich ein großer Kaufherr werden, wenn ihm geholfen würde, und sie kenne kein anderes Glück mehr auf Erden, als dann dessen Gemahlin zu sein! Als sie diese Erzählung beendet, hatte sich der arme schöne Jüngling schon lange entfärbt und war bleich wie ein weißes Tuch. Aber er ließ keinen Laut der Klage vernehmen und sprach nicht ein Sterbenswörtchen mehr von sich selbst und von seiner Liebe, sondern fragte bloß traurig, auf wieviel sich denn die eingegangenen Verpflichtungen des glücklich unglücklichen Bräutigams beliefen? Auf zehntausend Goldgülden! antwortete sie noch viel trauriger. Der junge traurige Kaufherr stand auf, ermahnte das Fräulein, guten Mutes zu sein, da sich gewiß ein Ausweg zeigen werde, und entfernte sich von ihr, ohne daß er sie anzusehen wagte; so sehr fühlte er sich betroffen und beschämt, daß er sein Auge auf eine Dame geworfen, die so treu und leidenschaftlich einen andern liebte. Denn der Arme glaubte jedes Wort von ihrer Erzählung wie ein Evangelium. Dann begab er sich ohne Säumnis zu seinen Handelsfreunden und brachte sie durch Bitten und Einbüßung einer gewissen

Summe dahin, seine Bestellungen und Einkäufe wieder rückgängig zu machen, welche er selbst in diesen Tagen auch grad mit seinen zehntausend Goldgülden bezahlen sollte und worauf er seine ganze Laufbahn bauete, und ehe sechs Stunden verflossen waren, erschien er wieder bei dem Fräulein mit seinem ganzen Besitztum und bat sie um Gottes Willen, diese Aushilfe von ihm annehmen zu wollen. Ihre Augen funkelten vor freudiger Überraschung, und ihre Brust pochte wie ein Hammerwerk; sie fragte ihn, wo er denn dies Kapital hergenommen, und er erwiderte, er habe es auf seinen guten Namen geliehen und würde es, da seine Geschäfte sich glücklich wendeten, ohne Unbequemlichkeit zurückerstatten können. Sie sah ihm deutlich an, daß er log und daß es sein einziges Vermögen und ganze Hoffnung war, welche er ihrem Glücke opferte; doch stellte sie sich, als glaubte sie seinen Worten. Sie ließ ihren freudigen Empfindungen freien Lauf und tat grausamerweise, als ob diese dem Glücke gälten, nun doch ihren Erwählten retten und heiraten zu dürfen, und sie konnte nicht Worte finden, ihre Dankbarkeit auszudrükken. Doch plötzlich besann sie sich und erklärte, nur unter *einer* Bedingung die großmütige Tat annehmen zu können, da sonst alles Zureden unnütz wäre. Befragt, worin diese Bedingung bestehe, verlangte sie das heilige Versprechen, daß er an einem bestimmten Tage sich bei ihr einfinden wolle, um ihrer Hochzeit beizuwohnen und der beste Freund und Gönner ihres zukünftigen Ehegemahls zu werden sowie der treueste Freund, Schützer und Berater ihrer selbst. Errötend bat er sie, von diesem Begehren abzustehen; aber umsonst wandte er alle Gründe an, um sie davon abzubringen, umsonst stellte er ihr vor, daß seine Angelegenheiten jetzt nicht erlaubten, nach der Schweiz zurückzureisen, und daß er von einem solchen Abstecher einen erheblichen Schaden erleiden würde. Sie beharrte entschieden auf ihrem Verlangen und schob ihm sogar sein Gold wieder zu, da er sich nicht dazu verstehen wollte. Endlich versprach er es, aber er mußte ihr die Hand darauf geben und es ihr bei seiner Ehre und Seligkeit beschwören. Sie bezeichnete ihm genau den Tag und die Stunde, wann er eintreffen solle, und alles dies mußte er bei seinem Christenglauben und bei seiner Seligkeit beschwören. Erst dann nahm sie sein Opfer an und ließ den Schatz vergnügt in ihre Schlafkammer tragen, wo sie ihn eigenhändig in ihrer Reisetruhe verschloß und den Schlüssel in den Busen steckte. Nun hielt sie sich nicht länger in Mailand auf, sondern reiste ebenso fröhlich über den Sankt Gotthard zurück, als schwermütig sie hergekommen war. Auf der Teufelsbrücke, wo sie hatte hinabspringen wollen, lachte sie wie eine Unkluge und warf mit hellem Jauchzen ihrer wohlklingenden Stimme einen Granatblütenstrauß in die Reuß, welchen sie vor der Brust trug, kurz, ihre Lust war nicht zu bändigen, und es war die fröhlichste Reise, die je getan wurde. Heimgekehrt, öffnete und lüftete sie ihr Haus von oben bis unten und schmückte es, als ob sie einen Prinzen erwartete. Aber zu Häupten ihres Bettes legte sie den Sack mit den zehntausend Goldgülden und legte des Nachts den Kopf so glückselig auf den harten Klumpen und schlief darauf, wie wenn es das weichste Flaumkissen gewesen wäre. Kaum konnte sie den verabredeten Tag erwarten, wo sie ihn sicher kommen sah, da sie wußte, daß er nicht das einfachste Versprechen, geschweige denn einen Schwur brechen würde, und wenn es ihm um das Leben ginge. Aber der Tag brach an, und der Geliebte erschien nicht, und es vergingen viele Tage und Wochen, ohne daß er von sich hören ließ. Da fing sie an, an allen Gliedern zu zittern, und verfiel in die größte Angst und Bangigkeit; sie schickte Briefe über Briefe nach Mailand, aber niemand wußte ihr zu sagen, wo er geblieben sei. Endlich aber stellte es sich durch einen Zufall heraus, daß der junge Kaufherr aus einem blutroten Stück Seidendamast, welches er von seinem Handelsanfang her im Haus liegen und bereits bezahlt hatte, sich ein Kriegskleid hatte anfertigen lassen und unter die Schweizer gegangen war, welche damals eben im

Solde des Königs Franz von Frankreich den Mailändischen Krieg mitstritten. Nach der Schlacht bei Pavia, in welcher so viele Schweizer das Leben verloren, wurde er auf einem Haufen erschlagener Spaniolen liegend gefunden, von vielen tödlichen Wunden zerrissen und sein rotes Seidengewand von unten bis oben zerschlitzt und zerfetzt. Ehe er den Geist aufgab, sagte er einem neben ihm liegenden Seldwyler, der minder übel zugerichtet war, folgende Botschaft ins Gedächtnis und bat ihn, dieselbe auszurichten, wenn er mit dem Leben davonkäme: ›Liebstes Fräulein! Obgleich ich Euch bei meiner Ehre, bei meinem Christenglauben und bei meiner Seligkeit geschworen habe, auf Eurer Hochzeit zu erscheinen, so ist es mir dennoch nicht möglich gewesen, Euch nochmals zu sehen und einen andern des höchsten Glückes teilhaftig zu erblicken, das es für mich geben könnte. Dieses habe ich erst in Eurer Abwesenheit verspürt und habe vorher nicht gewußt, welch eine strenge und unheimliche Sache es ist um solche Liebe, wie ich zu Euch habe, sonst würde ich mich zweifelsohne besser davor gehütet haben. Da es aber einmal so ist, so wollte ich lieber meiner weltlichen Ehre und meiner geistlichen Seligkeit verloren und in die ewige Verdammnis eingehen als ein Meineidiger, denn noch einmal in Eurer Nähe erscheinen mit einem Feuer in der Brust, welches stärker und unauslöschlicher ist als das Höllenfeuer und mich dieses kaum wird verspüren lassen. Betet nicht etwa für mich, schönstes Fräulein, denn ich kann und werde nie selig werden ohne Euch, sei es hier oder dort, und somit lebt glücklich und seid gegrüßt!‹ So hatte in dieser Schlacht, nach welcher König Franziskus sagte: ›Alles verloren, außer der Ehre!‹ der unglückliche Liebhaber alles verloren, die Hoffnung, die Ehre, das Leben und die ewige Seligkeit, nur die Liebe nicht, die ihn verzehrte. Der Seldwyler kam glücklich davon, und sobald er sich in etwas erholt und außer Gefahr sah, schrieb er die Worte des Umgekommenen getreu auf seine Schreibtafel, um sie nicht zu vergessen, reiste nach

Hause, meldete sich bei dem unglücklichen Fräulein und las ihr die Botschaft so steif und kriegerisch vor, wie er zu tun gewohnt war, wenn er sonst die Mannschaft seines Fähnleins verlas; denn es war ein Feldleutnant. Das Fräulein aber zerraufte sich die Haare, zerriß ihre Kleider und begann so laut zu schreien und zu weinen, daß man es die Straße auf und nieder hörte und die Leute zusammenliefen. Sie schleppte wie wahnsinnig die zehntausend Goldgülden herbei, zerstreute sie auf dem Boden, warf sich der Länge nach darauf hin und küßte die glänzenden Goldstücke. Ganz von Sinnen, suchte sie den umherrollenden Schatz zusammenzuraffen und zu umarmen, als ob der verlorene Geliebte darin zugegen wäre. Sie lag Tag und Nacht auf dem Golde und wollte weder Speise noch Trank zu sich nehmen; unaufhörlich liebkoste und küßte sie das kalte Metall, bis sie mitten in einer Nacht plötzlich aufstand, den Schatz, emsig hin und her eilend, nach dem Garten trug und dort unter bitteren Tränen in den tiefen Brunnen warf und einen Fluch darüber aussprach, daß er niemals jemand anderem angehören solle.«

Als Spiegel so weit erzählt hatte, sagte Pineiß: »Und liegt das schöne Geld noch in dem Brunnen?« »Ja, wo sollte es sonst liegen?« antwortete Spiegel, »denn nur ich kann es herausbringen und habe es bis zur Stunde noch nicht getan!« »Ei ja so, richtig!« sagte Pineiß, »ich habe es ganz vergessen über deiner Geschichte! Du kannst nicht übel erzählen, du Sapperlöter! und es ist mir ganz gelüstig worden nach einem Weibchen, die so für mich eingenommen wäre; aber sehr schön müßte sie sein! Doch erzähle jetzt schnell noch, wie die Sache eigentlich zusammenhängt!« »Es dauerte manche Jahre,« sagte Spiegel, »bis das Fräulein aus bittern Seelenleiden so weit zu sich kam, daß sie anfangen konnte, die stille alte Jungfer zu werden, als welche ich sie kennen lernte. Ich darf mich berühmen, daß ich ihr einziger Trost und ihr vertrautester Freund geworden bin in ihrem einsamen Leben bis an ihr stilles Ende. Als sie aber dieses herannahen sah, vergegenwärtigte sie sich noch einmal die Zeit ihrer fernen Jugend und Schönheit und erlitt noch einmal mit milderen ergebenen Gedanken erst die süßen Erregungen und dann die bittern Leiden jener Zeit, und sie weinte still sieben Tage und Nächte hindurch über die Liebe des Jünglings, deren Genuß sie durch ihr Mißtrauen verloren hatte, so daß ihre alten Augen noch kurz vor dem Tode erblindeten. Dann bereute sie den Fluch, welchen sie über jenen Schatz ausgesprochen, und sagte zu mir, indem sie mich mit dieser wichtigen Sache beauftragte: ›Ich bestimme nun anders, lieber Spiegel! und gebe dir die Vollmacht, daß du meine Verordnung vollziehest. Sieh dich um und suche, bis du eine bildschöne, aber unbemittelte Frauensperson findest, welcher es ihrer Armut wegen an Freiern gebricht! Wenn sich dann ein verständiger, rechtlicher und hübscher Mann finden sollte, der sein gutes Auskommen hat und die Jungfrau ungeachtet ihrer Armut, nur allein von ihrer Schönheit bewegt, zur Frau begehrt, so soll dieser Mann mit den stärksten Eiden sich verpflichten, derselben so treu, aufopfernd und unabänderlich ergeben zu sein, wie es mein unglücklicher Liebster gewesen ist, und dieser Frau sein Leben lang in allen Dingen zu willfahren. Dann gib der Braut die zehntausend Goldgülden, welche im Brunnen liegen, zur Mitgift, daß sie ihren Bräutigam am Hochzeitmorgen damit überrasche!‹ So sprach die Selige, und ich habe meiner widrigen Geschicke wegen versäumt, dieser Sache nachzugehen, und muß nun befürchten, daß die Arme deswegen im Grabe noch beunruhigt sei, was für mich eben auch nicht die angenehmsten Folgen haben kann!«

Pineiß sah den Spiegel mißtrauisch an und sagte: »Wärst du wohl imstande, Bürschchen, mir den Schatz ein wenig nachzuweisen und augenscheinlich zu machen?«

»Zu jeder Stunde!« versetzte Spiegel, »aber Ihr müßt wissen, Herr Stadthexenmeister, daß Ihr das Gold nicht etwa so ohne weiteres herausfischen dürftet. Man würde Euch unfehlbar das Genick umdrehen; denn es ist nicht ganz geheuer in dem

Brunnen, ich habe darüber bestimmte Inzichten, welche ich aus Rücksichten nicht näher berühren darf!«

»Hei, wer spricht denn von Herausholen?« sagte Pineiß etwas furchtsam. »Führe mich einmal hin und zeige mir den Schatz! Oder vielmehr will ich dich führen an einem guten Schnürlein, damit du mir nicht entwischest!«

»Wie Ihr wollt!« sagte Spiegel, »aber nehmt auch eine andere lange Schnur mit und eine Blendlaterne, welche Ihr daran in den Brunnen hinablassen könnt; denn der ist sehr tief und dunkel!«

Pineiß befolgte diesen Rat und führte das muntere Kätzchen nach dem Garten jener Verstorbenen. Sie überstiegen miteinander die Mauer, und Spiegel zeigte dem Hexer den Weg zu dem alten Brunnen, welcher unter verwildertem Gebüsche verborgen war. Dort ließ Pineiß sein Laternchen hinunter, begierig nachblickend, während er den angebundenen Spiegel nicht von der Hand ließ. Aber richtig sah er in der Tiefe das Gold funkeln unter dem grünlichen Wasser und rief: »Wahrhaftig, ich sehs, es ist wahr! Spiegel, du bist ein Tausendskerl!« Dann guckte er wieder eifrig hinunter und sagte: »Mögen es auch zehntausend sein?« »Ja, das ist nun nicht zu schwören!« sagte Spiegel, »ich bin nie da unten gewesen und habs nicht gezählt! Ist auch möglich, daß die Dame dazumal einige Stücke auf dem Wege verloren hat, als sie den Schatz hierher trug, da sie in einem sehr aufgeregten Zustande war.« »Nun, seien es auch ein Dutzend oder mehr weniger!« sagte Herr Pineiß, »es soll mir darauf nicht ankommen!« Er setzte sich auf den Rand des Brunnens, Spiegel setzte sich auch nieder und leckte sich das Pfötchen. »Da wäre nun der Schatz!« sagte Pineiß, indem er sich hinter den Ohren kratzte, »und hier wäre auch der Mann dazu; fehlt nur noch das bildschöne Weib!« »Wie?« sagte Spiegel. »Ich meine, es fehlt nur noch diejenige, welche die Zehntausend als Mitgift bekommen soll, um mich damit zu überraschen am Hochzeitmorgen, und welche alle jene angenehmen Tugenden hat, von denen du gesprochen:« »Hm!« versetzte Spiegel, »die Sache verhält sich nicht ganz so, wie Ihr sagt! Der Schatz ist da, wie Ihr richtig einseht; das schöne Weib habe ich, um es aufrichtig zu gestehen, allbereits auch schon ausgespürt; aber mit dem Mann, der sie unter diesen schwierigen Umständen heiraten möchte, da hapert es eben; denn heutzutage muß die Schönheit obenein vergoldet sein, wie die Weihnachtsnüsse, und je hohler die Köpfe werden, desto mehr sind sie bestrebt, die Leere mit einigem Weibergut nachzufüllen, damit sie die Zeit besser zu verbringen vermögen; da wird dann mit wichtigem Gesicht ein Pferd besehen und ein Stück Sammet gekauft, mit Laufen und Rennen eine gute Armbrust bestellt, und der Büchsenschmied kommt nicht aus dem Hause; da heißt es: ich muß meinen Wein einheimsen und meine Fässer putzen, meine Bäume putzen lassen und mein Dach decken; ich muß meine Frau ins Bad schicken, sie kränkelt und kostet mich viel Geld, und muß mein Holz fahren lassen und mein Ausstehendes eintreiben; ich habe ein Paar Windspiele gekauft und meine Bracken vertauscht, ich habe einen schönen eichenen Ausziehtisch eingehandelt und meine große Nußbaumlade drangegeben; ich habe meine Bohnenstangen geschnitten, meinen Gärtner fortgejagt, mein Heu verkauft und meinen Salat gesäet, immer mein und mein vom Morgen bis zu Abend. Manche sagen sogar: ich habe meine Wäsche die nächste Woche, ich muß meine Betten sonnen, ich muß eine Magd dingen und einen neuen Metzger haben, denn den alten will ich abschaffen; ich habe ein allerliebstes Waffeleisen erstanden, durch Zufall, und habe mein silbernes Zimmetbüchschen verkauft, es war mir so nichts nütze. Alles das sind wohlverstanden die Sachen der Frau, und so verbringt ein solcher Kerl die Zeit und stiehlt unserm Herrgott den Tag ab, indem er alle diese Verrichtungen aufzählt, ohne einen Streich zu tun. Wenn es hoch kommt und ein solcher Patron sich etwa ducken muß, so wird er vielleicht sagen: unsere Kühe und unsere Schweine, aber ...« Pineiß riß den Spiegel an der Schnur, daß er miau! schrie, und rief: »Genug, du Plappermaul! Sag jetzt unverzüglich: wo ist sie, von der du weißt?« Denn die Aufzählung aller dieser Herrlichkeiten und Verrichtungen, die mit einem Weibergute verbunden sind, hatte dem dürren Hexenmeister den Mund nur noch wässeriger gemacht. Spiegel sagte erstaunt: »Wollt Ihr denn wirklich das Ding unternehmen, Herr Pineiß?«

»Versteht sich, will ich! Wer sonst als ich? Drum heraus damit: wo ist diejenige?«

»Damit Ihr hingehen und sie freien könnt?«

»Ohne Zweifel!«

»So wisset, die Sache geht nur durch meine Hand! Mit mir müßt Ihr sprechen, wenn Ihr Geld und Frau wollt!« sagte Spiegel kaltblütig und gleichgültig und fuhr sich mit den beiden Pfoten eifrig über die Ohren, nachdem er sie jedesmal ein bißchen naß gemacht. Pineiß besann sich sorgfältig, stöhnte ein bißchen und sagte: »Ich merke, du willst unsern Kontrakt aufheben und deinen Kopf salvieren!«

»Schiene Euch das so uneben und unnatürlich?«

»Du betrügst mich am Ende und belügst mich wie ein Schelm!«

»Dies ist auch möglich!« sagte Spiegel.

»Ich sage dir: Betrüge mich nicht!« rief Pineiß gebieterisch.

»Gut, so betrüge ich Euch nicht!« sagte Spiegel.

»Wenn du's tust!«

»So tu ichs.«

»Quäle mich nicht, Spiegelchen!« sprach Pineiß beinahe weinerlich, und Spiegel erwiderte jetzt ernsthaft: »Ihr seid ein wunderbarer Mensch, Herr Pineiß! Da haltet Ihr mich an einer Schnur gefangen und zerrt daran, daß mir der Atem vergeht! Ihr lasset das Schwert des Todes über mir schweben seit länger als zwei Stunden, was sag ich, seit einem halben Jahre, und nun sprecht Ihr: Quäle mich nicht, Spiegelchen! Wenn Ihr erlaubt, so sage ich Euch in Kürze: es kann mir nur lieb sein, jene Liebespflicht gegen die Tote doch noch zu erfüllen und für das bewußte Frauenzimmer einen tauglichen Mann zu finden, und Ihr scheint mir allerdings in aller Hinsicht zu genügen; es ist keine Leichtigkeit, ein Weibsstück wohl unterzubringen, sosehr dies auch scheint, und ich sage noch einmal: ich bin froh, daß Ihr Euch hiezu bereit finden lasset! Aber umsonst ist der Tod! Eh ich ein Wort weiter spreche, einen Schritt tue, ja eh ich nur den Mund noch einmal aufmache, will ich erst meine Freiheit wieder haben und mein Leben versichert! Daher nehmt diese Schnur weg und legt den Kontrakt hier auf den Brunnen, hier auf diesen Stein, oder schneidet mir den Kopf ab, eins von beiden!«

»Ei du Tollhäusler und Obenhinaus!« sagte Pineiß, »du Hitzkopf, so streng wird es nicht gemeint sein. Das will ordentlich besprochen sein und muß jedenfalls ein neuer Vertrag geschlossen werden!« Spiegel gab keine Antwort mehr und saß unbeweglich da, ein, zwei und drei Minuten. Da ward dem Meister bänglich, er zog seine Brieftasche hervor, klaubte seufzend den Schein heraus, las ihn noch einmal durch und legte ihn dann zögernd vor Spiegel hin. Kaum lag das Papier dort, so schnappte es Spiegel auf und verschlang es; und obgleich er heftig daran zu würgen hatte, so dünkte es ihn doch die beste und gedeihlichste Speise zu sein, die er je genossen, und er hoffte, daß sie ihm noch auf lange wohl bekommen und ihn rundlich und munter machen würde. Als er mit der angenehmen Mahlzeit fertig war, begrüßte er den Hexenmeister höflich und sagte: »Ihr werdet unfehlbar von mir hören, Herr Pineiß, und Weib und Geld sollen Euch nicht entgehen. Dagegen macht Euch bereit, recht verliebt zu sein, damit Ihr jene Bedingungen einer unverbrüchlichen Hingebung an die Liebkosungen Eurer Frau, die schon so gut wie Euer ist, ja beschwören und erfüllen könnt! Und hiermit bedanke ich mich des vorläufigen für genossene Pflege und Beköstigung und beurlaube mich!«

Somit ging Spiegel seines Weges und freute sich über die Dummheit des Hexenmeisters, welcher glaubte, sich selbst und alle Welt betrügen zu können, indem er ja die gehoffte Braut nicht uneigennützig, aus bloßer Liebe zur Schönheit ehelichen wollte, sondern den Umstand mit den zehntausend Goldgülden vorher wußte. Indessen hatte er schon eine Person im Auge, welche er dem törichten Hexenmeister aufzuhalsen gedachte für seine gebratenen Krammetsvögel, Mäuse und Würstchen.

Dem Hause des Herrn Pineiß gegenüber war ein anderes Haus, dessen vordere Seite auf das sauberste geweißt war und dessen Fenster immer frisch gewaschen glänzten. Die bescheidenen Fenstervorhänge waren immer schneeweiß und wie soeben geplättet, und ebenso weiß war der Habit und das Kopf- und Halstuch einer alten Begine, welche in dem Hause wohnte, also daß ihr nonnenartiger Kopfputz, der ihre Brust bekleidete, immer wie aus Schreibpapier gefaltet aussah, so daß man gleich darauf hätte schreiben mögen; das hätte man wenigstens auf der Brust bequem tun können, da sie so eben und so hart war wie ein Brett. So scharf die weißen Kanten und Ecken ihrer Kleidung, so scharf war auch die lange Nase und das Kinn der Begine, ihre Zunge und der böse Blick ihrer Augen; doch sprach sie nur wenig mit der Zunge und blickte wenig mit den Augen, da sie die Verschwendung nicht liebte und alles nur zur rechten Zeit und mit Bedacht verwendete. Alle Tage ging sie dreimal in die Kirche, und wenn sie in ihrem frischen, weißen und knitternden Zeuge und mit ihrer weißen, spitzigen Nase über die Straße ging, liefen die Kinder furchtsam davon, und selbst erwachsene Leute traten gern hinter die Haustüre, wenn es noch Zeit war. Sie stand aber wegen ihrer strengen Frömmigkeit und Eingezogenheit in großem Rufe und besonders bei der Geistlichkeit in hohem Ansehen, aber selbst die Pfaffen verkehrten lieber schriftlich mit ihr als mündlich, und wenn sie beichtete, so schoß der Pfarrer jedesmal so schweißtriefend aus dem Beichtstuhl heraus, als ob er aus einem Backofen käme. So lebte die fromme Begine, die keinen Spaß verstand, in tiefem Frieden und blieb ungeschoren. Sie machte sich auch mit niemand zu schaffen und ließ die Leute gehen, vorausgesetzt, daß sie ihr aus dem Wege gingen; nur auf ihren Nachbar Pineiß schien sie einen besonderen Haß geworfen zu haben; denn sooft er sich an seinem Fenster blicken ließ, warf sie ihm einen bösen Blick hinüber und zog augenblicklich ihre weißen Vorhänge vor, und Pineiß fürchtete sie wie das Feuer und wagte nur zuhinterst in seinem Hause, wenn alles gut verschlossen war, etwa einen Witz über sie zu machen. So weiß und hell aber das Haus der Begine nach der Straße zu aussah, so schwarz und räucherig, unheimlich und seltsam sah es von hinten aus, wo es jedoch fast gar nicht gesehen werden konnte, als von den Vögeln des Himmels und den Katzen auf den Dächern, weil es in eine dunkle Winkelei von himmelhohen Brandmauern ohne Fenster hineingebaut war, wo nirgends ein menschliches Gesicht sich sehen ließ. Unter dem Dache dort hingen alte, zerrissene Unterröcke, Körbe und Kräutersäcke, auf dem Dache wuchsen ordentliche Eichenbäumchen und Dornsträucher, und ein großer, rußiger Schornstein ragte unheimlich in die Luft. Aus diesem Schornstein aber fuhr in der dunklen Nacht nicht selten eine Hexe auf ihrem Besen in die Höhe, jung und schön und splitternackt, wie Gott die Weiber geschaffen und der Teufel sie gern sieht. Wenn sie aus dem Schornstein fuhr, so schnupperte sie mit dem feinsten Näschen und mit lächelnden Kirschenlippen in der frischen Nachtluft und fuhr in dem weißen Scheine ihres Leibes dahin, indes ihr langes, rabenschwarzes Haar wie eine Nachtfahne hinter ihr her flatterte. In einem Loch am Schornstein saß ein alter Eulenvogel, und zu diesem begab sich jetzt der befreite Spiegel, eine fette Maus im Maule, die er unterwegs gefangen.

»Wünsch guten Abend, liebe Frau Eule! Eifrig auf der Wacht?« sagte er, und die Eule erwiderte: »Muß wohl! Wünsch gleichfalls guten Abend! Ihr habt Euch lang nicht sehen lassen, Herr Spiegel!«

»Hat seine Gründe gehabt, werde Euch das erzählen. Hier habe ich Euch ein Mäuschen gebracht, schlecht und recht, wie es die Jahreszeit gibt, wenn Ihrs nicht verschmähen wollt! Ist die Meisterin ausgeritten?«

»Noch nicht, sie will erst gegen Morgen auf ein Stündchen hinaus. Habt Dank für die schöne Maus! Seid doch immer der höfliche Spiegel! Habe hier einen schlechten Sperling zur Seite gelegt, der mir heut zu nahe flog; wenn Euch beliebt, so kostet den Vogel! Und wie ist es Euch denn ergangen?«

»Fast wunderlich,« erwiderte Spiegel, »sie wollten mir an den Kragen. Hört, wenn es Euch gefällig ist.« Während sie nun vergnüglich ihr Abendessen einnahmen, erzählte Spiegel der aufmerksamen Eule alles, was ihn betroffen, und wie er sich aus den Händen des Herrn Pineiß befreit habe. Die Eule sagte: »Da wünsch ich tausendmal Glück, nun seid Ihr wieder ein gemachter Mann und könnt gehen, wo Ihr wollt, nachdem Ihr mancherlei erfahren!«

»Damit sind wir noch nicht zu Ende,« sagte Spiegel, »der Mann muß seine Frau und seine Goldgülden haben!«

»Seid Ihr von Sinnen, dem Schelm noch wohlzutun, der Euch das Fell abziehen wollte?«

»Ei, er hat es doch rechtlich und vertragsmäßig tun können, und da ich ihn in gleicher Münze wieder bedienen kann, warum sollt ich es unterlassen? Wer sagt denn, daß ich ihm wohltun will? Jene Erzählung war eine reine Erfindung von mir, meine in Gott ruhende Meisterin war eine simple Person, welche in ihrem Leben nie verliebt noch von Anbetern umringt war, und jener Schatz ist ein ungerechtes Gut, das sie einst ererbt und in den Brunnen geworfen hat, damit sie kein Unglück daran erlebe. ›Verflucht sei, wer es da herausnimmt und verbraucht‹, sagte sie. Es macht sich also in betreff des Wohltuns!«

»Dann ist die Sache freilich anders! Aber nun, wo wollt Ihr die entsprechende Frau hernehmen?«

»Hier aus diesem Schornstein! Deshalb bin ich gekommen,

um ein vernünftiges Wort mit Euch zu reden! Möchtet Ihr denn nicht einmal wieder frei werden aus den Banden dieser Hexe? Sinnt nach, wie wir sie fangen und mit dem alten Bösewicht verheiraten!«

»Spiegel, Ihr braucht Euch nur zu nähern, so weckt Ihr mir ersprießliche Gedanken.«

»Das wußt ich wohl, daß Ihr klug seid! Ich habe das Meinige getan, und es ist besser, daß Ihr auch Euren Senf dazu gebt und neue Kräfte vorspannt, so kann es gewiß nicht fehlen!«

»Da alle Dinge so schön zusammentreffen, so brauche ich nicht lang zu sinnen, mein Plan ist längst gemacht!«

»Wie fangen wir sie?«

»Mit einem neuen Schnepfengarn aus guten, starken Hanfschnüren; geflochten muß es sein von einem zwanzigjährigen Jägerssohn, der noch kein Weib angesehen hat, und es muß schon dreimal der Nachttau darauf gefallen sein, ohne daß sich eine Schnepfe gefangen; der Grund aber hievon muß dreimal eine gute Handlung sein. Ein solches Netz ist stark genug, die Hexe zu fangen.«

»Nun bin ich neugierig, wo Ihr ein solches hernehmt,« sagte Spiegel, »denn ich weiß, daß Ihr keine vergeblichen Worte schwatzt!«

»Es ist auch schon gefunden, wie für uns gemacht; in einem Walde nicht weit von hier sitzt ein zwanzigjähriger Jägerssohn, welcher noch kein Weib angesehen hat; denn er ist blind geboren. Deswegen ist er auch zu nichts zu gebrauchen als zum Garnflechten und hat vor einigen Tagen ein neues, sehr schönes Schnepfengarn zustande gebracht. Aber als der alte Jäger es zum ersten Male ausspannen wollte, kam ein Weib daher, welches ihn zur Sünde verlocken wollte; es war aber so häßlich, daß der alte Mann voll Schreckens davonlief und das Garn am Boden liegen ließ. Darum ist ein Tau darauf gefallen, ohne daß sich eine Schnepfe fing, und war also eine gute Handlung daran schuld. Als er des andern Tages hinging, um das Garn abermals auszuspannen, kam eben ein

Reiter daher, welcher einen schweren Mantelsack hinter sich hatte; in diesem war ein Loch, aus welchem von Zeit zu Zeit ein Goldstück auf die Erde fiel. Da ließ der Jäger das Garn abermals liegen und lief eifrig hinter dem Reiter her und sammelte die Goldstücke in seinen Hut, bis der Reiter sich umkehrte, es sah und voll Grimm seine Lanze auf ihn richtete. Da bückte der Jäger sich erschrocken, reichte ihm den Hut dar und sagte: ›Erlaubt, gnädiger Herr, Ihr habt hier viel Gold verloren, das ich Euch sorgfältig aufgelesen!‹ Dies war wiederum eine gute Handlung, indem das ehrliche Finden eine der schwierigsten und besten ist; er war aber so weit von dem Schnepfengarn entfernt, daß er es die zweite Nacht im Walde liegen ließ und den nähern Weg nach Hause ging. Am dritten Tag endlich, nämlich gestern, als er eben wieder auf dem Wege war, traf er eine hübsche Gevattersfrau an, die dem Alten um den Bart zu gehen pflegte und der er schon manches Häslein geschenkt hat. Darüber vergaß er die Schnepfen gänzlich und sagte am Morgen: ›Ich habe den armen Schnepflein das Leben geschenkt; auch gegen Tiere muß man barmherzig sein!‹ Und um dieser drei guten Handlungen willen fand er, daß er jetzt zu gut sei für diese Welt, und ist heute vormittag bezeiten in ein Kloster gegangen. So liegt das Garn noch ungebraucht im Walde, und ich darf es nur holen.« »Holt es geschwind!« sagte Spiegel, »es wird gut sein zu unserm Zweck!« »Ich will es holen,« sagte die Eule, »steht nur solang Wache für mich in diesem Loch, und wenn etwa die Meisterin den Schornstein hinaufrufen sollte, ob die Luft rein sei, so antwortet, indem Ihr meine Stimme nachahmt: Nein, es stinkt noch nicht in der Fechtschul!« Spiegel stellte sich in die Nische, und die Eule flog still über die Stadt weg nach dem Wald. Bald kam sie mit dem Schnepfengarn zurück und fragte: »Hat sie schon gerufen?« »Noch nicht!« sagte Spiegel.

Da spannten sie das Garn aus über den Schornstein und setzten sich daneben, still und klug; die Luft war dunkel, und es ging ein leichtes Morgenwindchen, in welchem ein paar Sternbilder flackerten. »Ihr sollt sehen,« flüsterte die Eule, »wie geschickt die durch den Schornstein heraufzusäuseln versteht, ohne sich die blanken Schultern schwarz zu machen!« »Ich hab sie noch nie so nah gesehen,« erwiderte Spiegel leise, »wenn sie uns nur nicht zu fassen kriegt.«

Da rief die Hexe von unten: »Ist die Luft rein?« Die Eule rief: »Ganz rein, es stinkt herrlich in der Fechtschul!« und alsobald kam die Hexe heraufgefahren und wurde in dem Garne gefangen, welches die Katze und die Eule eiligst zusammenzogen und verbanden. »Halte fest!« sagte Spiegel und »Binde gut!« die Eule. Die Hexe zappelte und tobte mäuschenstill wie ein Fisch im Netz; aber es half ihr nichts, und das Garn bewährte sich auf das beste. Nur der Stiel ihres Besens ragte durch die Maschen. Spiegel wollte ihn sachte herausziehen, erhielt aber einen solchen Nasenstüber, daß er beinahe in Ohnmacht fiel und einsah, wie man auch einer Löwin im Netz nicht zu nahe kommen dürfe. Endlich hielt sich die Hexe still und sagte: »Was wollt ihr denn von mir, ihr wunderlichen Tiere?«

»Ihr sollt mich aus Eurem Dienste entlassen und meine Freiheit zurückgeben!« sagte die Eule. »So viel Geschrei und wenig Wolle!« sagte die Hexe, »du bist frei, mach dies Garn auf!« »Noch nicht!« sagte Spiegel, der immer noch seine Nase rieb, »Ihr müßt Euch verpflichten, den Stadthexenmeister Pineiß, Euren Nachbar, zu heiraten auf die Weise, wie wir Euch sagen werden, und ihn nicht mehr zu verlassen!« Da fing die Hexe wieder an zu zappeln und zu prusten wie der Teufel, und die Eule sagte: »Sie will nicht dran!« Spiegel aber sagte: »Wenn Ihr nicht ruhig seid und alles tut, was wir wünschen, so hängen wir das Garn samt seinem Inhalte da vorn an den Drachenkopf der Dachtraufe, nach der Straße zu, daß man Euch morgen sieht und die Hexe erkennt! Sagt also: Wollt Ihr lieber unter dem Vorsitze des Herrn Pineiß gebraten werden, oder ihn braten, indem Ihr ihn heiratet?«

Da sagte die Hexe mit einem Seufzer: »So sprecht, wie meint Ihr die Sache?« Und Spiegel setzte ihr alles zierlich auseinander, wie es gemeint sei und was sie zu tun hätte. »Das ist allenfalls noch auszuhalten, wenn es nicht anders sein kann!« sagte sie und ergab sich unter den stärksten Formeln, die eine Hexe binden können. Da taten die Tiere das Gefängnis auf und ließen sie heraus. Sie bestieg sogleich den Besen, die Eule setzte sich hinter sie auf den Stiel und Spiegel zuhinterst auf das Reisigbündel und hielt sich da fest, und so ritten sie nach dem Brunnen, in welchen die Hexe hinabfuhr, um den Schatz heraufzuholen.

Am Morgen erschien Spiegel bei Herrn Pineiß und meldete ihm, daß er die bewußte Person ansehen und freien könne; sie sei aber allbereits so arm geworden, daß sie, gänzlich verlassen und verstoßen, vor dem Tore unter einem Baum sitze und bitterlich weine. Sogleich kleidete sich Herr Pineiß in sein abgeschabtes gelbes Samtwämschen, das er nur bei feierlichen Gelegenheiten trug, setzte die bessere Pudelmütze auf und umgürtete sich mit seinem Degen; in die Hand nahm er einen alten grünen Handschuh, ein Balsamfläschchen, worin einst Balsam gewesen und das noch ein bißchen roch, und eine papierne Nelke, worauf er mit Spiegel vor das Tor ging, um zu freien. Dort traf er ein weinendes Frauenzimmer sitzen unter einem Weidenbaum, von so großer Schönheit, wie er noch nie gesehen; aber ihr Gewand war so dürftig und zerrissen, daß, sie mochte sich auch schamhaft gebärden, wie sie wollte, immer da oder dort der schneeweiße Leib ein bißchen durchschimmerte. Pineiß riß die Augen auf und konnte vor heftigem Entzücken kaum seine Bewerbung vorbringen. Da trocknete die Schöne ihre Tränen, gab ihm mit süßem Lächeln die Hand, dankte ihm mit einer himmlischen Glockenstimme für seine Großmut und schwur, ihm ewig treu zu sein. Aber im selben Augenblicke erfüllte ihn eine solche Eifersucht und Neideswut auf seine Braut, daß er beschloß, sie vor keinem menschlichen Auge jemals sehen zu lassen. Er ließ sich bei einem uralten Einsiedler mit ihr trauen und feierte das Hochzeitmahl in seinem Hause, ohne andere Gäste als Spiegel und die Eule, welche ersterer mitzubringen sich die Erlaubnis erbeten hatte. Die zehntausend Goldgülden standen in einer Schüssel auf dem Tisch, und Pineiß griff zuweilen hinein und wühlte in dem Golde; dann sah er wieder die schöne Frau an, welche in einem meerblauen Sammetkleide dasaß, das Haar mit einem goldenen Netze umflochten und mit Blumen geschmückt und den weißen Hals mit Perlen umgeben. Er wollte sie fortwährend küssen, aber sie wußte verschämt und züchtig ihn abzuhalten, mit einem verführerischen Lächeln, und schwur, daß sie dieses vor Zeugen und vor Anbruch der Nacht nicht tun würde. Dies machte ihn nur noch verliebter und glückseliger, und Spiegel würzte das Mahl mit lieblichen Gesprächen, welche die schöne Frau mit den angenehmsten, witzigsten und einschmeichelndsten Worten fortführte, so daß der Hexenmeister nicht wußte, wie ihm geschah vor Zufriedenheit. Als es aber dunkel geworden, beurlaubten sich die Eule und die Katze und entfernten sich bescheiden; Herr Pineiß begleitete sie bis unter die Haustüre mit einem Lichte und dankte dem Spiegel nochmals, indem er ihn einen trefflichen und höflichen Mann nannte, und als er in die Stube zurückkehrte, saß die alte weiße Begine, seine Nachbarin, am Tisch und sah ihn mit einem bösen Blick an. Entsetzt ließ Pineiß den Leuchter fallen und lehnte sich zitternd an die Wand. Er hing die Zunge heraus, und sein Gesicht war so fahl und spitzig geworden wie das der Begine. Diese aber stand auf, näherte sich ihm und trieb ihn vor sich her in die Hochzeitkammer, wo sie mit höllischen Künsten ihn auf eine Folter spannte, wie noch kein Sterblicher erlebt. So war er nun mit der Alten unauflöslich verehelicht, und in der Stadt hieß es, als es ruchbar wurde: ›Ei seht, wie stille Wasser tief sind! Wer hätte gedacht, daß die fromme Begine und der Herr Stadthexenmeister sich noch verheiraten würden! Nun, es ist ein ehrbares und rechtliches Paar, wenn auch nicht sehr liebenswürdig!‹

Herr Pineiß aber führte von nun an ein erbärmliches Leben; seine Gattin hatte sich sogleich in den Besitz aller seiner Geheimnisse gesetzt und beherrschte ihn vollständig. Es war ihm nicht die geringste Freiheit und Erholung gestattet, er mußte hexen vom Morgen bis zum Abend, was das Zeug halten wollte, und wenn Spiegel vorüberging und es sah, sagte er freundlich: »Immer fleißig, fleißig, Herr Pineiß?«

Seit dieser Zeit sagt man zu Seldwyla: Er hat der Katze den Schmer abgekauft, besonders wenn einer eine böse und widerwärtige Frau erhandelt hat.

JEAN PAUL

Leben des vergnügten Schulmeisterlein Maria Wuz in Auenthal

Eine Art Idylle

Wie war dein Leben und Sterben so sanft und meerstille, du vergnügtes Schulmeisterlein Wuz! Der stille laue Himmel eines Nachsommers ging nicht mit Gewölk, sondern mit Duft um dein Leben herum: deine Epochen waren die Schwankungen, und dein Sterben war das Umlegen einer Lilie, deren Blätter auf stehende Blumen flattern – und schon außer dem Grabe schliefest du sanft!

Jetzt aber, meine Freunde, müssen vor allen Dingen die Stühle um den Ofen, der Schenktisch mit dem Trinkwasser an unsre Kniee gerückt und die Vorhänge zugezogen und die Schlafmützen aufgesetzt werden, und an die grand monde über der Gasse drüben und ans palais royal muß keiner von uns denken, bloß weil ich die ruhige Geschichte des vergnügten Schulmeisterlein erzähle – und du, mein lieber Christian, der du eine einatmende Brust für die einzigen feuerbeständigen Freuden des Lebens, für die häuslichen, hast, setze dich auf den Arm des Großvaterstuhls, aus dem ich heraus erzähle, und lehne dich zuweilen ein wenig an mich! Du machst mich gar nicht irre.

Seit der Schwedenzeit waren die Wuze Schulmeister in Auenthal, und ich glaube nicht, daß einer vom Pfarrer oder von seiner Gemeinde verklagt wurde. Allemal acht oder neun Jahre nach der Hochzeit versahen Wuz und Sohn das Amt mit Verstand – unser Maria Wuz dozierte unter seinem Vater schon in der Woche das Abc, in der er das Buchstabieren erlernte, das nichts taugt. Der Charakter unsers Wuz hatte, wie der Unterricht anderer Schulleute, etwas Spielendes und Kindisches; aber nicht im Kummer, sondern in der Freude.

Schon in der Kindheit war er ein wenig kindisch. Denn es gibt zweierlei Kinderspiele, kindische und ernsthafte. – Die ernsthaften sind Nachahmungen der Erwachsenen, das Kaufmann-, Soldaten-, Handwerkerspielen – die kindischen sind Nachäffungen der Tiere. Wuz war beim Spielen nie etwas anders als ein Hase, eine Turteltaube oder das Junge derselben, ein Bär, ein Pferd oder gar der Wagen daran. Glaubt mir! ein Seraph findet auch in unsern Kollegien und Hörsälen keine Geschäfte, sondern nur Spiele und, wenn ers hoch treibt, jene zweierlei Spiele.

Indes hatt er auch, wie alle Philosophen, seine ernsthaftesten Geschäfte und Stunden. Setzte er nicht schon längst – ehe die brandenburgischen erwachsenen Geistlichen nur fünf Fäden von buntem Überzug umtaten – sich dadurch über große Vorurteile weg, daß er eine blaue Schürze, die seltner der geistliche Ornat als der in ein Amt tragende Dr. Fausts Mantel guter Kandidaten ist, vormittags über sich warf und in diesem himmelfarbigen Meßgewand der Magd seines Vaters die vielen Sünden vorhielt, die sie um Himmel und Hölle bringen konnten? – Ja, er griff seinen eigenen Vater an, aber nachmittags; denn wenn er diesem Kobers Kabinettsprediger vorlas, wars seine innige Freude, dann und wann zwei, drei Worte oder gar Zeilen aus eignen Ideen einzuschalten und diese Interpolation mit wegzulesen, als spräche Herr Kober selbst mit seinem Vater. Ich denke, ich werfe durch diese Personalie vieles Licht auf ihn und einen Spaß, den er später auf der Kanzel trieb, als er auch nachmittags den Kirchgängern die Postille an Pfarrers Statt vorlas, aber mit so viel hineingespielten eignen Verlagartikeln und Fabrikaten, daß er dem Teufel Schaden tat und dessen Diener rührte. »Justel,« sagt' er nachher um vier Uhr zu seiner

Frau, »was weißt du unten in deinem Stuhl, wie prächtig es einem oben ist, zumal unter dem Kanzelliede!«

Wir könnens leicht bei seinen ältern Jahren erfragen, wie er in seinen Flegeljahren war. Im Dezember von jenen ließ er allemal das Licht eine Stunde später bringen, weil er in dieser Stunde seine Kindheit – jeden Tag nahm er einen andern Tag vor – rekapitulierte. Indem der Wind seine Fenster mit Schneevorhängen verfinsterte und indem ihn aus den Ofenfugen das Feuer anblinkte, drückte er die Augen zu und ließ auf die gefrornen Wiesen den längst vermoderten Frühling niedertauen; da bauete er sich mit der Schwester in den Heuschober ein und fuhr auf dem architektonisch gewölbten Heugebirge des Wagens heim und riet droben mit geschlossenen Augen, wo sie wohl nun führen. In der Abendkühle, unter dem Schwalbenscharmuzieren über sich, schoß er, froh über die untere Entkleidung und das Deshabillée der Beine, als schreiende Schwalbe herum und mauerte sich für sein Junges – ein hölzerner Weihnachthahn mit angepichten Federn wars – eine Kot-Rotunda mit einem Schnabel von Holz und trug hernach Bettstroh und Bettfedern zu Nest. Für eine andere palingenesierende Winterabendstunde wurde ein prächtiger Trinitatis (ich wollt, es gäbe 365 Trinitatis) aufgehoben, wo er am Morgen, im tönenden Lenz um ihn und in ihm, mit läutendem Schlüsselbund durch das Dorf in den Garten stolzierte, sich im Tau abkühlte und das glühende Gesicht durch die tropfende Johannisbeerstaude drängte, sich mit dem hochstämmigen Grase maß und mit zwei schwachen Fingern die Rosen für den Herrn Senior und sein Kanzelpult abdrehte. An eben diesem Trinitatis – das war die zweite Schüssel an dem nämlichen Dezemberabend – quetschete er, mit dem Sonnenschein auf dem Rücken, den Orgeltasten den Choral: ›Gott in der Höh sei Ehr‹ ein oder ab (mehr kann er noch nicht) und streckte die kurzen Beine mit vergeblichen Näherungen zur Parterretastatur hinunter, und der Vater riß für ihn die richtigen Register heraus. – Er würde die ungleichartigsten Dinge zusammenschütten, wenn er sich in den gedachten beiden Abendstunden erinnerte, was er im Kindheitdezember vornahm; aber er war so klug, daß er sich erst in einer dritten darauf besann, wie er sonst abends sich aufs Zuketten der Fensterläden freuete, weil er nun ganz gesichert vor allem in der lichten Stube hockte, daher er nicht gern lange in die von abspiegelnden Fensterscheiben über die Läden hinausgelagerte Stube hineinsah; wie er und seine Geschwister die abendliche Kocherei der Mutter ausspionierten, unterstützten und unterbrachen, und wie er und sie mit zugedrückten Augen und zwischen den Brustwehrschenkeln des Vaters auf das Blenden des kommenden Talglichts sich spitzten, und wie sie in dem aus dem unabsehlichen Gewölbe des Universums herausgeschnittenen oder hineingebauten Klosett ihrer Stube so beschirmet waren, so warm, so satt, so wohl ... Und alle Jahre, so oft er diese Retourfuhre seiner Kindheit und des Wolfmonats darin veranstaltete, vergaß und erstaunt' er – sobald das Licht angezündet wurde –, daß in der Stube, die er sich wie ein Lorettohäuschen aus dem Kindheitkanaan herüber holte, er ja gerade jetzt säße. – So beschreibt er wenigstens selber diese erinnerungshohen Opern in seinen Rousseauischen Spaziergängen, die ich da vor mich lege, um nicht zu lügen ...

Allein ich schnüre mir den Fuß mit lauter Wurzelngeflecht und Dickicht ein, wenn ichs nicht dadurch wegreiße, daß ich einen gewissen äußerst wichtigen Umstand aus seinem männlichen Alter herausschneide und sogleich jetzo aufsetze; nachher aber soll ordentlich a priori angefangen und mit dem Schulmeisterlein langsam in den drei aufsteigenden Zeichen der Alterstufen hinauf- und auf der andern Seite in den drei niedersteigenden wieder hinabgegangen werden – bis Wuz am Fuß der tiefsten Stufe vor uns ins Grab fällt.

Ich wollte, ich hätte dieses Gleichnis nicht genommen. So oft ich in Lavaters Fragmenten oder in Comenii orbis pictus oder an einer Wand das Blut- und Trauergerüste der sieben Lebensstationen besah – so oft ich zuschauete, wie das gemalte Geschöpf, sich verlängernd und ausstreckend, die Ameisenpyramide aufklettert, drei Minuten droben sich umblickt und einkriechend auf der andern Seite niederfährt und abgekürzt umkugelt auf die um diese Schädelstätte liegende Vorwelt – und so oft ich vor das atmende Rosengesicht voll Frühlinge und voll Durst, einen Himmel auszutrinken, trete und bedenke, daß nicht Jahrtausende, sondern Jahrzehnte dieses Gesicht in das zusammengeronnene zerknüllte Gesicht voll überlebter Hoffnungen ausgedorret haben ... Aber indem ich über andre mich betrübe, heben und senken mich die Stufen selber, und wir wollen einander nicht so ernsthaft machen!

Der wichtige Umstand, bei dem uns, wie man behauptet, so viel daran gelegen ist, ihn vorauszuhören, ist nämlich der, daß Wuz eine ganze Bibliothek – wie hätte der Mann sich eine kaufen können? – sich eigenhändig schrieb. Sein Schreibzeug war seine Taschendruckerei; jedes neue Meßprodukt, dessen Titel das Meisterlein ansichtig wurde, war nun so gut als geschrieben oder gekauft: denn es setzte sich sogleich hin und machte das Produkt und schenkt' es seiner ansehnlichen Büchersammlung, die, wie die heidnischen, aus lauter Handschriften bestand. Z. B. kaum waren die physiognomischen Fragmente von Lavater da, so ließ Wuz diesem fruchtbaren Kopfe dadurch wenig voraus, daß er sein Konzeptpapier in Quarto brach und drei Wochen lang nicht vom Sessel wegging, sondern an seinem eignen Kopfe so lange zog, bis er den physiognomischen Fötus heraus gebracht – er bettete den Fötus aufs Bücherbrett hin – und bis er sich den Schweizer nachgeschrieben hatte. Diese Wuzische Fragmente übertitelte er die Lavaterschen und merkte an: ›Er hätte nichts gegen die gedruckten; aber seine Hand sei hoffentlich ebenso leserlich, wenn nicht besser als irgendein Mittelfrakturdruck.‹ Er war kein verdammter Nachdrucker, der das Original hinlegt und oft das meiste daraus abdruckt, sondern er nahm gar keines zur Hand. Daraus sind zwei Tatsachen vortrefflich zu erklären: erstlich die, daß es manchmal mit ihm haperte und daß er z. B. im ganzen Federschen Traktat über Raum und Zeit von nichts handelte als vom Schiffsraum und der Zeit, die man bei Weibern Menses nennt. Die zweite Tatsache ist seine Glaubenssache: da er einige Jahre sein Bücherbrett auf diese Art vollgeschrieben und durchstudieret hatte, so nahm er die Meinung an, seine Schreibbücher wären eigentlich die kanonischen Urkunden, und die gedruckten wären bloße Nachstiche seiner geschriebnen; nur das, klagt' er, könn er – und böten die Leute ihm Balleien dafür an – nicht herauskriegen, wienach und warum der Buchführer das Gedruckte allzeit so sehr verfälsche und umsetze, daß man wahrhaftig schwören sollte, das Gedruckte und das Geschriebne hätten doppelte Verfasser, wüßte man es nicht sonst.

Es war einfältig, wenn etwa ihm zum Possen ein Autor sein Werk gründlich schrieb, nämlich in Querfolio – oder witzig, nämlich in Sedez: denn sein Mitmeister Wuz sprang den Augenblick herbei und legte seinen Bogen in die Quere hin oder krempte ihn in Sedezimo ein.

Nur *ein* Buch ließ er in sein Haus, den Meßkatalog; denn die besten Inventarienstücke desselben mußte der Senior am Rande mit einer schwarzen Hand bestempeln, damit er sie hurtig genug schreiben konnte, um das Ostermeßheu in die Panse des Bücherschranks hineinzumähen, ehe das Michaelisgrummet herausschoß. Ich möchte seine Meisterstücke nicht schreiben. Den größten Schaden hatte der Mann davon – Verstopfung zu halben Wochen und Schnupfen auf der andern Seite –, wenn der Senior (sein Friedrich Nicolai) zu viel Gutes, das er zu schreiben hatte, anstrich und seine Hand durch die gemalte anspornte; und sein Sohn klagte oft, daß in manchen Jahren sein Vater vor literarischer Geburtarbeit kaum niesen konnte, weil er auf einmal Sturms Betrachtungen, die verbesserte Auflage, Schillers Räuber und Kants

Kritik der reinen Vernunft der Welt zu schenken hatte. Das geschah bei Tage; abends aber mußte der gute Mann nach dem Abendessen noch gar um den Südpol rudern und konnte auf seiner Cookischen Reise kaum drei gescheite Worte zum Sohne nach Deutschland hinaufreden. Denn da unser Enzyklopädist nie das innere Afrika oder nur einen spanischen Mauleselstall betreten oder die Einwohner von beiden gesprochen hatte, so hatt er desto mehr Zeit und Fähigkeit, von beiden und allen Ländern reichhaltige Reisebeschreibungen zu liefern – ich meine solche, worauf der Statistiker, der Menschheitgeschichtschreiber und ich selber fußen können – erstlich deswegen, weil auch andre Reisejournalisten häufig ihre Beschreibungen ohne die Reise machen – zweitens auch, weil Reisebeschreibungen überhaupt unmöglich auf eine andre Art zu machen sind, angesehen noch kein Reisebeschreiber wirklich vor oder in dem Lande stand, das er silhouettierte: denn so viel hat auch der Dümmste noch aus Leibnizens vorherbestimmter Harmonie im Kopfe, daß die Seele, zum Beispiel die Seelen eines Forsters, Brydone, Björnstähls – insgesamt seßhaft auf dem Isolierschemel der versteinerten Zirbeldrüse – ja nichts anders von Südindien oder Europa beschreiben können, als was jede sich davon selber erdenkt und was sie, beim gänzlichen Mangel äußerer Eindrücke, aus ihren fünf Kankerspinnwarzen vorspinnt und abzwirnt. Wuz zerrete sein Reisejournal auch aus niemand anders als aus sich.

Er schreibt über alles, und wenn die gelehrte Welt sich darüber wundert, daß er fünf Wochen nach dem Abdruck der Wertherschen Leiden einen alten Flederwisch nahm und sich eine harte Spule auszog und damit stehenden Fußes sie schrieb, die Leiden – ganz Deutschland ahmte nachher seine Leiden nach –: so wundert sich niemand weniger über die gelehrte Welt als ich; denn wie kann sie Rousseaus Bekenntnisse gesehen und gelesen haben, die Wuz schrieb und die dato noch unter seinen Papieren liegen? In diesen spricht aber

J. J. Rousseau oder Wuz (das ist einerlei) so von sich, allein mit andern Einkleidworten: ›Er würde wahrhaftig nicht so dumm sein, daß er Federn nähme und die besten Werke machte, wenn er nichts brauchte, als bloß den Beutel aufzubinden und sie zu erhandeln. Allein er habe nichts darin als zwei schwarze Hemdknöpfe und einen kotigen Kreuzer. Woll er mithin etwas Gescheites lesen, zum Beispiel aus der praktischen Arzneikunde und aus der Krankenuniversalhistorie, so müß er sich an seinen triefenden Fensterstock setzen und den Bettel ersinnen. An wen woll er sich wenden, um den Hintergrund des Freimaurergeheimnisses auszuhorchen, an welches Dionysius' Ohr, mein' er, als an seine zwei eignen? Auf diese an seinen eignen Kopf angeöhrten hör er sehr, und indem er die Freimaurerreden, die er schreibe, genau durchlese und zu verstehen trachte, so merk er zuletzt allerhand Wunderdinge und komme weit und rieche im ganzen genommen Lunten. Da er von Chemie und Alchemie so viel wisse wie Adam nach dem Fall, als er alles vergessen hatte: so sei ihm ein rechter Gefallen geschehen, daß er sich den annulus Platonis geschmiedet, diesen silbernen Ring um den Bleisaturn, diesen Gygesring, der so vielerlei unsichtbar mache, Gehirne und Metalle; denn aus diesem Buche dürft er, sollt ers nur einmal ordentlich begreifen, frappant wissen, wo Barthel Most hole.‹ – Jetzt wollen wir wieder in seine Kindheit zurück.

Im zehnten Jahre verpuppte er sich in einen mulattenfarbigen Alumnus und obern Quintaner der Stadt Scheerau. Sein Examinator muß mein Zeuge sein, daß es keine weiße Schminke ist, die ich meinem Helden anstreiche, wenn ichs zu berichten wage, daß er nur noch ein Blatt bis zur vierten Deklination zurückzulegen hatte und daß er die ganze Geschlechtsausnahme thorax caudex pulexque vor der Quinta wie ein Wecker abrollte – bloß die Regel wußt er nicht. Unter allen Nischen des Alumneums war nur eine so gescheuert und geordnet, gleich der Prunkküche einer Nürnbergerin:

das war seine; denn zufriedene Menschen sind die ordentlichsten. Er kaufte sich aus seinem Beutel für zwei Kreuzer Nägel und beschlug seine Zelle damit, um für seine Effekten besondere Nägel zu haben – er schlichtete seine Schreibbücher so lange, bis ihre Rücken so bleirecht aufeinanderlagen wie eine preußische Fronte, und er ging beim Mondschein aus dem Bette und visierte so lange um seine Schuhe herum, bis sie parallel nebeneinanderstanden. – War alles metrisch, so rieb er die Hände, riß die Achseln über die Ohren hinauf, sprang empor, schüttelte sich fast den Kopf herab und lachte ungemein.

Eh ich von ihm weiter beweise, daß er im Alumneum glücklich war, will ich beweisen, daß dergleichen kein Spaß war, sondern eine herkulische Arbeit. Hundert ägyptische Plagen hält man für keine, bloß weil sie uns nur in der Jugend heimsuchen, wo moralische Wunden und komplizierte Frakturen so hurtig zuheilen wie physische – grünendes Holz bricht nicht so leicht wie dürres entzwei. Alle Einrichtungen legen es dar, daß ein Alumneum seiner ältesten Bestimmung nach ein protestantisches Knabenkloster sein soll; aber dabei sollte man es lassen, man sollte ein solches Präservationszuchthaus in kein Lustschloß, ein solches Misanthropin in kein Philanthropin verwandeln wollen. Müssen nicht die glücklichen Inhaftaten einer solchen Fürstenschule die drei Klostergelübde ablegen? Erstlich das des Gehorsams, da der Schülerguardian und Novizenmeister seinen schwarzen Novizen das Spornrad der häufigsten, widrigsten Befehle und Ertötungen in die Seite sticht. Zweitens das der Armut, da sie nicht Kruditäten und übrige Brocken, sondern Hunger von einem Tage zum andern auf heben und übertragen; und Karminati vermöchte ganze Invalidenhäuser mit dem Supernumerärmagensaft der Konviktorien und Alumneen auszuheilen. Das Gelübde der Keuschheit tut sich nachher von selbst, sobald ein Mensch den ganzen Tag zu laufen und zu fasten hat und keine andern Bewegungen entbehrt als die peristaltischen. Zu wichtigen Ämtern muß der Staatsbürger erst gehänselt werden. Verdient denn aber bloß der katholische Novize zum Mönch geprügelt oder ein elender Ladenjunge in Bremen zum Kaufmannsdiener geräuchert oder ein sittenloser Südamerikaner zum Kaziken durch beides und durch mehrere in meinen Exzerpten stehende Qualen appretiert und sublimiert zu werden? Ist ein lutherischer Pfarrer nicht ebenso wichtig, und sind seiner künftigen Bestimmung nicht ebensogut solche übende Martern nötig? Zum Glück hat er sie; vielleicht mauerte die Vorwelt die Schulpforten, deren Konklavisten insgesamt wahre Knechte der Knechte sind, bloß seinetwegen auf: denn andern Fakultäten ist mit dieser Kreuzigung und Radbrechung des Fleisches und Geistes zu wenig gedient. – Daher ist auch das so oft getadelte Chor-, Gassen- und Leichensingen der Alumnen ein recht gutes Mittel, protestantische Klosterleute aus ihnen zu ziehen – und selbst ihr schwarzer Überzug und die kanonische Mohrenenveloppe des Mantels ist etwas Ähnliches von der Mönchkutte. Daher schießen in Leipzig um die Thomasschüler, da doch einmal die Geistlichen die Perückenwammen anhängen müssen, wenigstens die Herzblätter eines aufkapfenden Perückchens herum, das wie ein Pultdach oder wie halbe Flügeldecken sich auf dem Kopfe umsieht. In den alten Klöstern war die Gelehrsamkeit Strafe; nur Schuldige mußten da lateinische Psalmen auswendig lernen oder Autores abschreiben; – in guten armen Schulen wird dieses Strafen nicht vernachlässigt, und sparsamer Unterricht wird da stets als ein unschuldiges Mittel angeordnet, den armen Schüler damit zu züchtigen und zu mortifizieren …

Bloß dem Schulmeisterlein hatte diese Kreuzschule wenig an; den ganzen Tag freuete er sich auf oder über etwas. »Vor dem Aufstehen«, sagt' er, »freu ich mich auf das Frühstück, den ganzen Vormittag aufs Mittagessen, zur Vesperzeit aufs Vesperbrot und abends aufs Nachtbrot – und so hat der Alumnus Wuz sich stets auf etwas zu spitzen.« Trank er tief, so sagt' er:

»Das hat meinem Wuz geschmeckt« und strich sich den Magen. Niesete er, so sagte er: »Helf dir Gott, Wuz!« – Im fieberfrostigen Novemberwetter letzte er sich auf der Gasse mit der Vormalung des warmen Ofens und mit der närrischen Freude, daß er eine Hand um die andre unter seinem Mantel wie zu Hause stecken hatte. War der Tag gar zu toll und windig – es gibt für uns Wichte solche Hatztage, wo die ganze Erde ein Hatzhaus ist und wo die Plagen wie spaßhaft gehende Wasserkünste uns bei jedem Schritte ansprützen und einfeuchten –, so war das Meisterlein so pfiffig, daß es sich unter das Wetter hinsetzte und sich nichts darum schor; es war nicht Ergebung, die das unvermeidliche Übel aufnimmt, nicht Abhärtung, die das ungefühlte trägt, nicht Philosophie, die das verdünnte verdauet, oder Religion, die das belohnte verwindet: sondern der Gedanke ans warme Bett wars. ›Abends‹, dacht er, ›lieg ich auf alle Fälle, sie mögen mich den ganzen Tag zwicken und hetzen, wie sie wollen, unter meiner warmen Zudeck und drücke die Nase ruhig ans Kopfkissen, acht Stunden lang.‹ – Und kroch er endlich in der letzten Stunde eines solchen Leidentages unter sein Oberbett, so schüttelte er sich darin, krempte sich mit den Knieen bis an den Nabel zusammen und sagte zu sich: »Siehst du, Wuz, es ist doch vorbei.«

Ein andrer Paragraph aus der Wuzischen Kunst, stets fröhlich zu sein, war sein zweiter Pfiff, stets fröhlich aufzuwachen – und um dies zu können, bedient' er sich eines dritten und hob immer vom Tage vorher etwas Angenehmes für den Morgen auf, entweder gebackne Klöße oder ebensoviel äußerst gefährliche Blätter aus dem Robinson, der ihm lieber war als Homer – oder auch junge Vögel oder junge Pflanzen, an denen er am Morgen nachzusehen hatte, wie nachts Federn und Blätter gewachsen.

Den dritten und vielleicht durchdachtesten Parapraphen seiner Kunst, fröhlich zu sein, arbeitete er erst aus, da er Sekundaner ward:

er wurde verliebt. –

Eine solche Ausarbeitung wäre meine Sache ... Aber da ich hier zum ersten Male in meinem Leben mich mit meiner Reißkohle an das Blumenstück gemalter Liebe mache, so muß auf der Stelle abgebrochen werden, damit fortgerissen werde morgen um sechs Uhr mit weniger niedergebranntem Feuer. –

Wenn Venedig, Rom und Wien und die Luststädtebank sich zusammentäten und mich mit einem solchen Karneval beschenken wollten, das dem beikäme, welches mitten in der schwarzen Kantorsstube in Joditz war, wo wir Kinder von acht Uhr bis eilf forttanzten (so lange währte unsre Faschingzeit, in der wir den Appetit zur Fastnachthirse versprangen): so machten sich jene Residenzstädte zwar an etwas Unmögliches und Lächerliches – aber doch an nichts so Unmögliches, wie dies wäre, wenn sie dem Alumnus Wuz den Fastnachtmorgen mit seinen Karnevallustbarkeiten wiedergeben wollten, als er, als unterer Sekundaner auf Besuch, in der Tanz- und Schulstube seines Vaters am Morgen gegen zehn Uhr ordentlich verliebt wurde. Eine solche Faschinglustbarkeit – trautes Schulmeisterlein, wo denkst du hin? – Aber er dachte an nichts hin als zu Justina, die ich selten oder niemals wie die Auenthaler Justel nennen werde. Da der Alumnus unter dem Tanzen (wenige Gymnasiasten hätten mitgetanzt, aber Wuz war nie stolz und immer eitel) den Augenblick weghatte, was – ihn nicht einmal eingerechnet – an der Justel wäre, daß sie ein hübsches, gelenkiges Ding und schon im Briefschreiben und in der Regel de tri, in Brüchen und die Patin der Frau Seniorin und in einem Alter von funfzehn Jahren und nur als eine Gasttänzerin mit in der Stube sei: so tat der Gasttänzer seines Orts, was in solchen Fällen zu tun ist; er wurde, wie gesagt, verliebt – schon beim ersten Schleifer flogs wie Fieberhitze an ihn – unter dem Ordnen zum zweiten, wo er stillstehend die warme Inlage seiner rechten Hand bedachte und befühlte, stiegs unverhältnismäßig – er tanzte sich augenscheinlich in die Liebe und in ihre Garne hinein. – Als sie noch dazu die roten Haubenbänder auseinanderfallen und sie ungemein nachlässig um den nackten Hals zurückflattern ließ: so vernahm er die Baßgeige nicht mehr – und als sie endlich gar mit einem roten Schnupftuch sich Kühlung vorwedelte und es hinter und vor ihm fliegen ließ: so war ihm nicht mehr zu helfen, und hätten die vier großen und die zwölf kleinen Propheten zum Fenster hineingepredigt. Denn einem Schnupftuch in einer weiblichen Hand erlag er stets auf der Stelle ohne weitere Gegenwehr, wie der Löwe dem gedrehten Wagenrade und der Elefant der Maus. Dorfkoketten machen sich aus dem Schnupftuch die nämliche Feldschlange und Kriegsmaschine, die sich die Stadtkoketten aus dem Fächer machen; aber die Wellen eines Tuchs sind gefälliger als das knackende Truthahns-Radschlagen der bunten Streitkolbe des Fächers.

Auf alle Fälle kann unser Wuz sich damit entschuldigen, daß seines Wissens die Örter öffentlicher Freude das Herz für alle Empfindungen, die viel Platz bedürfen, für Aufopferung, für Mut und auch für Liebe weiter machen; freilich in den engen Amt- und Arbeitstuben, auf Rathäusern, in geheimen Kabinetten liegen unsre Herzen wie auf ebenso vielen Welkboden und Darrofen und runzeln ein.

Wuz trug seinen mit dem Gas der Liebe aufgefüllten und emporgetriebnen Herzballon freudig ins Alumneum zurück, ohne jemand eine Silbe zu melden, am wenigsten der Schnupftuchfahnenjunkerin selber – nicht aus Scheu, sondern weil er nie mehr begehrte als die Gegenwart; er war nur froh, daß er selber verliebt war, und dachte an weiter nichts ...

Warum ließ der Himmel gerade in die Jugend das Lustrum der Liebe fallen? Vielleicht weil man gerade da in Alumneen, Schreibstuben und andern Gifthütten keucht: da steigt die Liebe wie aufblühendes Gesträuch an den Fenstern jener Marterkammern empor und zeigt in schwankenden Schatten den großen Frühling von außen. Denn Er und ich, mein Herr

Präfektus und auch Sie, verdiente Schuldiener des Alumneums, wir wollen miteinander wetten, Sie sollen über den vergnügten Wuz ein Härenhemd ziehen (im Grund hat er eines an) – Sie sollen ihn Ixions Rad und Sisyphus' Stein der Weisen und den Laufwagen Ihres Kindes bewegen lassen – Sie sollen ihn halb tot hungern oder prügeln lassen – Sie sollen einer so elenden Wette wegen (welches ich Ihnen nicht zugetrauet hätte) gegen ihn ganz des Teufels sein: Wuz bleibt doch Wuz und praktiziert sich immer sein bißchen verliebter Freude ins Herz, vollends in den Hundstagen! –

Seine Kanikularferien sind aber vielleicht nirgends deutlicher beschrieben als in seinen ›Werthers Freuden‹, die seine Lebensbeschreiber fast nur abzuschreiben brauchen. – Er ging da sonntags nach der Abendkirche heim nach Auenthal und hatte mit den Leuten in allen Gassen Mitleiden, daß sie dableiben mußten. Draußen dehnte sich seine Brust mit dem aufgebaueten Himmel vor ihm aus, und halbtrunken im Konzertsaal aller Vögel horcht' er doppelselig bald auf die gefiederten Sopranisten, bald auf seine Phantasien. Um nur seine über die Ufer schlagende Lebenskräfte abzuleiten, galoppierte er oft eine halbe Viertelstunde lang. Da er immer kurz vor und nach Sonnenuntergang ein gewisses wollüstiges trunknes Sehen empfunden hatte – die Nacht aber macht wie ein längerer Tod den Menschen erhaben und nimmt ihm die Erde –: so zauderte er mit seiner Landung in Auenthal so lang, bis die zerfließende Sonne durch die letzten Kornfelder vor dem Dorfe mit Goldfäden, die sie gerade über die Ähren zog, sein blaues Röckchen stickte und bis sein Schatten an den Berg über den Fluß wie ein Riese wandelte. Dann schwankte er unter dem wie aus der Vergangenheit herüberklingenden Abendläuten ins Dorf hinein und war allen Menschen gut, selbst dem Präfektus. Ging er dann um seines Vaters Haus und sah am obern Kappfenster den Widerschein des Monds und durch ein Parterrefenster seine Justina, die da alle Sonntage einen ordentlichen Brief setzen lernte ... o wenn er dann in dieser paradiesischen Viertelstunde seines Lebens auf funfzig Schritte die Stube und die Briefe und das Dorf von sich hätte wegsprengen und um sich und um die Briefstellerin bloß ein einsames dämmerndes Tempetal hätte ziehen können – wenn er in diesem Tale mit seiner trunknen Seele, die unterwegs um alle Wesen ihre Arme schlug, auch an sein schönstes Wesen hätte fallen dürfen und er und sie und Himmel und Erde zurückgesunken und zerflossen wären vor einem flammenden Augenblick und Brennpunkte menschlicher Entzückung ...

Indessen tat ers wenigstens nachts um eilf Uhr; und vorher gings auch nicht schlecht. Er erzählte dem Vater, aber im Grunde Justinen, seinen Studienplan und seinen politischen Einfluß; er setzte sich dem Tadel, womit sein Vater ihre Briefe korrigierte, mit demjenigen Gewicht entgegen, das ein solcher Kunstrichter hat, und er war, da er gerade warm aus der Stadt kam, mehr als einmal mit Witz bei der Hand – kurz, unter dem Einschlafen hörte er in seiner tanzenden, taumelnden Phantasie nichts als Sphärenmusik.

– Freilich du, mein Wuz, kannst Werthers Freuden aufsetzen, da allemal deine äußere und deine innere Welt sich wie zwei Muschelschalen aneinanderlöten und dich als ihr Schaltier einfassen; aber bei uns armen Schelmen, die wir hier am Ofen sitzen, ist die Außenwelt selten der Ripinist und Chorist unsrer innern fröhlichen Stimmung; – höchstens dann, wenn an uns der ganze Stimmstock umgefallen und wir knarren und brummen; oder in einer andern Metapher: wenn wir eine verstopfte Nase haben, so setzt sich ein ganzes mit Blumen überwölbtes Eden vor uns hin, und wir mögen nicht hineinriechen.

Mit jedem Besuche machte das Schulmeisterlein seiner Johanna-Therese-Charlotte-Mariana-Klarissa-Heloise-Justel auch ein Geschenk mit einem Pfefferkuchen und einem Potentaten; ich will über beide ganz befriedigend sein.

Die Potentaten hatt er in seinem eignen Verlage; aber wenn

die Reichshofratskanzlei ihre Fürsten und Grafen aus ein wenig Tinte, Pergament und Wachs macht, so verfertigte er seine Potentaten viel kostbarer aus Ruß, Fett und zwanzig Farben. Im Alumneum wurde nämlich mit den Rahmen einer Menge Potentaten eingeheizet, die er sämtlich mit gedachten Materialien so zu kopieren und zu repräsentieren wußte, als wär er ihr Gesandter. Er überschmierte ein Quartblatt mit einem Endchen Licht und nachher mit Ofenruß – dieses legte er mit der schwarzen Seite auf ein andres mit weißen Seiten – oben auf beide Blätter tat er irgendein fürstliches Porträt – dann nahm er eine abgebrochne Gabel und fuhr mit ihrer drückenden Spitze auf dem Gesichte und Leibe des regierenden Herrn herum – – dieser Druck verdoppelte den Potentaten, der sich vom schwarzen Blatt aufs weiße überfärbte. So nahm er von allem, was unter einer europäischen Krone saß, recht kluge Kopien; allein ich habe niemals verhehlet, daß seine Okuliergabel die russische Kaiserin (die vorige) und eine Menge Kronprinzen dermaßen aufkratzte und durchschnitt, daß sie zu nichts mehr zu brauchen waren als dazu, den Weg ihrer Rahmen zu gehen. Gleichwohl war das rußige Quartblatt nur die Bruttafel und Ätzwiege glorwürdiger Regenten, oder auch der Streich- oder Laichteich derselben – ihr Streckteich aber oder die Appreturmaschine der Potentaten war sein Farbkästchen; mit diesem illuminierte er ganze regierende Linien, und alle Muscheln kleideten einen einzigen Großfürsten an, und die Kronprinzessinnen zogen aus derselben Farbmuschel Wangenröte, Schamröte und Schminke. – – Mit diesen regierenden Schönen beschenkte er die, die ihn regierte und die nicht wußte, was sie mit dem historischen Bildersaale machen sollte.

Aber mit dem Pfefferkuchen wußte sie es in dem Grade, daß sie ihn aß. Ich halt es für schwer, einer Geliebten einen Pfefferkuchen zu schenken, weil man ihn oft kurz vor der Schenkung selber verzehrt. Hatte nicht Wuz die drei Kreuzer für den ersten schon bezahlt? Hatt er nicht das braune Rektangulum schon in der Tasche und war damit schon bis auf eine Stunde vor Auenthal und vor dem Adjudikationtermin gereiset? Ja, wurde die süße Votivtafel nicht alle Viertelstunde aus der Tasche gehoben, um zu sehen, ob sie noch viereckig sei? Dies war eben das Unglück; denn bei diesem Beweis durch Augenschein, den er führte, brach er immer wenige und unbedeutende Mandeln aus dem Kuchen; – dergleichen tat er öfters – darauf machte er sich (statt an die Quadratur des Zirkels) an das Problem, den gevierteten Zirkel wieder rein herzustellen, und biß sauber die vier rechten Winkel ab und machte ein Achteck, ein Sechzehneck – denn ein Zirkel ist ein unendliches Vieleck – darauf war nach diesen mathematischen Ausarbeitungen das Vieleck vor keinem Mädchen mehr zu produzieren – darauf tat Wuz einen Sprung und sagte: »Ach! ich freß ihn selber«, und heraus war der Seufzer und hinein die geometrische Figur. – Es werden wenige schottische Meister, akademische Senate und Magistranden leben, denen nicht ein wahrer Gefallen geschähe, wenn man ihnen zu hören gäbe, durch welchen Maschinengott sich Wuz aus der Sache zog – – durch einen zweiten Pfefferkuchen tat ers, den er allemal als einen Wand- und Taschennachbar des ersten mit einsteckte. Indem er den einen aß, landete der andere ohne Läsionen an, weil er mit dem Zwilling wie mit Brandmauer und Kronwache den andern beschützte. Das aber sah er in der Folge selber ein, daß er – um nicht einen bloßen Torso oder Atom nach Auenthal zu transportieren – die Krontruppen oder Pfefferkuchen von Woche zu Woche vermehren müsse.

Er wäre Primaner geworden, wäre nicht sein Vater aus unserm Planeten in einen andern oder in einen Trabanten gerückt. Daher dacht er die Melioration seines Vaters nachzumachen und wollte von der Sekundanerbank auf den Lehrstuhl rutschen. Der Kirchenpatron, Herr von Ebern, drängte sich zwischen beide Gerüste und hielt seinen ausgedienten Koch an der Hand, um ihn in ein Amt einzusetzen, dem er gewachsen war, weil es in diesem, ebensogut wie in seinem vorigen, Spanferkel* totzupeitschen und zu appretieren, obwohl nicht zu essen gab. Ich hab es schon in der Revision des Schulwesens in einer Note erinnert und Herrn Gedikens Beifall davongetragen, daß in jedem Bauernjungen ein unausgewachsener Schulmeister stecke, der von ein paar Kirchenjahren groß zu paraphrasieren sei – daß nicht bloß das alte Rom Weltkonsule, sondern auch heutige Dörfer Schulkonsule vom Pfluge und aus der Furche ziehen könnten – daß man ebensogut von Leuten seines Standes hier unterrichtet als in England gerichtet werden könne und daß gerade der, dem jeder das meiste Scibile verdanke, ihm am ähnlichsten sei, nämlich jeder selber – daß, wenn eine ganze Stadt (Norcia an dem apenninischen Gebirg) nur von vier ungelehrten Magistratgliedern (li quatri illiterati) sich beherrschen lassen will, doch eine Dorfjugend von einem einzigen ungelehrten Mann werde zu regieren und zu prügeln sein – und daß man nur bedenken möchte, was ich oben im Texte sagte. Da hier die Note selber der Text ist, so will ich nur sagen, daß ich sagte: eine Dorfschule sei hinlänglich besetzt. Es ist da 1. der Gymnasiarch oder Pastor, der von Winter zu Winter den Priesterrock umhängt und das Schulhaus besucht und erschreckt – 2. steht in der Stube das Rektorat, Konrektorat und Subrektorat, das der Schulhalter allein ausmacht – 3. als Lehrer der untern Klassen sind darin angestellt die Schulmeisterin, der, wenn irgendeinem Menschen, die Kalipädie der Töchterschule anvertrauet werden kann, ihr Sohn als Tertius und Lümmel zugleich, dem seine Zöglinge allerhand legieren und spendieren müssen, damit er sie ihre Lektion nicht aufsagen lässet, und der, wenn der Regent nicht zu Hause ist, oft das Reichsvikariat des ganzen protestantischen Schulkreises auf den Achseln hat – 4. end-

* Die bekanntlich besser schmecken, wenn man sie mit Rutenstreichen tötet.

lich ein ganzes Raupennest Kollaboratores, nämlich Schuljungen selber, weil daselbst, wie im Hallischen Waisenhause, die Schüler der obern Klasse schon zu Lehrern der untern großgewachsen sind. – Da man bisher aus so vielen Studierstuben heraus nach Realschulen schrie: so hörten es Gemeinden und Schulhalter und taten das Ihrige gern. Die Gemeinden lasen für ihre Lehrstühle lauter solche pädagogische Steiße aus, die schon auf Weber-, Schneider-, Schusterschemeln seßhaft waren und von denen also etwas zu erwarten war – und allerdings setzen solche Männer, indem sie vor dem aufmerksamen Institute Röcke, Stiefel, Fischreusen und alles machen, die Nominalschule leicht in eine Realschule um, wo man Fabrikate kennen lernt. Der Schulmeister treibts noch weiter und sinnt Tag und Nacht auf Realschulhalten; es gibt wenige Arbeiten eines erwachsenen Hausvaters oder seines Gesindes, in denen er seine Dorfstoa nicht beschäftigt und übt, und den ganzen Morgen sieht man das expedierende Seminarium hinaus und hinein jagen, Holz spalten und Wasser tragen usw., so daß er außer der Realschule fast gar keine andre hält und sich sein bißchen Brot sauer im Schweiße seines – Schulhauses verdient ... Man braucht mir nicht zu sagen, daß es auch schlechte und versäumte Landschulen gebe; genug, wenn nur die größere Zahl alle die Vorzüge wirklich aufweiset, die ich ihr jetzt zugeschrieben.

Ich mag meine Fixsternabirrung mit keinem Wort entschuldigen, das eine neue wäre. Herr von Ebern hätte seinen Koch zum Schulmeister investieret, wenn ein geschickter Nachfahrer des Kochs wäre zu haben gewesen; es war aber keiner aufzutreiben, und da der Gutsherr dachte, es sei vielleicht gar eine Neuerung, wenn er die Küche und die Schule durch *ein* Subjekt versehen ließe – wiewohl vielmehr die Trennung und Verdopplung der Schul- und der Herrendiener eine viel größere und ältere war; denn im neunten Säkulum mußte sogar der Pfarrer der Patronatkirche zugleich dem Kirchenschiffpatron als Bedienter aufwarten und satteln usw.,* und beide Ämter wurden erst nachher, wie mehre, voneinander abgerissen – so behielt er den Koch und vozierte den Alumnus, der bisher so gescheit gewesen, daß er verliebt geblieben.

Ich steuere mich ganz auf die rühmlichen Zeugnisse, die ich in Händen habe und die Wuz vom Superintendenten auswirkte, weil sein Examen vielleicht eines der rigorösesten und glücklichsten war, wovon ich in neueren Zeiten noch gehöret. Mußte nicht Wuz das griechische Vaterunser vorbeten, indes das Examinationskollegium seine samtnen Hosen mit einer Glasbürste auskämmte; – und hernach das lateinische Symbolum Athanasii? Konnte der Examinandus nicht die Bücher der Bibel richtig und Mann für Mann vorzählen, ohne über die gemalten Blumen und Tassen auf dem Kaffeebrette seines frühstückenden Examinators zu stolpern? Mußt er nicht einen Betteljungen, der bloß auf einen Pfennig aufsah, herumkatechesieren, obgleich der Junge gar nicht wie sein Unterexaminator bestand, sondern wie ein wahres Stückchen Vieh? Mußt er nicht seine Fingerspitzen in fünf Töpfe warmes Wasser tunken und den Topf aussuchen, dessen Wasser warm und kalt genug für den Kopf eines Täuflings war? Und mußt er nicht zuletzt drei Gulden und sechsunddreißig Kreuzer erlegen?

Am 13. Mai ging er als Alumnus aus dem Alumneum heraus und als öffentlicher Lehrer in sein Haus hinein, und aus der zersprengten schwarzen Alumnuspuppe brach ein bunter Schmetterling von Kantor ins Freie hinaus.

Am 9. Julius stand er vor dem Auenthaler Altar und wurde kopuliert mit der Justel.

Aber der elysäische Zwischenraum zwischen dem 13. Mai und dem 9. Julius! – Für keinen Sterblichen fällt ein solches goldnes Alter von acht Wochen wieder vom Himmel, bloß

* Langens geistliches Recht, S. 534

für das Meisterlein funkelte der ganze niedergetauete Himmel auf gestirnten Auen der Erde. – Du wiegtest im Äther dich und sahest durch die durchsichtige Erde dich rund mit Himmel und Sonnen umzogen und hattest keine Schwere mehr; aber uns Alumnen der Natur fallen nie acht solche Wochen zu, nicht eine, kaum *ein* ganzer Tag, wo der Himmel über und in uns sein reines Blau mit nichts bemalt als mit Abend- und Morgenrot – wo wir über das Leben wegfliegen und alles uns hebt wie ein freudiger Traum – wo der unbändige stürzende Strom der Dinge uns nicht auf seinen Katarakten und Strudeln zerstößet und schüttelt und rädert, sondern auf blinkenden Wellen uns wiegt und unter hineingebognen Blumen vorüberträgt – *ein* Tag, zu dem wir den Bruder vergeblich unter den verlebten suchen und von dem wir am Ende jedes andern klagen, seit ihm war keiner wieder so.

Es wird uns allen sanft tun, wenn ich diese acht Wonnewochen oder zwei Wonnenmonate weitläufig beschreibe. Sie bestanden aus lauter ähnlichen Tagen. Keine einzige Wolke zog hinter den Häusern herauf. Die ganze Nacht stand die rückende Abendröte unten am Himmel, an welchem die untergehende Sonne allemal wie eine Rose glühend abgeblühet hatte. Um ein Uhr schlugen schon die Lerchen, und die Natur spielte und phantasierte die ganze Nacht auf der Nachtigallenharmonika. In seine Träume tönten die äußern Melodien hinein, und in ihnen flog er über Blütenbäume, denen die wahren vor seinem offnen Fenster ihren Blumenatem liehen. Der tagende Traum rückte ihn sanft, wie die lispelnde Mutter das Kind, aus dem Schlaf ins Erwachen über, und er trat mit trinkender Brust in den Lärm der Natur hinaus, wo die Sonne die Erde von neuem erschuf und wo beide sich zu einem brausenden Wollustweltmeer ineinander ergossen. Aus dieser Morgenflut des Lebens und Freuens kehrte er in sein schwarzes Stübchen zurück und suchte die Kräfte in kleinern Freuden wieder. Er war da über alles froh, über jedes beschienene und unbeschienene Fenster, über die ausgefegte

Stube, über das Frühstück, das mit seinen Amtrevenüen bestritten wurde, über sieben Uhr, weil er nicht in die Sekunda mußte, über seine Mutter, die alle Morgen froh war, daß er Schulmeister geworden und sie nicht aus dem vertrauten Hause fort gemußt.

Unter dem Kaffee schnitt er sich, außer den Semmeln, die Federn zur Messiade, die er damals, die drei letzten Gesänge ausgenommen, gar aussang. Seine größte Sorgfalt verwandte er darauf, daß er die epischen Federn falsch schnitt, entweder wie Pfähle oder ohne Spalt oder mit einem zweiten Extraspalt, der hinaus niesete; denn da alles in Hexametern, und zwar in solchen, die nicht zu verstehen waren, verfasset sein sollte, so mußte der Dichter, da ers durch keine Bemühung zur geringsten Unverständlichkeit bringen konnte – er fassete allemal den Augenblick, jede Zeile und jeden Fuß und pes –, aus Not zum Einfall greifen, daß er die Hexameter ganz unleserlich schrieb, was auch gut war. Durch diese poetische Freiheit bog er dem Verstehen ungezwungen vor.

Um eilf Uhr deckte er für seine Vögel und dann für sich und seine Mutter den Tisch mit vier Schubladen, in welchem mehr war als auf ihm. Er schnitt das Brot und seiner Mutter die weiße Rinde vor, ob er gleich die schwarze nicht gern aß. O meine Freunde, warum kann man denn im Hôtel de Bavière und auf dem Römer nicht so vergnügt speisen als am Wuzischen Ladentisch? – Sogleich nach dem Essen machte er nicht Hexameter, sondern Kochlöffel, und meine Schwester hat selber ein Dutzend von ihm. Während seine Mutter das wusch, was er schnitzte, ließen beide ihre Seelen nicht ohne Kost; sie erzählte ihm die Personalien von sich und seinem Vater vor, von deren Kenntnis ihn seine akademische Laufbahn zu entfernt gehalten – und er schlug den Operationsplan und Bauriß seiner künftigen Haushaltung bescheiden vor ihr auf, weil er sich an dem Gedanken, ein Hausvater zu sein, gar nicht satt käuen konnte. »Ich richte mir« – sagte er – »mein Haushalten ganz vernünftig ein – ich stell mir ein Saugschweinchen ein auf die heiligen Feiertage, es fallen so viel Kartoffeln- und Rübenschalen ab, daß mans mit fett macht, man weiß kaum wie – und auf den Winter muß mir der Schwiegervater ein Füderchen Büschel (Reisholz) einfahren, und die Stubentür muß total gefüttert und gepolstert werden – denn, Mutter! unsereins hat seine pädagogischen Arbeiten im Winter, und man hält da keine Kälte aus.« – Am 29. Mai war noch dazu nach diesen Gesprächen eine Kindtaufe – es war seine erste –, sie war seine erste Revenüe, und ein großes Einnahmebuch hatte er sich schon auf dem Alumneum dazu geheftet – er besah und zählte die paar Groschen zwanzigmal, als wären sie andere. – Am Taufstein stand er in ganzer Parüre, und die Zuschauer standen auf der Empor und in der herrschaftlichen Loge im Alltagschmutz. – »Es ist mein saurer Schweiß«, sagt' er eine halbe Stunde nach dem Aktus und trank vom Gelde zur ungewöhnlichen Stunde ein Nösel Bier. – Ich erwarte von seinem künftigen Lebensbeschreiber ein paar pragmatische Fingerzeige, warum Wuz bloß ein Einnahme- und kein Ausgabebuch sich nähte und warum er in jenem oben Louisdor, Groschen, Pfennige setzte, ob er gleich nie die erste Münzsorte unter seinen Schulgefällen hatte.

Nach dem Aktus und nach der Verdauung ließ er sich den Tisch hinaus unter den Weichselbaum tragen und setzte sich nieder und bossierte noch einige unleserliche Hexameter in seiner Messiade. Sogar während er seinen Schinkenknochen als sein Abendessen abnagte und abfeilte, befeilt' er noch einen und den andern epischen Fuß, und ich weiß recht gut, daß des Fettes wegen mancher Gesang ein wenig geölet aussiehet. Sobald er den Sonnenschein nicht mehr auf der Straße, sondern an den Häusern liegen sah: so gab er der Mutter die nötigen Gelder zum Haushalten und lief ins Freie, um sich es ruhig auszumalen, wie ers künftig haben werde im Herbst, im Winter, an den drei heiligen Festen, unter den Schulkindern und unter seinen eignen. –

Und doch sind das bloß Wochentage; der Sonntag aber brennt in einer Glorie, die kaum auf ein Altarblatt geht. – Überhaupt steht in keinen Seelen dieses Jahrhunderts ein so großer Begriff von einem Sonntage als in denen, welche in Kantoren und Schulmeistern hausen; mich wundert es gar nicht, wenn sie an einem solchen Courtage nicht vermögen bescheiden zu verbleiben. Selber unser Wuz konnte sichs nicht verstecken, was es sagen will, unter tausend Menschen allein zu orgeln – ein wahres Erbamt zu versehen und den geistlichen Krönungsmantel dem Senior überzuhenken und sein Valet de fantaisie und Kammermohr zu sein – über ein ganzes von der Sonne beleuchtetes Chor Territorialherrschaft zu exerzieren, als amtierender Chormaire auf seinem Orgelfürstenstuhl die Poesie eines Kirchsprengels noch besser zu beherrschen, als der Pfarrer die Prose desselben kommandiert – und nach der Predigt über das Geländer hinab völlige fürstliche Befehle sans façon mit lauter Stimme weniger zu geben als abzulesen ... Wahrhaftig, man sollte denken, hier oder nirgends tät es not, daß ich meinem Wuz zuriefe: ›Bedenke, was du vor wenig Monaten warest! Überlege, daß nicht alle Menschen Kantores werden können, und mache dir die vorteilhafte Ungleichheit der Stände zunutze, ohne sie zu mißbrauchen und ohne darum mich und meine Zuhörer am Ofen zu verachten.‹

Aber nein! Auf meine Ehre, das gutartige Meisterlein denkt ohnehin nicht daran; die Bauern hätten nur so gescheit sein sollen, daß sie dir schnakischem, lächelndem, trippelndem, händereibendem Dinge ins gallenlose, überzuckerte Herz hineingesehen hätten: was hätten sie da ertappt? Freude in deinen zwei Herzkammern, Freude in deinen zwei Herzohren. Du numeriertest bloß oben im Chore, gutes Ding! das ich je länger je lieber gewinne, deine künftigen Schulbuben und Schulmädchen in den Kirchstühlen zusammen und setztest sie sämtlich voraus in deine Schulstube und um deine winzige Nase herum und nahmest dir vor, mit der letzten täglich vormittags und nachmittags einmal zu niesen und vorher zu schnupfen, nur damit dein ganzes Institut wie besessen aufführe und zuriefe: Helf Gott, Herr Kantner! Die Bauern hätten ferner in deinem Herzen die Freude angetroffen, die du hattest, ein Setzer von Foliozíffern zu sein, so lang wie die am Zifferblatt der Turmuhr, indem du jeden Sonntag an der schwarzen Liedertafel in öffentlichen Druck gabst, auf welcher Pagina das nächste Lied zu suchen sei – wir Autores treten mit schlechterem Zeuge im Drucke auf –, ferner die Freude hätte man gefunden, deinem Schwiegervater und deiner Braut im Singen vorzureiten; und endlich deine Hoffnung, den Bodensatz des Kommunionweins einsam auszusaufen, der sauer schmeckte. Ein höheres Wesen muß dir so herzlich gut gewesen sein wie das referierende, da es gerade in deinem achtwöchentlichen Edenlustrum deinen gnädigen Kirchenpatron kommunizieren hieß: denn er hatte doch so viel Einsicht, daß er an die Stelle des Kommunionweins, der Christi Trank am Kreuz nicht unglücklich nachbildete, Christi Tränen aus seinem Keller setzte; aber welche Himmel dann nach dem Trank des Bodensatzes in alle deine Glieder zogen ... Wahrlich, jedesmal will ich wieder in Ausrufungen verfallen; – aber warum macht doch mir und vielleicht euch dieses schulmeisterlich vergnügte Herz so viel Freude? – Ach, liegt es vielleicht daran, daß wir selber sie nie so voll bekommen, weil der Gedanke der Erdeneitelkeit auf uns liegt und unsern Atem drückt und weil wir die schwarze Gottesackererde unter den Rasen- und Blumenstücken schon gesehen haben, auf denen das Meisterlein sein Leben verhüpft? –

Der gedachte Kommunionwein moussierte noch abends in seinen Adern; und diese letzte Tagzeit seines Sabbats hab ich noch abzuschildern. Nur am Sonntag durft er mit seiner Justine spazieren gehen. Vorher nahm er das Abendessen beim Schwiegervater ein, aber mit schlechtem Nutzen; schon unter dem Tischgebet wurde sein Hundshunger matt und unter den Allotriis darauf gar unsichtbar. Wenn ich es lesen könnte, so könnt ich das ganze Konterfei dieses Abends aus seiner Messiade haben, in die er ihn, ganz wie er war, im sechsten Gesang hineingeflochten, so wie alle große Skribenten ihren Lebenslauf, ihre Weiber, Kinder, Äcker, Vieh in ihre opera omnia stricken. Er dachte, in der gedruckten Messiade stehe der Abend auch. In seiner wird es episch ausgeführet sein, daß die Bauern auf den Rainen wateten und den Schuß der Halme maßen und ihn über das Wasser herüber als ihren neuen wohlverordneten Kantor grüßten – daß die Kinder auf Blättern schalmeiten und in Batzenflöten stießen und daß alle Büsche und Blumen- und Blütenkelche vollstimmig besetzte Orchester waren, aus denen allen etwas heraussang oder summsete oder schnurrte – und daß alles zuletzt so feierlich wurde, als hätte die Erde selber einen Sonntag, indem die Höhen und Wälder um diesen Zauberkreis rauchten und indem die Sonne gen Mitternacht durch einen illuminierten Triumphbogen hinunter- und der Mond gen Mittag durch einen blassen Triumphbogen heraufzog. O du Vater des Lichts! mit wie viel Farben und Strahlen und Leuchtkugeln fassest du deine bleiche Erde ein! – Die Sonne kroch jetzt ein zu einem einzigen roten Strahle, der mit dem Widerscheine der Abendröte auf dem Gesichte der Braut zusammenkam; und diese, nur mit stummen Gefühlen bekannt, sagte zu Wuz, daß sie in ihrer Kindheit sich oft gesehnet hätte, auf den roten Bergen der Abendröte zu stehen und von ihnen mit der Sonne in die schönen rotgemalten Länder hinunterzusteigen, die hinter der Abendröte lägen. Unter dem Gebetläuten seiner Mutter legt' er seinen Hut auf die Kniee und sah, ohne die Hände zu falten, an die rote Stelle am Himmel, wo die Sonne zuletzt gestanden, und hinab in den ziehenden Strom, der tiefe Schatten trug; und es war ihm, als läutete die Abendglocke die Welt und noch einmal seinen Vater zur Ruhe – zum ersten und letzten Male in seinem Leben stieg sein Herz über die irdische Szene hinaus – und es rief, schien ihm, etwas aus den Abendtönen herunter, er werde jetzo vor Vergnügen sterben ... Heftig und verzückt umschlang er seine Braut und sagte: »Wie lieb hab ich dich, wie ewig lieb!« Vom Flusse klang es herab wie Flötengetön und Menschengesang und zog näher; außer sich drückt' er sich an sie an und wollte vereinigt vergehen und glaubte, die Himmeltöne hauchten ihre beiden Seelen aus der Erde weg und dufteten sie wie Taufunken auf den Auen Edens nieder.

Es sang:

O wie schön ist Gottes Erde
Und wert, darauf vergnügt zu sein!
Drum will ich, bis ich Asche werde,
Mich dieser schönen Erde freun.

Es war aus der Stadt eine Gondel mit einigen Flöten und singenden Jünglingen. Er und Justine wanderten am Ufer mit der ziehenden Gondel und hielten ihre Hände gefaßt, und Justine suchte leise nachzusingen; mehre Himmel gingen neben ihnen. Als die Gondel um eine Erdzunge voll Bäume herumschiffte, hielt Justine ihn sanft an, damit sie nicht nachkämen, und da das Fahrzeug dahinter verschwunden war, fiel sie ihm mit dem ersten errötenden Kusse um den Hals ... O unvergeßlicher erster Junius! schreibt er. – Sie begleiteten und belauschten von weitem die schiffenden Töne, und Träume spielten um beide, bis sie sagte: »Es ist spät, und die Abendröte hat sich schon weit herumgezogen, und es ist alles im Dorfe still.« Sie gingen nach Hause; er öffnete die Fenster seiner mondhellen Stube und schlich mit einem leisen ›Gute Nacht‹ bei seiner Mutter vorüber, die schon schlief. –

Jeden Morgen schien ihn der Gedanke wie Tageslicht an, daß er dem Hochzeittage, dem achten Junius, sich um eine Nacht näher geschlafen; und am Tage lief die Freude mit ihm herum, daß er durch die paradiesischen Tage, die sich zwischen ihn und sein Hochzeitbett gestellet, noch nicht durch wäre. So hielt er, wie der metaphysische Esel, den Kopf zwischen beiden Heubündeln, zwischen der Gegenwart und Zukunft; aber er war kein Esel oder Scholastiker, sondern grasete und rupfte an beiden Bündeln auf einmal ... Wahrhaftig, die Menschen sollten niemals Esel sein, weder indifferentistische noch hölzerne, noch bileamische, und ich habe meine Gründe dazu ... Ich breche hier ab, weil ich noch überlegen will, ob ich seinen Hochzeittag abzeichne oder nicht. Musivstifte hab ich übrigens dazu ganze Bündel. –

Aber wahrhaftig, ich bin weder seinem Ehrentage beigewohnet noch einem eignen; ich will ihn also bestens beschreiben und mir – ich hätte sonst gar nichts – eine Lustpartie zusammen machen.

Ich weiß überhaupt keinen schicklichern Ort oder Bogen als diesen dazu, daß die Leser bedenken, was ich ausstehe: die magischen Schweizergegenden, in denen ich mich lagere – die Apollos- und Venusgestalten, denen sich mein Auge ansaugt – das erhabne Vaterland, für das ich das Leben hingebe, das es vorher geadelt hat – das Brautbett, in das ich einsteige, alles ist von fremden oder eignen Fingern bloß – gemalt mit Tinte oder Druckerschwärze; und wenn nur du, du Himmlische, der ich treu bleibe, die mir treu bleibt, mit der ich in arkadischen Juliusnächten spazieren gehe, mit der ich vor der untergehenden Sonne und vor dem aufsteigenden Monde stehe und um derenwillen ich alle deine Schwestern liebe, wenn nur du – wärest; aber du bist ein Altarblatt, und ich finde dich nicht.

Dem Nil, dem Herkules und andern Göttern brachte man zwar auch wie mir nur nachbossierte Mädchen dar; aber vorher bekamen sie doch reelle.

Wir müssen schon am Sonnabend ins Schul- und Hochzeithaus gucken, um die Prämissen dieses Rüsttags zum Hochzeittag ein wenig vorher wegzuhaben: am Sonntag haben wir keine Zeit dazu; so ging auch die Schöpfung der Welt (nach den ältern Theologen) darum in sechs Tagwerken und nicht in einer Minute vor, damit die Engel das Naturbuch, wenn es allmählich aufgeblättert würde, leichter zu übersehen hätten.

Am Sonnabend rennt der Bräutigam auffallend in zwei corporibus piis aus und ein, im Pfarr- und im Schulhaus, um vier Sessel aus jenem in dieses zu schaffen. Er borgte diese Gestelle dem Senior ab, um den Kommodator selbst darauf zu weisen als seinen Fürstbischof und die Seniorin als Frau Patin der Braut und den Subpräfektus aus dem Alumneum und die Braut selbst. Ich weiß so gut als andre, in wie weit dieser mietende Luxus des Bräutigams nicht in Schutz zu nehmen ist; allerdings papillotierten die gigantischen Mietstühle (Menschen und Sessel schrumpfen jetzt ein) ihre falschen Rindhaartouren an Lehne und Sitz mit blauem Tuche, Milchstraßen von gelben Nägeln sprangen auf gelben Schnüren als Blitze herum, und es bleibt gewiß, daß man so weich auf den Rändern dieser Stühle aufsaß, als trüge man einen Doppelsteiß – wie gesagt, diesen Steißluxus des Gläubigers und Schuldners hab ich niemals zum Muster angepriesen; aber auf der andern Seite muß doch jeder, der in den ›Schulz von Paris‹ hineingesehen, bekennen, daß die Verschwendung im palais royal und an allen Höfen offenbar größer ist. Wie werd ich vollends solche Methodisten von der strengen Observanz auf die Seite des Großvater- oder Sorgenstuhls Wuzens bringen, der mit vier hölzernen Löwentatzen die Erde ergreift, welche mit vier Querhölzern – den Sitzkonsolen munterer Finken und Gimpel – gesponselt sind und dessen Haarchignon sich mit einer geblümten ledernen Schwarte mehr als zu prächtig besohlet und welcher zwei hölzerne behaarte Arme, die das Alter, wie menschliche, dürrer gemacht, nach einem Insaß ausstreckt? ... Dieses Fragezeichen kann manchen, weil er den langen Perioden vergessen, frappieren.

Das zinnene Tafelservice, das der Bräutigam noch von seinem Fürstbischof holte, kann das Publikum beim Auktionproklamator, wenn es anders versteigert wird, besser kennen lernen als bei mir: so viel wissen die Hochzeitgäste, die Saladiere, die Sauciere, die Assiette zu Käse und die Senfdose war ein einziger Teller, der aber vor jeder Rolle einmal abgescheuert wurde.

Ein ganzer Nil und Alpheus schoß über jedes Stubenbrett, wovon gute Gartenerde wegzuspülen war, an jede Bettpfoste und an den Fensterstock hinan und ließ den gewöhnlichen Bodensatz der Flut zurück – Sand. Die Gesetze des Romans würden verlangen, daß das Schulmeisterlein sich anzöge und sich auf eine Wiese unter ein wogendes Zudeck von Gras und Blumen streckte und da durch einen Traum der Liebe nach dem andern hindurchsänk und bräche – allein, er rupfte Hühner und Enten ab, spaltete Kaffee- und Bratenholz und die Braten selbst, kredenzte am Sonnabend den Sonntag und dekretierte und vollzog in der blauen Schürze seiner Schwiegermutter funfzig Küchenverordnungen und sprang, den Kopf mit Papilloten gehörnt und das Haar wie einen Eichhörnchenschwanz emporgebunden, hinten und vornen und überall herum: »denn ich mache nicht alle Sonntage Hochzeit«, sagt' er.

Nichts ist widriger, als hundert Vorläufer und Vorreiter zu einer winzigen Lust zu sehen und zu hören; nichts ist aber süßer, als selber mit vorzureiten und vorzulaufen; die Geschäftigkeit, die wir nicht bloß sehen, sondern teilen, macht nachher das Vergnügen zu einer von uns selbst gesäeten, besprengten und ausgezognen Frucht; und obendrein gefällt uns das Herzgespann des Passens nicht.

Aber, lieber Himmel, ich brauchte einen ganzen Sonnabend, um diesen nur zu rapportieren: denn ich tat nur einen vorbeifliegenden Blick in die Wuzische Küche – was da zappelt! was da raucht! – Warum ist sich Mord und Hochzeit so nahe wie die zwei Gebote, die davon reden? Warum ist nicht bloß eine fürstliche Vermählung oft für Menschen, warum ist auch eine bürgerliche für Geflügel eine Parisische Bluthochzeit?

Niemand brachte aber im Hochzeithaus diese zwei Freudentage mißvergnügter und fataler zu als zwei Stechfinken und drei Gimpel: diese inhaftierte der reinliche und vogelfreundliche Bräutigam sämtlich – vermittelst eines Treibjagens mit Schürzen und geworfnen Nachtmützen – und nötigte sie, aus ihrem Tanzsaale in ein paar Drahtkartausen zu fahren und an der Wand, in Mansarden springend, herabzuhängen.

Wuz berichtet sowohl in seiner ›Wuzischen Urgeschichte‹ als in seinem ›Lesebuch für Kinder mittleren Alters‹, daß abends um sieben Uhr, da der Schneider dem Hymen neue Hosen und Gilet und Rock anprobierte, schon alles blank und metrisch und neugeboren war, ihn selber ausgenommen. Eine unbeschreibliche Ruhe sitzt auf jedem Stuhl und Tisch eines neugestellten brillantierten Zimmers! In einem chaotischen denkt man, man müsse noch diesen Morgen ausziehen aus dem aufgekündigten Logement.

Über seine Nacht (sowie über die folgende) fliegen ich und die Sonne hinüber, und wir begegnen ihm, wenn er am Sonntage, gerötet und elektrisiert vom Gedanken des heutigen Himmels, die Treppe herabläuft in die anlachende Hochzeitstube hinein, die wir alle gestern mit so vieler Mühe und Tinte aufgeschmückt haben, vermittelst Schönheitwasser – mouchoir de Venus und Schminklappen (Waschlappen) – Puderkasten (Topf mit Sand) und anderem Toilettenschiff und Geschirr. Er war in der Nacht siebenmal aufgewacht, um sich siebenmal auf den Tag zu freuen; und zwei Stunden früher aufgestanden, um beide Minute für Minute aufzuessen. Es ist mir, als ging ich mit dem Schulmeister zur Tür hinein, vor dem die Minuten des Tages hinstehn wie Honigzellen – er schöpfet eine um die andre aus, und jede Minute trägt einen weitern Honigkelch. Für eine Pension auf lebenlang ist dennoch der Kantor nicht vermögend, sich auf der ganzen Erde ein Haus zu denken, in dem jetzo nicht Sonntag, Sonnenschein und Freude wäre; nein! – Das zweite, was er unten nach der Türe auftat, war ein Oberfenster, um einen auf- und niederwallenden Schmetterling – einen schwimmenden Silberflitter, eine Blumenfolie und Amors Ebenbild – aus Hymens Stube fortzulassen. Dann fütterte er seine Vogelkapelle in den Bauern zum voraus auf den lärmenden Tag und fiedelte auf der väterlichen Geige die Schleifer zum Fenster hinaus, an denen er sich aus der Fastnacht an die Hochzeitnacht herangetanzt. Es schlägt erst fünf Uhr, mein Trauter, wir haben uns nicht zu übereilen! Wir wollen die zwei Ellen lange Halsbinde (die du dir ebenfalls, wie früher die Braut, antanzest, indem die Mutter das andre Ende hält) und das Zopfband glatt umhaben, noch zwei völlige Stunden vor dem Läuten. Gern gäb ich den Großvaterstuhl und den Ofen, dessen Assessor ich bin, dafür, wenn ich mich und meine Zuhörerschaft jetzt zu transparenten Sylphiden zu verdünnen wüßte, damit unsere ganze Brüderschaft dem zappelnden Bräutigam ohne Störung seiner stillen Freude in den Garten nachflöge, wo er für ein weibliches Herz, das weder ein diamantnes noch ein welsches ist, auch keine Blumen, die es sind, abschneidet, sondern lebende – wo er die blitzenden Käfer und Tautropfen aus den Blumenblättern schüttelt und gern auf den Bienenrüssel wartet, den zum letzten Male der mütterliche Blumenbusen säuget – wo er an seine Knabensonntagmorgen denkt und an den zu engen Schritt über die Beete und an das kalte Kanzelpult, auf welches der Senior seinen Strauß auflegte. Gehe nach Haus, Sohn deines Vorfahrers, und schaue am achten Junius dich nicht gegen Abend um, wo der stumme sechs Fuß dicke Gottesacker über manchen Freunden liegt, sondern gegen Morgen, wo du die Sonne, die Pfarrtüre und deine hineinschlüpfende Justine sehen kannst, welche die Frau Patin nett ausfrisieren und einschnüren will. Ich merk es leicht, daß meine Zuhörer wieder in Sylphiden verflüchtigt werden wollen, um die Braut zu umflattern; aber sie siehts nicht gern.

Endlich lag der himmelblaue Rock – die Livreefarbe der Müller und Schulmeister – mit geschwärzten Knopflöchern und die plättende Hand seiner Mutter, die alle Brüche hob, am Leibe des Schulmeisterleins, und es darf nur Hut und Gesangbuch nehmen. Und jetzt – ich weiß gewiß auch, was

Pracht ist, fürstliche bei fürstlichen Vermählungen, das Kanonieren, Illuminieren, Exerzieren und Frisieren dabei; aber mit der Wuzischen Vermählung stell ich doch dergleichen nie zusammen: sehet nur dem Mann hintennach, der den Sonnen- und Himmelweg zu seiner Braut geht und auf den andern Weg drüben nach dem Alumneum schauet und denkt: ›Wer hätts vor vier Jahren gedacht‹; ich sage, sehet ihm nach! Tut es nicht auch die Auenthaler Pfarrmagd, ob sie gleich Wasser trägt, und henkt einen solchen prächtigen vollen Anzug bis auf jede Franse in ihren Gehirn- und Kleiderkammern auf? Hat er nicht eine gepuderte Nasen- und Schuhspitze? Sind nicht die roten Torflügel seines Schwiegervaters aufgedreht, und schreitet er nicht durch diese ein, indes die von der Haarkräuslerin abgefertigte Verlobte durch das Hoftürchen schleicht? Und stoßen sie nicht so möbliert und überpudert aufeinander, daß sie das Herz nicht haben, sich Guten Morgen zu bieten? Denn haben beide in ihrem Leben etwas Prächtigeres und Vornehmeres gesehen als sich einander heute? Ist in dieser verzeihlichen Verlegenheit nicht der lange Span ein Glück, den der kleine Bruder zugeschnitzt und den er der Schwester hinreckt, damit sie darum wie um einen Weinpfahl die Blumenstaude und Geruchquaste für des Kantors Knopfloch winde und gürte? Werden neidsüchtige Damen meine Freunde bleiben, wenn ich meinen Pinsel eintunke und ihnen damit vorfärbe die Parüre der Braut, das zitternde Gold statt der Zitternadel im Haar, die drei goldnen Medaillons auf der Brust mit den Miniaturbildern der deutschen Kaiser* und tiefer die in Knöpfe zergossenen Silberbarren? ... Ich könnt aber den Pinsel fast jemand an den Kopf werfen, wenn mir beifällt, mein Wuz und seine gute Braut werden mir, wenns abgedruckt ist, von den Koketten und anderem Teufelszeuge gar ausgelacht: glaubt ihr denn aber, ihr städtischen destillierten und tätowierten Seelenverkäufe-

* In manchen deutschen Gegenden tragen die Mädchen drei Dukaten am Halse.

rinnen, die ihr alles an Mannspersonen messet und liebt, ihr Herz ausgenommen, daß ich oder meine meisten Herren Leser dabei gleichgültig bleiben könnten oder daß wir nicht alle eure gespannten Wangen, eure zuckenden Lippen, eure mit Witz und Begierde sengenden Augen und eure jedem Zufall gefügigen Arme und selber euere empfindsamen Deklamatorien mit Spaß hingäben für einen einzigen Auftritt, wo die Liebe ihre Strahlen in dem Morgenrot des Schämens bricht, wo die unschuldige Seele sich vor jedem Aug entkleidet, ihr eignes ausgenommen, und wo hundert innere Kämpfe das durchsichtige Angesicht beseelen, und kurz, worin mein Brautpaar selbst agierte, da der alte lustige Kauz von Schwiegervater beider gekräuselten und weißblühenden Köpfe habhaft wurde und sie gescheit zu einem Kuß zusammenlenkte? Dein freudiges Erröten, lieber Wuz! – und dein verschämtes, liebe Justine! –

Wer wird überhaupt diesen und dergleichen Sachen kurz vor seinen Sponsalien schärfer nachdenken und nachher delikater spielen als gegenwärtiger Lebensbeschreiber selber?

Der Lärm der Kinder und Büttner auf der Gasse und der Rezensenten in Leipzig hindern ihn hier, alles ausführlich herzusetzen, die prächtigen Eckenbeschläge und dreifachen Manschetten, womit der Bräutigam auf der Orgel jede Zeile des Chorals versah – den hölzernen Engelfittich, woran er seinen Kurhut zum Chor hinaushing – den Namen Justine an den Pedalpfeifen – seinen Spaß und seine Lust, da sie einander vor der Kirchenagende (der Goldnen Bulle und dem Reichsgrundgesetze des Eheregiments) die Rechten Hände gaben und da er mit seinem Ringfinger ihre hohle Hand gleichsam hinter einem Bettschirm neckte – und den Eintritt in die Hochzeitstube, wo vielleicht die größten und vornehmsten Leute und Gerichte des Dorfs einander begegneten, ein Pfarrer, eine Pfarrerin, ein Subpräfektus und eine Braut. Es wird aber Beifall finden, daß ich meine Beine auseinandersetze und damit über die ganze Hochzeittafel und Hochzeittrift und über den Nachmittag wegschreite, um zu hören, was sie abends angeben – einen und den andern Tanz gibt der Subpräfektus an. Es ist im Grunde schon alles außer sich. – Ein Tobakheerrauch und ein Suppendampfbad woget um drei Lichter und scheidet einen vom andern durch Nebelbänke. – Der Violoncellist und der Violinist streichen fremdes Gedärm weniger, als sie eignes füllen. – Auf der Fensterbrüstung guckt das ganze Auenthal als Galerie zappelnd herein, und die Dorfjugend tanzt draußen, dreißig Schritte von dem Orchester entfernt, im ganzen recht hübsch. – Die alte Dorf-La Bonne schreiet ihre wichtigsten Personalien der Seniorin vor, und diese nieset und hustet die ihrigen los, jede will ihre historische Notdurft früher verrichten und sieht ungern die andre auf dem Stuhle seßhaft. – Der Senior sieht wie ein Schoßjünger des Schoßjüngers Johannes aus, welchen die Maler mit einem Becher in der Hand abmalen, und lacht lauter, als er predigt. – Der Präfektus schießet als Elegant herum und ist von niemand zu erreichen. – Mein Maria plätschert und fährt unter in allen vier Flüssen des Paradieses, und des Freudenmeers Wogen heben und schaukeln ihn allmächtig. – Bloß die eine Brautführerin (mit einer zu zarten Haut und Seele für ihren schwielenvollen Stand) hört die Freudentrommel wie von einem Echo gedämpft und wie bei einer Königleiche mit Flor bezogen, und die stille Entzückung spannt in Gestalt eines Seufzers die einsame Brust. – Mein Schulmeister (er darf zweimal im Küchenstück herumstehen) tritt mit seiner Trauungshälfte unter die Haustür, deren dessus de porte ein Schwalbenglobus ist, und schauet auf zu dem schweigenden glimmenden Himmel über ihm und denkt, jede große Sonne gucke herunter wie ein Auenthaler und zu seinem Fenster hinein ... Schiffe fröhlich über deinen verdünstenden Tropfen Zeit, du kannst es; aber wir könnens nicht alle: die eine Brautführerin kanns auch nicht. – Ach, wär ich wie du an einem Hochzeitmorgen dem ängstlichen, den Blumen abgefangnen Schmetterling begegnet, wie du der Biene im Blütenkelch, wie du der um sieben Uhr abgelaufnen Turmuhr, wie du dem stummen Himmel oben und dem lauten unten: so hätt ich ja daran denken müssen, daß nicht auf dieser stürmenden Kugel, wo die Winde sich in unsre kleinen Blumen wühlen, die Ruhestätte zu suchen sei, auf der uns ihre Düfte ruhig umfließen, oder ein Auge ohne Staub zu finden, ein Auge ohne Regentropfen, die jene Stürme an uns werfen – und wäre die blitzende Göttin der Freude so nahe an meinem Busen gestanden: so hätt ich doch auf jene Aschenhäufchen hinübergesehen, zu denen sie mit ihrer Umarmung, aus der Sonne gebürtig und nicht aus unsern Eiszonen, schon die armen Menschen verkalkte; – und o wenn mich schon die vorige Beschreibung eines großen Vergnügens so traurig zurückließ: so müßt ich, wenn erst du, aus ungemessenen Höhen in die tiefe Erde hineinreichende Hand! mir eines, wie eine Blume auf einer Sonne gewachsen, herniederbrächtest, auf diese Vaterhand die Tropfen der Freude fallen lassen und mich mit dem zu schwachen Auge von den Menschen wegwenden ...

Jetzt, da ich dieses sage, ist Wuzens Hochzeit längst vorbei, seine Justine ist alt und er selber auf dem Gottesacker; der Strom der Zeit hat ihn und alle diese schimmernden Tage unter vier-, fünffache Schichten Bodensatz gedrückt und begraben; – auch an uns steigt dieser beerdigende Niederschlag immer höher auf; in drei Minuten erreicht er das Herz und überschichtet mich und euch.

In dieser Stimmung sinne mir keiner an, die vielen Freuden des Schulmeisters aus seinem Freudenmanuale mitzuteilen, besonders seine Weihnachts-, Kirchweih- und Schulfreuden – es kann vielleicht noch geschehen in einem Posthumus von Postskript, das ich nachliefere, aber heute nicht! Heute ists besser, wir sehen den vergnügten Wuz zum letzten Mal lebendig und tot und gehen dann weg.

Ich hätte überhaupt – ob ich gleich dreißigmal vor seiner Haustür vorübergegangen war – wenig vom ganzen Manne gewußt, wenn nicht am 12. Mai vorigen Jahrs die alte Justine unter ihr gestanden wäre und mich, da sie mich im Gehen meine Schreibtafel vollarbeiten sah, angeschrieen hätte: ob ich nicht auch ein Büchermacher wäre. – »Was sonst, Liebe?« – versetzt ich – »jährlich mach ich dergleichen und schenke alles nachher dem Publiko.« – So möcht ich dann, fuhr sie fort, mich auf ein Stündchen zu ihrem Alten hineinbemühen, der auch ein Buchmacher sei, mit dem es aber elend aussähe.

Der Schlag hatte dem Alten, vielleicht weil er eine Flechte, Talers groß, am Nacken hineingeheilet, oder vor Alter die linke Seite gelähmt. Er saß im Bette an einer Lehne von Kopfkissen und hatte ein ganzes Warenlager, das ich sogleich spezifizieren werde, auf dem Deckbette vor sich. Ein Kranker tut wie ein Reisender – und was ist er anders? – sogleich mit jedem bekannt; so nahe mit dem Fuße und Auge an erhabnern Welten, macht man in dieser räudigen keine Umstände mehr. Er klagte, es hätte sich seine Alte schon seit drei Tagen nach einem Bücherschreiber umschauen müssen, hätt aber keinen ertappt, außer eben; »er müss' aber einen haben, der seine Bibliothek übernehme, ordne und inventiere und der an seine Lebensbeschreibung, die in der ganzen Bibliothek wäre, seine letzten Stunden, falls er sie jetzt hätte, zur Komplettierung gar hinanstieße; denn seine Alte wäre keine Gelehrtin, und seinen Sohn hätt er auf drei Wochen auf die Universität Heidelberg gelassen.«

Seine Aussaat von Blattern und Runzeln gab seinem runden kleinen Gesichtchen äußerst fröhliche Lichter; jede schien ein lächelnder Mund; aber es gefiel mir und meiner Semiotik nicht, daß seine Augen so blitzten, seine Augenbraunen und Mundecken so zuckten und seine Lippen so zitterten.

Ich will mein Versprechen der Spezifikation halten. Auf dem Deckbette lag eine grüntaftne Kinderhaube, wovon das eine Band abgerissen war, eine mit abgegriffnen Goldflitterchen überpichte Kinderpeitsche, ein Fingerring von Zinn, eine

Schachtel mit Zwergbüchelchen in 128-Format, eine Wanduhr, ein beschmutztes Schreibbuch und ein Finkenkloben fingerlang. Es waren die Rudera und Spätlinge seiner verspielten Kindheit. Die Kunstkammer dieser seiner griechischen Altertümer war von jeher unter der Treppe gewesen – denn in einem Haus, das der Blumenkübel und Treibkasten eines einzigen Stammbaums ist, bleiben die Sachen jahrfunfziglang in ihrer Stelle ungerückt –; und da es von seiner Kindheit an ein Reichsgrundgesetz bei ihm war, alle seine Spielwaren in geschichtlicher Ordnung aufzuheben, und da kein Mensch das ganze Jahr unter die Treppe guckte als er: so konnt er noch am Rüsttage vor seinem Todestage diese Urnenkrüge eines schon gestorbenen Lebens um sich stellen und sich zurückfreuen, da er sich nicht mehr vorauszufreuen vermochte. Du konntest freilich, kleiner Maria, in keinen Antikentempel zu Sanssouci oder zu Dresden eintreten und darin vor dem Weltgeiste der schönen Natur der Kunst niederfallen; aber du konntest doch in deine Kindheitantiken-Stiftshütte unter der finstern Treppe gucken, und die Strahlen der auferstehenden Kindheit spielten, wie des gemalten Jesuskindes seine im Stall, an den düstern Winkeln! O wenn größere Seelen als du aus der ganzen Orangerie der Natur so viele süße Säfte und Düfte sögen als du aus dem zackigen grünen Blatte, an das dich das Schicksal gehangen: so würden nicht Blätter, sondern Gärten genossen, und die bessern und doch glücklichern Seelen verwunderten sich nicht mehr, daß es vergnügte Meisterlein geben kann.

Wuz sagte und bog den Kopf gegen das Bücherbrett hin: »Wenn ich mich an meinen ernsthaften Werken matt gelesen und korrigiert, so schau ich stundenlang die Schnurrpfeifereien an, und das wird hoffentlich einem Bücherschreiber keine Schande sein.«

Ich wüßt aber nicht, womit der Welt in dieser Minute mehr gedient ist, als wenn ich ihr den räsonierenden Katalog dieser Kunststücke und Schurrpfeifereien zuwende, den mir der Patient zuwandte. Den zinnenen Ring hatt ihm die vierjährige Mamsell des vorigen Pastors, da sie miteinander von einem Spielkameraden ehrlich und ordentlich kopuliert wurden, als Ehepfand angesteckt – das elende Zinn lötete ihn fester an sie als edlere Metalle edlere Leute, und ihre Ehe brachten sie auf vierundfunfzig Minuten. Oft wenn er nachher als geschwärzter Alumnus sie mit nickenden Federnstandarten am dünnen Arme eines gesprenkelten Elegant spazieren gehen sah, dachte er an den Ring und an die alte Zeit. Überhaupt hab ich bisher mir unnütze Mühe gegeben, es zu verstecken, daß er in alles sich verliebte, was wie eine Frau aussah; alle Fröhliche seiner Art tun dasselbe; und vielleicht können sie es, weil ihre Liebe sich zwischen den beiden Extremen von Liebe aufhält und beiden abborgt, so wie der Busen Band und Kreole der platonischen und der epikurischen Reize ist. – Da er seinem Vater die Turmuhr aufziehen half, wie vorzeiten die Kronprinzen mit den Vätern in die Sitzungen gingen: so konnte so eine kleine Sache ihm einen Wink geben, ein lakkiertes Kästchen zu durchlöchern und eine Wanduhr daraus zu schnitzen, die niemals ging; inzwischen hatte sie doch, wie mehre Staatkörper, ihre langen Gewichte und ihre eingezackten Räder, die man dem Gestelle nürnbergischer Pferde abgehoben und so zu etwas Besserem verbraucht hatte. – Die grüne Kinderhaube mit Spitzen gerändert, das einzige Überbleibsel seines vorigen vierjährigen Kopfes, war seine Büste und sein Gipsabdruck vom kleinen Wuz, der jetzt zu einem großen ausgefahren war. Alltagskleider stellen das Bild eines toten Menschen weit inniger dar als sein Porträt; – daher besah Wuz das Grün mit sehnsüchtiger Wollust, und es war ihm, als schimmere aus dem Eis des Alters eine grüne Rasenstelle der längst überschneieten Kindheit vor; »nur meinen Unterrock von Flanell«, sagt er, »sollt ich gar haben, der mir allemal unter den Achseln umgebunden wurde!« – Mir ist sowohl das erste Schreibbuch des Königs von Preußen als das des Schulmeisters Wuz bekannt, und da ich beide in Händen gehabt, so kann ich urteilen, daß der König als Mann und das Meisterlein als Kind schlechter geschrieben. »Mutter,« sagt' er zu seiner Frau, »betracht doch, wie dein Mann hier (im Schreibbuch) und wie er dort (in seinem kalligraphischen Meisterstück von einem Lehnbrief, den er an die Wand genagelt) geschrieben: ich freß mich aber noch vor Liebe, Mutter!« Er prahlte vor niemand als vor seiner Frau; und ich schätze den Vorteil so hoch, als er wert ist, den die Ehe hat, daß der Ehemann durch sie noch ein zweites Ich bekommt, vor welchem er sich ohne Bedenken herzlich loben kann. Wahrhaftig, das deutsche Publikum sollte ein solches zweites Ich von uns Autoren abgeben! – Die Schachtel war ein Bücherschrank der liliputischen Traktätchen in Fingerkalenderformat, die er in seiner Kindheit dadurch herausgab, daß er einen Vers aus der Bibel abschrieb, es heftete und bloß sagte: »Abermals einen recht hübschen Kober* gemacht!« Andre Autores vermögen dergleichen auch, aber erst wenn sie herangewachsen sind. Als er mir seine jugendliche Schriftstellerei referierte, bemerkte er: »Als ein Kind ist man ein wahrer Narr; es stach aber doch schon damals der Schriftstellertrieb hervor, nur freilich noch in einer unreifen und lächerlichen Gestalt« und belächelte zufrieden die jetzige. – Und so gings mit dem Finkenkloben ebenfalls: war nicht der fingerlange Finkenkloben, den er mit Bier bestrich und auf dem er die Fliegen an den Beinen fing, der Vorläufer des armlangen Finkenkloben, hinter dem er im Spätherbst seine schönsten Stunden zubrachte, wie auf ihm die Finken ihre häßlichsten? Das Vogelstellen will durchaus ein in sich selber vergnügtes stilles Ding von Seele haben.

Es ist leicht begreiflich, daß seine größte Krankenlabung ein alter Kalender war und die abscheulichen zwölf Monatkupfer desselben. In jedem Monat des Jahrs machte er sich, ohne vor einem Galerieinspektor den Hut abzunehmen oder an ein Bil-

* Kobers Kabinettsprediger – in dem mehr Geist steckt (freilich oft ein närrischer) als in zwanzig jetzigen ausgelaugten Predigthaufen.

derkabinett zu klopfen, mehr malerische und artistische Lust als andre Deutsche, die abnehmen und anklopfen. Er durchwanderte nämlich die eilf Monatvignetten – die des Monats, worin er wanderte, ließ er weg – und phantasierte in die Holzschnittauftritte alles hinein, was er und sie nötig hatten. Es mußte ihn freilich in gesunden und in kranken Tagen letzen, wenn er im Jenner-Winterstück auf dem abgerupften schwarzen Baum herumstieg und sich (mit der Phantasie) unter den an der Erde aufdrückenden Wolkenhimmel stellte, der über den Winterschlaf der Wiesen und Felder wie ein Betthimmel sich hinüberkrümmte. – Der ganze Junius zog sich mit seinen langen Tagen und langen Gräsern um ihn herum, wenn er seine Einbildung den Junius-Landschaftholzschnitt ausbrüten ließ, auf welchem kleine Kreuzchen, die nichts als Vögel sein sollten, durch das graue Druckpapier flogen und auf dem der Holzschneider das fette Laubwerk zu Blättergerippen mazerierte. Allein wer Phantasie hat, macht sich aus jedem Abschnitzel eine wundertätige Reliquie, aus jedem Eselkinnbacken eine Quelle; die fünf Sinne reichen ihr nur die Kartons, nur die Grundstriche des Vergnügens oder Mißvergnügens.

Den Mai überblätterte der Patient, weil der ohnehin um das Haus draußen stand. Die Kirschblüten, womit der Wonnemond sein grünes Haar besteckt, die Maiblümchen, die als Vorsteckrosen über seinem Busen duften, beroch er nicht – der Geruch war weg –, aber er besah sie und hatte einige in einer Schüssel neben seinem Krankenbette.

Ich habe meine Absicht klug erreicht, mich und meine Zuhörer fünf oder sechs Seiten von der traurigen Minute wegzuführen, in der vor unser aller Augen der Tod vor das Bett unsers kranken Freundes tritt und langsam mit eiskalten Händen in seine warme Brust hineindringt und das vergnügt schlagende Herz erschreckt, fängt und auf immer anhält. Freilich am Ende kommt die Minute und ihr Begleiter doch.

Ich blieb den ganzen Tag da und sagte abends, ich könnte in der Nacht wachen. Sein lebhaftes Gehirn und sein zuckendes Gesicht hatten mich fest überzeugt, in der Nacht würde der Schlag sich wiederholen; es geschah aber nicht, welches mir und dem Schulmeisterlein ein wesentlicher Gefallen war. Denn es hatte mir gesagt – auch in seinem letzten Traktätchen stehts –, nichts wäre schöner und leichter, als an einem heitern Tage zu sterben, die Seele sähe durch die geschlossenen Augen die hohe Sonne noch, und sie stiege aus dem vertrockneten Leib in das weite blaue Lichtmeer draußen; hingegen in einer finstern, brüllenden Nacht aus dem warmen Leibe zu müssen, den langen Fall ins Grab so einsam zu tun, wenn die ganze Natur selber dasäße und die Augen sterbend zuhätte – das wäre ein zu harter Tod.

Um eilf ein halb Uhr nachts kamen Wuzens zwei besten Jugendfreunde noch einmal vor sein Bett, der Schlaf und der Traum, um von ihm gleichsam Abschied zu nehmen. Oder bleibt ihr länger und seid ihr zwei Menschenfreunde es vielleicht, die ihr den ermordeten Menschen aus den blutigen Händen des Todes holet und auf eueren wiegenden Armen durch die kalten unterirdischen Höhlungen mütterlich traget ins helle Land hin, wo ihn eine neue Morgensonne und neue Morgenblumen in waches Leben hauchen? – Ich war allein in der Stube – ich hörte nichts als den Atemzug des Kranken und den Schlag meiner Uhr, die sein kurzes Leben wegmaß. – Der gelbe Vollmond hing tief und groß im Süden und bereifte mit seinem Totenlichte die Maiblümchen des Mannes und die stockende Wanduhr und die grüne Haube des Kindes. – Der leise Kirschbaum vor dem Fenster malte auf dem Grund von Mondlicht aus Schatten einen bebenden Baumschlag in die Stube. – Am stillen Himmel wurde zuweilen eine fackelnde Sternschnuppe niedergeworfen, und sie verging wie ein Mensch. – Es fiel mir bei, die nämliche Stube, die jetzt der schwarz ausgeschlagene Vorsaal des Grabes war, wurde morgen vor dreiundvierzig Jahren, am 13. Mai, vom

Kranken bezogen, an welchem Tage seine elysischen Achtwochen angegangen. – Ich sah, daß der, dem damals dieser Kirschbaum Wohlgeruch und Träume gab, dort im drückenden Traume geruchlos liege und vielleicht noch heute aus dieser Stube ausziehe und daß alles, alles vorüber sei und niemals wiederkomme ... und in dieser Minute fing Wuz mit dem ungelähmten Arme nach etwas, als wollt er einen entfallenden Himmel erfassen – – und in dieser zitternden Minute knisterte der Monatzeiger meiner Uhr und fuhr, weils zwölf Uhr war, vom 12. Mai zum 13. über ... Der Tod schien mir meine Uhr zu stellen, ich hörte ihn den Menschen und seine Freuden käuen, und die Welt und die Zeit schien in einem Strom von Moder sich in den Abgrund hinabzubröckeln! ...

Ich denke an diese Minute bei jedem mitternächtlichen Überspringen meines Monatzeigers; aber sie trete nie mehr unter die Reihe meiner übrigen Minuten!

Der Sterbende – er wird kaum diesen Namen lange mehr haben – schlug zwei lodernde Augen auf und sah mich lange an, um mich zu kennen. Ihm hatte geträumt, er schwankte als ein Kind sich auf einem Lilienbeete, das unter ihm aufgewallet – dieses wäre zu einer emporgehobnen Rosenwolke zusammengeflossen, der mit ihm durch goldne Morgenröten und über rauchende Blumenfelder weggezogen – die Sonne hätte mit einem weißen Mädchenangesicht ihn angelächelt und angeleuchtet und wäre endlich in Gestalt eines von Strahlen umflognen Mädchens seiner Wolke zugesunken, und er hätte sich geängstigt, daß er den linken, gelähmten Arm nicht um und an sie bringen können. – – Darüber wurd er wach aus seinem letzten oder vielmehr vorletzten Traum; denn auf den langen Traum des Lebens sind die kleinen bunten Träume der Nacht wie Phantasieblumen gestickt und gezeichnet.

Der Lebensstrom nach seinem Kopfe wurde immer schneller und breiter: er glaubte immer wieder, verjüngt zu sein; den

Mond hielt er für die bewölkte Sonne; es kam ihm vor, er sei ein fliegender Taufengel, unter einem Regenbogen an eine Dotterblumenkette aufgehangen, im unendlichen Bogen auf und nieder wogend, von der vierjährigen Ringgeberin über Abgründe zur Sonne aufgeschaukelt... Gegen vier Uhr morgens konnte er uns nicht mehr sehen, obgleich die Morgenröte schon in der Stube war – die Augen blickten versteinert vor sich hin – eine Gesichtszuckung kam auf die andre – den Mund zog eine Entzückung immer lächelnder auseinander – Frühlingsphantasien, die weder dieses Leben erfahren, noch jenes haben wird, spielten mit der sinkenden Seele – endlich stürzte der Todesengel den blassen Leichenschleier auf sein Angesicht und hob hinter ihm die blühende Seele mit ihren tiefsten Wurzeln aus dem körperlichen Treibkasten voll organisierter Erde... Das Sterben ist erhaben; hinter schwarzen Vorhängen tut der einsame Tod das stille Wunder und arbeitet für die andre Welt, und die Sterblichen stehen da mit nassen, aber stumpfen Augen neben der überirdischen Szene ...

»Du guter Vater,« sagte seine Witwe, »wenn dirs jemand vor dreiundvierzig Jahren hätte sagen sollen, daß man dich am 13. Mai, wo deine Achtwochen angingen, hinaustragen würde!« – »Seine Achtwochen«, sagt ich, »gehen wieder an, dauern aber länger.«

Als ich um eilf Uhr fortging, war mir die Erde gleichsam heilig, und Tote schienen mir neben mir zu gehen; ich sah auf zum Himmel, als könnt ich im endlosen Äther nur in einer Richtung den Gestorbnen suchen; und als ich oben auf dem Berge, wo man nach Auenthal hineinschauet, mich noch einmal nach dem Leidenstheater umsah, und als ich unter den rauchenden Häusern bloß das Trauerhaus unbewölket dastehen und den Totengräber oben auf dem Gottesacker das Grab aushauen sah, und als ich das Leichenläuten seinetwegen hörte und daran dachte, wie die Witwe im stummen Kirchturm mit rinnenden Augen das Seil unten reiße: so fühlt ich unser aller Nichts und schwur, ein so unbedeutendes Leben zu verachten, zu verdienen und zu genießen. –

Wohl dir, lieber Wuz, daß ich – wenn ich nach Auenthal gehe und dein verrasetes Grab aussuche und mich darüber kümmere, daß die in dein Grab beerdigte Puppe des Nachtschmetterlings mit Flügeln darauskriecht, daß dein Grab ein Lustlager bohrender Regenwürmer, rückender Schnecken, wirbelnder Ameisen und nagender Räupchen ist, indes du tief unter allen diesen mit unverrücktem Haupte auf deinen Hobelspänen liegst und keine liebkosende Sonne durch deine Bretter und deine mit Leinwand zugeleimten Augen bricht – wohl dir, daß ich dann sagen kann: »Als er noch das Leben hatte, genoß ers fröhlicher wie wir alle.«

Es ist genug, meine Freunde – es ist zwölf Uhr, der Monatzeiger sprang auf einen neuen Tag und erinnerte uns an den doppelten Schlaf, an den Schlaf der kurzen und an den Schlaf der langen Nacht ...

EDUARD MÖRIKE

Mozart auf der Reise nach Prag

Eine Novelle

Im Herbst des Jahres 1787 unternahm Mozart in Begleitung seiner Frau eine Reise nach Prag, um ›Don Juan‹ daselbst zur Aufführung zu bringen.

Am dritten Reisetag, den vierzehnten September, gegen elf Uhr morgens, fuhr das wohlgelaunte Ehepaar, noch nicht viel über dreißig Stunden Wegs von Wien entfernt, in nordwestlicher Richtung jenseits vom Mannhardsberg und der deutschen Thaya bei Schrems, wo man das schöne Mährische Gebirg bald vollends überstiegen hat.

›Das mit drei Postpferden bespannte Fuhrwerk,‹ schreibt die Baronesse von T. an ihre Freundin, ›eine stattliche, gelbrote Kutsche, war Eigentum einer gewissen alten Frau Generalin Volkstett, die sich auf ihren Umgang mit dem Mozartischen Hause und ihre ihm erwiesenen Gefälligkeiten von jeher scheint etwas zugut getan zu haben.‹ – Die ungenaue Beschreibung des fraglichen Gefährts wird sich ein Kenner des Geschmacks der achtziger Jahre noch etwa durch einige Züge ergänzen. Der gelbrote Wagen ist hüben und drüben am Schlage mit Blumenbuketts, in ihren natürlichen Farben gemalt, die Ränder mit schmalen Goldleisten verziert, der Anstrich aber noch keineswegs von jenem spiegelglatten Lack der heutigen Wiener Werkstätten glänzend, der Kasten auch nicht völlig ausgebaucht, obwohl nach unten zu kokett mit einer kühnen Schweifung eingezogen; dazu kommt ein hohes Gedeck mit starrenden Ledervorhängen, die gegenwärtig zurückgestreift sind.

Von dem Kostüm der beiden Passagiere sei überdies so viel bemerkt. Mit Schonung für die neuen, im Koffer eingepackten Staatsgewänder war der Anzug des Gemahls bescheidentlich von Frau Konstanzen ausgewählt; zu der gestickten Weste von etwas verschossenem Blau sein gewohnter brauner Überrock mit einer Reihe großer und dergestalt fassonierter Knöpfe, daß eine Lage rötliches Rauschgold durch ihr sternartiges Gewebe schimmerte, schwarzseidene Beinkleider, Strümpfe und auf den Schuhen vergoldete Schnallen. Seit einer halben Stunde hat er wegen der für diesen Monat außerordentlichen Hitze sich des Rocks entledigt und sitzt, vergnüglich plaudernd, barhaupt, in Hemdärmeln da. Madame Mozart trägt ein bequemes Reisehabit, hellgrün und weiß gestreift; halb aufgebunden fällt der Überfluß ihrer schönen lichtbraunen Locken auf Schultern und Nacken herunter; sie waren zeit ihres Lebens noch niemals von Puder entstellt, während der starke, in einen Zopf gefaßte Haarwuchs ihres Gemahls für heute nur nachlässiger als gewöhnlich damit versehen ist.
Man war eine sanft ansteigende Höhe zwischen fruchtbaren Feldern, welche hie und da die ausgedehnte Waldung unterbrachen, gemachsam hinauf und jetzt am Waldsaum angekommen.
»Durch wieviel Wälder«, sagte Mozart, »sind wir nicht heute, gestern und ehegestern schon passiert! – Ich dachte nichts dabei, geschweige, daß mir eingefallen wäre, den Fuß hineinzusetzen. Wir steigen einmal aus da, Herzenskind, und holen von den blauen Glocken, die dort so hübsch im Schatten stehn. Die Tiere, Schwager, mögen ein bißchen verschnaufen.«
Indem sie sich beide erhoben, kam ein kleines Unheil an den Tag, welches dem Meister einen Zank zuzog. Durch seine Achtlosigkeit war ein Flakon mit kostbarem Riechwasser aufgegangen und hatte seinen Inhalt unvermerkt in die Kleider und Polster ergossen. »Ich hätt es denken können,«

klagte sie; »es duftete schon lang so stark. O weh, ein volles Fläschchen echte Rosée d'Aurore rein ausgeleert! Ich sparte sie wie Gold.« – »Ei, Närrchen,« gab er ihr zum Trost zurück, »begreife doch, auf solche Weise ganz allein war uns dein Götter-Riechschnaps etwas nütze. Erst saß man in einem Backofen, und all dein Gefächel half nichts, bald aber schien der ganze Wagen gleichsam ausgekühlt; du schriebst es den paar Tropfen zu, die ich mir auf den Jabot goß; wir waren neu belebt, und das Gespräch floß munter fort, statt daß wir sonst die Köpfe hätten hängen lassen wie die Hämmel auf des Fleischers Karren, und diese Wohltat wird uns auf dem ganzen Weg begleiten. Jetzt aber laß uns doch einmal zwei wienerische Nosn recht expreß hier in die grüne Wildnis stecken!«

Sie stiegen Arm in Arm über den Graben an der Straße und sofort tiefer in die Tannendunkelheit hinein, die, sehr bald bis zur Finsternis verdichtet, nur hin und wieder von einem Streifen Sonne auf sammetnem Moosboden grell durchbrochen ward. Die erquickliche Frische, im plötzlichen Wechsel gegen die außerhalb herrschende Glut, hätte dem sorglosen Mann ohne die Vorsicht der Begleiterin gefährlich werden können. Mit Mühe drang sie ihm das in Bereitschaft gehaltene Kleidungsstück auf. – »Gott, welche Herrlichkeit!« rief er, an den hohen Stämmen hinaufblickend, aus: »man ist als wie in einer Kirche! Mir deucht, ich war niemals in einem Wald, und besinne mich jetzt erst, was es doch heißt, ein ganzes Volk von Bäumen beieinander! Keine Menschenhand hat sie gepflanzt, sind alle selbst gekommen und stehen so, nur eben, weil es lustig ist, beisammen, wohnen und wirtschaften. Siehst du, mit jungen Jahren fuhr ich doch in halb Europa hin und her, habe die Alpen gesehen und das Meer, das Größeste und Schönste, was erschaffen ist: jetzt steht von ungefähr der Gimpel in einem ordinären Tannenwald an der böhmischen Grenze, verwundert und verzückt, daß solches Wesen irgend existiert, nicht etwa nur so una finzione di poeti ist, wie ihre Nymphen, Faune und dergleichen mehr, auch kein Komödienwald, nein aus dem Erdboden herausgewachsen, von Feuchtigkeit und Wärmelicht der Sonne groß gezogen! Hier ist zu Haus der Hirsch mit seinem wundersamen zackigen Gestäude auf der Stirn, das possierliche Eichhorn, der Auerhahn, der Häher.« – Er bückte sich, brach einen Pilz und pries die prächtige hochrote Farbe des Schirms, die zarten weißlichen Lamellen an dessen unterer Seite, auch steckte er verschiedene Tannenzapfen ein. »Man könnte denken,« sagte die Frau, »du habest noch nicht zwanzig Schritte hinein in den Prater gesehen, der solche Raritäten doch auch wohl aufzuweisen hat.«

»Was Prater! Sapperlot, wie du nur das Wort hier nennen magst! Vor lauter Karossen, Staatsdegen, Roben und Fächern, Musik und allem Spektakel der Welt, wer sieht denn da noch sonst etwas? Und selbst die Bäume dort, so breit sie sich auch machen, ich weiß nicht – Bucheckern und Eicheln, am Boden verstreut, sehn halter aus als wie Geschwisterkind mit der Unzahl verbrauchter Korkstöpsel darunter. Zwei Stunden weit riecht das Gehölz nach Kellnern und nach Saucen.«

»O unerhört!« rief sie, »so redet nun der Mann, dem gar nichts über das Vergnügen geht, Backhähnl im Prater zu speisen!«

Als beide wieder in dem Wagen saßen und sich die Straße jetzt nach einer kurzen Strecke ebenen Wegs allmählich abwärts senkte, wo eine lachende Gegend sich bis an die entfernteren Berge verlor, fing unser Meister, nachdem er eine Zeit lang still gewesen, wieder an: »Die Erde ist wahrhaftig schön und keinem zu verdenken, wenn er so lang wie möglich darauf bleiben will. Gott sei's gedankt, ich fühle mich so frisch und wohl wie je und wäre bald zu tausend Dingen aufgelegt, die denn auch alle nacheinander an die Reihe kommen sollen, wie nur mein neues Werk vollendet und aufgeführt sein wird. Wie viel ist draußen in der Welt und wie viel daheim, Merkwürdiges und Schönes, das ich noch gar nicht kenne, an Wunderwerken der Natur, an Wissenschaften, Künsten und nützlichen Gewerben! Der schwarze Köhlerbube dort bei seinem Meiler weiß dir von manchen Sachen auf ein Haar so viel Bescheid wie ich, da doch ein Sinn und ein Verlangen in mir wäre, auch einen Blick in dies und jenes zu tun, das eben nicht zu meinem nächsten Kram gehört.«

»Mir kam«, versetzte sie, »in diesen Tagen dein alter Sackkalender in die Hände von Anno fünfundachtzig; da hast du hinten angemerkt drei bis vier Notabene. Zum ersten steht: ›Mitte Oktober gießet man die großen Löwen in kaiserlicher Erzgießerei‹; fürs zweite, doppelt angestrichen: ›Professor Gattner zu besuchen!‹ Wer ist der?«

»O recht, ich weiß – auf dem Observatorio der gute alte Herr, der mich von Zeit zu Zeit dahin einlädt. Ich wollte längst einmal den Mond und 's Mandl drin mit dir betrachten. Sie haben jetzt ein mächtig großes Fernrohr oben; da soll man auf der ungeheuern Scheibe, hell und deutlich bis zum Greifen, Gebirge, Täler, Klüfte sehen und von der Seite, wo die Sonne nicht hinfällt, den Schatten, den die Berge werfen. Schon seit zwei Jahren schlag ichs an, den Gang zu tun, und komme nicht dazu, elender und schändlicher Weise!«

»Nun,« sagte sie, »der Mond entläuft uns nicht. Wir holen manches nach.«

Nach einer Pause fuhr er fort: »Und geht es nicht mit allem so? O pfui, ich darf nicht daran denken, was man verpaßt, verschiebt und hängen läßt! – von Pflichten gegen Gott und Menschen nicht zu reden – ich sage, von purem Genuß, von den kleinen unschuldigen Freuden, die einem jeden täglich vor den Füßen liegen.«

Madame Mozart konnte oder wollte von der Richtung, die sein leichtbewegliches Gefühl hier mehr und mehr nahm, auf keine Weise ablenken, und leider konnte sie ihm nur von ganzem Herzen recht geben, indem er mit steigendem Eifer fortfuhr: »Ward ich denn je nur meiner Kinder ein volles Stündchen froh? Wie halb ist das bei mir, und immer en passant! Die Buben einmal rittlings auf das Knie gesetzt, mich zwei Minuten mit ihnen durchs Zimmer gejagt, und damit basta, wieder abgeschüttelt! Es denkt mir nicht, daß wir uns auf dem Lande zusammen einen schönen Tag gemacht hätten, an Ostern oder Pfingsten, in einem Garten oder Wäldel, auf der Wiese, wir unter uns allein, bei Kinderscherz und Blumenspiel, um selber einmal wieder Kind zu werden. Allmittelst geht und rennt und saust das Leben hin – Herr Gott! bedenkt mans recht, es möcht einem der Angstschweiß ausbrechen!«

Mit der soeben ausgesprochenen Selbstanklage war unerwartet ein sehr ernsthaftes Gespräch in aller Traulichkeit und Güte zwischen beiden eröffnet. Wir teilen dasselbe nicht ausführlich mit und werfen lieber einen allgemeinen Blick auf die Verhältnisse, die teils ausdrücklich und unmittelbar den Stoff, teils auch nur den bewußten Hintergrund der Unterredung ausmachten.

Hier drängt sich uns voraus die schmerzliche Betrachtung auf, daß dieser feurige, für jeden Reiz der Welt und für das Höchste, was dem ahnenden Gemüt erreichbar ist, unglaublich empfängliche Mensch, soviel er auch in seiner kurzen Spanne Zeit erlebt, genossen und aus sich hervorgebracht, ein stetiges und rein befriedigtes Gefühl seiner selbst doch lebenslang entbehrte.

Wer die Ursachen dieser Erscheinung nicht etwa tiefer suchen will, als sie vermutlich liegen, wird sie zunächst einfach in jenen, wie es scheint, unüberwindlich eingewohnten Schwächen finden, die wir so gern, und nicht ganz ohne Grund, mit alle dem, was an Mozart der Gegenstand unserer Bewunderung ist, in eine Art notwendiger Verbindung bringen.

Des Mannes Bedürfnisse waren sehr vielfach, seine Neigung zumal für gesellige Freuden außerordentlich groß. Von den vornehmsten Häusern der Stadt als unvergleichliches Talent gewürdigt und gesucht, verschmähte er Einladungen zu Festen, Zirkeln und Partien selten oder nie. Dabei tat er der eigenen Gastfreundschaft innerhalb seiner näheren Kreise gleichfalls genug. Einen längst hergebrachten musikalischen Abend am Sonntag bei ihm, ein ungezwungenes Mittagsmahl an seinem wohlbestellten Tisch mit ein paar Freunden und Bekannten, zwei-, dreimal in der Woche, das wollte er nicht missen. Bisweilen brachte er die Gäste, zum Schrecken der Frau, unangekündigt von der Straße weg ins Haus, Leute von sehr ungleichem Wert, Liebhaber, Kunstgenossen, Sänger und Poeten. Der müßige Schmarotzer, dessen ganzes Verdienst in einer immer aufgeweckten Laune, in Witz und Spaß, und zwar vom gröberen Korn, bestand, kam so gut wie der geistvolle Kenner und der treffliche Spieler erwünscht. Den größten Teil seiner Erholung indes pflegte Mozart außer dem eigenen Hause zu suchen. Man konnte ihn nach Tisch einen Tag wie den andern am Billard im Kaffeehaus und so auch manchen Abend im Gasthof finden. Er fuhr und ritt sehr gerne in Gesellschaft über Land, besuchte als ein ausgemachter Tänzer Bälle und Redouten und machte sich des Jahrs einige Male einen Hauptspaß an Volksfesten, vor allen am Brigitten-Kirchtag im Freien, wo er als Pierrot maskiert erschien.

Diese Vergnügungen, bald bunt und ausgelassen, bald einer ruhigeren Stimmung zusagend, waren bestimmt, dem lang gespannten Geist nach ungeheurem Kraftaufwand die nötige Rast zu gewähren; auch verfehlten sie nicht, demselben nebenher auf den geheimnisvollen Wegen, auf welchen das Genie sein Spiel bewußtlos treibt, die feinen flüchtigen Eindrücke mitzuteilen, wodurch es sich gelegentlich befruchtet. Doch leider kam in solchen Stunden, weil es dann immer galt, den glücklichen Moment bis auf die Neige auszuschöpfen, eine andere Rücksicht, es sei nun der Klugheit oder der Pflicht, der Selbsterhaltung wie der Häuslichkeit, nicht in Betracht. Genießend oder schaffend kannte Mozart gleichwenig Maß und Ziel. Ein Teil der Nacht war stets der Komposition gewidmet. Morgens früh, oft lange noch im Bett, ward ausgearbeitet. Dann machte er, von zehn Uhr an, zu Fuß oder im Wagen abgeholt, die Runde seiner Lektionen, die in der Regel noch einige Nachmittagsstunden wegnahmen. ›Wir plagen uns wohl auch rechtschaffen,‹ so schreibt er selber einmal einem Gönner, ›und es hält öfter schwer, nicht die Geduld zu verlieren. Da halst man sich als wohlakkreditierter Cembalist und Musiklehrmeister ein Dutzend Schüler auf, und immer wieder einen neuen, unangesehn, was weiter an ihm ist, wenn er nur seinen Taler per marca bezahlt. Ein jeder ungrische Schnurrbart vom Geniekorps ist willkommen, den der Satan plagt, für nichts und wieder nichts Generalbaß und Kontrapunkt zu studieren; das übermütigste Komteßchen, das mich wie Meister Coquerel, den Haarkräusler, mit einem roten Kopf empfängt, wenn ich einmal nicht auf den Glockenschlag bei ihr anklopfe usw.‹ Und wenn er nun, durch diese und andere Berufsarbeiten, Akademien, Proben und dergleichen abgemüdet, nach frischem Atem schmachtete, war den erschlafften Nerven häufig nur in neuer Aufregung eine scheinbare Stärkung vergönnt. Seine Gesundheit wurde heimlich angegriffen, ein je und je wiederkehrender Zustand von Schwermut wurde, wo nicht erzeugt, doch sicherlich genährt an eben diesem Punkt, und so die Ahnung eines frühzeitigen Todes, die ihn zuletzt auf Schritt und Tritt begleitete, unvermeidlich erfüllt. Gram aller Art und Farbe, das Gefühl der Reue nicht ausgenommen, war er als eine herbe Würze jeder Lust auf seinen Teil gewöhnt. Doch wissen wir, auch diese Schmerzen rannen abgeklärt und rein in jenem tiefen Quell zusammen, der, aus hundert goldenen Röhren springend, im Wechsel seiner Melodien unerschöpflich, alle Qual und alle Seligkeit der Menschenbrust ausströmte.

Am offenbarsten zeigten sich die bösen Wirkungen der Lebensweise Mozarts in seiner häuslichen Verfassung. Der

Vorwurf törichter, leichtsinniger Verschwendung lag sehr nahe; er mußte sich sogar an einen seiner schönsten Herzenszüge hängen. Kam einer, in dringender Not ihm eine Summe abzuborgen, sich seine Bürgschaft zu erbitten, so war meist schon darauf gerechnet, daß er sich nicht erst lang nach Pfand und Sicherheit erkundigte; dergleichen hätte ihm auch in der Tat so wenig als einem Kinde angestanden. Am liebsten schenkte er gleich hin, und immer mit lachender Großmut, besonders wenn er meinte, gerade Überfluß zu haben.

Die Mittel, die ein solcher Aufwand neben dem ordentlichen Hausbedarf erheischte, standen allerdings in keinem Verhältnis mit den Einkünften. Was von Theatern und Konzerten, von Verlegern und Schülern einging, zusamt der kaiserlichen Pension, genügte um so weniger, da der Geschmack des Publikums noch weit davon entfernt war, sich entschieden für Mozarts Musik zu erklären. Die lauterste Schönheit, Fülle und Tiefe befremdete gemeinhin gegenüber der bisher beliebten, leicht faßlichen Kost. Zwar hatten sich die Wiener an ›Belmonte und Constanze‹ – dank den populären Elementen dieses Stücks – seinerzeit kaum ersättigen können, hingegen tat, einige Jahre später, ›Figaro‹, und sicher nicht allein durch die Intrigen des Direktors, im Wettstreit mit der lieblichen, doch weit geringeren ›Cosa rara‹ einen unerwarteten, kläglichen Fall; derselbe ›Figaro‹, den gleich darauf die gebildeten oder unbefangenen Prager mit solchem Enthusiasmus aufnahmen, daß der Meister, in dankbarer Rührung darüber, seine nächste große Oper eigens für sie zu schreiben beschloß. – Trotz der Ungunst der Zeit und dem Einfluß der Feinde hätte Mozart mit etwas mehr Umsicht und Klugheit noch immer einen sehr ansehnlichen Gewinn von seiner Kunst gezogen: so aber kam er selbst bei jenen Unternehmungen zu kurz, wo auch der große Haufen ihm Beifall zujauchzen mußte. Genug, es wirkte eben alles, Schicksal und Naturell und eigene Schuld, zusammen, den einzigen Mann nicht gedeihen zu lassen.

Welch einen schlimmen Stand nun aber eine Hausfrau, sofern sie ihre Aufgabe kannte, unter solchen Umständen gehabt haben müsse, begreifen wir leicht. Obgleich selbst jung und lebensfroh, als Tochter eines Musikers ein ganzes Künstlerblut, von Hause aus übrigens schon an Entbehrungen gewöhnt, bewies Konstanze allen guten Willen, dem Unheil an der Quelle zu steuern, manches Verkehrte abzuschneiden und den Verlust im Großen durch Sparsamkeit im Kleinen zu ersetzen. Nur eben in letzterer Hinsicht vielleicht ermangelte sie des rechten Geschicks und der frühern Erfahrung. Sie hatte die Kasse und führte das Hausbuch; jede Forderung, jede Schuldmahnung, und was es Verdrießliches gab, ging ausschließlich an sie. Da stieg ihr wohl mitunter das Wasser an die Kehle, zumal wenn oft zu dieser Bedrängnis, zu Mangel, peinlicher Verlegenheit und Furcht vor offenbarer Unehre, noch gar der Trübsinn ihres Mannes kam, worin er tagelang verharrte, untätig, keinem Trost zugänglich, indem er, mit Seufzen und Klagen neben der Frau oder stumm in einem Winkel vor sich hin, den einen traurigen Gedanken, zu sterben, wie eine endlose Schraube verfolgte. Ihr guter Mut verließ sie dennoch selten, ihr heller Blick fand meist, wenn auch nur auf einige Zeit, Rat und Hülfe. Im wesentlichen wurde wenig oder nichts gebessert. Gewann sie ihm mit Ernst und Scherz, mit Bitten und Schmeicheln für heute so viel ab, daß er den Tee an ihrer Seite trank, sich seinen Abendbraten daheim bei der Familie schmecken ließ, um nachher nicht mehr auszugehen, was war damit erreicht? Er konnte wohl einmal, durch ein verweintes Auge seiner Frau plötzlich betroffen und bewegt, eine schlimme Gewohnheit aufrichtig verwünschen, das Beste versprechen, mehr als sie verlangte, – umsonst, er fand sich unversehens im alten Fahrgeleise wieder. Man war versucht zu glauben, es habe anders nicht in seiner Macht gestanden, und eine völlig veränderte Ordnung nach unseren Begriffen von dem, was allen Menschen ziemt und frommt, ihm irgendwie gewaltsam aufgedrungen, müßte das wunderbare Wesen geradezu selbst aufgehoben haben.

Einen günstigen Umschwung der Dinge hoffte Konstanze doch stets insoweit, als derselbe von außen her möglich war: durch eine gründliche Verbesserung ihrer ökonomischen Lage, wie solche bei dem wachsenden Ruf ihres Mannes nicht ausbleiben könne. Wenn erst, so meinte sie, der stete Druck wegfiel, der sich auch ihm, bald näher, bald entfernter, von dieser Seite fühlbar machte, wenn er, anstatt die Hälfte seiner Kraft und Zeit dem bloßen Gelderwerb zu opfern, ungeteilt seiner wahren Bestimmung nachleben dürfte; wenn endlich der Genuß, nach dem er nicht mehr jagen, den er mit ungleich besserem Gewissen haben würde, ihm noch einmal so wohl an Leib und Seele gedeihe, dann sollte bald sein ganzer Zustand leichter, natürlicher, ruhiger werden. Sie dachte gar an einen gelegentlichen Wechsel ihres Wohnorts, da seine unbedingte Vorliebe für Wien, wo nun einmal nach ihrer Überzeugung kein rechter Segen für ihn sei, am Ende doch zu überwinden wäre.

Den nächsten, entscheidenden Vorschub aber zu Verwirklichung ihrer Gedanken und Wünsche versprach sich Madame Mozart vom Erfolg der neuen Oper, um die es sich bei dieser Reise handelte.

Die Komposition war weit über die Hälfte vorgeschritten. Vertraute, urteilsfähige Freunde, die als Zeugen der Entstehung des außerordentlichen Werkes einen hinreichenden Begriff von seiner Art und Wirkungsweise haben mußten, sprachen überall davon in einem Tone, daß viele selber von den Gegnern darauf gefaßt sein konnten, es werde dieser ›Don Juan‹, bevor ein halbes Jahr verginge, die gesamte musikalische Welt, von einem Ende Deutschlands bis zum andern, erschüttert, auf den Kopf gestellt, im Sturm erobert haben. Vorsichtiger und bedingter waren die wohlwollenden Stimmen anderer, die, von dem heutigen Standpunkt der Musik ausgehend, einen allgemeinen und raschen Sukzeß kaum hofften. Der Meister selber teilte im stillen ihre nur zu wohl begründeten Zweifel.

Konstanze ihrerseits, wie die Frauen immer, wo ihr Gefühl einmal lebhaft bestimmt und noch dazu vom Eifer eines höchst gerechten Wunsches eingenommen ist, durch spätere Bedenklichkeiten von da und dort her sich viel seltener als die Männer irremachen lassen, hielt fest an ihrem guten Glauben und hatte eben jetzt im Wagen wiederum Veranlassung, denselben zu verfechten. Sie tats, in ihrer fröhlichen und blühenden Manier, mit doppelter Geflissenheit, da Mozarts Stimmung im Verlauf des vorigen Gesprächs, das weiter zu nichts führen konnte und deshalb äußerst unbefriedigend abbrach, bereits merklich gesunken war. Sie setzte ihrem Gatten sofort mit gleicher Heiterkeit umständlich auseinander, wie sie nach ihrer Heimkehr die mit dem Prager Unternehmer als Kaufpreis für die Partitur akkordierten hundert Dukaten zur Deckung der dringendsten Posten und sonst zu verwenden gedenke, auch wie sie zufolge ihres Etats den kommenden Winter hindurch bis zum Frühjahr gut auszureichen hoffe.

»Dein Herr Bondini wird sein Schäfchen an der Oper scheren, glaub es nur; und ist er halb der Ehrenmann, den du ihn immer rühmst, so läßt er dir nachträglich noch ein artiges Prozentchen von den Summen ab, die ihm die Bühnen nacheinander für die Abschrift zahlen; wo nicht, nun ja, gottlob, so stehen uns noch andere Chancen in Aussicht, und zwar noch tausendmal solidere. Mit ahnet allerlei.«

»Heraus damit!«

»Ich hörte unlängst ein Vögelchen pfeifen, der König von Preußen hab einen Kapellmeister nötig.«

»Oho!«

»Generalmusikdirektor, wollt ich sagen. Laß mich ein wenig phantasieren! Die Schwachheit habe ich von meiner Mutter.«

»Nur zu! Je toller, je besser!«

»Nein, alles ganz natürlich. – Vornweg also nimm an: übers Jahr um diese Zeit ...«

»Wenn der Papst die Grete freit ...«

»Still doch, Hanswurst! Ich sage, aufs Jahr um Sankt Ägidi muß schon längst kein kaiserlicher Kammerkomponist mit Namen Wolf Mozart in Wien mehr weit und breit zu finden sein.«

»Beiß dich der Fuchs dafür!«

»Ich höre schon im Geist, wie unsere alten Freunde von uns plaudern, was sie sich alles zu erzählen wissen.«

»Zum Exempel?«

»Da kommt zum Beispiel eines Morgens früh nach neune schon unsere alte Schwärmerin, die Volkstett, in ihrem feurigsten Besuchssturmschritt quer übern Kohlmarkt hergesegelt. Sie war drei Monat fort, die große Reise zum Schwager in Sachsen, ihr tägliches Gespräch, solang wir sie kennen, kam endlich zustand; seit gestern nacht ist sie zurück, und jetzt mit ihrem übervollen Herzen – es schwattelt ganz von Reiseglück und Freundschaftsungeduld und allerliebsten Neuigkeiten – stracks hin zur Oberstin damit! die Trepp hinauf und angeklopft und das Herein nicht abgewartet: stell dir den Jubel selber vor und das Embrassement beiderseits! – ›Nun, liebste, beste Oberstin,‹ hebt sie nach einigem Vorgängigen mit frischem Odem an: ›ich bringe Ihnen ein Schock Grüße mit, ob Sie erraten, von wem? Ich komme nicht so geradenwegs von Stendal her; es wurde ein kleiner Abstecher gemacht, linkshin, nach Brandenburg zu.‹ – ›Wie? Wär es möglich ... Sie kamen nach Berlin? sind Sie bei Mozarts gewesen?‹ – ›Zehn himmlische Tage!‹ – ›O liebe, süße, einzige Generalin, erzählen Sie, beschreiben Sie! Wie geht es unsern guten Leutchen? Gefallen sie sich immer noch so gut wie anfangs dort? Es ist mir fabelhaft, undenkbar, heute noch, und jetzt nur desto mehr, da Sie von ihm herkommen – Mozart als Berliner! Wie benimmt er sich doch? Wie sieht er denn aus?‹ – ›O der! Sie sollten ihn nur sehen. Diesen Sommer hat ihn der König ins Karlsbad geschickt. Wann wäre seinem herzgeliebten Kaiser Joseph so etwas eingefallen, he? Sie waren beide kaum erst wieder da, als ich ankam. Er glänzt von Gesundheit und Leben, ist rund und beleibt und vif wie Quecksilber; das Glück sieht ihm und die Behaglichkeit recht aus den Augen.‹«

Und nun begann die Sprecherin in ihrer angenommenen Rolle die neue Lage mit den hellsten Farben auszumalen. Von seiner Wohnung Unter den Linden, von seinem Garten und Landhaus an bis zu den glänzenden Schauplätzen seiner öffentlichen Wirksamkeit und den engeren Zirkeln des Hofs, wo er die Königin auf dem Piano zu begleiten hatte, wurde alles durch ihre Schilderung gleichsam zur Wirklichkeit und Gegenwart. Ganze Gespräche, die schönsten Anekdoten schüttelte sie aus dem Ärmel. Sie schien fürwahr mit jener Residenz, mit Potsdam und mit Sanssouci bekannter als im Schlosse zu Schönbrunn und auf der kaiserlichen Burg. Nebenbei war sie schalkhaft genug, die Person unsres Helden mit einer Anzahl völlig neuer hausväterlicher Eigenschaften auszustatten, die sich auf dem soliden Boden der preußischen Existenz entwickelt hatten und unter welchen die besagte Volkstett, als höchstes Phänomen und zum Beweis, wie die Extreme sich manchmal berühren, den Ansatz eines ordentlichen Geizchens wahrgenommen hatte, das ihn unendlich liebenswürdig kleide. »›Ja, nehmens nur, er hat seine dreitausend Taler fix, und das wofür? Daß er die Woche einmal ein Kammerkonzert, zweimal die Große Oper dirigiert. – Ach, Oberstin, ich habe ihn gesehn, unsern lieben, kleinen, goldenen Mann inmitten seiner trefflichen Kapelle, die er sich zugeschult, die ihn anbetet! saß mit der Mozartin in ihrer Loge, schräg gegen den höchsten Herrschaften über! Und was stand auf dem Zettel, bitte Sie – ich nahm ihn mit für Sie – ein kleines Reis'präsent von mir und Mozarts dreingewickelt – hier schauen Sie, hier lesen Sie, da stehts mit ellenlangen Buchstaben gedruckt!‹ – ›Hilf Himmel! was? Tarar!‹ –

›Ja, geltens, Freundin, was man erleben kann! Vor zwei Jahren, wie Mozart den ‚Don Juan' schrieb und der verwünschte giftige, schwarzgelbe Salieri auch schon im stillen Anstalt machte, den Triumph, den er mit seinem Stück davontrug in Paris, demnächst auf seinem eignen Territorio zu begehen und unserem guten, Schnepfen liebenden, allzeit in ‚Cosa rara' vergnügten Publikum nun doch auch mal so eine Gattung Falken sehn zu lassen, und er und seine Helfershelfer bereits zusammen munkelten und raffinierten, daß sie den ‚Don Juan' so schön gerupft wie jenesmal den ‚Figaro', nicht tot und nicht lebendig, auf das Theater stellen wollten – wissens, da tat ich ein Gelübd, wenn das infame Stück gegeben wird, ich geh nicht hin, um keine Welt! Und hielt auch Wort. Als alles lief und rannte – und, Oberstin, Sie mit –, blieb ich an meinem Ofen sitzen, nahm meine Katze auf den Schoß und aß meine Kaldausche; und so die folgenden paar Male auch. Jetzt aber, stellen Sie sich vor, ‚Tarar' auf der Berliner Opernbühne, das Werk seines Todfeinds, von Mozart dirigiert!› – ›Da müssen Sie schon drein!‹ rief er gleich in der ersten Viertelstunde, ›und wärs auch nur, daß Sie den Wienern sagen können, ob ich dem Knaben Absalon ein Härchen krümmen ließ. Ich wünschte, er wär selbst dabei, der Erzneidhammel sollte sehen, daß ich nicht nötig hab, einem andern sein Zeug zu verhunzen, damit ich immerfort der bleiben möge, der ich bin!‹«

»Brava! bravissima!« rief Mozart überlaut und nahm sein Weibchen bei den Ohren, verküßte, herzte, kitzelte sie, so daß sich dieses Spiel mit bunten Seifenblasen einer erträumten Zukunft, die leider niemals, auch nicht im bescheidensten Maße, erfüllt werden sollte, zuletzt in hellen Mutwillen, Lärm und Gelächter auflöste.

Sie waren unterdessen längst ins Tal herabgekommen und näherten sich einem Dorf, das ihnen bereits auf der Höhe bemerklich gewesen und hinter welchem sich unmittelbar ein kleines Schloß von modernem Ansehen, der Wohnsitz eines Grafen von Schinzberg, in der freundlichen Ebene zeigte. Es sollte in dem Ort gefüttert, gerastet und Mittag gehalten werden. Der Gasthof, wo sie hielten, lag vereinzelt am Ende des Dorfs bei der Straße, von welcher seitwärts eine Pappelallee von nicht sechshundert Schritten zum herrschaftlichen Garten führte.

Mozart, nachdem man ausgestiegen, überließ wie gewöhnlich der Frau die Bestellung des Essens. Inzwischen befahl er für sich ein Glas Wein in die untere Stube, während sie, nächst einem Trunke frischen Wassers, nur irgendeinen stillen Winkel, um ein Stündchen zu schlafen, verlangte. Man führte sie eine Treppe hinauf, der Gatte folgte, ganz munter vor sich hin singend und pfeifend. In einem rein geweißten und schnell gelüfteten Zimmer befand sich unter andern veralteten Möbeln von edlerer Herkunft – sie waren ohne Zweifel aus den gräflichen Gemächern seinerzeit hierher gewandert – ein sauberes, leichtes Bett mit gemaltem Himmel auf dünnen, grünlackierten Säulen, dessen seidene Vorhänge längst durch einen gewöhnlichern Stoff ersetzt waren. Konstanze machte sichs bequem; er versprach, sie rechtzeitig zu wecken, sie riegelte die Tür hinter ihm zu, und er suchte nunmehr Unterhaltung für sich in der allgemeinen Schenkstube. Hier war jedoch außer dem Wirt keine Seele, und weil dessen Gespräch dem Gast so wenig wie sein Wein behagte, so bezeugte er Lust, bis der Tisch bereit wäre, noch einen Spaziergang nach dem Schloßgarten zu machen. Der Zutritt, hörte er, sei anständigen Fremden wohl gestattet und die Familie überdies heut ausgefahren.

Er ging und hatte bald den kurzen Weg bis zu dem offenen Gattertor zurückgelegt, dann langsam einen hohen alten Lindengang durchmessen, an dessen Ende linker Hand er in geringer Entfernung das Schloß von seiner Fronte auf einmal vor sich hatte. Es war von italienischer Bauart, hell getüncht, mit weit vorliegender Doppeltreppe; das Schieferdach verzierten einige Statuen in üblicher Manier, Götter und Göttinnen, samt einer Balustrade.

Von der Mitte zweier großen, noch reichlich blühenden Blumenparterre ging unser Meister nach den buschigen Teilen der Anlagen zu, berührte ein paar schöne dunkle Piniengruppen und lenkte seine Schritte auf vielfach gewundenen Pfaden, indem er sich allmählich den lichteren Partien wieder näherte, dem lebhaften Rauschen eines Springbrunnens nach, den er sofort erreichte.

Das ansehnlich weite, ovale Bassin war rings von einer sorgfältig gehaltenen Orangerie in Kübeln, abwechselnd mit Lorbeeren und Oleandern, umstellt; ein weicher Sandweg, gegen den sich eine schmale Gitterlaube öffnete, lief rund umher. Die Laube bot das angenehmste Ruheplätzchen dar; ein kleiner Tisch stand vor der Bank, und Mozart ließ sich vorn am Eingang nieder.

Das Ohr behaglich dem Geplätscher des Wassers hingegeben, das Aug auf einen Pomeranzenbaum von mittlerer Größe geheftet, der außerhalb der Reihe, einzeln, ganz dicht an seiner Seite auf dem Boden stand und voll der schönsten Früchte hing, ward unser Freund durch diese Anschauung des Südens alsbald auf eine liebliche Erinnerung aus seiner Knabenzeit geführt. Nachdenklich lächelnd reicht er hinüber nach der nächsten Frucht, als wie um ihre herrliche Ründe, ihre saftige Kühle in hohler Hand zu fühlen. Ganz im Zusammenhang mit jener Jugendszene aber, die wieder vor ihm aufgetaucht, stand eine längst verwischte musikalische Reminiszenz, auf deren unbestimmter Spur er sich ein Weilchen träumerisch erging. Jetzt glänzen seine Blicke, sie irren da und dort umher, er ist von einem Gedanken ergriffen, den er sogleich eifrig verfolgt. Zerstreut hat er zum zweiten Mal die Pomeranze angefaßt, sie geht vom Zweige los und bleibt ihm in der Hand. Er sieht und sieht es nicht; ja so weit geht die künstlerische Geistesabwesenheit, daß er, die duftige Frucht beständig unter der Nase hin und her wirbelnd und bald den Anfang, bald die Mitte einer Weise unhörbar zwischen den Lippen bewegend, zuletzt instinktmäßig ein emailliertes Etui

aus der Seitentasche des Rocks hervorbringt, ein kleines Messer mit silbernem Heft daraus nimmt und die gelbe kugelige Masse von oben nach unten langsam durchschneidet. Es mochte ihn dabei entfernt ein dunkles Durstgefühl geleitet haben, jedoch begnügten sich die angeregten Sinne mit Einatmung des köstlichen Geruchs. Er starrt minutenlang die beiden innern Flächen an, fügt sie sachte wieder zusammen, ganz sachte, trennt und vereinigt sie wieder.
Da hört er Tritte in der Nähe, er erschrickt, und das Bewußtsein, wo er ist, was er getan, stellt sich urplötzlich bei ihm ein. Schon im Begriff, die Pomeranze zu verbergen, hält er doch gleich damit inne, sei es aus Stolz, sei's, weil es zu spät dazu war. Ein großer, breitschulteriger Mann in Livree, der Gärtner des Hauses, stand vor ihm. Derselbe hatte wohl die letzte verdächtige Bewegung noch gesehen und schwieg betroffen einige Sekunden. Mozart, gleichfalls sprachlos, auf seinem Sitz wie angenagelt, schaute ihm halb lachend, unter sichtbarem Erröten, doch gewissermaßen keck und groß mit seinen blauen Augen ins Gesicht; dann setzte er – für einen Dritten wäre es höchst komisch anzusehn gewesen – die scheinbar unverletzte Pomeranze mit einer Art von trotzig couragiertem Nachdruck in die Mitte des Tisches.
»Um Vergebung,« fing jetzt der Gärtner, nachdem er den wenig versprechenden Anzug des Fremden gemustert, mit unterdrücktem Unwillen an: »ich weiß nicht, wen ich hier...«
»Kapellmeister Mozart aus Wien.«
»Sind ohne Zweifel bekannt im Schloß?«
»Ich bin hier fremd und auf der Durchreise. Ist der Herr Graf anwesend?«
»Nein.«
»Seine Gemahlin?«
»Sind beschäftigt und schwerlich zu sprechen.«
Mozart stand auf und machte Miene zu gehen.

»Mit Erlaubnis, mein Herr, – wie kommen Sie dazu, an diesem Ort auf solche Weise zuzugreifen?«
»Was?« rief Mozart, »zugreifen? Zum Teufel, glaubt Er denn, ich wollte stehlen und das Ding da fressen?«
»Mein Herr, ich glaube, was ich sehe. Diese Früchte sind gezählt, ich bin dafür verantwortlich. Der Baum ist vom Herrn Grafen zu einem Fest bestimmt; soeben soll er weggebracht werden. Ich lasse Sie nicht fort, ehbevor ich die Sache gemeldet und Sie mir selbst bezeugten, wie das da zugegangen ist.«
»Sei's drum. Ich werde hier so lange warten. Verlaß Er sich darauf!«
Der Gärtner sah sich zögernd um, und Mozart, in der Meinung, es sei vielleicht nur auf ein Trinkgeld abgesehn, griff in die Tasche, allein er hatte das geringste nicht bei sich.
Zwei Gartenknechte kamen nun wirklich herbei, luden den Baum auf eine Bahre und trugen ihn hinweg. Inzwischen hatte unser Meister seine Brieftasche gezogen, ein weißes Blatt herausgenommen und, während daß der Gärtner nicht von der Stelle wich, mit Bleistift angefangen zu schreiben:
›Gnädigste Frau! Hier sitze ich Unseliger in Ihrem Paradiese, wie weiland Adam, nachdem er den Apfel gekostet. Das Unglück ist geschehen, und ich kann nicht einmal die Schuld auf eine gute Eva schieben, die eben jetzt, von Grazien und Amoretten eines Himmelbetts umgaukelt, im Gasthof sich des unschuldigsten Schlafes erfreut. Befehlen Sie, und ich stehe persönlich Ihro Gnaden Rede über meinen mir selbst unfaßlichen Frevel. Mit aufrichtiger Beschämung

Hochdero

unntertänigster Diener

W. A. Mozart

auf dem Wege nach Prag.‹

Er übergab das Billett, ziemlich ungeschickt zusammengefaltet, dem peinlich wartenden Diener mit der nötigen Weisung.

Der Unhold hatte sich nicht so bald entfernt, als man an der hinteren Seite des Schlosses ein Gefährt in den Hof rollen hörte. Es war der Graf, der eine Nichte und ihren Bräutigam, einen jungen, reichen Baron, vom benachbarten Gut herüberbrachte. Da die Mutter des letztern seit Jahren das Haus nicht mehr verließ, war die Verlobung heute bei ihr gehalten worden; nun sollte dieses Fest in einer fröhlichen Nachfeier mit einigen Verwandten auch hier begangen werden, wo Eugenie gleich einer eigenen Tochter seit ihrer Kindheit eine zweite Heimat fand. Die Gräfin war mit ihrem Sohne Max, dem Leutnant, etwas früher nach Hause gefahren, um noch verschiedene Anordnungen zu treffen. Nun sah man in dem Schlosse alles, auf Gängen und Treppen, in voller Bewegung, und nur mit Mühe gelang es dem Gärtner, im Vorzimmer endlich den Zettel der Frau Gräfin einzuhändigen, die ihn jedoch nicht auf der Stelle öffnete, sondern, ohne genau auf die Worte des Überbringers zu achten, geschäftig weitereilte. Er wartete und wartete, sie kam nicht wieder. Eins um das andere von der Dienerschaft, Aufwärter, Zofe, Kammerdiener, rannte an ihm vorbei; er fragte nach dem Herrn – der kleidete sich um; er suchte nun und fand den Grafen Max auf seinem Zimmer; der aber unterhielt sich angelegentlich mit dem Baron und schnitt ihm, wie in Sorge, er wolle etwas melden oder fragen, wovon noch nichts verlauten sollte, das Wort vom Munde ab: »Ich komme schon – geht nur!« Es stand noch eine gute Weile an, bis endlich Vater und Sohn zugleich herauskamen und die fatale Nachricht empfingen.

»Das wär ja höllenmäßig!« rief der dicke, gutmütige, doch etwas jähe Mann; «das geht ja über alle Begriffe! Ein Wiener Musikus, sagt Ihr? Vermutlich irgend solch ein Lump, der um ein Viatikum läuft und mitnimmt, was er findet?«

»Verzeihen Euer Gnaden, darnach sieht er gerad nicht aus. Er deucht mir nicht richtig im Kopf; auch ist er sehr hochmütig. Moser nennt er sich. Er wartet unten auf Bescheid; ich hieß den Franz um den Weg bleiben und ein Aug auf ihn haben.«

»Was hilft es hintendrein, zum Henker? Wenn ich den Narren auch einstecken lasse, der Schaden ist nicht mehr zu reparieren! Ich sagt Euch tausendmal, das vordere Tor soll allezeit geschlossen bleiben. Der Streich wär aber jedenfalls verhütet worden, hättet Ihr zur rechten Zeit Eure Zurüstungen gemacht.«

Hier trat die Gräfin hastig und mit freudiger Aufregung, das offene Billett in der Hand, aus dem anstoßenden Kabinett. »Wißt ihr,« rief sie, »wer unten ist? Um Gottes willen, lest den Brief – Mozart aus Wien, der Komponist! Man muß gleich gehen, ihn heraufzubitten – ich fürchte nur, er ist schon fort! Was wird er von mir denken! Ihr, Velten, seid ihm doch höflich begegnet? Was ist denn eigentlich geschehen?«

»Geschehn?« versetzte der Gemahl, dem die Aussicht auf den Besuch eines berühmten Mannes unmöglich allen Ärger auf der Stelle niederschlagen konnte, »der tolle Mensch hat von dem Baum, den ich Eugenien bestimmte, eine der neun Orangen abgerissen, hm! das Ungeheuer! Somit ist unserem Spaß geradezu die Spitze abgebrochen, und Max mag sein Gedicht nur gleich kassieren.«

»O nicht doch!« sagte die dringende Dame. »Die Lücke läßt sich leicht ausfüllen, überlaß es nur mir. Geht beide jetzt, erlöst, empfangt den guten Mann, so freundlich und so schmeichelhaft ihr immer könnt. Er soll, wenn wir ihn irgend halten können, heut nicht weiter. Trefft ihr ihn nicht im Garten mehr, sucht ihn im Wirtshaus auf und bringet ihn mit seiner Frau. Ein größeres Geschenk, eine schönere Überraschung für Eugenien hätte der Zufall uns an diesem Tag nicht machen können.«

»Gewiß!« erwiderte Max, »dies war auch mein erster Gedanke. Geschwinde, kommen Sie, Papa! Und« – sagte er, indem sie eilends nach der Treppe liefen – »der Verse wegen seien Sie ganz ruhig. Die neunte Muse soll nicht zu kurz kommen; im Gegenteil, ich werde aus dem Unglück noch besondern Vorteil ziehen.« – »Das ist unmöglich!« – »Ganz gewiß.« – »Nun, wenn das ist – allein ich nehme dich beim Wort –, so wollen wir dem Querkopf alle erdenkliche Ehre erzeigen.«

Solange dies im Schloß vorging, hatte sich unser Quasi-Gefangener, ziemlich unbesorgt über den Ausgang der Sache, geraume Zeit schreibend beschäftigt. Weil sich jedoch gar niemand sehen ließ, fing er an, unruhig hin und her zu gehen; darüber kam dringliche Botschaft vom Wirtshaus, der Tisch sei schon lange bereit, er möchte ja gleich kommen, der Postillon pressiere. So suchte er denn seine Sachen zusammen und wollte ohne weiteres aufbrechen, als beide Herren vor der Laube erschienen.

Der Graf begrüßte ihn, beinah wie einen früheren Bekannten, lebhaft mit seinem kräftig schallenden Organ, ließ ihn zu gar keiner Entschuldigung kommen, sondern erklärte sogleich seinen Wunsch, das Ehepaar zum wenigsten für diesen Mittag und Abend im Kreis seiner Familie zu haben. »Sie sind uns, mein liebster Maestro, so wenig fremd, daß ich wohl sagen kann, der Name Mozart wird schwerlich anderswo mit mehr Begeisterung und häufiger genannt als hier. Meine Nichte singt und spielt, sie bringt fast ihren ganzen Tag am Flügel zu, kennt Ihre Werke auswendig und hat das größte Verlangen, Sie einmal in mehrerer Nähe zu sehen, als es vorigen Winter in einem Ihrer Konzerte anging. Da wir nun demnächst auf einige Wochen nach Wien gehen werden, so war ihr eine Einladung beim Fürsten Gallizin, wo man Sie öfter findet, von den Verwandten versprochen. Jetzt aber reisen Sie nach Prag, werden so bald nicht wiederkehren, und Gott weiß, ob Sie der Rückweg zu uns führt. Machen Sie heute und morgen Rasttag! Das Fuhrwerk schicken wir sogleich nach Hause, und mir erlauben Sie die Sorge für Ihr Weiterkommen.«

Der Komponist, welcher in solchen Fällen der Freundschaft oder dem Vergnügen leicht zehnmal mehr, als hier gefordert war, zum Opfer brachte, besann sich nicht lange; er sagte diesen einen halben Tag mit Freuden zu, dagegen sollte morgen mit dem frühesten die Reise fortgesetzt werden. Graf Max erbat sich das Vergnügen, Madame Mozart abzuholen und alles Nötige im Wirtshaus abzumachen. Er ging, ein Wagen sollte ihm gleich auf dem Fuße nachfolgen.

Von diesem jungen Mann bemerken wir beiläufig, daß er mit einem von Vater und Mutter angeerbten heitern Sinn Talent und Liebe für schöne Wissenschaften verband und ohne wahre Neigung zum Soldatenstand sich doch als Offizier durch Kenntnisse und gute Sitten hervortat. Er kannte die französische Literatur und erwarb sich, zu einer Zeit, wo deutsche Verse in der höheren Gesellschaft wenig galten, Lob und Gunst durch eine nicht gemeine Leichtigkeit der poetischen Form in der Muttersprache nach guten Mustern, wie er sie in Hagedorn, in Götz und andern fand. Für heute war ihm nun, wie wir bereits vernahmen, ein besonders erfreulicher Anlaß geworden, seine Gabe zu nutzen.

Er traf Madame Mozart, mit der Wirtstochter plaudernd, vor dem gedeckten Tisch, wo sie sich einen Teller Suppe vorausgenommen hatte. Sie war an außerordentliche Zwischenfälle, an kecke Stegreifsprünge ihres Manns zu sehr gewöhnt, als daß sie über die Erscheinung und den Auftrag des jungen Offiziers mehr als billig hätte betreten sein können. Mit unverstellter Heiterkeit, besonnen und gewandt, besprach und ordnete sie ungesäumt alles Erforderliche selbst. Es wurde umgepackt, bezahlt, der Postillon entlassen; sie machte sich, ohne zu große Ängstlichkeit in Herstellung ihrer Toilette, fertig und fuhr mit dem Begleiter wohlgemut dem Schlosse zu, nicht ahnend, auf welche sonderbare Weise ihr Gemahl sich dort eingeführt hatte.

Der befand sich inzwischen bereits sehr behaglich daselbst und auf das beste unterhalten. Nach kurzer Zeit sah er Eugenien mit ihrem Verlobten; ein blühendes, höchst anmutiges, inniges Wesen. Sie war blond, ihre schlanke Gestalt in karmoisinrote, leuchtende Seide mit kostbaren Spitzen festlich gekleidet, um ihre Stirn ein weißes Band mit edlen Perlen. Der Baron, nur wenig älter als sie, von sanftem, offenem Charakter, schien ihrer wert in jeder Rücksicht.

Den ersten Aufwand des Gesprächs bestritt, fast nur zu freigebig, der gute launige Hausherr vermöge seiner etwas lauten, mit Späßen und Histörchen sattsam gespickten Unterhaltungsweise. Es wurden Erfrischungen gereicht, die unser Reisender im mindesten nicht schonte.

Eines hatte den Flügel geöffnet, ›Figaros Hochzeit‹ lag aufgeschlagen, und das Fräulein schickte sich an, von dem Baron akkompagniert, die Arie Susannas in jener Gartenszene zu singen, wo wir den Geist der süßen Leidenschaft stromweise, wie die gewürzte sommerliche Abendluft, einatmen. Die feine Röte auf Eugeniens Wangen wich zwei Atemzüge lang der äußersten Blässe; doch mit dem ersten Ton, der klangvoll über ihre Lippen kam, fiel ihr jede beklemmende Fessel vom Busen. Sie hielt sich lächelnd, sicher auf der hohen Woge, und das Gefühl dieses Moments, des einzigen in seiner Art vielleicht für alle Tage ihres Lebens, begeisterte sie billig.

Mozart war offenbar überrascht. Als sie geendigt hatte, trat er zu ihr und fing mit seinem ungezierten Herzensausdruck an: »Was soll man sagen, liebes Kind, hier, wo es ist wie mit der lieben Sonne, die sich am besten selber lobt, indem es gleich jedermann wohl in ihr wird! Bei solchem Gesang ist der Seele zumut wie dem Kindchen im Bad: es lacht und wundert sich und weiß sich in der Welt nichts Besseres. Übrigens glauben Sie mir, unsereinem in Wien begegnet es nicht jeden Tag, daß er so lauter, ungeschminkt und warm, ja so komplett sich selber zu hören bekommt.« – Damit erfaßte er ihre Hand und küßte sie herzlich. Des Mannes hohe Liebenswürdigkeit und Güte nicht minder als das ehrenvolle

Zeugnis, wodurch er ihr Talent auszeichnete, ergriff Eugenien mit jener unwiderstehlichen Rührung, die einem leichten Schwindel gleicht, und ihre Augen wollten sich plötzlich mit Tränen anfüllen.

Hier trat Madame Mozart zur Türe herein, und gleich darauf erschienen neue Gäste, die man erwartet hatte: eine dem Haus sehr eng verwandte freiherrliche Familie aus der Nähe, mit einer Tochter, Franziska, die seit den Kinderjahren mit der Braut durch die zärtlichste Freundschaft verbunden und hier wie daheim war.

Man hatte sich allerseits begrüßt, umarmt, beglückwünscht, die beiden Wiener Gäste vorgestellt, und Mozart setzte sich an den Flügel. Er spielte einen Teil eines Konzerts von seiner Komposition, welches Eugenie soeben einstudierte.

Die Wirkung eines solchen Vortrags in einem kleinen Kreis wie der gegenwärtige unterscheidet sich natürlicherweise von jedem ähnlichen an einem öffentlichen Orte durch die unendliche Befriedigung, die in der unmittelbaren Berührung mit der Person des Künstlers und seinem Genius innerhalb der häuslichen bekannten Wände liegt.

Es war eines jener glänzenden Stücke, worin die reine Schönheit sich einmal, wie aus Laune, freiwillig in den Dienst der Eleganz begibt, so aber, daß sie, gleichsam nur verhüllt in diese mehr willkürlich spielenden Formen und hinter eine Menge blendender Lichter versteckt, doch in jeder Bewegung ihren eigensten Adel verrät und ein herrliches Pathos verschwenderisch ausgießt.

Die Gräfin machte für sich die Bemerkung, daß die meisten Zuhörer, vielleicht Eugenie selbst nicht ausgenommen, trotz der gespanntesten Aufmerksamkeit und aller feierlichen Stille während eines bezaubernden Spiels, doch zwischen Auge und Ohr gar sehr geteilt waren. In unwillkürlicher Beobachtung des Komponisten, seiner schlichten, beinahe steifen Körperhaltung, seines gutmütigen Gesichts, der rundlichen Bewegung dieser kleinen Hände, war es gewiß auch

nicht leicht möglich, dem Zudrang tausendfacher Kreuzundquergedanken über den Wundermann zu widerstehen.
Zu Madame Mozart gewendet, sagte der Graf, nachdem der Meister aufgestanden war: »Einem berühmten Künstler gegenüber, wenn es ein Kennerlob zu spitzen gilt, das halt nicht eines jeden Sache ist, wie haben es die Könige und Kaiser gut! Es nimmt sich eben alles einzig und ordentlich in einem solchen Munde aus. Was dürfen sie sich nicht erlauben, und wie bequem ist es zum Beispiel, dicht hinterm Stuhl Ihres Herrn Gemahls, beim Schlußakkord einer brillanten Phantasie dem bescheidenen klassischen Mann auf die Schulter zu klopfen und zu sagen: ›Sie sind ein Tausendsasa, lieber Mozart!‹ Kaum ist das Wort heraus, so gehts wie ein Lauffeuer durch den Saal: ›Was hat er ihm gesagt?‹ – ›Er sei ein Tausendsasa, hat er zu ihm gesagt!‹ Und alles, was da geigt und fistuliert und komponiert, ist außer sich von diesem *einen* Wort; kurzum, es ist der große Stil, der familiäre Kaiserstil, der unnachahmliche, um welchen ich die Josephs und die Friedrichs von je beneidet habe, und das nie mehr als eben jetzt, wo ich ganz in Verzweiflung bin, von anderweitiger geistreicher Münze zufällig keinen Deut in allen meinen Taschen anzutreffen.«
Die Art, wie der Schäker dergleichen vorbrachte, bestach immerhin und rief unausbleiblich ein Lachen hervor.
Nun aber, auf die Einladung der Hausfrau, verfügte die Gesellschaft sich nach dem geschmückten runden Speisesalon, aus welchem den Eintretenden ein festlicher Blumengeruch und eine kühlere, dem Appetit willkommene Luft entgegenwehte.
Man nahm die schicklich ausgeteilten Plätze ein, und zwar der distinguierte Gast den seinigen dem Brautpaar gegenüber. Von einer Seite hatte er eine kleine ältliche Dame, eine unverheiratete Tante Franziskas, von der andern die junge reizende Nichte selbst zur Nebensitzerin, die sich durch Geist und Munterkeit ihm bald besonders zu empfehlen wußte.

Frau Konstanze kam zwischen den Hauswirt und ihren freundlichen Geleitsmann, den Leutnant; die übrigen reihten sich ein, und so saß man zu elfen nach Möglichkeit bunt an der Tafel, deren unteres Ende leer blieb. Auf ihr erhoben sich mitten zwei mächtig große Porzellanaufsätze mit gemalten Figuren, breite Schalen, gehäuft voll natürlicher Früchte und Blumen, über sich haltend. An den Wänden des Saals hingen reiche Festons. Was sonst da war oder nach und nach folgte, schien einen ausgedehnten Schmaus zu verkünden. Teils auf der Tafel, zwischen Schüsseln und Platten, teils vom Serviertisch herüber im Hintergrund blinkte verschiedenes edle Getränk, vom schwärzesten Rot bis hinauf zu dem gelblichen Weiß, dessen lustiger Schaum herkömmlich erst die zweite Hälfte eines Festes krönt.

Bis gegen diesen Zeitpunkt hin bewegte sich die Unterhaltung, von mehreren Seiten gleich lebhaft genährt, in allen Richtungen. Weil aber der Graf gleich anfangs einigemal von weitem und jetzt nur immer näher und mutwilliger auf Mozarts Gartenabenteuer anspielte, so daß die einen heimlich lächelten, die andern sich umsonst den Kopf zerbrachen, was er denn meine, so ging unser Freund mit der Sprache heraus.

»Ich will in Gottes Namen beichten,« fing er an, »auf was Art mir eigentlich die Ehre der Bekanntschaft mit diesem edlen Haus geworden ist. Ich spiele dabei nicht die würdigste Rolle, und um ein Haar, so säß ich jetzt, statt hier vergnügt zu tafeln, in einem abgelegenen Arrestantenwinkel des gräflichen Schlosses und könnte mir mit leerem Magen die Spinnweben an der Wand herum betrachten.«

»Nun ja!« rief Madame Mozart, »da werd ich schöne Dinge hören.«

Ausführlich nun beschrieb er erst, wie er im ›Weißen Roß‹ seine Frau zurückgelassen, die Promenade in den Park, den Unstern in der Laube, den Handel mit der Gartenpolizei, kurz, ungefähr was wir schon wissen, gab er alles mit größter

Treuherzigkeit und zum höchsten Ergötzen der Zuhörer preis. Das Lachen wollte fast kein Ende nehmen; selbst die gemäßigte Eugenie enthielt sich nicht, es schüttelte sie ordentlich.

»Nun,« fuhr er fort, »das Sprichwort sagt: Hat einer den Nutzen, dem Spott mag er trutzen. Ich hab meinen kleinen Profit von der Sache, Sie werden schon sehen. Vor allem aber hören Sie, wie's eigentlich geschah, daß sich ein alter Kindskopf so vergessen konnte. Eine Jugenderinnerung war mit im Spiele.

Im Frühling 1770 reiste ich als dreizehnjähriges Bürschchen mit meinem Vater nach Italien. Wir gingen von Rom nach Neapel. Ich hatte zweimal im Konservatorium und sonst zu verschiedenen Malen gespielt. Adel und Geistlichkeit erzeigten uns manches Angenehme, vornehmlich attachierte sich ein Abbate an uns, der sich als Kenner schmeichelte und übrigens am Hofe etwas galt. Den Tag vor unserer Abreise führte er uns in Begleitung einiger anderen Herren in einen königlichen Garten, die Villa reale, bei der prachtvollen Straße geradhin am Meere gelegen, wo eine Bande sizilianischer commedianti sich produzierte – figli di Nettuno, wie sie sich neben andern schönen Titeln auch nannten. Mit vielen vornehmen Zuschauern, worunter selbst die junge liebenswürdige Königin Karolina samt zwei Prinzessen, saßen wir auf einer langen Reihe von Bänken im Schatten einer zeltartig bedeckten niedern Galerie, an deren Mauer unten die Wellen plätscherten. Das Meer mit seiner vielfarbigen Streifung strahlte den blauen Sonnenhimmel herrlich wider. Gerade vor sich hat man den Vesuv, links schimmert, sanft geschwungen, eine reizende Küste herein.

Die erste Abteilung der Spiele war vorüber; sie wurde auf dem trockenen Bretterboden einer Art von Flöße ausgeführt, die auf dem Wasser stand, und hatte nichts Besonderes; der zweite aber und der schönste Teil bestand aus lauter Schiffer-, Schwimm- und Taucherstücken und blieb mir stets mit allen Einzelnheiten frisch im Gedächtnis eingeprägt.

Von entgegengesetzten Seiten her näherten sich einander zwei zierliche, sehr leicht gebaute Barken, beide, wie es schien, auf einer Lustfahrt begriffen. Die eine, etwas größere, war mit einem Halbverdeck versehen und nebst den Ruderbänken mit einem dünnen Mast und einem Segel ausgerüstet, auch prächtig bemalt, der Schnabel vergoldet. Fünf Jünglinge von idealischem Aussehen, kaum bekleidet, Arme, Brust und Beine dem Anschein nach nackt, waren teils an dem Ruder beschäftigt, teils ergötzten sie sich mit einer gleichen Anzahl artiger Mädchen, ihren Geliebten. Eine darunter, welche mitten auf dem Verdecke saß und Blumenkränze wand, zeichnete sich durch Wuchs und Schönheit sowie durch ihren Putz vor allen übrigen aus. Diese dienten ihr willig, spannten gegen die Sonne ein Tuch über sie und reichten ihr die Blumen aus dem Korb. Eine Flötenspielerin saß zu ihren Füßen, die den Gesang der andern mit ihren hellen Tönen unterstützte. Auch jener vorzüglichen Schönen fehlte es nicht an einem eigenen Beschützer; doch verhielten sich beide ziemlich gleichgültig gegeneinander, und der Liebhaber deuchte mir fast etwas roh.

Inzwischen war das andere, einfachere Fahrzeug näher gekommen. Hier sah man bloß männliche Jugend. Wie jene Jünglinge Hochrot trugen, so war die Farbe der letztern Seegrün. Sie stutzten beim Anblick der lieblichen Kinder, winkten Grüße herüber und gaben ihr Verlangen nach näherer Bekanntschaft zu erkennen. Die Munterste hierauf nahm eine Rose vom Busen und hielt sie schelmisch in die Höhe, gleichsam fragend, ob solche Gaben bei ihnen wohl angebracht wären, worauf von drüben allerseits mit unzweideutigen Gebärden geantwortet wurde. Die Roten sahen verächtlich und finster darein, konnten aber nichts machen, als mehrere der Mädchen einig wurden, den armen Teufeln wenigstens doch etwas für den Hunger und Durst zuzuwerfen. Es stand ein

Korb voll Orangen am Boden; wahrscheinlich waren es nur gelbe Bälle, den Früchten ähnlich nachgemacht. Und jetzt begann ein entzückendes Schauspiel, unter Mitwirkung der Musik, die auf dem Uferdamm aufgestellt war.

Eine der Jungfrauen machte den Anfang und schickte fürs erste ein paar Pomeranzen aus leichter Hand hinüber, die, dort mit gleicher Leichtigkeit aufgefangen, alsbald zurückkehrten; so ging es hin und her, und weil nach und nach immer mehr Mädchen zuhalfen, so flogs mit Pomeranzen bald dem Dutzend nach in immer schnellerem Tempo hin und wider. Die Schöne in der Mitte nahm an dem Kampfe keinen Anteil, als daß sie höchst begierig von ihrem Schemel aus zusah. Wir konnten die Geschicklichkeit auf beiden Seiten nicht genug bewundern. Die Schiffe drehten sich auf etwa dreißig Schritte in langsamer Bewegung umeinander, kehrten sich bald die ganze Flanke zu, bald schief das halbe Vorderteil; es waren gegen vierundzwanzig Bälle unaufhörlich in der Luft, doch glaubte man in der Verwirrung ihrer viel mehr zu sehen. Manchmal entstand ein förmliches Kreuzfeuer, oft stiegen sie und fielen in einem hohen Bogen; kaum ging einmal einer und der andere fehl, es war, als stürzten sie von selbst durch eine Kraft der Anziehung in die geöffneten Finger.

So angenehm jedoch das Auge beschäftigt wurde, so lieblich gingen fürs Gehör die Melodien nebenher: sizilianische Weisen, Tänze, Saltarelli, Canzoni a ballo, ein ganzes Quodlibet, auf Girlandenart leicht aneinandergehängt. Die jüngere Prinzeß, ein holdes, unbefangenes Geschöpf, etwa von meinem Alter, begleitete den Takt gar artig mit Kopfnicken; ihr Lächeln und die langen Wimpern ihrer Augen kann ich noch heute vor mir sehen.

Nun lassen Sie mich kürzlich den Verlauf der Posse noch erzählen, obschon er weiter nichts zu meiner Sache tut. Man kann sich nicht leicht etwas Hübscheres denken. Währenddem das Scharmützel allmählich ausging und nur noch einzelne Würfe gewechselt wurden, die Mädchen ihre goldenen Äpfel sammelten und in den Korb zurückbrachten, hatte drüben ein Knabe, wie spielenderweis, ein breites, grüngestricktes Netz ergriffen und kurze Zeit unter dem Wasser gehalten; er hob es auf, und zum Erstaunen aller fand sich ein großer, blau, grün und gold schimmernder Fisch in demselben. Die Nächsten sprangen eifrig zu, um ihn herauszuholen, da glitt er ihnen aus den Händen, als wär es wirklich ein lebendiger, und fiel in die See. Das war nun eine abgeredte Kriegslist, die Roten zu betören und aus dem Schiff zu locken. Diese, gleichsam bezaubert von dem Wunder, sobald sie merkten, daß das Tier nicht untertauchen wollte, nur immer auf der Oberfläche spielte, besannen sich nicht einen Augenblick, stürzten sich alle ins Meer, die Grünen ebenfalls, und also sah man zwölf gewandte, wohlgestalte Schwimmer den fliehenden Fisch zu erhaschen bemüht, indem er auf den Wellen gaukelte, minutenlang unter denselben verschwand, bald da, bald dort, dem einen zwischen den Beinen, dem andern zwischen Brust und Kinn herauf wieder zum Vorschein kam. Auf einmal, wie die Roten eben am hitzigsten auf ihren Fang aus waren, ersah die andere Partei ihren Vorteil und erstieg schnell wie der Blitz das fremde, ganz den Mädchen überlassene Schiff unter großem Gekreische der letztern. Der nobelste der Burschen, wie ein Merkur gewachsen, flog mit freudestrahlendem Gesicht auf die Schönste zu, umfaßte, küßte sie, die, weit entfernt, in das Geschrei der andern einzustimmen, ihre Arme gleichfalls feurig um den ihr wohlbekannten Jüngling schlang. Die betrogene Schar schwamm zwar eilends herbei, wurde aber mit Rudern und Waffen vom Bord abgetrieben. Ihre unnütze Wut, das Angstgeschrei der Mädchen, der gewaltsame Widerstand einiger von ihnen, ihr Bitten und Flehen, fast erstickt vom übrigen Alarm, des Wassers, der Musik, die plötzlich einen andern Charakter angenommen hatte – es war schön über alle Beschreibung, und die Zuschauer brachen darüber in einen Sturm von Begeisterung aus.

In diesem Moment nun entwickelte sich das bisher locker eingebundene Segel: daraus ging ein rosiger Knabe hervor mit silbernen Schwingen, mit Bogen, Pfeil und Köcher, und in anmutvoller Stellung schwebte er frei auf von der Stange. Schon sind die Ruder alle in voller Tätigkeit, das Segel blähte sich auf: allein gewaltiger als beides schien die Gegenwart des Gottes und seine heftig vorwärtseilende Gebärde das Fahrzeug fortzutreiben, dergestalt, daß die fast atemlos nachsetzenden Schwimmer, deren einer den goldenen Fisch hoch mit der Linken über seinem Haupte hielt, die Hoffnung bald aufgaben und bei erschöpften Kräften notgedrungen ihre Zuflucht zu dem verlassenen Schiffe nahmen. Derweil haben die Grünen eine kleine bebuschte Halbinsel erreicht, wo sich unerwartet ein stattliches Boot mit bewaffneten Kameraden im Hinterhalt zeigte. Im Angesicht so drohender Umstände pflanzte das Häufchen eine weiße Flagge auf, zum Zeichen daß man gütlich unterhandeln wolle. Durch ein gleiches Signal von jenseits ermuntert, fuhren sie auf jenen Haltort zu, und bald sah man daselbst die guten Mädchen alle bis auf die eine, die mit Willen blieb, vergnügt mit ihren Liebhabern das eigene Schiff besteigen. – Hiermit war die Komödie beendigt.«

»Mir deucht,« so flüsterte Eugenie mit leuchtenden Augen dem Baron in einer Pause zu, worin sich jedermann beifällig über das eben Gehörte aussprach, »wir haben hier eine gemalte Symphonie von Anfang bis zu Ende gehabt und ein vollkommenes Gleichnis überdies des Mozartischen Geistes selbst in seiner ganzen Heiterkeit! Hab ich nicht recht? Ist nicht die ganze Anmut ›Figaros‹ darin?«

Der Bräutigam war im Begriff, ihre Bemerkung dem Komponisten mitzuteilen, als dieser zu reden fortfuhr.

»Es sind nun siebzehn Jahre her, daß ich Italien sah. Wer, der es einmal sah, insonderheit Neapel, denkt nicht sein Leben lang daran, und wär er auch, wie ich, noch halb in Kinderschuhen gesteckt! So lebhaft aber wie heut in Ihrem Garten war mir der letzte schöne Abend am Golf kaum jemals wieder aufgegangen. Wenn ich die Augen schloß – ganz deutlich, klar und hell, den letzten Schleier von sich hauchend, lag die himmlische Gegend vor mir verbreitet! Meer und Gestade, Berg und Stadt, die bunte Menschenmenge an dem Ufer hin, und dann das wundersame Spiel der Bälle durcheinander! Ich glaubte wieder dieselbe Musik in den Ohren zu haben, ein ganzer Rosenkranz von fröhlichen Melodien zog innerlich an mir vorbei, Fremdes und Eigenes, Krethi und Plethi, eines immer das andere ablösend. Von ungefähr springt ein Tanzliedchen hervor, Sechsachtelstakt, mir völlig neu. – Halt, dacht ich, was gibts hier? Das scheint ein ganz verteufelt niedliches Ding! Ich sehe näher zu – alle Wetter! das ist ja Masetto, das ist ja Zerlina!« – Er lachte gegen Madame Mozart hin, die ihn sogleich erriet.

»Die Sache«, fuhr er fort, »ist einfach diese. In meinem ersten Akt blieb eine kleine leichte Nummer unerledigt, Duett und Chor einer ländlichen Hochzeit. Vor zwei Monaten nämlich, als ich dieses Stück der Ordnung nach vornehmen wollte, da fand sich auf den ersten Wurf das Rechte nicht alsbald. Eine Weise, einfältig und kindlich und sprützend vor Fröhlichkeit über und über, ein frischer Busenstrauß mit Flatterband dem Mädel angesteckt, so mußte es sein. Weil man nun im geringsten nichts erzwingen soll, und weil dergleichen Kleinigkeiten sich oft gelegentlich von selber machen, ging ich darüber weg und sah mich im Verfolg der größeren Arbeit kaum wieder danach um. Ganz flüchtig kam mir heut im Wagen, kurz eh wir ins Dorf hereinfuhren, der Text in den Sinn; da spann sich denn weiter nichts an, zum wenigsten nicht, daß ichs wüßte. Genug, ein Stündchen später, in der Laube beim Brunnen, erwisch ich ein Motiv, wie ich es glücklicher und besser zu keiner andern Zeit, auf keinem andern Weg erfunden haben würde. Man macht bisweilen in der Kunst besondere Erfahrungen, ein ähnlicher Streich ist mir nie vorgekommen. Denn eine Melodie, dem Vers wie auf den Leib gegossen – doch, um nicht vorzugreifen, so weit sind wir noch nicht, der Vogel hatte nur den Kopf erst aus dem Ei, und auf der Stelle fing ich an, ihn vollends rein herauszuschälen. Dabei schwebte mir lebhaft der Tanz der Zerline vor Augen, und wunderlich spielte zugleich die lachende Landschaft am Golf von Neapel herein. Ich hörte die wechselnden Stimmen des Brautpaares, die Dirnen und Bursche im Chor.«

Hier trällerte Mozart ganz lustig den Anfang des Liedchens:

Giovinette, che fatte all' amore, che fatte all' amore,
Non lasciate, che passi l'età, che passi l'età, che passi l'età!
Se nel seno vi bulica il core, vi bulica il core,
Il remedio vedete lo qua! La la la! La la la!
Che piacer, che piacer che sarà!
Ah la la! Ah la la! usw.*

»Mittlerweile hatten meine Hände das große Unheil angerichtet. Die Nemesis lauerte schon an der Hecke und trat jetzt hervor in Gestalt des entsetzlichen Mannes im galonierten blauen Rock. Ein Ausbruch des Vesuvio, wenn er in Wirklichkeit damals an dem göttlichen Abend am Meer Zuschauer und Akteurs, die ganze Herrlichkeit Parthenopes mit einem schwarzen Aschenregen urplötzlich verschüttet und zugedeckt hätte, bei Gott, die Katastrophe wäre mir nicht unerwarteter und schrecklicher gewesen. Der Satan der! so heiß hat mir nicht leicht jemand gemacht. Ein Gesicht wie aus Erz – einigermaßen dem grausamen römischen Kaiser Tiberius ähnlich! Sieht so der Diener aus, dacht ich, nachdem er weggegangen, wie mag erst seine Gnaden selbst dreinsehen. Jedoch, die Wahrheit zu gestehn, ich rechnete schon ziemlich auf den Schutz der Damen, und das nicht ohne Grund. Denn diese Stanzel da, mein Weibchen, etwas neugierig von Natur, ließ sich im Wirtshaus

*

Liebe Schwestern, zur Liebe geboren,
Nützt der Jugend schön blühende Zeit!
Hängt ihr's Köpfchen in Sehnsucht
verloren,
Amor ist euch zu helfen bereit.
Trallala!
Welch Vergnügen erwartet euch da!
usw.

von der dicken Frau das Wissenswürdigste von denen sämtlichen Persönlichkeiten der gnädigen Herrschaft in meinem Beisein erzählen; ich stand dabei und hörte so ...«

Hier konnte Madame Mozart nicht umhin, ihm in das Wort zu fallen und auf das angelegentlichste zu versichern, daß im Gegenteil er der Ausfrager gewesen; es kam zu heitern Kontestationen zwischen Mann und Frau, die viel zu lachen gaben. – »Dem sei nun, wie ihm wolle,« sagte er, »kurzum, ich hörte so entfernt etwas von einer lieben Pflegetochter, welche Braut, sehr schön, dazu die Güte selber sei und singe wie ein Engel. Per Dio! fiel mir jetzt ein! das hilft dir aus der Lauge! Du setzt dich auf der Stelle hin, schreibst 's Liedchen auf, soweit es geht, erklärst die Sottise der Wahrheit gemäß, und es gibt einen trefflichen Spaß. Gedacht, getan. Ich hatte Zeit genug, auch fand sich noch ein sauberes Bögchen grün liniert Papier. – Und hier ist das Produkt! Ich lege es in diese schönen Hände, ein Brautlied aus dem Stegreif, wenn Sie es dafür gelten lassen.«

So reichte er sein reinlichst geschriebenes Notenblatt Eugenien über den Tisch, des Onkels Hand kam aber der ihrigen zuvor, er haschte es hinweg und rief: »Geduld noch einen Augenblick, mein Kind!«

Auf seinen Wink tat sich die Flügeltüre des Salons weit auf, und es erschienen einige Diener, die den verhängnisvollen Pomeranzenbaum anständig, ohne Geräusch in den Saal hereintrugen und an der Tafel unten auf eine Bank niedersetzten; gleichzeitig wurden rechts und links zwei schlanke Myrtenbäumchen aufgestellt. Eine am Stamm des Orangenbaums befestigte Inschrift bezeichnete ihn als Eigentum der Braut; vorn aber, auf dem Moosgrund, stand, mit einer Serviette bedeckt, ein Prozellanteller, der, als man das Tuch hinwegnahm, eine zerschnittene Orange zeigte, neben welche der Oheim mit listigem Blick des Meisters Autographon steckte. Allgemeiner unendlicher Jubel erhob sich darüber.

»Ich glaube gar,« sagte die Gräfin, »Eugenie weiß noch nicht einmal, was eigentlich da vor ihr steht? Sie kennt wahrhaftig ihren alten Liebling in seinem neuen Flor und Früchteschmuck nicht mehr!«

Bestürzt, ungläubig sah das Fräulein bald den Baum, bald ihren Oheim an. »Es ist nicht möglich«, sagte sie. »Ich weiß ja wohl, er war nicht mehr zu retten.«

»Du meinst also,« versetzte jener, »man habe dir nur irgend ungefähr so ein Ersatzstück ausgesucht? Das wäre was Rechts! Nein, sieh nur her – ich muß es machen, wie's in der Komödie der Brauch ist, wo sich die totgeglaubten Söhne oder Brüder durch ihre Muttermäler und Narben legitimieren. Schau diesen Auswuchs da! und hier die Schrunde übers Kreuz, du mußt sie hundertmal bemerkt haben. Nun, ist ers, oder ist ers nicht?« – Sie konnte nicht mehr zweifeln; ihr Staunen, ihre Rührung und Freude war unbeschreiblich.

Es knüpfte sich an diesen Baum für die Familie das mehr als hundertjährige Gedächtnis einer ausgezeichneten Frau, welche wohl verdient, daß wir ihrer mit wenigem hier gedenken.

Des Oheims Großvater, durch seine diplomatischen Verdienste im Wiener Kabinett rühmlich bekannt, von zwei Regenten nacheinander mit gleichem Vertrauen beehrt, war innerhalb seines eigenen Hauses nicht minder glücklich im Besitz einer vortrefflichen Gemahlin, Renate Leonore. Ihr wiederholter Aufenthalt in Frankreich brachte sie vielfach mit dem glänzenden Hofe Ludwigs XIV. und mit den bedeutendsten Männern und Frauen dieser merkwürdigen Epoche in Berührung. Bei ihrer unbefangenen Teilnahme an jenem steten Wechsel des geistreichsten Lebensgenusses verleugneten sie auf keinerlei Art in Worten und Werken die angestammte deutsche Ehrenfestigkeit und sittliche Strenge, die sich in den kräftigen Zügen des noch vorhandenen Bildnisses der Gräfin unverkennbar ausprägt. Vermöge eben dieser Denkungsweise übte sie in der gedachten Sozietät eine eigentümliche naive Opposition, und ihre hinterlassene Korrespondenz weist eine Menge Spuren davon auf, mit wieviel Freimut und herzhafter Schlagfertigkeit, es mochte nun von Glaubenssachen, von Literatur und Politik, oder von was immer die Rede sein, die originelle Frau ihre gesunden Grundsätze und Ansichten zu verteidigen, die Blößen der Gesellschaft anzugreifen wußte, ohne doch dieser im mindesten sich lästig zu machen. Ihr reges Interesse für sämtliche Personen, die man im Hause einer Ninon, dem eigentlichen Herd der feinsten Geistesbildung, treffen konnte, war demnach so beschaffen und geregelt, daß es sich mit dem höheren Freundschaftsverhältnis zu einer der edelsten Damen jener Zeit, der Frau von Sévigné, vollkommen wohl vertrug. Neben manchen mutwilligen Scherzen Chapelles an sie, vom Dichter eigenhändig auf Blätter mit silberblumigem Rande gekritzelt, fanden sich die liebevollsten Briefe der Marquisin und ihrer Tocher an die ehrliche Freundin aus Österreich nach ihrem Tod in einem Ebenholzschränkchen der Großmutter vor.

Frau von Sévigné war es denn auch, aus deren Hand sie eines Tages, bei einem Feste zu Trianon, auf der Terrasse des Gartens den blühenden Orangenzweig empfing, den sie sofort auf das Geratewohl in einen Topf setzte und glücklich angewurzelt mit nach Deutschland nahm.

Wohl fünfundzwanzig Jahre wuchs das Bäumchen unter ihren Augen allgemach heran und wurde später von Kindern und Enkeln mit äußerster Sorgfalt gepflegt. Es konnte nächst seinem persönlichen Werte zugleich als lebendes Symbol der feingeistigen Reize eines beinahe vergötterten Zeitalters gelten, worin wir heutzutage freilich des wahrhaft Preisenswerten wenig finden können und das schon eine unheilvolle Zukunft in sich trug, deren welterschütternder Eintritt dem Zeitpunkt unserer harmlosen Erzählung bereits nicht ferne mehr lag.

Die meiste Liebe widmete Eugenie dem Vermächtnis der würdigen Ahnfrau, weshalb der Oheim öfters merken ließ, es dürfte wohl einst eigens in ihre Hände übergehen. Desto schmerzlicher war es dem Fräulein denn auch, als der Baum im Frühling des vorigen Jahres, den sie nicht hier zubrachte, zu trauern begann, die Blätter gelb wurden und viele Zweige abstarben. In Betracht, daß irgendeine besondere Ursache seines Verkommens durchaus nicht zu entdecken war und keinerlei Mittel anschlug, gab ihn der Gärtner bald verloren, obwohl er seiner natürlichen Ordnung nach leicht zwei- und dreimal älter werden konnte. Der Graf hingegen, von einem benachbarten Kenner beraten, ließ ihn nach einer sonderbaren, selbst rätselhaften Vorschrift, wie sie das Landvolk häufig hat, in einem abgesonderten Raume ganz insgeheim behandeln, und seine Hoffnung, die geliebte Nichte eines Tags mit dem zu neuer Kraft und voller Fruchtbarkeit gelangten alten Freund zu überraschen, ward über alles Erwarten erfüllt. Mit Überwindung seiner Ungeduld und nicht ohne Sorge, ob denn wohl auch die Früchte, von denen etliche zuletzt den höchsten Grad der Reife hatten, so lang am Zweige halten würden, verschob er die Freude um mehrere Wochen auf das heutige Fest, und es bedarf nun weiter keines Worts darüber, mit welcher Empfindung der gute Herr ein solches Glück noch im letzten Moment durch einen Unbekannten sich verkümmert sehen mußte.

Der Leutnant hatte schon vor Tische Gelegenheit und Zeit gefunden, seinen dichterischen Beitrag zu der feierlichen Übergabe ins reine zu bringen und seine vielleicht ohnehin etwas zu ernst gehaltenen Verse durch einen veränderten Schluß den Umständen möglichst anzupassen. Er zog nunmehr sein Blatt hervor, das er, vom Stuhle sich erhebend und an die Cousine gewendet, vorlas. Der Inhalt der Strophen war kurz gefaßt dieser:

Ein Nachkömmling des vielgepriesnen Baums der Hesperiden, der vor alters, auf einer westlichen Insel, im Garten der Juno, als eine Hochzeitsgabe für sie von Mutter Erde, hervorgesproßt war und welchen die drei melodischen Nymphen bewachten, hat eine ähnliche Bestimmung von jeher gewünscht und gehofft, da der Gebrauch, eine herrliche Braut mit seinesgleichen zu beschenken, von den Göttern vorlängst auch unter die Sterblichen kam.

Nach langem vergeblichen Warten scheint endlich die Jungfrau gefunden, auf die er seine Blicke richten darf. Sie erzeigt sich ihm günstig und verweilt oft bei ihm. Doch der musische Lorbeer, sein stolzer Nachbar am Bord der Quelle, hat seine Eifersucht erregt, indem er droht, der kunstbegabten Schönen Herz und Sinn für die Liebe der Männer zu rauben. Die Myrte tröstet ihn umsonst und lehrt ihn Geduld durch ihr eigenes Beispiel; zuletzt jedoch ist es die andauernde Abwesenheit der Liebsten, was seinen Gram vermehrt und ihm, nach kurzem Siechtum, tödlich wird.

Der Sommer bringt die Entfernte und bringt sie mit glücklich umgewandtem Herzen zurück. Das Dorf, das Schloß, der Garten, alles empfängt sie mit tausend Freuden. Rosen und Lilien, in erhöhtem Schimmer, sehen entzückt und beschämt zu ihr auf, Glück winken ihr Sträucher und Bäume: für *einen*, ach, den edelsten, kommt sie zu spät. Sie findet seine Krone verdorrt, ihre Finger betasten den leblosen Stamm und die klirrenden Spitzen seines Gezweigs. Er kennt und sieht seine Pflegerin nimmer. Wie weint sie, wie strömt ihre zärtliche Klage!

Apollo von weitem vernimmt die Stimme der Tochter. Er kommt, er tritt herzu und schaut mitfühlend ihren Jammer. Alsbald mit seinen allheilenden Händen berührt er den Baum, daß er in sich erbebt, der vertrocknete Saft in der Rinde gewaltsam anschwillt, schon junges Laub ausbricht, schon weiße Blumen da und dort in ambrosischer Fülle aufgehen. Ja – denn was vermöchten die Himmlischen nicht? – schön runde Früchte setzen an, dreimal drei, nach der Zahl der neun Schwestern; sie wachsen und wachsen, ihr kindliches Grün zusehends mit der Farbe des Goldes vertauschend. Phöbus, so schloß sich das Gedicht –

Phöbus überzählt die Stücke,
Weidet selbsten sich daran,
Ja, es fängt im Augenblicke
Ihm der Mund zu wässern an;

Lächelnd nimmt der Gott der Töne
Von der saftigsten Besitz:
»Laß uns teilen, holde Schöne,
Und für Amorn – diesen Schnitz!«

Der Dichter erntete rauschenden Beifall, und gern verzieh man die barocke Wendung, durch welche der Eindruck des wirklich gefühlvollen Ganzen so völlig aufgehoben wurde.
Franziska, deren froher Mutterwitz schon zu verschiedenen Malen bald durch den Hauswirt, bald durch Mozart in Bewegung gesetzt worden war, lief jetzt geschwinde, wie von ungefähr an etwas erinnert, hinweg und kam zurück mit einem braunen englischen Kupferstich größten Formats, welcher wenig beachtet in einem ganz entfernten Kabinett unter Glas und Rahmen hing. »Es muß doch wahr sein, was ich immer hörte,« rief sie aus, indem sie das Bild am Ende der Tafel aufstellte, »daß sich unter der Sonne nichts Neues begibt! Hier eine Szene aus dem goldenen Weltalter – und haben wir sie nicht erst heute erlebt? Ich hoffe doch, Apollo werde sich in dieser Situation erkennen.«
»Vortrefflich!« triumphierte Max, »da hätten wir ihn ja, den schönen Gott, wie er sich just gedankenvoll über den heiligen Quell hinbeugt. Und damit nicht genug – dort, seht nur, einen alten Satyr hinten im Gebüsch, der ihn belauscht! Man möchte darauf schwören, Apoll besinnt sich eben auf ein lange vergessenes arkadisches Tänzchen, das ihn in seiner Kindheit der alte Chiron zu der Zither lehrte.«
»So ists! nicht anders!« applaudierte Franziska, die hinter Mozart stand. »Und«, fuhr sie gegen diesen fort, »bemerken Sie auch wohl den fruchtbeschwerten Ast, der sich zum Gott heruntersenkt?«

»Ganz recht; es ist der ihm geweihte Ölbaum.«
»Keineswegs! die schönsten Apfelsinen sinds! Gleich wird er sich in der Zerstreuung eine herunterholen.«
»Vielmehr,« rief Mozart, »er wird gleich diesen Schelmenmund mit tausend Küssen schließen!« Er erwischte sie am Arm und schwur, sie nicht mehr loszulassen, bis sie ihm ihre Lippen reiche, was sie denn auch ohne vieles Sträuben tat.
»Erkläre uns doch, Max,« sagte die Gräfin, »was unter dem Bilde hier steht.«
»Es sind Verse aus einer berühmten Horazischen Ode. Der Dichter Ramler in Berlin hat uns das Stück vor kurzem unübertrefflich deutsch gegeben. Es ist vom höchsten Schwung. Wie prächtig eben diese eine Stelle:

––– hier, der auf der Schulter
Keinen untätigen Bogen führet!

Der seines Delos grünenden Mutterhain
Und Pataras beschatteten Strand bewohnt,
Der seines Hauptes goldne Locken
In die kastalischen Fluten tauchet.«

»Schön! wirklich schön!« sagte der Graf, »nur hie und da bedarf es der Erläuterung. So zum Beispiel ›der keinen untätigen Bogen führet‹ hieße natürlich schlechtweg: der allezeit einer der fleißigsten Geiger gewesen. Doch, was ich sagen wollte: Bester Mozart, Sie säen Unkraut zwischen zwei zärtliche Herzen.«
»Ich will nicht hoffen – wieso?«
»Eugenie beneidet ihre Freundin und hat auch allen Grund.«
»Aha, Sie haben mir schon meine schwache Seite abgemerkt. Aber was sagt der Bräutigam dazu?«
»Ein- oder zweimal will ich durch die Finger sehen.«
»Sehr gut; wir werden der Gelegenheit wahrnehmen. Indes fürchten Sie nichts, Herr Baron; es hat keine Gefahr, solang

mir nicht der Gott hier sein Gesicht und seine langen gelben Haare borgt. Ich wünsche wohl, er täts! er sollte auf der Stelle Mozarts Zopf mitsamt seinem schönsten Bandl dafür haben.«

»Apollo möge aber dann zusehen,« lachte Franziska, »wie er es anfängt künftig, seinen neuen französischen Haarschmuck mit Anstand in die kastalische Flut zu tauchen.«

Unter diesen und ähnlichen Scherzen stieg Lustigkeit und Mutwillen immer mehr. Die Männer spürten nach und nach den Wein; es wurden eine Menge Gesundheiten getrunken, und Mozart kam in den Zug, nach seiner Gewohnheit in Versen zu sprechen, wobei ihm der Leutnant das Gleichgewicht hielt und auch der Papa nicht zurückbleiben wollte; es glückte ihm ein paarmal zum Verwundern. Doch solche Dinge lassen sich für die Erzählung kaum festhalten; sie wollen eigentlich nicht wiederholt sein, weil eben das, was sie an ihrem Ort unwiderstehlich macht, die allgemein erhöhte Stimmung, der Glanz, die Jovialität des persönlichen Ausdrucks in Wort und Blick fehlt.

Unter andern wurde von dem alten Fräulein zu Ehren des Meisters ein Toast ausgebracht, der ihm noch eine ganze lange Reihe unsterblicher Werke verhieß. – »A la bonne heure, ich bin dabei!« rief Mozart und stieß sein Kelchglas kräftig an. Der Graf begann hierauf mit großer Macht und Sicherheit der Intonation, kraft eigener Eingebung, zu singen:

Mögen ihn die Götter stärken
Zu den angenehmen Werken –

Max (fortfahrend):
Wovon der da Ponte weder
Noch der große Schikaneder –

Mozart:
Noch bi Gott der Komponist
's mindest weiß zu dieser Frist!

Graf:
Alle, alle soll sie jener
Hauptspitzbub von Italiener
Noch erleben, wünsch ich sehr,
Unser Signor Bonbonnière!*

Max:
Gut, ich geb ihm hundert Jahre –

Mozart:
Wenn ihn nicht samt seiner Ware –

Alle drei con forza:
Noch der Teufel holt vorher,
Unsern Monsieur Bonbonnière.

Durch des Grafen ausnehmende Singlust schweifte das zufällig entstandene Terzett mit Wiederaufnahme der letzten vier Zeilen in einen sogenannten endlichen Kanon aus, und die Fräulein Tante besaß Humor oder Selbstvertrauen genug, ihren verfallenen Soprano mit allerhand Verzierungen zweckdienlich einzumischen. Mozart gab nachher das Versprechen, bei guter Muße diesen Spaß nach den Regeln der Kunst expreß für die Gesellschaft auszuführen, das er auch später von Wien aus erfüllte.
Eugenie hatte sich im stillen längst mit ihrem Kleinod aus der Laube des Tiberius vertraut gemacht; allgemein verlangte man jetzt das Duett vom Komponisten und ihr gesungen zu hören, und der Oheim war glücklich, im Chor seine Stimme abermals geltend zu machen. Also erhob man sich und eilte zum Klavier ins große Zimmer nebenan.
Ein so reines Entzücken nun auch das köstliche Stück bei allen erregte, so führte doch sein Inhalt selbst, mit einem raschen Übergang, auf den Gipfel geselliger Lust, wo die Mu-

* So nannte Mozart unter Freunden seinen Kollegen Salieri, der, wo er ging und stand, Zuckerwerk naschte, zugleich mit Anspielung auf das Zierliche seiner Person.

sik an und für sich nicht weiter in Betracht mehr kommt, und zwar gab zuerst unser Freund das Signal, indem er vom Klavier aufsprang, auf Franziska zuging und sie, während Max bereitwilligst die Violine ergriff, zu einem Schleifer persuadierte. Der Hauswirt säumte nicht, Madame Mozart aufzufordern. Im Nu waren alle beweglichen Möbel, den Raum zu erweitern, durch geschäftige Diener entfernt. Es mußte nach und nach ein jedes an die Tour, und Fräulein Tante nahm es keineswegs übel, daß der galante Leutnant sie zu einer Menuett abholte, worin sie sich völlig verjüngte. Schließlich, als Mozart mit der Braut den Kehraus tanzte, nahm er sein versichertes Recht auf ihren schönen Mund in bester Form dahin.

Der Abend war herbeigekommen, die Sonne nah am Untergehen, es wurde nun erst angenehm im Freien, daher die Gräfin den Damen vorschlug, sich im Garten noch ein wenig zu erholen. Der Graf dagegen lud die Herren auf das Billardzimmer, da Mozart bekanntlich dies Spiel sehr liebte. So teilte man sich denn in zwei Partien, und wir unsererseits folgen den Frauen.

Nachdem sie den Hauptweg einigemal gemächlich auf und ab gegangen, erstiegen sie einen runden, von einem hohen Rebengeländer zur Hälfte umgebenen Hügel, von wo man in das offene Feld, auf das Dorf und die Landstraße sah. Die letzten Strahlen der herbstlichen Sonne funkelten rötlich durch das Weinlaub herein.

»Wäre hier nicht vertraulich zu sitzen,« sagte die Gräfin, »wenn Madame Mozart uns etwas von sich und dem Gemahl erzählen wollte?«

Sie war ganz gerne bereit, und alle nahmen höchst behaglich auf den im Kreis herbeigerückten Stühlen Platz.

»Ich will etwas zum besten geben, das Sie auf alle Fälle hätten hören müssen, da sich ein kleiner Scherz darauf bezieht, den ich im Schilde führe. Ich habe mir in Kopf gesetzt, der Gräfin Braut zur fröhlichen Erinnerung an diesen Tag ein Angebind von sonderlicher Qualität zu verehren. Dasselbe ist so wenig Gegenstand des Luxus und der Mode, daß es lediglich nur durch seine Geschichte einigermaßen interessieren kann.«

»Was mag das sein, Eugenie?« sagte Franziska. »Zum wenigsten das Tintenfaß eines berühmten Mannes.«

»Nicht allzuweit gefehlt! Sie sollen es noch diese Stunde sehen; im Reisekoffer liegt der Schatz. Ich fange an und werde mit Ihrer Erlaubnis ein wenig weiter ausholen.

Vorletzten Winter wollte mir Mozarts Gesundheitszustand, durch vermehrte Reizbarkeit und häufige Verstimmung, ein fieberhaftes Wesen, nachgerade bange machen. In Gesellschaft noch zuweilen lustig, oft mehr als recht natürlich, war er zu Haus meist trüb in sich hinein, seufzte und klagte. Der Arzt empfahl ihm Diät, Pyrmonter und Bewegung außerhalb der Stadt. Der Patient gab nicht viel auf den guten Rat; die Kur war unbequem, zeitraubend, seinem Taglauf schnurstracks entgegen. Nun machte ihm der Doktor die Hölle etwas heiß, er mußte eine lange Vorlesung anhören von der Beschaffenheit des menschlichen Geblüts, von denen Kügelgens darin, vom Atemholen und vom Phlogiston – halt unerhörte Dinge; auch wie es eigentlich gemeint sei von der Natur mit Essen, Trinken und Verdauen, das eine Sache ist, worüber Mozart bis dahin ganz ebenso unschuldig dachte wie sein Junge von fünf Jahren. Die Lektion, in der Tat, machte merklichen Eindruck. Der Doktor war noch keine halbe Stunde weg, so find ich meinen Mann nachdenklich, aber mit aufgeheitertem Gesicht, auf seinem Zimmer über der Betrachtung eines Stocks, den er in einem Schrank mit alten Sachen suchte und auch glücklich fand; ich hätte nicht gemeint, daß er sich dessen nur erinnerte. Er stammte noch von meinem Vater, ein schönes Rohr mit hohem Knopf von Lapislazuli. Nie sah man einen Stock in Mozarts Hand, ich mußte lachen.

›Du siehst,‹ rief er, ›ich bin daran, mit meiner Kur mich völlig

ins Geschirr zu werfen. Ich will das Wasser trinken, mir alle Tage Motion im Freien machen und mich dabei dieses Stabes bedienen. Da sind mir nun verschiedene Gedanken beigegangen. Es ist doch nicht umsonst, dacht ich, daß andere Leute, was da gesetzte Männer sind, den Stock nicht missen können. Der Kommerzienrat, unser Nachbar, geht niemals über die Straße, seinen Gevatter zu besuchen, der Stock muß mit. Professionisten und Beamte, Kanzleiherrn, Krämer und Chalanten, wenn sie am Sonntag mit Familie vor die Stadt spazieren, ein jeder führt sein wohlgedientes rechtschaffenes Rohr mit sich. Vornehmlich hab ich oft bemerkt, wie auf dem Stephansplatz, ein Viertelstündchen vor der Predigt und dem Amt, ehrsame Bürger da und dort truppweis beisammenstehen im Gespräch: hier kann man so recht sehen, wie eine jede ihrer stillen Tugenden, ihr Fleiß und Ordnungsgeist, gelaßner Mut, Zufriedenheit sich auf die wakkern Stöcke gleichsam als eine gute Stütze lehnt und stemmt. Mit *einem* Wort, es muß ein Segen und besonderer Trost in der altväterischen und immerhin etwas geschmacklosen Gewohnheit liegen. Du magst es glauben oder nicht, ich kann es kaum erwarten, bis ich mit diesem guten Freund das erste Mal im Gesundheitspaß über die Brücke nach dem Rennweg promeniere! Wir kennen uns bereits ein wenig, und ich hoffe, daß unsere Verbindung für alle Zeit geschlossen ist.‹
Die Verbindung war von kurzer Dauer: das dritte Mal, daß beide miteinander aus waren, kam der Begleiter nicht mehr mit zurück. Ein anderer wurde angeschafft, der etwas länger Treue hielt, und jedenfalls schrieb ich der Stockliebhaberei ein gut Teil von der Ausdauer zu, womit Mozart drei Wochen lang der Vorschrift seines Arztes ganz erträglich nachkam. Auch blieben die guten Folgen nicht aus; wir sahen ihn fast nie so frisch, so hell und von so gleichmäßiger Laune. Doch machte er sich leider in kurzem wieder allzu grün, und täglich hatt ich deshalb meine Not mit ihm. Damals geschah es nun, daß er, ermüdet von der Arbeit eines anstrengenden

Tages, noch spät, ein paar neugieriger Reisenden wegen, zu einer musikalischen Soiree ging – auf eine Stunde bloß, versprach er mir heilig und teuer; doch das sind immer die Gelegenheiten, wo die Leute, wenn er nur erst am Flügel festsitzt und im Feuer ist, seine Gutherzigkeit am mehrsten mißbrauchen; denn da sitzt er alsdann wie das Männchen in einer Montgolfiere, sechs Meilen hoch über dem Erdboden schwebend, wo man die Glocken nicht mehr schlagen hört. Ich schickte den Bedienten zweimal mitten in der Nacht dahin, umsonst; er konnte nicht zu seinem Herrn gelangen. Um drei Uhr früh kam dieser denn endlich nach Haus. Ich nahm mir vor, den ganzen Tag ernstlich mit ihm zu schmollen.«

Hier überging Madame Mozart einige Umstände mit Stillschweigen. Es war, muß man wissen, nicht unwahrscheinlich, daß zu gedachter Abendunterhaltung auch eine junge Sängerin, Signora Malerbi, kommen würde, an welcher Frau Konstanze mit allem Recht Ärgernis nahm. Diese Römerin war durch Mozarts Verwendung bei der Oper angestellt worden, und ohne Zweifel hatten ihre koketten Künste nicht geringen Anteil an der Gunst des Meisters. Sogar wollten einige wissen, sie habe ihn mehrere Monate lang eingezogen und heiß genug auf ihrem Rost gehalten. Ob dies nun völlig wahr sei oder sehr übertrieben, gewiß ist, sie benahm sich nachher frech und undankbar und erlaubte sich selbst Spöttereien über ihren Wohltäter. So war es ganz in ihrer Art, daß sie ihn einst, gegenüber einem ihrer glücklichern Verehrer, kurzweg un piccolo grifo raso (ein kleines rasiertes Schweinsrüsselchen) nannte. Der Einfall, einer Circe würdig, war um so empfindlicher, weil er, wie man gestehen muß, immerhin ein Körnchen Wahrheit enthielt.* Beim

* Man hat hier ein älteres kleines Profilbild im Auge, das, gut gezeichnet und gestochen, sich auf dem Titelblatt eines Mozartschen Klavierwerks befindet, unstreitig das ähnlichste von allen, auch neuerdings im Kunsthandel erschienenen Proträts.

Nachhausegehen von jener Gesellschaft, bei welcher übrigens die Sängerin zufällig nicht erschienen war, beging ein Feund im Übermut des Weins die Indiskretion, dem Meister dies boshafte Wort zu verraten. Er wurde schlecht davon erbaut, denn eigentlich war es für ihn der erste unzweideutige Beweis von der gänzlichen Herzlosigkeit seines Schützlings. Vor lauter Entrüstung darüber empfand er nicht einmal sogleich den frostigen Empfang am Bette seiner Frau. In einem Atem teilte er ihr die Beleidigung mit, und diese Ehrlichkeit läßt wohl auf einen mindern Grad von Schuldbewußtsein schließen. Fast machte er ihr Mitleid rege. Doch hielt sie geflissentlich an sich, es sollte ihm nicht so leicht hingehen. Als er von einem schweren Schlaf kurz nach Mittag erwachte, fand er das Weibchen samt den beiden Knaben nicht zu Hause, vielmehr säuberlich den Tisch für ihn allein gedeckt.

Von jeher gab es wenige Dinge, welche Mozart so unglücklich machten, als wenn nicht alles hübsch eben und heiter zwischen ihm und seiner guten Hälfte stand. Und hätte er nun erst gewußt, welche weitere Sorge sie schon seit mehreren Tagen mit sich herumtrug! – eine der schlimmsten in der Tat, mit deren Eröffnung sie ihn nach alter Gewohnheit so lange wie möglich verschonte. Ihre Barschaft war ehestens alle und keine Aussicht auf baldige Einnahme da. Ohne Ahnung von dieser häuslichen Extremität war gleichwohl sein Herz auf eine Art beklommen, die mit jenem verlegenen, hilflosen Zustand eine gewisse Ähnlichkeit hatte. Er mochte nicht essen, er konnte nicht bleiben. Geschwind zog er sich vollends an, um nur aus der Stickluft des Hauses zu kommen.

Auf einem offenen Zettel hinterließ er ein paar Zeilen italienisch: ›Du hast mirs redlich eingetränkt, und geschieht mir schon recht. Sei aber wieder gut, ich bitte Dich, und lache wieder, bis ich heimkomme. Mir ist zumut, als möcht ich ein Kartäuser und Trappiste werden, ein rechter Heulochs, sag ich Dir!‹ – Sofort nahm er den Hut, nicht aber auch den Stock zugleich; der hatte seine Epoche passiert.

Haben wir Frau Konstanze bis hieher in der Erzählung abgelöst, so können wir auch wohl noch eine kleine Strecke weiter fortfahren.

Von seiner Wohnung, bei der Schranne, rechts gegen das Zeughaus einbiegend, schlenderte der teure Mann – es war ein warmer, etwas umwölkter Sommernachmittag – nachdenklich lässig über den sogenannten Hof und weiter an der Pfarre zu Unsrer Lieben Frau vorbei, dem Schottentor entgegen, wo er seitwärts zur Linken auf die Mölkerbastei stieg und dadurch der Ansprache mehrerer Bekannten, die eben zur Stadt hereinkamen, entging. Nur kurze Zeit genoß er hier, obwohl von einer stumm bei den Kanonen auf und nieder gehenden Schildwache nicht belästigt, der vortrefflichen Aussicht über die grüne Ebene des Glacis und die Vorstädte hin nach dem Kahlenberg und südlich nach den Steierischen Alpen. Die schöne Ruhe der äußern Natur widersprach seinem innern Zustand. Mit einem Seufzer setzte er seinen Gang über die Esplanade und sodann durch die Alservorstadt ohne bestimmten Zielpunkt fort.

Am Ende der Währinger Gasse lag eine Schenke mit Kegelbahn, deren Eigentümer, ein Seilermeister, durch seine gute Ware wie durch die Reinheit seines Getränks den Nachbarn und Landleuten, die ihr Weg vorüberführte, gar wohl bekannt war. Man hörte Kegelschieben, und übrigens ging es bei einer Anzahl von höchstens einem Dutzend Gästen mäßig zu. Ein kaum bewußter Trieb, sich unter anspruchslosen, natürlichen Menschen in etwas zu vergessen, bewog den Musiker zur Einkehr. Er setzte sich an einen der sparsam von Bäumen beschatteten Tische zu einem Wiener Brunnen-Obermeister und zwei andern Spießbürgern, ließ sich ein Schöppchen kommen und nahm an ihrem sehr alltäglichen Diskurs eingehend teil, ging dazwischen umher oder schaute dem Spiel auf der Kegelbahn zu.

Unweit von der letztern, an der Seite des Hauses, befand sich der offene Laden des Seilers, ein schmaler, mit Fabrikaten vollgepfropfter Raum, weil außer dem, was das Handwerk zunächst lieferte, auch allerlei hölzernes Küchen-, Keller- und landwirtschaftliches Gerät, ingleichen Tran und Wagensalbe, auch weniges von Sämereien, Dill und Kümmel zum Verkauf umherstand oder -hing. Ein Mädchen, das als Kellnerin die Gäste zu bedienen und nebenbei den Laden zu besorgen hatte, war eben mit einem Bauern beschäftigt, welcher, sein Söhnlein an der Hand, herzugetreten war, um einiges zu kaufen, ein Fruchtmaß, eine Bürste, eine Geißel. Er suchte unter vielen Stücken eines heraus, prüfe es, legte es weg, ergriff ein zweites und drittes und kehrte unschlüssig zum ersten zurück; es war kein Fertigwerden. Das Mädchen entfernte sich mehrmals der Aufwartung wegen, kam wieder und war unermüdlich, ihm seine Wahl zu erleichtern und annehmlich zu machen, ohne daß sie zu viel darum schwatzte.

Mozart sah und hörte auf einem Bänkchen bei der Kegelbahn diesem allen mit Vergnügen zu. So sehr ihm auch das gute, verständige Betragen des Mädchens, die Ruhe und der Ernst in ihren ansprechenden Zügen gefiel, noch mehr interessierte ihn für jetzt der Bauer, welcher ihm, nachdem er ganz befriedigt abgezogen, noch viel zu denken gab. Er hatte sich vollkommen in den Mann hineinversetzt, gefühlt, wie wichtig die geringe Angelegenheit von ihm behandelt, wie ängstlich und gewissenhaft die Preise, bei einem Unterschied von wenig Kreuzern, hin und her erwogen wurden. Und, dachte er, wenn nun der Mann zu seinem Weibe heimkommt, ihr seinen Handel rühmt, die Kinder alle passen, bis der Zwerchsack aufgeht, darin auch was für sie sein mag; sie aber eilt, ihm einen Imbiß und einen frischen Trunk selbstgekelterten Obstmost zu holen, darauf er seinen ganzen Appetit verspart hat!

Wer auch so glücklich wäre, so unabhängig von den Menschen! ganz nur auf die Natur gestellt und ihren Segen, wie sauer auch dieser erworben sein will!

Ist aber mir mit meiner Kunst ein anderes Tagwerk anbefohlen, das ich am Ende doch mit keinem in der Welt vertauschen würde: warum muß ich dabei in Verhältnissen leben, die das gerade Widerspiel von solch unschuldiger, einfacher Existenz ausmachen? Ein Gütchen wenn du hättest, ein kleines Haus bei einem Dorf, in schöner Gegend, du solltest wahrlich neu aufleben! Den Morgen über fleißig bei deinen Partituren, die ganze übrige Zeit bei der Familie; Bäume pflanzen, deinen Acker besuchen, im Herbst mit den Buben die Äpfel und die Birn heruntertun; bisweilen eine Reise in die Stadt zu einer Aufführung und sonst, von Zeit zu Zeit ein Freund und mehrere bei dir – welch eine Seligkeit! Nun ja, wer weiß, was noch geschieht.

Er trat vor den Laden, sprach freundlich mit dem Mädchen und fing an, ihren Kram genauer zu betrachten. Bei der unmittelbaren Verwandtschaft, welche die meisten dieser Dinge zu jenem idyllischen Anfluge hatten, zog ihn die Sauberkeit, das Helle, Glatte, selbst der Geruch der mancherlei Holzarbeiten an. Es fiel ihm plötzlich ein, verschiedenes für seine Frau, was ihr nach seiner Meinung angenehm und nutzbar wäre, auszuwählen. Sein Augenmerk ging zuvörderst auf Gartenwerkzeug. Konstanze hatte nämlich vor Jahr und Tag auf seinen Antrieb ein Stückchen Land vor dem Kärntner Tor gepachtet und etwas Gemüse darauf gebaut; daher ihm jetzt fürs erste ein neuer großer Rechen, ein kleinerer dito samt Spaten ganz zweckmäßig schien. Dann weiteres anlangend, so macht es seinen ökonomischen Begriffen alle Ehre, daß er einem ihn sehr appetitlich anlachenden Butterfaß nach kurzer Überlegung, wiewohl ungern, entsagte; dagegen ihm ein hohes, mit Deckel und schön geschnitztem Henkel versehenes Geschirr zu unmaßgeblichem Gebrauch einleuchtete. Es war aus schmalen Stäben von zweierlei Holz, abwechselnd hell und dunkel, zusammengesetzt, unten weiter als oben und innen trefflich ausgepicht. Entschieden für die Küche empfahl sich eine schöne Auswahl Rührlöffel, Wellhölzer, Schneidbretter und Teller von allen Größen sowie ein Salzbehälter einfachster Konstruktion zum Aufhängen.

Zuletzt besah er sich noch einen derben Stock, dessen Handhabe mit Leder und runden Messingnägeln gehörig beschlagen war. Da der sonderbare Kunde auch hier in einiger Versuchung schien, bemerkte die Verkäuferin mit Lächeln, das sei just kein Tragen für Herren. »Du hast recht, mein Kind,« versetzte er, »mir deucht, die Metzger auf der Reise haben solche; weg damit, ich will ihn nicht. Das übrige hingegen alles, was wir da ausgelesen haben, bringst du mir heute oder morgen ins Haus.« Dabei nannte er ihr seinen Namen und die Straße. Er ging hierauf, um auszutrinken, an seinen Tisch, wo von den dreien nur noch einer, ein Klempnermeister, saß. »Die Kellnerin hat heut mal einen guten Tag«, bemerkte der Mann. »Ihr Vetter läßt ihr vom Erlös im Laden am Gulden einen Batzen.«

Mozart freute sich nun seines Einkaufs doppelt; gleich aber sollte seine Teilnahme an der Person noch größer werden. Denn als sie wieder in die Nähe kam, rief ihr derselbe Bürger zu: »Wie stehts, Kreszenz? Was macht der Schlosser? Feilt er nicht bald sein eigen Eisen?«

»O was!« erwiderte sie im Weitereilen, »selbiges Eisen, schätz ich, wächst noch im Berg, zuhinterst.«

»Es ist ein guter Tropf«, sagte der Klempner. »Sie hat lang ihrem Stiefvater hausgehalten und ihn in der Krankheit verpflegt, und da er tot war, kams heraus, daß er ihr Eigenes aufgezehrt hatte; zeither dient sie da ihrem Verwandten, ist alles und alles im Geschäft, in der Wirtschaft und bei den Kindern. Sie hat mit einem braven Gesellen Bekanntschaft und würde ihn je eher, je lieber heiraten; das aber hat so seine Haken.«

»Was für? Er ist wohl auch ohne Vermögen?«

»Sie ersparten sich beide etwas, doch langt es nicht gar. Jetzt kommt mit nächstem drinnen ein halber Hausteil samt Werkstatt in Gant; dem Seiler wärs ein leichtes, ihnen vorzuschießen, was noch zum Kaufschilling fehlt, allein er läßt die Dirne natürlich nicht gern fahren. Er hat gute Freunde im Rat und bei der Zunft, da findet der Geselle nun allenthalben Schwierigkeiten.«

»Verflucht!« – fuhr Mozart auf, so daß der andere erschrak und sich umsah, ob man nicht horche. »Und da ist niemand, der ein Wort nach dem Recht darein spräche? den Herren eine Faust vorhielte? Die Schufte, die! Wart nur, man kriegt euch noch beim Wickel.«

Der Klempner saß wie auf Kohlen. Er suchte das Gesagte auf eine ungeschickte Art zu mildern; beinahe nahm er es völlig zurück. Doch Mozart hörte ihn nicht an. »Schämt Euch, wie Ihr nun schwatzt. So machts ihr Lumpen allemal, sobald es gilt, mit etwas einzustehen!« – Und hiemit kehrte er dem Hasenfuß ohne Abschied den Rücken. Der Kellnerin, die alle Hände voll zu tun hatte mit neuen Gästen, raunte er nur im Vorbeigehen zu: »Komme morgen beizeiten, grüße mir deinen Liebsten; ich hoffe, daß eure Sache gut geht.« Sie stutzte nur und hatte weder Zeit noch Fassung, ihm zu danken.

Geschwinder als gewöhnlich, weil der Auftritt ihm das Blut etwas in Wallung brachte, ging er vorerst denselben Weg, den er gekommen, bis an das Glacis, auf welchem er dann langsamer, mit einem Umweg, im weiten Halbkreis um die Wälle wandelte. Ganz mit der Angelegenheit des armen Liebespaars beschäftigt, durchlief er in Gedanken eine Reihe seiner Bekannten und Gönner, die auf die eine oder andere Weise in diesem Fall etwas vermochten. Da indessen, bevor er sich irgend zu einem Schritt bestimmte, noch nähere Erklärungen von seiten des Mädchens erforderlich waren, beschloß er, diese ruhig abzuwarten, und war nunmehr, mit Herz und Sinn den Füßen vorauseilend, bei seiner Frau zu Hause.

Mit innerer Gewißheit zählte er auf einen freundlichen, ja fröhlichen Willkommen, Kuß und Umarmung schon auf der Schwelle, und Sehnsucht verdoppelte seine Schritte beim Eintritt in das Kärntner Tor. Nicht weit davon ruft ihn der Postträger an, der ihm ein kleines, doch gewichtiges Paket übergibt, worauf er eine ehrliche und akkurate Hand augenblicklich erkennt. Er tritt mit dem Boten, um ihm zu quittieren, in den nächsten Kaufladen; dann, wieder auf der Straße, kann er sich nicht bis in sein Haus gedulden; er reißt die Siegel auf, halb gehend, halb stehend verschlingt er den Brief.

»Ich saß«, fuhr Madame Mozart hier in der Erzählung bei den Damen fort, »am Nähtisch, hörte meinen Mann die Stiege heraufkommen und den Bedienten nach mir fragen. Sein Tritt und seine Stimme kam mir beherzter, aufgeräumter vor, als ich erwartete und als mir wahrhaftig angenehm war. Erst ging er auf sein Zimmer, kam aber gleich herüber. ›Guten Abend!‹ sagt' er; ich, ohne aufzusehen, erwiderte ihm kleinlaut. Nachdem er die Stube ein paarmal stillschweigend gemessen, nahm er unter erzwungenem Gähnen die Fliegenklatsche hinter der Tür, was ihm noch niemals eingefallen war, und murmelte vor sich hin: ›Wo nur die Fliegen gleich wieder herkommen!‹ – fing an zu patschen da und dort, und zwar so stark wie möglich. Dies war ihm stets der unleidlichste Ton, den ich in seiner Gegenwart nie hören lassen durfte. Hm, dacht ich, daß doch, was man selber tut, zumal die Männer, ganz etwas anderes ist! Übrigens hatte ich so viele Fliegen gar nicht wahrgenommen. Sein seltsames Betragen verdroß mich wirklich sehr. – ›Sechse auf einen Schlag!‹ rief er: ›willst du sehen?‹ – Keine Antwort. – Da legte er mir etwas aufs Nähkissen hin, daß ich es sehen mußte, ohne ein Auge von meiner Arbeit zu verwenden. Es war nichts Schlechteres als ein Häufchen Gold, soviel man Dukaten zwischen zwei Finger nimmt. Er setzte seine Possen hinter meinem Rücken fort, tat hin und wieder einen Streich und sprach dabei für sich: ›Das fatale, unnütze, schamlose Gezücht! Zu was Zweck es nur eigentlich auf der Welt ist – patsch! – offenbar bloß, daß mans totschlage – pitsch – darauf verstehe ich mich einigermaßen, darf ich behaupten. – Die Naturgeschichte belehrt uns über die erstaunliche Vermehrung dieser Geschöpfe – pitsch patsch –: in meinem Hause wird immer sogleich damit aufgeräumt. Ah maledette! disperate! Hier wieder ein Stück zwanzig. Magst du sie?‹ – Er kam und tat wie vorhin. Hatte ich bisher mit Mühe das Lachen unterdrückt, länger war es unmöglich, ich platzte heraus, er fiel mir um den Hals, und beide kicherten und lachten wir um die Wette.

›Woher kommt dir denn aber das Geld?‹ frag ich, während daß er den Rest aus dem Röllelchen schüttelt. – ›Vom Fürsten Esterhazy! durch den Haydn! Lies nur den Brief.‹ Ich las:

›Eisenstadt usw. Teuerster Freund! Seine Durchlaucht, mein gnädigster Herr, hat mich zu meinem größesten Vergnügen damit betraut, Ihnen beifolgende sechzig Dukaten zu übermachen. Wir haben letzt Ihre Quartetten wieder ausgeführt, und Seine Durchlaucht waren solchermaßen davon eingenommen und befriedigt, als bei dem ersten Mal, vor einem Vierteljahre, kaum der Fall gewesen. Der Fürst bemerkte mir (ich muß es wörtlich schreiben): als Mozart Ihnen diese Arbeit dedizierte, hat er geglaubt, nur Sie zu ehren, doch kanns ihm nichts verschlagen, wenn ich zugleich ein Kompliment für mich darin erblicke. Sagen Sie ihm, ich denke von seinem Genie bald so groß wie Sie selbst, und mehr könn er in Ewigkeit nicht verlangen. – Amen! setz ich hinzu. Sind Sie zufrieden?

Postskript. Der lieben Frau ins Ohr: Sorgen Sie gütigst, daß die Danksagung nicht aufgeschoben werde. Am besten geschäh es persönlich. Wir müssen so guten Wind fein erhalten.‹

›Du Engelsmann! o himmlische Seele!‹ rief Mozart ein übers andere Mal, und es ist schwer zu sagen, was ihn am meisten freute, der Brief oder des Fürsten Beifall oder das Geld. Was mich betrifft, aufrichtig gestanden, mir kam das letztere gerade damals höchst gelegen. Wir feierten noch einen sehr vergnügten Abend.

Von der Affäre in der Vorstadt erfuhr ich jenen Tag noch nichts, die folgenden ebensowenig, die ganze nächste Woche verstrich, keine Kreszenz erschien, und mein Mann, in einem Strudel von Geschäften, vergaß die Sache bald. Wir hatten an einem Sonnabend Gesellschaft; Hauptmann Wesselt, Graf Hardegg und andere musizierten. In einer Pause werde ich hinausgerufen – da war nun die Bescherung! Ich geh hinein und frage: ›Hast du Bestellung in der Alservorstadt auf allerlei Holzware gemacht?‹ – ›Potz Hagel, ja! Ein Mädchen wird da sein? Laß sie nur hereinkommen.‹ – So trat sie denn in größter Freundlichkeit, einen vollen Korb am Arm, mit Rechen und Spaten ins Zimmer, entschuldigte ihr langes Ausbleiben, sie habe den Namen der Gasse nicht mehr gewußt und sich erst heut zurechtgefragt. Mozart nahm ihr die Sachen nacheinander ab, die er sofort mit Selbstzufriedenheit mir überreichte. Ich ließ mir herzlich dankbar alles und jedes wohlgefallen, belobte und pries, nur nahm es mich wunder, wozu er das Gartengeräte gekauft. – ›Natürlich,‹ sagt' er, ›für dein Stückchen an der Wien.‹ – ›Mein Gott, das haben wir ja aber lange abgegeben! weil uns das Wasser immer so viel Schaden tat und überhaupt gar nichts dabei herauskam. Ich sagte dirs, du hattest nichts dawider.‹ – ›Was? Und also die Spargeln, die wir dies Frühjahr speisten‹ – ›Waren immer vom Markt.‹ – ›Seht,‹ sagt' er, ›hätt ich das gewußt! Ich lobte sie dir so aus bloßer Artigkeit, weil du mich wirklich dauertest mit deiner Gärtnerei; es waren Dingerl wie die Federspulen.‹

Die Herren belustigte der Spaß überaus; ich mußte einigen sogleich das Überflüssige zum Andenken lassen. Als aber Mozart nun das Mädchen über ihr Heiratsanliegen ausforschte, sie ermunterte, hier nur ganz frei zu sprechen, da das, was man für sie und ihren Liebsten tun würde, in der

Stille, glimpflich und ohne jemandes Anklagen solle ausgerichtet werden, so äußerte sie sich gleichwohl mit so viel Bescheidenheit, Vorsicht und Schonung, daß sie alle Anwesenden völlig gewann und man sie endlich mit den besten Versprechungen entließ.

›Den Leuten muß geholfen werden!‹ sagte der Hauptmann. ›Die Innungskniffe sind das wenigste dabei; hier weiß ich einen, der das bald in Ordnung bringen wird. Es handelt sich um einen Beitrag für das Haus, Einrichtungskosten und dergleichen. Wie, wenn wir ein Konzert für Freunde im Trattnerischen Saal mit Entree ad libitum ankündigten?‹ – Der Gedanke fand lebhaften Anklang. Einer der Herrn ergriff das Salzfaß und sagte: ›Es müßte jemand zur Einleitung einen hübschen historischen Vortrag tun, Herrn Mozarts Einkauf schildern, seine menschenfreundliche Absicht erklären, und hier das Prachtgefäß stellt man auf einem Tisch als Opferbüchse auf, die beiden Rechen als Dekoration rechts und links dahinter gekreuzt.‹

Dies nun geschah zwar nicht, hingegen das Konzert kam zustande; es warf ein Erkleckliches ab, verschiedene Beiträge folgten nach, daß das beglückte Paar noch Überschuß hatte, und auch die andern Hindernisse waren schnell beseitigt. Duscheks in Prag, unsre genausten Freunde dort, bei denen wir logieren, vernahmen die Geschichte, und *sie*, eine gar gemütliche, herzige Frau, verlangte von dem Kram aus Kuriosität auch etwas zu haben; so legt ich denn das Passendste für sie zurück und nahm es bei dieser Gelegenheit mit. Da wir inzwischen unverhofft eine neue liebe Kunstverwandte finden sollten, die nah daran ist, sich den eigenen Herd einzurichten, und ein Stück gemeinen Hausrat, welches Mozart ausgewählt, gewißlich nicht verschmähen wird, will ich mein Mitbringen halbieren, und Sie haben die Wahl zwischen einem schön durchbrochenen Schokoladequirl und mehrgedachter Salzbüchse, an welcher sich der Künstler mit einer geschmackvollen Tulpe verunköstigt hat. Ich würde unbedingt zu diesem Stück raten; das edle Salz, soviel ich weiß, ist das Symbol der Häuslichkeit und Gastlichkeit, wozu wir alle guten Wünsche für Sie legen wollen.«

So weit Madame Mozart. Wie dankbar und wie heiter alles von den Damen auf- und angenommen wurde, kann man denken. Der Jubel erneuerte sich, als gleich darauf bei den Männern oben die Gegenstände vorgelegt und das Muster patriarchalischer Simplizität nun förmlich übergeben ward, welchem der Oheim in dem Silberschranke seiner nunmehrigen Besitzerin und ihrer spätesten Nachkommen keinen geringern Platz versprach, als jenes berühmte Kunstwerk des florentinischen Meisters in der Ambraser Sammlung einnehme.

Es war schon fast acht Uhr; man nahm den Tee. Bald aber sah sich unser Musiker an sein schon am Mittag gegebenes Wort, die Gesellschaft näher mit dem ›Höllenbrand‹ bekannt zu machen, der unter Schloß und Riegel, doch zum Glück nicht allzu tief im Reisekoffer lag, dringend erinnert. Er war ohne Zögern bereit. Die Auseinandersetzung der Fabel des Stücks hielt nicht lange auf, das Textbuch wurde aufgeschlagen, und schon brannten die Lichter am Fortepiano.

Wir wünschten wohl, unsere Leser streifte hier zum wenigsten etwas von jener eigentümlichen Empfindung an, womit oft schon ein einzeln abgerissener, aus einem Fenster beim Vorübergehen an unser Ohr getragener Akkord, der nur von *dorther* kommen kann, uns wie elektrisch trifft und wie gebannt festhält; etwas von jener süßen Bangigkeit, wenn wir in dem Theater, solange das Orchester stimmt, dem Vorhang gegenübersitzen. Oder ist es nicht so? Wenn auf der Schwelle jedes erhabenen tragischen Kunstwerks, es heiße ›Macbeth‹, ›Ödipus‹ oder wie sonst, ein Schauer der ewigen Schönheit schwebt, wo träfe dies in höherem, auch nur in gleichem Maße zu als eben hier? Der Mensch verlangt und scheut zugleich, aus seinem gewöhnlichen Selbst vertrieben zu werden, er fühlt, das Unendliche wird ihn berühren, das seine Brust zusammenzieht, indem es sie ausdehnen und den Geist gewaltsam an sich reißen will. Die Ehrfurcht vor der vollendeten Kunst tritt hinzu; der Gedanke, ein göttliches Wunder genießen, es als ein Verwandtes in sich aufnehmen zu dürfen, zu können, führt eine Art von Rührung, ja von Stolz mit sich, vielleicht den glücklichsten und reinsten, dessen wir fähig sind.

Unsere Gesellschaft aber hatte damit, daß sie ein uns von Jugend auf völlig zu eigen gewordenes Werk jetzt erstmals kennen lernen sollte, einen von unserem Verhältnis unendlich verschiedenen Stand, und, wenn man das beneidenswerte Glück der persönlichen Vermittlung durch den Urheber abrechnet, bei weitem nicht den günstigen wie wir, da eine reine und vollkommene Auffassung eigentlich niemand möglich war, auch in mehr als einem Betracht selbst dann nicht möglich gewesen sein würde, wenn das Ganze unverkürzt hätte mitgeteilt werden können.

Von achtzehn fertig ausgearbeiteten Nummern* gab der Komponist vermutlich nicht die Hälfte; (wir finden in dem unserer Darstellung zugrunde liegenden Bericht nur das letzte Stück dieser Reihe, das Sextett, ausdrücklich angeführt) – er gab sie meistens, wie es scheint, in einem freien Auszug, bloß auf dem Klavier, und sang stellenweise darein, wie es kam und sich schickte. Von der Frau ist gleichfalls nur bemerkt, daß sie zwei Arien vorgetragen habe. Wir möchten uns, da ihre Stimme so stark als lieblich gewesen sein soll, die erste der Donna Anna (›Du kennst den Verräter‹) und eine von den beiden der Zerline dabei denken.

Genau genommen waren, dem Geist, der Einsicht, dem Geschmacke nach, Eugenie und ihr Verlobter die einzigen Zuhörer, wie der Meister sie sich wünschen mußte, und jene war es sicher ungleich mehr als dieser. Sie saßen beide tief im

* Bei dieser Zählung ist zu wissen, daß Elviras Arie mit dem Rezitativ und Leporellos ›Habs verstanden‹ nicht ursprünglich in der Oper enthalten gewesen.

Grunde des Zimmers; das Fräulein regungslos, wie eine Bildsäule, und in die Sache aufgelöst auf einen solchen Grad, daß sie auch in den kurzen Zwischenräumen, wo sich die Teilnahme der übrigen bescheiden äußerte oder die innere Bewegung sich unwillkürlich mit einem Ausruf der Bewunderung Luft machte, die von dem Bräutigam an sie gerichteten Worte immer nur ungenügend zu erwidern vermochte.

Als Mozart mit dem überschwenglich schönen Sextett geschlossen hatte und nach und nach ein Gespräch aufkam, schien er vornehmlich einzelne Bemerkungen des Barons mit Interesse und Wohlgefallen aufzunehmen. Es wurde vom Schlusse der Oper die Rede, sowie von der vorläufig auf den Anfang Novembers anberaumten Aufführung, und da jemand meinte, gewisse Teile des Finale möchten noch eine Riesenaufgabe sein, so lächelte der Meister mit einiger Zurückhaltung; Konstanze aber sagte zu der Gräfin hin, daß er es hören mußte: »Er hat noch was in petto, womit er geheim tut, auch vor mir.«

»Du fällst«, versetzte er, »aus deiner Rolle, Schatz, daß du das jetzt zur Sprache bringst; wenn ich nun Lust bekäme, von neuem anzufangen? und in der Tat, es juckt mich schon.«

»Leporello!« rief der Graf, lustig aufspringend und winkte einem Diener: »Wein! Sillery, drei Flaschen!«

»Nicht doch ! damit ist es vorbei – mein Junker hat sein letztes im Glase.« »Wohl bekomms ihm – und jedem das Seine!«

»Mein Gott, was hab ich da gemacht!« lamentierte Konstanze, mit einem Blick auf die Uhr, »gleich ist es elfe, und morgen früh solls fort – wie wird das gehen?«

»Es geht halt gar nicht, Beste! nur schlechterdings gar nicht.«

»Manchmal«, fing Mozart an, »kann sich doch ein Ding sonderbar fügen. Was wird denn meine Stanzl sagen, wenn sie erfährt, daß eben das Stück Arbeit, das sie nun hören soll, um eben diese Stunde in der Nacht, und zwar gleichfalls vor einer angesetzten Reise, zur Welt geboren ist?«

»Wärs möglich? Wann? Gewiß vor drei Wochen, wie du nach Eisenstadt wolltest!«

»Getroffen! Und das begab sich so. Ich kam nach zehne, du schliefst schon fest, von Richters Essen heim und wollte versprochenermaßen auch bälder zu Bett, um morgens beizeiten heraus und in den Wagen zu steigen. Inzwischen hatte Veit, wie gewöhnlich, die Lichter auf dem Schreibtisch angezündet, ich zog mechanisch den Schlafrock an, und fiel mir ein, geschwind mein letztes Pensum noch einmal anzusehen. Allein, o Mißgeschick! verwünschte, ganz unzeitige Geschäftigkeit der Weiber! du hattest aufgeräumt, die Noten eingepackt – die mußten nämlich mit: der Fürst verlangte eine Probe von dem Opus; – ich suchte, brummte, schalt, umsonst! Darüber fällt mein Blick auf ein versiegeltes Kuvert: vom Abbate, den greulichen Haken nach auf der Adresse – ja wahrlich! und schickt mir den umgearbeiteten Rest seines Textes, den ich vor Monatsfrist noch nicht zu sehen hoffte. Sogleich sitz ich begierig hin und lese und bin entzückt, wie gut der Kauz verstand, was ich wollte. Es war alles weit simpler, gedrängter und reicher zugleich. Sowohl die Kirchhofsszene wie das Finale, bis zum Untergang des Helden, hat in jedem Betracht sehr gewonnen. (Du sollst mir aber auch, dacht ich, vortrefflicher Poet, Himmel und Hölle nicht unbedankt zum zweiten Mal beschworen haben!) Nun ist es sonst meine Gewohnheit nicht, in der Komposition etwas vorauszunehmen, und wenn es noch so lockend wäre; das bleibt eine Unart, die sich sehr übel bestrafen kann. Doch gibt es Ausnahmen, und kurz, der Auftritt bei der Reiterstatue des Gouverneurs, die Drohung, die vom Grabe des Erschlagenen her urplötzlich das Gelächter des Nachtschwärmers haarsträubend unterbricht, war mir bereits in die Krone gefahren. Ich griff einen Akkord und fühlte, ich hatte an der rechten Pforte angeklopft, dahinter schon die ganze Legion von Schrecken beieinander liege, die im Finale loszulassen sind. So kam fürs erste ein Adagio heraus: d-moll, vier Takte nur, darauf ein zweiter Satz mit fünfen – es wird, bild ich mir ein, auf dem Theater etwas Ungewöhnliches geben, wo die stärksten Blasinstrumente die Stimme begleiten. Einstweilen hören Sie's, so gut es sich hier machen läßt.«

Er löschte ohne weiteres die Kerzen der beiden neben ihm stehenden Armleuchter aus, und jener furchtbare Choral: ›Dein Lachen endet vor der Morgenröte!‹ erklang durch die Totenstille des Zimmers. Wie von entlegenen Sternenkreisen fallen die Töne aus silbernen Posaunen, eiskalt, Mark und Seele durchschneidend, herunter durch die blaue Nacht.

»Wer ist hier? Antwort!« hört man Don Juan fragen. Da hebt es wieder an, eintönig wie zuvor, und gebietet dem ruchlosen Jüngling, die Toten in Ruhe zu lassen.

Nachdem diese dröhnenden Klänge bis auf die letzte Schwingung in der Luft verhallt waren, fuhr Mozart fort: »Jetzt gab es für mich begreiflicherweise kein Aufhören mehr. Wenn erst das Eis einmal an *einer* Uferstelle bricht, gleich kracht der ganze See und klingt bis an den entferntesten Winkel hinunter. Ich ergriff unwillkürlich denselben Faden weiter unten bei Don Juans Nachtmahl wieder, wo Donna Elvira sich eben entfernt hat und das Gespenst, der Einladung gemäß, erscheint. – Hören Sie an.«

Es folgte nun der ganze lange, entsetzenvolle Dialog, durch welchen auch der Nüchternste bis an die Grenze menschlichen Vorstellens, ja über sie hinaus gerissen wird, wo wir das Übersinnliche schauen und hören und innerhalb der eigenen Brust von einem Äußersten zum andern willenlos uns hin und her geschleudert fühlen.

Menschlichen Sprachen schon entfremdet, bequemt sich das unsterbliche Organ des Abgeschiedenen, noch einmal zu reden. Bald nach der ersten fürchterlichen Begrüßung, als der Halbverklärte die ihm gebotene irdische Nahrung verschmäht, wie seltsam schauerlich wandelt seine Stimme auf den Sprossen einer luftgewebten Leiter unregelmäßig auf und nieder! Er fordert schleunigen Entschluß zur Buße: kurz ist dem Geist die Zeit gemessen; weit, weit, weit ist der Weg! Und wenn nun Don Juan, im ungeheuren Eigenwillen den ewigen Ordnungen trotzend, unter dem wachsenden Andrang der höllischen Mächte, ratlos ringt, sich sträubt und windet und endlich untergeht, noch mit dem vollen Ausdruck der Erhabenheit in jeder Gebärde – wem zitterten nicht Herz und Nieren vor Lust und Angst zugleich? Es ist ein Gefühl, ähnlich dem, womit man das prächtige Schauspiel einer unbändigen Naturkraft, den Brand eines herrlichen Schiffes anstaunt. Wir nehmen wider Willen gleichsam Partei für diese blinde Größe und teilen knirschend ihren Schmerz im reißenden Verlauf ihrer Selbstvernichtung.

Der Komponist war am Ziele. Eine Zeit lang wagte niemand, das allgemeine Schweigen zuerst zu brechen.

»Geben Sie uns,« fing endlich, mit noch beklemmtem Atem, die Gräfin an, »geben Sie uns, ich bitte Sie, einen Begriff, wie Ihnen war, da Sie in jener Nacht die Feder weglegten!«

Er blickte, wie aus einer stillen Träumerei ermuntert, helle zu ihr auf, besann sich schnell und sagte, halb zu der Dame, halb zu seiner Frau: »Nun ja, mir schwankte wohl zuletzt der Kopf. Ich hatte dies verzweifelte Dibattimento, bis zu dem Chor der Geister, in einer Hitze fort, beim offenen Fenster, zu Ende geschrieben und stand nach einer kurzen Rast vom Stuhl auf, im Begriff, nach deinem Kabinett zu gehen, damit wir noch ein bißchen plaudern und sich mein Blut ausgleiche. Da machte ein überquerer Gedanke mich mitten im Zimmer still stehen.« (Hier sah er zwei Sekunden lang zu Boden, und sein Ton verriet beim Folgenden eine kaum merkbare Bewegung.) »Ich sagte zu mir selbst: wenn du noch diese Nacht wegstürbest und müßtest deine Partitur an diesem Punkt verlassen: ob dirs auch Ruh im Grabe ließ'? – Mein Auge hing am Docht des Lichts in meiner Hand und auf den Bergen von abgetropftem Wachs. Ein Schmerz bei dieser Vorstellung durchzückte mich einen Moment; dann dacht ich weiter: wenn denn hernach über kurz oder lang ein anderer, vielleicht gar so ein Welscher, die Oper zu vollenden bekäme und fände von der Introduktion bis Numero siebzehn, mit Ausnahme *einer* Piece, alles sauber beisammen, lauter gesunde, reife Früchte ins hohe Gras geschüttelt, daß er sie nur auflesen dürfte; ihm graute aber doch ein wenig hier vor der Mitte des Finale, und er fände alsdann unverhofft den tüchtigen Felsbrocken da insoweit schon beiseite gebracht: er möchte drum nicht übel in das Fäustchen lachen! Vielleicht wäre er versucht, mich um die Ehre zu betrügen. Er sollte aber wohl die Finger dran verbrennen; da wär noch immerhin ein Häuflein guter Freunde, die meinen Stempel kennen und mir, was mein ist, redlich sichern würden. – Nun ging ich, dankte Gott mit einem vollen Blick hinauf und dankte, liebes Weibchen, deinem Genius, der dir so lange seine beiden Hände sanft über die Stirne gehalten, daß du fortschliefst wie eine Ratze und mich kein einzig Mal anrufen konntest. Wie ich dann aber endlich kam und du mich um die Uhr befrugst, log ich dich frischweg ein paar Stunden jünger, als du warst, denn es ging stark auf viere; und nun wirst du begreifen, warum du mich um sechse nicht aus den Federn brachtest, der Kutscher wieder heimgeschickt und auf den andern Tag bestellt werden mußte.«

»Natürlich!« versetzte Konstanze, »nur bilde sich der schlaue Mann nicht ein, man sei so dumm gewesen, nichts zu merken! Deswegen brauchtest du mir deinen schönen Vorsprung fürwahr nicht zu verheimlichen!«

»Auch war es nicht deshalb.«

»Weiß schon – du wolltest deinen Schatz vorerst noch unbeschrien haben.«

»Mich freut nur,« rief der gutmütige Wirt, »daß wir morgen nicht nötig haben, ein edles Wiener Kutscherherz zu kränken, wenn Herr Mozart partout nicht aufstehen kann. Die Ordre ›Hans, spann wieder aus!‹ tut jederzeit sehr weh.«

Diese indirekte Bitte um längeres Bleiben, mit der sich die übrigen Stimmen im herzlichsten Zuspruch verbanden, gab den Reisenden Anlaß zu Auseinandersetzung sehr triftiger Gründe dagegen; doch verglich man sich gerne dahin, daß nicht zu zeitig aufgebrochen und noch vergnügt zusammen gefrühstückt werden solle.

Man stand und drehte sich noch eine Zeit lang in Gruppen schwatzend umeinander. Mozart sah sich nach jemanden um, augenscheinlich nach der Braut; da sie jedoch gerade nicht zugegen war, so richtete er naiverweise die ihr bestimmte Frage unmittelbar an die ihm nahestehende Franziska: »Was denken Sie denn nun im ganzen von unserm ›Don Giovanni?‹ Was können Sie ihm Gutes prophezeien?«

»Ich will«, versetzte sie mit Lachen, »im Namen meiner Base so gut antworten, als ich kann: meine einfältige Meinung ist, daß, wenn ›Don Giovanni‹ nicht aller Welt den Kopf verrückt, so schlägt der liebe Gott seinen Musikkasten gar zu, auf unbestimmte Zeit, heißt das, und gibt der Menschheit zu verstehen...« – »Und gibt der Menschheit«, fiel der Onkel verbessernd ein, »den Dudelsack in die Hand und verstocket die Herzen der Leute, daß sie anbeten Baalim.«

»Behüt uns Gott!« lachte Mozart. »Je nun, im Lauf der nächsten sechzig, siebzig Jahre, nachdem ich lang fort bin, wird mancher falsche Prophet aufstehen.«

Eugenie trat mit dem Baron und Max herbei, die Unterhaltung hob sich unversehens auf ein neues, ward nochmals ernsthaft und bedeutend, so daß der Komponist, eh die Gesellschaft auseinanderging, sich noch gar mancher schönen, bezeichnenden Äußerung erfreute, die seiner Hoffnung schmeichelte.

Erst lange nach Mitternacht trennte man sich; keines empfand bis jetzt, wie sehr es der Ruhe bedurfte.

Den andern Tag (das Wetter gab dem gestrigen nichts nach) um zehn Uhr sah man einen hübschen Reisewagen, mit den Effekten beider Wiener Gäste bepackt, im Schloßhof stehen. Der Graf stand mit Mozart davor, kurz ehe die Pferde herausgeführt wurden, und fragte, wie er ihm gefalle.

»Sehr gut; er scheint äußerst bequem.«

»Wohlan, so machen Sie mir das Vergnügen und behalten Sie ihn zu meinem Andenken.«

»Wie? ist das Ernst?«

»Was wär es sonst?«

»Heiliger Sixtus und Calixtus – Konstanze! du!« rief er zum Fenster hinauf, wo sie mit den andern heraussah. »Der Wagen soll mein sein! Du fährst künftig in deinem eigenen Wagen!«

Er umarmte den schmunzelnden Geber, betrachtete und umging sein neues Besitztum von allen Seiten, öffnete den Schlag, warf sich hinein und rief heraus: »Ich dünke mich so vornehm und so reich wie Ritter Gluck! Was werden sie in Wien für Augen machen!« – »Ich hoffe,« sagte die Gräfin, »Ihr Fuhrwerk wiederzusehn bei der Rückkehr von Prag, mit Kränzen um und um behangen!«

Nicht lang nach diesem letzten fröhlichen Auftritt setzte sich der vielbelobte Wagen mit dem scheidenden Paare wirklich in Bewegung und fuhr im raschen Trab nach der Landstraße zu. Der Graf ließ sie bis Wittingau fahren, wo Postpferde genommen werden sollten.

Wenn gute, vortreffliche Menschen durch ihre Gegenwart vorübergehend unser Haus belebten, durch ihren frischen Geistesodem auch unser Wesen in neuen raschen Schwung versetzten und uns den Segen der Gastfreundschaft in vollem Maße zu empfinden gaben, so läßt ihr Abschied immer eine unbehagliche Stockung, zum mindesten für den Rest des Tags, bei uns zurück, wofern wir wieder ganz nur auf uns selber angewiesen sind.

Bei unsern Schloßbewohnern traf wenigstens das letztere nicht zu. Franziskas Eltern nebst der alten Tante fuhren zwar alsbald auch weg; die Freundin selbst indes, der Bräutigam, Max ohnehin, verblieben noch. Eugenien, von welcher vorzugsweise hier die Rede ist, weil sie das unschätzbare Erlebnis tiefer als alle ergriff, sollte man denken, konnte nichts fehlen, nichts genommen oder getrübt sein; ihr reines Glück in dem wahrhaft geliebten Mann, das erst soeben seine förmliche Bestätigung erhielt, mußte alles andre verschlingen, vielmehr, das Edelste und Schönste, wovon ihr Herz bewegt sein konnte, mußte sich notwendig mit jener seligen Fülle in eines verschmelzen. So wäre es auch wohl gekommen, hätte sie gestern und heute der bloßen Gegenwart, jetzt nur dem reinen Nachgenuß derselben leben können. Allein am Abend schon, bei den Erzählungen der Frau, war sie von leiser Furcht für ihn, an dessen liebenswertem Bild sie sich ergötzte, geheim beschlichen worden; diese Ahnung wirkte nachher, die ganze Zeit, als Mozart spielte, hinter allem unsäglichen Reiz, durch alle das geheimnisvolle Grauen der Musik hindurch, im Grund ihres Bewußtseins fort, und endlich überraschte, erschütterte sie das, was er selbst in der nämlichen Richtung gelegentlich von sich erzählte. Es ward ihr so gewiß, so ganz gewiß, daß dieser Mann sich schnell und unaufhaltsam in seiner eigenen Glut verzehre, daß er nur eine flüchtige Erscheinung auf der Erde sein könne, weil sie den Überfluß, den er verströmen würde, in Wahrheit nicht ertrüge.

Dies, neben vielem andern, ging, nachem sie sich gestern niedergelegt, in ihrem Busen auf und ab, während der Nachhall ›Don Juans‹ verworren noch lange fort ihr inneres Gehör einnahm. Erst gegen Tag schlief sie ermüdet ein.

Die drei Damen hatten sich nunmehr mit ihren Arbeiten in den Garten gesetzt, die Männer leisteten ihnen Gesellschaft, und da das Gespräch natürlich zunächst nur Mozart betraf, so verschwieg auch Eugenie ihre Befürchtungen nicht. Keins wollte dieselben im mindesten teilen, wiewohl der Baron sie vollkommen begriff. Zur guten Stunde, in recht menschlich reiner, dankbarer Stimmung pflegt man sich jeder Unglücksidee, die einen gerade nicht unmittelbar angeht, aus allen Kräften zu erwehren. Die sprechendsten, lachendsten

Gegenbeweise wurden, besonders vom Oheim, vorgebracht, und wie gerne hörte nicht Eugenie alles an! Es fehlte nicht viel, so glaubte sie wirklich, zu schwarz gesehen zu haben.

Einige Augenblicke später, als sie durchs große Zimmer oben ging, das eben gereinigt und wieder in Ordnung gebracht worden war und dessen vorgezogene, grün damastene Fenstergardinen nur ein sanftes Dämmerlicht zuließen, stand sie wehmütig vor dem Klaviere still. Durchaus war es ihr wie ein Traum, zu denken, wer noch vor wenigen Stunden davorgesessen habe. Lang blickte sie gedankenvoll die Tasten an, die *er* zuletzt berührt, dann drückte sie leise den Deckel zu und zog den Schlüssel ab, in eifersüchtiger Sorge, daß so bald keine andere Hand wieder öffne. Im Weggehn stellte sie beiläufig einige Liederhefte an ihren Ort zurück; es fiel ein älteres Blatt heraus, die Abschrift eines böhmischen Volksliedchens, das Franziska früher, auch wohl sie selbst, manchmal gesungen. Sie nahm es auf, nicht ohne darüber betreten zu sein. In einer Stimmung wie die ihrige wird der natürlichste Zufall leicht zum Orakel. Wie sie es aber auch verstehen wollte, der Inhalt war derart, daß ihr, indem sie die einfachen Verse wieder durchlas, heiße Tränen entfielen.

Ein Tännlein grünet wo,
Wer weiß, im Walde;
Ein Rosenstrauch, wer sagt,
In welchem Garten?
Sie sind erlesen schon,
Denk es, o Seele,
Auf deinem Grab zu wurzeln
Und zu wachsen.

Zwei schwarze Rößlein weiden
Auf der Wiese,
Sie kehren heim zur Stadt
In muntern Sprüngen.

Sie werden schrittweis gehn
Mit deiner Leiche;
Vielleicht, vielleicht noch eh
An ihren Hufen
Das Eisen los wird,
Das ich blitzen sehe!

JOSEPH VON EICHENDORFF

Aus dem Leben eines Taugenichts

Erstes Kapitel

Das Rad an meines Vaters Mühle brauste und rauschte schon wieder recht lustig, der Schnee tröpfelte emsig vom Dache, die Sperlinge zwitscherten und tummelten sich dazwischen; ich saß auf der Türschwelle und wischte mir den Schlaf aus den Augen; mir war so recht wohl in dem warmen Sonnenscheine. Da trat der Vater aus dem Hause; er hatte schon seit Tagesanbruch in der Mühle rumort und die Schlafmütze schief auf dem Kopfe, der sagte zu mir: »Du Taugenichts! da sonnst du dich schon wieder und dehnst und reckst dir die Knochen müde und läßt mich alle Arbeit allein tun. Ich kann dich hier nicht länger füttern. Der Frühling ist vor der Tür, geh auch einmal hinaus in die Welt und erwirb dir selber dein Brot.«

»Nun,« sagte ich, »wenn ich ein Taugenichts bin, so ists gut, so will ich in die Welt gehn und mein Glück machen.« Und eigentlich war mir das recht lieb, denn es war mir kurz vorher selber eingefallen, auf Reisen zu gehn, da ich die Goldammer, welche im Herbst und Winter immer betrübt an unserm Fenster sang: Bauer, miet mich, Bauer, miet mich! nun in der schönen Frühlingszeit wieder ganz stolz und lustig vom Baume rufen höre: Bauer, behalt deinen Dienst! – Ich ging also in das Haus hinein und holte meine Geige, die ich recht artig spielte, von der Wand, mein Vater gab mir noch einige Groschen Geld mit auf den Weg, und so schlenderte ich durch das lange Dorf hinaus. Ich hatte recht meine heimliche Freude, als ich da alle meine alten Bekannten und Kameraden rechts und links, wie gestern und vorgestern und immerdar, zur Arbeit hinausziehen, graben und pflügen sah, während ich so in die freie Welt hinausstrich. Ich rief den armen Leuten nach allen Seiten recht stolz und zufrieden Adjes zu, aber es kümmerte sich eben keiner sehr darum. Mir war es wie ein ewiger Sonntag im Gemüte. Und als ich endlich ins freie Feld hinauskam, da nahm ich meine liebe Geige vor und spielte und sang, auf der Landstraße fortgehend:

Wem Gott will rechte Gunst erweisen,
Den schickt er in die weite Welt,
Dem will er seine Wunder weisen
In Berg und Wald und Strom und Feld.

Die Trägen, die zu Hause liegen,
Erquicket nicht das Morgenrot,
Sie wissen nur vom Kinderwiegen
Von Sorgen, Last und Not um Brot.

Die Bächlein von den Bergen springen,
Die Lerchen schwirren hoch vor Lust,
Was sollt ich nicht mit ihnen singen
Aus voller Kehl und frischer Brust?

Den lieben Gott laß ich nur walten;
Der Bächlein, Lerchen, Wald und Feld
Und Erd und Himmel will erhalten,
Hat auch mein Sach aufs best bestellt!

Indem, wie ich mich so umsehe, kommt ein köstlicher Reisewagen ganz nahe an mich heran, der mochte wohl schon einige Zeit hinter mir drein gefahren sein, ohne daß ich es merkte, weil mein Herz so voller Klang war, denn es ging ganz langsam, und zwei vornehme Damen steckten die Köpfe aus dem Wagen und hörten mir zu. Die eine war besonders schön und jünger als die andere, aber eigentlich gefielen sie mir alle beide. Als ich nun aufhörte zu singen, ließ die ältere still halten und redete mich holdselig an: »Ei, lustiger Gesell, Er weiß ja recht hübsche Lieder zu singen.« Ich nicht zu faul dagegen: »Euer Gnaden aufzuwarten, wüßt ich noch viel schönere.« Darauf fragte sie mich wieder: »Wohin wandert Er denn schon so am frühen Morgen?« Da schämte ich mich, daß ich das selber nicht wußte, und sagte dreist: »Nach Wien«; nun sprachen beide miteinander in einer fremden Sprache, die ich nicht verstand. Die jüngere schüttelte einigemal mit dem Kopfe, die andere lachte aber in einem fort und rief mir endlich zu: »Spring Er nur hinten mit auf, wir fahren auch nach Wien.« Wer war froher als ich! Ich machte eine Reverenz und war mit einem Sprunge hinter dem Wagen, der Kutscher knallte, und wir flogen über die glänzende Straße fort, daß mir der Wind am Hute pfiff.

Hinter mir gingen nun Dorf, Gärten und Kirchtürme unter, vor mir neue Dörfer, Schlösser und Berge auf; unter mir Saaten, Büsche und Wiesen bunt vorüberfliegend, über mir unzählige Lerchen in der klaren blauen Luft – ich schämte mich, laut zu schreien, aber innerlichst jauchzte ich und strampelte und tanzte auf dem Wagentritt herum, daß ich bald meine Geige verloren hätte, die ich unterm Arme hielt. Wie aber dann die Sonne immer höher stieg, rings am Horizont schwere weiße Mittagswolken aufstiegen und alles in der Luft und auf der weiten Fläche so leer und schwül und still wurde über den leise wogenden Kornfeldern, da fiel mir erst wieder mein Dorf ein und mein Vater und unsere Mühle, wie es da so heimlich kühl war an dem schattigen Weiher, und daß nun alles so weit, weit hinter mir lag. Mir war dabei so kurios zumute, als müßt ich wieder umkehren; ich steckte meine Geige zwischen Rock und Weste, setzte mich voller Gedanken auf den Wagentritt hin und schlief ein.

Als ich die Augen aufschlug, stand der Wagen still unter hohen Lindenbäumen, hinter denen eine breite Treppe zwischen Säulen in ein prächtiges Schloß führte. Seitwärts durch die Bäume sah ich die Türme von Wien. Die Damen waren, wie es schien, längst ausgestiegen, die Pferde abgespannt. Ich erschrak sehr, da ich auf einmal so allein saß, und sprang geschwind in das Schloß hinein, da hörte ich von oben aus dem Fenster lachen.

In diesem Schlosse ging es mir wunderlich. Zuerst, wie ich mich in der weiten kühlen Vorhalle umschaue, klopft mir jemand mit dem Stocke auf die Schulter. Ich kehre mich schnell um, da steht ein großer Herr in Staatskleidern, ein breites Bandelier von Gold und Seide bis an die Hüften übergehängt, mit einem oben versilberten Stabe in der Hand, und einer außerordentlich langen gebogenen kurfürstlichen Nase im Gesicht, breit und prächtig wie ein aufgeblasener Puter, der mich fragt, was ich hier will. Ich war ganz verblüfft und konnte vor Schreck und Erstaunen nichts hervorbringen. Darauf kamen mehrere Bediente die Treppe herauf und herunter gerannt, die sagten gar nichts, sondern sahen mich nur von oben bis unten an. Sodann kam eine Kammerjungfer (wie ich nachher hörte) gerade auf mich los und sagte: ich wäre ein scharmanter Junge, und die gnädigste Herrschaft ließe mich fragen, ob ich hier als Gärtnerbursche dienen wollte. – Ich griff nach der Weste; meine paar Groschen, weiß Gott, sie müssen beim Herumtanzen auf dem Wagen aus der Tasche gesprungen sein, waren weg, ich hatte nichts als mein Geigenspiel, für das mir überdies auch der Herr mit dem Stabe, wie er mir im Vorbeigehen sagte, nicht einen Heller geben wollte. Ich sagte daher in meiner Herzensangst zu der Kammerjungfer: »Ja«, noch immer die Augen von der Seite auf die unheimliche Gestalt gerichtet, die immerfort wie der Perpendikel einer Turmuhr in der Halle auf und ab wandelte und eben wieder majestätisch und schauerlich aus dem Hintergrunde heraufgezogen kam. Zuletzt kam endlich der Gärtner, brummte was von Gesindel und Bauerlümmel unterm Bart und führte mich nach dem Garten, während er mir unterwegs noch eine lange Predigt hielt; wie ich nur fein nüchtern und arbeitsam sein, nicht in der Welt herumvagieren, keine brotlosen Künste und unnützes Zeug treiben sollte, da könnt ich es mit der Zeit auch einmal zu was Rechtem bringen. – Es waren noch mehr sehr hübsche, gutgesetzte, nützliche Lehren, ich habe nur seitdem fast alles wieder vergessen. Überhaupt weiß ich eigentlich gar nicht recht, wie doch alles so gekommen war, ich sagte nur immerfort zu allem: Ja, – denn mir war wie einem Vogel, dem die Flügel begossen worden sind. – So war ich denn, Gott sei Dank, im Brote. –

In dem Garten war schön leben, ich hatte täglich mein warmes Essen vollauf und mehr Geld, als ich zum Weine brauchte, nur hatte ich leider ziemlich viel zu tun. Auch die Tempel, Lauben und schönen grünen Gänge, das gefiel mir alles recht gut, wenn ich nur hätte ruhig drin herumspazieren können und vernünftig diskurieren, wie die Herren und Damen, die alle Tage dahin kamen. Sooft der Gärtner fort und ich allein war, zog ich sogleich mein kurzes Tabakspfeifchen heraus, setzte mich hin und sann auf schöne höfliche Redensarten, wie ich die eine junge schöne Dame, die mich in das Schloß mitbrachte, unterhalten wollte, wenn ich ein Kavalier wäre und mit ihr hier herumginge. Oder ich legte mich an schwülen Nachmittagen auf den Rücken hin, wenn alles so still war, daß man nur die Bienen sumsen hörte, und sah zu, wie über mir die Wolken nach meinem Dorfe zuflogen und die Gräser und Blumen sich hin und her bewegten, und gedachte an die Dame, und da geschah es denn oft, daß die schöne Frau mit der Gitarre oder einem Buche in der Ferne wirklich durch den Garten zog, so still, groß und feundlich wie ein Engelsbild, so daß ich nicht recht wußte, ob ich träumte oder wachte.

So sang ich auch einmal, wie ich eben bei einem Lusthause zur Arbeit vorbeiging, für mich hin:

Wohin ich geh und schaue,
In Feld und Wald und Tal,
Vom Berg ins Himmelsblaue,
Vielschöne gnädge Fraue,
Grüß ich dich tausendmal.

Da seh ich aus dem dunkelkühlen Lusthause zwischen den halbgeöffneten Jalousien und Blumen, die dort standen, zwei schöne, junge, frische Augen hervorfunkeln. Ich war ganz erschrocken, ich sang das Lied nicht aus, sondern ging, ohne mich umzusehen, fort an die Arbeit.

Abends, es war gerade an einem Sonnabend, und ich stand eben in der Vorfreude kommenden Sonntags mit der Geige im Gartenhause am Fenster und dachte noch an die funkelnden Augen, da kommt auf einmal die Kammerjungfer durch die Dämmerung dahergestrichen. »Da schickt Euch die vielschöne gnädige Frau was, das sollt Ihr auf ihre Gesundheit trinken. Eine gute Nacht auch!« Damit setzte sie mir fix eine Flasche Wein aufs Fenster und war sogleich wieder zwischen den Blumen und Hecken verschwunden wie eine Eidechse.

Ich aber stand noch lange vor der wundersamen Flasche und wußte nicht, wie mir geschehen war. – Und hatte ich vorher lustig die Geige gestrichen, so spielt und sang ich jetzt erst recht und sang das Lied von der schönen Frau ganz aus und alle meine Lieder, die ich nur wußte, bis alle Nachtigallen draußen erwachten und Mond und Sterne schon lange über dem Garten standen. Ja, das war einmal eine gute schöne Nacht!

Es wird keinem an der Wiege gesungen, was künftig aus ihm wird, eine blinde Henne findet manchmal auch ein Korn, wer zuletzt lacht, lacht am besten, unverhofft kommt oft, der Mensch denkt und Gott lenkt, so meditiert ich, als ich am folgenden Tage wieder mit meiner Pfeife im Garten saß und es mir dabei, da ich so aufmerksam an mir heruntersah, fast vorkommen wollte, als wäre ich doch eigentlich ein rechter Lump. – Ich stand nunmehr, ganz wider meine sonstige Gewohnheit, alle Tage sehr zeitig auf, eh sich noch der Gärtner und die andern Arbeiter rührten. Da war es so wunderschön draußen im Garten. Die Blumen, die Springbrunnen, die Rosenbüsche und der ganze Garten funkelten von der Morgensonne wie lauter Gold und Edelstein. Und in den hohen Buchenalleen, da war es noch so still, kühl und andächtig, wie in einer Kirche, nur die Vögel flatterten und pickten auf dem Sande. Gleich vor dem Schlosse, gerade unter den Fenstern, wo die schöne Frau wohnte, war ein blühender Strauch. Dorthin ging ich dann immer am frühesten Morgen und duckte mich hinter die Äste, um so nach den Fenstern zu sehen, denn mich im Freien zu produzieren hatt ich keine Courage. Da sah ich nun allemal die allerschönste Dame noch heiß und halb verschlafen im schneeweißen Kleid an das offene Fenster hervortreten. Bald flocht sie sich die dunkelbraunen Haare und ließ dabei die anmutig spielenden Augen über Busch und Garten ergehen, bald bog und band sie die Blumen, die vor ihrem Fenster standen, oder sie nahm auch die Gitarre in den weißen Arm und sang dazu so wundersam über den Garten hinaus, daß sich mir noch das Herz umwenden will vor Wehmut, wenn mir eins von den Liedern bisweilen einfällt – und ach, das alles ist schon lange her!

So dauerte das wohl über eine Woche. Aber das eine Mal, sie stand gerade wieder am Fenster, und alles war stille ringsumher, fliegt mir eine fatale Fliege in die Nase, und ich gebe mich an ein erschreckliches Niesen, das gar nicht enden will. Sie legt sich weit zum Fester hinaus und sieht mich Ärmsten hinter dem Strauche lauschen. – Nun schämte ich mich und kam viele Tage nicht hin. Endlich wagte ich es wieder, aber das Fenster blieb diesmal zu, ich saß vier, fünf, sechs Morgen hinter dem Strauche, aber sie kam nicht wieder ans Fenster. Da wurde mir die Zeit lang, ich faßte mir ein Herz und ging nun alle Morgen frank und frei längs dem Schlosse unter allen Fenstern hin. Aber die liebe schöne Frau blieb immer und immer aus. Eine Strecke weiter sah ich dann immer die andere Dame am Fenster stehen. Ich hatte sie sonst so genau noch niemals gesehen. Sie war wahrhaftig recht schön rot und dick und gar prächtig und hoffärtig anzusehn wie eine

Tulipane. Ich machte ihr immer ein tiefes Kompliment, und, ich kann nicht anders sagen, sie dankte mir jedesmal und nickte und blinzelte mit den Augen dazu ganz außerordentlich höflich. – Nur ein einziges Mal glaub ich gesehn zu haben, daß auch die Schöne an ihrem Fenster hinter der Gardine stand und versteckt hervorguckte. –

Viele Tage gingen jedoch ins Land, ohne daß ich sie sah. Sie kam nicht mehr in den Garten, sie kam nicht mehr ans Fenster. Der Gärtner schalt mich einen faulen Bengel, ich war verdrüßlich, meine eigene Nasenspitze war mir im Wege, wenn ich in Gottes freie Welt hinaussah.

So lag ich eines Sonntags nachmittags im Garten und ärgerte mich, wie ich so in die blauen Wolken meiner Tabakspfeife hinaussah, daß ich mich nicht auf ein anderes Handwerk gelegt und mich also morgen nicht auch wenigstens auf einen blauen Montag zu freuen hätte. Die andern Burschen waren indes alle wohlausstaffiert nach den Tanzböden in der nahen Vorstadt hinausgezogen. Da wallte und wogte alles im Sonntagsputze in der warmen Luft zwischen den lichten Häusern und wandernden Leierkästen schwärmend hin und zurück. Ich aber saß wie eine Rohrdommel im Schilfe eines einsamen Weihers im Garten und schaukelte mich auf dem Kahne, der dort angebunden war, während die Vesperglocken aus der Stadt über den Garten herüberschallten und die Schwäne auf dem Wasser langsam neben mir hin und her zogen. Mir war zum Sterben bange. –

Währenddes hörte ich von weitem allerlei Stimmen, lustiges Durcheinandersprechen und Lachen, immer näher und näher, dann schimmerten rot und weiße Tücher, Hüte und Federn durchs Grüne, auf einmal kommt ein heller lichter Haufen von jungen Herren und Damen vom Schlosse her über die Wiese auf mich los, meine beiden Damen mitten unter ihnen. Ich stand auf und wollte weggehen, da erblickte mich die ältere von den schönen Damen. »Ei, das ist ja wie gerufen,« rief sie mir mit lachendem Munde zu, »fahr Er uns doch an das jenseitige Ufer über den Teich!« Die Damen stiegen nun eine nach der andern vorsichtig und furchtsam in den Kahn, die Herren halfen ihnen dabei und machten sich ein wenig groß mit ihrer Kühnheit auf dem Wasser. Als sich darauf die Frauen alle auf die Seitenbänke gelagert hatten, stieß ich vom Ufer. Einer von den jungen Herren, der ganz vorn stand, fing unmerklich an zu schaukeln. Da wandten sich die Damen furchtsam hin und her, einige schrieen gar. Die schöne Frau, welche eine Lilie in der Hand hielt, saß dicht am Bord des Schiffleins und sah so still lächelnd in die klaren Wellen hinunter, die sie mit der Lilie berührte, so daß ihr ganzes Bild zwischen den widerscheinenden Wolken und Bäumen im Wasser noch einmal zu sehen war, wie ein Engel, der leise durch den tiefen blauen Himmelsgrund zieht.

Wie ich noch so auf sie hinsehe, fällts auf einmal der andern lustigen Dicken von meinen zwei Damen ein, ich sollte ihr während der Fahrt eins singen. Geschwind dreht sich ein sehr zierlicher junger Herr mit einer Brille auf der Nase, der neben ihr saß, zu ihr herum, küßt ihr sanft die Hand und sagt: »Ich danke Ihnen für den sinnigen Einfall! Ein Volkslied, *gesungen* vom Volk in freiem Feld und Wald, ist ein Alpenröslein auf der Alpe selbst, – die Wunderhörner sind nur Herbarien, – ist die Seele der Nationalseele.« Ich aber sagte, ich wisse nichts zu singen, was für solche Herrschaften schön genug wäre. Da sagte die schnippische Kammerjungfer, die mit einem Korbe voll Tassen und Flaschen hart neben mir stand und die ich bis jetzt noch gar nicht bemerkt hatte: »Weiß Er doch ein recht hübsches Liedchen von einer vielschönen Fraue.« – »Ja, ja, das sing Er nur recht dreist weg«, rief darauf sogleich die Dame wieder. Ich wurde über und über rot. – Indem blickte auch die schöne Frau auf einmal vom Wasser auf und sah mich an, daß es mir durch Leib und Seele ging. Da besann ich mich nicht lange, faßt ein Herz und sang so recht aus voller Brust und Lust:

Wohin ich geh und schaue,
In Feld und Wald und Tal,
Vom Berg hinab in die Aue:
Vielschöne, hohe Fraue,
Grüß ich dich tausendmal.

In meinem Garten find ich
Viel Blumen, schön und fein,
Viel Kränze wohl draus wind ich,
Und tausend Gedanken bind ich
Und Grüße mit darein.

Ihr darf ich keinen reichen,
Sie ist zu hoch und schön,
Die müssen alle verbleichen,
Die Liebe nur ohnegleichen
Bleibt ewig im Herzen stehn.

Ich schein wohl froher Dinge
Und schaffe auf und ab,
Und ob das Herz zerspringe,
Ich grabe fort und singe
Und grab mir bald mein Grab.

Wir stießen ans Land, die Herrschaften stiegen alle aus, viele von den jungen Herren hatten mich, ich bemerkt es wohl, während ich sang, mit listigen Mienen und Flüstern verspottet vor den Damen. Der Herr mit der Brille faßte mich im Weggehen bei der Hand und sagte mir, ich weiß selbst nicht mehr was, die ältere von meinen Damen sah mich sehr freundlich an. Die schöne Frau hatte während meines ganzen Liedes die Augen niedergeschlagen und ging nun auch fort und sagte gar nichts. – Mir aber standen die Tränen in den Augen schon wie ich noch sang, das Herz wollte mir zerspringen von dem Liede vor Scham und vor Schmerz, es fiel mir jetzt auf einmal alles recht ein, wie *sie* so schön ist und ich so arm bin und verspottet und verlassen von der Welt, – und als sie alle hinter den Büschen verschwunden waren, da konnt ich mich nicht länger halten, ich warf mich in das Gras hin und weinte bitterlich.

Zweites Kapitel

Dicht am herrschaftlichen Garten ging die Landstraße vorüber, nur durch eine hohe Mauer von derselben geschieden. Ein gar sauberes Zollhäuschen mit rotem Ziegeldache war da erbaut, und hinter demselben ein kleines, buntumzäuntes Blumengärtchen, das durch eine Lücke in der Mauer des Schloßgartens hindurch an den schattigsten und verborgensten Teil des letzteren stieß. Dort war eben der Zolleinnehmer gestorben, der das alles sonst bewohnte. Da kam eines Morgens frühzeitig, da ich noch im tiefsten Schlafe lag, der Schreiber vom Schlosse zu mir und rief mich schleunigst zum Herrn Amtmann. Ich zog mich geschwind an und schlenderte hinter dem lustigen Schreiber her, der unterwegs bald da, bald dort eine Blume abbrach und vorn an den Rock steckte, bald mit seinem Spazierstöckchen künstlich in der Luft herumfocht und allerlei zu mir in den Wind hineinparlierte, wovon ich aber nichts verstand, weil mir die Augen und Ohren noch voller Schlaf lagen. Als ich in die Kanzlei trat, wo es noch gar nicht recht Tag war, sah der Amtmann hinter einem ungeheuren Tintenfasse und Stößen von Papier und Büchern und einer ansehnlichen Perücke, wie die Eule aus ihrem Nest, auf mich und hob an: »Wie heißt Er? Woher ist Er? Kann Er schreiben, lesen und rechnen?« Da ich das bejahte, versetzte er: »Na, die gnädige Herrschaft hat Ihm, in Betracht Seiner guten Aufführung und besonderen Meriten, die ledige Einnehmerstelle zugedacht.« – Ich überdachte in der Geschwindigkeit für mich meine bisherige Aufführung und Manieren, und ich mußte gestehen, ich fand am Ende selber, daß der Amtmann recht hatte. – Und so war ich denn wirklich Zolleinnehmer, ehe ich michs versah.

Ich bezog nun sogleich meine neue Wohnung und war in kurzer Zeit eingerichtet. Ich hatte noch mehrere Gerätschaften gefunden, die der selige Einnehmer seinem Nachfolger hinterlassen, unter andern einen prächtigen roten Schlafrock mit gelben Punkten, grüne Pantoffeln, eine Schlafmütze und einige Pfeifen mit langen Röhren. Das alles hatte ich mir schon einmal gewünscht, als ich noch zu Hause war, wo ich immer unsern Pfarrer so bequem herumgehen sah. Den ganzen Tag (zu tun hatte ich weiter nichts) saß ich daher auf dem Bänkchen vor meinem Hause in Schlafrock und Schlafmütze, rauchte Tabak aus dem längsten Rohre, das ich von dem seligen Einnehmer vorgefunden hatte, und sah zu, wie die Leute auf der Landstraße hin und her gingen, fuhren und ritten. Ich wünschte nur immer, daß auch einmal ein paar Leute aus meinem Dorfe, die immer sagten, aus mir würde mein Lebtag nichts, hier vorüberkommen und mich so sehen möchten. – Der Schlafrock stand mir schön zu Gesichte, und überhaupt das alles behagte mir sehr gut. So saß ich denn da und dachte mir mancherlei hin und her, wie aller Anfang schwer ist, wie das vornehmere Leben doch eigentlich recht bequem sei, und faßte heimlich den Entschluß, nunmehr alles Reisen zu lassen, auch Geld zu sparen wie die andern und es mit der Zeit gewiß zu etwas Großem in der Welt zu bringen. Inzwischen vergaß ich über meinen Entschlüssen, Sorgen und Geschäften die allerschönste Frau keineswegs.

Die Kartoffeln und anderes Gemüse, das ich in meinem kleinen Gärtchen fand, warf ich hinaus und bebaute es ganz mit den auserlesensten Blumen, worüber mich der Portier vom Schlosse mit der großen kurfürstlichen Nase, der, seitdem ich hier wohnte, oft zu mir kam und mein intimer Freund geworden war, bedenklich von der Seite ansah und mich für einen hielt, den sein plötzliches Glück verrückt gemacht hätte. Ich aber ließ mich das nicht anfechten. Denn nicht weit von mir im herrschaftlichen Garten hörte ich feine Stimmen sprechen, unter denen ich die meiner schönen Frau zu erkennen meinte, obgleich ich wegen des dichten Gebüsches niemand sehen konnte. Da band ich denn alle Tage einen Strauß von den schönsten Blumen, die ich hatte, stieg jeden Abend, wenn es dunkel wurde, über die Mauer und legte ihn auf einen steinernen Tisch hin, der dort inmitten einer Laube stand; und jeden Abend, wenn ich den neuen Strauß brachte, war der alte von dem Tische fort.

Eines Abends war die Herrschaft auf die Jagd geritten; die Sonne ging eben unter und bedeckte das ganze Land mit Glanz und Schimmer, die Donau schlängelte sich prächtig wie von lauter Gold und Feuer in die weite Ferne, von allen Bergen bis tief ins Land hinein sangen und jauchzten die Winzer. Ich saß mit dem Portier auf dem Bänkchen vor meinem Hause und freute mich in der lauen Luft, wie der lustige Tag so langsam vor uns verdunkelte und verhallte. Da ließen sich auf einmal die Hörner der zurückkehrenden Jäger von ferne vernehmen, die von den Bergen gegenüber einander von Zeit zu Zeit lieblich Antwort gaben. Ich war recht im innersten Herzen vergnügt und sprang auf und rief wie bezaubert und verzückt vor Lust: »Nein, das ist mir doch ein Metier, die edle Jägerei!« Der Portier aber klopfte sich ruhig die Pfeife aus und sagte: »Das denkt Ihr Euch just so. Ich habe es auch mitgemacht, man verdient sich kaum die Sohlen, die man sich abläuft; und Husten und Schnupfen wird man erst gar nicht los, das kommt von den ewig nassen Füßen.« – Ich weiß nicht, mich packte da ein närrischer Zorn, daß ich ordentlich am ganzen Leibe zitterte. Mir war auf einmal der ganze Kerl mit seinem langweiligen Mantel, die ewigen Füße, sein Tabaksschnupfen, die große Nase und alles abscheulich. – Ich faßte ihn, wie außer mir, bei der Brust und sagte: »Portier, jetzt schert Ihr Euch nach Hause, oder ich prügle Euch hier sogleich durch!« Den Portier überfiel bei diesen Worten seine alte Meinung, ich wäre verrückt geworden. Er sah mich bedenklich und mit heimlicher Furcht an, machte sich, ohne ein Wort zu sprechen, von mir los und ging, immer noch unheimlich nach mir zurückblickend, mit langen Schritten nach dem Schlosse, wo er atemlos aussagte, ich sei nun wirklich rasend geworden.

Ich aber mußte am Ende laut auflachen und war herzlich froh, den superklugen Gesellen los zu sein, denn es war gerade die Zeit, wo ich den Blumenstrauß immer in die Laube zu legen pflegte. Ich sprang auch heute schnell über die Mauer und ging eben auf das steinerne Tischchen los, als ich in einiger Entfernung Pferdetritte vernahm. Entspringen konnt ich nicht mehr, denn schon kam meine schöne gnädige Frau selber, in einem grünen Jagdhabit und mit nickenden Federn auf dem Hute, langsam und, wie es schien, in tiefen Gedanken die Allee herabgeritten. Es war mir nicht anders zumute, als da ich sonst in den alten Büchern bei meinem Vater von der schönen Magelone gelesen, wie sie so zwischen den immer näher schallenden Waldhornsklängen und wechselnden Abendlichtern unter den hohen Bäumen hervorkam, – ich konnte nicht vom Fleck. Sie aber erschrak heftig, als sie mich auf einmal gewahr wurde, und hielt fast unwillkürlich still. Ich war wie betrunken vor Angst, Herzklopfen und großer Freude, und da ich bemerkte, daß sie wirklich meinen Blumenstrauß von gestern an der Brust hatte, konnte ich mich nicht länger halten, sondern sagte ganz verwirrt: »Schönste gnädige Frau, nehmt auch noch diesen Blumenstrauß von mir und alle Blumen aus meinem Garten und alles, was ich habe. Ach, könnt ich nur für Euch ins Feuer springen!« – Sie hatte mich gleich anfangs so ernsthaft und fast böse angeblickt, daß es mir durch Mark und Bein ging, dann aber hielt sie, solange ich redete, die Augen tief niedergeschlagen. Soeben ließen sich einige Reiter und Stimmen im Gebüsch hören. Da ergriff sie schnell den Strauß aus meiner Hand und war bald, ohne ein Wort zu sagen, am andern Ende des Bogenganges verschwunden.

Seit diesem Abend hatte ich weder Ruh noch Rast mehr. Es war mir beständig zumute wie sonst immer, wenn der Frühling anfangen sollte, so unruhig und fröhlich, ohne daß ich wußte, warum, als stünde mir ein großes Glück oder sonst etwas Außerordentliches bevor. Besonders das fatale Rechnen wollte mir nun erst gar nicht mehr von der Hand, und ich hatte, wenn der Sonnenschein durch den Kastanienbaum vor dem Fenster grüngolden auf die Ziffern fiel, und so fix vom Transport bis zum Latus und wieder hinauf und hinab addierte, gar seltsame Gedanken dabei, so daß ich manchmal ganz verwirrt wurde und wahrhaftig nicht bis drei zählen konnte. Denn die Acht kam mir immer vor wie meine dicke enggeschnürte Dame mit dem breiten Kopfputz, die böse Sieben war gar wie ein ewig rückwärtszeigender Wegweiser oder Galgen. – Am meisten Spaß machte mir noch die Neun, die sich mir so oft, eh ich michs versah, lustig als Sechs auf den Kopf stellte, während die Zwei wie ein Fragezeichen so pfiffig dreinsah, als wollte sie mich fragen: Wo soll das am Ende noch hinaus mit dir, du arme Null? Ohne *sie*, diese schlanke Eins und alles, bleibst du doch ewig nichts!

Auch das Sitzen draußen vor der Tür wollte mir nicht mehr behagen. Ich nahm mir, um és bequemer zu haben, einen Schemel mit heraus und streckte die Füße darauf, ich flickte ein altes Parasol vom Einnehmer und steckte es gegen die Sonne wie ein chinesisches Lusthaus über mich. Aber es half nichts. Es schien mir, wie ich so saß und rauchte und spekulierte, als würden mir allmählich die Beine immer länger vor Langeweile und die Nase wüchse mir vom Nichtstun, wenn ich so stundenlang an ihr heruntersah. – Und wenn dann manchmal noch vor Tagesanbruch eine Extrapost vorbeikam, und ich trat halb verschlafen in die kühle Luft hinaus, und ein niedliches Gesichtchen, von dem man in der Dämmerung nur die funkelnden Augen sah, bog sich neugierig zum Wagen hervor und bot mir freundlich einen guten Morgen, in den Dörfern aber ringsumher krähten die Hähne so frisch über die leise wogenden Kornfelder herüber, und zwischen den Morgenstreifen hoch am Himmel schweiften schon einzelne zu früh erwachte Lerchen, und der Postillion nahm dann sein Posthorn und fuhr weiter und blies und blies – da stand ich lange und sah dem Wagen nach, und es war mir nicht anders, als müßt ich nur sogleich mit fort, weit, weit in die Welt. –

Meine Blumensträuße legte ich indes immer noch, sobald die Sonne unterging, auf den steinernen Tisch in der dunklen Laube. Aber das war es eben: damit war es nun aus seit jenem Abend. – Kein Mensch kümmerte sich darum: sooft ich des Morgens frühzeitig nachsah, lagen die Blumen noch immer da wie gestern und sahen mich mit ihren verwelkten niederhängenden Köpfchen und daraufstehenden Tautropfen ordentlich betrübt an, als ob sie weinten. – Das verdroß mich sehr. Ich band gar keinen Strauß mehr. In meinem Garten mochte nun auch das Unkraut treiben wie es wollte, und die Blumen ließ ich ruhig stehn und wachsen, bis der Wind die Blätter verwehte. War mirs doch ebenso wild und bunt und verstört im Herzen.

In diesen kritischen Zeitläuften geschah es denn, daß einmal, als ich eben zu Hause im Fenster liege und verdrüßlich in die leere Luft hinaussehe, die Kammerjungfer vom Schlosse über die Straße dahergetrippelt kommt. Sie lenkte, da sie mich erblickte, schnell zu mir ein und blieb am Fenster stehen. –»Der gnädige Herr ist gestern von seiner Reise zurückgekommen«, sagte sie eilfertig. »So?« entgegnete ich verwundert – denn ich hatte mich schon seit einigen Wochen um nichts bekümmert und wußte nicht einmal, daß der Herr auf Reisen war –, »da wird seine Tochter, die junge gnädige Frau, auch große Freude gehabt haben.« – Die Kammerjungfer sah mich kurios von oben bis unten an, so daß ich mich ordentlich selber besinnen mußte, ob ich was Dummes gesagt hätte. – »Er weiß aber auch gar nichts«, sagte sie endlich und rümpfte das kleine Näschen. »Nun,« fuhr sie fort, »es soll heute abend dem Herrn zu Ehren Tanz im Schlosse sein und Maskerade. Meine gnädige Frau wird auch maskiert sein, als Gärtnerin – versteht Er auch recht – als Gärtnerin. Nun hat die gnädige Frau gesehen, daß Er besonders schöne Blumen hat in Seinem Garten.« – Das ist seltsam, dachte ich bei mir selbst, man sieht doch jetzt fast keine Blume mehr vor Unkraut. – Sie aber fuhr fort: »Da nun die gnädige Frau schöne Blumen zu ihrem Anzuge braucht, aber ganz frische, die eben vom Beete kommen, so soll Er ihr welche bringen und damit heute abend, wenns dunkel geworden ist, unter dem großen Birnbaum im Schloßgarten warten, da wird sie dann kommen und die Blumen abholen.«

Ich war ganz verblüfft vor Freude über diese Nachricht und lief in meiner Entzückung vom Fenster zu der Kammerjungfer hinaus. – »Pfui, der garstige Schlafrock!« rief diese aus, da sie mich auf einmal so in meinem Aufzuge im Freien sah. Das ärgerte mich, ich wollte auch nicht dahinter bleiben in der Galanterie und machte einige artige Kapriolen, um sie zu erhaschen und zu küssen. Aber unglücklicherweise verwickeltes sich mir dabei der Schlafrock, der mir viel zu lang war, unter den Füßen, und ich fiel der Länge nach auf die Erde. Als ich mich wieder zusammenraffte, war die Kammerjungfer schon weit fort, und ich hörte sie noch von fern lachen, daß sie sich die Seiten halten mußte.

Nun aber hatt ich was zu sinnen und mich zu freuen. *Sie* dachte ja noch immer an mich und meine Blumen! Ich ging in mein Gärtchen und riß hastig alles Unkraut von den Beeten und warf es hoch über meinen Kopf weg in die schimmernde Luft, als zög ich alle Übel und Melancholie mit der Wurzel heraus. Die Rosen waren nun wieder wie *ihr* Mund, die himmelblauen Winden wie *ihre* Augen, die schneeweiße Lilie mit ihrem schwermütig gesenkten Köpfchen sah ganz aus wie *sie*. Ich legte alle sorgfältig in ein Körbchen zusammen. Es war ein stiller, schöner Abend und kein Wölkchen am Himmel. Einzelne Sterne traten schon am Firmamente hervor, von weitem rauschte die Donau über die Felder herüber, in den hohen Bäumen im herrschaftlichen Garten neben mir sangen unzählige Vögel lustig durcheinander. Ach ich war so glücklich!

Als endlich die Nacht hereinbrach, nahm ich mein Körbchen an den Arm und machte mich auf den Weg nach dem großen Garten. In dem Körbchen lag alles so bunt und anmutig durcheinander, weiß, rot, blau und duftig, daß mir ordentlich das Herz lachte, wenn ich hineinsah.

Ich ging voller fröhlicher Gedanken bei dem schönen Mondschein durch die stillen, reinlich mit Sand bestreuten Gänge über die kleinen weißen Brücken, unter denen die Schwäne eingeschlafen auf dem Wasser saßen, an den zierlichen Lauben und Lusthäusern vorüber. Den großen Birnbaum hatte ich gar bald aufgefunden, denn es war derselbe, unter dem ich sonst, als ich noch Gärtnerbursche war, an schwülen Nachmittagen gelegen.

Hier war es so einsam dunkel. Nur eine hohe Espe zitterte und flüsterte mit ihren silbernen Blättern in einem fort. Vom Schlosse schallte manchmal die Tanzmusik herüber. Auch Menschenstimmen hörte ich zuweilen im Garten, die kamen oft ganz nahe an mich heran, dann wurde es auf einmal wieder ganz still.

Mir klopfte das Herz. Es war mir schauerlich und seltsam zumute, als wenn ich jemand bestehlen wollte. Ich stand lange Zeit stockstill an den Baum gelehnt und lauschte nach allen Seiten, da aber immer niemand kam, konnt ich es nicht länger aushalten. Ich hing mein Körbchen an den Arm und kletterte schnell auf den Birnbaum hinauf, um wieder im Freien Luft zu schöpfen.

Da droben schallte mir die Tanzmusik erst recht über die Wipfel entgegen. Ich übersah den ganzen Garten und gerade in die hellerleuchteten Fenster des Schlosses hinein. Dort drehten sich die Kronleuchter langsam wie Kränze von Sternen, unzählige geputzte Herren und Damen, wie in einem Schattenspiele, wogten und walzten und wirrten da bunt und unkenntlich durcheinander, manchmal legten sich welche ins

Fenster und sahen hinunter in den Garten. Draußen vor dem Schlosse aber waren der Rasen, die Sträucher und die Bäume von den vielen Lichtern aus dem Saale wie vergoldet, so daß ordentlich die Blumen und die Vögel aufzuwachen schienen. Weiterhin um mich herum und hinter mir lag der Garten so schwarz und still.

Da tanzt *sie* nun, dacht ich in dem Baume droben bei mir selber, und hat gewiß lange dich und deine Blumen wieder vergessen. Alles ist so fröhlich, um dich kümmert sich kein Mensch. – Und so geht es mir überall und immer. Jeder hat sein Plätzchen auf der Erde ausgesteckt, hat seinen warmen Ofen, seine Tasse Kaffee, seine Frau, sein Glas Wein zu Abend und ist so recht zufrieden; selbst dem Portier ist ganz wohl in seiner langen Haut. – Mir ists nirgends recht. Es ist, als wäre ich überall eben zu spät gekommen, als hätte die ganze Welt gar nicht auf mich gerechnet. –

Wie ich eben so philosophiere, höre ich auf einmal unten im Grase etwas einherrascheln. Zwei feine Stimmen sprachen ganz nahe und leise miteinander. Bald darauf bogen sich die Zweige in dem Gesträuche auseinander, und die Kammerjungfer steckte ihr kleines Gesichtchen, sich nach allen Seiten umsehend, zwischen der Laube hindurch. Der Mondschein funkelte recht auf ihren pfiffigen Augen, wie sie hervorguckten. Ich hielt den Atem an mich und blickte unverwandt hinunter. Es dauerte auch nicht lange, so trat wirklich die Gärtnerin, ganz so wie mir sie die Kammerjungfer gestern beschrieben hatte, zwischen den Bäumen heraus. Mein Herz klopfte mir zum Zerspringen. Sie aber hatte eine Larve vor und sah sich, wie mir schien, verwundert auf dem Platze um. – Da wollts mir vorkommen, als wäre sie gar nicht recht schlank und niedlich. – Endlich trat sie ganz nahe an den Baum und nahm die Larve ab. – Es war wahrhaftig die andere ältere gnädige Frau!

Wie froh war ich nun, als ich mich vom ersten Schreck erholt hatte, daß ich mich hier oben in Sicherheit befand. Wie in aller Welt, dachte ich, kommt *die* nur jetzt hierher? wenn nun die liebe schöne gnädige Frau die Blumen abholt, – das wird eine schöne Geschichte werden! Ich hätte am Ende weinen mögen vor Ärger über den ganzen Spektakel.

Indem hub die verkappte Gärtnerin unten an: »Es ist so stikkend heiß droben im Saale, ich mußte gehen, mich ein wenig abzukühlen in der freien schönen Natur.« Dabei fächelte sie sich mit der Larve in einem fort und blies die Luft von sich. Bei dem hellen Mondschein konnt ich deutlich erkennen, wie ihr die Flechsen am Halse ordentlich aufgeschwollen waren; sie sah ganz erbost aus und ziegelrot im Gesicht. Die Kammerjungfer suchte unterdes hinter allen Hecken herum, als hätte sie eine Stecknadel verloren. –

»Ich brauche so notwendig noch frische Blumen zu meiner Maske,« fuhr die Gärtnerin von neuem fort, »wo er auch stecken mag!« – Die Kammerjungfer suchte und kicherte dabei immerfort heimlich in sich selbst hinein. – »Sagtest du was, Rosette?« fragte die Gärtnerin spitzig. – »Ich sage, was ich immer gesagt habe,« erwiderte die Kammerjungfer und machte ein ganz ernsthaftes treuherziges Gesicht, »der ganze Einnehmer ist und bleibt ein Lümmel, er liegt gewiß irgendwo hinter einem Strauche und schläft.«

Mir zuckte es in allen meinen Gliedern, herunterzuspringen und meine Reputation zu retten – da hörte man auf einmal ein großes Pauken und Musizieren und Lärmen vom Schlosse her.

Nun hielt sich die Gärtnerin nicht länger. »Da bringen die Menschen«, fuhr sie verdrüßlich fort, »dem Herrn das Vivat. Komm, man wird uns vermissen!« – Und hiermit steckte sie die Larve schnell vor und ging wütend mit der Kammerjungfer nach dem Schlosse zu fort. Die Bäume und Sträucher wiesen kurios, wie mit langen Nasen und Fingern, hinter ihr drein, der Mondschein tanzte noch fix, wie über eine Klaviatur, über ihre breite Taille auf und nieder, und so nahm sie, so recht wie ich auf dem Theater manch-

mal die Sängerinnen gesehn, unter Trompeten und Pauken schnell ihren Abzug.
Ich aber wußte in meinem Baume droben eigentlich gar nicht recht, wie mir geschehen, und richtete nunmehr meine Augen unverwandt auf das Schloß hin; denn ein Kreis hoher Windlichter unten an den Stufen des Einganges warf dort einen seltsamen Schein über die blitzenden Fenster und weit in den Garten hinein. Es war die Dienerschaft, die soeben ihrer jungen Herrschaft ein Ständchen brachte. Mitten unter ihnen stand der prächtig aufgeputzte Portier, wie ein Staatsminister, vor einem Notenpulte und arbeitete sich emsig an einem Fagotte ab.
Wie ich mich soeben zurechtsetzte, um der schönen Serenade zuzuhören, gingen auf einmal oben auf dem Balkon des Schlosses die Flügeltüren auf. Ein hoher Herr, schön und stattlich in Uniform und mit vielen funkelnden Sternen, trat auf den Balkon heraus, und an seiner Hand – die schöne junge gnädige Frau, in ganz weißem Kleide, wie eine Lilie in der Nacht, oder wie wenn der Mond über das klare Firmament zöge.
Ich konnte keinen Blick von dem Platze verwenden, und Garten, Bäume und Felder gingen unter vor meinen Sinnen, wie sie so wundersam beleuchtet von den Fackeln hoch und schlank dastand und bald anmutig mit dem schönen Offizier sprach, bald wieder freundlich zu den Musikanten heruntemickte. Die Leute unten waren außer sich vor Freude, und ich hielt mich am Ende auch nicht mehr und schrie immer aus Leibeskräften Vivat mit. –
Als sie aber bald darauf wieder von dem Balkon verschwand, unten eine Fackel nach der andern verlöschte und die Notenpulte weggeräumt wurden und nun der Garten ringsumher auch wieder finster wurde und rauschte wie vorher – da merkt ich erst alles – da fiel es mir auf einmal aufs Herz, daß mich wohl eigentlich nur die Tante mit den Blumen bestellt hatte, daß die Schöne gar nicht an mich dachte und lange verheiratet ist und daß ich selber ein großer Narr war.

Alles das versenkte mich recht in einen Abgrund von Nachsinnen. Ich wickelte mich, gleich einem Igel, in die Stacheln meiner eigenen Gedanken zusammen: vom Schlosse schallte die Tanzmusik nur noch seltener herüber, die Wolken wanderten einsam über den dunklen Garten weg. Und so saß ich auf dem Baume droben, wie die Nachteule, in den Ruinen meines Glücks die ganze Nacht hindurch.

Die kühle Morgenluft weckte mich endlich aus meinen Träumereien. Ich erstaunte ordentlich, wie ich so auf einmal um mich herblickte. Musik und Tanz war lange vorbei, im Schlosse und rings um das Schloß herum auf dem Rasenplatze und den steinernen Stufen und Säulen sah alles so still, kühl und feierlich aus; nur der Springbrunnen vor dem Eingange plätscherte einsam in einem fort. Hin und her in den Zweigen neben mir erwachten schon die Vögel, schüttelten ihre bunten Federn und sahen, die kleinen Flügel dehnend, neugierig und verwundert ihren seltsamen Schlafkameraden an. Fröhlich schweifende Morgenstrahlen funkelten über den Garten weg auf meine Brust.

Da richtete ich mich in meinem Baume auf und sah seit langer Zeit zum ersten Male wieder einmal so recht weit in das Land hinaus, wie da schon einzelne Schiffe auf der Donau zwischen den Weinbergen herabfuhren und die noch leeren Landstraßen wie Brücken über das schimmernde Land sich fern über die Berge und Täler hinausschwangen.

Ich weiß nicht, wie es kam – aber mich packte da auf einmal wieder meine ehemalige Reiselust: alle die alte Wehmut und Freude und große Erwartung. Mir fiel dabei zugleich ein, wie nun die schöne Frau droben auf dem Schlosse zwischen Blumen und unter seidnen Decken schlummerte und ein Engel bei ihr auf dem Bette säße in der Morgenstille. – »Nein,« rief ich aus, »fort muß ich von hier, und immer fort, so weit als der Himmel blau ist!«

Und hiermit nahm ich mein Körbchen und warf es hoch in die Luft, so daß es recht lieblich anzusehen war, wie die Blumen zwischen den Zweigen und auf dem grünen Rasen unten bunt umherlagen. Dann stieg ich selber schnell herunter und ging durch den stillen Garten auf meine Wohnung zu. Gar oft blieb ich da noch stehen auf manchem Plätzchen, wo ich sie sonst wohl einmal gesehen oder im Schatten liegend an sie gedacht hatte.

In und um mein Häuschen sah alles noch so aus, wie ich es gestern verlassen hatte. Das Gärtchen war geplündert und wüst, im Zimmer drin lag noch das große Rechnungsbuch aufgeschlagen, meine Geige, die ich schon fast ganz vergessen hatte, hing verstaubt an der Wand. Ein Morgenstrahl aber aus dem gegenüberstehenden Fenster fuhr gerade blitzend über die Saiten. Das gab einen rechten Klang in meinem Herzen. »Ja,« sagt ich, »komm nur her, du getreues Instrument! Unser Reich ist nicht von dieser Welt!« –

Und so nahm ich die Geige von der Wand, ließ Rechnungsbuch, Schlafrock, Pantoffeln, Pfeifen und Parasol liegen und wanderte, arm wie ich gekommen war, aus meinem Häuschen und auf der glänzenden Landstraße von dannen.

Ich blickte noch oft zurück; mir war gar seltsam zumute, so traurig und doch auch wieder so überaus fröhlich, wie ein Vogel, der aus seinem Käfig ausreißt. Und als ich schon eine weite Strecke gegangen war, nahm ich draußen im Freien meine Geige vor und sang:

Den lieben Gott laß ich nur walten;
Der Bächlein, Lerchen, Wald und Feld
Und Erd und Himmel tut erhalten,
Hat auch mein Sach aufs best bestellt!

Das Schloß, der Garten und die Türme von Wien waren schon hinter mir im Morgenduft versunken, über mir jubilierten unzählige Lerchen hoch in der Luft; so zog ich zwischen den grünen Bergen und an lustigen Städten und Dörfern vorbei gen Italien hinunter.

Drittes Kapitel

Aber das war nun schlimm! Ich hatte noch gar nicht daran gedacht, daß ich eigentlich den rechten Weg nicht wußte. Auch war ringsumher kein Mensch zu sehen in der stillen Morgenstunde, den ich hätte fragen können, und nicht weit von mir teilte sich die Landstraße in viele neue Landstraßen, die gingen weit, weit über die höchsten Berge fort, als führten sie aus der Welt hinaus, so daß mir ordentlich schwindelte, wenn ich recht hinsah.

Endlich kam ein Bauer des Weges daher, der, glaub ich, nach der Kirche ging, da es heut eben Sonntag war, in einem altmodischen Überrock mit großen silbernen Knöpfen und einem langen spanischen Rohr mit einem sehr massiven silbernen Stockknopf darauf, der schon von weitem in der Sonne funkelte. Ich frug ihn sogleich mit vieler Höflichkeit: »Können Sie mir nicht sagen, wo der Weg nach Italien geht?« – Der Bauer blieb stehen, sah mich an, besann sich dann mit weit vorgeschobener Unterlippe und sah mich wieder an. Ich sagte noch einmal: »Nach Italien, wo die Pomeranzen wachsen.« – »Ach, was gehn mich Seine Pomeranzen an!« sagte der Bauer da und schritt wacker wieder weiter. Ich hätte dem Manne mehr Konduite zugetraut, denn er sah recht stattlich aus.

Was war nun zu machen! Wieder umkehren und in mein Dorf zurückgehn? Da hätten die Leute mit den Fingern auf mich gewiesen, und die Jungen wären um mich herumgesprungen: »Ei, tausend willkommen aus der Welt! wie sieht es denn aus in der Welt? hat Er uns nicht Pfefferkuchen mitgebracht aus der Welt?« – Der Portier mit der kurfürstlichen Nase, welcher überhaupt viele Kenntnisse von der Weltgeschichte hatte, sagte oft zu mir: »Wertgeschätzter Herr Einnehmer! Italien ist ein schönes Land, da sorgt der liebe Gott für alles, da kann man sich im Sonnenschein auf den Rücken legen, so wachsen einem die Rosinen ins Maul, und wenn einen die Tarantel beißt, so tanzt man mit ungemeiner Gelenkigkeit, wenn man auch sonst nicht tanzen gelernt hat.« – »Nein, nach Italien, nach Italien!« rief ich voller Vergnügen aus und rannte, ohne an die verschiedenen Wege zu denken, auf der Straße fort, die mir eben vor die Füße kam.

Als ich eine Strecke so fortgewandert war, sah ich rechts von der Straße einen sehr schönen Baumgarten, wo die Morgensonne so lustig zwischen den Stämmen und Wipfeln hindurchschimmerte, daß es aussah, als wäre der Rasen mit goldenen Teppichen belegt. Da ich keinen Menschen erblickte, stieg ich über den niedrigen Gartenzaun und legte mich recht behaglich unter einem Apfelbaum ins Gras, denn von dem gestrigen Nachtlager auf dem Baume taten mir noch alle Glieder weh. Da konnte man weit ins Land hinaussehen, und da es Sonntag war, so kamen bis aus der weitesten Ferne Glockenklänge über die stillen Felder herüber, und geputzte Landleute zogen überall zwischen Wiesen und Büschen nach der Kirche. Ich war recht fröhlich im Herzen, die Vögel sangen über mir im Baume, ich dachte an meine Mühle und an den Garten der schönen gnädigen Frau, und wie das alles nun so weit, weit lag – bis ich zuletzt einschlummerte. Da träumte mir, als käme diese schöne Frau aus der prächtigen Gegend unten zu mir gegangen oder eigentlich langsam geflogen zwischen den Glockenklängen, mit langen weißen Schleiern, die im Morgenrote wehten. Dann war es wieder, als wären wir gar nicht in der Fremde, sondern bei meinem Dorfe an der Mühle in den tiefen Schatten. Aber da war alles still und leer, wie wenn die Leute sonntags in der Kirche sind und nur der Orgelklang durch die Bäume herüberkommt, daß es mir recht im Herzen weh tat. Die schöne Frau aber war sehr gut und freundlich, sie hielt mich an der Hand und ging mit mir und sang in einem fort in dieser Einsamkeit das schöne Lied, das sie damals immer frühmorgens am offenen Fenster zur Gitarre gesungen hat, und ich sah dabei ihr Bild in dem stillen Weiher, noch viel tausendmal schöner, aber mit sonderbaren großen Augen, die mich so starr ansahen, daß ich mich beinah gefürchtet hätte. – Da fing auf einmal die Mühle, erst in einzelnen langsamen Schlägen, dann immer schneller und heftiger an zu gehen und zu brausen, der Weiher wurde dunkel und kräuselte sich, die schöne Frau wurde ganz bleich, und ihre Schleier wurden immer länger und länger und flatterten entsetzlich in langen Spitzen, wie Nebelstreifen, hoch am Himmel empor; das Sausen nahm immer mehr zu, oft war es, als bliese der Portier auf seinem Fagotte dazwischen, bis ich endlich mit heftigem Herzklopfen aufwachte.

Es hatte sich wirklich ein Wind erhoben, der leise über mir durch den Apfelbaum ging; aber was so brauste und rumorte, war weder die Mühle noch der Portier, sondern derselbe Bauer, der mir vorhin den Weg nach Italien nicht zeigen wollte. Er hatte aber seinen Sonntagsstaat ausgezogen und stand in einem weißen Kamisol vor mir. »Na,« sagte er, da ich mir noch den Schlaf aus den Augen wischte, »will Er etwa hier Poperenzen klauben, daß Er mir das schöne Gras so zertrampelt, anstatt in die Kirche zu gehen, Er Faulenzer!« – Mich ärgerte es nur, daß mich der Grobian aufgeweckt hatte. Ich sprang ganz erbost auf und versetzte geschwind: »Was, Er will mich hier ausschimpfen? Ich bin Gärtner gewesen, eh Er daran dachte, und Einnehmer, und wenn Er zur Stadt gefahren wäre, hätte Er die schmierige Schlafmütze vor mir abnehmen müssen, und hatte mein Haus und meinen roten Schlafrock mit gelben Punkten.« Aber der Knollfink scherte sich gar nichts darum, sondern stemmte beide Arme in die Seiten und sagte bloß: »Was will Er denn? he! he!« Dabei sah ich, daß es eigentlich ein kurzer, stämmiger, krummbeiniger Kerl war und vorstehende glotzende Augen und eine rote, etwas schiefe Nase hatte. Und wie er immerfort nichts weiter sagte als: »He! – he!« – und dabei jedesmal einen Schritt näher auf mich zukam, da überfiel mich auf einmal eine so kuriose grausliche Angst, daß

ich mich schnell aufmachte, über den Zaun sprang und, ohne mich umzusehen, immerfort querfeldein lief, daß mir die Geige in der Tasche klang.
Als ich endlich wieder stillhielt, um Atem zu schöpfen, war der Garten und das ganze Tal nicht mehr zu sehen, und ich stand in einem schönen Walde. Aber ich gab nicht viel darauf acht, denn jetzt ärgerte mich das Spektakel erst recht, und daß der Kerl mich immer Er nannte, und ich schimpfte noch lange im stillen für mich. In solchen Gedanken ging ich rasch fort und kam immer mehr von der Landstraße ab, mitten in das Gebirge hinein. Der Holzweg, auf dem ich fortgelaufen war, hörte auf, und ich hatte nur noch einen kleinen, wenig betretenen Fußsteig vor mir. Ringsum war niemand zu sehen und kein Laut zu vernehmen. Sonst aber war es recht anmutig zu gehen, die Wipfel der Bäume rauschten, und die Vögel sangen sehr schön. Ich befahl mich daher Gottes Führung, zog meine Violine hervor und spielte alle meine liebsten Stücke durch, daß es recht fröhlich in dem einsamen Walde erklang.
Mit dem Spielen ging es aber auch nicht lange, denn ich stolperte dabei jeden Augenblick über die fatalen Baumwurzeln, auch fing mich zuletzt an zu hungern, und der Wald wollte noch immer gar kein Ende nehmen. So irrte ich den ganzen Tag herum, und die Sonne schien schon schief zwischen den Baumstämmen hindurch, als ich endlich in ein kleines Wiesental hinauskam, das rings von Bergen eingeschlossen und voller roter und gelber Blumen war, über denen unzählige Schmetterlinge im Abendgolde herumflatterten. Hier war es so einsam, als läge die Welt wohl hundert Meilen weit weg. Nur die Heimchen zirpten, und ein Hirt lag drüben im hohen Grase und blies so melancholisch auf seiner Schalmei, daß einem das Herz vor Wehmut hätte zerspringen mögen. Ja, dachte ich bei mir, wer es so gut hätte wie so ein Faulenzer! unsereiner muß sich in der Fremde herumschlagen und immer attent sein. – Da ein schönes klares Flüßchen zwischen

uns lag, über das ich nicht herüber konnte, so rief ich ihm von weitem zu: wo hier das nächste Dorf läge? Er ließ sich aber nicht stören, sondern streckte nur den Kopf ein wenig aus dem Grase hervor, wies mit seiner Schalmei auf den andern Wald hin und blies ruhig wieder weiter.

Unterdes marschierte ich fleißig fort, denn es fing schon an zu dämmern. Die Vögel, die alle noch ein großes Geschrei gemacht hatten, als die letzten Sonnenstrahlen durch den Wald schimmerten, wurden auf einmal still, und mir fing beinah an, angst zu werden in dem ewigen, einsamen Rauschen der Wälder. Endlich hörte ich von ferne Hunde bellen. Ich schritt rascher fort, der Wald wurde immer lichter und lichter, und bald darauf sah ich zwischen den letzten Bäumen hindurch einen schönen grünen Platz, auf dem viele Kinder lärmten und sich um eine große Linde herumtummelten, die recht in der Mitte stand. Weiterhin an dem Platze war ein Wirtshaus, vor dem einige Bauern um einen Tisch saßen und Karten spielten und Tabak rauchten. Von der andern Seite saßen junge Bursche und Mädchen vor der Tür, die die Arme in ihre Schürzen gewickelt hatten und in der Kühle miteinander plauderten.

Ich besann mich nicht lange, zog meine Geige aus der Tasche und spielte schnell einen lustigen Ländler auf, während ich aus dem Walde hervortrat. Die Mädchen verwunderten sich, die Alten lachten, daß es weit in den Wald hineinschallte. Als ich aber so bis zu der Linde gekommen war und mich mit dem Rücken dran lehnte und immerfort spielte, da ging ein heimliches Rumoren und Gewisper unter den jungen Leuten rechts und links, die Bursche legten endlich ihre Sonntagspfeifen weg, jeder nahm die Seine, und eh ichs mir versah, schwenkte sich das junge Bauernvolk tüchtig um mich herum, die Hunde bellten, die Kittel flogen, und die Kinder standen um mich im Kreise und sahen mir neugierig ins Gesicht und auf die Finger, wie ich so fix damit hantierte.

Wie der erste Schleifer vorbei war, konnte ich erst recht sehen, wie eine gute Musik in die Gliedmaßen fährt. Die Bauernburschen, die sich vorher, die Pfeifen im Munde, auf den Bänken reckten und die steifen Beine von sich streckten, waren nun auf einmal wie umgetauscht, ließen ihre bunten Schnupftücher vorn am Knopfloch lang herunterhängen und kapriolten so artig um die Mädchen herum, daß es eine rechte Lust anzuschauen war. Einer von ihnen, der sich schon für was Rechtes hielt, haspelte lange in seiner Westentasche, damit es die andern sehen sollten, und brachte endlich ein kleines Silberstück heraus, das er mir in die Hand drücken wollte. Mich ärgerte das, wenn ich gleich dazumal kein Geld in der Tasche hatte. Ich sagte ihm, er sollte nur seine Pfennige behalten, ich spielte nur so aus Freude, weil ich wieder bei Menschen wäre. Bald darauf aber kam ein schmuckes Mädchen mit einer großen Stampe Wein zu mir. »Musikanten trinken gern«, sagte sie und lachte mich freundlich an, und ihre perlweißen Zähne schimmerten recht scharmant zwischen den roten Lippen hindurch, so daß ich sie wohl hätte darauf küssen mögen. Sie tunkte ihr Schnäbelchen in den Wein, wobei ihre Augen über das Glas weg auf mich herüberfunkelten, und reichte mir darauf die Stampe hin. Da trank ich das Glas bis auf den Grund aus und spielte dann wieder von frischem, daß sich alles lustig um mich herumdrehte.

Die Alten waren unterdes von ihrem Spiel aufgebrochen, die jungen Leute fingen auch an müde zu werden und zerstreuten sich, und so wurde es nach und nach ganz still und leer vor dem Wirtshause. Auch das Mädchen, das mir den Wein gereicht hatte, ging nun nach dem Dorfe zu, aber sie ging sehr langsam und sah sich zuweilen um, als ob sie was vergessen hätte. Endlich blieb sie stehen und suchte etwas auf der Erde, aber ich sah wohl, daß sie, wenn sie sich bückte, unter dem Arme hindurch nach mir zurückblickte. Ich hatte auf dem Schlosse Lebensart gelernt, ich sprang also geschwind herzu und sagte: »Haben Sie etwas verloren, schönste Mamsell?« – »Ach nein,« sagte sie und wurde über und über rot, »es war nur eine Rose – will Er sie haben?« – Ich dankte und steckte die Rose ins Knopfloch. Sie sah mich sehr freundlich an und sagte: »Er spielt recht schön.« – »Ja,« versetzte ich, »das ist so eine Gabe Gottes.« – »Die Musikanten sind hier in der Gegend sehr rar«, hub das Mädchen dann wieder an und stockte und hatte die Augen beständig niedergeschlagen. »Er könnte sich hier ein gutes Stück Geld verdienen – auch mein Vater spielt etwas die Geige und hört gern von der Fremde erzählen – und mein Vater ist sehr reich.« – Dann lachte sie auf und sagte: »Wenn Er nur nicht immer solche Grimassen machen möchte mit dem Kopfe, beim Geigen!« – »Teuerste Jungfer,« erwiderte ich, »erstlich: nennen Sie mich nur nicht immer Er; sodann mit den Kopftremulenzen, das ist einmal nicht anders, das haben wir Virtuosen alle so an uns.« – »Ach so!« entgegnete das Mädchen. Sie wollte noch etwas mehr sagen, aber da entstand auf einmal ein entsetzliches Gepolter im Wirtshause, die Haustür ging mit großem Gekrache auf, und ein dünner Kerl kam wie ein ausgeschoßner Ladestock herausgeflogen, worauf die Tür sogleich wieder hinter ihm zugeschlagen wurde.

Das Mädchen war bei dem ersten Geräusch wie ein Reh davongesprungen und im Dunkel verschwunden. Die Figur vor der Tür aber raffte sich hurtig wieder vom Boden auf und fing nun an mit solcher Geschwindigkeit gegen das Haus loszuschimpfen, daß es ordentlich zum Erstaunen war. »Was!« schrie er, »ich besoffen? ich die Kreidestriche an der verräucherten Tür nicht bezahlen? Löscht sie aus, löscht sie aus! Hab ich euch nicht erst gestern übern Kochlöffel barbiert und in die Nase geschnitten, daß ihr mir den Löffel morsch entzweigebissen habt? Barbieren macht einen Strich – Kochlöffel, wieder ein Strich – Pflaster auf die Nase, noch ein Strich – wieviel solche hundsföttische Striche wollt ihr denn noch bezahlt haben? Aber gut, schon gut, ich lasse das ganze Dorf, die ganze Welt ungeschoren. Lauft meinetwegen mit euren Bärten, daß der liebe Gott am Jüngsten Tage nicht weiß, ob ihr Juden seid oder Christen! Ja, hängt euch an euren eigenen Bärten auf, ihr zottigen Landbären!« Hier brach er auf einmal in ein jämmerliches Weinen aus und fuhr ganz erbärmlich durch die Fistel fort: »Wasser soll ich saufen, wie ein elender Fisch? Ist das Nächstenliebe? Bin ich nicht ein Mensch und ein ausgelernter Feldscher? Ach, ich bin heute so in der Rage! Mein Herz ist voller Rührung und Menschenliebe!« Bei diesen Worten zog er sich nach und nach zurück, da im Hause alles still blieb. Als er mich erblickte, kam er mit ausgebreiteten Armen auf mich los, ich glaubte, der tolle Kerl wollte mich embrassieren. Ich sprang aber auf die Seite, und so stolperte er weiter, und ich hörte ihn noch lange, bald grob, bald fein, durch die Finsternis mit sich diskurieren.

Mir aber ging mancherlei im Kopfe herum. Die Jungfer, die mir vorhin die Rose geschenkt hatte, war jung, schön und reich – ich konnte da mein Glück machen, eh man die Hand umkehrte. Und Hammel und Schweine, Puter und fette Gänse mit Äpfel gestopft – ja, es war mir nicht anders, als säh ich den Portier auf mich zukommen: Greif zu, Einnehmer, greif zu! jung gefreit hat niemand gereut, wers Glück hat, führt die Braut heim, bleibe im Lande und nähre dich tüchtig. In solchen philosophischen Gedanken setzte ich mich auf dem Platze, der nun ganz einsam war, auf einen Stein nieder, denn an das Wirtshaus anzuklopfen traute ich mich nicht, weil ich kein Geld bei mir hatte. Der Mond schien prächtig, von den Bergen rauschten die Wälder durch die stille Nacht herüber, manchmal schlugen im Dorfe die Hunde an, das weiter im Tale unter Bäumen und Mondschein wie begraben lag. Ich betrachtete das Firmament, wie da einzelne Wolken langsam durch den Mondschein zogen und manchmal ein Stern weit in der Ferne herunter fiel. So, dachte ich, scheint der Mond auch über meines Vaters Mühle und auf das weiße gräfliche Schloß. Dort ist nun auch schon alles lange still, die gnädige Frau schläft, und die Wasserkünste und Bäume im Garten rauschen noch immerfort wie damals, und allen ists gleich, ob ich noch da bin oder in der Fremde oder gestorben. – Da kam mir die Welt auf einmal so entsetzlich weit und groß vor, und ich so ganz allein darin, daß ich aus Herzensgrunde hätte weinen mögen.

Wie ich noch immer so dasitze, höre ich auf einmal aus der Ferne Hufschlag im Walde. Ich hielt den Atem an und lauschte, da kam es immer näher und näher, und ich konnte schon die Pferde schnauben hören. Bald darauf kamen auch wirklich zwei Reiter unter den Bäumen hervor, hielten aber am Saume des Waldes an und sprachen heimlich sehr eifrig miteinander, wie ich an den Schatten sehen konnte, die plötzlich über den mondbeglänzten Platz vorschossen und mit langen dunklen Armen bald dahin bald dorthin wiesen. – Wie oft, wenn mir zu Hause meine verstorbene Mutter von wilden Wäldern und martialischen Räubern erzählte, hatte ich mir sonst immer heimlich gewünscht, eine solche Geschichte selbst zu erleben. Da hatt ichs nun auf einmal für meine dummen, frevelmütigen Gedanken! – Ich streckte mich nun an dem Lindenbaum, unter dem ich gesessen, ganz unmerklich so lang aus, als ich nur konnte, bis ich den ersten Ast erreicht hatte und mich geschwinde hinaufschwang. Aber ich baumelte noch mit halbem Leibe über dem Aste und wollte soeben auch meine Beine nachholen, als der eine von den Reitern rasch hinter mir über den Platz dahertrabte. Ich drückte nun die Augen fest zu in dem dunklen Laube und rührte und regte mich nicht. – »Wer ist da?« rief es auf einmal dicht hinter mir. »Niemand!« schrie ich aus Leibeskräften vor Schreck, daß er mich doch noch erwischt hatte. Insgeheim mußte ich aber doch bei mir lachen, wie die Kerls sich schneiden würden, wenn sie mir die leeren Taschen umdrehten. –»Ei, ei,« sagte der Räuber wieder, »wem gehören denn aber die zwei Beine, die da herunterhängen?« – Da half nichts mehr. »Nichts weiter,« versetzte ich, »als ein paar arme, verirrte Musikantenbeine«, und ließ mich rasch wieder auf den Boden herab, denn ich schämte mich auch, länger wie eine zerbrochene Gabel da über dem Aste zu hängen.

Das Pferd des Reiters scheute, als ich so plötzlich vom Baume herunterfuhr. Er klopfte ihm den Hals und sagte lachend: »Nun, wir sind auch verirrt, da sind wir rechte Kameraden; ich dächte also, du helfest uns ein wenig den Weg nach B. aufsuchen. Es soll dein Schade nicht sein.« Ich hatte nun gut beteuern, daß ich gar nicht wüßte, wo B. läge, daß ich lieber hier im Wirtshause fragen oder sie in das Dorf hinunterführen wollte. Der Kerl nahm gar keine Räson an. Er zog ganz ruhig eine Pistole aus dem Gurt, die recht hübsch im Mondschein funkelte. »Mein Liebster,« sagte er dabei sehr freundschaftlich zu mir, während er bald den Lauf der Pistole abwischte, bald wieder prüfend an die Augen hielt, »mein Liebster, du wirst wohl so gut sein, selber nach B. vorauszugehen.«

Da war ich nun recht übel daran. Traf ich den Weg, so kam ich gewiß zu der Räuberbande und bekam Prügel, da ich kein Geld bei mir hatte; traf ich ihn nicht – so bekam ich auch Prügel. Ich besann mich also nicht lange und schlug den ersten besten Weg ein, der an dem Wirtshause vorüber vom Dorfe abführte. Der Reiter sprengte schnell zu seinem Begleiter zurück, und beide folgten mir dann in einiger Entfernung langsam nach. So zogen wir eigentlich recht närrisch auf gut Glück in die mondhelle Nacht hinein. Der Weg lief immerfort im Walde an einem Bergeshange fort. Zuweilen konnte man über die Tannenwipfel, die von unten heraufiangten und sich dunkel rührten, weit in die tiefen, stillen Täler hinaussehen, hin und her schlug eine Nachtigall, Hunde bellten in der Ferne in den Dörfern. Ein Fluß rauschte beständig aus der Tiefe und blitzte zuweilen im Mondschein auf. Dabei das einförmige Pferdegetrappel und das Wirren und Schwirren der Reiter hinter mir, die unaufhörlich in einer fremden Sprache miteinander plauderten, und das helle Mondlicht und die langen Schatten der Baumstämme, die wechselnd über die beiden Reiter wegflogen, daß sie mir bald schwarz, bald hell, bald klein, bald wieder riesengroß vorkamen. Mir verwirrten sich ordentlich die Gedanken, als läge ich in einem Traum und könnte gar nicht aufwachen. Ich schritt immer stramm vor mich hin. Wir müssen, dachte ich, doch am Ende aus dem Walde und aus der Nacht herauskommen.

Endlich flogen hin und wieder schon lange rötliche Scheine über den Himmel, ganz leise, wie wenn man über einen Spiegel haucht, auch eine Lerche sang schon hoch über dem stillen Tale. Da wurde mir auf einmal ganz klar im Herzen bei dem Morgengruße, und alle Furcht war vorüber. Die beiden Reiter aber streckten sich und sahen sich nach allen Seiten um und schienen nun erst gewahr zu werden, daß wir doch wohl nicht auf dem rechten Wege sein mochten. Sie plauderten wieder viel, und ich merkte wohl, daß sie von mir sprachen, ja es kam mir vor, als finge der eine sich vor mir zu fürchten an, als könnt ich wohl gar so ein heimlicher Schnapphahn sein, der sie im Walde irreführen wollte. Das machte mir Spaß, denn je lichter es ringsum wurde, je mehr Courage kriegt ich, zumal da wir soeben auf einen schönen freien Waldplatz herauskamen. Ich sah mich daher nach allen Seiten ganz wild um und pfiff dann ein paarmal auf den Fingern, wie die Spitzbuben tun, wenn sie sich einander Signale geben wollen.

»Halt!« rief auf einmal der eine von den Reitern, daß ich ordentlich zusammenfuhr. Wie ich mich umsehe, sind sie beide abgestiegen und haben ihre Pferde an einen Baum angebunden. Der eine kommt aber rasch auf mich los, sieht mir ganz starr ins Gesicht und fängt auf einmal ganz unmäßig an zu lachen. Ich muß gestehen, mich ärgerte das unvernünftige Gelächter. Er aber sagte: »Wahrhaftig, das ist der Gärtner, wollt sagen: Einnehmer vom Schloß!«

Ich sah ihn groß an, wußte mich aber seiner nicht zu erinnern, hätt auch viel zu tun gehabt, wenn ich mir alle die jungen Herren hätte ansehen wollen, die auf dem Schlosse ab und zu ritten. Er aber fuhr mit ewigem Gelächter fort: »Das ist prächtig! Du vazierst, wie ich sehe, wir brauchen eben einen Bedienten, bleib bei uns, da hast du ewige Vakanz.« – Ich war ganz verblüfft und sagte endlich, daß ich soeben auf einer Reise nach Italien begriffen wäre. – »Nach Italien?!« entgegnete der Fremde; »ebendahin wollen auch wir!« – »Nun, wenn *das* ist!« rief ich aus und zog voller Freude meine Geige aus der Tasche und strich, daß die Vögel im Walde aufwachten. Der Herr aber erwischte geschwind den andern Herrn und walzte mit ihm wie verrückt auf dem Rasen herum.

Dann standen sie plötzlich still. »Bei Gott,« rief der eine, »da seh ich schon den Kirchturm von B.! Nun, da wollen wir bald unten sein.« Er zog seine Uhr heraus und ließ sie repetieren, schüttelte mit dem Kopfe und ließ noch einmal schlagen. »Nein,« sagte er, »das geht nicht, wir kommen so zu früh hin, das könnte schlimm werden!«

Darauf holten sie von ihren Pferden Kuchen, Braten und Weinflaschen, breiteten eine schöne bunte Decke auf dem grünen Rasen aus, streckten sich darüber hin und schmausten sehr vergnüglich, teilten auch mir von allem sehr reichlich mit, was mir gar wohl bekam, da ich seit einigen Tagen schon nicht mehr vernünftig gespeist hatte. – »Und daß du's weißt,« sagte der eine zu mir, – »aber du kennst uns doch nicht?« – Ich schüttelte mit dem Kopfe. – »Also, daß du's weißt: ich bin der Maler Leonhard, und das dort ist – wieder ein Maler – Guido geheißen.«

Ich besah mir nun die beiden Maler genauer bei der Morgendämmerung. Der eine, Herr Leonhard, war groß, schlank, braun, mit lustigen, feurigen Augen. Der andere war viel jünger, kleiner und feiner, auf altdeutsche Mode gekleidet, wie es der Portier nannte, mit weißem Kragen und bloßem

Hals, um den die dunkelbraunen Locken herabhingen, die er oft aus dem hübschen Gesichte wegschütteln mußte. – Als dieser genug gefrühstückt hatte, griff er nach meiner Geige, die ich neben mir auf den Boden gelegt hatte, setzte sich damit auf einen umgehauenen Baumast und klimperte darauf mit den Fingern. Dann sang er dazu so hell wie ein Waldvöglein, daß es mir recht durchs ganze Herz klang:

Fliegt der erste Morgenstrahl
Durch das stille Nebeltal,
Rauscht erwachend Wald und Hügel:
Wer da fliegen kann, nimmt Flügel!

Und sein Hütlein in die Luft
Wirft der Mensch vor Lust und ruft:
Hat Gesang doch auch noch Schwingen,
Nun so will ich fröhlich singen!

Dabei spielten die rötlichen Morgenscheine recht anmutig über sein etwas blasses Gesicht und die schwarzen verliebten Augen. Ich aber war so müde, daß sich mir die Worte und Noten, während er so sang, immer mehr verwirrten, bis ich zuletzt fest einschlief.

Als ich nach und nach wieder zu mir selber kam, hörte ich wie im Traume die beiden Maler noch immer neben mir sprechen und die Vögel über mir singen, und die Morgenstrahlen schimmerten mir durch die geschlossenen Augen, daß mirs innerlich so dunkelhell war, wie wenn die Sonne durch rotseidene Gardinen scheint. »Come è bello!« hört ich da dicht neben mir ausrufen. Ich schlug die Augen auf und erblickte den jungen Maler, der im funkelnden Morgenlicht über mich hergebeugt stand, so daß beinah nur die großen schwarzen Augen zwischen den herabhängenden Locken zu sehen waren.

Ich sprang geschwind auf, denn es war schon heller Tag geworden. Der Herr Leonhard schien verdrüßlich zu sein, er hatte zwei zornige Falten auf der Stirn und trieb hastig zum Aufbruch. Der andere Maler aber schüttelte seine Locken aus dem Gesicht und trällerte, während er sein Pferd aufzäumte, ruhig ein Liedchen vor sich hin, bis Leonhard zuletzt plötzlich laut auflachte, schnell eine Flasche ergriff, die noch auf dem Rasen stand, und den Rest in die Gläser einschenkte. »Auf eine glückliche Ankunft!« rief er aus, sie stießen mit den Gläsern zusammen, es gab einen schönen Klang. Darauf schleuderte Leonhard die leere Flasche hoch ins Morgenrot, daß es lustig in der Luft funkelte.

Endlich setzten sie sich auf ihre Pferde, und ich marschierte frisch wieder nebenher. Gerade vor uns lag ein unübersehbares Tal, in das wir nun hinunterzogen. Da war ein Blitzen und Rauschen und Schimmern und Jubilieren! Mir war so kühl und fröhlich zumute, als sollt ich von dem Berge in die prächtige Gegend hinausfliegen.

Viertes Kapitel

Nun ade, Mühle und Schloß und Portier! Nun gings, daß mir der Wind am Hute pfiff. Rechts und links flogen Dörfer, Städte und Weingärten vorbei, daß es einem vor den Augen flimmerte; hinter mir die beiden Maler im Wagen, vor mir vier Pferde mit einem prächtigen Postillion, ich hoch oben auf dem Kutschbock, daß ich oft ellenhoch in die Höhe flog.

Das war so zugegangen: Als wir vor B. ankamen, kommt schon am Dorfe ein langer, dürrer, grämlicher Herr im grünen Flauschrock uns entgegen, macht viele Bücklinge vor den Herren Malern und führt uns in das Dorf hinein. Da stand unter den hohen Linden vor dem Posthause schon ein prächtiger Wagen mit vier Postpferden bespannt. Herr Leonhard meinte unterwegs, ich hätte meine Kleider ausgewachsen. Er holte daher geschwind andere aus seinem Mantelsack hervor, und ich mußte einen ganz neuen schönen Frack und

Weste anziehn, die mir sehr vornehm zu Gesicht standen, nur daß mir alles zu lang und weit war und ordentlich um mich herumschlotterte. Auch einen ganz neuen Hut bekam ich, der funkelte in der Sonne, als wäre er mit frischer Butter überschmiert. Dann nahm der fremde grämliche Herr die beiden Pferde der Maler am Zügel, die Maler sprangen in den Wagen, ich auf den Bock, und so flogen wir schon fort, als eben der Postmeister mit der Schlafmütze aus dem Fenster guckte. Der Postillion blies lustig auf dem Horne, und so ging es frisch nach Italien hinein.

Ich hatte eigentlich da droben ein prächtiges Leben, wie der Vogel in der Luft, und brauchte doch dabei nicht selbst zu fliegen. Zu tun hatte ich auch weiter nichts, als Tag und Nacht auf dem Bocke zu sitzen und bei den Wirtshäusern manchmal Essen und Trinken an den Wagen herauszubringen, denn die Maler sprachen nirgends ein, und bei Tage zogen sie die Fenster am Wagen so fest zu, als wenn die Sonne sie erstechen wollte. Nur zuweilen steckte der Herr Guido sein hübsches Köpfchen zum Wagenfenster heraus und diskurierte freundlich mit mir und lachte dann den Herrn Leonhard aus, der das nicht leiden wollte und jedesmal über die langen Diskurse böse wurde. Ein paarmal hätte ich bald Verdruß bekommen mit meinem Herrn. Das eine Mal, wie ich bei schöner, sternklarer Nacht droben auf dem Bock die Geige zu spielen anfing, und sodann späterhin wegen des Schlafes. Das war aber auch ganz zum Erstaunen! Ich wollte mir doch Italien recht genau besehen und riß die Augen alle Viertelstunden weit auf. Aber kaum hatte ich ein Weilchen so vor mich hingesehen, so verschwirrten und verwickelten sich mir die sechzehn Pferdefüße vor mir wie ein Filet so hin und her und übers Kreuz, daß mir die Augen gleich wieder übergingen, und zuletzt geriet ich in ein solches entsetzliches und unaufhaltsames Schlafen, daß gar kein Rat mehr war. Da mocht es Tag oder Nacht, Regen oder Sonnenschein, Tirol oder Italien sein, ich hing bald rechts, bald links, bald rücklings über dne Bock herunter, ja manchmal tunkte ich mit solcher Vehemenz mit dem Kopfe nach dem Boden zu, daß mir der Hut weit vom Kopfe flog und der Herr Guido im Wagen laut aufschrie.

So war ich, ich weiß selbst nicht wie, durch halb Welschland, das sie dort Lombardei nennen, durchgekommen, als wir an einem schönen Abend vor einem Wirtshause auf dem Lande stillhielten. Die Postpferde waren in dem daranstoßenden Stationsdorfe erst nach ein paar Stunden bestellt, die Herren Maler stiegen daher aus und ließen sich in ein besonderes Zimmer führen, um hier ein wenig zu rasten und einige Briefe zu schreiben. Ich aber war sehr vergnügt darüber und verfügte mich sogleich in die Gaststube, um endlich wieder einmal so recht mit Ruhe und Kommodität zu essen und zu trinken. Da sah es ziemlich liederlich aus. Die Mägde gingen mit zerzottelten Haaren herum und hatten die offenen Halstücher unordentlich um das gelbe Fell hängen. Um einen runden Tisch saßen die Knechte vom Hause in blauen Überziehhemden beim Abendessen und glotzten mich zuweilen von der Seite an. Die hatten alle kurze, dicke Haarzöpfe und sahen so recht vornehm wie die jungen Herrlein aus. – Da bist du nun, dachte ich bei mir und aß fleißig fort, da bist du nun endlich in dem Lande, woher immer die kuriosen Leute zu unserm Herrn Pfarrer kamen, mit Mausefallen und Barometern und Bildern. Was der Mensch doch nicht alles erfährt, wenn er sich einmal hinterm Ofen hervormacht.

Wie ich noch eben so esse und meditiere, wuscht ein Männlein, das bis jetzt in einer dunklen Ecke der Stube bei seinem Glase Wein gesessen hatte, auf einmal aus seinem Winkel wie eine Spinne auf mich los. Er war ganz kurz und bucklicht, hatte aber einen großen grauslichen Kopf mit einer langen römischen Adlernase und sparsamen roten Backenbart, und die gepuderten Haare standen ihm von allen Seiten zu Berge, als wenn der Sturmwind durchgefahren wäre. Dabei trug er einen altmodischen, verschossenen Frack, kurze plüschene

Beinkleider und ganz vergelbte seidene Strümpfe. Er war einmal in Deutschland gewesen und dachte wunder wie gut er Deutsch verstünde. Er setzte sich zu mir und frug bald das, bald jenes, während er immerfort Tabak schnupfte: ob ich der Servitore sei? wenn wir arriware? ob wir nach Roma kehn? Aber das wußte ich alles selber nicht und konnte auch sein Kauderwelsch gar nicht verstehn. »Parlez-vous français?« sagte ich endlich in meiner Angst zu ihm. Er schüttelte mit dem großen Kopfe und das war mir sehr lieb, denn ich konnte ja auch nicht Französisch. Aber das half alles nichts. Er hatte mich einmal recht aufs Korn genommen, er frug und frug immer wieder; je mehr wir parlierten, je weniger verstand einer den andern, zuletzt wurden wir beide schon hitzig, so daß mirs manchmal vorkam, als wollte der Signor mit seiner Adlernase nach mir hacken, bis endlich die Mägde, die den babylonischen Diskurs mit angehört hatten, uns beide tüchtig auslachten. Ich aber legte schnell Messer und Gabel hin und ging vor die Haustür hinaus. Denn mir war in dem fremden Lande nicht anders, als wäre ich mit meiner deutschen Zunge tausend Klafter tief ins Meer versenkt und allerlei unbekanntes Gewürm ringelte sich und rauschte da in der Einsamkeit um mich her und glotzte und schnappte nach mir.

Draußen war eine warme Sommernacht, so recht um gassatim zu gehen. Weit von den Weinbergen herüber hörte man noch zuweilen einen Winzer singen, dazwischen blitzte es manchmal von ferne, und die ganze Gegend zitterte und säuselte im Mondschein. Ja, manchmal kam es mir vor, als schlüpfte eine lange dunkle Gestalt hinter den Haselnußsträuchern vor dem Hause vorüber und guckte durch die Zweige, dann war alles auf einmal wieder still. – Da trat der Herr Guido eben auf den Balkon des Wirtshauses heraus. Er bemerkte mich nicht und spielte sehr geschickte auf einer Zither, die er im Hause gefunden haben mußte, und sang dann dazu wie eine Nachtigall:

Schweigt der Menschen laute Lust:
Rauscht die Erde wie in Träumen
Wunderbar mit allen Bäumen,
Was dem Herzen kaum bewußt,
Alte Zeiten, linde Trauer,
Und es schweifen leise Schauer
Wetterleuchtend durch die Brust.

Ich weiß nicht, ob er noch mehr gesungen haben mag, denn ich hatte mich auf die Bank vor der Haustür hingestreckt und schlief in der lauen Nacht vor großer Ermüdung fest ein.

Es mochten wohl ein paar Stunden ins Land gegangen sein, als mich ein Posthorn aufweckte, das lange Zeit lustig in meine Träume hereinblies, ehe ich mich völlig besinnen konnte. Ich sprang endlich auf, der Tag dämmerte schon an den Bergen, und die Morgenkühle rieselte mir durch alle Glieder. Da fiel mir erst ein, daß wir ja um diese Zeit schon wieder weit fort sein wollten. Aha, dachte ich, heut ist einmal das Wecken und Auslachen an mir. Wie wird der Herr Guido mit dem verschlafenen Lockenkopfe herausfahren, wenn er mich draußen hört!

So ging ich in den kleinen Garten am Hause dicht unter die Fenster, wo meine Herren wohnten, dehnte mich noch einmal recht ins Morgenrot hinein und sang fröhlichen Mutes:

Wenn der Hoppevogel schreit,
Ist der Tag nicht mehr weit,
Wenn die Sonne sich auftut,
Schmeckt der Schlaf noch so gut! –

Das Fenster war offen, aber es blieb alles still oben, nur der Nachtwind ging noch durch die Weinranken, die sich bis in das Fenster hineinstreckten. – »Nun, was soll denn das wieder bedeuten?« rief ich voll Erstaunen aus und lief in das Haus und durch die stillen Gänge nach der Stube zu. Aber da gab es mir einen rechten Stich ins Herz. Denn wie ich die Tür aufreiße, ist alles leer darin, kein Frack, kein Hut, kein Stiefel. – Nur die Zither, auf der Herr Guido gestern gespielt hatte, hing an der Wand, auf dem Tische mitten in der Stube lag ein schöner voller Geldbeutel, worauf ein Zettel geklebt war. Ich hielt ihn näher ans Fenster und traute meinen Augen kaum, es stand wahrhaftig mit großen Buchstaben darauf: »Für den Herrn Einnehmer!«

Was war mir aber das alles nütze, wenn ich meine lieben lustigen Herren nicht wiederfand? Ich schob den Beutel in meine tiefe Rocktasche, das plumpte wie in einen tiefen Brunnen, daß es mich ordentlich hintenüber zog. Dann rannte ich hinaus, machte einen großen Lärm und weckte alle Knechte und Mägde im Hause. Die wußten gar nicht, was ich wollte, und meinten, ich wäre verrückt geworden. Dann aber verwunderten sie sich nicht wenig, als sie oben das leere Nest sahen. Niemand wußte etwas von meinen Herren. Nur die eine Magd – wie ich aus ihren Zeichen und Gestikulationen zusammenbringen konnte – hatte bemerkt, daß der Herr Guido, als er gestern abends auf dem Balkon sang, auf einmal laut aufschrie und dann geschwind zu dem andern Herrn in das Zimmer zurückstürzte. Als sie hernach in der Nacht einmal aufwachte, hörte sie draußen Pferdegetrappel. Sie guckte durch das kleine Kammerfenster und sah den buckligen Signor, der gestern mit mir soviel gesprochen hatte, auf einem Schimmel im Mondschein quer übers Feld galoppieren, daß er immer ellenhoch überm Sattel in die Höhe flog und die Magd sich bekreuzte, weil es aussah wie ein Gespenst, das auf einem dreibeinigen Pferde reitet. – Da wußt ich nun gar nicht, was ich machen sollte.

Unterdes aber stand unser Wagen schon lange vor der Tür angespannt, und der Postillion stieß ungeduldig ins Horn, daß er hätte bersten mögen, denn er mußte zur bestimmten Stunde auf der nächsten Station sein, da alles durch Laufzettel bis auf die Minute vorausbestellt war. Ich rannte noch einmal um das ganze Haus herum und rief die Maler, aber niemand gab Antwort, die Leute aus dem Hause liefen zusammen und gafften mich an, der Postillion fluchte, die Pferde schnaubten, ich, ganz verblüfft, springe endlich geschwind in den Wagen hinein, der Hausknecht schlägt die Tür hinter mir zu, der Postillion knallt, und so gings mit mir fort in die weite Welt hinein.

Fünftes Kapitel

Wir fuhren nun über Berg und Tal Tag und Nacht immerfort. Ich hatte gar nicht Zeit, mich zu besinnen, denn wo wir hinkamen, standen die Pferde angeschirrt, ich konnte mit den Leuten nicht sprechen, mein Demonstrieren half also nichts; oft, wenn ich im Wirtshause eben beim besten Essen war, blies der Postillion, ich mußte Messer und Gabel wegwerfen und wieder in den Wagen springen und wußte doch eigentlich gar nicht, wohin und weswegen ich just mit so ausnehmender Geschwindigkeit fortreisen sollte.

Sonst war die Lebensart gar nicht so übel. Ich legte mich, wie auf einem Kanapee, bald in die eine, bald in die andere Ecke des Wagens und lernte Menschen und Länder kennen, und wenn wir durch Städte fuhren, lehnte ich mich auf beide Arme zum Wagenfenster heraus und dankte den Leuten, die höflich vor mir den Hut abnahmen, oder ich grüßte die Mädchen an den Fenstern wie ein alter Bekannter, die sich dann immer sehr verwunderten und mir noch lange neugierig nachguckten.

Aber zuletzt erschrak ich sehr. Ich hatte das Geld in dem gefundenen Beutel niemals gezählt, den Postmeistern und Gastwirten mußte ich überall viel bezahlen, und ehe ich michs versah, war der Beutel leer. Anfangs nahm ich mir vor, sobald wir durch einen einsamen Wald führen, schnell aus dem Wagen zu springen und zu entlaufen. Dann aber tat es mir wieder leid, nun den schönen Wagen so allein zu lassen, mit dem ich sonst wohl noch bis ans Ende der Welt fortgefahren wäre.

Nun saß ich eben voller Gedanken und wußte nicht aus noch

ein, als es auf einmal seitwärts von der Landstraße abging. Ich schrie zum Wagen heraus auf den Postillion: wohin er denn fahre? Aber ich mochte sprechen, was ich wollte, der Kerl sagte immer bloß: »Si, si, Signore!« und fuhr immer über Stock und Stein, daß ich aus einer Ecke des Wagens in die andere flog.

Das wollte mir gar nicht in den Sinn, denn die Landstraße lief gerade durch eine prächtige Landschaft auf die untergehende Sonne zu, wohl wie in ein Meer von Glanz und Funken. Von der Seite aber, wohin wir uns gewendet hatten, lag ein wüstes Gebirge vor uns mit grauen Schluchten, zwischen denen es schon lange dunkel geworden war. – Je weiter wir fuhren, je wilder und einsamer wurde die Gegend. Endlich kam der Mond hinter den Wolken hervor und schien auf einmal so hell zwischen die Bäume und Felsen herein, daß es ordentlich grauslich anzusehen war. Wir konnten nur langsam fahren in den engen steinichten Schluchten, und das einförmige, ewige Gerassel des Wagens schallte an den Steinwänden weit in die stille Nacht, als führen wir in ein großes Grabgewölbe hinein. Nur von vielen Wasserfällen, die man aber nicht sehen konnte, war ein unaufhörliches Rauschen tiefer im Walde, und die Käuzchen riefen aus der Ferne immerfort: »Komm mit, komm mit!« – Dabei kam es mir vor, als wenn der Kutscher, der, wie ich jetzt erst sah, gar keine Uniform hatte und kein Postillion war, sich einigemal unruhig umsähe und schneller zu fahren anfing, und wie ich mich recht zum Wagen herauslegte, kam plötzlich ein Reiter aus dem Gebüsche hervor, sprengte dicht vor unsern Pferden quer über den Weg und verlor sich sogleich wieder auf der anderen Seite im Walde. Ich war ganz verwirrt, denn, soviel ich bei dem hellen Mondschein erkennen konnte, war es dasselbe bucklige Männlein auf seinem Schimmel, das in dem Wirtshause mit der Adlernase nach mir gehackt hatte. Der Kutscher schüttelte den Kopf und lachte laut auf über die närrische Reiterei, wandte sich aber dann rasch zu mir um, sprach sehr viel und sehr eifrig, wovon ich leider nichts verstand, und fuhr dann noch rascher fort.

Ich aber war froh, als ich bald darauf von fern ein Licht schimmern sah. Es fanden sich nach und nach noch mehrere Lichter, sie wurden immer größer und heller, und endlich kamen wir an einigen verräucherten Hütten vorüber, die wie Schwalbennester auf dem Felsen hingen. Da die Nacht warm war, so standen die Türen offen, und ich konnte darin die hellerleuchteten Stuben und allerlei lumpiges Gesindel sehen, das wie dunkle Schatten um das Herdfeuer herumhockte. Wir aber rasselten durch die stille Nacht einen Steinweg hinan, der sich auf einen hohen Berg hinaufzog. Bald überdeckten hohe Bäume und herabhängende Sträucher den ganzen Hohlweg, bald konnte man auf einmal wieder das ganze Firmament und in der Tiefe die weite stille Runde von Bergen, Wäldern und Tälern übersehen. Auf dem Gipfel des Berges stand ein großes altes Schloß mit vielen Türmen im hellsten Mondschein. – »Nun Gott befohlen!« rief ich aus und war innerlich ganz munter geworden vor Erwartung, wohin sie mich da am Ende noch bringen würden.

Es dauerte wohl noch eine gute halbe Stunde, ehe wir endlich auf dem Berge am Schloßtore ankamen. Das ging in einen breiten, runden Turm hinein, der schon ganz verfallen war. Der Kutscher knallte dreimal, daß es weit in dem alten Schlosse widerhallte, wo ein Schwarm von Dohlen ganz erschrocken plötzlich aus allen Luken und Ritzen herausfuhr und mit großem Geschrei die Luft durchkreuzte. Darauf rollte der Wagen in den langen, dunklen Torweg hinein. Die Pferde gaben mit ihren Hufeisen Feuer auf dem Steinpflaster, ein großer Hund bellte, der Wagen donnerte zwischen den gewölbten Wänden. Die Dohlen schrieen noch immer dazwischen – so kamen wir mit einem entsetzlichen Spektakel in den engen gepflasterten Schloßhof.

Eine kuriose Station! dachte ich bei mir, als nun der Wagen

stillstand. Da wurde die Wagentür von draußen aufgemacht, und ein alter langer Mann mit einer kleinen Laterne sah mich unter seinen dicken Augenbrauen grämlich an. Er faßte mich dann unter den Arm und half mir, wie einem großen Herrn, aus dem Wagen heraus. Draußen vor der Haustür stand eine alte, sehr häßliche Frau in schwarzem Kamisol und Rock, mit einer weißen Schürze und schwarzen Haube, von der ihr ein langer Schnipper bis an die Nase herunterhing. Sie hatte an der einen Hüfte einen großen Bund Schlüssel hängen und hielt in der andern einen altmodischen Armleuchter mit zwei brennenden Wachskerzen. Sobald sie mich erblickte, fing sie an, tiefe Knickse zu machen, und sprach und frug sehr viel durcheinander. Ich verstand aber nichts davon und machte immerfort Kratzfüße vor ihr, und es war mir eigentlich recht unheimlich zumute.

Der alte Mann hatte unterdes mit seiner Laterne den Wagen von allen Seiten beleuchtet und brummte und schüttelte den Kopf, als er nirgend einen Koffer oder Bagage fand. Der Kutscher fuhr darauf, ohne Trinkgeld von mir zu fordern, den Wagen in einen alten Schuppen, der auf der Seite des Hofes schon offen stand. Die alte Frau aber bat mich sehr höflich durch allerlei Zeichen, ihr zu folgen. Sie führte mich mit ihren Wachskerzen durch einen langen schmalen Gang, und dann eine kleine steinerne Treppe herauf. Als wir an der Küche vorbeigingen, streckten ein paar junge Mägde neugierig die Köpfe durch die halbgeöffnete Tür und guckten mich so starr an und winkten und nickten einander heimlich zu, als wenn sie in ihrem Leben noch kein Mannsbild gesehen hätten. Die Alte machte endlich oben eine Tür auf, da wurde ich anfangs ordentlich ganz verblüfft. Denn es war ein großes, schönes, herrschaftliches Zimmer mit goldenen Verzierungen an der Decke, und an den Wänden hingen prächtige Tapeten mit allerlei Figuren und großen Blumen. In der Mitte stand ein gedeckter Tisch mit Braten, Kuchen, Salat, Obst, Wein und Konfekt, daß einem recht das Herz im Leibe lachte.

Zwischen den beiden Fenstern hing ein ungeheurer Spiegel, der vom Boden bis zur Decke reichte.

Ich muß sagen, das gefiel mir recht wohl. Ich streckte mich ein paarmal und ging mit langen Schritten vornehm im Zimmer auf und ab. Dann konnt ich aber doch nicht widerstehen, mich einmal in einem so großen Spiegel zu besehen. Das ist wahr, die neuen Kleider vom Herrn Leonhard standen mir recht schön, auch hatte ich in Italien so ein gewisses feuriges Auge bekommen, sonst aber war ich gerade noch so ein Milchbart, wie ich zu Hause gewesen war, nur auf der Oberlippe zeigten sich erst ein paar Flaumfedern.

Die alte Frau mahlte indes in einem fort mit ihrem zahnlosen Munde, daß es nicht anders aussah, als wenn sie an der langen herunterhängenden Nasenspitze kaute. Dann nötigte sie mich zum Sitzen, streichelte mir mit ihren dürren Fingern das Kinn, nannte mich »poverino!« wobei sie mich aus den roten Augen so schelmisch ansah, daß sich ihr der eine Mundwinkel bis an die halbe Wange in die Höhe zog, und ging endlich mit einem tiefen Knicks zur Tür hinaus.

Ich aber setzte mich zu dem gedeckten Tisch, während eine junge hübsche Magd hereintrat, um mich bei der Tafel zu bedienen. Ich knüpfte allerlei galanten Diskurs mit ihr an, sie verstand mich aber nicht, sondern sah mich immer ganz kurios von der Seite an, weil mirs so gut schmeckte, denn das Essen war delikat. Als ich satt war und wieder aufstand, nahm die Magd ein Licht von der Tafel und führte mich in ein anderes Zimmer. Da war ein Sofa, ein kleiner Spiegel und ein prächtiges Bett mit grünseidenen Vorhängen. Ich frug sie mit Zeichen, ob ich mich da hineinlegen sollte? Sie nickte zwar: ja, aber das war denn doch nicht möglich, denn sie blieb wie angenagelt bei mir stehen. Endlich holte ich mir noch ein großes Glas Wein aus der Tafelstube herein und rief ihr zu: »Felicissima notte!«, denn so viel hatt ich schon Italienisch gelernt. Aber wie ich das Glas so auf einmal ausstürzte, bricht sie plötzlich in ein verhaltenes Kichern aus, wird über und über rot, geht in die Tafelstube und macht die Tür hinter sich zu. Was ist da zu lachen? dachte ich ganz verwundert; ich glaube, die Leute in Italien sind alle verrückt.

Ich hatte nun nur immer Angst vor dem Postillion, daß der gleich wieder zu blasen anfangen würde. Ich horchte am Fenster, aber es war alles still draußen. Laß ihn blasen! dachte ich, zog mich aus und legte mich in das prächtige Bett. Das war nicht anders, als wenn man in Milch und Honig schwömme! Vor den Fenstern rauschte die alte Linde im Hofe, zuweilen fuhr noch eine Dohle plötzlich vom Dache auf, bis ich endlich voller Vergnügen einschlief.

Sechstes Kapitel

Als ich wieder erwachte, spielten schon die ersten Morgenstrahlen an den grünen Vorhängen über mir. Ich konnte mich gar nicht besinnen, wo ich eigentlich wäre. Es kam mir vor, als führe ich noch immer fort im Wagen, und es hätte mir von einem Schlosse im Mondschein geträumt und von einer alten Hexe und ihrem blassen Töchterlein.

Ich sprang endlich rasch aus dem Bette, kleidete mich an und sah mich dabei nach allen Seiten in dem Zimmer um. Da bemerkte ich eine kleine Tapetentür, die ich gestern gar nicht gesehen hatte. Sie war nur angelehnt, ich öffnete sie und erblickte ein kleines nettes Stübchen, das in der Morgendämmerung recht heimlich aussah. Über einem Stuhl waren Frauenkleider unordentlich hingeworfen, auf einem Bettchen daneben lag das Mädchen, das mir gestern abends bei der Tafel aufgewartet hatte. Sie schlief noch ganz ruhig und hatte den Kopf auf den weißen bloßen Arm gelegt, über den ihre schwarzen Locken herabfielen. »Wenn die wüßte, daß die Tür offen war!« sagte ich zu mir selbst und ging in mein Schlafzimmer zurück, während ich hinter mir wieder schloß und verriegelte, damit das Mädchen nicht erschrecken und sich schämen sollte, wenn sie erwachte.

Draußen ließ sich noch kein Laut vernehmen. Nur ein früh erwachtes Waldvöglein saß vor meinem Fenster auf einem Strauch, der aus der Mauer herauswuchs, und sang schon sein Morgenlied. »Nein,« sagte ich, »du sollst mich nicht beschämen und allein so früh und fleißig Gott loben!« – Ich nahm schnell meine Geige, die ich gestern auf das Tischchen gelegt hatte, und ging hinaus. Im Schlosse war noch alles totenstill, und es dauerte lange, ehe ich mich aus den dunklen Gängen ins Freie herausfand.

Als ich vor das Schloß heraustrat, kam ich in einen großen Garten, der auf breiten Terrassen, wovon die eine immer tiefer war als die andere, bis auf den halben Berg herunterging. Aber das war eine liederliche Gärtnerei. Die Gänge waren alle mit hohem Grase bewachsen, die künstlichen Figuren von Buchsbaum waren nicht beschnitten und streckten, wie Gespenster, lange Nasen oder ellenhohe spitzige Mützen in die Luft hinaus, daß man sich in der Dämmerung ordentlich davor hätte fürchten mögen. Auf einige zerbrochene Statuen über einer vertrockneten Wasserkunst war gar Wäsche aufgehängt, hin und wieder hatten sie mitten im Garten Kohl gebaut, dann kamen wieder ein paar ordinäre Blumen, alles unordentlich durcheinander und von hohem, wildem Unkraut überwachsen, zwischen dem sich bunte Eidechsen schlängelten. Zwischen die alten, hohen Bäume hindurch aber war überall eine weite, einsame Aussicht, eine Bergkoppe hinter der andern, soweit das Auge reichte.

Nachdem ich so ein Weilchen in der Morgendämmerung durch die Wildnis umherspaziert war, erblickte ich auf der Terrasse unter mir einen langen, schmalen, blassen Jüngling in einem langen braunen Kaputrock, der mit verschränkten Armen und großen Schritten auf und ab ging. Er tat, als sähe er mich nicht, setzte sich bald darauf auf eine steinerne Bank hin, zog ein Buch aus der Tasche, las sehr laut, als wenn er predigte, sah dabei zuweilen zum Himmel und stützte dann den Kopf ganz melancholisch auf die rechte Hand. Ich sah ihm lange zu, endlich wurde ich doch neugierig, warum er denn eigentlich so absonderliche Grimassen machte, und ging schnell auf ihn zu. Er hatte eben einen tiefen Seufzer ausgestoßen und sprang erschrocken auf, als ich ankam. Er war voller Verlegenheit, ich auch, wir wußten beide nicht, was wir sprechen sollten, und machten immerfort Komplimente voreinander, bis er endlich mit langen Schritten in das Gebüsch Reißaus nahm. Unterdes war die Sonne über dem Walde aufgegangen, ich sprang auf die Bank hinauf und strich vor Lust meine Geige, daß es weit in die stillen Täler herunterschallte. Die Alte mit dem Schlüsselbunde, die mich schon ängstlich im ganzen Schlosse zum Frühstück aufgesucht hatte, erschien nun auf der Terrasse über mir und verwunderte sich, daß ich so artig auf der Geige spielen konnte. Der alte grämliche Mann vom Schlosse fand sich dazu und verwunderte sich ebenfalls, endlich kamen auch noch die Mägde, und alles blieb oben voller Verwunderung stehen, und ich fingerte und schwenkte meinen Fiedelbogen immer künstlicher und hurtiger und spielte Kadenzen und Variationen, bis ich endlich ganz müde wurde.

Das war nun aber doch ganz seltsam auf dem Schlosse! Kein Mensch dachte da ans Weiterreisen. Das Schloß war auch gar kein Wirtshaus, sondern gehörte, wie ich von der Magd erfuhr, einem reichen Grafen. Wenn ich mich dann manchmal bei der Alten erkundigte, wie der Graf heiße, wo er wohne, da schmunzelte sie immer bloß, wie den ersten Abend, da ich auf das Schloß kam, und kniff und winkte mir so pfiffig mit den Augen zu, als wenn sie nicht recht bei Sinne wäre. Trank ich einmal an einem heißen Tage eine ganze Flasche Wein aus, so kicherten die Mägde gewiß, wenn sie die andere brachten, und als mich dann gar einmal nach einer Pfeife Tabak verlangte, ich ihnen durch Zeichen beschrieb, was ich wollte, da brachen alle in ein großes unvernünftiges Gelächter aus. – Am verwunderlichsten war mir eine Nachtmusik, die sich oft, und gerade immer in den finstersten Nächten, unter meinem Fenster hören ließ. Es griff auf einer Gitarre immer nur von Zeit zu Zeit einzelne, ganz leise Klänge. Das eine Mal aber kam es mir vor, als wenn es dabei von unten: »Pst! pst!« heraufrief. Ich fuhr daher geschwind aus dem Bett und mit dem Kopf aus dem Fenster. »Holla! heda! wer ist da draußen?« rief ich hinunter. Aber es antwortete niemand, ich hörte nur etwas sehr schnell durch die Gesträuche fortlaufen. Der große Hund im Hofe schlug über meinen Lärm ein paarmal an, dann war auf einmal alles wieder still, und die Nachtmusik ließ sich seitdem nicht wieder vernehmen.

Sonst hatte ich hier ein Leben, wie sichs ein Mensch nur immer in der Welt wünschen kann. Der gute Portier! er wußte wohl, was er sprach, wenn er immer zu sagen pflegte, daß in Italien einem die Rosinen von selbst in den Mund wüchsen. Ich lebte auf dem einsamen Schlosse wie ein verwunschener Prinz. Wo ich hintrat, hatten die Leute eine große Ehrerbietung vor mir, obgleich sie schon alle wußten, daß ich keinen Heller in der Tasche hatte. Ich durfte nur sagen: Tischchen, deck dich!, so standen auch schon herrliche Speisen, Reis, Wein, Melonen und Parmesankäse da. Ich ließ mirs wohlschmecken, schlief in dem prächtigen Himmelbett, ging im Garten spazieren, musizierte und half wohl auch manchmal in der Gärtnerei nach. Oft lag ich auch stundenlang im Garten im hohen Grase, und der schmale Jüngling (es war ein Schüler und Verwandter der Alten, der eben jetzt hier zur Vakanz war) ging mit seinem langen Kaputrock in weiten Kreisen um mich herum und murmelte dabei, wie ein Zauberer, aus seinem Buche, worüber ich dann auch jedesmal einschlummerte. – So verging ein Tag nach dem andern, bis ich am Ende anfing, von dem guten Essen und Trinken ganz melancholisch zu werden. Die Glieder gingen mir von dem ewigen Nichtstun ordentlich aus allen Gelenken, und es war mir, als würde ich vor Faulheit noch ganz auseinanderfallen.

In dieser Zeit saß ich einmal an einem schwülen Nachmittag

im Wipfel eines hohen Baumes, der am Abhange stand, und wiegte mich auf den Ästen langsam über dem stillen, tiefen Tale. Die Bienen summten zwischen den Blättern um mich herum, sonst war alles wie ausgestorben, kein Mensch war zwischen den Bergen zu sehen, tief unter mir auf den stillen Waldwiesen ruhten die Kühe auf dem hohen Grase. Aber ganz von weitem kam der Klang eines Posthorns über die waldigen Gipfel herüber, bald kaum vernehmbar, bald wieder heller und deutlicher. Mir fiel dabei auf einmal ein altes Lied recht aufs Herz, das ich noch zu Hause auf meines Vaters Mühle von einem wandernden Handwerksburschen gelernt hatte, und ich sang:

Wer in die Fremde will wandern,
Der muß mit der Liebsten gehn,
Es jubeln und lassen die andern
Den Fremden alleine stehn.

Was wisset ihr, dunkele Wipfel,
Von der alten, schönen Zeit?
Ach, die Heimat hinter den Gipfeln,
Wie liegt sie von hier so weit!

Am liebsten betracht ich die Sterne,
Die schienen, wenn ich ging zu ihr,
Die Nachtigall hör ich so gerne,
Sie sang vor der Liebsten Tür.

Der Morgen, das ist meine Freude!
Da steig ich in stiller Stund
Auf den höchsten Berg in die Weite,
Grüß dich, Deutschland, aus Herzensgrund!

Es war, als wenn mich das Posthorn bei meinem Liede aus der Ferne begleiten wollte. Es kam, während ich sang, zwischen den Bergen immer näher und näher, bis ich es endlich gar oben auf dem Schloßhofe schallen hörte. Ich sprang rasch vom Baume herunter. Da kam mir auch schon die Alte mit einem geöffneten Pakete aus dem Schlosse entgegen. »Da ist auch etwas für Sie mitgekommen«, sagte sie und reichte mir aus dem Paket ein kleines, niedliches Briefchen. Es war ohne Aufschrift, ich brach es schnell auf. Aber da wurde ich auch auf einmal im ganzen Gesicht so rot wie eine Päonie, und das Herz schlug mir so heftig, daß es die Alte merkte, denn das Briefchen war von – meiner schönen Frau, von der ich manches Zettelchen bei dem Herrn Amtmann gesehen hatte. Sie schrieb darin ganz kurz: ›Es ist alles wieder gut, alle Hindernisse sind beseitigt. Ich benutze heimlich diese Gelegenheit, um die erste zu sein, die Ihnen diese freudige Botschaft schreibt. Kommen, eilen Sie zurück. Es ist so öde hier, und ich kann kaum mehr leben, seit Sie von uns fort sind. Aurelie.‹

Die Augen gingen mir über, als ich das las, vor Entzücken und Schreck und unsäglicher Freude. Ich schämte mich vor dem alten Weibe, die mich wieder abscheulich anschmunzelte, und flog wie ein Pfeil bis in den allereinsamsten Winkel des Gartens. Dort warf ich mich unter den Haselnußsträuchern ins Gras hin und las das Briefchen noch einmal, sagte die Worte auswendig für mich hin und las dann wieder und immer wieder, und die Sonnenstrahlen tanzten zwischen den Blättern hindurch über den Buchstaben, daß sie sich wie goldene und hellgrüne und rote Blüten vor meinen Augen ineinanderschlangen. Ist sie am Ende gar nicht verheiratet gewesen? dachte ich, war der fremde Offizier damals vielleicht ihr Herr Bruder, oder ist er nun tot, oder bin ich toll, oder... »Das ist alles einerlei!« rief ich endlich und sprang auf, »nun ists ja klar, sie liebt mich ja, sie liebt mich!«

Als ich aus dem Gesträuch wieder hervorkroch, neigte sich die Sonne zum Untergange. Der Himmel war rot, die Vögel sangen lustig in allen Wäldern, die Täler waren voller Schimmer, aber in meinem Herzen war es noch vieltausendmal schöner und fröhlicher!

Ich rief in das Schloß hinein, daß sie mir heut das Abendessen in den Garten herausbringen sollten. Die alte Frau, der alte grämliche Mann, die Mägde, sie mußten alle mit heraus und sich mit mir unter dem Baum an den gedeckten Tisch setzen. Ich zog meine Geige hervor und spielte und aß und trank dazwischen. Da wurden sie alle lustig, der alte Mann strich seine grämlichen Falten aus dem Gesicht und stieß ein Glas nach dem andern aus, die Alte plauderte in einem fort, Gott weiß was; die Mägde fingen an auf dem Rasen miteinander zu tanzen. Zuletzt kam auch noch der blasse Student neugierig hervor, warf einige verächtliche Blicke auf das Spektakel und wollte ganz vornehm wieder weitergehen. Ich aber, nicht zu faul, sprang geschwind auf, erwischte ihn, eh er sichs versah, bei seinem langen Überrock und walzte tüchtig mit ihm herum. Er strengte sich nun an, recht zierlich und neumodisch zu tanzen, und füßelte so emsig und künstlich, daß ihm der Schweiß vom Gesicht herunterfloß und die langen Rockschöße wie ein Rad um uns herumflogen. Dabei sah er mich aber manchmal so kurios mit verdrehten Augen an, daß ich mich ordentlich vor ihm zu fürchten anfing und ihn plötzlich wieder losließ.

Die Alte hätte nun gar zu gern erfahren, was in dem Briefe stand und warum ich denn eigentlich heut auf einmal so lustig war. Aber das war ja viel zu weitläufig, um es ihr auseinandersetzen zu können. Ich zeigte bloß auf ein paar Kraniche, die eben hoch über uns durch die Luft zogen, und sagte: ich müßte nun auch so fort und immer fort, weit in die Ferne! – Da riß sie die vertrockneten Augen weit auf und blickte, wie ein Basilisk, bald auf mich, bald auf den alten Mann hinüber. Dann bemerkte ich, wie die beiden heimlich die Köpfe zusammensteckten, sooft ich mich wegwandte, und sehr eifrig miteinander sprachen und mich dabei zuweilen von der Seite ansahen.

Das fiel mir auf. Ich sann hin und her, was sie wohl mit mir vorhaben möchten. Darüber wurde ich stiller, die Sonne war

auch schon lange untergegangen, und so wünschte ich allen gute Nacht und ging nachdenklich in meine Schlafstube hinauf.
Ich war innerlich so fröhlich und unruhig, daß ich noch lange im Zimmer auf und nieder ging. Draußen wälzte der Wind schwere, schwarze Wolken über den Schloßturm weg, man konnte kaum die nächsten Bergkoppen in der dicken Finsternis erkennen. Da kam es mir vor, als wenn ich im Garten unten Stimmen hörte. Ich löschte mein Licht aus und stellte mich ans Fenster. Die Stimmen schienen näher zu kommen, sprachen aber sehr leise miteinander. Auf einmal gab eine kleine Laterne, welche die eine Gestalt unterm Mantel trug, einen langen Schein. Ich erkannte nun den grämlichen Schloßverwalter und die alte Haushälterin. Das Licht blitzte über das Gesicht der Alten, das mir noch niemals so gräßlich vorgekommen war, und über ein langes Messer, das sie in der Hand hielt. Dabei konnte ich sehen, daß sie beide eben nach meinem Fenster hinaufsahen. Dann schlug der Verwalter seinen Mantel wieder dichter um, und es war bald alles wieder finster und still.
Was wollen die, dachte ich, zu dieser Stunde noch draußen im Garten? Mich schauderte, denn es fielen mir alle Mordgeschichten ein, die ich in meinem Leben gehört hatte, von Hexen und Räubern, welche Menschen abschlachten, um ihre Herzen zu fressen. Indem ich noch so nachdenke, kommen Menschentritte, erst die Treppe herauf, dann auf dem langen Gange ganz leise, leise auf meine Tür zu, dabei war es, als wenn zuweilen Stimmen heimlich miteinander wisperten. Ich sprang schnell an das andere Ende der Stube hinter einen großen Tisch, den ich, sobald sich etwas rührte, vor mir aufheben und so mit aller Gewalt auf die Tür losrennen wollte. Aber in der Finsternis warf ich einen Stuhl um, daß es ein entsetzliches Gepolter gab. Da wurde es auf einmal ganz still draußen. Ich lauschte hinter dem Tisch und sah immerfort nach der Tür, als wenn ich sie mit den Augen durchstechen

wollte, daß mir ordentlich die Augen zum Kopfe herausstanden. Als ich mich ein Weilchen wieder so ruhig verhalten hatte, daß man die Fliegen an der Wand hätte können gehen hören, vernahm ich, wie jemand von draußen ganz leise einen Schlüssel ins Schlüsselloch steckte. Ich wollte nun eben mit meinem Tische losfahren, da drehte es den Schlüssel langsam dreimal in der Tür um, zog ihn vorsichtig wieder heraus und schnurrte dann sachte über den Gang und die Treppe hinunter.

Ich schöpfte nun tief Atem. Oho, dachte ich, da haben sie dich eingesperrt, damit sie's kommode haben, wenn ich erst fest eingeschlafen bin. Ich untersuchte geschwind die Tür. Es war richtig, sie war fest verschlossen, ebenso die andere Tür, hinter der die hübsche, bleiche Magd schlief. Das war noch niemals geschehen, solange ich auf dem Schlosse wohnte.

Da saß ich nun in der Fremde gefangen! Die schöne Frau stand nun wohl an ihrem Fenster und sah über den stillen Garten nach der Landstraße hinaus, ob ich nicht schon am Zollhäuschen mit meiner Geige dahergestrichen komme, die Wolken flogen rasch über den Himmel, die Zeit verging – und ich konnte nicht fort von hier! Ach, mir war so weh im Herzen, ich wußte gar nicht mehr, was ich tun sollte. Dabei war mirs auch immer, wenn die Blätter draußen rauschten oder eine Ratte am Boden knosperte, als wäre die Alte durch eine verborgene Tapetentür heimlich hereingetreten und lauere und schleiche leise mit dem langen Messer durchs Zimmer.

Als ich so voll Sorgen auf dem Bette saß, hörte ich auf einmal seit langer Zeit wieder die Nachtmusik unter meinen Fenstern. Bei dem ersten Klange der Gitarre war es mir nicht anders, als wenn mir ein Morgenstrahl plötzlich durch die Seele führe. Ich riß das Fenster auf und rief leise herunter, daß ich wach sei. »Pst, pst!« antwortete es von unten. Ich besann mich nun nicht lange, steckte das Briefchen und meine Geige zu mir, schwang mich aus dem Fenster und kletterte an der alten, zersprungenen Mauer hinab, indem ich mich mit den Händen an den Sträuchern, die aus den Ritzen wuchsen, anhielt. Aber einige morsche Ziegel gaben nach, ich kam ins Rutschen, es ging immer rascher und rascher mit mir, bis ich endlich mit beiden Füßen aufplumpte, daß mirs im Gehirnkasten knisterte.

Kaum war ich auf diese Art unten im Garten angekommen, so umarmte mich jemand mit solcher Vehemenz, daß ich laut aufschrie. Der gute Freund aber hielt mir schnell die Finger auf den Mund, faßte mich bei der Hand und führte mich dann aus dem Gesträuch ins Freie hinaus. Da erkannte ich mit Verwunderung den guten, langen Studenten, der die Gitarre an einem breiten seidenen Bande um den Hals hängen hatte. – Ich beschrieb ihm nun in größter Geschwindigkeit, daß ich aus dem Garten hinauswollte. Er schien aber das alles schon lange zu wissen und führte mich auf allerlei verdeckten Umwegen zu dem untern Tore in der hohen Gartenmauer. Aber da war nun auch das Tor wieder fest verschlossen! Doch der Student hatte auch das schon vorbedacht, er zog einen großen Schlüssel hervor und schloß behutsam auf.

Als wir nun in den Wald hinaustraten und ich ihn eben noch um den besten Weg zur nächsten Stadt fragen wollte, stürzte er plötzlich vor mir auf ein Knie nieder, hob die eine Hand hoch in die Höhe und fing an zu fluchen und zu schwören, daß es entsetzlich anzuhören war. Ich wußte gar nicht, was er wollte, ich hörte nur immerfort: Idio und cuore und amore und furore! Als er aber am Ende gar anfing, auf beiden Knieen schnell und immer näher auf mich zuzurutschen, da wurde mir auf einmal ganz grauslich, ich merkte wohl, daß er verrückt war, und rannte, ohne mich umzusehen, in den dicksten Wald hinein.

Ich hörte nun den Studenten wie rasend hinter mir drein schreien. Bald darauf gab noch eine andere grobe Stimme vom Schlosse her Antwort. Ich dachte mir nun wohl, daß sie mich aufsuchen würden. Der Weg war mir unbekannt, die

Nacht finster, ich konnte ihnen leicht wieder in die Hände fallen. Ich kletterte daher auf den Wipfel einer hohen Tanne hinauf, um bessere Gelegenheit abzuwarten.
Von dort konnte ich hören, wie auf dem Schlosse eine Stimme nach der andern wach wurde. Einige Windlichter zeigten sich oben und warfen ihre wilden roten Scheine über das alte Gemäuer des Schlosses und weit vom Berge in die schwarze Nacht hinein. Ich befahl meine Seele dem lieben Gott, denn das verworrene Getümmel wurde immer lauter und näherte sich immer mehr und mehr. Endlich stürzte der Student mit einer Fackel unter meinem Baume vorüber, daß ihm die Rockschöße weit im Winde nachflogen. Dann schienen sie sich alle nach und nach auf eine andere Seite des Berges hinzuwenden, die Stimmen schallten immer ferner und ferner, und der Wind rauschte wieder durch den stillen Wald. Da stieg ich schnell von dem Baume herab und lief atemlos weiter in das Tal und die Nacht hinaus.

Siebentes Kapitel

Ich war Tag und Nacht eilig fortgegangen, denn es sauste mir lange in den Ohren, als kämen die vom Berge mit ihrem Rufen, mit Fackeln und langen Messern noch immer hinter mir drein. Unterwegs erfuhr ich, daß ich nur noch ein paar Meilen von Rom wäre. Da erschrak ich ordentlich vor Freude. Denn von dem prächtigen Rom hatte ich schon zu Hause als Kind viele wunderbare Geschichten gehört, und wenn ich dann an Sonntagsnachmittagen vor der Mühle im Grase lag und alles ringsum so still war, da dachte ich mir Rom wie die ziehenden Wolken über mir, mit wundersamen Bergen und Abgründen am blauen Meer und goldnen Toren und hohen glänzenden Türmen, von denen Engel in goldnen Gewändern sangen. – Die Nacht war schon wieder lange hereingebrochen, und der Mond schien prächtig, als ich endlich auf einem Hügel aus dem Walde heraustrat und auf einmal die

Stadt in der Ferne vor mir sah. – Das Meer leuchtete von weitem, der Himmel blitzte und funkelte unübersehbar mit unzähligen Sternen, darunter lag die heilige Stadt, von der man nur einen langen Nebelstreif erkennen konnte, wie ein eingeschlafener Löwe auf der stillen Erde, und Berge standen daneben, wie dunkle Riesen, die ihn bewachten.

Ich kam nun zuerst auf eine große, einsame Heide, auf der es so grau und still war wie im Grabe. Nur hin und her stand ein altes verfallenes Gemäuer oder ein trockener wunderbar gewundener Strauch; manchmal schwirrten Nachtvögel durch die Luft, und mein eigener Schatten strich immerfort lang und dunkel in der Einsamkeit neben mir her. Sie sagen, daß hier eine uralte Stadt und die Frau Venus begraben liegt und die alten Heiden zuweilen noch aus ihren Gräbern heraufsteigen und bei stiller Nacht über die Heide gehen und die Wanderer verwirren. Aber ich ging immer gerade fort und ließ mich nichts anfechten. Denn die Stadt stieg immer deutlicher und prächtiger vor mir herauf, und die hohen Burgen und Tore und goldenen Kuppeln glänzten so herrlich im hellen Mondenschein, als ständen wirklich die Engel in goldnen Gewändern auf den Zinnen und sängen durch die stille Nacht herüber.

So zog ich denn endlich erst an kleinen Häusern vorbei, dann durch ein prächtiges Tor in die berühmte Stadt Rom hinein. Der Mond schien zwischen den Palästen, als wäre es heller Tag, aber die Straßen waren schon alle leer, nur hin und wieder lag ein lumpiger Kerl, wie ein Toter, in der lauen Nacht auf den Marmorschwellen und schlief. Dabei rauschten die Brunnen auf den stillen Plätzen, und die Gärten an der Straße säuselten dazwischen und erfüllten die Luft mit erquickenden Düften.

Wie ich nun eben so weiter fortschlendere und vor Vergnügen, Mondschein und Wohlgeruch gar nicht weiß, wohin ich mich wenden soll, läßt sich tief aus dem einen Garten eine Gitarre hören. Mein Gott, denk ich, da ist mir wohl der tolle

Student mit dem langen Überrock heimlich nachgesprungen! Darüber fing eine Dame in dem Garten an überaus lieblich zu singen. Ich stand ganz wie bezaubert, denn es war die Stimme der schönen gnädigen Frau und dasselbe welsche Liedchen, das sie gar oft zu Hause am offnen Fenster gesungen hatte.

Da fiel mir auf einmal die schöne alte Zeit mit solcher Gewalt aufs Herz, daß ich bitterlich hätte weinen mögen, der stille Garten vor dem Schloß in früher Morgenstunde, und wie ich da hinter dem Strauch so glückselig war, ehe mir die dumme Fliege in die Nase flog. Ich konnte mich nicht länger halten. Ich kletterte auf den vergoldeten Zieraten über das Gittertor und schwang mich in den Garten hinunter, woher der Gesang kam. Da bemerkte ich, daß eine schlanke, weiße Gestalt von fern hinter einer Pappel stand und mir erst verwundert zusah, als ich über das Gitterwerk kletterte, dann aber auf einmal so schnell durch den dunklen Garten nach dem Hause zuflog, daß man sie im Mondschein kaum füßeln sehen konnte. »Das war sie selbst!« rief ich aus, und das Herz schlug mir vor Freude, denn ich erkannte sie gleich an den kleinen, geschwinden Füßchen wieder. Es war nur schlimm, daß ich mir beim Herunterspringen vom Gartentore den rechten Fuß etwas vertreten hatte, ich mußte daher erst ein paarmal mit dem Beine schlenkern, eh ich zu dem Hause nachspringen konnte. Aber da hatten sie unterdes Tür und Fenster fest verschlossen. Ich klopfte ganz bescheiden an, horchte und klopfte wieder. Da war es nicht anders, als wenn es drinnen leise flüsterte und kicherte, ja einmal kam es mir vor, als wenn zwei helle Augen zwischen den Jalousien im Mondschein hervorfunkelten. Dann war auf einmal wieder alles still.

Sie weiß nur nicht, daß *ich* es bin, dachte ich, zog die Geige, die ich allzeit bei mir trage, hervor, spazierte damit auf dem Gange vor dem Hause auf und nieder und spielte und sang das Lied von der schönen Frau und spielte voll Vergnügen alle meine Lieder durch, die ich damals in den schönen Sommernächten im Schloßgarten oder auf der Bank vor dem Zollhause gespielt hatte, daß es weit bis in die Fenster des Schlosses hinüberklang. – Aber es half alles nichts, es rührte und regte sich niemand im ganzen Hause. Da steckte ich endlich meine Geige traurig ein und legte mich auf die Schwelle vor der Haustür hin, denn ich war sehr müde von dem langen Marsch. Die Nacht war warm, die Blumenbeete vor dem Hause dufteten lieblich, eine Wasserkunst weiter unten im Garten plätscherte immerfort dazwischen. Mir träumte von himmelblauen Blumen, von schönen, dunkelgrünen, einsamen Gründen, wo Quellen rauschten und Bächlein gingen und bunte Vögel wunderbar sangen, bis ich endlich fest einschlief.

Als ich aufwachte, rieselte mir die Morgenluft durch alle Glieder. Die Vögel waren schon wach und zwitscherten auf den Bäumen um mich herum, als ob sie mich für 'n Narren haben wollten. Ich sprang rasch auf und sah mich nach allen Seiten um. Die Wasserkunst im Garten rauschte noch immerfort, aber in dem Hause war kein Laut zu vernehmen. Ich guckte durch die grünen Jalousien in das eine Zimmer hinein. Da war ein Sofa, und ein großer runder Tisch mit grauer Leinwand verhangen, die Stühle standen alle in großer Ordnung und unverrückt an den Wänden herum; von außen aber waren die Jalousien an allen Fenstern heruntergelassen, als wäre das ganze Haus schon seit vielen Jahren unbewohnt. – Da überfiel mich ein ordentliches Grausen vor dem einsamen Hause und Garten und vor der gestrigen weißen Gestalt. Ich lief, ohne mich weiter umzusehen, durch die stillen Lauben und Gänge und kletterte geschwind wieder an dem Gartentor hinauf. Aber da blieb ich wie verzaubert sitzen, als ich auf einmal von dem hohen Gitterwerk in die prächtige Stadt hinuntersah. Da blitzte und funkelte die Morgensonne weit über die Dächer und in die langen stillen Straßen hinein, daß ich laut aufjauchzen mußte und voller Freude auf die Straße hinuntersprang.

Aber wohin sollt ich mich wenden in der großen fremden Stadt? Auch ging mir die konfuse Nacht und das welsche Lied der schönen gnädigen Frau von gestern noch immer im Kopfe hin und her. Ich setzte mich endlich auf den steinernen Springbrunnen, der mitten auf dem einsamen Platze stand, wusch mir in dem klaren Wasser die Augen hell und sang dazu:

Wenn ich ein Vöglein wär,
Ich wüßt wohl, wovon ich sänge,
Und auch zwei Flüglein hätt,
Ich wüßt wohl, wohin ich mich schwänge!

»Ei, lustiger Gesell, du singst ja wie eine Lerche beim ersten Morgenstrahl!« sagte da auf einmal ein junger Mann zu mir, der während meines Liedes an den Brunnen herangetreten war. Mir aber, da ich so unverhofft deutsch sprechen hörte, war es nicht anders im Herzen, als wenn die Glocke aus meinem Dorfe am stillen Sonntagsmorgen plötzlich zu mir herüberklänge. »Gott willkommen, bester Herr Landsmann!« rief ich aus und sprang voller Vergnügen von dem steinernen Brunnen herab. Der junge Mann lächelte und sah mich von oben bis unten an. »Aber was treibt Ihr denn eigentlich hier in Rom?« fragte er endlich. Da wußte ich nun nicht gleich, was ich sagen sollte, denn daß ich soeben der schönen gnädigen Frau nachspränge, mocht ich ihm nicht sagen. »Ich treibe«, erwiderte ich, »mich selbst ein bißchen herum, um die Welt zu sehn.« – »So, so!« versetzte der junge Mann und lachte laut auf, »da haben wir ja *ein* Metier. Das tu ich eben auch, um die Welt zu sehn und hinterdrein abzumalen.« – »Also ein Maler!« rief ich fröhlich aus, denn mir fiel dabei Herr Leonhard und Guido ein. Aber der Herr ließ mich nicht zu Worte kommen. »Ich denke,« sagte er, »du gehst mit und frühstückst bei mir, da will ich dich selbst abkonterfeien, daß es eine Freude sein soll!« – Das ließ ich mir gern gefallen und wanderte nun mit dem Maler durch die leeren Straßen, wo nur hin und wieder erst einige Fensterladen aufgemacht wurden und bald ein Paar weiße Arme, bald ein verschlafnes Gesichtchen in die frische Morgenluft hinausguckte.

Er führte mich lange hin und her durch eine Menge konfuser, enger und dunkler Gassen, bis wir endlich in ein altes verräuchertes Haus hineinwuschten. Dort stiegen wir eine finstre Treppe hinauf, dann wieder eine, als wenn wir in den Himmel hineinsteigen wollten. Wir standen nun unter dem Dache vor einer Tür still, und der Maler fing an, in allen Taschen vorn und hinten mit großer Eilfertigkeit zu suchen. Aber er hatte heute früh vergessen zuzuschließen und den Schlüssel in der Stube gelassen. Denn er war, wie er mir unterwegs erzählte, noch vor Tagesanbruch vor die Stadt hinausgegangen, um die Gegend bei Sonnenaufgang zu betrachten. Er schüttelte nur mit dem Kopfe und stieß die Tür mit dem Fuße auf.

Das war eine lange, lange, große Stube, daß man darin hätte tanzen können, wenn nur nicht auf dem Fußboden alles vollgelegen hätte. Aber da lagen Stiefel, Papiere, Kleider, umgeworfene Farbentöpfe, alles durcheinander; in der Mitte der Stube standen große Gerüste, wie man zum Birnenabnehmen braucht, ringsum an der Wand waren große Bilder angelehnt. Auf einem langen hölzernen Tische war eine Schüssel, worauf neben einem Farbenkleckse Brot und Butter lag. Eine Flasche Wein stand daneben.

»Nun eßt und trinkt erst, Landsmann!« rief mir der Maler zu. – Ich wollte mir auch sogleich ein paar Butterschnitten schmieren, aber da war wieder kein Messer da. Wir mußten erst lange in den Papieren auf dem Tische herumrascheln, ehe wir es unter einem großen Pakete endlich fanden. Darauf riß der Maler das Fenster auf, daß die frische Morgenluft fröhlich das ganze Zimmer durchdrang. Das war eine herrliche Aussicht weit über die Stadt weg in die Berge hinein, wo die Morgensonne lustig die weißen Landhäuser und Weingärten beschien. – »Vivat unser kühlgrünes Deutschland da hinter den Bergen!« rief der Maler aus und trank dazu aus der Weinflasche, die er mir dann hinreichte. Ich tat ihm höflich Bescheid und grüßte in meinem Herzen die schöne Heimat in der Ferne noch vieltausendmal.

Der Maler aber hatte unterdes das hölzerne Gerüst, worauf ein sehr großes Papier aufgespannt war, näher an das Fenster herangerückt. Auf dem Papier war bloß mit großen schwarzen Strichen eine alte Hütte gar künstlich abgezeichnet. Darin saß die Heilige Jungfrau mit einem überaus schönen, freudigen und doch recht wehmütigen Gesichte. Zu ihren Füßen auf einem Nestlein von Stroh lag das Jesuskind, sehr freundlich, aber mit großen, ernsthaften Augen. Draußen auf der Schwelle der offnen Hütte aber knieten zwei Hirtenknaben mit Stab und Tasche. – »Siehst du,« sagte der Maler, »dem einen Hirtenknaben da will ich deinen Kopf aufsetzen, so kommt dein Gesicht doch auch etwas unter die Leute, und wills Gott, sollen sie sich daran noch erfreuen, wenn wir beide schon lange begraben sind und selbst so still und fröhlich vor der Heiligen Mutter und ihrem Sohne knieen wie die glücklichen Jungen hier.« – Darauf ergriff er einen alten Stuhl, von dem ihm aber, da er ihn aufheben wollte, die halbe Lehne in der Hand blieb. Er paßte ihn geschwind wieder zusammen, schob ihn vor das Gerüst hin, und ich mußte mich nun darauf setzen und mein Gesicht etwas von der Seite, nach dem Maler zu, wenden. – So saß ich ein paar Minuten ganz still, ohne mich zu rühren. Aber ich weiß nicht, zuletzt konnt ichs gar nicht recht aushalten, bald juckte michs da, bald juckte michs dort. Auch hing mir gerade gegenüber ein zerbrochner halber Spiegel, da mußt ich immerfort hineinsehen und machte, wenn er eben malte, aus Langeweile allerlei Gesichter und Grimassen. Der Maler, der es bemerkte, lachte endlich laut auf und winkte mir mit der Hand, daß ich wieder aufstehen sollte. Mein Gesicht auf dem Hirten war auch schon fertig und sah so klar aus, daß ich mir ordentlich selber gefiel.

Er zeichnete nun in der frischen Morgenkühle immer fleißig

fort, während er ein Liedchen dazu sang und zuweilen durch das offne Fenster in die prächtige Gegend hinausblickte. Ich aber schnitt mir unterdes noch eine Butterstolle und ging damit im Zimmer auf und ab und besah mir die Bilder, die an der Wand aufgestellt waren. Zwei darunter gefielen mir ganz besonders gut. »Habt Ihr die auch gemalt?« fragte ich den Maler. »Warum nicht gar!« erwiderte er, »die sind von den berühmten Meistern Leonardo da Vinci und Guido Reni – aber da weißt du ja doch nichts davon!« – Mich ärgerte der Schluß der Rede. »O,« versetzte ich ganz gelassen, »die beiden Meister kenne ich wie meine eigne Tasche.« – Da machte er große Augen. »Wieso?« fragte er geschwind. »Nun,« sagte ich, »bin ich nicht mit ihnen Tag und Nacht fortgereist, zu Pferde und zu Fuß und zu Wagen, daß mir der Wind am Hute pfiff, und hab sie alle beide in der Schenke verloren und bin dann allein in ihrem Wagen mit Extrapost immer weiter gefahren, daß der Bombenwagen immerfort auf zwei Rädern über die entsetzlichen Steine flog, und« – »Oho! Oho!« unterbrach mich der Maler und sah mich starr an, als wenn er mich für verrückt hielte. Dann aber brach er plötzlich in ein lautes Gelächter aus. »Ach,« rief er, »nun versteh ich erst, du bist mit zwei Malern gereist, die Guido und Leonhard hießen?« – Da ich das bejahte, sprang er rasch auf und sah mich nochmals von oben bis unten ganz genau an. »Ich glaube gar,« sagte er, »am Ende – spielst du die Violine?« – Ich schlug auf meine Rocktasche, daß die Geige darin einen Klang gab. – »Nun, wahrhaftig,« versetzte der Maler, »da war eine Gräfin aus Deutschland hier, die hat sich in allen Winkeln von Rom nach den beiden Malern und nach einem jungen Musikanten mit der Geige erkundigen lassen.« – »Eine junge Gräfin aus Deutschland?« rief ich voller Entzükken aus, »ist der Portier mit?« – »Ja, das weiß ich alles nicht,« erwiderte der Maler, »ich sah sie nur einige Male bei einer Freundin von ihr, die aber auch nicht in der Stadt wohnt. – Kennst du die?« fuhr er fort, indem er in einem Winkel plötzlich eine Leinwanddecke von einem großen Bilde in die Höhe hob. Da war mirs doch nicht anders, als wenn man in einer finstern Stube die Laden aufmacht und einem die Morgensonne auf einmal über die Augen blitzt, es war – die schöne gnädige Frau! – sie stand in einem schwarzen Samtkleide im Garten und hob mit einer Hand den Schleier vom Gesicht und sah still und freundlich in eine weite, prächtige Gegend hinaus. Je länger ich hinsah, je mehr kam es mir vor, als wäre es der Garten am Schlosse, und die Blumen und Zweige wiegten sich leise im Winde, und unten in der Tiefe sähe ich mein Zollhäuschen und die Landstraße weit durchs Grüne und die Donau und die fernen blauen Berge.

»Sie ists, sie ists!« rief ich endlich, erwischte meinen Hut und rannte rasch zur Tür hinaus, die vielen Treppen hinunter, und hörte nur noch, daß mir der verwunderte Maler nachschrie, ich sollte gegen Abend wiederkommen, da könnten wir vielleicht mehr erfahren.

Achtes Kapitel

Ich lief mit großer Eilfertigkeit durch die Stadt, um mich sogleich wieder in dem Gartenhause zu melden, wo die schöne Frau gestern abend gesungen hatte. Auf den Straßen war unterdes alles lebendig geworden, Herren und Damen zogen im Sonnenschein und neigten sich und grüßten bunt durcheinander, prächtige Karossen rasselten dazwischen, und von allen Türmen läutete es zur Messe, daß die Klänge über dem Gewühl wunderbar in der klaren Luft durcheinander hallten. Ich war wie betrunken von Freude und von dem Rumor und rannte in meiner Fröhlichkeit immer gerade fort, bis ich zuletzt gar nicht mehr wußte, wo ich stand. Es war wie verzaubert, als wäre der stille Platz mit dem Brunnen und der Garten und das Haus bloß ein Traum gewesen und beim hellen Tageslichte alles wieder von der Erde verschwunden.

Fragen konnte ich nicht, denn ich wußte den Namen des

Platzes nicht. Endlich fing es auch an sehr schwül zu werden, die Sonnenstrahlen schossen recht wie sengende Pfeile auf das Pflaster, die Leute verkrochen sich in die Häuser, die Jalousien wurden überall wieder zugemacht, und es war auf einmal wie ausgestorben auf den Straßen. Ich warf mich zuletzt ganz verzweifelt vor einem schönen großen Hause hin, vor dem ein Balkon mit Säulen breiten Schatten warf, und betrachtete bald die stille Stadt, die in der plötzlichen Einsamkeit bei heller Mittagsstunde ordentlich schauerlich aussah, bald wieder den tiefblauen, ganz wolkenlosen Himmel, bis ich endlich vor großer Ermüdung gar einschlummerte. Da träumte mir, ich läge bei meinem Dorfe auf einer einsamen grünen Wiese, ein warmer Sommerregen sprühte und glänzte in der Sonne, die soeben hinter den Bergen unterging, und wie die Regentropfen auf den Rasen fielen, waren es lauter schöne bunte Blumen, so daß ich davon ganz überschüttet war.

Aber wie erstaunte ich, als ich erwachte und wirklich eine Menge schöner frischer Blumen auf und neben mir liegen sah! Ich sprang auf, konnte aber nichts Besonderes bemerken, als bloß in dem Hause über mir ein Fenster ganz oben voll von duftenden Sträuchern und Blumen, hinter denen ein Papagei unablässig plauderte und kreischte. Ich las nun die zerstreuten Blumen auf, band sie zusammen und steckte mir den Strauß vorn ins Knopfloch. Dann aber fing ich an, mit dem Papagei ein wenig zu diskurieren, denn es freute mich, wie er in seinem vergoldeten Gebauer mit allerlei Grimassen herauf und herunter stieg und sich dabei immer ungeschickt über die große Zehe trat. Doch ehe ich michs versah, schimpfte er mich ›Furfante!‹. Wenn es gleich eine unvernünftige Bestie war, so ärgerte es mich doch. Ich schimpfte ihn wieder, wir gerieten endlich beide in Hitze, je mehr ich auf deutsch schimpfte, je mehr gurgelte er auf italienisch wieder auf mich los.

Auf einmal hörte ich jemand hinter mir lachen. Ich drehte

mich rasch um. Es war der Maler von heute früh. »Was stellst du wieder für tolles Zeug an!« sagte er, »ich warte schon eine halbe Stunde auf dich. Die Luft ist wieder kühler, wir wollen in einen Garten vor der Stadt gehen, da wirst du mehrere Landsleute finden und vielleicht etwas Näheres von der deutschen Gräfin erfahren.« Darüber war ich außerordentlich erfreut, und wir traten unsern Spaziergang sogleich an, während ich den Papagei noch lange hinter mir drein schimpfen hörte.

Nachdem wir draußen vor der Stadt auf schmalen, steinichten Fußsteigen lange zwischen Landhäusern und Weingärten hinaufgestiegen waren, kamen wir an einen kleinen hochgelegenen Garten, wo mehrere junge Männer und Mädchen im Grünen um einen runden Tisch saßen. Sobald wir hineintraten, winkten uns alle zu, uns still zu verhalten, und zeigten auf die andere Seite des Gartens hin. Dort saßen in einer großen, grünverwachsenen Laube zwei schöne Frauen an einem Tisch einander gegenüber. Die eine sang, die andere spielte Gitarre dazu. Zwischen beiden hinter dem Tische stand ein freundlicher Mann, der mit einem kleinen Stäbchen zuweilen den Takt schlug. Dabei funkelte die Abendsonne durch das Weinlaub, bald über die Weinflaschen und Früchte, womit der Tisch in der Laube besetzt war, bald über die vollen, runden, blendendweißen Achseln der Frau mit der Gitarre. Die andere war wie verzückt und sang auf italienisch ganz außerordentlich künstlich, daß ihr die Flechsen am Halse aufschwollen.

Wie sie nun soeben mit zum Himmel gerichteten Augen eine lange Kadenz anhielt und der Mann neben ihr mit aufgehobenem Stäbchen auf den Augenblick paßte, wo sie wieder in den Takt einfallen würde, und keiner im ganzen Garten zu atmen sich unterstand, da flog plötzlich die Gartentür weit auf, und ein ganz erhitztes Mädchen und hinter ihr ein junger Mensch mit einem feinen, bleichen Gesicht stürzten in großem Gezänke herein. Der erschrockene Musikdirektor blieb mit seinem aufgehobenen Stabe wie ein versteinerter Zauberer stehen, obgleich die Sängerin schon längst den langen Triller plötzlich abgeschnappt hatte und zornig aufgestanden war. Alle übrigen zischten den Neuangekommenen wütend an. »Barbar!« rief ihm einer von dem runden Tische zu, »du rennst da mitten in das sinnreiche Tableau von der schönen Beschreibung hinein, welche der selige Hoffmann, Seite 347 des Frauentaschenbuches für 1816, von dem schönsten Hummelschen Bilde gibt, das im Herbst 1814 auf der Berliner Kunstausstellung zu sehen war!« – Aber das half alles nichts. »Ach was!« entgegnete der junge Mann, »mit euern Tableaus von Tableaus! Mein selbsterfundenes Bild für die andern, und mein Mädchen für mich allein! So will ich es halten! O du Ungetreue, du Falsche!« fuhr er dann von neuem gegen das arme Mädchen fort, »du kritische Seele, die in der Malerkunst nur den Silberblick und in der Dichterkunst nur den goldenen Faden sucht und keinen Liebsten, sondern nur lauter Schätze hat! Ich wünsche dir hinfüro, anstatt eines ehrlichen malerischen Pinsels, einen alten Duka mit einer ganzen Münzgrube von Diamanten auf der Nase und mit hellem Silberblick auf der kahlen Platte und mit Goldschnitt auf den paar noch übrigen Haaren! Ja, nur heraus mit dem verruchten Zettel, den du da vorhin vor mir versteckt hast! Was hast du wieder angezettelt? Von wem ist der Wisch, und an wen ist er?«

Aber das Mädchen sträubte sich standhaft, und je eifriger die andern den erbosten jungen Menschen umgaben und ihn mit großem Lärm zu trösten und zu beruhigen suchten, desto erhitzter und toller wurde er von dem Rumor, zumal da das Mädchen auch ihr Mäulchen nicht halten konnte, bis sie endlich weinend aus dem verworrenen Knäuel hervorflog und sich auf einmal ganz unverhofft an meine Brust stürzte, um bei mir Schutz zu suchen. Ich stellte mich auch sogleich in die gehörige Positur, aber da die andern in dem Getümmel soeben nicht auf uns achtgaben, kehrte sie plötzlich das Köpfchen nach mir herauf und flüsterte mir mit ganz ruhigem Gesichte sehr leise und schnell ins Ohr: »Du abscheulicher Einnehmer! Um dich muß ich das alles leiden. Da steck den fatalen Zettel geschwind zu dir, du findest darauf bemerkt, wo wir wohnen. Also zur bestimmten Stunde, wenn du ins Tor kommst, immer die einsame Straße rechts fort!« –

Ich konnte vor Verwunderung kein Wort hervorbringen, denn wie ich sie nun erst recht ansah, erkannte ich sie auf einmal: es war wahrhaftig die schnippische Kammerjungfer vom Schloß, die mir damals an dem schönen Sonntagsabende die Flasche mit Wein brachte. Sie war mir sonst niemals so schön vorgekommen, als da sie sich jetzt so erhitzt an mich lehnte, daß die schwarzen Locken über meinem Arm herabhingen. – »Aber, verehrte Mamsell,« sagte ich voller Erstaunen, »wie kommen Sie« – »Um Gottes willen, still nur, jetzt still!« erwiderte sie und sprang geschwind von mir fort auf die andere Seite des Gartens, eh ich mich noch auf alles recht besinnen konnte.

Unterdes hatten die andern ihr erstes Thema fast ganz vergessen, zankten aber untereinander recht vergnüglich weiter, indem sie dem jungen Menschen beweisen wollten, daß er eigentlich betrunken sei, was sich für einen ehrliebenden Maler gar nicht schicke. Der runde, fixe Mann aus der Laube, der – wie ich nachher erfuhr – ein großer Kenner und Freund von Künsten war und aus Liebe zu den Wissenschaften gern alles mitmachte, hatte auch sein Stäbchen weggeworfen und flankierte mit seinem fetten Gesicht, das vor Freundlichkeit ordentlich glänzte, eifrig mitten in dem dicksten Getümmel herum, um alles zu vermitteln und zu beschwichtigen, während er dazwischen immer wieder die lange Kadenz und das schöne Tableau bedauerte, das er mit vieler Mühe zusammengebracht hatte.

Mir aber war es so sternklar im Herzen wie damals an dem glückseligen Sonnabend, als ich am offenen Fenster vor der Weinflasche bis tief in die Nacht hinein auf der Geige spielte.

Ich holte, da der Rumor gar kein Ende nehmen wollte, frisch meine Violine wieder hervor und spielte, ohne mich lange zu besinnen, einen welschen Tanz auf, den sie dort im Gebirge tanzen und den ich auf dem alten, einsamen Waldschlosse gelernt hatte.

Da reckten alle die Köpfe in die Höh. »Bravo, bravissimo, ein deliziöser Einfall!« rief der lustige Kenner von den Künsten und lief sogleich von einem zum andern, um ein ländliches Divertissement, wie ers nannte, einzurichten. Er selbst machte den Anfang, indem er der Dame die Hand reichte, die vorhin in der Laube gespielt hatte. Er begann darauf außerordentlich künstlich zu tanzen, schrieb mit den Fußspitzen allerlei Buchstaben auf den Rasen, schlug ordentliche Triller mit den Füßen und machte von Zeit zu Zeit ganz passable Luftsprünge. Aber er bekam es bald satt, denn er war etwas korpulent. Er machte immer kürzere und ungeschicktere Sprünge, bis er endlich ganz aus dem Kreise heraustrat und heftig hustete und sich mit seinem schneeweißen Schnupftuche unaufhörlich den Schweiß abwischte. Unterdes hatte auch der junge Mensch, der nun wieder ganz gescheut geworden war, aus dem Wirtshause Kastagnetten herbeigeholt, und ehe ich michs versah, tanzten alle unter den Bäumen bunt durcheinander. Die untergegangene Sonne warf noch einige rote Widerscheine zwischen die dunklen Schatten und über das alte Gemäuer und die von Efeu wild überwachsenen, halb versunkenen Säulen hinten im Garten, während man von der andern Seite tief unter den Weinbergen die Stadt Rom in den Abendgluten liegen sah. Da tanzten sie alle lieblich im Grünen in der klaren stillen Luft, und mir lachte das Herz recht im Leibe, wie die schlanken Mädchen, und die Kammerjungfer mitten unter ihnen, sich so mit aufgehobenen Armen wie heidnische Waldnymphen zwischen dem Laubwerk schwangen und dabei jedesmal in der Luft mit den Kastagnetten lustig dazu schnalzten. Ich konnte mich nicht länger halten, ich sprang mitten unter sie hinein und machte, während ich dabei immerfort geigte, recht artige Figuren.

Ich mochte eine ziemliche Weile so im Kreise herumgesprungen sein und merkte gar nicht, daß die andern unterdes anfingen müde zu werden und sich nach und nach von dem Rasenplatze verloren. Da zupfte mich jemand von hinten tüchtig an den Rockschößen. Es war die Kammerjungfer. »Sei kein Narr,« sagte sie leise, »du springst ja wie ein Ziegenbock! Studiere deinen Zettel ordentlich und komm bald nach, die schöne junge Gräfin wartet.« – Und damit schlüpfte sie in der Dämmerung zur Gartenpforte hinaus und war bald zwischen den Weingärten verschwunden.

Mir klopfte das Herz, ich wäre am liebsten gleich nachgesprungen. Zum Glück zündete der Kellner, da es schon dunkel geworden war, in einer großen Laterne an der Gartentür Licht an. Ich trat heran und zog geschwind den Zettel heraus. Da war ziemlich kritzlig mit Bleifeder das Tor und die Straße beschrieben, wie mir die Kammerjungfer vorhin gesagt hatte. Dann stand: ›Elf Uhr an der kleinen Tür.‹ –

Da waren noch ein paar lange Stunden hin! – Ich wollte mich dessenungeachtet sogleich auf den Weg machen, denn ich hatte keine Rast und Ruhe mehr; aber da kam der Maler, der mich hierher gebracht hatte, auf mich los. »Hast du das Mädchen gesprochen?« fragte er, »ich seh sie nun nirgends mehr; das war das Kammermädchen von der deutschen Gräfin.« – »Still, still!« erwiderte ich, »die Gräfin ist noch in Rom.« – »Nun, desto besser,« sagte der Maler, »so komm und trink mit uns auf ihre Gesundheit!« Und damit zog er mich, wie sehr ich mich auch sträubte, in den Garten zurück.

Da war es unterdes ganz öde und leer geworden. Die lustigen Gäste wanderten, jeder sein Liebchen am Arm, nach der Stadt zu, und man hörte sie noch durch den stillen Abend zwischen den Weingärten plaudern und lachen, immer ferner und ferner, bis sich endlich die Stimmen tief in dem Tale im Rauschen der Bäume und des Stromes verloren. Ich war noch mit meinem Maler und dem Herrn Eckbrecht – so hieß der andere junge Maler, der sich vorhin so herumgezankt hatte – allein oben zurückgeblieben. Der Mond schien prächtig im Garten zwischen die hohen, dunklen Bäume herein, ein Licht flackerte im Winde auf dem Tische vor uns und schimmerte über den vielen vergoßnen Wein auf der Tafel. Ich mußte mich mit hinsetzen, und mein Maler plauderte mit mir über meine Herkunft, meine Reise und meinen Lebensplan. Herr Eckbrecht aber hatte das junge hübsche Mädchen aus dem Wirtshause, nachdem sie uns Flaschen auf den Tisch gestellt, vor sich auf den Schoß genommen, legte ihr die Gitarre in den Arm und lehrte sie ein Liedchen darauf klimpern. Sie fand sich auch bald mit den kleinen Händchen zurecht, und sie sangen dann zusammen ein italienisches Lied, einmal er, dann wieder das Mädchen eine Strophe, was sich in dem schönen stillen Abend prächtig ausnahm. – Als das Mädchen dann weggerufen wurde, lehnte sich Herr Eckbrecht mit der Gitarre auf der Bank zurück, legte seine Füße auf einen Stuhl, der vor ihm stand, und sang nun für sich allein viele herrliche deutsche und italienische Lieder, ohne sich weiter um uns zu bekümmern. Dabei schienen die Sterne prächtig am klaren Firmament, die ganze Gegend war wie versilbert vom Mondscheine, ich dachte an die schöne Frau, an die ferne Heimat und vergaß darüber ganz meinen Maler neben mir. Zuweilen mußte Herr Eckbrecht stimmen, darüber wurde er immer ganz zornig. Er drehte und riß zuletzt an dem Instrument, daß plötzlich eine Saite sprang. Da warf er die Gitarre hin und sprang auf. Nun wurde er erst gewahr, daß mein Maler sich unterdes über seinen Arm auf den Tisch gelegt hatte und fest eingeschlafen war. Er warf schnell einen weißen Mantel um, der auf einem Aste neben dem Tische hing, besann sich aber plötzlich, sah erst meinen Maler, dann mich ein paarmal scharf an, setzte sich darauf, ohne sich lange zu bedenken, gerade vor mich auf den Tisch hin, räusperte sich, rückte an seiner Halsbinde und fing dann auf einmal an, eine

Rede an mich zu halten. »Geliebter Zuhörer und Landsmann!« sagte er, »da die Flaschen beinahe leer sind, und da die Moral unstreitig die erste Bürgerpflicht ist, wenn die Tugenden auf die Neige gehen, so fühle ich mich aus landsmännlicher Sympathie getrieben, dir einige Moralität zu Gemüte zu führen. – Man könnte zwar meinen,« fuhr er fort, »du seist ein bloßer Jüngling, während doch dein Frack über seine besten Jahre hinaus ist; man könnte vielleicht annehmen, du habest vorhin wunderliche Sprünge gemacht, wie ein Satyr; ja, einige möchten wohl behaupten, du seiest wohl gar ein Landstreicher, weil du hier auf dem Lande bist und die Geige streichst; aber ich kehre mich an solche oberflächlichen Urteile nicht, ich halte mich an deine feingespitzte Nase, ich halte dich für ein vazierendes Genie.« – Mich ärgerten die verfänglichen Redensarten, ich wollte ihm soeben recht antworten. Aber er ließ mich nicht zu Worte kommen. »Siehst du,« sagte er, »wie du dich schon aufblähst von dem bißchen Lobe. Gehe in dich und bedenke dies gefährliche Metier! Wir Genies – denn ich bin auch eins – machen uns aus der Welt ebensowenig als sie sich aus uns, wir schreiten vielmehr ohne besondere Umstände in unsern Siebenmeilenstiefeln, die wir bald mit auf die Welt bringen, gerade auf die Ewigkeit los. Oh, höchst klägliche, unbequeme, breitgespreizte Position, mit dem einen Beine in der Zukunft, wo nichts als Morgenrot und zukünftige Kindergesichter dazwischen, mit dem andern Beine noch mitten in Rom auf der Piazza del Popolo, wo das ganze Säkulum bei der guten Gelegenheit mit will und sich an den Stiefel hängt, daß sie einem das Bein ausreißen möchten! Und alle das Zucken, Weintrinken und Hungerleiden lediglich für die unsterbliche Ewigkeit! Und siehe meinen Herrn Kollegen dort auf der Bank, der gleichfalls ein Genie ist; ihm wird die *Zeit* schon zu lang, was wird er erst in der Ewigkeit anfangen?! Ja, hochgeschätzter Herr Kollege, du und ich und die Sonne, wir sind heute früh zusammen aufgegangen und haben den ganzen Tag gebrütet und gemalt, und es war alles schön – und nun fährt die schläfrige Nacht mit ihrem Pelzärmel über die Welt und hat alle Farben verwischt.« Er sprach noch immerfort und war dabei mit seinen verwirrten Haaren von dem Tanzen und Trinken im Mondschein ganz leichenblaß anzusehen.

Mir aber graute schon lange vor ihm und seinem wilden Gerede, und als er sich nun förmlich zu dem schlafenden Maler herumwandte, benutzte ich die Gelegenheit, schlich, ohne daß er es bemerkte, um den Tisch aus dem Garten heraus und stieg, allein und fröhlich im Herzen, an dem Rebengeländer in das weite, vom Mondschein beglänzte Tal hinunter.

Von der Stadt her schlugen die Uhren zehn. Hinter mir hörte ich durch die stille Nacht noch einzelne Gitarrenklänge und manchmal die Stimmen der beiden Maler, die nun auch nach Hause gingen, von fern herüberschallen. Ich lief daher so schnell, als ich nur konnte, damit sie mich nicht weiter ausfragen sollten.

Am Tore bog ich sogleich rechts in die Straße ein und ging mit klopfendem Herzen eilig zwischen den stillen Häusern und Gärten fort. Aber wie erstaunte ich, als ich da auf einmal auf dem Platze mit dem Springbrunnen herauskam, den ich heute am Tage gar nicht hatte finden können. Da stand das einsame Gartenhaus wieder, im prächtigsten Mondschein, und auch die schöne Frau sang im Garten wieder dasselbe italienische Lied wie gestern abend. – Ich rannte voller Entzücken erst an die kleine Tür, dann an die Haustür, und endlich mit aller Gewalt an das große Gartentor, aber es war alles verschlossen. Nun fiel mir erst ein, daß es noch nicht elf geschlagen hatte. Ich ärgerte mich über die langsame Zeit, aber über das Gartentor klettern, wie gestern, mochte ich wegen der guten Lebensart nicht. Ich ging daher ein Weilchen auf dem einsamen Platze auf und ab und setzte mich endlich wieder auf den steinernen Brunnen voller Gedanken und stiller Erwartung hin.

Die Sterne funkelten am Himmel, auf dem Platze war alles

leer und still, ich hörte voll Vergnügen dem Gesange der schönen Frau zu, der zwischen dem Rauschen des Brunnens aus dem Garten herüberklang. Da erblickte ich auf einmal eine weiße Gestalt, die von der andern Seite des Platzes herkam und gerade auf die kleine Gartentür zuging. Ich blickte durch den Mondflimmer recht scharf hin – es war der wilde Maler in seinem weißen Mantel. Er zog schnell einen Schlüssel hervor, schloß auf, und ehe ich michs versah, war er im Garten drin.

Nun hatte ich gegen den Maler schon vom Anfang eine absonderliche Pike wegen seiner unvernünftigen Reden. Jetzt aber geriet ich ganz außer mir vor Zorn. Das liederliche Genie ist gewiß wieder betrunken, dachte ich, den Schlüssel hat er von der Kammerjungfer und will nun die gnädige Frau beschleichen, verraten, überfallen. – Und so stürzte ich durch das kleine, offen gebliebene Pförtchen in den Garten hinein.

Als ich eintrat, war es ganz still und einsam darin. Die Flügeltür vom Gartenhause stand offen, ein milchweißer Lichtschein drang daraus hervor und spielte auf dem Grase und den Blumen vor der Tür. Ich blickte von weitem herein. Da lag in einem prächtigen grünen Gemach, das von einer weißen Lampe nur wenig erhellt war, die schöne gnädige Frau, mit der Gitarre im Arm, auf einem seidenen Faulbettchen, ohne in ihrer Unschuld an die Gefahren draußen zu denken.

Ich hatte aber nicht lange Zeit hinzusehen, denn ich bemerkte soeben, daß die weiße Gestalt von der andern Seite ganz behutsam hinter den Sträuchern nach dem Gartenhause zuschlich. Dabei sang die gnädige Frau so kläglich aus dem Hause, daß es mir recht durch Mark und Bein ging. Ich besann mich daher nicht lange, brach einen tüchtigen Ast ab, rannte damit gerade auf den Weißmantel los und schrie aus vollem Halse »Mordio!«, daß der ganze Garten erzitterte.

Der Maler, wie er mich so unverhofft daherkommen sah,

nahm schnell Reißaus und schrie entsetzlich. Ich schrie noch besser, er lief nach dem Hause zu, ich ihm nach – und ich hatt ihn beinah schon erwischt, da verwickelte ich mich mit den Füßen in den fatalen Blumenstücken und stürzte auf einmal der Länge nach vor der Haustür hin.

»Also du bist es, Narr!« hört ich da über mir ausrufen, »hast du mich doch fast zum Tode erschreckt.« – Ich raffte mich geschwind wieder auf, und wie ich mir den Sand und die Erde aus den Augen wischte, steht die Kammerjungfer vor mir, die soeben bei dem letzten Sprunge den weißen Mantel von der Schulter verloren hatte. »Aber«, sagte ich ganz verblüfft, »war denn der Maler nicht hier?« – »Ja freilich,« entgegnete sie schnippisch, »sein Mantel wenigstens, den er mir, als ich ihm vorhin im Tore begegnete, umgehängt hat, weil mich fror.« – Über dem Geplauder war nun auch die gnädige Frau von ihrem Sofa aufgesprungen und kam zu uns an die Tür. Mir klopfte das Herz zum Zerspringen. Aber wie erschrak ich, als ich recht hinsah und anstatt der schönen gnädigen Frau auf einmal eine ganz fremde Person erblickte!

Es war eine etwas große, korpulente, mächtige Dame mit einer stolzen Adlernase und hochgewölbten schwarzen Augenbrauen, so recht zum Erschrecken schön. Sie sah mich mit ihren großen funkelnden Augen so majestätisch an, daß ich mich vor Ehrfurcht gar nicht zu lassen wußte. Ich war ganz verwirrt, ich machte in einem fort Komplimente und wollte ihr zuletzt gar die Hand küssen. Aber sie riß ihre Hand schnell weg und sprach dann auf italienisch zu der Kammerjungfer, wovon ich nichts verstand.

Unterdes aber war von dem vorigen Geschrei die ganze Nachbarschaft lebendig geworden. Hunde bellten, Kinder schrieen, zwischendurch hörte man einige Männerstimmen, die immer näher und näher auf den Garten zukamen. Da blickte mich die Dame noch einmal an, als wenn sie mich mit feurigen Kugeln durchbohren wollte, wandte sich dann rasch nach dem Zimmer zurück, während sie dabei stolz und gezwungen auflachte, und schmiß mir die Tür vor der Nase zu. Die Kammerjungfer aber erwischte mich ohne weiteres beim Flügel und zerrte mich nach der Gartenpforte.

»Da hast du wieder einmal recht dummes Zeug gemacht«, sagte sie unterwegs voller Bosheit zu mir. Ich wurde auch schon giftig. »Nun, zum Teufel!« sagte ich, »habt Ihr mich denn nicht selbst hierher bestellt?« – »Das ists ja eben,« rief die Kammerjungfer, »meine Gräfin meinte es so gut mit dir, wirft dir erst Blumen aus dem Fenster zu, singt Arien – und *das* ist nun ihr Lohn! Aber mit dir ist nun einmal nichts anzufangen; du trittst dein Glück ordentlich mit Füßen.« – »Aber«, erwiderte ich, »ich meinte die Gräfin aus Deutschland, die schöne gnädige Frau.« – »Ach,« unterbrach sie mich, »die ist ja lange schon wieder in Deutschland, mitsamt deiner tollen Amour. Und da lauf du nur auch wieder hin! Sie schmachtet ohnedies nach dir, da könnt ihr zusammen die Geige spielen und in den Mond gucken, aber daß du mir nicht wieder unter die Augen kommst!«

Nun aber entstand ein entsetzlicher Rumor und Spektakel hinter uns. Aus dem anderen Garten kletterten Leute mit Knüppeln hastig über den Zaun, andere fluchten und durchsuchten schon die Gänge, desperate Gesichter mit Schlafmützen guckten im Mondschein bald da bald dort über die Hekken, es war, als wenn der Teufel auf einmal aus allen Hecken und Sträuchern Gesindel heckte. – Die Kammerjungfer fakkelte nicht lange. »Dort, dort läuft der Dieb!« schrie sie den Leuten zu, indem sie dabei auf die andere Seite des Gartens zeigte. Dann schob sie mich schnell aus dem Garten und klappte das Pförtchen hinter mir zu.

Da stand ich nun unter Gottes freiem Himmel wieder auf dem stillen Platze mutterseelenallein, wie ich gestern angekommen war. Die Wasserkunst, die mir vorhin im Mondschein so lustig flimmerte, als wenn Engelein darin auf und nieder stiegen, rauschte noch fort wie damals, mir aber war unterdes alle Lust und Freude in den Brunnen gefallen. – Ich nahm mir nun fest vor, dem falschen Italien mit seinen verrückten Malern, Pomeranzen und Kammerjungfern auf ewig den Rücken zu kehren, und wanderte noch zur selbigen Stunde zum Tore hinaus.

Neuntes Kapitel

Die treuen Berg stehn auf der Wacht:
»Wer streicht bei stiller Morgenzeit
Da aus der Fremde durch die Heid?« –
Ich aber mir die Berg betracht
Und lach in mich vor großer Lust
Und rufe recht aus frischer Brust
Parol und Feldgeschrei sogleich:
Vivat Östreich!

Da kennt mich erst die ganze Rund,
Nun grüßen Bach und Vöglein zart
Und Wälder rings nach Landesart,
Die Donau blitzt aus tiefem Grund,
Der Stephansturm auch ganz von fern
Guckt übern Berg und säh mich gern,
Und ist ers nicht, so kommt er doch gleich,
Vivat Östreich!

Ich stand auf einem hohen Berge, wo man zum ersten Mal nach Östreich hineinsehen kann, und schwenkte voller Freude noch mit dem Hute und sang die letzte Strophe, da fiel auf einmal hinter mir im Walde eine prächtige Musik von Blasinstrumenten mit ein. Ich dreh mich schnell um und erblicke drei junge Gesellen in langen blauen Mänteln, davon bläst der eine Oboe, der andere die Klarinette und der dritte, der einen alten Dreistutzer auf dem Kopfe hatte, das Waldhorn – die akkompagnierten mich plötzlich, daß der ganze Wald erschallte. Ich, nicht zu faul, ziehe meine Geige hervor und spiele und singe sogleich frisch mit. Da sah einer den andern bedenklich an, der Waldhornist ließ dann zuerst seine Pausbacken wieder einfallen und setzte sein Waldhorn ab, bis am Ende alle stille wurden und mich anschauten. Ich hielt verwundert ein und sah sie auch an. – »Wir meinten,« sagte endlich der Waldhornist, »weil der Herr so einen langen Frack hat, der Herr wäre ein reisender Engländer, der hier zu Fuß die schöne Natur bewundert; da wollten wir uns ein Viatikum verdienen. Aber mir scheint, der Herr ist selber ein Musikant.« – »Eigentlich ein Einnehmer,« versetzte ich, »und komme direkt von Rom her, da ich aber seit geraumer Zeit nichts mehr eingenommen, so habe ich mich unterwegs mit der Violine durchgeschlagen.« – »Bringt nicht viel heutzutage!« sagte der Waldhornist, der unterdes wieder an den Wald zurückgetreten war und mit seinem Dreistutzer ein kleines Feuer anfachte, das sie dort angezündet hatten. »Da gehn die blasenden Instrumente schon besser,« fuhr er fort; »wenn so eine Herrschaft ganz ruhig zu Mittag speist, und wir treten unverhofft in das gewölbte Vorhaus und fangen alle drei aus Leibeskräften zu blasen an – gleich kommt ein Bedienter herausgesprungen mit Geld oder Essen, damit sie nur den Lärm wieder los werden. Aber will der Herr nicht eine Kollation mit uns einnehmen?«

Das Feuer loderte nun recht lustig im Walde, der Morgen war frisch, wir setzten uns alle ringsumher auf den Rasen, und zwei von den Musikanten nahmen ein Töpfchen, worin Kaffee und auch schon Milch war, vom Feuer, holten Brot aus ihren Manteltaschen hervor und tunkten und tranken abwechselnd aus dem Topfe, und es schmeckte ihnen so gut, daß es ordentlich eine Lust war anzusehen. – Der Waldhornist aber sagte: »Ich kann das schwarze Gesöff nicht vertragen«, und reichte mir dabei die eine Hälfte von einer großen, übereinandergelegten Butterschnitte, dann brachte er eine Flasche Wein zum Vorschein. »Will der Herr nicht auch einen Schluck?« – Ich tat einen tüchtigen Zug, mußte aber schnell wieder absetzen und das ganze Gesicht verziehn, denn es schmeckte wie Dreimännerwein. »Hiesiges Gewächs,« sagte der Waldhornist, »aber der Herr hat sich in Italien den deutschen Geschmack verdorben.«

Darauf kramte er eifrig in seinem Schubsack und zog endlich unter allerlei Plunder eine alte zerfetzte Landkarte hervor, worauf noch der Kaiser in vollem Ornate zu sehen war, den Zepter in der rechten, den Reichsapfel in der linken Hand. Er breitete sie auf dem Boden behutsam auseinander, die andern rückten näher heran, und sie beratschlagten nun zusammen, was sie für eine Marschroute nehmen sollten.

»Die Vakanz geht bald zu Ende,« sagte der eine, »wir müssen uns gleich von Linz links abwenden, so kommen wir noch bei guter Zeit nach Prag.« – »Nun wahrhaftig!« rief der Waldhornist, »wem willst du da was vorpfeifen? Nichts als Wälder und Kohlenbauern, kein geläuterter Kunstgeschmack, keine vernünftige freie Station!« – »O Narrenspossen!« erwiderte der andere, »die Bauern sind mir gerade die liebsten, die wissen am besten, wo einen der Schuh drückt, und nehmens nicht so genau, wenn man manchmal eine falsche Note bläst.« – »Das macht, du hast kein point d'honneur,« versetzte der Waldhornist, »odi profanum vulgus et arceo, sagt der Lateiner.« – »Nun, Kirchen aber muß es auf der Tour doch geben,« meinte der dritte, »so kehren wir bei den Herren Pfarrern ein.« – »Gehorsamster Diener!« sagte der Waldhornist, »die geben kleines Geld und große Sermone, daß wir nicht so unnütz in der Welt herumschweifen, sondern uns besser auf die Wissenschaften applizieren sollen, besonders wenn sie in mir den künftigen Herrn Konfrater wittern. Nein, nein, Clericus clericum non decimat. Aber was gibt es denn da überhaupt für große Not? Die Herren Professoren sitzen auch noch im Karlsbade und halten selbst den Tag nicht so genau ein.« – »Ja, distinguendum est inter et inter,« erwiderte der andere, »quod licet Iovi, non licet bovi!«

Ich aber merkte nun, daß es Prager Studenten waren, und

bekam einen ordentlichen Respekt vor ihnen, besonders da ihnen das Latein nur so wie Wasser von dem Munde floß. – »Ist der Herr auch ein Studierter?« fragte mich darauf der Waldhornist. Ich erwiderte bescheiden, daß ich immer besondere Lust zum Studieren, aber kein Geld gehabt hätte. – »Das tut gar nichts,« rief der Waldhornist, »wir haben auch weder Geld noch reiche Freundschaft. Aber ein gescheuter Kopf muß sich zu helfen wissen. Aurora musis amica, das heißt zu deutsch: mit vielem Frühstücken sollst du dir nicht die Zeit verderben. Aber wenn dann die Mittagsglocken von Turm zu Turm und von Berg zu Berg über die Stadt gehen und nun die Schüler auf einmal mit großem Geschrei aus dem alten finstern Kollegium herausbrechen und im Sonnenschein durch die Gassen schwärmen – da begeben wir uns bei den Kapuzinern zum Pater Küchenmeister und finden unsern gedeckten Tisch, und ist er auch nicht gedeckt, so steht doch für jeden ein voller Topf darauf, da fragen wir nicht viel darnach und essen und perfektionieren uns dabei noch im Lateinischsprechen. Sieht der Herr, so studieren wir von einem Tage zum andern fort. Und wenn dann endlich die Vakanz kommt, und die andern fahren und reiten zu ihren Eltern fort, da wandern wir mit unsern Instrumenten unterm Mantel durch die Gassen zum Tore hinaus, und die ganze Welt steht uns offen.«

Ich weiß nicht – wie er so erzählte – ging es mir recht durchs Herz, daß so gelehrte Leute so ganz verlassen sein sollten auf der Welt. Ich dachte dabei an mich, wie es mir eigentlich selber nicht anders ginge, und die Tränen traten mir in die Augen. – Der Waldhornist sah mich groß an. »Das tut gar nichts,« fuhr er wieder weiter fort, »ich möchte gar nicht so reisen: Pferde und Kaffee und frisch überzogene Betten, und Nachtmützen und Stiefelknecht vorausbestellt. Das ist just das Schönste, wenn wir so frühmorgens heraustreten und die Zugvögel hoch über uns fortziehen, daß wir gar nicht wissen, welcher Schornstein heut für uns raucht, und gar nicht voraussehen, was uns bis zum Abend noch für ein besonderes Glück begegnen kann.« – »Ja,« sagte der andere, »und wo wir hinkommen und unsere Instrumente herausziehen, wird alles fröhlich, und wenn wir dann zur Mittagsstunde auf dem Lande in ein Herrschaftshaus treten und im Hausflure blasen, da tanzen die Mägde miteinander vor der Haustür, und die Herrschaft läßt die Saaltür etwas aufmachem, damit sie die Musik drin besser hören, und durch die Lücke kommt das Tellergeklapper und der Bratenduft in den freudenreichen Schall herausgezogen, und die Fräuleins an der Tafel verdrehen sich fast die Hälse, um die Musikanten draußen zu sehen.« – »Wahrhaftig,« rief der Waldhornist mit leuchtenden Augen aus, »laßt die andern nur ihre Kompendien repetieren, *wir* studieren unterdes in dem großen Bilderbuche, das der liebe Gott uns draußen aufgeschlagen hat! Ja, glaub nur der Herr, aus uns werden gerade die rechten Kerls, die den Bauern dann was zu erzählen wissen und mit der Faust auf die Kanzel schlagen, daß den Knollfinken unten vor Erbauung und Zerknirschung das Herz im Leibe bersten möchte.«

Wie sie so sprachen, wurde mir so lustig in meinem Sinn, daß ich gleich auch hätte mit studieren mögen. Ich konnte mich gar nicht satt hören, denn ich unterhalte mich gern mit studierten Leuten, wo man etwas profitieren kann. Aber es konnte gar nicht zu einem recht vernünftigen Diskurse kommen. Denn dem einen Studenten war vorhin angst geworden, weil die Vakanz so bald zu Ende gehen sollte. Er hatte daher hurtig sein Klarinett zusammengesetzt, ein Notenblatt vor sich auf das aufgestemmte Knie hingelegt und exerzierte sich eine schwierige Passage aus einer Messe ein, die er mitblasen sollte, wenn sie nach Prag zurückkamen. Da saß er nun und fingerte und pfiff dazwischen manchmal so falsch, daß es einem durch Mark und Bein ging und man oft sein eigenes Wort nicht verstehen konnte.

Auf einmal schrie der Waldhornist mit seiner Baßstimme: »Topp, da hab ich es«, er schlug dabei fröhlich auf die Landkarte neben ihm. Der andere ließ auf einen Augenblick von seinem fleißigen Blasen ab und sah ihn verwundert an. »Hört,« sagte der Waldhornist, »nicht weit von Wien ist ein Schloß, auf dem Schlosse ist ein Portier, und der Portier ist mein Vetter! Teuerste Kondiszipels, da müssen wir hin, machen dem Herrn Vetter unser Kompliment, und er wird dann schon dafür sorgen, wie er uns wieder weiter fortbringt!« – Als ich das hörte, fuhr ich geschwind auf. »Bläst er nicht auf dem Fagott?« rief ich, »und ist von langer, gerader Beschaffenheit und hat eine große vornehme Nase?« – Der Waldhornist nickte mit dem Kopfe. Ich aber embrassierte ihn vor Freuden, daß ihm der Dreistutzer vom Kopfe fiel, und wir beschlossen nun sogleich, alle miteinander im Postschiffe auf der Donau nach dem Schloß der schönen Gräfin hinunterzufahren.

Als wir an das Ufer kamen, war schon alles zur Abfahrt bereit. Der dicke Gastwirt, bei dem das Schiff über Nacht angelegt hatte, stand breit und behaglich in seiner Haustür, die er ganz ausfüllte, und ließ zum Abschied allerlei Witze und Redensarten erschallen, während in jedem Fenster ein Mädchenkopf herausfuhr und den Schiffern noch freundlich zunickte, die soeben die letzten Pakete nach dem Schiffe schafften. Ein ältlicher Herr mit einem grauen Überrock und schwarzem Halstuch, der auch mitfahren wollte, stand am Ufer und sprach sehr eifrig mit einem jungen, schlanken Bürschchen, das mit langen, ledernen Beinkleidern und knapper, scharlachroter Jacke vor ihm auf einem prächtigen Engländer saß. Es schien mir zu meiner großen Verwunderung, als wenn sie beide zuweilen nach mir hinblickten und von mir sprächen. – Zuletzt lachte der alte Herr, das schlanke Bürschchen schnalzte mit der Reitgerte und sprengte, mit den Lerchen über ihm um die Wette, durch die Morgenluft in die blitzende Landschaft hinein.

Unterdes hatten die Studenten und ich unsere Kasse zusammengeschossen. Der Schiffer lachte und schüttelte den Kopf, als ihm der Waldhornist damit unser Fährgeld in lauter Kupferstücken aufzählte, die wir mit großer Not aus allen unsern Taschen zusammengebracht hatten. Ich aber jauchzte laut auf, als ich auf einmal wieder die Donau so recht vor mir sah: wir sprangen geschwind auf das Schiff hinauf, der Schiffer gab das Zeichen, und so flogen wir nun im schönsten Morgenglanze zwischen den Bergen und Wiesen hinunter.

Da schlugen die Vögel im Walde, und von beiden Seiten klangen die Morgenglocken von fern aus den Dörfern, hoch in der Luft hörte man manchmal die Lerchen dazwischen. Von dem Schiffe aber jubilierte und schmetterte ein Kanarienvogel mit darein, daß es eine rechte Lust war.

Der gehörte einem hübschen jungen Mädchen, die auch mit auf dem Schiffe war. Sie hatte den Käfig dicht neben sich stehen, von der andern Seite hielt sie ein feines Bündel Wäsche unterm Arm, so saß sie ganz still für sich und sah recht zufrieden bald auf ihre neuen Reiseschuhe, die unter dem Röckchen hervorkamen, bald wieder in das Wasser vor sich hinunter, und die Morgensonne glänzte ihr dabei auf der weißen Stirn, über der sie die Haare sehr sauber gescheitelt hatte. Ich merkte wohl, daß die Studenten gern einen höflichen Diskurs mit ihr angesponnen hätten, denn sie gingen immer an ihr vorüber, und der Waldhornist räusperte sich dabei und rückte bald an seiner Halsbinde, bald an dem Dreistutzer. Aber sie hatten keine rechte Courage, und das Mädchen schlug auch jedesmal die Augen nieder, sobald sie ihr näher kamen.

Besonders aber genierten sie sich vor dem ältlichen Herrn mit dem grauen Überrocke, der nun auf der andern Seite des Schiffes saß und den sie gleich für einen Geistlichen hielten. Er hatte ein Brevier vor sich, in welchem er las, dazwischen aber oft in die schöne Gegend von dem Buche aufsah, dessen Goldschnitt und die vielen dareingelegten bunten Heiligenbilder prächtig im Morgeschein blitzten. Dabei bemerkte er auch sehr gut, was auf dem Schiffe vorging, und erkannte bald die Vögel an ihren Federn; denn es dauerte nicht lange, so redete er einen von den Studenten lateinisch an, worauf alle drei herantraten, die Hüte vor ihm abnahmen und ihm wieder lateinisch antworteten.

Ich aber hatte mich unterdes ganz vorn auf die Spitze des Schiffes gesetzt, ließ vergnügt meine Beine über dem Wasser herunterbaumeln und blickte, während das Schiff so fortflog und die Wellen unter mir rauschten und schäumten, immerfort in die blaue Ferne, wie da ein Turm und ein Schloß nach dem andern aus dem Ufergrün hervorkam, wuchs und wuchs und endlich hinter uns wieder verschwand. Wenn ich nur *heute* Flügel hätte! dachte ich und zog endlich vor Ungeduld meine liebe Violine hervor und spielte alle meine ältesten Stücke durch, die ich noch zu Hause und auf dem Schloß der schönen Frau gelernt hatte.

Auf einmal klopfte mir jemand von hinten auf die Achsel. Es war der geistliche Herr, der unterdes sein Buch weggelegt und mir schon ein Weilchen zugehört hatte. »Ei,« sagte er lachend zu mir, »ei, ei, Herr ludi magister, Essen und Trinken vergißt er.« Er hieß mich darauf meine Geige einstecken, um einen Imbiß mit ihm einzunehmen, und führte mich zu einer kleinen lustigen Laube, die von den Schiffern aus jungen Birken und Tannenbäumchen in der Mitte des Schiffes aufgerichtet worden war. Dort hatte er einen Tisch hinstellen lassen, und ich, die Studenten und selbst das junge Mädchen, wir mußten uns auf die Fässer und Pakete ringsherum setzen.

Der geistliche Herr packte nun einen großen Braten und Butterschnitten aus, die sorgfältig in Papier gewickelt waren, zog auch aus einem Futteral mehrere Weinflaschen und einen silbernen, innerlich vergoldeten Becher hervor, schenkte ein, kostete erst, roch daran und prüfte wieder und reichte dann einem jeden von uns. Die Studenten saßen kerzengrade auf ihren Fässern und aßen und tranken nur sehr wenig vor großer Devotion. Auch das Mädchen tauchte bloß das Schnäbelchen in den Becher und blickte dabei schüchtern bald auf mich, bald auf die Studenten, aber je öfter sie uns ansah, je dreister wurde sie nach und nach.

Sie erzählte endlich dem geistlichen Herrn, daß sie nun zum ersten Mal von Hause in Kondition komme und soeben auf das Schloß ihrer neuen Herrschaft reise. Ich wurde über und über rot, denn sie nannte dabei das Schloß der schönen gnädigen Frau. – Also das soll meine zukünftige Kammerjungfer sein! dachte ich und sah sie groß an, und mir schwindelte fast dabei. – »Auf dem Schlosse wird es bald eine große Hochzeit geben«, sagte darauf der geistliche Herr. »Ja,« erwiderte das Mädchen, die gern von der Geschichte mehr gewußt hätte; »man sagt, es wäre schon eine alte, heimliche Liebschaft gewesen, die Gräfin hätte es aber niemals zugeben wollen.« Der Geistliche antwortete nur mit Hm, hm, während er seinen Jagdbecher vollschenkte und mit bedenklichen Mienen daraus nippte. Ich aber hatte mich mit beiden Armen weit über den Tisch vorgelegt, um die Unterredung recht genau anzuhören. Der geistliche Herr bemerkte es. »Ich kanns Euch wohl sagen,« hub er wieder an, »die beiden Gräfinnen haben mich auf Kundschaft ausgeschickt, ob der Bräutigam schon vielleicht hier in der Gegend sei. Eine Dame aus Rom hat geschrieben, daß er schon lange von dort fort sei.« – Wie er von der Dame aus Rom anfing, wurde ich wieder rot. »Kennen denn Euer Hochwürden den Bräutigam?« fragte ich ganz verwirrt. – »Nein,« erwiderte der alte Herr, »aber er soll ein luftiger Vogel sein.« – »O ja,« sagte ich hastig, »ein Vogel, der aus jedem Käfig ausreißt, sobald er nur kann, und lustig singt, wenn er wieder in der Freiheit ist.« – »Und sich in der Fremde herumtreibt,« fuhr der Herr gelassen fort, »in der Nacht gassatim geht und am Tage vor den Haustüren schläft. – Mich verdroß das sehr. »Ehrwürdiger Herr,« rief ich ganz hitzig aus, »da hat man Euch falsch berichtet. Der Bräutigam ist ein moralischer, schlanker, hoffnungsvoller Jüngling, der in Italien in einem alten Schlosse auf großem Fuß gelebt hat, der mit lauter Gräfinnen, berühmten

Malern und Kammerjungfern umgegangen ist, der sein Geld sehr wohl zu Rate zu halten weiß, wenn er nur welches hätte, der...« – »Nun, nun, ich wußte nicht, daß Ihr ihn so gut kennt«, unterbrach mich hier der Geistliche und lachte dabei so herzlich, daß er ganz blau im Gesichte wurde und ihm die Tränen aus den Augen rollten. – »Ich hab doch aber gehört,« ließ sich nun das Mädchen wieder vernehmen, »der Bräutigam wäre ein großer, überaus reicher Herr.« – »Ach Gott, ja doch, ja! Konfusion, nichts als Konfusion!« rief der Geistliche und konnte sich noch immer vor Lachen nicht zugute geben, bis er sich endlich ganz verhustete. Als er sich wieder ein wenig erholt hatte, hob er den Becher in die Höh und rief: »Das Brautpaar soll leben!« – Ich wußte gar nicht, was ich von dem Geistlichen und seinem Gerede denken sollte, ich schämte mich aber, wegen der römischen Geschichte, ihm hier vor allen Leuten zu sagen, daß ich selber der verlorene, glückselige Bräutigam sei.

Der Becher ging wieder fleißig in die Runde, der geistliche Herr sprach dabei freundlich mit allen, so daß ihm bald ein jeder gut wurde und am Ende alles fröhlich durcheinander sprach. Auch die Studenten wurden immer redseliger und erzählten von ihren Fahrten im Gebirge, bis sie endlich gar ihre Instrumente holten und lustig zu blasen anfingen. Die kühle Wasserluft strich dabei durch die Zweige der Laube, die Abendsonne vergoldete schon die Wälder und Täler, die schnell an uns vorüberflogen, während die Ufer von den Waldhornsklängen widerhallten. – Und als dann der Geistliche von der Musik immer vergnügter wurde und lustige Geschichten aus seiner Jugend erzählte: wie auch er zur Vakanz über Berge und Täler gezogen und oft hungrig und durstig, aber immer fröhlich gewesen, und wie eigentlich das ganze Studentenleben eine große Vakanz sei zwischen der engen, düstern Schule und der ernsten Amtsarbeit – da tranken die Studenten noch einmal herum und stimmten dann frisch ein Lied an, daß es weit in die Berge hineinschallte.

Nach Süden sich nun lenken
Die Vöglein allzumal,
Viel Wandrer lustig schwenken
Die Hüt im Morgenstrahl.
Das sind die Herrn Studenten,
Zum Tor hinaus es geht,
Auf ihren Instrumenten
Sie blasen zum Valet:
Ade in die Läng und Breite,
O Prag, wir ziehn in die Weite:
Et habeat bonam pacem,
Qui sedet post fornacem!

Nachts wir durchs Städtlein schweifen,
Die Fenster schimmern weit,
Am Fenster drehn und schleifen
Viel schön geputzte Leut.
Wir blasen vor den Türen
Wir haben Durst genung,
Das kommt vom Musizieren,
Herr Wirt, ein'n frischen Trunk!
Und sieh, über ein kleines
Mit einer Kanne Weines
Venit ex sua domo –
Beatus ille homo!

Nun weht schon durch die Wälder
Der kalte Boreas,
Wir streichen durch die Felder,
Von Schnee und Regen naß,
Der Mantel fliegt im Winde,
Zerrissen sind die Schuh,
Da blasen wir geschwinde
Und singen noch dazu:
Beatus ille homo,

Qui sedet in sua domo,
Et sedet post fornacem
Et habet bonam pacem!

Ich, die Schiffer und das Mädchen, obgleich wir alle kein Latein verstanden, stimmten jedesmal jauchzend in den letzten Vers mit ein, ich aber jauchzte am allervergnügtesten, denn ich sah soeben von fern mein Zollhäuschen und bald darauf auch das Schloß in der Abendsonne über die Bäume hervorkommen.

Zehntes Kapitel

Das Schiff stieß an das Ufer, wir sprangen schnell ans Land und verteilten uns nun nach allen Seiten im Grünen, wie Vögel, wenn das Gebauer plötzlich aufgemacht wird. Der geistliche Herr nahm eiligen Abschied und ging mit großen Schritten nach dem Schlosse zu. Die Studenten dagegen wanderten eifrig nach einem abgelegenen Gebüsch, wo sie noch geschwind ihre Mäntel ausklopfen, sich in dem vorüberfließenden Bache waschen und einer den andern rasieren wollten. Die neue Kammerjungfer endlich ging mit ihrem Kanarienvogel und ihrem Bündel unterm Arm nach dem Wirtshause unter dem Schloßberge, um bei der Frau Wirtin, die ich ihr als eine gute Person rekommandiert hatte, ein besseres Kleid anzulegen, ehe sie sich oben im Schlosse vorstellte. Mir aber leuchtete der schöne Abend recht durchs Herz, und als sie sich nun alle verlaufen hatten, bedachte ich mich nicht lange und rannte sogleich nach dem herrschaftlichen Garten hin.

Mein Zollhaus, an dem ich vorbei mußte, stand noch auf der alten Stelle, die hohen Bäume aus dem herrschaftlichen Garten rauschten noch immer darüberhin, eine Goldammer, die damals auf dem Kastanienbaume vor dem Fenster jedesmal bei Sonnenuntergang ihr Abendlied gesungen hatte, sang auch wieder, als wäre seitdem gar nichts in der Welt vorgegangen. Das Fenster im Zollhause stand offen, ich lief voller Freuden hin und steckte den Kopf in die Stube hinein. Es war niemand darin, aber die Wanduhr tickte noch immer ruhig fort, der Schreibtisch stand am Fenster und die lange Pfeife in einem Winkel wie damals. Ich konnte nicht widerstehen, ich sprang durch das Fenster hinein und setzte mich an den Schreibtisch vor das große Rechenbuch hin. Da fiel der Sonnenschein durch den Kastanienbaum vor dem Fenster wieder grüngolden auf die Ziffern in dem aufgeschlagenen Buche, die Bienen summten wieder an dem offnen Fenster hin und her, die Goldammer draußen auf dem Baume sang fröhlich immerzu. – Auf einmal aber ging die Tür aus der Stube auf, und ein alter, langer Einnehmer in meinem punktierten Schlafrock trat herein! Er blieb in der Tür stehen, wie er mich so unversehens erblickte, nahm schnell die Brille von der Nase und sah mich grimmig an. Ich aber erschrak nicht wenig darüber, sprang, ohne ein Wort zu sagen, auf und lief aus der Haustür durch den kleinen Garten fort, wo ich mich noch bald mit den Füßen in dem fatalen Kartoffelkraut verwickelt hätte, das der alte Einnehmer nunmehr, wie ich sah, nach des Portiers Rat statt meiner Blumen angepflanzt hatte. Ich hörte noch, wie er vor die Tür herausfuhr und hinter mir drein schimpfte, aber ich saß schon oben auf der hohen Gartenmauer und schaute mit klopfendem Herzen in den Schloßgarten hinein.

Da war ein Duften und Schimmern und Jubilieren von allen Vöglein; die Plätze und Gänge waren leer, aber die vergoldeten Wipfel neigten sich im Abendwinde vor mir, als wollten sie mich bewillkommnen, und seitwärts aus dem tiefen Grunde blitzte zuweilen die Donau zwischen den Bäumen nach mir herauf.

Auf einmal hörte ich in einiger Entfernung im Garten singen:

Schweigt der Menschen laute Lust:
Rauscht die Erde wie in Träumen
Wunderbar mit allen Bäumen,

Was dem Herzen kaum bewußt,
Alte Zeiten, linde Trauer,
Und es schweifen leise Schauer
Wetterleuchtend durch die Brust.

Die Stimme und das Lied klang mir so wunderlich und doch wieder so altbekannt, als hätte ichs irgendeinmal im Traume gehört. Ich dachte lange, lange nach. – »Das ist der Herr Guido!« rief ich endlich voller Freude und schwang mich schnell in den Garten hinunter – es war dasselbe Lied, das er an jenem Sommerabend auf dem Balkon des italienischen Wirtshauses sang, wo ich ihn zum letzten Mal gesehen hatte.

Er sang noch immer fort, ich aber sprang über Beete und Hecken dem Liede nach. Als ich nun zwischen den letzten Rosensträuchern hervortrat, blieb ich plötzlich wie verzaubert stehen. Denn auf dem grünen Platze am Schwanenteich, recht vom Abendrote beschienen, saß die schöne gnädige Frau, in einem prächtigen Kleide und einem Kranz von weißen und roten Rosen in dem schwarzen Haar, mit niedergeschlagenen Augen auf einer Steinbank und spielte während des Liedes mit ihrer Reitgerte vor sich auf dem Rasen, gerade so wie damals auf dem Kahne, da ich ihr das Lied von der schönen Frau vorsingen mußte. Ihr gegenüber saß eine andre junge Dame, die hatte den weißen runden Nacken voll brauner Locken gegen mich gewendet und sang zur Gitarre, während die Schwäne auf dem stillen Weiher langsam im Kreise herumschwammen. – Da hob die schöne Frau auf einmal die Augen und schrie laut auf, da sie mich erblickte. Die andere Dame wandte sich rasch nach mir herum, daß ihr die Locken ins Gesicht flogen, und da sie mich recht ansah, brach sie in ein unmäßiges Lachen aus, sprang dann von der Bank und klatschte dreimal mit den Händchen. In demselben Augenblicke kam eine große Menge kleiner Mädchen in blütenweißen, kurzen Kleidchen mit grünen und roten Schleifen zwischen den Rosensträuchern hervorgeschlüpft, so daß ich gar nicht begreifen konnte, wo sie alle gesteckt hatten. Sie hielten eine lange Blumengirlande in den Händen, schlossen schnell einen Kreis um mich, tanzten um mich herum und sangen dabei:

Wir bringen dir den Jungfernkranz
Mit veilchenblauer Seide,
Wir führen dich zu Lust und Tanz,
Zu neuer Hochzeitsfreude.
Schöner, grüner Jungfernkranz,
Veilchenblaue Seide.

Das war aus dem Freischützen. Von den kleinen Sängerinnen erkannte ich nun auch einige wieder, es waren Mädchen aus dem Dorfe. Ich kneipte sie in die Wangen und wäre gern aus dem Kreise entwischt, aber die kleinen, schnippischen Dinger ließen mich nicht heraus. – Ich wußte gar nicht, was die Geschichte eigentlich bedeuten sollte, und stand ganz verblüfft da.

Da trat plötzlich ein junger Mann in feiner Jägerkleidung aus dem Gebüsch hervor. Ich traute meinen Augen kaum – es war der fröhliche Herr Leonhard! – Die kleinen Mädchen öffneten nun den Kreis und standen auf einmal wie verzaubert, alle unbeweglich auf einem Beinchen, während sie das andere in die Luft streckten, und dabei die Blumengirlanden mit beiden Armen hoch über den Köpfen in die Höh hielten. Der Herr Leonhard aber faßte die schöne gnädige Frau, die noch immer ganz stillstand und nur manchmal auf mich herüberblickte, bei der Hand, führte sie bis zu mir und sagte:

»Die Liebe – darüber sind nun alle Gelehrten einig – ist eine der couragiösesten Eigenschaften des menschlichen Herzens, die Bastionen von Rang und Stand schmettert sie mit einem Feuerblicke darnieder, die Welt ist ihr zu eng und die Ewigkeit zu kurz. Ja, sie ist eigentlich ein Poetenmantel, den jeder Phantast einmal in der kalten Welt umnimmt, um nach Arkadien auszuwandern. Und je entfernter zwei getrennte Verliebte voneinander wandern, in desto anständigern Bogen bläst der Reisewind den schillernden Mantel hinter ihnen auf, desto kühner und überraschender entwickelt sich der Faltenwurf, desto länger und länger wächst der Talar den Liebenden hinten nach, so daß ein Neutraler nicht über Land gehen kann, ohne unversehens auf ein paar solche Schleppen zu treten. O teuerster Herr Einnehmer und Bräutigam! obgleich Ihr in diesem Mantel bis an die Gestade der Tiber dahinrauschtet, das kleine Händchen Eurer gegenwärtigen Braut hielt Euch dennoch am äußersten Ende der Schleppe fest, und wie Ihr zucktet und geigtet und rumortet, Ihr mußtet zurück in den stillen Bann ihrer schönen Augen. – Und nun dann, da es so gekommen ist, ihr zwei lieben, lieben närrischen Leute! Schlagt den seligen Mantel um euch, daß die ganze andere Welt rings um euch untergeht – liebt euch wie die Kaninchen und seid glücklich!«

Der Herr Leonhard war mit seinem Sermon kaum erst fertig, so kam auch die andere junge Dame, die vorhin das Liedchen gesungen hatte, auf mich los, setzte mir schnell einen frischen Myrtenkranz auf den Kopf und sang dazu sehr neckisch, während sie mir den Kranz in den Haaren festrückte und ihr Gesichtchen dabei dicht vor mir war:

Darum bin ich dir gewogen,
Darum wird dein Haupt geschmückt,
Weil der Strich von deinem Bogen
Öfters hat mein Herz entzückt.

Da trat sie wieder ein paar Schritte zurück. – »Kennst du die Räuber noch, die dich damals in der Nacht vom Baume schüttelten?« sagte sie, indem sie einen Knicks mir machte und mich so anmutig und fröhlich ansah, daß mir ordentlich das Herz im Leibe lachte. Darauf ging sie, ohne meine Antwort abzuwarten, rings um mich herum. »Wahrhaftig, noch ganz der alte, ohne allen welschen Beischmack! Aber nein, sieh doch nur einmal die dicken Taschen an!« rief sie plötzlich zu der schönen gnädigen Frau, »Violine, Wäsche, Barbiermesser, Reisekoffer, alles durcheinander!« Sie drehte mich nach allen Seiten und konnte sich vor Lachen gar nicht zugute geben. Die schöne gnädige Frau war unterdes noch immer still und mochte gar nicht die Augen aufschlagen vor Scham und Verwirrung. Oft kam es mir vor, als zürnte sie heimlich über das viele Gerede und Spaßen. Endlich stürzten ihr plötzlich Tränen aus den Augen, und sie verbarg ihr Gesicht an der Brust der andern Dame. Diese sah sie erst erstaunt an und drückte sie dann herzlich an sich.

Ich aber stand ganz verdutzt da. Denn je genauer ich die fremde Dame betrachtete, desto deutlicher erkannte ich sie, es war wahrhaftig niemand anders als – der junge Herr Maler Guido!

Ich wußte gar nicht, was ich sagen sollte, und wollte soeben näher nachfragen, als Herr Leonhard zu ihr trat und heimlich mit ihr sprach. »Weiß er denn noch nicht?« hörte ich ihn fragen. Sie schüttelte mit dem Kopfe. Er besann sich darauf einen Augenblick. »Nein, nein,« sagte er endlich, »er muß schnell alles erfahren, sonst entsteht nur neues Geplauder und Gewirre.«

»Herr Einnehmer,« wandte er sich nun zu mir, »wir haben jetzt nicht viel Zeit, aber tue mir den Gefallen und wundere dich hier in aller Geschwindigkeit aus, damit du nicht hinterher durch Fragen, Erstaunen und Kopfschütteln unter den Leuten alte Geschichten aufrührst und neue Erdichtungen und Vermutungen ausschüttelst.« – Er zog mich bei diesen Worten tiefer in das Gebüsch hinein, während das Fräulein mit der von der schönen gnädigen Frau weggelegten Reitgerte in der Luft focht und alle ihre Locken tief in das Gesichtchen schüttelte, durch die ich aber doch sehen konnte, daß sie bis an die Stirn rot wurde. – »Nun denn,« sagte Herr Leonhard, »Fräulein Flora, die hier soeben tun will, als hörte und wüßte sie von der ganzen Geschichte nichts, hatte in aller Geschwindigkeit ihr Herzchen mit jemand vertauscht. Darüber kommt ein andrer und bringt ihr mit Prologen, Trompeten und Pauken wiederum *sein* Herz dar und will ihr Herz dagegen. Ihr Herz ist aber schon bei jemand und jemands Herz bei ihr, und der Jemand will sein Herz nicht wieder haben und ihr Herz nicht wieder zurückgeben. Alle Welt schreit – aber du hast wohl noch keinen Roman gelesen?« – Ich verneinte es. – »Nun, so hast du doch einen mitgespielt. Kurz: das war eine solche Konfusion mit den Herzen, daß der Jemand – das heißt ich – mich zuletzt selbst ins Mittel legen mußte. Ich schwang mich bei lauer Sommernacht auf mein Roß, hob das Fräulein als Maler Guido auf das andere, und so ging es fort nach Süden, um sie in einem meiner einsamen Schlösser in Italien zu verbergen, bis das Geschrei wegen der Herzen vorüber wäre. Unterwegs aber kam man uns auf die Spur, und von dem Balkon des welschen Wirtshauses, vor dem du so vertrefflich Wache schliefst, erblickte Flora plötzlich unsere Verfolger.« – »Also der bucklige Signor?« – »War ein Spion. Wir zogen uns daher heimlich in die Wälder und ließen dich auf dem vorbestellten Postkurse allein fortfahren. Das täuschte unsere Verfolger und zum Überfluß auch noch meine Leute auf dem Bergschlosse, welche die verkleidete Flora stündlich erwarteten und mit mehr Diensteifer als Scharfsinn dich für das Fräulein hielten. Selbst hier auf dem Schlosse glaubte man, daß Flora auf dem Felsen wohne, man erkundigte sich, man schrieb an sie – hast du nicht ein Briefchen erhalten?« – Bei diesen Worten fuhr ich blitzschnell mit dem Zettel aus der Tasche. – »Also dieser Brief?« – »Ist an mich«, sagte Fräulein Flora, die bisher auf unsere Rede gar nicht achtzugeben schien, riß mir den Zettel rasch aus der Hand, überlas ihn und steckte ihn dann in den Busen. – »Und nun«, sagte Herr Leonhard, »müssen wir schnell in das Schloß, da wartet schon alles auf uns. Also zum Schluß, wie sichs von selbst versteht und einem wohlerzogenen Romane gebührt: Entdeckung, Reue, Versöhnung, wir sind alle wieder lustig beisammen, und übermorgen ist Hochzeit!«

Da er noch so sprach, erhob sich plötzlich in dem Gebüsch ein rasender Spektakel von Pauken und Trompeten, Hörnern und Posaunen; Böller wurden dazwischen gelöst und Vivat gerufen, die kleinen Mädchen tanzten von neuem, und aus allen Sträuchern kam ein Kopf über dem andern hervor, als wenn sie aus der Erde wüchsen. Ich sprang in dem Geschwirre und Geschleife ellenhoch von einer Seite zur andern, da es aber schon dunkel wurde, erkannte ich erst nach und nach alle die alten Gesichter wieder. Der alte Gärtner schlug die Pauken, die Prager Studenten in ihren Mänteln musizierten mitten darunter, neben ihnen fingerte der Portier wie toll auf seinem Fagott. Wie ich den so unverhofft erblickte, lief ich sogleich auf ihn zu und embrassierte ihn heftig. Darüber kam er ganz aus dem Konzept. »Nun wahrhaftig, und wenn der bis ans Ende der Welt reist, er ist und bleibt ein Narr!« rief er den Studenten zu und blies ganz wütend weiter.

Unterdes war die schöne gnädige Frau vor dem Rumor heimlich entsprungen und flog wie ein aufgescheuchtes Reh über den Rasen tiefer in den Garten hinein. Ich sah es noch zur rechten Zeit und lief ihr eiligst nach. Die Musikanten merkten in ihrem Eifer nichts davon, sie meinten nachher: wir wären schon nach dem Schlosse aufgebrochen, und die ganze Bande setzte sich nun mit Musik und großem Getümmel gleichfalls dorthin auf den Marsch.

Wir aber waren fast zu gleicher Zeit in einem Sommerhause angekommen, das am Abhange des Gartens stand, mit dem offenen Fenster nach dem weiten, tiefen Tale zu. Die Sonne war schon lange untergegangen hinter den Bergen, es schimmerte nur noch wie ein rötlicher Duft über dem warmen, verschallenden Abend, aus dem die Donau immer vernehmlicher heraufrauschte, je stiller es ringsum wurde. Ich sah unverwandt die schöne Gräfin an, die ganz erhitzt vom Laufen dicht vor mir stand, so daß ich ordentlich hören konnte, wie ihr das Herz schlug. Ich wußte nun aber gar nicht, was ich sprechen sollte vor Respekt, da ich auf einmal so allein mit ihr war. Endlich faßte ich ein Herz, nahm ihr kleines weißes Händchen – da zog sie mich schnell an sich und fiel mir um den Hals, und ich umschlang sie fest mit beiden Armen.

Sie machte sich aber geschwind wieder los und legte sich ganz verwirrt in das Fenster, um ihre glühenden Wangen in der Abendluft abzukühlen. – »Ach,« rief ich, »mir ist mein Herz recht zum Zerspringen, aber ich kann mir noch alles nicht recht denken, es ist mir alles noch wie ein Traum!« – »Mir auch«, sagte die schöne gnädige Frau. »Als ich vergangenen Sommer«, setzte sie nach einer Weile hinzu, »mit der Gräfin aus Rom kam und wir das Fräulein Flora gefunden hatten und mit zurückbrachten, von dir aber dort und hier nichts hörte – da dacht ich nicht, daß alles noch so kommen würde! Erst heut zu Mittag sprengte der Jockei, der gute, flinke Bursch, atemlos auf den Hof und brachte die Nachricht, daß du mit dem Postschiffe kämst.« – Dann lachte sie still in sich hinein. »Weißt du noch,« sagte sie, »wie du mich damals auf dem Balkon zum letzten Mal sahst? Das war gerade wie heute, auch so ein stiller Abend, und Musik im Garten.« – »Wer ist denn eigentlich gestorben?« fragte ich hastig. – »Wer denn?« sagte die schöne Frau und sah mich erstaunt an. »Der Herr Gemahl von Euer Gnaden,« erwiderte ich, »der damals mit auf dem Balkon stand.« – Sie wurde ganz rot. »Was hast du auch für Seltsamkeiten im Kopfe!« rief sie aus, »das war ja der Sohn von der Gräfin, der eben von Reisen zurückkam, und es traf gerade auch mein Geburtstag, da führte er mich mit auf den Balkon hinaus, damit ich auch ein Vivat bekäme. – Aber deshalb bist du wohl damals von hier fortgelaufen?« – »Ach Gott, freilich!« rief ich aus und schlug mich mit der Hand vor die Stirn. Sie aber schüttelte mit dem Köpfchen und lachte recht herzlich.

Mir war so wohl, wie sie so fröhlich und vertraulich neben mir plauderte, ich hätte bis zum Morgen zuhören mögen. Ich war so recht seelenvergnügt und langte eine Handvoll Knackmandeln aus der Tasche, die ich noch aus Italien mitgebracht hatte. Sie nahm auch davon, und wir knackten nun und sahen zufrieden in die stille Gegend hinaus. – »Siehst du,« sagte sie nach einem Weilchen wieder, »das weiße Schlößchen, das da drüben im Mondschein glänzt, das hat uns der Graf geschenkt, samt dem Garten und den Weinbergen, da werden wir wohnen. Er wußt es schon lange, daß wir einander gut sind, und ist dir sehr gewogen, denn hätt er dich nicht mitgehabt, als er das Fräulein aus der Pensionsanstalt entführte, so wären sie beide erwischt worden, ehe sie sich vorher noch mit der Gräfin versöhnten, und alles wäre anders gekommen.« – »Mein Gott, schönste, gnädigste Gräfin,« rief ich aus, »ich weiß gar nicht mehr, wo mir der Kopf steht vor lauter unverhofften Neuigkeiten; also der Herr Leonhard?« – »Ja, so,« fiel sie mir in die Rede, »so nannte er sich in Italien; dem gehören die Herrschaften da drüben, und er heiratet nun unserer Gräfin Tochter, die schöne Flora. – Aber was nennst du mich denn Gräfin?« – Ich sah sie groß an. – »Ich bin ja gar keine Gräfin,« fuhr sie fort, »unsere gnädige Gräfin hat mich nur zu sich aufs Schloß genommen, da mich mein Onkel, der Portier, als kleines Kind und arme Waise mit hierher brachte.«

Nun wars mir doch nicht anders, als wenn mir ein Stein vom Herzen fiele! »Gott segne den Portier,« versetzte ich ganz entzückt, »daß er unser Onkel ist! Ich habe immer große Stücke auf ihn gehalten.« – »Er meint es auch gut mit dir,« erwiderte sie, »wenn du dich nur etwas vornehmer hieltest, sagt er immer. Du mußt dich jetzt auch eleganter kleiden.« – »Oh,« rief ich voller Freuden, »englischen Frack, Strohhut und Pumphosen und Sporen! und gleich nach der Trauung reisen wir fort nach Italien, nach Rom, da gehn die schönen Wasserkünste, und nehmen die Prager Studenten mit und den Portier!« – Sie lächelte still und sah mich recht vergnügt und freundlich an, und von fern schallte immerfort die Musik herüber, und Leuchtkugeln flogen vom Schloß durch die stille Nacht über die Gärten, und die Donau rauschte dazwischen herauf – und es war alles, alles gut!

GEORG BÜCHNER
Lenz

Den 20. Jänner ging Lenz durchs Gebirg. Die Gipfel und hohen Bergflächen im Schnee, die Täler hinunter graues Gestein, grüne Flächen, Felsen und Tannen.
Es war naßkalt; das Wasser rieselte die Felsen hinunter und sprang über den Weg. Die Äste der Tannen hingen schwer herab in die feuchte Luft. Am Himmel zogen graue Wolken, aber alles so dicht – und dann dampfte der Nebel herauf und strich schwer und feucht durch das Gesträuch, so träg, so plump.
Er ging gleichgültig weiter, es lag ihm nichts am Weg, bald auf-, bald abwärts. Müdigkeit spürte er keine, nur war es ihm manchmal unangenehm, daß er nicht auf dem Kopf gehn konnte.
Anfangs drängte es ihm in der Brust, wenn das Gestein so wegsprang, der graue Wald sich unter ihm schüttelte und der Nebel die Formen bald verschlang, bald die gewaltigen Glieder halb enthüllte; es drängte in ihm, er suchte nach etwas, wie nach verlornen Träumen, aber er fand nichts. Es war ihm alles so klein, so nahe, so naß; er hätte die Erde hinter den Ofen setzen mögen. Er begriff nicht, daß er so viel Zeit brauchte, um einen Abhang hinunter zu klimmen, einen fernen Punkt zu erreichen; er meinte, er müsse alles mit ein paar Schritten ausmessen können. Nur manchmal, wenn der Sturm das Gewölk in die Täler warf und es den Wald herauf dampfte, und die Stimmen an den Felsen wach wurden, bald wie fern verhallende Donner und dann gewaltig heranbrausten, in Tönen, als wollten sie in ihrem wilden Jubel die Erde

besingen, und die Wolken wie wilde, wiehernde Rosse heransprengten, und der Sonnenschein dazwischen durchging und kam und sein blitzendes Schwert an den Schneeflächen zog, so daß ein helles, blendendes Licht über die Gipfel in die Täler schnitt; oder wenn der Sturm das Gewölk abwärts trieb und einen lichtblauen See hineinriß und dann der Wind verhallte und tief unten aus den Schluchten, aus den Wipfeln der Tannen wie ein Wiegenlied und Glockengeläute heraufsummte, und am tiefen Blau ein leises Rot hinaufklomm und kleine Wölkchen auf silbernen Flügeln durchzogen, und alle Berggipfel, scharf und fest, weit über das Land hin glänzten und blitzten – riß es ihm in der Brust, er stand, keuchend, den Leib vorwärts gebogen, Augen und Mund weit offen, er meinte, er müsse den Sturm in sich ziehen, alles in sich fassen, er dehnte sich aus und lag über der Erde, er wühlte sich in das All hinein, es war eine Lust, die ihm wehe tat; oder er stand still und legte das Haupt ins Moos und schloß die Augen halb, und dann zog es weit von ihm, die Erde wich unter ihm, sie wurde klein wie ein wandelnder Stern und tauchte sich in einen brausenden Strom, der seine klare Flut unter ihm zog. Aber es waren nur Augenblicke; und dann erhob er sich nüchtern, fest, ruhig, als wäre ein Schattenspiel vor ihm vorübergezogen – er wußte von nichts mehr.

Gegen Abend kam er auf die Höhe des Gebirgs, auf das Schneefeld, von wo man wieder hinabstieg in die Ebene nach Westen. Er setzte sich oben nieder. Es war gegen Abend ruhiger geworden; das Gewölk lag fest und unbeweglich am Himmel; soweit der Blick reichte, nichts als Gipfel, von denen sich breite Flächen hinabzogen, und alles so still, grau, dämmernd. Es wurde ihm entsetzlich einsam; er war allein, ganz allein. Er wollte mit sich sprechen, aber er konnte nicht, er wagte kaum zu atmen; das Biegen seines Fußes tönte wie Donner unter ihm, er mußte sich niedersetzen. Es faßte ihn eine namenlose Angst in diesem Nichts: er war im Leeren! Er riß sich auf und flog den Abhang hinunter.

Es war finster geworden, Himmel und Erde verschmolzen in eins. Es war, als ginge ihm was nach und als müsse ihn was Entsetzliches erreichen, etwas, das Menschen nicht ertragen können, als jage der Wahnsinn auf Rossen hinter ihm.

Endlich hörte er Stimmen; er sah Lichter, es wurde ihm leichter. Man sagte ihm, er hätte noch eine halbe Stunde nach Waldbach. Er ging durch das Dorf. Die Lichter schienen durch die Fenster, er sah hinein im Vorbeigehen: Kinder am Tische, alte Weiber, Mädchen, alles ruhige, stille Gesichter. Es war ihm, als müsse das Licht von ihnen ausstrahlen; es ward ihm leicht, er war bald in Waldbach im Pfarrhause.

Man saß am Tische, er hinein; die blonden Locken hingen ihm um das bleiche Gesicht, es zuckte ihm in den Augen und um den Mund, seine Kleider waren zerrissen.

Oberlin hieß ihn willkommen, er hielt ihn für einen Handwerker: »Sein Sie mir willkommen, obschon Sie mir unbekannt.« – »Ich bin ein Freund von Kaufmann und bringe Ihnen Grüße von ihm.« – »Der Name, wenns beliebt?« – »Lenz.« – »Ha, ha, ha, ist er nicht gedruckt? Habe ich nicht einige Dramen gelesen, die einem Herrn dieses Namens zugeschrieben werden?« – »Ja, aber belieben Sie, mich nicht darnach zu beurteilen.«

Man sprach weiter, er suchte nach Worten und erzählte rasch, aber auf der Folter; nach und nach wurde er ruhig – das heimliche Zimmer und die stillen Gesichter, die aus dem Schatten hervortraten: das helle Kindergesicht, auf dem alles Licht zu ruhen schien und das neugierig, vertraulich aufschaute, bis zur Mutter, die hinten im Schatten engelgleich stille saß. Er fing an zu erzählen, von seiner Heimat; er zeichnete allerhand Trachten, man drängte sich teilnehmend um ihn, er war gleich zu Haus. Sein blasses Kindergesicht, das jetzt lächelte, sein lebendiges Erzählen! Er wurde ruhig; es war ihm, als träten alte Gestalten, vergessene Gesichter wieder aus dem Dunkeln, alte Lieder wachten auf, er war weg, weit weg.

Endlich war es Zeit zum Gehen. Man führte ihn über die

Straße: das Pfarrhaus war zu eng, man gab ihm ein Zimmer im Schulhause. Er ging hinauf. Es war kalt oben, eine weite Stube, leer, ein hohes Bett im Hintergrund. Er stellte das Licht auf den Tisch und ging auf und ab. Er besann sich wieder auf den Tag, wie er hergekommen, wo er war. Das Zimmer im Pfarrhause mit seinen Lichtern und lieben Gesichtern, es war ihm wie ein Schatten, ein Traum, und es wurde ihm leer, wieder wie auf dem Berg; aber er konnte es mit nichts mehr ausfüllen, das Licht war erloschen, die Finsternis verschlang alles. Eine unnennbare Angst erfaßte ihn. Er sprang auf, er lief durchs Zimmer, die Treppe hinunter, vors Haus; aber umsonst, alles finster, nichts – er war sich selbst ein Traum. Einzelne Gedanken huschten auf, er hielt sie fest; es war ihm, als müsse er immer ›Vater unser‹ sagen. Er konnte sich nicht mehr finden; ein dunkler Instinkt trieb ihn, sich zu retten. Er stieß an die Steine, er riß sich mit den Nägeln; der Schmerz fing an, ihm das Bewußtsein wiederzugeben. Er stürzte sich in den Brunnenstein, aber das Wasser war nicht tief, er patschte darin.

Da kamen Leute; man hatte es gehört, man rief ihm zu. Oberlin kam gelaufen. Lenz war wieder zu sich gekommen, das ganze Bewußtsein seiner Lage stand vor ihm, es war ihm wieder leicht. Jetzt schämte er sich und war betrübt, daß er den guten Leuten Angst gemacht; er sagte ihnen, daß er gewohnt sei, kalt zu baden und ging wieder hinauf; die Erschöpfung ließ ihn endlich ruhen.

Den andern Tag ging es gut. Mit Oberlin zu Pferde durch das Tal: breite Bergflächen, die aus großer Höhe sich in ein schmales, gewundnes Tal zusammenzogen, das in mannigfachen Richtungen sich hoch an den Bergen hinaufzog; große Felsenmassen, die sich nach unten ausbreiteten; wenig Wald, aber alles im grauen, ernsten Anflug; eine Aussicht nach Westen in das Land hinein und auf die Bergkette, die sich grad hinunter nach Süden und Norden zog und deren Gipfel gewaltig, ernsthaft oder schweigend still, wie ein dämmernder

Traum, standen. Gewaltige Lichtmassen, die manchmal aus den Tälern, wie ein goldner Strom, schwollen, dann wieder Gewölk, das an dem höchsten Gipfel lag und dann langsam den Wald herab in das Tal klomm oder in den Sonnenblitzen sich wie ein fliegendes, silbernes Gespenst herabsenkte und hob; kein Lärm, keine Bewegung, kein Vogel, nichts als das bald nahe, bald ferne Wehn des Windes. Auch erschienen Punkte, Gerippe von Hütten, Bretter mit Stroh gedeckt, von schwarzer, ernster Farbe. Die Leute, schweigend und ernst, als wagten sie die Ruhe ihres Tales nicht zu stören, grüßten ruhig, wie sie vorbeiritten.

In den Hütten war es lebendig: man drängte sich um Oberlin, er wies zurecht, gab Rat, tröstete; überall zutrauensvolle Blicke, Gebet. Die Leute erzählten Träume, Ahnungen. Dann rasch ins praktische Leben: Wege angelegt, Kanäle gegraben, die Schule besucht.

Oberlin war unermüdlich, Lenz fortwährend sein Begleiter, bald in Gespräch, bald tätig am Geschäft, bald in die Natur versunken. Es wirkte alles wohltätig und beruhigend auf ihn. Er mußte Oberlin oft in die Augen sehen, und die mächtige Ruhe, die uns über der ruhenden Natur, im tiefen Wald, in mondhellen, schmelzenden Sommernächten überfällt, schien ihm noch näher in diesem ruhigen Auge, diesem ehrwürdigen ernsten Gesicht. Er war schüchtern; aber er machte Bemerkungen, er sprach. Oberlin war sein Gespräch sehr angenehm, und das anmutige Kindergesicht Lenzens machte ihm große Freude.

Aber nur solange das Licht im Tale lag, war es ihm erträglich; gegen Abend befiel ihn eine sonderbare Angst, er hätte der Sonne nachlaufen mögen. Wie die Gegenstände nach und nach schattiger wurden, kam ihm alles so traumartig, so zuwider vor: es kam ihm die Angst an wie Kindern, die im Dunkeln schlafen; es war ihm, als sei er blind. Jetzt wuchs sie, das Alp des Wahnsinns setzte sich zu seinen Füßen: der rettungslose Gedanke, als sei alles nur sein Traum, öffnete sich vor ihm; er klammerte sich an alle Gegenstände. Gestalten zogen rasch an ihm vorbei, er drängte sich an sie; es waren Schatten, das Leben wich aus ihm, und seine Glieder waren ganz starr. Er sprach, er sang, er rezitierte Stellen aus Shakespeare, er griff nach allem, was sein Blut sonst hatte rascher fließen machen, er versuchte alles, aber – kalt, kalt! Er mußte dann hinaus ins Freie. Das wenige, durch die Nacht zerstreute Licht, wenn seine Augen an die Dunkelheit gewöhnt waren, machte ihm besser; er stürzte sich in den Brunnen, die grelle Wirkung des Wassers machte ihm besser; auch hatte er eine geheime Hoffnung auf eine Krankheit – er verrichtete sein Bad jetzt mit weniger Geräusch.

Doch je mehr er sich in das Leben hineinlebte, ward er ruhiger. Er unterstützte Oberlin, zeichnete, las die Bibel; alte, vergangne Hoffnungen gingen in ihm auf; das Neue Testament trat ihm hier so entgegen ... Wie Oberlin ihm erzählte, wie ihn eine unsichtbare Hand auf der Brücke gehalten hätte, wie auf der Höhe ein Glanz seine Augen geblendet hätte, wie er eine Stimme gehört hätte, wie es in der Nacht mit ihm gesprochen, und wie Gott so ganz bei ihm eingekehrt, daß er kindlich seine Lose aus der Tasche holte, um zu wissen, was er tun sollte: dieser Glaube, dieser ewige Himmel im Leben, dieses Sein in Gott – jetzt erst ging ihm die Heilige Schrift auf. Wie den Leuten die Natur so nah trat, alles in himmlischen Mysterien; aber nicht gewaltsam majestätisch, sondern noch vertraut.

Eines Morgens ging er hinaus. Die Nacht war Schnee gefallen; im Tal lag heller Sonnenschein, aber weiterhin die Landschaft halb im Nebel. Er kam bald vom Weg ab und eine sanfte Höhe hinauf, keine Spur von Fußtritten mehr, neben einem Tannenwald hin; die Sonne schnitt Kristalle, der Schnee war leicht und flockig, hie und da Spur von Wild leicht auf dem Schnee, die sich ins Gebirg hinzog. Keine Regung in der Luft als ein leises Wehen, als das Rauschen eines Vogels, der die Flocken leicht vom Schwanze stäubte. Alles so still, und die Bäume weithin mit schwankenden weißen Federn in der tiefblauen Luft. Es wurde ihm heimlich nach und nach. Die einförmigen, gewaltigen Flächen und Linien, vor denen es ihm manchmal war, als ob sie ihn mit gewaltigen Tönen anredeten, waren verhüllt; ein heimliches Weihnachtsgefühl beschlich ihn: er meinte manchmal, seine Mutter müsse hinter einem Baume hervortreten, groß, und ihm sagen, sie hätte ihm dies alles beschert. Wie er hinunterging, sah er, daß um seinen Schatten sich ein Regenbogen von Strahlen legte; es wurde ihm, als hätte ihn was an der Stirn berührt, das Wesen sprach ihn an.

Er kam hinunter. Oberlin war im Zimmer; Lenz kam heiter auf ihn zu und sagte ihm, er möge wohl einmal predigen. – »Sind Sie Theologe?« – »Ja!« – »Gut, nächsten Sonntag.«

Lenz ging vergnügt auf sein Zimmer. Er dachte auf einen Text zum Predigen und verfiel in Sinnen, und seine Nächte wurden ruhig. Der Sonntagmorgen kam, es war Tauwetter eingefallen. Vorüberstreifende Wolken, Blau dazwischen. Die Kirche lag neben am Berg hinauf, auf einem Vorsprung; der Kirchhof drumherum. Lenz stand oben, wie die Glocke läutete und die Kirchengänger, die Weiber und Mädchen in ihrer ernsten schwarzen Tracht, das weiße gefaltete Schnupftuch auf dem Gesangbuch und den Rosmarinzweig, von den verschiedenen Seiten die schmalen Pfade zwischen den Felsen herauf- und herabkamen. Ein Sonnenblick lag manchmal über dem Tal, die laue Luft regte sich langsam, die Landschaft schwamm im Duft, fernes Geläute – es war, als löste sich alles in eine harmonische Welle auf.

Auf dem kleinen Kirchhof war der Schnee weg, dunkles Moos unter den schwarzen Kreuzen; ein verspäteter Rosenstrauch lehnte an der Kirchhofmauer, verspätete Blumen dazu unter dem Moos hervor; manchmal Sonne, dann wieder dunkel. Die Kirche fing an, die Menschenstimmen begegneten sich im reinen hellen Klang; ein Eindruck, als schaue man in reines, durchsichtiges Bergwasser. Der Gesang verhallte – Lenz sprach. Er war schüchtern; unter den Tönen hatte sein Starrkrampf sich ganz gelegt, sein ganzer Schmerz wachte jetzt auf und legte sich in sein Herz. Ein süßes Gefühl unendlichen Wohls beschlich ihn. Er sprach einfach mit den Leuten; sie litten alle mit ihm, und es war ihm ein Trost, wenn er über einige müdgeweinte Augen Schlaf und gequälten Herzen Ruhe bringen, wenn er über dieses von materiellen Bedürfnissen gequälte Sein, diese dumpfen Leiden gen Himmel leiten konnte. Er war fester geworden, wie er schloß – da fingen die Stimmen wieder an:

Laß in mir die heilgen Schmerzen,
Tiefe Bronnen ganz aufbrechen;
Leiden sei all mein Gewinst,
Leiden sei mein Gottesdienst.

Das Drängen in ihm, die Musik, der Schmerz, erschütterte ihn. Das All war für ihn in Wunden; er fühlte tiefen, unnennbaren Schmerz davon. Jetzt ein anderes Sein: göttliche, zukkende Lippen bückten sich über ihm nieder und sogen sich an seine Lippen; er ging auf sein einsames Zimmer. Er war allein, allein! Da rauschte die Quelle, Ströme brachen aus seinen Augen, er krümmte sich in sich, es zuckten seine Glieder, es war ihm, als müsse er sich auflösen, er konnte kein Ende finden der Wollust. Endlich dämmerte es in ihm: er empfand ein leises tiefes Mitleid mit sich selbst, er weinte über sich; sein Haupt sank auf die Brust, er schlief ein. Der Vollmond stand am Himmel; die Locken fielen ihm über die Schläfe und das Gesicht, die Tränen hingen ihm an den Wimpern und trockneten auf den Wangen – so lag er nun da allein, und alles war ruhig und still und kalt, und der Mond schien die ganze Nacht und stand über den Bergen.

Am folgenden Morgen kam er herunter, er erzählte Oberlin ganz ruhig, wie ihm die Nacht seine Mutter erschienen sei: sie sei in einem weißen Kleid aus der dunkeln Kirchhofmauer hervorgetreten und habe eine weiße und eine rote Rose an der Brust stecken gehabt; sie sei dann in eine Ecke gesunken, und die Rosen seien langsam über sie gewachsen, sie sei gewiß tot; er sei ganz ruhig darüber. Oberlin versetzte ihm nun, wie er bei dem Tod seines Vaters allein auf dem Felde gewesen sei und er dann eine Stimme gehört habe, so daß er wußte, daß sein Vater tot sei; und wie er heimgekommen, sei es so gewesen. Das führte sie weiter: Oberlin sprach noch von den Leuten im Gebirge, von Mädchen, die das Wasser und Metall unter der Erde fühlten, von Männern, die auf manchen Berghöhen angefaßt würden und mit einem Geiste rängen; er sagte ihm auch, wie er einmal im Gebirg durch das Schauen in ein leeres tiefes Bergwasser in eine Art von Somnambulismus versetzt worden sei. Lenz sagte, daß der Geist des Wassers über ihn gekommen sei, daß er dann etwas von seinem eigentümlichen Sein empfunden hätte. Er fuhr weiter fort: Die einfachste, reinste Natur hinge am nächsten mit der elementarischen zusammen; je feiner der Mensch geistig fühlt und lebt, um so abgestumpfter würde dieser elementarische Sinn; er halte ihn nicht für einen hohen Zustand, er sei nicht selbständig genug, aber er meine, es müsse ein unendliches Wonnegefühl sein, so von dem eigentümlichen Leben jeder Form berührt zu werden, für Gesteine, Metalle, Wasser und Pflanzen eine Seele zu haben, so traumartig jedes Wesen in der Natur in sich aufzunehmen, wie die Blumen mit dem Zu- und Abnehmen des Mondes die Luft.

Er sprach sich selbst weiter aus: wie in allem eine unaussprechliche Harmonie, ein Ton, eine Seligkeit sei, die in den höhern Formen mit mehr Organen aus sich herausgriffe, tönte, auffaßte und dafür aber auch um so tiefer affiziert würde; wie in den niedrigen Formen alles zurückgedrängter, beschränkter, dafür aber auch die Ruhe in sich größer sei. Er verfolgte das noch weiter. Oberlin brach es ab, es führte ihn zu weit von seiner einfachen Art ab. Ein ander Mal zeigte ihm Oberlin Farbentäfelchen, er setzte ihm auseinander, in welcher Beziehung jede Farbe mit dem Menschen stände; er brachte zwölf Apostel heraus, deren jeder durch eine Farbe

repräsentiert würde. Lenz faßte das auf, er spann die Sache weiter, kam in ängstliche Träume, und fing an, wie Stilling, die Apokalypse zu lesen, und las viel in der Bibel.
Um diese Zeit kam Kaufmann mit seiner Braut ins Steintal. Lenzen war anfangs das Zusammentreffen unangenehm; er hatte sich so ein Plätzchen zurechtgemacht, das bißchen Ruhe war ihm so kostbar – und jetzt kam ihm jemand entgegen, der ihn an so vieles erinnerte, mit dem er sprechen, reden mußte, der seine Verhältnisse kannte. Oberlin wußte von allem nichts; er hatte ihn aufgenommen, gepflegt; er sah es als eine Schickung Gottes, der den Unglücklichen ihm zugesandt hätte, er liebte ihn herzlich. Auch war es allen notwendig, daß er da war; er gehörte zu ihnen, als wäre er schon längst da, und niemand frug, woher er gekommen und wohin er gehen werde.
Über Tisch war Lenz wieder in guter Stimmung: man sprach von Literatur, er war auf seinem Gebiete. Die idealistische Periode fing damals an; Kaufmann war ein Anhänger davon, Lenz widersprach heftig. Er sagte: Die Dichter, von denen man sage, sie geben die Wirklichkeit, hätten auch keine Ahnung davon; doch seien sie immer noch erträglicher als die, welche die Wirklichkeit verklären wollten. Er sagte: Der liebe Gott hat die Welt wohl gemacht, wie sie sein soll, und wir können wohl nicht was Besseres klecksen; unser einziges Bestreben soll sein, ihm ein wenig nachzuschaffen. Ich verlange in allem – Leben, Möglichkeit des Daseins, und dann ist's gut; wir haben dann nicht zu fragen, ob es schön, ob es häßlich ist. Das Gefühl, daß, was geschaffen sei, Leben habe, stehe über diesen beiden und sei das einzige Kriterium in Kunstsachen. Übrigens begegne es uns nur selten: in Shakespeare finden wir es, und in den Volksliedern tönt es einem ganz, in Goethe manchmal entgegen; alles übrige kann man ins Feuer werfen. Die Leute können auch keinen Hundsstall zeichnen. Da wollte man idealistische Gestalten, aber alles, was ich davon gesehen, sind Holzpuppen. Dieser Idealismus

ist die schmählichste Verachtung der menschlichen Natur. Man versuche es einmal und senke sich in das Leben des Geringsten und gebe es wieder in den Zuckungen, den Andeutungen, dem ganzen feinen, kaum bemerkten Mienenspiel; er hätte dergleichen versucht im ›Hofmeister‹ und den ›Soldaten‹. Es sind die prosaischsten Menschen unter der Sonne; aber die Gefühlsader ist in fast allen Menschen gleich, nur ist die Hülle mehr oder weniger dicht, durch die sie brechen muß. Man muß nur Aug und Ohren dafür haben. Wie ich gestern neben am Tal hinaufging, sah ich auf einem Steine zwei Mädchen sitzen: die eine band ihre Haare auf, die andere half ihr; und das goldne Haar hing herab, und ein ernstes bleiches Gesicht, und doch so jung, und die schwarze Tracht, und die andre so sorgsam bemüht. Die schönsten, innigsten Bilder der altdeutschen Schule geben kaum eine Ahnung davon. Man möchte manchmal ein Medusenhaupt sein, um so eine Gruppe in Stein verwandeln zu können, und den Leuten zuzurufen. Sie standen auf, die schöne Gruppe war zerstört; aber wie sie so hinabstiegen, zwischen den Felsen, war es wieder ein anderes Bild.
Die schönsten Bilder, die schwellendsten Töne gruppieren, lösen sich auf. Nur eins bleibt: eine unendliche Schönheit, die aus einer Form in die andre tritt, ewig aufgeblättert, unverändert. Man kann sie aber freilich nicht immer festhalten und in Museen stellen und auf Noten ziehen, und dann alt und jung herbeirufen und die Buben und Alten darüber radotieren und sich entzücken lassen. Man muß die Menschheit lieben, um in das eigentümliche Wesen jedes einzudringen; es darf einem keiner zu gering, keiner zu häßlich sein, erst dann kann man sie verstehen, das unbedeutendste Gesicht macht einen tiefern Eindruck als die bloße Empfindung des Schönen, und man kann die Gestalten aus sich heraustreten lassen, ohne etwas vom Äußern hinein zu kopieren, wo einem kein Leben, keine Muskeln, kein Puls entgegenschwillt und pocht.
Kaufmann warf ihm vor, daß er in der Wirklichkeit doch

keine Typen für einen Apoll von Belvedere oder eine Raffaelische Madonna finden würde. Was liegt daran, versetzte er; ich muß gestehen, ich fühle mich dabei sehr tot. Wenn ich in mir arbeite, kann ich auch wohl was dabei fühlen, aber ich tue das Beste daran. Der Dichter und Bildende ist mir der liebste, der mir die Natur am wirklichsten gibt, so daß ich über seinem Gebild fühle; alles übrige stört mich. Die holländischen Maler sind mir lieber als die italienischen, sie sind auch die einzigen faßlichen. Ich kenne nur zwei Bilder, und zwar von Niederländern, die mir einen Eindruck gemacht hätten wie das Neue Testament: das eine ist, ich weiß nicht von wem, Christus und die Jünger von Emmaus. Wenn man so liest, wie die Jünger hinausgingen, es liegt gleich die ganze Natur in den paar Worten. Es ist ein trüber, dämmernder Abend, ein einförmiger roter Streifen am Horizont, halbfinster auf der Straße; da kommt ein Unbekannter zu ihnen, sie sprechen, er bricht das Brot; da erkennen sie ihn, in einfach-menschlicher Art, und die göttlich-leidenden Züge reden ihnen deutlich, und sie erschrekken, denn es ist finster geworden, und es tritt sie etwas Unbegreifliches an; aber es ist kein gespenstisches Grauen, es ist, wie wenn einem ein geliebter Toter in der Dämmerung in der alten Art entgegenträte: so ist das Bild mit dem einförmigen, bräunlichen Ton darüber, dem trüben stillen Abend. Dann ein anderes: Eine Frau sitzt in ihrer Kammer, das Gebetbuch in der Hand. Es ist sonntäglich aufgeputzt, der Sand gestreut, so heimlich rein und warm. Die Frau hat nicht zur Kirche gekonnt, und sie verrichtet die Andacht zu Haus; das Fenster ist offen, sie sitzt darnach hingewandt, und es ist, als schwebten zu dem Fenster über die weite ebne Landschaft die Glockentöne von dem Dorfe herein und verhallet der Sang der nahen Gemeinde aus der Kirche her, und die Frau liest den Text nach.

In der Art sprach er weiter; man horchte auf, es traf vieles. Er war rot geworden über dem Reden, und bald lächelnd, bald ernst schüttelte er die blonden Locken. Er hatte sich ganz vergessen.

Nach dem Essen nahm ihn Kaufmann beiseite. Er hatte Briefe von Lenzens Vater erhalten, sein Sohn sollte zurück, ihn unterstützen. Kaufmann sagte ihm, wie er sein Leben hier verschleudre, unnütz verliere, er solle sich ein Ziel stecken, und dergleichen mehr. Lenz fuhr ihn an: »Hier weg, weg? nach Haus? Toll werden dort? Du weißt, ich kann es nirgends aushalten als da herum, in der Gegend. Wenn ich nicht manchmal auf einen Berg könnte und die Gegend sehen könnte, und dann wieder herunter ins Haus, durch den Garten gehn und zum Fenster hineinsehn – ich würde toll! toll! Laßt mich doch in Ruhe! Nur ein bißchen Ruhe jetzt, wo es mir ein wenig wohl wird! Weg, weg? Ich verstehe das nicht, mit den zwei Worten ist die Welt verhunzt. Jeder hat was nötig; wenn er ruhen kann, was könnt er mehr haben! Immer steigen, ringen und so in Ewigkeit alles, was der Augenblick gibt, wegwerfen und immer darben, um einmal zu genießen! Dürsten, während einem helle Quellen über den Weg springen! Es ist mir jetzt erträglich, und da will ich bleiben. Warum? warum? Eben weil es mir wohl ist. Was will mein Vater? Kann er mehr geben? Unmöglich! Laßt mich in Ruhe!« – Er wurde heftig; Kaufmann ging, Lenz war verstimmt.

Am folgenden Tag wollte Kaufmann weg. Er beredete Oberlin, mit ihm in die Schweiz zu gehen. Der Wunsch, Lavater, den er längst durch Briefe kannte, auch persönlich kennen zu lernen, bestimmte ihn. Er sagte es zu. Man mußte einen Tag länger wegen der Zurüstungen warten. Lenz fiel das aufs Herz. Er hatte, um seiner unendlichen Qual los zu werden, sich ängstlich an alles geklammert; er fühlte in einzelnen Augenblicken tief, wie er sich alles nur zurechtmache; er ging mit sich um wie mit einem kranken Kinde. Manche Gedanken, mächtige Gefühle wurde er nur mit der größten Angst los; da trieb es ihn wieder mit unendlicher Gewalt darauf, er zitterte, das Haar sträubte ihm fast, bis er es in der ungeheuersten Anspannung erschöpfte. Er rettete sich in eine Gestalt, die ihm immer vor Augen schwebte, und in Oberlin; seine Worte, sein Gesicht taten ihm unendlich wohl. So sah er mit Angst seiner Abreise entgegen.

Es war Lenzen unheimlich, jetzt allein im Hause zu bleiben. Das Wetter war milde geworden: er beschloß, Oberlin zu begleiten, ins Gebirg. Auf der andern Seite, wo die Täler sich in die Ebne ausliefen, trennten sie sich. Er ging allein zurück. Er durchstrich das Gebirg in verschiedenen Richtungen. Breite Flächen zogen sich in die Täler herab, wenig Wald, nichts als gewaltige Linien und weiter hinaus die weite, rauchende Ebne; in der Luft ein gewaltiges Wehen, nirgends eine Spur von Menschen, als hie und da eine verlassene Hütte, wo die Hirten den Sommer zubrachten, an den Abhängen gelehnt. Er wurde still, vielleicht fast träumend: es verschmolz ihm alles in eine Linie, wie eine steigende und sinkende Welle, zwischen Himmel und Erde; es war ihm, als läge er an einem unendlichen Meer, das leise auf und ab wogte. Manchmal saß er; dann ging er wieder, aber langsam träumend. Er suchte keinen Weg.

Es war finstrer Abend, als er an eine bewohnte Hütte kam, im Abhang nach dem Steintal. Die Türe war verschlossen; er ging ans Fenster, durch das ein Lichtschimmer fiel. Eine Lampe erhellte fast nur einen Punkt: ihr Licht fiel auf das bleiche Gesicht eines Mädchens, das mit halb geöffneten Augen, leise die Lippen bewegend, dahinter ruhte. Weiter weg im Dunkel saß ein altes Weib, das mit schnarrender Stimme aus einem Gesangbuch sang. Nach langem Klopfen öffnete sie; sie war halb taub. Sie trug Lenz einiges Essen auf und wies ihm eine Schlafstelle an, wobei sie beständig ihr Lied fortsang. Das Mädchen hatte sich nicht gerührt. Einige Zeit darauf kam ein Mann herein; er war lang und hager, Spuren von grauen Haaren, mit unruhigem, verwirrtem Gesicht. Er trat zum Mädchen, sie zuckte auf und wurde unruhig. Er nahm ein getrocknetes Kraut von der Wand und legte ihr die Blätter auf die Hand, so daß sie ruhiger wurde und verständliche Worte in langsam ziehenden, durchschneidenden Tönen summte. Er erzählte, wie er eine Stimme im Gebirge gehört und dann über den Tälern ein Wetterleuchten gesehen habe; auch habe es ihn angefaßt, und er habe damit gerungen wie Jakob. Er warf sich nieder und betete leise mit Inbrunst, während die Kranke in einem langsam ziehenden, leise verhallenden Ton sang. Dann gab er sich zur Ruhe.

Lenz schlummerte träumend ein, und dann hörte er im Schlaf, wie die Uhr pickte. Durch das leise Singen des Mädchens und die Stimme der Alten zugleich tönte das Sausen des Windes, bald näher, bald ferner, und der bald helle, bald verhüllte Mond warf sein wechselndes Licht traumartig in die Stube. Einmal wurden die Töne lauter, das Mädchen redete deutlich und bestimmt: sie sagte, wie auf der Klippe gegenüber eine Kirche stehe. Lenz sah auf, und sie saß mit weitgeöffneten Augen aufrecht hinter dem Tisch, und der Mond warf sein stilles Licht auf ihre Züge, von denen ein unheimlicher Glanz zu strahlen schien; zugleich schnarrte die Alte, und über diesem Wechseln und Sinken des Lichts, den Tönen und Stimmen schlief endlich Lenz tief ein.

Er erwachte früh. In der dämmernden Stube schlief alles, auch das Mädchen war ruhig geworden. Sie lag zurückgelehnt, die Hände gefaltet unter der linken Wange; das Geisterhafte aus ihren Zügen war verschwunden, sie hatte jetzt einen Ausdruck unbeschreiblichen Leidens. Er trat ans Fenster und öffnete es, die kalte Morgenluft schlug ihm entgegen. Das Haus lag am Ende eines schmalen, tiefen Tales, das sich nach Osten öffnete; rote Strahlen schossen durch den grauen Morgenhimmel in das dämmernde Tal, das im weißen Rauch lag, und funkelten am grauen Gestein und trafen in die Fenster der Hütten. Der Mann erwachte. Seine Augen trafen auf ein erleuchtet Bild an der Wand, sie richteten sich fest und starr darauf; nun fing er an, die Lippen zu bewegen,

und betete leise, dann laut und immer lauter. Indem kamen Leute zur Hütte herein, sie warfen sich schweigend nieder. Das Mädchen lag in Zuckungen, die Alte schnarrte ihr Lied und plauderte mit den Nachbarn.
Die Leute erzählten Lenzen, der Mann sei vor langer Zeit in die Gegend gekommen, man wisse nicht woher; er stehe im Ruf eines Heiligen, er sehe das Wasser unter der Erde und könne Geister beschwören, und man wallfahre zu ihm. Lenz erfuhr zugleich, daß er weiter vom Steintal abgekommen; er ging weg mit einigen Holzhauern, die in die Gegend gingen. Es tat ihm wohl, Gesellschaft zu finden; es war ihm jetzt unheimlich mit dem gewaltigen Menschen, von dem es ihm manchmal war, als rede er in entsetzlichen Tönen. Auch fürchtete er sich vor sich selbst in der Einsamkeit.
Er kam heim. Doch hatte die verflossene Nacht einen gewaltigen Eindruck auf ihn gemacht. Die Welt war ihm helle gewesen, und er spürte an sich ein Regen und Wimmeln nach einem Abgrund, zu dem ihn eine unerbittliche Gewalt hinriß. Er wühlte jetzt in sich. Er aß wenig; halbe Nächte im Gebet und fieberhaften Träumen. Ein gewaltsames Drängen, und dann erschöpft zurückgeschlagen; er lag in den heißesten Tränen. Und dann bekam er plötzlich eine Stärke und erhob sich kalt und gleichgültig; seine Tränen waren ihm dann wie Eis, er mußte lachen. Je höher er sich aufriß, desto tiefer stürzte er hinunter. Alles strömte wieder zusammen. Ahnungen von seinem alten Zustande durchzuckten ihn und warfen Streiflichter in das wüste Chaos seines Geistes.
Des Tags saß er gewöhnlich unten im Zimmer. Madame Oberlin ging ab und zu; er zeichnete, malte, las, griff nach jeder Zerstreuung, alles hastig von einem zum andern. Doch schloß er sich jetzt besonders an Madame Oberlin an, wenn sie so dasaß, das schwarze Gesangbuch vor sich, neben eine Pflanze, im Zimmer gezogen, das jüngste Kind zwischen den Knieen; auch machte er sich viel mit dem Kinde zu tun. So saß er einmal, da wurde ihm ängstlich, er sprang auf, ging auf

und ab. Die Türe halb offen – da hörte er die Magd singen, erst unverständlich, dann kamen die Worte:

Auf dieser Welt hab ich kein Freud,
Ich hab mein Schatz, und der ist weit.

Das fiel auf ihn, er verging fast unter den Tönen. Madame Oberlin sah ihn an. Er faßte sich ein Herz, er konnte nicht mehr schweigen, er mußte davon sprechen. »Beste Madame Oberlin, können Sie mir nicht sagen, was das Frauenzimmer macht, dessen Schicksal mir so zentnerschwer auf dem Herzen liegt?« – »Aber Herr Lenz, ich weiß von nichts.«
Er schwieg dann wieder und ging hastig im Zimmer auf und ab; dann fing er wieder an: »Sehn Sie, ich will gehen; Gott, Sie sind noch die einzigen Menschen, wo ichs aushalten könnte, und doch – doch, ich muß weg, zu *ihr* – aber ich kann nicht, ich darf nicht.« – Er war heftig bewegt und ging hinaus.
Gegen Abend kam Lenz wieder, es dämmerte in der Stube; er setzte sich neben Madame Oberlin. »Sehen Sie,« fing er wieder an, »wenn sie so durchs Zimmer ging und so halb für sich allein sang, und jeder Tritt war eine Musik, es war so eine Glückseligkeit in ihr, und das strömte in mich über; ich war immer ruhig, wenn ich sie ansah oder sie so den Kopf an mich lehnte … Ganz Kind; es war, als wär ihr die Welt zu weit: sie zog sich so in sich zurück, sie suchte das engste Plätzchen im ganzen Haus, und da saß sie, als wäre ihre ganze Seligkeit nur in einem kleinen Punkt, und dann war mirs auch so; wie ein Kind hätte ich dann spielen können. Jetzt ist es mir so eng, so eng! Sehn Sie, es ist mir manchmal, als stieß' ich mit den Händen an den Himmel; o, ich ersticke! Es ist mir dabei oft, als fühlt ich physischen Schmerz, da in der linken Seite, im Arm, womit ich sie sonst faßte. Doch kann ich sie mir nicht mehr vorstellen, das Bild läuft mir fort, und dies martert mich; nur wenn es mir manchmal ganz hell wird, so ist mir wieder recht wohl.« – Er sprach später noch oft mit Madame Oberlin davon, aber meist in abgebrochenen Sätzen; sie wußte wenig zu antworten, doch tat es ihm wohl.

Unterdessen ging es fort mit seinen religiösen Quälereien. Je leerer, je kälter, je sterbender er sich innerlich fühlte, desto mehr drängte es ihn, eine Glut in sich zu wecken; es kamen ihm Erinnerungen an die Zeiten, wo alles in ihm sich drängte, wo er unter all seinen Empfindungen keuchte. Und jetzt so tot! Er verzweifelte an sich selbst; dann warf er sich nieder, er rang die Hände, er rührte alles in sich auf – aber tot! tot! Dann flehte er, Gott möge ein Zeichen an ihm tun; dann wühlte er in sich, fastete, lag träumend am Boden.

Am 3. Hornung hörte er, ein Kind in Fouday sei gestorben, das Friederike hieß; er faßte es auf wie eine fixe Idee. Er zog sich in sein Zimmer und fastete einen Tag. Am 4. trat er plötzlich ins Zimmer zu Madame Oberlin; er hatte sich das Gesicht mit Asche beschmiert und forderte einen alten Sack. Sie erschrak; man gab ihm, was er verlangte. Er wickelte den Sack um sich, wie ein Büßender, und schlug den Weg nach Fouday ein. Die Leute im Tale waren ihn schon gewohnt; man erzählte sich allerlei Seltsames von ihm. Er kam ins Haus, wo das Kind lag. Die Leute gingen gleichgültig ihrem Geschäfte nach; man wies ihm eine Kammer: das Kind lag im Hemde auf Stroh, auf einem Holztisch.

Lenz schauderte, wie er die kalten Glieder berührte und die halbgeöffneten gläsernen Augen sah. Das Kind kam ihm so verlassen vor, und er sich so allein und einsam. Er warf sich über die Leiche nieder. Der Tod erschreckte ihn, ein heftiger Schmerz faßte ihn an: diese Züge, dieses stille Gesicht sollte verwesen – er warf sich nieder; er betete mit allem Jammer der Verzweiflung, daß Gott ein Zeichen an ihm tue und das Kind beleben möge, wie er schwach und unglücklich sei; dann sank er ganz in sich und wühlte all seinen Willen auf einen Punkt. So saß er lange starr. Dann erhob er sich und faßte die Hände des Kindes und sprach laut und fest: »Stehe auf und wandle!« Aber die Wände hallten ihm nüchtern den Ton nach, daß es zu spotten schien, und die Leiche blieb

kalt. Da stürzte er halb wahnsinnig nieder; dann jagte es ihn auf, hinaus ins Gebirg.
Wolken zogen rasch über den Mond; bald alles im Finstern, bald zeigten sie die nebelhaft verschwindende Landschaft im Mondschein. Er rannte auf und ab. In seiner Brust war ein Triumphgesang der Hölle. Der Wind klang wie ein Titanenlied. Es war ihm, als könnte er eine ungeheure Faust hinauf in den Himmel ballen und Gott herbeireißen und zwischen seinen Wolken schleifen; als könnte er die Welt mit den Zähnen zermalmen und sie dem Schöpfer ins Gesicht speien; er schwur, er lästerte. So kam er auf die Höhe des Gebirges, und das ungewisse Licht dehnte sich hinunter, wo die weißen Steinmassen lagen, und der Himmel war ein dummes blaues Aug, und der Mond stand ganz lächerlich drin, einfältig. Lenz mußte laut lachen, und mit dem Lachen griff der Atheismus in ihn und faßte ihn ganz sicher und ruhig und fest. Er wußte nicht mehr, was ihn vorhin so bewegt hatte, es fror ihn; er dachte, er wolle jetzt zu Bette gehn, und er ging kalt und unerschütterlich durch das unheimliche Dunkel – es war ihm alles leer und hohl, er mußte laufen und ging zu Bette.
Am folgenden Tag befiel ihn ein großes Grauen vor seinem gestrigen Zustand. Er stand nun am Abgrund, wo eine wahnsinnige Lust ihn trieb, immer wieder hineinzuschauen und sich diese Qual zu wiederholen. Dann steigerte sich seine Angst, die Sünde wider den Heiligen Geist stand vor ihm.
Einige Tage darauf kam Oberlin aus der Schweiz zurück, viel früher, als man es erwartet hatte. Lenz war darüber betroffen. Doch wurde er heiter, als Oberlin ihm von seinen Freunden im Elsaß erzählte. Oberlin ging dabei im Zimmer hin und her und packte aus, legte hin. Dabei erzählte er von Pfeffel, das Leben eines Landgeistlichen glücklich preisend. Dabei ermahnte er ihn, sich in den Wunsch seines Vaters zu fügen, seinem Berufe gemäß zu leben, heimzukehren. Er

sagte ihm: »Ehre Vater und Mutter!« und dergleichen mehr. Über dem Gespräch geriet Lenz in heftige Unruhe; er stieß tiefe Seufzer aus, Tränen drangen ihm aus den Augen, er sprach abgebrochen. »Ja, ich halt es aber nicht aus; wollen Sie mich verstoßen? Nur in Ihnen ist der Weg zu Gott. Doch mit mir ists aus! Ich bin abgefallen, verdammt in Ewigkeit, ich bin der Ewige Jude.« Oberlin sagte ihm, dafür sei Jesus gestorben; er möge sich brünstig an ihn wenden, und er würde teilhaben an seiner Gnade.

Lenz erhob das Haupt, rang die Hände und sagte: »Ach! ach! göttlicher Trost –«. Dann frug er plötzlich freundlich, was das Frauenzimmer mache. Oberlin sagte, er wisse von nichts, er wolle ihm aber in allem helfen und raten; er müsse ihm aber Ort, Umstände und Person angeben. Er antwortete nichts wie gebrochne Worte: »Ach, ist sie tot? Lebt sie noch? Der Engel! Sie liebte mich – ich liebte sie, sie wars würdig – o der Engel! Verfluchte Eifersucht, ich habe sie aufgeopfert – sie liebte noch einen andern – ich liebte sie, sie wars würdig – o gute Mutter, auch die liebte mich – ich bin euer Mörder!« Oberlin versetzte: vielleicht lebten alle diese Personen noch, vielleicht vergnügt; es möge sein, wie es wolle, so könne und werde Gott, wenn er sich zu ihm bekehrt haben würde, diesen Personen auf sein Gebet und Tränen so viel Gutes erweisen, daß der Nutzen, den sie alsdann von ihm hätten, den Schaden, den er ihnen zugefügt, vielleicht überwiegen würde. Er wurde darauf nach und nach ruhiger und ging wieder an sein Malen.

Den Nachmittag kam er wieder. Auf der linken Schulter hatte er ein Stück Pelz und in der Hand ein Bündel Gerten, die man Oberlin nebst einem Briefe für Lenz mitgegeben hatte. Er reichte Oberlin die Gerten mit dem Begehren, er solle ihn damit schlagen. Oberlin nahm die Gerten aus seiner Hand, drückte ihm einige Küsse auf den Mund und sagte: dies wären die Streiche, die er ihm zu geben hätte; er möchte ruhig sein, seine Sache mit Gott allein ausmachen, alle möglichen

Schläge würden keine einzige seiner Sünden tilgen; dafür hätte Jesus gesorgt, zu dem möchte er sich wenden. Er ging.

Beim Nachtessen war er wie gewöhnlich etwas tiefsinnig. Doch sprach er von allerlei, aber mit ängstlicher Hast. Um Mitternacht wurde Oberlin durch ein Geräusch geweckt. Lenz rannte durch den Hof, rief mit hohler, harter Stimme den Namen Friederike, mit äußerster Schnelle, Verwirrung und Verzweiflung ausgesprochen; er stürzte sich dann in den Brunnentrog, patschte darin, wieder heraus und herauf in sein Zimmer, wieder herunter in den Trog, und so einigemal – endlich wurde er still. Die Mägde, die in der Kinderstube unter ihm schliefen, sagten, sie hätten oft, insonderheit aber in selbiger Nacht, ein Brummen gehört, das sie mit nichts als mit dem Tone einer Haberpfeife zu vergleichen wüßten. Vielleicht war es sein Winseln, mit hohler, fürchterlicher, verzweifelnder Stimme.

Am folgenden Morgen kam Lenz lange nicht. Endlich ging Oberlin hinauf in sein Zimmer: er lag im Bett, ruhig und unbeweglich. Oberlin mußte lange fragen, ehe er Antwort bekam; endlich sagte er: »Ja, Herr Pfarrer, sehen Sie, die Langeweile! die Langeweile! o, so langweilig! Ich weiß gar nicht mehr, was ich sagen soll; ich habe schon allerlei Figuren an die Wand gezeichnet.« Oberlin sagte ihm, er möge sich zu Gott wenden; da lachte er und sagte: »Ja, wenn ich so glücklich wäre wie Sie, einen so behaglichen Zeitvertreib aufzufinden, ja, man könnte sich die Zeit schon so ausfüllen. Alles aus Müßiggang. Denn die meisten beten aus Langeweile, die andern verlieben sich aus Langeweile, die dritten sind tugendhaft, die vierten lasterhaft, und ich gar nichts, gar nichts, ich mag mich nicht einmal umbringen; es ist zu langweilig!

O Gott! in deines Lichtes Welle,
In deines glühnden Mittags Helle,
Sind meine Augen wund gewacht.
Wird es denn niemals wieder Nacht?«

Oberlin blickte ihn unwillig an und wollte gehen. Lenz huschte ihm nach, und indem er ihn mit unheimlichen Augen ansah: »Sehn Sie, jetzt kommt mir doch was ein, wenn ich nur unterscheiden könnte, ob ich träume oder wache; sehn Sie, das ist sehr wichtig, wir wollen es untersuchen« – er huschte dann wieder ins Bett.

Den Nachmittag wollte Oberlin in der Nähe einen Besuch machen; seine Frau war schon fort. Er war im Begriff wegzugehen, als es an seine Tür klopfte und Lenz hereintrat mit vorwärts gebogenem Leib, niederwärts hängendem Haupt, das Gesicht über und über und das Kleid hie und da mit Asche bestreut, mit der rechten Hand den linken Arm haltend. Er bat Oberlin, ihm den Arm zu ziehen: er hätte ihn verrenkt, er hätte sich zum Fenster heruntergestürzt; weil es aber niemand gesehen, wolle er es auch niemand sagen. Oberlin erschrak heftig, doch sagte er nichts; er tat, was Lenz begehrte. Zugleich schrieb er an den Schulmeister Sebastian Scheidekker von Bellefosse, er möge herunterkommen, und gab ihm Instruktionen. Dann ritt er weg.

Der Mann kam. Lenz hatte ihn schon oft gesehen und hatte sich an ihn attachiert. Er tat, als hätte er mit Oberlin etwas reden wollen, wollte dann wieder weg. Lenz bat ihn zu bleiben, und so blieben sie beisammen. Lenz schlug noch einen Spaziergang nach Fouday vor. Er besuchte das Grab des Kindes, das er hatte erwecken wollen, kniete zu verschiedenen Malen nieder, küßte die Erde des Grabes, schien betend, doch mit großer Verwirrung, riß etwas von der auf dem Grab stehenden Krone ab, als ein Andenken, ging wieder zurück nach Waldbach, kehrte wieder um, und Sebastian mit. Bald ging er langsam und klagte über große Schwäche in den Gliedern, dann ging er mit verzweifelnder Schnelligkeit; die Landschaft beängstigte ihn, sie war so eng, daß er an alles zu stoßen fürchtete. Ein unbeschreibliches Gefühl des Mißbehagens befiel ihn; sein Begleiter ward ihm endlich lästig, auch mochte er seine Absicht erraten und suchte Mittel, ihn zu entfernen. Sebastian schien ihm nachzugeben, fand aber heimlich Mittel, seinen Bruder von der Gefahr zu benachrichtigen, und nun hatte Lenz zwei Aufseher, statt einen. Er zog sie wacker herum; endlich ging er nach Waldbach zurück, und da sie nahe am Dorfe waren, kehrte er wie ein Blitz wieder um und sprang wie ein Hirsch gen Fouday zurück. Die Männer setzten ihm nach. Indem sie ihn in Fouday suchten, kamen zwei Krämer und erzählten ihnen, man hätte in einem Hause einen Fremden gebunden, der sich für einen Mörder ausgäbe, der aber gewiß kein Mörder sein könne. Sie liefen in dies Haus und fanden es so. Ein junger Mensch hatte ihn, auf sein ungestümes Dringen, in der Angst gebunden. Sie banden ihn los und brachten ihn glücklich nach Waldbach, wohin Oberlin indessen mit seiner Frau zurückgekommen war. Er sah verwirrt aus. Da er aber merkte, daß er liebreich und freundlich empfangen wurde, bekam er wieder Mut; sein Gesicht veränderte sich vorteilhaft, er dankte seinen beiden Begleitern freundlich und zärtlich, und der Abend ging ruhig herum. Oberlin bat ihn inständig, nicht mehr zu baden, die Nacht ruhig im Bette zu bleiben, und wenn er nicht schlafen könne, sich mit Gott zu unterhalten. Er versprachs und tat es so die folgende Nacht; die Mägde hörten ihn fast die ganze Nacht hindurch beten.

Den folgenden Morgen kam er mit vergnügter Miene auf Oberlins Zimmer. Nachdem sie verschiedenes gesprochen hatten, sagte er mit ausnehmender Freundlichkeit: »Liebster Herr Pfarrer, das Frauenzimmer, wovon ich Ihnen sagte, ist gestorben, ja, gestorben – der Engel!« – »Woher wissen Sie das?« – »Hieroglyphen, Hieroglyphen!« und dann zum Himmel geschaut und wieder: »Ja, gestorben – Hieroglyphen!« Es war dann nichts weiter aus ihm zu bringen. Er setzte sich und schrieb einige Briefe, gab sie sodann Oberlin mit der Bitte, einige Zeilen dazu zu setzen.

Sein Zustand war indessen immer trostloser geworden. Alles, was er an Ruhe aus der Nähe Oberlins und aus der Stille des Tals geschöpft hatte, war weg; die Welt, die er hatte nutzen wollen, hatte einen ungeheuern Riß; er hatte keinen Haß, keine Liebe, keine Hoffnung – eine schreckliche Leere, und doch eine folternde Unruhe, sie auszufüllen. Er hatte *nichts*. Was er tat, tat er nicht mit Bewußtsein, und doch zwang ihn ein innerlicher Instinkt. Wenn er allein war, war es ihm so entsetzlich einsam, daß er beständig laut mit sich redete, rief, und dann erschrak er wieder, und es war ihm, als hätte eine fremde Stimme mit ihm gesprochen. Im Gespräch stockte er oft, eine unbeschreibliche Angst befiel ihn, er hatte das Ende seines Satzes verloren; dann meinte er, er müsse das zuletzt gesprochene Wort behalten und immer sprechen, nur mit großer Anstrengung unterdrückte er diese Gelüste. Es bekümmerte die guten Leute tief, wenn er manchmal in ruhigen Augenblicken bei ihnen saß und unbefangen sprach, und er dann stockte und eine unaussprechliche Angst sich in seinen Zügen malte, er die Personen, die ihm zunächst saßen, krampfhaft am Arm faßte und erst nach und nach wieder zu sich kam. War er allein oder las er, wars noch ärger; all seine geistige Tätigkeit blieb manchmal in einem Gedanken hängen. Dachte er an eine fremde Person, oder stellte er sie sich lebhaft vor, so war es ihm, als würde er sie selbst; er verwirrte sich ganz, und dabei hatte er einen unendlichen Trieb, mit allem um ihn im Geiste willkürlich umzugehen – die Natur, Menschen, nur Oberlin ausgenommen, alles traumartig, kalt. Er amüsierte sich, die Häuser auf die Dächer zu stellen, die Menschen an- und auszukleiden, die wahnwitzigsten Possen auszusinnen. Manchmal fühlte er einen unwiderstehlichen Drang, das Ding, das er gerade im Sinne hatte, auszuführen, und dann schnitt er entsetzliche Fratzen. Einst saß er neben Oberlin, die Katze lag gegenüber auf einem Stuhl. Plötzlich wurden seine Augen starr, er hielt sie unverrückt auf das Tier gerichtet; dann glitt er langsam den Stuhl herunter, die Katze ebenfalls: sie war wie bezaubert von seinem Blick, sie geriet in ungeheure Angst, sie sträubte sich scheu;

Lenz mit den nämlichen Tönen, mit fürchterlich entstelltem Gesicht; wie in Verzweiflung stürzten beide aufeinander los – da endlich erhob sich Madame Oberlin, um sie zu trennen. Dann war er wieder tief beschämt. Die Zufälle des Nachts steigerten sich aufs schrecklichste. Nur mit der größten Mühe schlief er ein, während er zuvor noch die schreckliche Leere zu füllen versucht hatte. Dann geriet er zwischen Schlaf und Wachen in einen entsetzlichen Zustand: er stieß an etwas Grauenhaftes, Entsetzliches, der Wahnsinn packte ihn; er fuhr mit fürchterlichem Schreien, in Schweiß gebadet, auf, und erst nach und nach fand er sich wieder. Er mußte dann mit den einfachsten Dingen anfangen, um wieder zu sich zu kommen. Eigentlich nicht er selbst tat es, sondern ein mächtiger Erhaltungstrieb: es war, als sei er doppelt, und der eine Teil suche den andern zu retten und riefe sich selbst zu; er erzählte, er sagte in der heftigsten Angst Gedichte her, bis er wieder zu sich kam.
Auch bei Tage bekam er diese Zufälle, sie waren dann noch schrecklicher; denn sonst hatte ihn die Helle davor bewahrt. Es war ihm dann, als existiere er allein, als bestünde die Welt nur in seiner Einbildung, als sei nichts als er; er sei das ewig Verdammte, der Satan, allein mit seinen folternden Vorstellungen. Er jagte mit rasender Schnelligkeit sein Leben durch, und dann sagte er: »Konsequent, konsequent«; wenn jemand was sprach: »Inkonsequent, inkonsequent«; – es war die Kluft unrettbaren Wahnsinns, eines Wahnsinns durch die Ewigkeit.
Der Trieb der geistigen Erhaltung jagte ihn auf: er stürzte sich in Oberlins Arme, er klammerte sich an ihn, als wolle er sich in ihn drängen; er war das einzige Wesen, das für ihn lebte und durch den ihm wieder das Leben offenbart wurde. Allmählich brachten ihn Oberlins Worte dann zu sich; er lag auf den Knieen vor Oberlin, seine Hände in den Händen Oberlins, sein mit kaltem Schweiß bedecktes Gesicht auf dessen Schoß, am ganzen Leibe bebend und zitternd. Oberlin

empfand unendliches Mitleid, die Familie lag auf den Knieen und betete für den Unglücklichen, die Mägde flohen und hielten ihn für einen Besessenen. Und wenn er ruhiger wurde, war es wie der Jammer eines Kindes: er schluchzte, er empfand ein tiefes, tiefes Mitleid mit sich selbst; das waren auch seine seligsten Augenblicke. Oberlin sprach ihm von Gott. Lenz wand sich ruhig los und sah ihn mit einem Ausdruck unendlichen Leidens an, und sagte endlich: »Aber ich, wär ich allmächtig, sehen Sie, wenn ich so wäre, ich könnte das Leiden nicht ertragen, ich würde retten, retten; ich will ja nichts als Ruhe, Ruhe, nur ein wenig Ruhe, um schlafen zu können.« Oberlin sagte, dies sei eine Profanation. Lenz schüttelte trostlos mit dem Kopfe.

Die halben Versuche zum Entleiben, die er indes fortwährend machte, waren nicht ganz ernst. Es war weniger der Wunsch des Todes – für ihn war ja keine Ruhe und Hoffnung im Tode –, es war mehr in Augenblicken der fürchterlichsten Angst oder der dumpfen, ans Nichtsein grenzenden Ruhe ein Versuch, sich zu sich selbst zu bringen durch physischen Schmerz. Augenblicke, worin sein Geist sonst auf irgendeiner wahnwitzigen Idee zu reiten schien, waren noch die glücklichsten. Es war doch ein wenig Ruhe, und sein wirrer Blick war nicht so entsetzlich als die nach Rettung dürstende Angst, die ewige Qual der Unruhe! Oft schlug er sich den Kopf an die Wand oder verursachte sich sonst einen heftigen physischen Schmerz.

Den 8. morgens blieb er im Bette, Oberlin ging hinauf; er lag fast nackt auf dem Bette und war heftig bewegt. Oberlin wollte ihn zudecken, er klagte aber sehr, wie schwer alles sei, so schwer! er glaube gar nicht, daß er gehen könne; jetzt endlich empfinde er die ungeheure Schwere der Luft. Oberlin sprach ihm Mut zu. Er blieb aber in seiner frühern Lage und blieb den größten Teil des Tages so, auch nahm er keine Nahrung zu sich.

Gegen Abend wurde Oberlin zu einem Kranken nach Belle-

fosse gerufen. Es war gelindes Wetter und Mondschein. Auf dem Rückweg begegnete ihm Lenz. Er schien ganz vernünftig und sprach ruhig und freundlich mit Oberlin. Der bat ihn, nicht zu weit zu gehen; er versprachs. Im Weggehn wandte er sich plötzlich um und trat wieder ganz nahe zu Oberlin und sagte rasch: »Sehn sie, Herr Pfarrer, wenn ich das nur nicht mehr hören müßte, mir wäre geholfen.« – »Was denn, mein Lieber?« – »Hören Sie denn nichts? hören Sie denn nicht die entsetzliche Stimme, die um den ganzen Horizont schreit und die man gewöhnlich die Stille heißt? Seit ich in dem stillen Tal bin, hör ichs immer, es läßt mich nicht schlafen; ja, Herr Pfarrer, wenn ich wieder einmal schlafen könnte!« Er ging dann kopfschüttelnd weiter.
Oberlin ging zurück nach Waldbach und wollte ihm jemand nachschicken, als er ihn die Stiege herauf in sein Zimmer gehen hörte. Einen Augenblick darauf platzte etwas im Hof mit so starkem Schall, daß es Oberlin unmöglich von dem Fall eines Menschen herkommen zu können schien. Die Kindsmagd kam todblaß und ganz zitternd ...

Er saß mit kalter Resignation im Wagen, wie sie das Tal hervor nach Westen fuhren. Es war ihm einerlei, wohin man ihn führte. Mehrmals, wo der Wagen bei dem schlechten Wege in Gefahr geriet, blieb er ganz ruhig sitzen; er war vollkommen gleichgültig. In diesem Zustand legte er den Weg durchs Gebirg zurück. Gegen Abend waren sie im Rheintale. Sie entfernten sich allmählich vom Gebirg, das nun wie eine tiefblaue Kristallwelle sich in das Abendrot hob, und auf deren warmer Flut die roten Strahlen des Abends spielten; über die Ebene hin am Fuße des Gebirgs lag ein schimmerndes, bläuliches Gespinst. Es wurde finster, je mehr sie sich Straßburg näherten; hoher Vollmond, alle fernen Gegenstände dunkel, nur der Berg neben bildete eine scharfe Linie; die Erde war wie ein goldner Pokal, über den schäumend die Goldwellen des Mondes liefen. Lenz starrte ruhig hinaus, keine Ahnung, kein Drang; nur wuchs eine dumpfe Angst in ihm, je mehr die Gegenstände sich in der Finsternis verloren. Sie mußten einkehren. Da machte er wieder mehrere Versuche, Hand an sich zu legen, war aber zu scharf bewacht.

Am folgenden Morgen, bei trübem, regnerischem Wetter, traf er in Straßburg ein. Er schien ganz vernünftig, sprach mit den Leuten. Er tat alles, wie es die andern taten; es war aber eine entsetzliche Leere in ihm, er fühlte keine Angst mehr, kein Verlangen, sein Dasein war ihm eine notwendige Last. –

So lebte er hin . . .

LUDWIG ACHIM VON ARNIM

Der tolle Invalide auf dem Fort Ratonneau

Graf Dürande, der gute alte Kommandant von Marseille, saß einsam frierend an einem kalt stürmenden Oktoberabende bei dem schlecht eingerichteten Kamine seiner prachtvollen Kommandantenwohnung und rückte immer näher und näher zum Feuer, während die Kutschen zu einem großen Balle in der Straße vorüber rollten und sein Kammerdiener Basset, der zugleich sein liebster Gesellschafter war, im Vorzimmer heftig schnarchte. ›Auch im südlichen Frankreich ist es nicht immer warm‹, dachte der alte Herr und schüttelte mit dem Kopfe, ›die Menschen bleiben auch da nicht immer jung, aber die lebhafte gesellige Bewegung nimmt so wenig Rücksicht auf das Alter, wie die Baukunst auf den Winter.‹ Was sollte er, der Chef aller Invaliden, die damals (während des Siebenjährigen Krieges) die Besatzung von Marseille und seiner Forts ausmachten, mit seinem hölzernen Beine auf dem Balle, nicht einmal die Leutnants seines Regiments waren zum Tanze zu brauchen. Hier am Kamine schien ihm dagegen sein hölzernes Bein höchst brauchbar, weil er den Basset nicht wecken mochte, um den Vorrat grüner Olivenäste, den er sich zur Seite hatte hinlegen lassen, allmählich in die Flamme zu schieben. Ein solches Feuer hat großen Reiz; die knisternde Flamme ist mit dem grünen Laube wie durchflochten, halb brennend, halb grünend erscheinen die Blätter wie verliebte Herzen. Auch der alte Herr dachte dabei an Jugendglanz und vertiefte sich in den Konstruktionen jener Feuerwerke, die er sonst schon für den Hof angeordnet hatte, und spekulierte auf neue, noch mannigfachere Farbenstrahlen und -drehungen, durch welche er am Geburtstage des Königs die Marseiller überraschen wollte. Es sah nun leerer in seinem Kopfe als auf dem Balle aus. Aber in der Freude des Gelingens, wie er schon alles strahlen, sausen, prasseln, dann wieder alles in stiller Größe leuchten sah, hatte er immer mehr Olivenäste ins Feuer geschoben und nicht bemerkt, daß sein hölzernes Bein Feuer gefangen hatte und schon um ein Dritteil abgebrannt war. Erst jetzt, als er aufspringen wollte, weil der große Schluß, das Aufsteigen von tausend Raketen, seine Einbildungskraft beflügelte und entflammte, bemerkte er, indem er auf seinen Polsterstuhl zurücksank, daß sein hölzernes Bein verkürzt sei und daß der Rest auch noch in besorglichen Flammen stehe. In der Not, nicht gleich aufkommen zu können, rückte er seinen Stuhl wie einen Pickschlitten mit dem flammenden Beine bis in die Mitte des Zimmers, rief seinen Diener und dann nach Wasser. Mit eifrigem Bemühen sprang ihm in diesem Augenblicke eine Frau zu Hilfe, die, in das Zimmer eingelassen, lange durch ein bescheidenes Husten die Aufmerksamkeit des Kommandanten auf sich zu ziehen gesucht hatte, doch ohne Erfolg. Sie suchte das Feuer mit ihrer Schürze zu löschen, aber die glühende Kohle des Beins setzte die Schürze in Flammen, und der Kommandant schrie nun in wirklicher Not nach Hilfe, nach Leuten. Bald drangen diese von der Gasse herein, auch Basset war erwacht; der brennende Fuß, die brennende Schürze brachte alle ins Lachen, doch mit dem ersten Wassereimer, den Basset aus der Küche holte, war alles gelöscht, und die Leute empfahlen sich. Die arme Frau triefte vom Wasser, sie konnte sich nicht gleich vom Schrecken erholen, der Kommandant ließ ihr seinen warmen Rockelor umhängen und ein Glas starken Wein reichen. Die Frau wollte aber nichts nehmen und schluchzte nur über ihr Unglück und bat den Kommandanten, mit ihm einige Worte insgeheim zu sprechen. So schickte er seinen nachlässigen Diener fort und setzte sich sorgsam in ihre Nähe. »Ach, mein Mann,« sagte sie in einem fremden, deutschen Dialekte des Französischen, »mein Mann kommt von Sinnen, wenn er die Geschichte hört; ach, mein armer Mann, da spielt ihm der Teufel sicher wieder einen Streich!« Der Kommandant fragte nach dem Manne, und die Frau sagte ihm, daß sie eben wegen dieses ihres lieben Mannes zu ihm gekommen, ihm einen Brief des Obersten vom Regiment Pikardie zu überbringen. Der Oberste setzte die Brille auf, erkannte das Wappen seines Freundes und durchlief das Schreiben, dann sagte er: »Also Sie sind jene Rosalie, eine geborene Demoiselle Lilie aus Leipzig, die den Sergeanten Francoeur geheiratet hat, als er am Kopf verwundet in Leizig gefangen lag? Erzählen Sie, das ist eine seltne Liebe! Was waren Ihre Eltern, legten die Ihnen kein Hindernis in den Weg? Und was hat denn Ihr Mann für scherzhafte Grillen als Folge seiner Kopfwunde behalten, die ihn zum Felddienste untauglich machen, obgleich er als der bravste und geschickteste Sergeant, als die Seele des Regiments geachtet wurde?« – »Gnädiger Herr,« antwortete die Frau mit neuer Betrübnis, »meine Liebe trägt die Schuld von allem dem Unglück, ich habe meinen Mann unglücklich gemacht, und nicht jene Wunde; meine Liebe hat den Teufel in ihn gebracht und plagt ihn und verwirrt seine Sinne. Statt mit den Soldaten zu exerzieren, fängt er zuweilen an, ihnen ungeheure, ihm vom Teufel eingegebene Sprünge vorzumachen, und verlangt, daß sie ihm diese nachmachen; oder er schneidet ihnen Gesichter, daß ihnen der Schreck in alle Glieder fährt, und verlangt, daß sie sich dabei nicht rühren noch regen, und neulich, was endlich dem Fasse den Boden ausschlug, warf er den Kommandierenden General, der in einer Affäre den Rückzug des Regiments befahl, vom Pferde, setzte sich darauf und nahm mit dem Regimente die Batterie fort.« – »Ein Teufelskerl,« rief der Kommandant, »wenn doch so ein Teufel in alle unsre Kommandierenden Generale führe, so hätten wir kein zweites Roßbach zu fürchten; ist

Ihre Liebe *solche* Teufelsfabrik, so wünschte ich, Sie liebten unsre ganze Armee.« – »Leider im Fluche meiner Mutter«, seufzte die Frau. »Meinen Vater habe ich nicht gekannt. Meine Mutter sah viele Männer bei sich, denen ich aufwarten mußte, das war meine einzige Arbeit. Ich war träumerig und achtete gar nicht der freundlichen Reden dieser Männer, meine Mutter schützte mich gegen ihre Zudringlichkeit. Der Krieg hatte diese Herren meist zerstreut, die meine Mutter besuchten und bei ihr Hasardspiele heimlich spielten; wir lebten zu ihrem Ärger sehr einsam. Freund und Feind waren ihr darum gleich verhaßt, ich durfte keinem eine Gabe bringen, der verwundet oder hungrig vor dem Hause vorüber ging. Das tat mir sehr leid, und einstmals war ich ganz allein und besorgte unser Mittagsessen, als viele Wagen mit Verwundeten vorüberzogen, die ich an der Sprache für Franzosen erkannte, die von den Preußen gefangen worden. Immer wollte ich mit dem fertigen Essen zu jenen hinunter, doch ich fürchtete die Mutter, als ich aber Francoeur mit verbundenem Kopfe auf dem letzten Wagen liegen gesehen, da weiß ich nicht, wie mir geschah; die Mutter war vergessen, ich nahm Suppe und Löffel, und ohne unsre Wohnung abzuschließen, eilte ich dem Wagen nach in die Pleißenburg. Ich fand ihn; er war schon abgestiegen, dreist redete ich die Aufseher an und wußte dem Verwundeten gleich das beste Strohlager zu erstehen. Und als er darauf gelegt, welche Seligkeit, dem Notleidenden die warme Suppe zu reichen! Er wurde munter in den Augen und schwor mir, daß ich einen Heiligenschein um meinen Kopf trage. Ich antwortete ihm, das sei meine Haube, die sich im eiligen Bemühen um ihn aufgeschlagen. Er sagte, der Heiligenschein komme aus meinen Augen! Ach, das Wort konnte ich gar nicht vergessen, und hätte er mein Herz nicht schon gehabt, ich hätte es ihm dafür schenken müssen.« – »Ein wahres, ein schönes Wort!« sagte der Kommandant, und Rosalie fuhr fort: »Das war die schönste Stunde meines Lebens, ich sah ihn immer eifriger an, weil er behauptete, daß es ihm wohltue, und als er mir endlich einen kleinen Ring an den Finger steckte, fühlte ich mich so reich, wie ich noch niemals gewesen. In diese glückliche Stille trat meine Mutter scheltend und fluchend ein; ich kann nicht nachsagen, wie sie mich nannte, ich schämte mich auch nicht, denn ich wußte, daß ich schuldlos war und daß er Böses nicht glauben würde. Sie wollte mich fortreißen, aber er hielt mich fest und sagte ihr, daß wir verlobt wären, ich trüge schon seinen Ring. Wie verzog sich das Gesicht meiner Mutter; mir wars, als ob eine Flamme aus ihrem Halse brenne, und ihre Augen kehrte sie in sich, sie sahen ganz weiß aus; sie verfluchte mich und übergab mich mit feierlicher Rede dem Teufel. Und wie so ein heller Schein durch meine Augen am Morgen gelaufen, als ich Francoeur gesehen, so war mir jetzt, als ob eine schwarze Fledermaus ihre durchsichtigen Flügeldecken über meine Augen legte; die Welt war mit halb verschlossen, und ich gehörte mir nicht mehr ganz. Mein Herz verzweifelte, und ich mußte lachen. ›Hörst du, der Teufel lacht schon aus dir!‹ sagte die Mutter und ging triumphierend fort, während ich ohnmächtig niederstürzte. Als ich wieder zu mir gekommen, wagte ich nicht, zu ihr zu gehen und den Verwundeten zu verlassen, auf den der Vorfall schlimm gewirkt hatte; ja, ich trotzte heimlich der Mutter wegen des Schadens, den sie dem Unglücklichen getan. Erst am dritten Tage schlich ich, ohne es Francoeur zu sagen, abends nach dem Hause, wagte nicht anzuklopfen, endlich trat eine Frau, die uns bedient hatte, heraus und berichtete, die Mutter habe ihre Sachen schnell verkauft und sei mit einem fremden Herrn, der ein Spieler sein sollte, fortgefahren, und niemand wisse wohin. So war ich nun von aller Welt ausgestoßen, und es tat mir wohl, so entfesselt von jeder Rücksicht in die Arme meines Francoeur zu fallen. Auch meine jugendlichen Bekanntinnen in der Stadt wollten mich nicht mehr kennen, so konnte ich ganz ihm und seiner Pflege leben. Für ihn arbeitete ich; bisher hatte ich nur mit dem Spitzenklöppeln zu meinem Putze gespielt, ich schämte mich nicht, diese meine Handarbeiten zu verkaufen, ihm brachte es Bequemlichkeit und Erquickung. Aber immer mußte ich der Mutter denken, wenn seine Lebendigkeit im Erzählen mich nicht zerstreute; die Mutter erschien mir schwarz mit flammenden Augen, immer fluchend, vor meinen inneren Augen, und ich konnte sie nicht los werden. Meinem Francoeur wollte ich nichts sagen, um ihm nicht das Herz schwer zu machen; ich klagte über Kopfweh, das ich nicht hatte, über Zahnweh, das ich nicht fühlte, um weinen zu können, wie ich mußte. Ach, hätte ich damals mehr Vertrauen zu ihm gehabt, ich hätte sein Unglück nicht gemacht, aber jedesmal, wenn ich ihm erzählen wollte, daß ich durch den Fluch der Mutter vom Teufel besessen zu sein glaubte, schloß mir der Teufel den Mund, auch fürchtete ich, daß er mich dann nicht mehr lieben könne, daß er mich verlassen würde, und den bloßen Gedanken konnte ich kaum überleben. Diese innere Qual, vielleicht auch die angestrengte Arbeit zerrüttete endlich meinen Körper, heftige Krämpfe, die ich ihm verheimlichte, drohten mich zu ersticken, und Arzeneien schienen diese Übel nur zu mehren. Kaum war er hergestellt, so wurde die Hochzeit von ihm angeordnet. Ein alter Geistlicher hielt eine feierliche Rede, in der er meinem Francoeur alles ans Herz legte, was ich für ihn getan, wie ich ihm Vaterland, Wohlstand und Freundschaft zum Opfer gebracht, selbst den mütterlichen Fluch auf mich geladen, alle diese Not müsse er mit mir teilen, alles Unglück gemeinsam tragen. Meinem Manne schauderte bei den Worten, aber er sprach doch ein vernehmliches Ja, und wir wurden vermählt. Selig waren die ersten Wochen, ich fühlte mich zur Hälfte von meinen Leiden erleichtert und ahnete nicht gleich, daß eine Hälfte des Fluchs zu meinem Manne übergegangen sei. Bald aber klagte er, daß jener Prediger in seinem schwarzen Kleide ihm immer vor Augen stehe und ihm drohe, daß er dadurch einen so heftigen Zorn und Widerwillen gegen Geistliche, Kirchen und heilige

Bilder empfinde, daß er ihnen fluchen müsse, und wisse nicht warum, und um sich diesen Gedanken zu entschlagen, überlasse er sich jedem Einfall, er tanze und trinke, und so in dem Umtriebe des Bluts werde ihm besser. Ich schob alles auf die Gefangenschaft, obgleich ich wohl ahnete, daß es der Teufel sei, der ihn plage. Er wurde ausgewechselt durch die Vorsorge seines Obersten, der ihn beim Regimente wohl vermißt hatte, denn Francoeur ist ein außerordentlicher Soldat. Mit leichtem Herzen zogen wir aus Leipzig und bildeten eine schöne Zukunft in unsern Gesprächen aus. Kaum waren wir aber aus der Not ums tägliche Bedürfnis zum Wohlleben der gut versorgten Armee in die Winterquartiere gekommen, so stieg die Heftigkeit meines Mannes mit jedem Tage, er trommelte tagelang, um sich zu zerstreuen, zankte, machte Händel, der Oberst konnte ihn nicht begreifen; nur mit mir war er sanft wie ein Kind. Ich wurde von einem Knaben entbunden, als der Feldzug sich wieder eröffnete, und mit der Qual der Geburt schien der Teufel, der mich geplagt, ganz von mir gebannt. Francoeur wurde immer mutwilliger und heftiger. Der Oberste schrieb mir, er sei tollkühn wie ein Rasender, aber bisher immer glücklich gewesen, seine Kameraden meinten, er sei zuweilen wahnsinnig, und er fürchte, ihn unter die Kranken oder Invaliden abgeben zu müssen. Der Oberst hatte einige Achtung gegen mich, er hörte auf meine Vorbitte, bis endlich seine Wildheit gegen den Kommandierenden General dieser Abteilung, die ich schon erzählte, ihn in Arrest brachte, wo der Wundarzt erklärte, er leide wegen der Kopfwunde, die ihm in der Gefangenschaft vernachlässigt worden, an Wahnsinn und müsse wenigstens ein paar Jahre im warmen Klima bei den Invaliden zubringen, ob sich dieses Übel vielleicht ausscheide. Ihm wurde gesagt, daß er zur Strafe wegen seines Vergehens unter die Invaliden komme, und er schied mit Verwünschungen vom Regimente. Ich bat mir das Schreiben vom Obersten aus, ich beschloß, Ihnen zutraulich alles zu eröffnen, damit er nicht nach der Strenge des Gesetzes, sondern nach seinem Unglück, dessen einzige Ursache meine Liebe war, beurteilt werde, und daß Sie ihn zu seinem Besten in eine kleine abgelegene Ortschaft legen, damit er hier in der großen Stadt nicht zum Gerede der Leute wird. Aber, gnädiger Herr, Ihr Ehrenwort darf eine Frau schon fordern, die Ihnen heut einen kleinen Dienst erwiesen, daß Sie dies Geheimnis seiner Krankheit, welches er selbst nicht ahnet und das seinen Stolz empören würde, unverbrüchlich bewahren.« – »Hier meine Hand,« rief der Kommandant, der die eifrige Frau mit Wohlgefallen angehört hatte, »noch mehr, ich will ihre Vorbitte dreimal erhören, wenn Francoeur dumme Streiche macht. Das beste aber ist, diese zu vermeiden, und darum schicke ich ihn gleich zur Ablösung nach einem Fort, das nur drei Mann Besatzung braucht; Sie finden da für sich und Ihr Kind eine bequeme Wohnung, er hat da wenig Veranlassung zu Torheiten, und die er begeht, bleiben verschwiegen.« Die Frau dankte für diese gütige Vorsorge, küßte dem alten Herrn die Hand, und er leuchtete ihr dafür, als sie mit vielen Knicksen die Treppe hinunter ging. Das wunderte den alten Kammerdiener Basset, und es fuhr ihm durch den Kopf, was seinem Alten ankomme: ob der wohl gar mit der brennenden Frau eine Liebschaft gestiftet habe, die seinem Einflusse nachteilig werden könne. Nun hatte der alte Herr die Gewohnheit, abends im Bette, wenn er nicht schlafen konnte, alles, was am Tage geschehen, laut zu überdenken, als ob er dem Bette seine Beichte hätte abstatten müssen. Und während nun die Wagen vom Balle zurückrollten und ihn wach erhielten, lauerte Basset im andern Zimmer und hörte die ganze Unterredung, die ihm um so wichtiger schien, weil Francoeur sein Landsmann und Regimentskamerad gewesen, obgleich er viel älter als Francoeur war. Und nun dachte er gleich an einen Mönch, den er kannte, der schon manchem den Teufel ausgetrieben hatte, und zu dem wollte er Francoeur bald hinführen; er hatte eine rechte Freude am Quacksalbern und freute sich einmal wieder, einen Teufel austreiben zu sehen. Rosalie hatte, sehr befriedigt über den Erfolg ihres Besuchs, gut geschlafen; sie kaufte am Morgen eine neue Schürze und trat mit dieser ihrem Manne entgegen, der mit entsetzlichem Gesange seine müden Invaliden in die Stadt führte. Er küßte sie, hob sie in die Luft und sagte zu ihr: »Du riechst nach dem trojanischen Brande, ich habe dich wieder, schöne Helena!« – Rosalie entfärbte sich und hielt es für nötig, als er fragte, ihm zu eröffnen: daß sie wegen der Wohnung beim Obersten gewesen, daß diesem gerade das Bein in Flammen gestanden und daß ihre Schürze verbrannt. Ihm war es nicht recht, daß sie nicht bis zu seiner Ankunft gewartet habe, doch vergaß er das in tausend Späßen über die brennende Schürze. Er stellte darauf seine Leute dem Kommandanten vor, rühmte alle ihre leiblichen Gebrechen und geistigen Tugenden so artig, daß er des alten Herrn Wohlwollen erwarb, der so in sich meinte: die Frau liebt ihn, aber sie ist eine Deutsche und versteht keinen Franzosen; ein Franzose hat immer den Teufel im Leibe! – Er ließ ihn ins Zimmer kommen, um ihn näher kennen zu lernen, fand ihn im Befestigungswesen wohlunterrichtet, und was ihn noch mehr entzückte: er fand in ihm einen leidenschaftlichen Feuerkünstler, der bei seinem Regimente schon alle Arten Feuerwerke ausgearbeitet hatte. Der Kommandant trug ihm seine neue Erfindung zu einem Feuerwerke am Geburtstage des Königs vor, bei welcher ihn gestern der Beinbrand gestört hatte, und Francoeur ging mit funkelnder Begeisterung darauf ein. Nun eröffnete ihm der Alte, daß er mit zwei andern Invaliden die kleine Besatzung des Forts Ratonneau ablösen sollte, dort sei ein großer Pulvervorrat, und dort solle er mit seinen beiden Soldaten fleißig Raketen füllen, Feuerräder drehen und Frösche binden. Indem der Kommandant ihm den Schlüssel des Pulverturms und das Inventarium reichte, fiel ihm die Rede der Frau ein, und er hielt ihn mit den Worten noch fest: »Aber Euch plagt doch nicht der Teufel, und Ihr stiftet mir Unheil?« – »Man darf den Teufel

nicht an die Wand malen, sonst hat man ihn im Spiegel«, antwortete Francoeur mit einem gewissen Zutrauen. Das gab dem Kommandanten Vertrauen, er reichte ihm die Schlüssel, das Inventarium und den Befehl an die jetzige kleine Garnison, auszuziehen. So wurde er entlassen, und auf dem Hausflur fiel ihm Basset um den Hals, sie hatten sich gleich erkannt und erzählten einander in aller Kürze, wie es ihnen ergangen. Doch weil Francoeur an große Strenge in allem Militärischen gewöhnt war, so riß er sich los und bat ihn auf den nächsten Sonntag, wenn er abkommen könnte, zu Gast nach dem Fort Ratonneau zu dessen Kommandanten, der er selbst zu sein die Ehre habe.
Der Einzug auf dem Fort war für alle gleich fröhlich, die abziehenden Invaliden hatten die schöne Aussicht auf Marseille bis zum Überdruß genossen, und die einziehenden waren entzückt über die Aussicht, über das zierliche Werk, über die bequemen Zimmer und Betten; auch kauften sie von den Abziehenden ein paar Ziegen, ein Taubenpaar, ein Dutzend Hühner und die Kunststücke, um in der Nähe einiges Wild in aller Stille belauern zu können; denn müßige Soldaten sind ihrer Natur nach Jäger. Als Francoeur sein Kommando angetreten, befahl er sogleich seinen beiden Soldaten, Brunet und Tessier, mit ihm den Pulverturm zu eröffnen, das Inventarium durchzugehen, um dann einen gewissen Vorrat zur Feuerwerkerarbeit in das Laboratorium zu tragen. Das Inventarium war richtig, und er beschäftigte gleich einen seiner beiden Soldaten mit den Arbeiten zum Feuerwerk; mit dem andern ging er zu allen Kanonen und Mörsern, um die metallnen zu polieren und die eisernen schwarz anzustreichen. Bald füllte er auch eine hinlängliche Zahl Bomben und Granaten, ordnete auch alles Geschütz so, wie es stehen mußte, um den einzigen Aufgang nach dem Fort zu bestreichen. »Das Fort ist nicht zu nehmen!« rief er einmal über das andere begeistert. »Ich will das Fort behaupten, auch wenn die Engländer mit hunderttausend Mann landen und stürmen! Aber

die Unordnung war hier groß!« – »So sieht es überall auf den Forts und Batterien aus,« sagte Tessier, »der alte Kommandant kann mit seinem Stelzfuß nicht mehr so weit steigen, und gottlob! bis jetzt ist es den Engländern noch nicht eingefallen zu landen.« – »Das muß anders werden,« rief Francoeur, »ich will mir lieber die Zunge verbrennen, ehe ich zugebe, daß unsre Feinde Marseille einäschern oder wir sie doch fürchten müssen.«

Die Frau mußte ihm helfen, das Mauerwerk von Gras und Moos zu reinigen, es abzuweißen und die Lebensmittel in den Kasematten zu lüften. In den ersten Tagen wurde fast nicht geschlafen, so trieb der unermüdliche Francoeur zur Arbeit, und seine geschickte Hand fertigte in dieser Zeit, wozu ein anderer wohl einen Monat gebraucht hätte. Bei dieser Tätigkeit ließen ihn seine Grillen ruhen; er war hastig, aber alles zu einem festen Ziele, und Rosalie segnete den Tag, der ihn in diese höhere Luftregion gebracht, wo der Teufel keine Macht über ihn zu haben schien. Auch die Witterung hatte sich durch Wendung des Windes erwärmt und erhellt, daß ihnen ein neuer Sommer zu begegnen schien; täglich liefen Schiffe im Hafen ein und aus, grüßten und wurden begrüßt von den Forts am Meere. Rosalie, die nie am Meere gewesen, glaubte sich in eine andere Welt versetzt, und ihr Knabe freute sich, nach so mancher harten Einkerkerung auf Wagen und in Wirtsstuben, der vollen Freiheit in dem eingeschlossenen kleinen Garten des Forts, den die früheren Bewohner nach Art der Soldaten, besonders der Artilleristen, mit den künstlichsten mathematischen Linienverbindungen in Buchsbaum geziert hatten. Über dem Fort flatterte die Fahne mit den Lilien, der Stolz Francoeurs, ein segensreiches Zeichen der Frau, die eine geborene Lilie, die liebste Unterhaltung des Kindes. So kam der erste Sonntag, von allen gesegnet, und Francoeur befahl seiner Frau, für den Mittag ihm etwas Gutes zu besorgen, wo er seinen Freund Basset erwarte, insbesondere machte er Anspruch auf einen guten Eierkuchen, denn die Hühner des Forts legten fleißig, lieferte auch eine Zahl wilder Vögel, die Brunet geschossen hatte, in die Küche. Unter diesen Vorbereitungen kam Basset hinaufgekeucht und war entzückt über die Verwandlung des Forts, erkundigte sich auch im Namen des Kommandanten nach dem Feuerwerke und erstaunte über die große Zahl fertiger Raketen und Leuchtkugeln. Die Frau ging nun an ihre Küchenarbeit, die beiden Soldaten zogen aus, um Früchte zur Mahlzeit zu holen, alle wollten an dem Tage recht selig schwelgen und sich die Zeitung vorlesen lassen, die Basset mitgebracht hatte. Im Garten saß nun Basset dem Francoeur gegenüber und sah ihn stillschweigend an, dieser fragte nach der Ursache. »Ich meine, Ihr seht so gesund aus wie sonst, und alles, was Ihr tut, ist so vernünftig.« – »Wer zweifelt daran?« fragte Francoeur mit einer Aufwallung, »das will ich wissen!« – Basset suchte umzulenken, aber Francoeur hatte etwas Furchtbares in seinem Wesen, sein dunkles Auge befeuerte sich, sein Kopf erhob sich, seine Lippen drängten sich vor. Das Herz war schon dem armen Schwätzer Basset gefallen, er sprach, dünnstimmig wie eine Violine, von Gerüchten beim Kommandanten: er sei vom Teufel geplagt, von seinem guten Willen, ihn durch einen Ordensgeistlichen, den Vater Philipp, exorzieren zu lassen, den er deswegen vor Tische hinaufbestellt habe, unter dem Vorwande, daß er eine Messe der vom Gottesdienst entfernten Garnison in der kleinen Kapelle lesen müsse. Francoeur entsetzte sich über die Nachricht, er schwur, daß er sich blutig an dem rächen wolle, der solche Lüge über ihn ausgebracht; er wisse nichts vom Teufel, und wenn es gar keinen gebe, so habe er auch nichts dagegen einzuwenden, denn er habe nirgends die Ehre seiner Bekanntschaft gemacht. Basset sagte, er sei ganz unschuldig, er habe die Sache vernommen, als der Kommandant mit sich laut gesprochen habe, auch sei ja dieser Teufel die Ursache, warum Francoeur vom Regimente fortgekommen. »Und wer brachte dem Kommandanten die Nachricht?« fragte

Francoeur zitternd. »Eure Frau,« antwortete jener, »aber in der besten Absicht, um Euch zu entschuldigen, wenn Ihr hier wilde Streiche machtet.« – »Wir sind geschieden!« schrie Francoeur und schlug sich vor den Kopf, »sie hat mich verraten, mich vernichtet, hat Heimlichkeiten mit dem Kommandanten, sie hat unendlich viel für mich getan und gelitten, sie hat mir unendlich wehe getan, ich bin ihr nichts mehr schuldig, wir sind geschieden!« – Allmählich schien er stiller zu werden, je lauter es in ihm wurde; er sah wieder den schwarzen Geistlichen vor Augen, wie die vom tollen Hunde Gebissenen den Hund immer zu sehen meinen, da trat Vater Philipp in den Garten, und er ging mit Heftigkeit auf ihn zu, um zu fragen, was er wolle. Dieser meinte seine Beschwörung anbringen zu müssen, redete den Teufel heftig an, indem er seine Hände in kreuzenden Linien über Francoeur bewegte. Das alles empörte Francoeur, er gebot ihm als Kommandant des Forts, den Platz sogleich zu verlassen. Aber der unerschrockne Philipp eiferte um so heftiger gegen den Teufel in Francoeur, und als er sogar seinen Stab erhob, ertrug Francoeurs militärischer Stolz diese Drohung nicht. Mit wütender Stärke ergriff er den kleinen Philipp bei seinem Mantel und warf ihn über das Gitter, das den Eingang schützte, und wäre der gute Mann nicht an den Spitzen des Türgitters mit dem Mantel hängen geblieben, er hätte einen schweren Fall die steinerne Treppe hinunter gemacht. Nahe diesem Gitter war der Tisch gedeckt, das erinnerte Francoeur an das Essen. Er rief nach dem Essen, und Rosalie brachte es, etwas erhitzt vom Feuer, aber sehr fröhlich, denn sie bemerkte nicht den Mönch außer dem Gitter, der sich kaum vom ersten Schrekken erholt hatte und still vor sich betete, um neue Gefahr abzuwenden; kaum beachtete sie, daß ihr Mann und Basset, jener finster, dieser verlegen, nach dem Tische blickten. Sie fragte nach den beiden Soldaten, aber Francoeur sagte: »Sie können nachessen, ich habe Hunger, daß ich die Welt zerreißen könnte.« Darauf legte sie die Suppe vor und gab Basset aus Artigkeit das meiste, dann ging sie nach der Küche, um den Eierkuchen zu backen. »Wie hat denn meine Frau dem Kommandanten gefallen?« fragte Francoeur. »Sehr gut,« antwortete Basset, »er wünschte, daß es ihm in der Gefangenschaft so gut geworden wäre wie Euch.« – »Er soll sie haben!« antwortete er. »Nach den beiden Soldaten, die fehlen, fragte sie; was mir fehlt, das fragte sie nicht; Euch suchte sie als einen Diener des Kommandanten zu gewinnen, darum füllte sie Euren Teller, daß er überfloß. Euch bot sie das größte Glas Wein an, gebt Achtung, sie bringt Euch auch das größte Stück Eierkuchen. Wenn das der Fall ist, dann stehe ich auf, dann führt sie nur fort und laßt mich hier allein.« – Basset wollte antworten, aber im Augenblicke trat die Frau mit dem Eierkuchen herein. Sie hatte ihn schon in drei Stücke geschnitten, ging zu Basset und schob ihm ein Stück mit den Worten auf den Teller: »Einen bessern Eierkuchen findet Ihr nicht beim Kommandanten, Ihr müßt mich rühmen!« – Finster blickte Francoeur in die Schüssel, die Lücke war fast so groß wie die beiden Stücke, die noch blieben; er stand auf und sagte: »Es ist nicht anders, wir sind geschieden!« Mit diesen Worten ging er nach dem Pulverturme, schloß die eiserne Tür auf, trat ein und schloß sie wieder hinter sich zu. Die Frau sah ihm verwirrt nach und ließ die Schlüssel fallen: »Gott, ihn plagt der Böse; wenn er nur nicht Unheil stiftet im Pulverturm.« – »Ist das der Pulverturm?« rief Basset, »er sprengt sich in die Luft, rettet Euch und Euer Kind!« Mit diesen Worten lief er fort, auch der Mönch wagte sich nicht wieder herein und lief ihm nach. Rosalie eilte in die Wohnung zu ihrem Kinde, riß es aus dem Schlafe, aus der Wiege, sie wußte nichts mehr von sich, bewußtlos, wie sie Francoeur einst gefolgt, so entfloh sie ihm mit dem Kinde und sagte vor sich hin: »Kind, das tue ich nur deinetwegen, mir wäre besser, mit ihm zu sterben; Hagar, du hast nicht gelitten wie ich, denn ich verstoße mich selbst!« – Unter solchen Gedanken kam sie herab auf einem falschen Wege und stand am sumpfigen Ufer des Flusses. Sie konnte aus Ermattung nicht mehr gehen und setzte sich deswegen in einen Nachen, der, nur leicht ans Ufer gefahren, leicht abzustoßen war, und ließ sich den Fluß herabtreiben; sie wagte nicht umzublicken; wenn am Hafen ein Schuß geschah, meinte sie, das Fort sei gesprengt und ihr halbes Leben verloren, so verfiel sie allmählich in einen dumpfen, fieberartigen Zustand.

Unterdessen waren die beiden Soldaten, mit Äpfeln und Trauben bepackt, in die Nähe des Forts gekommen, aber Francoeurs starke Stimme rief ihnen, indem er eine Flintenkugel über ihre Köpfe abfeuerte: »Zurück!« Dann sagte er durch das Sprachrohr: »An der hohen Mauer werde ich mit Euch reden, ich habe hier allein zu befehlen und will auch allein hier leben, solange es dem Teufel gefällt!« Sie wußten nicht, was das bedeuten solle, aber es war nichts anders zu tun, als dem Willen des Sergeanten Folge zu leisten. Sie gingen herab zu dem steilen Abhange des Forts, welcher die hohe Mauer hieß, und kaum waren sie dort angelangt, so sahen sie Rosaliens Bette und des Kindes Wiege an einem Seile niedersinken, dem folgten ihre Betten und Geräte, und Francoeur rief durch das Sprachrohr: »Das Eurige nehmt; Bette, Wiege und Kleider meiner entlaufenen Frau bringt zum Kommandanten, da werdet ihr sie finden; sagt: das schicke ihr Satanas, und diese alte Fahne, um ihre Schande mit dem Kommandanten zuzudecken!« Bei diesen Worten warf er die große französische Flagge, die auf dem Fort geweht hatte, herab und fuhr fort: »Dem Kommandanten lasse ich hierdurch Krieg erklären, er mag sich waffnen bis zum Abend, dann werde ich mein Feuer eröffnen; er soll nicht schonen, denn ich schone ihn beim Teufel nicht; er soll alle seine Hände ausstrecken, er wird mich doch nicht fangen; er hat mir den Schlüssel zum Pulverturm gegeben, ich will ihn brauchen, und wenn er mich zu fassen meint, fliege ich mit ihm gen Himmel, vom Himmel in die Hölle, das wird Staub geben.« – Brunet wagte endlich zu reden und rief hinauf:

»Gedenkt an unsern gnädigsten König, daß er über Euch steht, ihm werdet Ihr doch nicht widerstreben.« Dem antwortete Francoeur: »In mir ist der König aller Könige dieser Welt, in mir ist der Teufel, und im Namen des Teufels sage ich euch: redet kein Wort, sonst zerschmettere ich euch!« – Nach dieser Drohung packten beide stillschweigend das Ihre zusammen und ließen das übrige stehen; sie wußten, daß oben große Steinmassen angehäuft waren, die unter der steilen Felswand alles zerschmettern konnten. Als sie nach Marseille zum Kommandanten kamen, fanden sie ihn schon in Bewegung, denn Basset hatte ihn von allem unterrichtet; er sendete die beiden Ankommenden mit einem Wagen nach dem Fort, um die Sachen der Frau gegen den drohenden Regen zu sichern; andere sandte er aus, um die Frau mit dem Kinde aufzufinden, während er die Offiziere bei sich versammelte, um mit ihnen zu überlegen, was zu tun sei. Die Besorgnis dieses Kriegsrats richtete sich besonders auf den Verlust des schönen Forts, wenn es in die Luft gesprengt würde; bald kam aber ein Abgesandter der Stadt, wo sich das Gerücht verbreitet hatte, und stellte den Untergang des schönsten Teiles der Stadt als ganz unvermeidlich dar. Es wurde allgemein anerkannt, daß mit Gewalt nicht verfahren werden dürfe, denn Ehre sei nicht gegen einen einzelnen Menschen zu erringen, wohl aber ein ungeheurer Verlust durch Nachgiebigkeit abzuwenden; der Schlaf werde die Wut Francoeurs doch endlich überwinden, dann sollten entschlossene Leute das Fort erklettern und ihn fesseln. Dieser Ratschluß war kaum gefaßt, so wurden die beiden Soldaten eingeführt, welche Rosaliens Betten und Gerät zurückgebracht hatten. Sie hatten eine Bestellung Francoeurs zu überbringen, daß ihm der Teufel verraten: sie wollten ihn im Schlafe fangen, aber er warne sie aus Liebe zu einigen Teufelskameraden, die zu dem Unternehmen gebraucht werden sollten, denn er werde ruhig in seinem verschlossenen Pulverturme mit geladenen Gewehren schlafen, und ehe sie die Türe erbrechen könnten, wäre er längst erwacht und der Turm mit einem Schusse in die Pulverfässer zersprengt. »Er hat recht,« sagte der Kommandant, »er kann nicht anders handeln, wir müssen ihn aushungern.« – »Er hat den ganzen Wintervorrat für uns alle hinaufgeschafft,« bemerkte Brunet, »wir müssen wenigstens ein halbes Jahr warten; auch sagte er, daß ihm die vorbeifahrenden Schiffe, welche die Stadt versorgen, reichlichen Zoll geben sollten, sonst bohre er sie in den Grund; und zum Zeichen, daß niemand in der Nacht fahren sollte ohne seine Bewilligung, werde er am Abend einige Kugeln über den Fluß sausen lassen.« – »Wahrhaftig, er schießt!« rief einer der Offiziere, und alle liefen nach einem Fenster des obern Stockwerks. Welch ein Anblick! An allen Ecken des Forts eröffneten die Kanonen ihren feurigen Rachen, die Kugeln sausten durch die Luft, in der Stadt versteckte sich die Menge mit großem Geschrei, und nur einzelne wollten ihren Mut, im kühnen Anschauen der Gefahr beweisen. Aber sie wurden auch reichlich dafür belohnt, denn mit hellem Lichte schoß Francoeur einen Bündel Raketen aus einer Haubitze in die Luft und einen Bündel Leuchtkugeln aus einem Mörser, denen er aus Gewehren unzählige andere nachsandte. Der Kommandant versicherte, diese Wirkung sei trefflich, er habe es nie gewagt, Feuerwerke mit Wurfgeschütz in die Luft zu treiben, aber die Kunst werde dadurch gewissermaßen zu einer meteorischen, der Francoeur verdiene schon deswegen begnadigt zu werden.

Die nächtliche Erleuchtung hatte eine andere Wirkung, die wohl in keines Menschen Absicht lag; sie rettete Rosalien und ihrem Kinde das Leben. Beide waren in dem ruhigen Treiben des Kahnes eingeschlummert, und Rosalie sah im Traum ihre Mutter von innerlichen Flammen durchleuchtet und verzehrt und fragte sie, warum sie so leide. Da wars, als ob eine laute Stimme ihr in die Ohren rief: »Mein Fluch brennt mich wie dich, und kannst du ihn nicht lösen, so bleib ich eigen allem Bösen.« Sie wollte noch mehr sprechen, aber Rosalie war schon aufgeschreckt, sah über sich den Bündel Leuchtkugeln im höchsten Glanze, hörte neben sich einen Schiffer rufen: »Steuert links, wir fahren sonst ein Boot in den Grund, worin ein Weib mit einem Kinde sitzt.« Und schon rauschte die vordere Spitze eines großen Flußschiffes wie ein geöffneter Walfischrachen hinter ihr, da wandte er sich links, aber ihr Nachen wurde doch seitwärts nachgerissen. »Helft meinem armen Kind!« rief sie, und der Haken eines Stangenruders verband sie mit dem großen Schiffe, das bald darauf Anker warf. »Wäre das Feuerwerk auf dem Fort Ratonneau nicht aufgegangen,« rief der eine Schiffer, »ich hätte Euch nicht gesehen, und wir hätten Euch ohne bösen Willen in den Grund gesegelt; wie kommt Ihr so spät und allein aufs Wasser, warum habt Ihr uns nicht angeschrieen?« Rosalie beantwortete schnell die Fragen und bat nur dringend, sie nach dem Hause des Kommandanten zu bringen. Der Schiffer gab ihr aus Mitleid seinen Jungen zum Führer.

Sie fand alles in Bewegung beim Kommandanten,sie bat ihn, seines Versprechens eingedenk zu sein, daß er ihrem Manne drei Versehen verzeihen wolle. Er leugnete, daß von solchen Versehen die Rede gewesen, es sei über Scherz und Grillen geklagt worden, das sei aber teuflischer Ernst. – »So ist das Unrecht auf Eurer Seite,« sagte die Frau gefaßt, denn sie fühlte sich nicht mehr schicksallos, »auch habe ich den Zustand des armen Mannes angezeigt, und doch habt Ihr ihm einen so gefährlichen Posten vertraut, Ihr habt mir Geheimnis angelobt, und doch habt Ihr alles an Basset, Euren Diener, erzählt, der uns mit seiner törichten Klugheit und Vorwitzigkeit in das ganze Unglück gestürzt hat; nicht mein armer Mann, Ihr seid an allem Unglück schuld, Ihr müßt dem Könige davon Rechenschaft geben.« – Der Kommandant verteidigte sich gegen den Vorwurf, daß er etwas dem Basset erzählt habe, dieser gestand, daß er ihn im Selbstgespräch belauscht, und so war die ganze Schuld auf seine Seele geschoben. Der alte Mann sagte, daß er den andern Tag sich vor dem Fort wolle totschießen lassen, um seinem Könige die Schuld mit seinem Leben abzuzahlen, aber Rosalie bat ihn, sich nicht zu übereilen, er möge bedenken, daß sie ihn schon einmal aus dem Feuer gerettet habe. Ihr wurde ein Zimmer im Hause des Kommandanten angewiesen, und sie brachte ihr Kind zur Ruhe, während sie selbst mit sich zu Rate ging und zu Gott flehte, ihr anzugeben, wie sie ihre Mutter den Flammen und ihren Mann dem Fluche entreißen könne. Aber auf ihren Knieen versank sie in einen tiefen Schlaf und war sich am Morgen keines Traumes, keiner Eingebung bewußt. Der Kommandant, der schon früh einen Versuch gegen das Fort gemacht hatte, kam verdrießlich zurück. Zwar hatte er keine Leute verloren, aber Francoeur hatte so viele Kugeln mit solcher Geschicklichkeit links und rechts und über sie hinsausen lassen, daß sie ihr Leben nur seiner Schonung dankten. Den Fluß hatte er durch Signalschüsse gesperrt, auch auf der Chaussee durfte niemand fahren, kurz, aller Verkehr der Stadt war für diesen Tag gehemmt, und die Stadt drohete, wenn der Kommandant nicht vorsichtig verfahre, sondern wie in Feindesland ihn zu belagern denke, daß sie die Bürger aufbieten und mit dem Invaliden schon fertig werden wolle.

Drei Tage ließ sich der Kommandant so hinhalten, jeden Abend verherrlichte ein Feuerwerk, jeden Abend erinnerte Rosalie an sein Versprechen der Nachsicht. Am dritten Abend sagte er ihr, der Sturm sei auf den andern Mittag festgesetzt, die Stadt gebe nach, weil aller Verkehr gestört sei und endlich Hungersnot ausbrechen könne. Er werde den Eingang stürmen, während ein andrer Teil von der andern Seite heimlich anzuklettern suche, so daß diese vielleicht früher ihrem Manne in den Rücken kämen, ehe er nach dem Pulverturm springen könne; es werde Menschen kosten, der Ausgang sei ungewiß, aber er wolle den Schimpf von sich ablenken, daß durch seine Feigheit ein toller Mensch zu dem Dünkel gekommen, einer ganzen Stadt zu trotzen; das größte

Unglück sei ihm lieber als dieser Verdacht, er habe seine Angelegenheiten mit der Welt und vor Gott zu ordnen gesucht, Rosalie und ihr Kind würden sich in seinem Testamente nicht vergessen finden. Rosalie fiel ihm zu Füßen und fragte: was denn das Schicksal ihres Mannes sei, wenn er im Sturme gefangen würde. Der Kommandant wendete sich ab und sagte leise: »Der Tod unausbleiblich, auf Wahnsinn würde von keinem Kriegsgerichte erkannt werden, es ist zuviel Einsicht, Vorsicht und Klugheit in der ganzen Art, wie er sich nimmt; der Teufel kann nicht vor Gericht gezogen werden, er muß für ihn leiden.« – Nach einem Strome von Tränen erholte sich Rosalie und sagte: wenn sie das Fort ohne Blutvergießen, ohne Gefahr in die Gewalt des Kommandanten brächte, würde dann sein Vergehen als ein Wahnsinn Begnadigung finden? – »Ja, ich schwörs:« rief der Kommandant, »aber es ist vergeblich, Euch haßt er vor allen und rief gestern einem unsrer Vorposten zu, er wolle das Fort übergeben, wenn wir ihm den Kopf seiner Frau schicken könnten.» – «Ich kenne ihn,« sagte die Frau, »ich will den Teufel beschwören in ihm, ich will ihm Frieden geben, sterben würde ich doch mit ihm, also ist nur Gewinn für mich, wenn ich von seiner Hand sterbe, der ich vermählt bin durch den heiligsten Schwur.« – Der Kommandant bat sie, sich wohl zu bedenken, erforschte ihre Absicht, widerstand aber weder ihren Bitten noch der Hoffnung, auf diesem Wege dem gewissen Untergange zu entgehen.

Vater Philipp hatte sich im Hause eingefunden und erzählte, der unsinnige Francoeur habe jetzt eine große weiße Flagge ausgesteckt, auf welcher der Teufel gemalt sei, aber der Kommandant wollte nichts von seinen Neuigkeiten wissen und befahl ihm, zu Rosalien zu gehen, die ihm beichten wolle. Nachdem Rosalie ihre Beichte in aller Ruhe eines gottergebnen Gemütes abgelegt hatte, bat sie den Vater Philipp, sie nur bis zu einem sichern Steinwalle zu begleiten, wo keine Kugel ihn treffen könne, dort wolle sie ihm ihr Kind und

Geld zur Erziehung desselben übergeben, sie könne sich noch nicht von dem lieben Kinde trennen. Er versprach es ihr zögernd, nachdem er sich im Hause erkundigt hatte, ob er auch dort noch sicher gegen die Schüsse sei; denn sein Glaube, Teufel austreiben zu können, hatte sich in ihm ganz verloren, er gestand, was er bisher ausgetrieben hätte, möchte wohl der rechte Teufel nicht gewesen sein, sondern ein geringerer Spuk.

Rosalie kleidete ihr Kind noch einmal unter mancher Träne weiß mit roten Bandschleifen an, dann nahm sie es auf den Arm und ging schweigend die Treppe hinunter. Unten stand der alte Kommandant und konnte ihr nur die Hand drücken und mußte sich umwenden, weil er sich der Tränen vor den Zuschauern schämte. So trat sie auf die Straße, keiner wußte ihre Absicht, Vater Philipp blieb etwas zurück, weil er des Mitgehens gern überhoben gewesen, dann folgte die Menge müßiger Menschen auf den Straßen, die ihn fragten, was es bedeute. Viele fluchten auf Rosalien, weil sie Francoeurs Frau war, aber dieser Fluch berührte sie nicht.

Der Kommandant führte unterdessen seine Leute auf verborgenen Wegen nach den Plätzen, von welchen der Sturm eröffnet werden sollte, wenn die Frau den Wahnsinn des Mannes nicht beschwören könnte.

Am Tore schon verließ die Menge Rosalien, denn Francoeur schoß von Zeit zu Zeit über diese Fläche, auch Vater Philipp klagte, daß ihm schwach werde, er müsse sich niederlassen. Rosalie bedauerte es und zeigte ihm den Felsenwall, wo sie ihr Kind noch einmal stillen und es dann in den Mantel niederlegen wollte, dort möge es gesucht werden, da liege es sicher aufbewahrt, wenn sie nicht zu ihm zurückkehren könne. Vater Philipp setzte sich betend hinter den Felsen, und Rosalie ging mit festem Schritt dem Steinwalle zu, wo sie ihr Kind tränkte und segnete, es in ihren Mantel wickelte und in Schlummer brachte. Da verließ sie es mit einem Seufzer, der die Wolken in ihr brach, daß blaue Hellung und das stärkende Sonnenbild sie bestrahlten. Nun war sie dem harten Manne sichtbar, als sie am Steinwalle heraustrat, ein Licht schlug am Tore auf, ein Druck, als ob sie umstürzen müßte, ein Rollen in der Luft, ein Sausen, das sich damit mischte, zeigte ihr an, daß der Tod nahe an ihr vorüber gegangen. Es wurde ihr aber nicht mehr bange, eine Stimme sagte ihr innerlich, daß nichts untergehen könne, was diesen Tag bestanden, und ihre Liebe zum Manne, zum Kinde regte sich noch in ihrem Herzen, als sie ihren Mann vor sich auf dem Festungswerke stehen und laden, das Kind hinter sich schreien hörte; sie taten ihr beide mehr leid als ihr eignes Unglück, und der schwere Weg war nicht der schwerste Gedanke ihres Herzens. Und ein neuer Schuß betäubte ihre Ohren und schmetterte ihr Felsstaub ins Gesicht, aber sie betete und sah zum Himmel. So betrat sie den engen Felsgang, der, wie ein verlängerter Lauf, für zwei mit Kartätschen geladene Kanonen mit boshaftem Geize die Masse des verderblichen Schusses gegen die Andringenden zusammenzuhalten bestimmt war. – »Was siehst du, Weib!« brüllte Francoeur, »sieh nicht in die Luft, deine Engel kommen nicht, hier steht dein Teufel und dein Tod.« – »Nicht Tod, nicht Teufel trennen mich mehr von dir«, sagte sie getrost und schritt weiter hinauf die großen Stufen. »Weib,« schrie er, »du hast mehr Mut als der Teufel, aber es soll dir doch nichts helfen.« – Er blies die Lunte an, die eben verlöschen wollte, der Schweiß stand ihm hell glänzend über Stirn und Wangen, es war, als ob zwei Naturen in ihm rangen. Und Rosalie wollte nicht diesen Kampf hemmen und der Zeit vorgreifen, auf die sie zu vertrauen begann; sie ging nicht vor, sie kniete auf die Stufe nieder, als sie drei Stufen von den Kanonen entfernt war, wo sich das Feuer kreuzte. Er riß Rock und Weste an der Brust auf, um sich Luft zu machen, er griff in sein schwarzes Haar, das verwildert in Locken starrte, und riß es sich wütend aus. Da öffnete sich die Wunde am Kopfe in dem wilden Erschüttern durch Schläge, die er an seine Stirn führte, Tränen und

Blut löschten den brennenden Zundstrick, ein Wirbelwind warf das Pulver von den Zündlöchern der Kanonen und die Teufelsflagge vom Turm. »Der Schornsteinfeger macht sich Platz, er schreit zum Schornstein hinaus!« rief er und deckte seine Augen. Dann besann er sich, öffnete die Gittertüre, schwankte zu seiner Frau, hob sie auf, küßte sie, endlich sagte er: »Der schwarze Bergmann hat sich durchgearbeitet, es strahlt wieder Licht in meinen Kopf, und Luft zieht hindurch, und die Liebe soll wieder ein Feuer zünden, daß uns nicht mehr friert. Ach Gott, was hab ich in diesen Tagen verbrochen! Laßt uns nicht feiern, sie werden mir nur wenig Stunden noch schenken, wo ist mein Kind, ich muß es küssen, weil ich noch frei bin; was ist Sterben? Starb ich nicht schon einmal, als du mich verlassen, und nun kommst du wieder, und dein Kommen gibt mir mehr, als dein Scheiden mir nehmen konnte, ein unendliches Gefühl meines Daseins, dessen Augenblicke mir genügen. Nun lebte ich gern mit dir, und wäre deine Schuld noch größer als meine Verzweiflung gewesen, aber ich kenne das Kriegsgesetz, und ich kann nun gottlob in Vernunft als ein reuiger Christ sterben.« – Rosalie konnte in ihrer Entzückung, von ihren Tränen fast erstickt, kaum sagen, daß *ihm* verziehen, daß *sie* ohne Schuld und ihr Kind nahe sei. Sie verband seine Wunde in Eile, dann zog sie ihn die Stufen hinunter bis hin zu dem Steinwalle, wo sie das Kind verlassen. Da fanden sie den guten Vater Philipp bei dem Kinde, der allmählich hinter Felsstücken zu ihm hingeschlichen war, und das Kind ließ etwas aus den Händen fliegen, um nach dem Vater sie auszustrecken. Und während sich alle drei umarmt hielten, erzählte Vater Philipp, wie ein Taubenpaar vom Schloß heruntergeflattert sei und mit dem Kinde artig gespielt, sich von ihm habe anrühren lassen und es gleichsam in seiner Verlassenheit getröstet habe. Als er das gesehen, habe er sich dem Kinde zu nahen gewagt. »Sie waren, wie gute Engel, meines Kindes Spielkameraden auf dem Fort gewesen, sie haben es treulich aufgesucht, sie kommen sicher wieder und werden es nicht verlassen.« Und wirklich umflogen sie die Tauben freundlich und trugen in ihren Schnäbeln grüne Blätter. »Die Sünde ist uns geschieden,« sagte Francoeur, »nie will ich wieder auf den Frieden schelten, der Friede tut mir so gut.«

Inzwischen hatte sich der Kommandant mit seinen Offizieren genähert, weil er den glücklichen Ausgang durch sein Fernrohr gesehen. Francoeur übergab ihm seinen Degen; er kündigte Francoeur Verzeihung an, weil seine Wunde ihn des Verstandes beraubt gehabt, und befahl einem Chirurgen, diese Wunde zu untersuchen und besser zu verbinden. Francoeur setzte sich nieder und ließ ruhig alles mit sich geschehen, er sah nur Frau und Kind an. Der Chirurg wunderte sich, daß er keinen Schmerz zeigte, er zog ihm einen Knochensplitter aus der Wunde, der ringsumher eine Eiterung hervorgebracht hatte; es schien, als ob die gewaltige Natur Francoeurs ununterbrochen und allmählich an der Hinausschaffung gearbeitet habe, bis ihm endlich äußere Gewalt, die eigne Hand seiner Verzweiflung die äußere Rinde durchbrochen. Er versicherte, daß ohne diese glückliche Fügung ein unheilbarer Wahnsinn den unglücklichen Francoeur hätte aufzehren müssen. Damit ihm keine Anstrengung schade, wurde er auf einen Wagen gelegt, und sein Einzug in Marseille glich unter einem Volke, das Kühnheit immer mehr als Güte zu achten weiß, einem Triumphzuge; die Frauen warfen Lorbeerkränze auf den Wagen, alles drängte sich, den stolzen Bösewicht kennen zu lernen, der so viele tausend Menschen während drei Tage beherrscht hatte. Die Männer aber reichten ihre Blumenkränze Rosalien und ihrem Kinde und rühmten sie als Befreierin und schwuren, ihr und dem Kinde reichlich zu vergelten, daß sie ihre Stadt vom Untergange gerettet habe.

Nach solchem Tage läßt sich in *einem* Menschenleben selten noch etwas erleben, was der Mühe des Erzählens wert wäre, wenngleich die Wiederbeglückten, die Fluchbefreiten erst in diesen ruhigeren Jahren den ganzen Umfang des gewonnenen Glücks erkannten. Der gute, alte Kommandant nahm Francoeur als Sohn an, und konnte er ihm auch nicht seinen Namen übertragen, so ließ er ihm doch einen Teil seines Vermögens und seinen Segen. Was aber Rosalie noch inniger berührte, war ein Bericht, der erst nach Jahren aus Prag einlief, in welchem ein Freund der Mutter anzeigte, daß diese wohl ein Jahr unter verzehrenden Schmerzen den Fluch bereut habe, den sie über ihre Tochter ausgestoßen, und bei dem sehnlichen Wunsche nach Erlösung des Leibes und der Seele sich und der Welt zum Überdruß bis zu dem Tage gelebt habe, der Rosaliens Treue und Ergebenheit in Gott gekrönt: an dem Tage sei sie, durch einen Strahl aus ihrem Innern beruhigt, im gläubigen Bekenntnis des Erlösers selig entschlafen.

Gnade löst den Fluch der Sünde,
Liebe treibt den Teufel aus.

ANNETTE FREIIN VON DROSTE-HÜLSHOFF

Die Judenbuche

Ein Sittengemälde aus dem gebirgichten Westfalen

Wo ist die Hand so zart, daß ohne Irren
Sie sondern mag beschränkten Hirnes Wirren,
So fest, daß ohne Zittern sie den Stein
Mag schleudern auf ein arm verkümmert Sein?
Wer wagt es, eitlen Blutes Drang zu messen,
Zu wägen jedes Wort, das unvergessen
In junge Brust die zähen Wurzeln trieb,
Des Vorurteils geheimen Seelendieb?
Du Glücklicher, geboren und gehegt
Im lichten Raum, von frommer Hand gepflegt,
Leg hin die Waagschal, nimmer dir erlaubt!
Laß ruhn den Stein – er trifft dein eignes Haupt!

Friedrich Mergel, geboren 1738, war der einzige Sohn eines sogenannten Halbmeiers oder Grundeigentümers geringerer Klasse im Dorfe B., das, so schlecht gebaut und rauchig es sein mag, doch das Auge jedes Reisenden fesselt durch die überaus malerische Schönheit seiner Lage in der grünen Waldschlucht eines bedeutenden und geschichtlich merkwürdigen Gebirges. Das Ländchen, dem es angehörte, war damals einer jener abgeschlossenen Erdwinkel ohne Fabriken und Handel, ohne Heerstraßen, wo noch ein fremdes Gesicht Aufsehen erregte und eine Reise von dreißig Meilen selbst den Vornehmeren zum Ulysses seiner Gegend machte – kurz, ein Fleck, wie es deren sonst so viele in Deutschland gab, mit all den Mängeln und Tugenden, all der Originalität und Beschränktheit, wie sie nur in solchen Zuständen gedeihen.

Unter höchst einfachen und häufig unzulänglichen Gesetzen waren die Begriffe der Einwohner von Recht und Unrecht einigermaßen in Verwirrung geraten, oder vielmehr es hatte sich neben dem gesetzlichen ein zweites Recht gebildet, ein Recht der öffentlichen Meinung, der Gewohnheit und der durch Vernachlässigung entstandenen Verjährung. Die Gutsbesitzer, denen die niedere Gerichtsbarkeit zustand, straften und belohnten nach ihrer in den meisten Fällen redlichen Einsicht; der Untergebene tat, was ihm ausführbar und mit einem etwas weiten Gewissen verträglich schien, und nur dem Verlierenden fiel es zuweilen ein, in alten staubigten Urkunden nachzuschlagen. – Es ist schwer, jene Zeit unparteiisch ins Auge zu fassen; sie ist seit ihrem Verschwinden entweder hochmütig getadelt oder albern gelobt worden, da den, der sie erlebte, zu viel teure Erinnerungen blenden und der Spätergeborene sie nicht begreift. So viel darf man indessen behaupten, daß die Form schwächer, der Kern fester, Vergehen häufiger, Gewissenlosigkeit seltener waren. Denn wer nach seiner Überzeugung handelt, und sei sie noch so mangelhaft, kann nie ganz zugrunde gehen, wogegen nichts seelentötender wirkt, als gegen das innere Rechtsgefühl das äußere Recht in Anspruch nehmen.

Ein Menschenschlag, unruhiger und unternehmender als alle seine Nachbarn, ließ in dem kleinen Staate, von dem wir reden, manches weit greller hervortreten als anderswo unter gleichen Umständen. Holz- und Jagdfrevel waren an der Tagesordnung, und bei den häufig vorfallenden Schlägereien hatte sich jeder selbst seines zerschlagenen Kopfes zu trösten. Da jedoch große und ergiebige Waldungen den Hauptreichtum des Landes ausmachten, ward allerdings scharf über die Forsten gewacht, aber weniger auf gesetzlichem Wege als in stets erneuten Versuchen, Gewalt und List mit gleichen Waffen zu überbieten.

Das Dorf B. galt für die hochmütigste, schlauste und kühnste Gemeinde des ganzen Fürstentums. Seine Lage inmitten tiefer und stolzer Waldeinsamkeit mochte schon früh den angeborenen Starrsinn der Gemüter nähren; die Nähe eines Flusses, der in die See mündete und bedeckte Fahrzeuge trug, groß genug, um Schiffbauholz bequem und sicher außer Land zu führen, trug sehr dazu bei, die natürliche Kühnheit der Holzfrevler zu ermutigen, und der Umstand, daß alles umher von Förstern wimmelte, konnte hier nur aufregend wirken, da bei den häufig vorkommenden Scharmützeln der Vorteil meist auf seiten der Bauern blieb. Dreißig, vierzig Wagen zogen zugleich aus in den schönen Mondnächten mit ungefähr doppelt so viel Mannschaft jedes Alters, vom halbwüchsigen Knaben bis zum siebzigjährigen Ortsvorsteher, der als erfahrener Leitbock den Zug mit gleich stolzem Bewußtsein anführte, wie er seinen Sitz in der Gerichtsstube einnahm. Die Zurückgebliebenen horchten sorglos dem allmählichen Verhallen des Knarrens und Stoßens der Räder in den Hohlwegen und schliefen sacht weiter. Ein gelegentlicher Schuß, ein schwacher Schrei ließen wohl einmal eine junge Frau oder Braut auffahren; kein anderer achtete darauf. Beim ersten Morgengrauen kehrte der Zug ebenso schweigend heim, die Gesichter glühend wie Erz, hier und dort einer mit verbundenem Kopf, was weiter nicht in Betracht kam, und nach ein paar Stunden war die Umgegend voll von dem Mißgeschick eines oder mehrerer Forstbeamten, die aus dem Walde getragen wurden, zerschlagen, mit Schnupftabak geblendet und für einige Zeit unfähig, ihrem Berufe nachzukommen.

In diesen Umgebungen ward Friedrich Mergel geboren, in einem Hause, das durch die stolze Zugabe eines Rauchfangs und minder kleiner Glasscheiben die Ansprüche seines Erbauers sowie durch seine gegenwärtige Verkommenheit die kümmerlichen Umstände des jetzigen Besitzers bezeugte. Das frühere Geländer um Hof und Garten war einem vernachlässigten Zaune gewichen, das Dach schadhaft, fremdes Vieh weidete auf den Triften, fremdes Korn wuchs auf dem Acker zunächst am Hofe, und der Garten enthielt außer ein paar holzigten Rosenstöcken aus besserer Zeit mehr Unkraut als Kraut. Freilich hatten Unglücksfälle manches hiervon herbeigeführt, doch war auch viel Unordnung und böse Wirtschaft im Spiel. Friedrichs Vater, der alte Hermann Mergel, war in seinem Junggesellenstande ein sogenannter ordentlicher Säufer, das heißt einer, der nur an Sonn- und Festtagen in der Rinne lag und die Woche hindurch so manierlich war wie ein anderer. So war denn auch seine Bewerbung um ein recht hübsches und wohlhabendes Mädchen ihm nicht erschwert. Auf der Hochzeit gings lustig zu. Mergel war gar nicht zu arg betrunken, und die Eltern der Braut gingen abends vergnügt heim; aber am nächsten Sonntage sah man die junge Frau schreiend und blutrünstig durchs Dorf zu den Ihrigen rennen, alle ihre guten Kleider und neues Hausgerät im Stich lassend. Das war freilich ein großer Skandal und Ärger für Mergel, der allerdings Trostes bedurfte. So war denn auch am Nachmittage keine Scheibe an seinem Hause mehr ganz, und man sah ihn noch bis spät in die Nacht vor der Türschwelle liegen, einen abgebrochenen Flaschenhals von Zeit zu Zeit zum Munde führend und sich Gesicht und Hände jämmerlich zerschneidend. Die junge Frau blieb bei ihren Eltern, wo sie bald verkümmerte und starb. Ob nun den Mergel Reue quälte oder Scham, genug, er schien der Trostmittel immer bedürftiger und fing bald an, den gänzlich verkommenen Subjekten zugezählt zu werden.

Die Wirtschaft verfiel; fremde Mägde brachten Schimpf und Schaden; so verging Jahr auf Jahr. Mergel war und blieb ein verlegener, zuletzt ziemlich armseliger Witwer, bis er mit einem Male wieder als Bräutigam auftrat. War die Sache an und für sich unerwartet, so trug die Persönlichkeit der Braut noch dazu bei, die Verwunderung zu erhöhen. Margret Semmler war eine brave, anständige Person, so in den Vierzigen, in ihrer Jugend eine Dorfschönheit und noch jetzt als sehr klug und wirtlich geachtet, dabei nicht unvermögend; und so mußte es jedem unbegreiflich sein, was sie zu diesem Schritte getrieben. Wir glauben den Grund eben in dieser ihrer selbstbewußten Vollkommenheit zu finden. Am Abend vor der Hochzeit soll sie gesagt haben: »Eine Frau, die von ihrem Manne übel behandelt wird, ist dumm oder taugt nicht: wenns mir schlecht geht, so sagt, es liege an mir.« Der Erfolg zeigte leider, daß sie ihre Kräfte überschätzt hatte. Anfangs imponierte sie ihrem Manne; er kam nicht nach Haus oder kroch in die Scheune, wenn er sich übernommen hatte; aber das Joch war zu drückend, um lange getragen zu werden, und bald sah man ihn oft genug quer über die Gasse ins Haus taumeln, hörte drinnen sein wüstes Lärmen und sah Margret eilends Tür und Fenster schließen. An einem solchen Tage – keinem Sonntage mehr – sah man sie abends aus dem Hause stürzen, ohne Haube und Halstuch, das Haar wild um den Kopf hängend, sich im Garten neben ein Krautbeet niederwerfen und die Erde mit den Händen aufwühlen, dann ängstlich um sich schauen, rasch ein Bündel Kräuter brechen und damit langsam wieder dem Hause zugehen, aber nicht hinein, sondern in die Scheune. Es hieß, an diesem Tage habe Mergel zuerst Hand an sie gelegt, obwohl das Bekenntnis nie über ihre Lippen kam. – Das zweite Jahr dieser unglücklichen Ehe ward mit einem Sohne, man kann nicht sagen erfreut, denn Margret soll sehr geweint haben, als man ihr das Kind reichte. Dennoch, obwohl unter einem Herzen voll Gram getragen, war Friedrich ein gesundes, hübsches Kind, das in der frischen Luft kräftig gedieh. Der Vater hatte ihn sehr lieb, kam nie nach Hause, ohne ihm ein Stückchen Wecken oder dergleichen mitzubringen, und man meinte sogar, er sei seit der Geburt des Knaben ordentlicher geworden; wenigstens ward der Lärmen im Hause geringer.

Friedrich stand in seinem neunten Jahre. Es war um das Fest der Heiligen Drei Könige, eine harte, stürmische Winternacht. Hermann war zu einer Hochzeit gegangen und hatte sich schon beizeiten auf den Weg gemacht, da das Brauthaus dreiviertel Meilen entfernt lag. Obgleich er versprochen hatte, abends wiederzukommen, rechnete Frau Mergel doch um so weniger darauf, da sich nach Sonnenuntergang dichtes Schneegestöber eingestellt hatte. Gegen zehn Uhr schürte sie die Asche am Herde zusammen und machte sich zum Schlafengehen bereit. Friedrich stand neben ihr, schon halb entkleidet, und horchte auf das Geheul des Windes und das Klappen der Bodenfenster.

»Mutter, kommt der Vater heute nicht?« fragte er. –

»Nein, Kind, morgen.« – »Aber warum nicht, Mutter? Er hats doch versprochen.« –

»Ach Gott, wenn der alles hielte, was er verspricht! Mach, mach voran, daß du fertig wirst.«

Sie hatten sich kaum niedergelegt, so erhob sich eine Windsbraut, als ob sie das Haus mitnehmen wollte. Die Bettstatt bebte, und im Schornstein rasselte es wie ein Kobold. – »Mutter – es pocht draußen!« – »Still, Fritzchen, das ist das lockere Brett im Giebel, das der Wind jagt.« – »Nein, Mutter, an der Tür!« - »Sie schließt nicht; die Klinke ist zerbrochen. Gott, schlaf doch! Bring mich nicht um das armselige bißchen Nachtruhe.« – »Aber wenn nun der Vater kommt?« – Die Mutter drehte sich heftig im Bett um. – »Den hält der Teufel fest genug!« – »Wo ist der Teufel, Mutter?« – »Wart, du Unrast! Er steht vor der Tür und will dich holen, wenn du nicht ruhig bist!«

Friedrich ward still; er horchte noch ein Weilchen und schlief dann ein. Nach einigen Stunden erwachte er. Der Wind hatte sich gewendet und zischte jetzt wie eine Schlange durch die Fensterritze an seinem Ohr. Seine Schulter war erstarrt; er kroch tief unters Deckbett und lag aus Furcht ganz still. Nach einer Weile bemerkte er, daß die Mutter auch nicht schlief. Er hörte sie weinen und mitunter: »Gegrüßt seist du, Maria!« und »Bitte für uns arme Sünder!« Die Kügelchen des Rosenkranzes glitten an seinem Gesicht hin. – Ein unwillkürlicher Seufzer entfuhr ihm. – »Friedrich, bist du wach?« – »Ja, Mutter.« – »Kind, bete ein wenig – du kannst ja schon das halbe Vaterunser –, daß Gott uns bewahre vor Wasser- und Feuersnot.«

Friedrich dachte an den Teufel, wie der wohl aussehen möge. Das mannigfache Geräusch und Getöse im Hause kam ihm wunderlich vor. Er meinte, es müsse etwas Lebendiges drinnen sein und draußen auch. »Hör, Mutter, gewiß, da sind Leute, die pochen.« – »Ach nein, Kind; aber es ist kein altes Brett im Hause, das nicht klappert.« – »Hör! Hörst du nicht? Es ruft! hör doch!«

Die Mutter richtete sich auf; das Toben des Sturmes ließ einen Augenblick nach. Man hörte deutlich an den Fensterläden pochen und mehrere Stimmen: »Margret! Frau Margret, heda, aufgemacht!« – Margret stieß einen heftigen Laut aus: »Da bringen sie mir das Schwein wieder!«

Der Rosenkranz flog klappernd auf den Brettstuhl, die Kleider wurden herbeigerissen. Sie fuhr zum Herde, und bald darauf hörte Friedrich sie mit trotzigen Schritten über die Tenne gehen. Margret kam gar nicht wieder; aber in der Küche war viel Gemurmel und fremde Stimmen. Zweimal kam ein fremder Mann in die Kammer und schien ängstlich etwas zu suchen. Mit einem Male ward eine Lampe hereingebracht. Zwei Männer führten die Mutter. Sie war weiß wie Kreide und hatte die Augen geschlossen. Friedrich meinte, sie sei tot; er erhob ein fürchterliches Geschrei, worauf ihm jemand eine Ohrfeige gab, was ihn zur Ruhe brachte, und nun begriff er nach und nach aus den Reden der Umstehenden, daß der Vater vom Ohm Franz Semmler und dem Hülsmeyer tot im Holze gefunden sei und jetzt in der Küche liege.

Sobald Margret wieder zur Besinnung kam, suchte sie die fremden Leute loszuwerden. Der Bruder blieb bei ihr, und Friedrich, dem bei strenger Strafe im Bett zu bleiben geboten war, hörte die ganze Nacht hindurch das Feuer in der Küche knistern und ein Geräusch wie von Hin- und Herrutschen und Bürsten. Gesprochen ward wenig und leise, aber zuweilen drangen Seufzer herüber, die dem Knaben, so jung er war, durch Mark und Bein gingen. Einmal verstand er, daß der Oheim sagte: »Margret, zieh dir das nicht zu Gemüt; wir wollen jeder drei Messen lesen lassen, und um Ostern gehen wir zusammen eine Bittfahrt zur Mutter Gottes von Werl.«

Als nach zwei Tagen die Leiche fortgetragen wurde, saß Margret am Herde, das Gesicht mit der Schürze verhüllend. Nach einigen Minuten, als alles stille geworden war, sagte sie in sich hinein: »Zehn Jahre, zehn Kreuze. Wir haben sie doch zusammen getragen, und jetzt bin ich allein!« dann lauter: »Fritzchen, komm her!« –

Friedrich kam scheu heran; die Mutter war ihm ganz unheimlich geworden mit den schwarzen Bändern und den verstörten Zügen. »Fritzchen,« sagte sie, »willst du jetzt auch fromm sein, daß ich Freude an dir habe, oder willst du unartig sein und lügen, oder saufen und stehlen?« – »Mutter, Hülsmeyer stiehlt.« – »Hülsmeyer? Gott bewahre! Soll ich dir auf den Rücken kommen? Wer sagt dir so schlechtes Zeug?« – »Er hat neulich den Aaron geprügelt und ihm sechs Groschen genommen.« – »Hat er dem Aron Geld genommen, so hat ihn der verfluchte Jude gewiß zuvor darum betrogen. Hülsmeyer ist ein ordentlicher, angesessener Mann, und die Juden sind alle Schelme.« – »Aber, Mutter, Brandis sagt auch, daß er Holz und Rehe stiehlt.« – »Kind, Brandis ist ein Förster.« – »Mutter, lügen die Förster?«

Margret schwieg eine Weile, dann sagte sie: »Höre, Fritz, das Holz läßt unser Herrgott frei wachsen, und das Wild wechselt aus eines Herren Lande in das andere; die können niemandem gehören. Doch das verstehst du noch nicht; jetzt geh in den Schuppen und hole mir Reisig.«

Friedrich hatte seinen Vater auf dem Stroh gesehen, wo er, wie man sagt, blau und fürchterlich ausgesehen haben soll.

Aber davon erzählte er nie und schien ungern daran zu denken. Überhaupt hatte die Erinnerung an seinen Vater eine mit Grausen gemischte Zärtlichkeit in ihm zurückgelassen, wie denn nichts so fesselt wie die Liebe und Sorgfalt eines Wesens, das gegen alles übrige verhärtet scheint, und bei Friedrich wuchs dieses Gefühl mit den Jahren, durch das Gefühl mancher Zurücksetzung von seiten anderer. Es war ihm äußerst empfindlich, wenn, solange er Kind war, jemand des Verstorbenen nicht allzu löblich gedachte; ein Kummer, den ihm das Zartgefühl der Nachbarn nicht ersparte. Es ist gewöhnlich in jenen Gegenden, den Verunglückten die Ruhe im Grabe abzusprechen. Der alte Mergel war das Gespenst des Brederholzes geworden; einen Betrunkenen führte er als Irrlicht bei einem Haar in den Zellerkolk (Teich); die Hirtenknaben, wenn sie nachts bei ihren Feuern kauerten und die Eulen in den Gründen schrieen, hörten zuweilen in abgebrochenen Tönen ganz deutlich dazwischen sein ›Hör mal an, feins Lieseken‹, und ein unprivilegierter Holzhauer, der unter der breiten Eiche eingeschlafen und dem es darüber Nacht geworden war, hatte beim Erwachen sein geschwollenes blaues Gesicht durch die Zweige lauschen sehen. Friedrich mußte von andern Knaben vieles darüber hören; dann heulte er, schlug um sich, stach auch einmal mit seinem Messerchen und wurde bei dieser Gelegenheit jämmerlich geprügelt. Seitdem trieb er seiner Mutter Kühe allein an das andere Ende des Tales, wo man ihn oft stundenlang in derselben Stellung im Grase liegen und den Thymian aus dem Boden rupfen sah.

Er war zwölf Jahre alt, als seine Mutter einen Besuch von ihrem jüngern Bruder erhielt, der in Brede wohnte und seit der törichten Heirat seiner Schwester ihre Schwelle nicht betreten hatte.

Simon Semmler war ein kleiner, unruhiger, magerer Mann mit vor dem Kopf liegenden Fischaugen und überhaupt einem Gesicht wie ein Hecht, ein unheimlicher Geselle, bei dem dicktuende Verschlossenheit oft mit ebenso gesuchter Treuherzigkeit wechselte, der gern einen aufgeklärten Kopf vorgestellt hätte und statt dessen für einen fatalen, Händel suchenden Kerl galt, dem jeder um so lieber aus dem Wege ging, je mehr er in das Alter trat, wo ohnehin beschränkte Menschen leicht an Ansprüchen gewinnen, was sie an Brauchbarkeit verlieren. Dennoch freute sich die arme Margret, die sonst keinen der Ihrigen mehr am Leben hatte.

»Simon, bist du da?« sagte sie und zitterte, daß sie sich am Stuhle halten mußte. »Willst du sehen, wie es mir geht und meinem schmutzigen Jungen?« – Simon betrachtete sie ernst und reichte ihr die Hand: »Du bist alt geworden, Margret!« – Margret seufzte: »Es ist mir derweil oft bitterlich gegangen mit allerlei Schicksalen.« – »Ja, Mädchen, zu spät gefreit, hat immer gereut! Jetzt bist du alt, und das Kind ist klein. Jedes Ding hat seine Zeit. Aber wenn ein altes Haus brennt, dann hilft kein Löschen.« – Über Margrets vergrämtes Gesicht flog eine Flamme, so rot wie Blut.

»Aber ich höre, dein Junge ist schlau und gewichst«, fuhr Simon fort. – »Ei nun, so ziemlich, und dabei fromm.« – »Hum, 's hat mal einer eine Kuh gestohlen, der hieß auch Fromm. Aber er ist still und nachdenklich, nicht wahr? er läuft nicht mit den andern Buben?« – »Er ist ein eigenes Kind,« sagte Margret wie für sich; »es ist nicht gut.« – Simon lachte hellauf: »Dein Junge ist scheu, weil ihn die andern ein paarmal gut durchgedroschen haben. Das wird ihnen der Bursche schon wieder bezahlen. Hülsmeyer war neulich bei mir, der sagte, es ist ein Junge wie 'n Reh.«

Welcher Mutter geht das Herz nicht auf, wenn sie ihr Kind loben hört? Der armen Margret ward selten so wohl, jedermann nannte ihren Jungen tückisch und verschlossen. Die Tränen traten ihr in die Augen. »Ja, gottlob, er hat gerade Glieder.« – »Wie sieht er aus?« fuhr Simon fort. – »Er hat viel von dir, Simon, viel.« – Simon lachte: »Ei, das muß ein rarer Kerl sein, ich werde alle Tage schöner. An der Schule soll er sich wohl nicht verbrennen. Du läßt ihn die Kühe hüten? Ebenso gut. Es ist doch nicht halb wahr, was der Magister sagt. Aber wo hütet er? Im Telgengrund? im Roderholze? im Teutoburger Wald? auch des Nachts und früh?« – »Die ganzen Nächte durch; aber wie meinst du das?«

Simon schien dies zu überhören; er reckte den Hals zur Türe hinaus: »Ei, da kommt der Gesell! Vaterssohn! er schlenkert gerade so mit den Armen wie dein seliger Mann. Und schau mal an! wahrhaftig, der Junge hat meine blonden Haare!«

In der Mutter Züge kam ein heimliches, stolzes Lächeln; ihres Friedrichs blonde Locken und Simons rötliche Borsten! Ohne zu antworten, brach sie einen Zweig von der nächsten Hecke und ging ihrem Sohne entgegen, scheinbar eine träge Kuh anzutreiben, im Grunde aber, ihm einige rasche, halb drohende Worte zuzuraunen; denn sie kannte seine störrische Natur, und Simons Weise war ihr heute einschüchternder vorgekommen als je. Doch ging alles über Erwarten gut; Friedrich zeigte sich weder verstockt noch frech, vielmehr etwas blöde und sehr bemüht, dem Ohm zu gefallen. So kam es denn dahin, daß nach einer halbstündigen Unterredung Simon eine Art Adoption des Knaben in Vorschlag brachte, vermöge deren er denselben zwar nicht gänzlich seiner Mutter entziehen, aber doch über den größten Teil seiner Zeit verfügen wollte, wofür ihm dann am Ende des alten Junggesellen Erbe zufallen solle, das ihm freilich ohnedies nicht entgehen konnte. Margret ließ sich geduldig auseinandersetzen, wie groß der Vorteil, wie gering die Entbehrung ihrerseits bei dem Handel sei. Sie wußte am besten, was eine kränkliche Witwe an der Hilfe eines zwölfjährigen Knaben entbehrt, den sie bereits gewöhnt hat, die Stelle einer Tochter zu ersetzen. Doch sie schwieg und gab sich in alles. Nur bat sie den Bruder, streng, doch nicht hart gegen den Knaben zu sein.

»Er ist gut,« sagte sie, »aber ich bin eine einsame Frau; mein Kind ist nicht wie einer, über den Vaterhand regiert hat.«

Simon nickte schlau mit dem Kopf: »Laß mich nur gewähren, wir wollen uns schon vertragen, und weißt du was? gib mir den Jungen gleich mit, ich habe zwei Säcke aus der Mühle zu holen; der kleinste ist ihm grad recht, und so lernt er mir zur Hand gehen. Komm, Fritzchen, zieh deine Holzschuh an!« – Und bald sah Margret den beiden nach, wie sie fortschritten, Simon voran, mit seinem Gesicht die Luft durchschneidend, während ihm die Schöße des roten Rocks wie Feuerflammen nachzogen. So hatte er ziemlich das Ansehen eines feurigen Mannes, der unter dem gestohlenen Sacke büßt; Friedrich ihm nach, fein und schlank für sein Alter, mit zarten, fast edlen Zügen und langen blonden Locken, die besser gepflegt waren, als sein übriges Äußere erwarten ließ; übrigens zerlumpt, sonneverbrannt und mit dem Ausdruck der Vernachlässigung und einer gewissen rohen Melancholie in den Zügen. Dennoch war eine große Familienähnlichkeit beider nicht zu verkennen, und wie Friedrich so langsam seinem Führer nachtrat, die Blicke fest auf denselben geheftet, der ihn gerade durch das Seltsame seiner Erscheinung anzog, erinnerte er unwillkürlich an jemand, der in einem Zauberspiegel das Bild seiner Zukunft mit verstörter Aufmerksamkeit betrachtet.

Jetzt nahten die beiden sich der Stelle des Teutoburger Waldes, wo das Brederholz den Abhang des Gebirges niedersteigt und einen sehr dunkeln Grund ausfüllt. Bis jetzt war wenig gesprochen worden. Simon schien nachdenkend, der Knabe zerstreut, und beide keuchten unter ihren Säcken. Plötzlich fragte Simon: »Trinkst du gern Branntwein?« – Der Knabe antwortete nicht. »Ich frage, trinkst du gern Branntwein? gibt dir die Mutter zuweilen welchen?« – »Die Mutter hat selbst keinen«, sagte Friedrich. – »Soso, desto besser! – Kennst du das Holz da vor uns?« – »Das ist das Brederholz.« – »Weißt du auch, was darin vorgefallen ist?« – Friedrich schwieg. Indessen kamen sie der düstern Schlucht immer näher.

»Betet die Mutter noch so viel?« hob Simon wieder an. –»Ja, jeden Abend zwei Rosenkränze.« – »So? und du betest mit?« –

Der Knabe lachte halb verlegen mit einem durchtriebenen Seitenblick. – »Die Mutter betet in der Dämmerung vor dem Essen den einen Rosenkranz, dann bin ich meist noch nicht wieder da mit den Kühen, und den andern im Bette, dann schlaf ich gewöhnlich ein.« – »Soso, Geselle!«

Diese letzten Worte wurden unter dem Schirme einer weiten Buche gesprochen, die den Eingang der Schlucht überwölbte. Es war jetzt ganz finster; das erste Mondviertel stand am Himmel, aber seine schwachen Schimmer dienten nur dazu, den Gegenständen, die sie zuweilen durch eine Lücke der Zweige berührten, ein fremdartiges Ansehen zu geben. Friedrich hielt sich dicht hinter seinem Ohm; sein Odem ging schnell, und wer seine Züge hätte unterscheiden können, würde den Ausdruck einer ungeheuren, doch mehr phantastischen als furchtsamen Spannung darin wahrgenommen haben. So schritten beide rüstig voran, Simon mit dem festen Schritt des abgehärteten Wanderers, Friedrich schwankend und wie im Traum. Es kam ihm vor, als ob alles sich bewegte und die Bäume in den einzelnen Mondstrahlen bald zusammen, bald voneinander schwankten. Baumwurzeln und schlüpfrige Stellen, wo sich das Wegwasser gesammelt, machten seinen Schritt unsicher; er war einige Male nahe daran, zu fallen. Jetzt schien sich in einiger Entfernung das Dunkel zu brechen, und bald traten beide in eine ziemlich große Lichtung. Der Mond schien klar hinein und zeigte, daß hier noch vor kurzem die Axt unbarmherzig gewütet hatte. Überall ragten Baumstümpfe hervor, manche mehrere Fuß über der Erde, wie sie gerade in der Eile am bequemsten zu durchschneiden gewesen waren; die verpönte Arbeit mußte unversehens unterbrochen worden sein, denn eine Buche lag quer über dem Pfad, in vollem Laube, ihre Zweige hoch über sich streckend und im Nachtwinde mit den noch frischen Blättern zitternd. Simon blieb einen Augenblick stehen und betrachtete den gefällten Stamm mit Aufmerksamkeit. In der Mitte der Lichtung stand eine alte Eiche, mehr breit als hoch;

ein blasser Strahl, der durch die Zweige auf ihren Stamm fiel, zeigte, daß er hohl sei, was ihn wahrscheinlich vor der allgemeinen Zerstörung geschützt hatte. Hier ergriff Simon plötzlich des Knaben Arm.

»Friedrich, kennst du den Baum? Das ist die breite Eiche.« – Friedrich fuhr zusammen und klammerte sich mit den kalten Händen an seinen Ohm. »Sieh,« fuhr Simon fort, »hier haben Ohm Franz und der Hülsmeyer deinen Vater gefunden, als er in der Betrunkenheit ohne Buße und Ölung zum Teufel gefahren war.« – »Ohm, Ohm!« keuchte Friedrich. – »Was fällt dir ein? Du wirst dich doch nicht fürchten? Satan von einem Jungen, du kneipst mir den Arm! Laß los, los!« – Er suchte den Knaben abzuschütteln. – »Dein Vater war übrigens eine gute Seele; Gott wirds nicht so genau mit ihm nehmen. Ich hatte ihn so lieb wie meinen eigenen Bruder.« – Friedrich ließ den Arm seines Ohms los; beide legten schweigend den übrigen Teil des Waldes zurück, und das Dorf Brede lag vor ihnen mit seinen Lehmhütten und den einzelnen bessern Wohnungen von Ziegelsteinen, zu denen auch Simons Haus gehörte.

Am nächsten Abend saß Margret schon seit einer Stunde mit ihrem Rocken vor der Tür und wartete auf ihren Knaben. Es war die erste Nacht, die sie zugebracht hatte, ohne den Atem ihres Kindes neben sich zu hören, und Friedrich kam noch immer nicht. Sie war ärgerlich und ängstlich und wußte, daß sie beides ohne Grund war. Die Uhr im Turm schlug sieben, das Vieh kehrte heim; er war noch immer nicht da, und sie mußte aufstehen, um nach den Kühen zu schauen. Als sie wieder in die dunkle Küche trat, stand Friedrich am Herde; er hatte sich vornübergebeugt und wärmte die Hände an den Kohlen. Der Schein spielte auf seinen Zügen und gab ihnen ein widriges Ansehen von Magerkeit und ängstlichem Zukken. Margret blieb in der Tennentür stehen, so seltsam verändert kam ihr das Kind vor.

»Friedrich, wie gehts dem Ohm?« – Der Knabe murmelte

einige unverständliche Worte und drängte sich dicht an die Feuermauer. – »Friedrich, hast du das Reden verlernt? Junge, tu das Maul auf! du weißt ja doch, daß ich auf dem rechten Ohr nicht gut höre.« – Das Kind erhob seine Stimme und geriet dermaßen in Stammeln, daß Margret es um nichts mehr begriff. – »Was sagst du? einen Gruß von Meister Semmler? wieder fort? wohin? die Kühe sind schon zu Hause. Verfluchter Junge, ich kann dich nicht verstehen. Wart, ich muß einmal sehen, ob du keine Zunge im Munde hast!« – Sie trat heftig einige Schritte vor. Das Kind sah zu ihr auf mit dem Jammerblick eines armen, halbwüchsigen Hundes, der Schildwacht stehen lernt, und begann in der Angst mit den Füßen zu stampfen und den Rücken an der Feuermauer zu reiben.

Margret stand still; ihre Blicke wurden ängstlich. Der Knabe erschien ihr wie zusammengeschrumpft, auch seine Kleider waren nicht dieselben, nein, das war ihr Kind nicht! und dennoch – »Friedrich, Friedrich!« rief sie.

In der Schlafkammer klappte eine Schranktür, und der Gerufene trat hervor, in der einen Hand eine sogenannte Holzschenvioline, das heißt einen alten Holzschuh, mit drei bis vier zerschabten Geigensaiten überspannt, in der andern einen Bogen, ganz des Instruments würdig. So ging er gerade auf sein verkümmertes Spiegelbild zu, seinerseits mit einer Haltung bewußter Würde und Selbständigkeit, die in diesem Augenblicke den Unterschied zwischen beiden sonst merkwürdig ähnlichen Knaben stark hervortreten ließ.

»Da, Johannes!« sagte er und reichte ihm mit einer Gönnermiene das Kunstwerk; »da ist die Violine, die ich dir versprochen habe. Mein Spielen ist vorbei, ich muß jetzt Geld verdienen.« – Johannes warf noch einmal einen scheuen Blick auf Margret, streckte dann langsam seine Hand aus, bis er das Dargebotene fest ergriffen hatte, und brachte es wie verstohlen unter die Flügel seines armseligen Jäckchens.

Margret stand ganz still und ließ die Kinder gewähren. Ihre

Gedanken hatten eine andere, sehr ernste Richtung genommen, und sie blickte mit unruhigem Auge von einem auf den andern. Der fremde Knabe hatte sich wieder über die Kohlen gebeugt mit einem Ausdruck augenblicklichen Wohlbehagens, der an Albernheit grenzte, während in Friedrichs Zügen der Wechsel eines offenbar mehr selbstischen als gutmütigen Mitgefühls spielte und sein Auge in fast glasartiger Klarheit zum ersten Male bestimmt den Ausdruck jenes ungebändigten Ehrgeizes und Hanges zum Großtun zeigte, der nachher als so starkes Motiv seiner meisten Handlungen hervortrat.

Der Ruf seiner Mutter störte ihn aus Gedanken, die ihm ebenso neu als angenehm waren. Sie saß wieder am Spinnrade.

»Friedrich,« sagte sie zögernd, »sag einmal –« und schwieg dann. Friedrich sah auf und wandte sich, da er nichts weiter vernahm, wieder zu seinem Schützling. – »Nein, höre –« und dann leiser: »was ist das für ein Junge? wie heißt er?« – Friedrich antwortete ebenso leise: »Das ist des Ohms Simon Schweinehirt, der eine Botschaft an den Hülsmeyer hat. Der Ohm hat mir ein paar Schuhe und eine Weste von Drillich gegeben; die hat mir der Junge unterwegs getragen; dafür hab ich ihm meine Violine versprochen; er ist ja doch ein armes Kind; Johannes heißt er.« – »Nun –?« sagte Margret. – »Was willst du, Mutter?« – »Wie heißt er weiter?« – »Ja – weiter nicht – oder warte – doch: Niemand, Johannes Niemand heißt er. – Er hat keinen Vater«, fügte er leiser hinzu.

Margret stand auf und ging in die Kammer. Nach einer Weile kam sie heraus mit einem harten, finstern Ausdruck in den Mienen. »So, Friedrich,« sagte sie, »laß den Jungen gehen, daß er seine Bestellung machen kann. – Junge, was liegst du da in der Asche? hast du zu Hause nichts zu tun?« –

Der Knabe raffte sich mit der Miene eines Verfolgten so eilfertig auf, daß ihm alle Glieder im Wege standen und die Holzschenvioline bei einem Haar ins Feuer gefallen wäre.

»Warte, Johannes,« sagte Friedrich stolz, »ich will dir mein halbes Butterbrot geben, es ist mir doch zu groß, die Mutter schneidet allemal übers ganze Brot.« – »Laß doch,« sagte Margret, »er geht ja nach Hause.« – »Ja, aber er bekommt nichts mehr; Ohm Simon ißt um sieben Uhr.« Margret wandte sich zu dem Knaben: »Hebt man dir nichts auf? Sprich, wer sorgt für dich!« – »Niemand«, stotterte das Kind. – »Niemand?« wiederholte sie; »da nimm, nimm!« fügte sie heftig hinzu; »du heißt Niemand, und niemand sorgt für dich! Das sei Gott geklagt! Und nun mach dich fort! Friedrich, geh nicht mit ihm, hörst du, geht nicht zusammen durchs Dorf.« – »Ich will ja nur Holz holen aus dem Schuppen«, antwortete Friedrich. – Als beide Knaben fort waren, warf sich Margret auf einen Stuhl und schlug die Hände mit dem Ausdruck des tiefsten Jammers zusammen. Ihr Gesicht war bleich wie ein Tuch. »Ein falscher Eid, ein falscher Eid!« stöhnte sie. »Was ists? Simon, Simon, wie willst du vor Gott bestehen!«

So saß sie eine Weile, starr mit geklemmten Lippen, wie in völliger Geistesabwesenheit. Friedrich stand vor ihr und hatte sie schon zweimal angeredet. »Was ists? was willst du?« rief sie auffahrend. – »Ich bringe Euch Geld«, sagte er, mehr erstaunt als erschreckt. – »Geld? wo?« Sie regte sich, und die kleine Münze fiel klingend auf den Boden. Friedrich hob sie auf. »Geld vom Ohm Simon, weil ich ihm habe arbeiten helfen. Ich kann mir nun selber was verdienen.« – »Geld vom Simon? wirfs fort, fort! – nein, gibs den Armen. Doch nein, behalts,« flüsterte sie kaum hörbar; »wir sind selber arm. Wer weiß, ob wir bei dem Betteln vorbeikommen!« – »Ich soll Montag wieder zum Ohm und ihm bei der Einsaat helfen.« – »Du wieder zu ihm? nein, nein, nimmermehr!« – Sie umfaßte ihr Kind mit Heftigkeit. – »Doch,« fügte sie hinzu, und ein Tränenstrom stürzte ihr plötzlich über die eingefallenen Wangen; »geh, er ist mein einziger Bruder, und die Verleumdung ist groß! Aber halt Gott vor Augen und vergiß das tägliche Gebet nicht!«

Margret legte das Gesicht an die Mauer und weinte laut. Sie

hatte manche harte Last getragen, ihres Mannes üble Behandlung, noch schwerer seinen Tod, und es war eine bittere Stunde, als die Witwe das letzte Stück Ackerland einem Gläubiger zur Nutznießung überlassen mußte und der Pflug vor ihrem Hause stillestand. Aber so war ihr nie zumute gewesen; dennoch, nachdem sie einen Abend durchgeweint, eine Nacht durchwacht hatte, war sie dahin gekommen, zu denken, ihr Bruder Simon könne so gottlos nicht sein, der Knabe gehöre gewiß nicht ihm, Ähnlichkeiten wollen nichts beweisen. Hatte sie doch selbst vor vierzig Jahren ein Schwesterchen verloren, das genau dem fremden Hechelkrämer glich. Was glaubt man nicht gern, wenn man so wenig hat und durch Unglauben dies wenige verlieren soll!

Von dieser Zeit an war Friedrich selten mehr zu Hause. Simon schien alle wärmern Gefühle, deren er fähig war, dem Schwestersohn zugewendet zu haben; wenigstens vermißte er ihn sehr und ließ nicht nach mit Botschaften, wenn ein häusliches Geschäft ihn auf einige Zeit bei der Mutter hielt. Der Knabe war seitdem wie verwandelt, das träumerische Wesen gänzlich von ihm gewichen, er trat fest auf, fing an, sein Äußeres zu beachten und bald in den Ruf eines hübschen, gewandten Burschen zu kommen. Sein Ohm, der nicht wohl ohne Projekte leben konnte, unternahm mitunter ziemlich bedeutende öffentliche Arbeiten, zum Beispiel beim Wegbau, wobei Friedrich für einen seiner besten Arbeiter und überall als seine rechte Hand galt; denn obgleich dessen Körperkräfte noch nicht ihr volles Maß erreicht hatten, kam ihm doch nicht leicht jemand an Ausdauer gleich. Margret hatte bisher ihren Sohn nur geliebt, jetzt fing sie an, stolz auf ihn zu werden und sogar eine Art Hochachtung vor ihm zu fühlen, da sie den jungen Menschen so ganz ohne ihr Zutun sich entwickeln sah, sogar ohne ihren Rat, den sie, wie die meisten Menschen, für unschätzbar hielt, und deshalb die Fähigkeiten nicht hoch genug anzuschlagen wußte, die eines so kostbaren Förderungsmittels entbehren konnten.

In seinem achtzehnten Jahre hatte Friedrich sich bereits einen bedeutenden Ruf in der jungen Dorfwelt gesichert durch den Ausgang einer Wette, infolge deren er einen erlegten Eber über zwei Meilen weit auf seinem Rücken trug, ohne abzusetzen. Indessen war der Mitgenuß des Ruhms auch so ziemlich der einzige Vorteil, den Margret aus diesen günstigen Umständen zog, da Friedrich immer mehr auf sein Äußeres verwandte und allmählich anfing, es schwer zu verdauen, wenn Geldmangel ihn zwang, irgend jemand im Dorf darin nachzustehen. Zudem waren alle seine Kräfte auf den auswärtigen Erwerb gerichtet; zu Hause schien ihm, ganz im Widerspiel mit seinem sonstigen Rufe, jede anhaltende Beschäftigung lästig, und er unterzog sich lieber einer harten, aber kurzen Anstrengung, die ihm bald erlaubte, seinem frühern Hirtenamte wieder nachzugehen, was bereits begann, seinem Alter unpassend zu werden, und ihm gelegentlichen Spott zuzog, vor dem er sich aber durch ein paar derbe Zurechtweisungen mit der Faust Ruhe verschaffte. So gewöhnte man sich daran, ihn bald geputzt und fröhlich als anerkannten Dorfelegant an der Spitze des jungen Volks zu sehen, bald wieder als zerlumpten Hirtenbuben einsam und träumerisch hinter den Kühen herschleichend oder in einer Waldlichtung liegend, scheinbar gedankenlos und das Moos von den Bäumen rupfend.

Um diese Zeit wurden die schlummernden Gesetze doch einigermaßen aufgerüttelt durch eine Bande von Holzfrevlern, die unter dem Namen der Blaukittel alle ihre Vorgänger so weit an List und Frechheit übertraf, daß es dem Langmütigsten zuviel werden mußte. Ganz gegen den gewöhnlichen Stand der Dinge, wo man die stärksten Böcke der Herde mit dem Finger bezeichnen konnte, war es hier trotz aller Wachsamkeit bisher nicht möglich gewesen, auch nur ein Individuum namhaft zu machen. Ihre Benennung erhielten sie von der ganz gleichförmigen Tracht, durch die sie das Erkennen erschwerten, wenn etwa ein Förster noch einzelne Nachzügler im Dickicht verschwinden sah. Sie verheerten alles wie die Wanderraupe, ganze Waldstrecken wurden in einer Nacht gefällt und auf der Stelle fortgeschafft, so daß man am andern Morgen nichts fand als Späne und wüste Haufen von Topholz, und der Umstand, daß nie Wagenspuren einem Dorfe zuführten, sondern immer vom Flusse her und dorthin zurück, bewies, daß man unter dem Schutz und vielleicht mit dem Beistande der Schiffeigentümer handelte. In der Bande mußten sehr gewandte Spione sein, denn die Förster konnten wochenlang umsonst wachen; in der ersten Nacht, gleichviel ob stürmisch oder mondhell, wo sie vor Übermüdung nachließen, brach die Zerstörung ein. Seltsam war es, daß das Landvolk umher ebenso unwissend und gespannt schien als die Förster selber.

Von einigen Dörfern ward mit Bestimmtheit gesagt, daß sie nicht zu den Blaukitteln gehörten, aber keines konnte als dringend verdächtig bezeichnet werden, seit man das verdächtigste von allen, das Dorf B., freisprechen mußte. Ein Zufall hatte dies bewirkt, eine Hochzeit, auf der fast alle Bewohner dieses Dorfes notorisch die Nacht zugebracht hatten, während zu eben dieser Zeit die Blaukittel eine ihrer stärksten Expeditionen ausführten.

Der Schaden in den Forsten war indes allzu groß, deshalb wurden die Maßregeln dagegen auf eine bisher unerhörte Weise gesteigert; Tag und Nacht wurde patrouilliert, Ackerknechte, Hausbediente mit Gewehren versehen und den Forstbeamten zugesellt. Dennoch war der Erfolg nur gering, und die Wächter hatten oft kaum das eine Ende des Forstes verlassen, wenn die Blaukittel schon zum andern einzogen. Das währte länger als ein volles Jahr, Wächter und Blaukittel, Blaukittel und Wächter, wie Sonne und Mond, immer abwechselnd im Besitz des Terrains und nie zusammentreffend.

Es war im Juli 1756 früh um drei; der Mond stand klar am Himmel, aber sein Glanz fing an zu ermatten, und im Osten zeigte sich bereits ein schmaler gelber Streif, der den Horizont besäumte und den Eingang einer engen Talschlucht wie mit einem Goldbande schloß. Friedrich lag im Grase, nach seiner gewohnten Weise, und schnitzelte an einem Weidenstabe, dessen knotigem Ende er die Gestalt eines ungeschlachten Tieres zu geben versuchte. Er sah übermüdet aus, gähnte, ließ mitunter seinen Kopf an einem verwitterten Stammknorren ruhen und Blicke, dämmeriger als der Horizont, über den mit Gestrüpp und Aufschlag fast verwachsenen Eingang des Grundes streifen. Ein paarmal belebten sich seine Augen und nahmen den ihnen eigentümlichen glasartigen Glanz an, aber gleich nachher schloß er sie wieder halb und gähnte und dehnte sich, wie es nur faulen Hirten erlaubt ist. Sein Hund lag in einiger Entfernung nah bei den Kühen, die, unbekümmert um die Forstgesetze, ebensooft den jungen Baumspitzen als dem Grase zusprachen und in die frische Morgenluft schnaubten.

Aus dem Walde drang von Zeit zu Zeit ein dumpfer, krachender Schall; der Ton hielt nur einige Sekunden an, begleitet von einem langen Echo an den Bergwänden, und wiederholte sich etwa alle fünf bis acht Minuten. Friedrich achtete nicht darauf; nur zuweilen, wenn das Getöse ungewöhnlich stark oder anhaltend war, hob er den Kopf und ließ seine Blicke langsam über die verschiedenen Pfade gleiten, die ihren Ausgang in dem Talgrunde fanden.

Es fing bereits stark zu dämmern an; die Vögel begannen leise zu zwitschern, und der Tau stieg fühlbar aus dem Grunde. Friedrich war an dem Stamm hinabgeglitten und starrte, die Arme über den Kopf verschlungen, in das leise einschleichende Morgenrot. Plötzlich fuhr er auf: über sein Gesicht fuhr ein Blitz, er horchte einige Sekunden mit vorgebeugtem Oberleib wie ein Jagdhund, dem die Luft Witterung zuträgt. Dann schob er schnell zwei Finger in den Mund und pfiff gellend und anhaltend. – »Fidel, du verfluchtes Tier!« – Ein Steinwurf traf die Seite des unbesorgten Hundes, der, vom

Schlafe aufgeschreckt, zuerst um sich biß und dann heulend auf drei Beinen dort Trost suchte, von wo das Übel ausgegangen war.

In demselben Augenblicke wurden die Zweige eines nahen Gebüsches fast ohne Geräusch zurückgeschoben, und ein Mann trat heraus, im grünen Jagdrock, den silbernen Wappenschild am Arm, die gespannte Büchse in der Hand. Er ließ schnell seine Blicke über die Schlucht fahren und sie dann mit besonderer Schärfe auf dem Knaben verweilen, trat dann vor, winkte nach dem Gebüsch, und allmählich wurden sieben bis acht Männer sichtbar, alle in ähnlicher Kleidung, Weidmesser im Gürtel und die gespannten Gewehre in der Hand.

»Friedrich, was war das?« fragte der zuerst Erschienene. – »Ich wollte, daß der Racker auf der Stelle krepierte. Seinetwegen können die Kühe mir die Ohren vom Kopf fressen.« – »Die Kanaille hat uns gesehen«, sagte ein anderer. – »Morgen sollst du auf die Reise mit einem Stein am Halse«, fuhr Friedrich fort und stieß nach dem Hunde. – »Friedrich, stell dich nicht an wie ein Narr! Du kennst mich, und du verstehst mich auch!« – Ein Blick begleitete diese Worte, der schnell wirkte. – »Herr Brandis, denkt an meine Mutter!« – »Das tu ich. Hast du nichts im Walde gehört?« – »Im Walde?« – Der Knabe warf einen raschen Blick auf des Försters Gesicht. – »Eure Holzfäller, sonst nichts.« – »Meine Holzfäller!«

Die ohnehin dunkle Gesichtsfarbe des Försters ging in tiefes Braunrot über. »Wie viele sind ihrer, und wo treiben sie ihr Wesen?« – »Wohin Ihr sie geschickt habt; ich weiß es nicht.« – Brandis wandte sich zu seinen Gefährten: »Geht voran; ich komme gleich nach.«

Als einer nach dem andern im Dickicht verschwunden war, trat Brandis dicht vor den Knaben: »Friedrich,« sagte er mit dem Ton unterdrückter Wut, »meine Geduld ist zu Ende; ich möchte dich prügeln wie einen Hund, und mehr seid ihr auch

nicht wert. Ihr Lumpenpack, dem kein Ziegel auf dem Dach gehört! Bis zum Betteln habt ihr es, gottlob, bald gebracht, und an meiner Tür soll deine Mutter, die alte Hexe, keine verschimmelte Brotrinde bekommen. Aber vorher sollt ihr mir noch beide ins Hundeloch.«
Friedrich griff krampfhaft nach einem Aste. Er war totenbleich, und seine Augen schienen wie Kristallkugeln aus dem Kopfe schießen zu wollen. Doch nur einen Augenblick. Dann kehrte die größte, an Erschlaffung grenzende Ruhe zurück. – »Herr,« sagte er fest, mit fast sanfter Stimme, »Ihr habt gesagt, was Ihr nicht verantworten könnt, und ich vielleicht auch. Wir wollen es gegeneinander aufgehen lassen, und nun will ich Euch sagen, was Ihr verlangt. Wenn Ihr die Holzfäller nicht selbst bestellt habt, so müssen es die Blaukittel sein, denn aus dem Dorfe ist kein Wagen gekommen; ich habe den Weg ja vor mir, und vier Wagen sind es. Ich habe sie nicht gesehen, aber den Hohlweg hinauffahren hören.« – Er stockte einen Augenblick. –
»Könnt Ihr sagen, daß ich je einen Baum in Eurem Revier gefällt habe? überhaupt, daß ich je anderwärts gehauen habe als auf Bestellung? Denkt nach, ob Ihr das sagen könnt?«
Ein verlegenes Murmeln war die ganze Antwort des Försters, der nach Art der meisten rauhen Menschen leicht bereute. Er wandte sich unwirsch und schritt dem Gebüsche zu. – »Nein, Herr,« rief Friedrich, »wenn Ihr zu den andern Förstern wollt, die sind dort an der Buche hinaufgegangen.« – »An der Buche?« sagte Brandis zweifelhaft, »nein, dort hinüber, nach dem Mastergrunde.« – »Ich sage Euch, an der Buche; des langen Heinrich Flintenriemen blieb noch am krummen Ast dort hängen; ich habs ja gesehen!«
Der Förster schlug den bezeichneten Weg ein. Friedrich hatte die ganze Zeit hindurch seine Stellung nicht verlassen; halb liegend, den Arm um einen dürren Ast geschlungen, sah er dem Fortgehenden unverrückt nach, wie er durch den halbverwachsenen Steig glitt, mit den vorsichtigen weiten

Schritten seines Metiers, so geräuschlos, wie ein Fuchs die Hühnerstiege erklimmt. Hier sank ein Zweig hinter ihm, dort einer; die Umrisse seiner Gestalt schwanden immer mehr. Da blitzte es noch einmal durchs Laub. Es war ein Stahlknopf seines Jagdrocks; nun war er fort. Friedrichs Gesicht hatte während dieses allmählichen Verschwindens den Ausdruck seiner Kälte verloren, und seine Züge schienen zuletzt unruhig bewegt. Gereute es ihn vielleicht, den Förster nicht um Verschweigung seiner Angaben gebeten zu haben? Er ging einige Schritte voran, blieb dann stehen. »Es ist zu spät«, sagte er vor sich hin und griff nach seinem Hute. Ein leises Picken im Gebüsche, nicht zwanzig Schritte von ihm. Es war der Förster, der den Flintenstein schärfte. Friedrich horchte. – »Nein!« sagte er dann mit entschlossenem Tone, raffte seine Siebensachen zusammen und trieb das Vieh eilfertig die Schlucht entlang.

Um Mittag saß Frau Margret am Herd und kochte Tee. – Friedrich war krank heimgekommen, er klagte über heftige Kopfschmerzen und hatte auf ihre besorgte Nachfrage erzählt, wie er sich schwer geärgert über den Förster, kurz, den ganzen eben beschriebenen Vorgang, mit Ausnahme einiger Kleinigkeiten, die er besser fand, für sich zu behalten. Margret sah schweigend und trübe in das siedende Wasser. Sie war es wohl gewohnt, ihren Sohn mitunter klagen zu hören, aber heute kam er ihr so angegriffen vor wie sonst nie. Sollte wohl eine Krankheit im Anzuge sein? Sie seufzte tief und ließ einen eben ergriffenen Holzblock fallen.

»Mutter!« rief Friedrich aus der Kammer. – »Was willst du?« – »War das ein Schuß?« – »Ach nein, ich weiß nicht, was du meinst.« – »Es pocht mir wohl nur so im Kopfe«, versetzte er. Die Nachbarin trat herein und erzählte mit leisem Flüstern irgendeine unbedeutende Klatscherei, die Margret ohne Teilnahme anhörte. Dann ging sie. –

»Mutter!« rief Friedrich. Margret ging zu ihm hinein. »Was erzählte die Hülsmeyer?« – »Ach gar nichts, Lügen, Wind!« –

Friedrich richtete sich auf. – »Von der Gretchen Siemers; du weißt ja wohl die alte Geschichte; und ist doch nichts Wahres dran.« – Friedrich legte sich wieder hin. »Ich will sehen, ob ich schlafen kann«, sagte er.

Margret saß am Herde; sie spann und dachte wenig Erfreuliches. Im Dorfe schlug es halb zwölf; die Türe klinkte, und der Gerichtsschreiber Kapp trat herein. –

»Guten Tag, Frau Mergel,« sagte er; »könnt Ihr mir einen Trunk Milch geben? ich komme von M.« – Als Frau Mergel das Verlangte brachte, fragte er: »Wo ist Friedrich?« Sie war gerade beschäftigt, einen Teller hervorzulangen, und überhörte die Frage. Er trank zögernd und in kurzen Absätzen. »Wißt Ihr wohl,« sagte er dann, »daß die Blaukittel in dieser Nacht wieder im Masterholze eine ganze Strecke so kahl gefegt haben wie meine Hand!« – »Ei, du frommer Gott!« versetzte sie gleichgültig. – »Die Schandbuben«, fuhr der Schreiber fort, »ruinieren alles; wenn sie noch Rücksicht nähmen auf das junge Holz, aber Eichenstämmchen wie mein Arm dick, wo nicht einmal eine Ruderstange drin steckt! Es ist, als ob ihnen anderer Leute Schaden ebenso lieb wäre wie ihr Profit!« – »Es ist schade!« sagte Margret. Der Amtsschreiber hatte getrunken und ging noch immer nicht. Er schien etwas auf dem Herzen zu haben. »Habt Ihr nichts von Brandis gehört?« fragte er plötzlich. – »Nichts; er kommt niemals hier ins Haus.« – »So wißt Ihr nicht, was ihm begegnet ist?« – »Was denn?« fragte Margret gespannt. – »Er ist tot!« – »Tot!« rief sie, »was, tot? Um Gottes willen! er ging ja noch heute morgen ganz gesund hier vorüber mit der Flinte auf dem Rücken!« – »Er ist tot,« wiederholte der Schreiber, sie scharf fixierend; »von den Blaukitteln erschlagen. Vor einer Viertelstunde wurde die Leiche ins Dorf gebracht.«

Margret schlug die Hände zusammen. – »Gott im Himmel, geh nicht mit ihm ins Gericht! Er wußte nicht, was er tat!« – »Mit ihm!« rief der Amtsschreiber, »mit dem verfluchten

Mörder, meint Ihr?« Aus der Kammer drang ein schweres Stöhnen. Margret eilte hin, und der Schreiber folgte ihr. Friedrich saß aufrecht im Bette, das Gesicht in die Hände gedrückt, und ächzte wie ein Sterbender. – »Friedrich, wie ist dir?« sagte die Mutter. – »Wie ist dir?« wiederholte der Amtsschreiber. – »O mein Leib, mein Kopf!« jammerte er. – »Was fehlt ihm?« – »Ach, Gott weiß es,« versetzte sie, »er ist schon um vier mit den Kühen heimgekommen, weil ihm so übel war. – Friedrich, Friedrich, antworte doch, soll ich zum Doktor?« – »Nein, nein,« ächzte er, »es ist nur Kolik, es wird schon besser.«

Er legte sich zurück, sein Gesicht zuckte krampfhaft vor Schmerz; dann kehrte die Farbe wieder. – »Geht,« sagte er matt; »ich muß schlafen, dann gehts vorüber.« –

»Frau Mergel,« sagte der Amtsschreiber ernst, »ist es gewiß, daß Friedrich um vier zu Hause kam und nicht wieder fortging?« – Sie sah ihn starr an. – »Fragt jedes Kind auf der Straße. Und fortgehen? – wollte Gott, er könnt es!« – »Hat er Euch nichts von Brandis erzählt?« – »In Gottes Namen, ja, daß er ihn im Walde geschimpft und unsere Armut vorgeworfen hat, der Lump! – Doch Gott verzeih mir, er ist tot! – Geht!« fuhr sie heftig fort; »seid Ihr gekommen, um ehrliche Leute zu beschimpfen? Geht!« – Sie wandte sich wieder zu ihrem Sohne; der Schreiber ging. – »Friedrich, wie ist dir?« sagte die Mutter; »hast du wohl gehört? schrecklich, schrecklich! ohne Beichte und Asolution!«

»Mutter, Mutter, um Gottes willen laß mich schlafen; ich kann nicht mehr!«

In diesem Augenblick trat Johannes Niemand in die Kammer; dünn und lang wie eine Hopfenstange, aber zerlumpt und scheu, wie wir ihn vor fünf Jahren gesehen. Sein Gesicht war noch bleicher als gewöhnlich. »Friedrich,« stotterte er, »du sollst sogleich zum Ohm kommen; er hat Arbeit für dich; aber sogleich.« – Friedrich drehte sich gegen die Wand. – »Ich komme nicht,« sagte er barsch, »ich bin krank.« – »Du

mußt aber kommen,« keuchte Johannes; »er hat gesagt, ich müßte dich mitbringen.« –
Friedrich lachte höhnisch auf: »Das will ich doch sehen!« – »Laß ihn in Ruhe, er kann nicht,« seufzte Margret, »du siehst ja, wie es steht.« – Sie ging auf einige Minuten hinaus; als sie zurückkam, war Friedrich bereits angekleidet. – »Was fällt dir ein?« rief sie, »du kannst, du sollst nicht gehen!« – »Was sein muß, schickt sich wohl«, versetzte er und war schon zur Türe hinaus mit Johannes. – »Ach Gott,« seufzte die Mutter, »wenn die Kinder klein sind, treten sie uns in den Schoß, und wenn sie groß sind, ins Herz!«
Die gerichtliche Untersuchung hatte ihren Anfang genommen, die Tat lag klar am Tage; über den Täter aber waren die Anzeichen so schwach, daß, obschon alle Umstände die Blaukittel dringend verdächtigten, man doch nicht mehr als Mutmaßungen wagen konnte. Eine Spur schien Licht geben zu wollen: doch rechnete man aus Gründen wenig darauf. Die Abwesenheit des Gutsherrn hatte den Gerichtsschreiber genötigt, auf eigene Hand die Sache einzuleiten. Er saß am Tische; die Stube war gedrängt voll von Bauern, teils neugierigen, teils solchen, von denen man in Ermangelung eigentlicher Zeugen einigen Aufschluß zu erhalten hoffte. Hirten, die in derselben Nacht gehütet, Knechte, die den Acker in der Nähe bestellt, alle standen stramm und fest, die Hände in den Taschen, gleichsam als stillschweigende Erklärung, daß sie nicht einzuschreiten gesonnen seien.
Acht Forstbeamte wurden vernommen. Ihre Aussagen waren völlig gleichlautend: Brandis habe sie am zehnten abends zur Runde bestellt, da ihm von einem Vorhaben der Blaukittel müsse Kunde zugekommen sein; doch habe er sich nur unbestimmt darüber geäußert. Um zwei Uhr in der Nacht seien sie ausgezogen und auf manche Spuren der Zerstörung gestoßen, die den Oberförster sehr übel gestimmt; sonst sei alles still gewesen. Gegen vier Uhr habe Brandis gesagt: »Wir sind angeführt, laßt uns heimgehen.« – Als sie nun um den

Bremerberg gewendet und zugleich der Wind umgeschlagen, habe man deutlich im Masterholz fällen gehört und aus der schnellen Folge der Schläge geschlossen, daß die Blaukittel am Werk seien. Man habe nun eine Weile beratschlagt, ob es tunlich sei, mit so geringer Macht die kühne Bande anzugreifen, und sich dann ohne bestimmten Entschluß dem Schalle langsam genähert. Nun folgte der Auftritt mit Friedrich. Ferner: nachdem Brandis sie ohne Weisung fortgeschickt, seien sie eine Weile vorangeschritten und dann, als sie bemerkt, daß das Getöse im noch ziemlich weit entfernten Walde gänzlich aufgehört, stillegestanden, um den Oberförster zu erwarten.

Die Zögerung habe sie verdrossen, und nach etwa zehn Minuten seien sie weitergegangen und so bis an den Ort der Verwüstung. Alles sei vorüber gewesen, kein Laut mehr im Walde, von zwanzig gefällten Stämmen noch acht vorhanden, die übrigen bereits fortgeschafft. Es sei ihnen unbegreiflich, wie man dieses ins Werk gestellt, da keine Wagenspuren zu finden gewesen. Auch habe die Dürre der Jahreszeit und der mit Fichtennadeln bestreute Boden keine Fußstapfen unterscheiden lassen, obgleich der Grund ringsumher wie festgestampft war. Da man nun überlegt, daß es zu nichts nützen könne, den Oberförster zu erwarten, sei man rasch der andern Seite des Waldes zugeschritten in der Hoffnung, vielleicht noch einen Blick von den Frevlern zu erhaschen. Hier habe sich einem von ihnen beim Ausgange des Waldes die Flaschenschnur in Brombeerranken verstrickt, und als er umgeschaut, habe er etwas im Gestrüpp blitzen sehen; es war die Gurtschnalle des Oberförsters, den man nun hinter den Ranken liegend fand, grad ausgestreckt, die rechte Hand um den Flintenlauf geklemmt, die andere geballt, und die Stirn von einer Axt gespalten.

Dies waren die Aussagen der Förster; nun kamen die Bauern an die Reihe, aus denen jedoch nichts zu bringen war. Manche behaupteten, um vier Uhr noch zu Hause oder anderswo

beschäftigt gewesen zu sein, und keiner wollte etwas bemerkt haben. Was war zu machen? Sie waren sämtlich angesessene, unverdächtige Leute. Man mußte sich mit ihren negativen Zeugnissen begnügen.
Friedrich ward hereingerufen. Er trat ein mit einem Wesen, das sich durchaus nicht von seinem gewöhnlichen unterschied, weder gespannt noch keck. Das Verhör währte ziemlich lange, und die Fragen waren mitunter ziemlich schlau gestellt; er beantwortete sie jedoch alle offen und bestimmt und erzählte den Vorgang zwischen ihm und dem Oberförster ziemlich der Wahrheit gemäß, bis auf das Ende, das er geratener fand, für sich zu behalten. Sein Alibi zur Zeit des Mordes war leicht erwiesen. Der Förster lag am Ausgange des Masterholzes, über drei viertel Stunden Weges von der Schlucht, in der er Friedrich um vier Uhr angeredet und aus der dieser seine Herde schon zehn Minuten später ins Dorf getrieben. Jedermann hatte dies gesehen; alle anwesenden Bauern beeiferten sich, es zu bezeugen; mit diesem hatte er geredet, jenem zugenickt.
Der Gerichtsschreiber saß unmutig und verlegen da. Plötzlich fuhr er mit der Hand hinter sich und brachte etwas Blinkendes vor Friedrichs Auge. »Wem gehört dies?« – Friedrich sprang drei Schritt zurück. »Herr Jesus! ich dachte, Ihr wolltet mir den Schädel einschlagen.« Seine Augen waren rasch über das tödliche Werkzeug gefahren und schienen momentan auf einem ausgebrochenen Splitter am Stiele zu haften. »Ich weiß es nicht«, sagte er fest. – Es war die Axt, die man in dem Schädel des Oberförsters eingeklammert gefunden hatte. – »Sieh sie genau an«, fuhr der Gerichtsschreiber fort. Friedrich faßte sie mit der Hand, besah sie oben, unten, wandte sie um. »Es ist eine Axt wie andere«, sagte er dann und legte sie gleichgültig auf den Tisch. Ein Blutfleck ward sichtbar; er schien zu schaudern, aber er wiederholte noch einmal sehr bestimmt: »Ich kenne sie nicht.« Der Gerichtsschreiber seufzte vor Unmut. Er selbst wußte um nichts

mehr und hatte nur einen Versuch zu möglicher Entdeckung durch Überraschung machen wollen. Es blieb nichts übrig, als das Verhör zu schließen.

Denjenigen, die vielleicht auf den Ausgang dieser Begebenheit gespannt sind, muß ich sagen, daß diese Geschichte nie aufgeklärt wurde, obwohl noch viel dafür geschah und diesem Verhöre mehrere folgten. Den Blaukitteln schien durch das Aufsehen, das der Vorgang gemacht, und die darauffolgenden geschärften Maßregeln der Mut genommen; sie waren von nun an wie verschwunden, und obgleich späterhin noch mancher Holzfrevler erwischt wurde, fand man doch nie Anlaß, ihn der berüchtigten Bande zuzuschreiben. Die Axt lag zwanzig Jahre nachher als unnützes Korpus delikti im Gerichtsarchiv, wo sie wohl noch jetzt ruhen mag mit ihren Rostflecken. Es würde in einer erdichteten Geschichte unrecht sein, die Neugier des Lesers so zu täuschen. Aber dies alles hat sich wirklich zugetragen; ich kann nichts davon- oder dazutun.

Am nächsten Sonntage stand Friedrich sehr früh auf, um zur Beichte zu gehen. Es war Mariä Himmelfahrt und die Pfarrgeistlichen schon vor Tagesanbruch im Beichtstuhle.

Nachdem er sich im Finstern angekleidet, verließ er so geräuschlos wie möglich den engen Verschlag, der ihm in Simons Hause eingeräumt war.

In der Küche mußte sein Gebetbuch auf dem Sims liegen, und er hoffte, es mit Hilfe des schwachen Mondlichts zu finden; es war nicht da. Er warf die Augen suchend umher und fuhr zusammen; in der Kammertür stand Simon, fast unbekleidet, seine dürre Gestalt, sein ungekämmtes wirrres Haar und die vom Mondschein verursachte Blässe des Gesichts gaben ihm ein schauerlich verändertes Ansehen. »Sollte er nachtwandeln?« dachte Friedrich und verhielt sich ganz still. – »Friedrich, wohin?« flüsterte der Alte. – »Ohm, seid Ihrs? ich will beichten gehen.« – »Das dacht ich mir; geh in Gottes Namen, aber beichte wie ein guter Christ.« – »Das will ich«, sagte Friedrich. – »Denk an die zehn Gebote: du sollst kein Zeugnis ablegen gegen deinen Nächsten.« – »Kein falsches!« – »Nein, gar keines; du bist schlecht unterrichtet; wer einen andern in der Beichte anklagt, der empfängt das Sakrament unwürdig.«

Beide schwiegen. – »Ohm, wie kommt Ihr darauf?« sagte Friedrich dann; »Euer Gewissen ist nicht rein; Ihr habt mich belogen.« – »Ich, so?« – »Wo ist Eure Axt?« – »Meine Axt? auf der Tenne.« – »Habt Ihr einen neuen Stiel hinein gemacht? wo ist der alte?« – »Den kannst du heute bei Tag im Holzschuppen finden.«

»Geh,« fuhr er verächtlich fort, »ich dachte, du seist ein Mann; aber du bist ein altes Weib, das gleich meint, das Haus brennt, wenn ihr Feuertopf raucht. Sieh,« fuhr er fort, »wenn ich mehr von der Geschichte weiß, als der Türpfosten da, so will ich ewig nicht selig werden. – Längst war ich zu Haus«, fügte er hinzu. – Friedrich stand beklemmt und zweifelnd. Er hätte viel darum gegeben, seines Ohms Gesicht sehen zu können. Aber während sie flüsterten, hatte der Himmel sich bewölkt.

»Ich habe schwere Schuld,« seufzte Friedrich, »daß ich ihn den unrechten Weg geschickt – obgleich – doch, dies hab ich nicht gedacht, nein, gewiß nicht. Ohm, ich habe Euch ein schweres Gewissen zu danken.« – »So geh, beicht!« flüsterte Simon mit bebender Stimme; »verunehre das Sakrament durch Angeberei und setze armen Leuten einen Spion auf den Hals, der schon Wege finden wird, ihnen das Stückchen Brot aus den Zähnen zu reißen, wenn er gleich nicht reden darf – geh!« –

Friedrich stand unschlüssig; er hörte ein leises Geräusch; die Wolken verzogen sich, das Mondlicht fiel wieder auf die Kammertür: sie war geschlossen. Friedrich ging an diesem Morgen nicht zur Beichte.

Der Eindruck, den dieser Vorfall auf Friedrich gemacht, erlosch leider nur zu bald. Wer zweifelt daran, daß Simon alles tat, seinen Adoptivsohn dieselben Wege zu leiten, die er selber ging? Und in Friedrich lagen Eigenschaften, die dies nur zu sehr erleichterten: Leichtsinn, Erregbarkeit und vor allem ein grenzenloser Hochmut, der nicht immer den Schein verschmähte und dann alles daransetzte, durch Wahrmachung des Usurpierten möglicher Beschämung zu entgehen. Seine Natur war nicht unedel, aber er gewöhnte sich, die innere Schande der äußern vorzuziehen. Man darf nur sagen, er gewöhnte sich zu prunken, während seine Mutter darbte.

Diese unglückliche Wendung seines Charakters war indessen das Werk mehrerer Jahre, in denen man bemerkte, daß Margret immer stiller über ihren Sohn ward und allmählich in einen Zustand der Verkommenheit versank, den man früher bei ihr für unmöglich gehalten hätte. Sie wurde scheu, saumselig, sogar unordentlich, und manche meinten, ihr Kopf habe gelitten. Friedrich ward desto lauter; er versäumte keine Kirchweih oder Hochzeit, und da ein sehr empfindliches Ehrgefühl ihn die geheime Mißbilligung mancher nicht übersehen ließ, war er gleichsam immer unter Waffen, der öffentlichen Meinung nicht sowohl Trotz zu bieten, als sie den Weg zu leiten, der ihm gefiel. Er war äußerlich ordentlich, nüchtern, anscheinend treuherzig, aber listig, prahlerisch und oft roh, ein Mensch, an dem niemand Freude haben konnte, am wenigsten seine Mutter, und der dennoch durch seine gefürchtete Kühnheit und noch mehr gefürchtete Tücke ein gewisses Übergewicht im Dorfe erlangt hatte, das um so mehr anerkannt wurde, je mehr man sich bewußt war, ihn nicht zu kennen, und nicht berechnen zu können, wessen er am Ende fähig sei. Nur ein Bursch im Dorfe, Wilm Hülsmeyer, wagte im Bewußtsein seiner Kraft und guter Verhältnisse ihm die Spitze zu bieten; und da er gewandter in Worten war als Friedrich und immer, wenn der Stachel saß, einen Scherz daraus zu machen wußte, so war dies der einzige, mit dem Friedrich ungern zusammentraf. – –

Vier Jahre waren verflossen; es war im Oktober; der milde

Herbst von 1760, der alle Scheunen mit Korn und alle Keller mit Wein füllte, hatte seinen Reichtum auch über diesen Erdwinkel strömen lassen, und man sah mehr Betrunkene, hörte von mehr Schlägereien und dummen Streichen als je. Überall gabs Lustbarkeiten; der blaue Montag kam in Aufnahme, und wer ein paar Taler erübrigt hatte, wollte gleich eine Frau dazu, die ihm heute essen und morgen hungern helfen könne. Da gab es im Dorfe eine tüchtige, solide Hochzeit, und die Gäste durften mehr erwarten als eine verstimmte Geige, ein Glas Branntwein und was sie an guter Laune selber mitbrachten. Seit früh war alles auf den Beinen; vor jeder Tür wurden Kleider gelüftet, und B. glich den ganzen Tag einer Trödelbude. Da viele Auswärtige erwartet wurden, wollte jeder gern die Ehre des Dorfes oben halten.
Es war sieben Uhr abends und alles in vollem Gange; Jubel und Gelächter an allen Enden, die niedern Stuben zum Ersticken angefüllt mit blauen, roten und gelben Gestalten, gleich Pfandställen, in denen eine zu große Herde eingepfercht ist. Auf der Tenne ward getanzt, das heißt: wer zwei Fuß Raum erobert hatte, drehte sich darauf immer rundum und suchte durch Jauchzen zu ersetzen, was an Bewegung fehlte. Das Orchester war glänzend, die erste Geige als anerkannte Künstlerin prädominierend, die zweite und eine große Baßviole mit drei Saiten von Dilettanten ad libitum gestrichen; Branntwein und Kaffee im Überfluß, alle Gäste von Schweiß triefend; kurz, es war ein köstliches Fest.
Friedrich stolzierte umher wie ein Hahn, im neuen himmelblauen Rock, und machte sein Recht als erster Elegant geltend. Als auch die Gutsherrschaft anlangte, saß er gerade hinter der Baßgeige und strich die tiefste Saite mit großer Kraft und vielem Anstand.
»Johannes!« rief er gebieterisch, und heran trat sein Schützling von dem Tanzplatze, wo er auch seine ungelenken Beine zu schlenkern und eins zu jauchzen versucht hatte. Friedrich reichte ihm den Bogen, gab durch eine stolze Kopfbewegung

seinen Willen zu erkennen und trat zu den Tanzenden: »Nun lustig, Musikanten: den Pagen von Istrup!« – Der beliebte Tanz ward gespielt, und Friedrich machte Sätze vor den Augen seiner Herrschaft, daß die Kühe an der Tenne die Hörner zurückzogen und Kettengeklirr und Gebrumm an ihren Ständern herlief. Fußhoch über die andern tauchte sein blonder Kopf auf und nieder wie ein Hecht, der sich im Wasser überschlägt; an allen Enden schrien Mädchen auf, denen er zum Zeichen der Huldigung mit einer raschen Kopfbewegung sein langes Flachshaar ins Gesicht schleuderte.

»Jetzt ist es gut!« sagte er endlich und trat schweißtriefend an den Kredenztisch; »die gnädigen Herrschaften sollen leben und alle die hochadeligen Prinzen und Prinzessinnen, und wers nicht mittrinkt, den will ich an die Ohren schlagen, daß er die Engel singen hört!« – Ein lautes Vivat beantwortete den galanten Toast. – Friedrich machte seinen Bückling. – »Nichts für ungut, gnädige Herrschaften, wir sind nur ungelehrte Bauersleute!«

In diesem Augenblick erhob sich ein Getümmel am Ende der Tenne, Geschrei, Schelten, Gelächter, alles durcheinander. »Butterdieb, Butterdieb!« riefen ein paar Kinder, und heran drängte sich, oder vielmehr ward geschoben, Johannes Niemand, den Kopf zwischen die Schultern ziehend und mit aller Macht nach dem Ausgange strebend. – »Was ists? was habt ihr mit unserem Johannes?« rief Friedrich gebieterisch.

»Das sollt Ihr früh genug gewahr werden«, keuchte ein altes Weib mit der Küchenschürze und einem Wischhader in der Hand. – Schande! Johannes, der arme Teufel, dem zu Hause das Schlechteste gut genug sein mußte, hatte versucht, sich ein halbes Pfündchen Butter für die kommende Dürre zu sichern, und ohne daran zu denken, daß er es, sauber in sein Schnupftuch gewickelt, in der Tasche geborgen, war er ans Küchenfeuer getreten, und nun rann das Fett schmählich die Rockschöße entlang.

Allgemeiner Aufruhr; die Mädchen sprangen zurück, aus

Furcht, sich zu beschmutzen, oder stießen den Delinquenten vorwärts. Andere machten Platz, sowohl aus Mitleid als Vorsicht. Aber Friedrich trat vor: »Lumpenhund!« rief er; ein paar derbe Maulschellen trafen den geduldigen Schützling; dann stieß er ihn an die Tür und gab ihm einen tüchtigen Fußtritt mit auf den Weg. Er kehrte niedergeschlagen zurück; seine Würde war verletzt, das allgemeine Gelächter schnitt ihm durch die Seele, ob er sich gleich durch einen tapfern Juchheschrei wieder in den Gang zu bringen suchte – es wollte nicht mehr recht gehen. Er war im Begriff, sich wieder hinter die Baßviole zu flüchten; doch zuvor noch ein Knalleffekt: er zog seine silberne Taschenuhr hervor, zu jener Zeit ein seltener und kostbarer Schmuck. »Es ist bald zehn«, sagte er. »Jetzt den Brautmenuett! ich will Musik machen.«
»Eine prächtige Uhr!« sagte der Schweinehirt und schob sein Gesicht in ehrfurchtsvoller Neugier vor. –
»Was hat sie gekostet?« rief Wilm Hülsmeyer, Friedrichs Nebenbuhler. – »Willst du sie bezahlen?« fragte Friedrich. – »Hast *du* sie bezahlt?« antwortete Wilm. Friedrich warf einen stolzen Blick auf ihn und griff in schweigender Majestät zum Fidelbogen. – »Nun, nun,« sagte Hülsmeyer, »dergleichen hat man schon erlebt. Du weißt wohl, der Franz Ebel hatte auch eine schöne Uhr, bis der Jude Aaron sie ihm wieder abnahm.« – Friedrich antwortete nicht, sondern winkte stolz der ersten Violine, und sie begannen aus Leibeskräften zu streichen.
Die Gutsherrschaft war indessen in die Kammer getreten, wo der Braut von den Nachbarfrauen das Zeichen ihres neuen Standes, die weiße Stirnbinde, umgelegt wurde. Das junge Blut weinte sehr, teils weil es die Sitte so wollte, teils aus wahrer Beklemmung. Sie sollte einem verworrenen Haushalt vorstehen, unter den Augen eines mürrischen alten Mannes, den sie noch obendrein lieben sollte. Er stand neben ihr, durchaus nicht wie der Bräutigam des Hohen Liedes, der ›in

die Kammer tritt wie die Morgensonne‹. – »Du hast nun genug geweint,« sagte er verdrießlich; »bedenk, du bist es nicht, die mich glücklich macht, ich mache dich glücklich!« – Sie sah demütig zu ihm auf und schien zu fühlen, daß er recht habe. – Das Geschäft war beendigt; die junge Frau hatte ihrem Manne zugetrunken, junge Spaßvögel hatten durch den Dreifuß geschaut, ob die Binde gerade sitze, und man drängte sich wieder der Tenne zu, von wo unauslöschliches Gelächter und Lärm herüberschallte. Friedrich war nicht mehr dort. Eine große, unerträgliche Schmach hatte ihn getroffen, da der Jude Aaron, ein Schlächter und gelegentlicher Althändler aus dem nächsten Städtchen, plötzlich erschienen war und nach einem kurzen, unbefriedigenden Zwiegespräch ihn laut vor allen Leuten um den Betrag von zehn Talern für eine schon um Ostern gelieferte Uhr gemahnt hatte. Friedrich war wie vernichtet fortgegangen und der Jude ihm gefolgt, immer schreiend: »O weh mir! warum hab ich nicht gehört auf vernünftige Leute! Haben sie mir nicht hundertmal gesagt, Ihr hättet all Eur Gut am Leibe und kein Brot im Schranke!« – Die Tenne tobte von Gelächter; manche hatten sich auf den Hof nachgedrängt. – »Packt den Juden! wiegt ihn gegen ein Schwein!« riefen einige; andere waren ernst geworden. – »Der Friedrich sah so blaß aus wie ein Tuch«, sagte eine alte Frau, und die Menge teilte sich, wie der Wagen des Gutsherrn in den Hof lenkte. Herr von S. war auf dem Heimwege verstimmt, die jedesmalige Folge, wenn der Wunsch, seine Popularität aufrechtzuerhalten, ihn bewog, solchen Festen beizuwohnen. Er sah schweigend aus dem Wagen. »Was sind denn das für ein paar Figuren?« – Er deutete auf zwei dunkle Gestalten, die vor dem Wagen rannten wie Strauße. Nun schlüpften sie ins Schloß. – »Auch ein paar selige Schweine aus unserm eigenen Stall!« seufzte Herr von S. Zu Hause angekommen, fand er die Hausflur vom ganzen Dienstpersonal eingenommen, das zwei Kleinknechte umstand, welche sich blaß und atemlos auf der Stiege niederge-

lassen hatten. Sie behaupteten, von des alten Mergels Geist verfolgt worden zu sein, als sie durchs Brederholz heimkehrten. Zuerst hatte es über ihnen an der Höhe gerauscht und geknistert; darauf hoch in der Luft ein Geklapper wie von aneinandergeschlagenen Stöcken; plötzlich ein gellender Schrei und ganz deutlich die Worte: »O weh, meine arme Seele!« hoch von oben herab. Der eine wollte auch glühende Augen durch die Zweige funkeln gesehen haben, und beide waren gelaufen, was ihre Beine vermochten.
»Dummes Zeug!« sagte der Gutsherr verdrießlich und trat in die Kammer, sich umzukleiden. Am andern Morgen wollte die Fontäne im Garten nicht springen, und es fand sich, daß jemand eine Röhre verrückt hatte, augenscheinlich um nach dem Kopfe eines vor vielen Jahren hier verscharrten Pferdegerippes zu suchen, der für ein bewährtes Mittel wider allen Hexen- und Geisterspuk gilt. »Hm,« sagte der Gutsherr, »was die Schelme nicht stehlen, das verderben die Narren.«
Drei Tage später tobte ein furchtbarer Sturm. Es war Mitternacht, aber alles im Schlosse außer dem Bett. Der Gutsherr stand am Fenster und sah besorgt ins Dunkle, nach seinen Feldern hinüber. An den Scheiben flogen Blätter und Zweige her; mitunter fuhr ein Ziegel hinab und schmetterte auf das Pflaster des Hofes. – »Furchtbares Wetter!« sagte Herr von S. Seine Frau sah ängstlich aus. »Ist das Feuer auch gewiß gut verwahrt?« sagte sie; »Gretchen, sieh noch einmal nach, gieß es lieber ganz aus! – Kommt, wir wollen das Evangelium Johannis beten.« Alles kniete nieder, und die Hausfrau begann: »Im Anfang war das Wort, und das Wort war bei Gott, und Gott war das Wort.« Ein furchtbarer Donnerschlag. Alle fuhren zusammen; dann furchtbares Geschrei und Getümmel die Treppe heran. – »Um Gottes willen! brennt es?« rief Frau von S. und sank mit dem Gesicht auf den Stuhl. Die Türe ward aufgerissen, und herein stürzte die Frau des Juden Aaron, bleich wie der Tod, das Haar wild um den Kopf, von Regen triefend. Sie warf sich vor dem Gutsherrn auf die

Knie. »Gerechtigkeit!« rief sie, »Gerechtigkeit! mein Mann ist erschlagen!« und sank ohnmächtig zusammen.
Es war nur zu wahr, und die nachfolgende Untersuchung bewies, daß der Jude Aaron durch einen Schlag an die Schläfe mit einem stumpfen Instrumente, wahrscheinlich einem Stabe, sein Leben verloren hatte, durch einen einzigen Schlag. An der linken Schläfe war der blaue Fleck, sonst keine Verletzung zu finden. Die Aussagen der Jüdin und ihres Knechtes Samuel lauteten so: Aaron war vor drei Tagen am Nachmittage ausgegangen, um Vieh zu kaufen, und hatte dabei gesagt, er werde wohl über Nacht ausbleiben, da noch einige böse Schuldner in B. und S. zu mahnen seien. In diesem Falle werde er in B. beim Schlachter Salomon übernachten. Als er am folgenden Tage nicht heimkehrte, war seine Frau sehr besorgt geworden und hatte sich endlich heute um drei nachmittags in Begleitung ihres Knechtes und des großen Schlächterhundes auf den Weg gemacht. Beim Juden Salomon wußte man nichts von Aaron; er war gar nicht dagewesen. Nun waren sie zu allen Bauern gegangen, von denen sie wußten, daß Aaron einen Handel mit ihnen im Auge hatte.
Nur zwei hatten ihn gesehen, und zwar an demselben Tage, an welchem er ausgegangen. Es war darüber sehr spät geworden. Die große Angst trieb das Weib nach Haus, wo sie ihren Mann wiederzufinden eine schwache Hoffnung nährte. So waren sie im Brederholz vom Gewitter überfallen worden und hatten unter einer großen, am Berghange stehenden Buche Schutz gesucht; der Hund hatte unterdessen auf eine auffallende Weise umhergestöbert und sich endlich, trotz allem Locken, im Walde verlaufen. Mit einem Male sieht die Frau beim Leuchten des Blitzes etwas Weißes neben sich im Moose. Es ist der Stab ihres Mannes, und fast im selben Augenblicke bricht der Hund durchs Gebüsch und trägt etwas im Maule: es ist der Schuh ihres Mannes. Nicht lange, so ist in einem mit dürrem Laube gefüllten Graben der Leichnam des Juden gefunden. –

Dies war die Angabe des Knechtes, von der Frau nur im allgemeinen unterstützt; ihre übergroße Spannung hatte nachgelassen, und sie schien jetzt halb verwirrt oder vielmehr stumpfsinnig. »Aug um Auge, Zahn um Zahn!« dies waren die einzigen Worte, die sie zuweilen hervorstieß.
In derselben Nacht noch wurden die Schützen aufgeboten, um Friedrich zu verhaften. Der Anklage bedurfte es nicht, da Herr von S. selbst Zeuge eines Auftritts gewesen war, der den dringendsten Verdacht auf ihn werfen mußte; zudem die Gespenstergeschichte von jenem Abende, das Aneinanderschlagen der Stäbe im Brederholz, der Schrei aus der Höhe. Da der Amtsschreiber gerade abwesend war, so betrieb Herr von S. selbst alles rascher, als sonst geschehen wäre. Dennoch begann die Dämmerung bereits anzubrechen, bevor die Schützen so geräuschlos wie möglich das Haus der armen Margret umstellt hatten. Der Gutsherr selber pochte an; es währte kaum eine Minute, bis geöffnet ward und Margret völlig gekleidet in der Tür erschien. Herr von S. fuhr zurück; er hatte sie fast nicht erkannt, so blaß und steinern sah sie aus.
»Wo ist Friedrich?« fragte er mit unsicherer Stimme. –
»Sucht ihn«, antwortete sie und setzte sich auf einen Stuhl. Der Gutsherr zögerte noch einen Augenblick.
»Herein, herein!« sagte er dann barsch; »worauf warten wir?« Man trat in Friedrichs Kammer. Er war nicht da, aber das Bett noch warm. Man stieg auf den Söller, in den Keller, stieß ins Stroh, schaute hinter jedes Faß, sogar in den Backofen; er war nicht da. Einige gingen in den Garten, sahen hinter den Zaun und in die Apfelbäume hinauf; er war nicht zu finden. –
»Entwischt!« sagte der Gutsherr mit sehr gemischten Gefühlen: der Anblick der alten Frau wirkte gewaltig auf ihn. »Gebt den Schlüssel zu jenem Koffer.« – Margret antwortete nicht. – »Gebt den Schlüssel!« wiederholte der Gutsherr und merkte jetzt erst, daß der Schlüssel steckte. Der Inhalt des Koffers kam zum Vorschein: des Entflohenen gute Sonn-

tagskleider und seiner Mutter ärmlicher Staat; dann zwei Leichenhemden mit schwarzen Bändern, das eine für einen Mann, das andere für eine Frau gemacht. Herr von S. war tief erschüttert. Ganz zu unterst auf dem Boden des Koffers lag die silberne Uhr und einige Schriften von sehr leserlicher Hand, eine derselben von einem Manne unterzeichnet, den man in starkem Verdacht der Verbindung mit den Holzfrevlern hatte. Herr von S. nahm sie mit zur Durchsicht, und man verließ das Haus, ohne daß Margret ein anderes Lebenszeichen von sich gegeben hätte, als daß sie unaufhörlich die Lippen nagte und mit den Augen zwinkerte.

Im Schlosse angelangt, fand der Gutsherr den Amtsschreiber, der schon am vorigen Abend heimgekommen war und behauptete, die ganze Geschichte verschlafen zu haben, da der gnädige Herr nicht nach ihm geschickt. –

»Sie kommen immer zu spät«, sagte Herr von S. verdrießlich. »War denn nicht irgendein altes Weib im Dorfe, das Ihrer Magd die Sache erzählte? und warum weckte man Sie dann nicht?« – »Gnädiger Herr,« versetzte Kapp, »allerdings hat meine Anne-Marie den Handel um eine Stunde früher erfahren als ich; aber sie wußte, daß Ihre Gnaden die Sache selbst leiteten, und dann,« fügte er mit klagender Miene hinzu, »daß ich so todmüde war!« – »Schöne Polizei!« murmelte der Gutsherr, »jede alte Schachtel im Dorf weiß Bescheid, wenn es recht geheim zugehen soll.« Dann fuhr er heftig fort: »Das müßte wahrhaftig ein dummer Teufel von Delinquenten sein, der sich packen ließe.«

Beide schwiegen eine Weile. – »Mein Fuhrmann hatte sich in der Nacht verirrt,« hob der Amtsschreiber wieder an; »über eine Stunde lang hielten wir im Walde; es war ein Mordwetter; ich dachte, der Wind werde den Wagen umreißen. Endlich, als der Regen nachließ, fuhren wir in Gottes Namen darauflos, immer in das Zellerfeld hinein, ohne eine Hand vor den Augen zu sehen. Da sagte der Kutscher: ›Wenn wir nur nicht den Steinbrüchen zu nahe kommen!‹ Mir war selbst bange; ich ließ halten und schlug Feuer, um wenigstens etwas Unterhaltung an meiner Pfeife zu haben. Mit einem Male hörten wir ganz nah, perpendikulär unter uns die Glocke schlagen. Euer Gnaden mögen glauben, daß mir fatal zumut wurde. Ich sprang aus dem Wagen, denn seinen eigenen Beinen kann man trauen, aber denen der Pferde nicht. So stand ich, in Kot und Regen, ohne mich zu rühren, bis es gottlob sehr bald anfing zu dämmern. Und wo hielten wir? dicht an der Heerser Tiefe, und den Turm von Heerse gerade unter uns. Wären wir noch zwanzig Schritt weiter gefahren, wir wären alle Kinder des Todes gewesen.« – »Das war in der Tat kein Spaß«, versetzte der Gutsherr, halb versöhnt.

Er hatte unterdessen die mitgenommenen Papiere durchgesehen. Es waren Mahnbriefe um geliehene Gelder, die meisten von Wucherern. – »Ich hätte nicht gedacht,« murmelte er, »daß die Mergels so tief drin steckten.« – »Ja, und daß es so an den Tag kommen muß,« versetzte Kapp; »das wird kein kleiner Ärger für Frau Margret sein.« – »Ach Gott, die denkt jetzt daran nicht!« Mit diesen Worten stand der Gutsherr auf und verließ das Zimmer, um mit Herrn Kapp die gerichtliche Leichenschau vorzunehmen. – Die Untersuchung war kurz, gewaltsamer Tod erwiesen, der vermutliche Täter entflohen, die Anzeigen gegen ihn zwar gravierend, doch ohne persönliches Geständnis nicht beweisend, seine Flucht allerdings sehr verdächtig. So mußte die gerichtliche Verhandlung ohne genügenden Erfolg geschlossen werden.

Die Juden der Umgegend hatten großen Anteil gezeigt. Das Haus der Witwe ward nie leer von Jammernden und Ratenden. – Seit Menschengedenken waren nicht so viel Juden beisammen in L. gesehen worden.

Durch den Mord ihres Glaubensgenossen aufs äußerste erbittert, hatten sie weder Mühe noch Geld gespart, dem Täter auf die Spur zu kommen. Man weiß sogar, daß einer derselben, gemeinhin der Wucherjoel genannt, einem seiner Kunden,

der ihm mehrere Hunderte schuldete und den er für einen besonders listigen Kerl hielt, Erlaß der ganzen Summe angeboten hatte, falls er ihm zur Verhaftung des Mergel verhelfen wolle; denn der Glaube war allgemein unter den Juden, daß der Täter nur mit guter Beihilfe entwischt und wahrscheinlich noch in der Umgegend sei. Als dennoch alles nichts half und die gerichtliche Verhandlung für beendet erklärt worden war, erschien am nächsten Morgen eine Anzahl der angesehensten Israeliten im Schlosse, um dem gnädigen Herrn einen Handel anzutragen. Der Gegenstand war die Buche, unter der Aarons Stab gefunden und wo der Mord wahrscheinlich verübt worden war. – »Wollt ihr sie fällen? so mitten im vollen Laube?« fragte der Gutsherr. –
»Nein, Ihro Gnaden, sie muß stehen bleiben im Sommer und Winter, solange ein Span daran ist.« – »Aber wenn ich nun den Wald hauen lasse, so schadet es dem jungen Aufschlag.« – »Wollen wir sie doch nicht um gewöhnlichen Preis.« – Sie boten zweihundert Taler. Der Handel ward geschlossen und allen Förstern streng eingeschärft, die Judenbuche auf keine Weise zu schädigen.
Darauf sah man an einem Abende wohl gegen sechzig Juden, ihren Rabbiner an der Spitze, in das Brederholz ziehen, alle schweigend und mit gesenkten Augen.
Sie blieben über eine Stunde im Walde und kehrten dann ebenso ernst und feierlich zurück, durch das Dorf B. bis in das Zellerfeld, wo sie sich zerstreuten und jeder seines Weges ging.
Am nächsten Morgen stand an der Buche mit dem Beil eingehauen:

אִם־תַּעֲמֹד בַּמָּקוֹם הַזֶּה יִכְּנַע בְּךָ כַּאֲשֶׁר אַתָּה עֹשֶׂה לִּי

Und wo war Friedrich? Ohne Zweifel fort, weit genug, um die kurzen Arme einer so schwachen Polizei nicht mehr fürchten zu dürfen. Er war bald verschollen, vergessen. Ohm Simon redete selten von ihm, und dann schlecht; die

Judenfrau tröstete sich am Ende und nahm einen andern Mann. Nur die arme Margret blieb ungetröstet.
Etwa ein halbes Jahr nachher las der Gutsherr einige eben erhaltene Briefe in Gegenwart des Amtsschreibers. – »Sonderbar, sonderbar!« sagte er. »Denken Sie sich, Kapp, der Mergel ist vielleicht unschuldig an dem Morde. Soeben schreibt mir der Präsident des Gerichtes zu P.: ›Le vrai n'est pas toujours vraisemblable; das erfahre ich oft in meinem Berufe und jetzt neuerdings. Wissen Sie wohl, daß Ihr lieber Getreuer, Friedrich Mergel, den Juden mag ebensowenig erschlagen haben als ich oder Sie? Leider fehlen die Beweise, aber die Wahrscheinlichkeit ist groß. Ein Mitglied der Schlemmingschen Bande (die wir jetzt, nebenbei gesagt, größtenteils unter Schloß und Riegel haben), Lumpenmoises genannt, hat im letzten Verhöre ausgesagt, daß ihn nichts so sehr gereue, als der Mord eines Glaubensgenossen, Aaron, den er im Walde erschlagen und doch nur sechs Groschen bei ihm gefunden habe.
Leider ward das Verhör durch die Mittagsstunde unterbrochen, und während wir tafelten, hat sich der Hund von einem Juden an seinem Strumpfband erhängt. Was sagen Sie dazu? Aaron ist zwar ein verbreiteter Name usw.‹ Was sagen Sie dazu?« wiederholte der Gutsherr; »und weshalb wäre der Esel von einem Burschen denn gelaufen?«
Der Amtsschreiber dachte nach. – »Nun, vielleicht der Holzfrevel wegen, mit denen wir ja gerade in Untersuchung waren. Heißt es nicht: der Böse läuft vor seinem eigenen Schatten? Mergels Gewissen war schmutzig genug auch ohne diesen Flecken.«
Dabei beruhigte man sich. Friedrich war hin, verschwunden, und – Johannes Niemand, der arme, unbeachtete Johnannes, am gleichen Tage mit ihm. – –

Eine schöne lange Zeit war verflossen, achtundzwanzig Jahre, fast die Hälfte eines Menschenlebens; der Gutsherr war sehr alt und grau geworden, sein gutmütiger Gehilfe Kapp längst begraben. Menschen, Tiere und Pflanzen waren entstanden, gereift, vergangen, nur Schloß B. sah immer gleich grau und vornehm auf die Hütten herab, die wie alte hektische Leute immer fallen zu wollen schienen und immer standen. Es war am Vorabende des Weihnachtsfestes, den 24. Dezember 1788. Tiefer Schnee lag in den Hohlwegen, wohl an zwölf Fuß hoch, und eine durchdringende Frostluft machte die Fensterscheiben in der geheizten Stube gefrieren. Mitternacht war nahe, dennoch flimmerten überall matte Lichtchen aus den Schneehügeln, und in jedem Hause lagen die Einwohner auf den Knieen, um den Eintritt des heiligen Christfestes mit Gebet zu erwarten, wie dies in katholischen Ländern Sitte ist oder wenigstens damals allgemein war. Da bewegte sich von der Breder Höhe herab eine Gestalt langsam gegen das Dorf; der Wanderer schien sehr matt oder krank; er stöhnte schwer und schleppte sich äußerst mühsam durch den Schnee.

An der Mitte des Hanges stand er still, lehnte sich auf seinen Krückenstab und starrte unverwandt auf die Lichtpunkte. Es war so still überall, so tot und kalt, man mußte an Irrlichter auf Kirchhöfen denken. Nun schlug es zwölf im Turm; der letzte Schlag verdröhnte langsam, und im nächsten Hause erhob sich ein leiser Gesang, der, von Hause zu Hause schwellend, sich über das ganze Dorf zog:

Ein Kindelein so löbelich
Ist uns geboren heute,
Von einer Jungfrau säuberlich,
Des freun sich alle Leute;
Und wär das Kindelein nicht geborn,
So wären wir alle zusammen verlorn:
Das Heil ist unser aller.
O du mein liebster Jesu Christ,
Der du als Mensch geboren bist,
Erlös uns von der Hölle!

Der Mann am Hange war in die Kniee gesunken und versuchte mit zitternder Stimme einzufallen; es ward nur lautes Schluchzen daraus, und schwere, heiße Tropfen fielen in den Schnee. Die zweite Strophe begann; er betete leise mit; dann die dritte und vierte. Das Lied war geendigt, und die Lichter in den Häusern begannen sich zu bewegen. Da richtete der Mann sich mühselig auf und schlich langsam hinab in das Dorf. An mehreren Häusern keuchte er vorüber, dann stand er vor einem still und pochte leise an.

»Was ist denn das?« sagte drinnen eine Frauenstimme, »die Türe klappert, und der Wind geht doch nicht.« Er pochte stärker. – »Um Gottes willen, laßt einen halberfrorenen Menschen ein, der aus der türkischen Sklaverei kommt!« Geflüster in der Küche. – »Geht ins Wirtshaus,« antwortete eine andere Stimme, »das fünfte Haus von hier!« – »Um Gottes Barmherzigkeit willen, laßt mich ein! ich habe kein Geld.« – Nach einigem Zögern ward die Tür geöffnet, und ein Mann leuchtete mit der Lampe hinaus. – »Kommt nur herein,« sagte er dann, »Ihr werdet uns den Hals nicht abschneiden.«

In der Küche befanden sich außer dem Manne eine Frau in den mittlern Jahren, eine alte Mutter und fünf Kinder. Alle drängten sich um den Eintretenden her und musterten ihn mit scheuer Neugier. Eine armselige Figur! mit schiefem Halse, gekrümmtem Rücken, die ganze Gestalt gebrochen und kraftlos; langes schneeweißes Haar hing um sein Gesicht, das den verzogenen Ausdruck langen Leidens trug. Die Frau ging schweigend an den Herd und legte frisches Reisig zu. – »Ein Bett können wir Euch nicht geben,« sagte sie; »aber ich will hier eine gute Streu machen; Ihr müßt Euch schon so behelfen.« – »Gottes Lohn!« versetzte der Fremde; »ich bins wohl schlechter gewohnt.« – Der Heimgekehrte ward als Johannes Niemand erkannt, und er selbst bestätigte, daß er derselbe sei, der einst mit Friedrich Mergel entflohen.

Das Dorf war am folgenden Tage voll von den Abenteuern des so lange Verschollenen.

Jeder wollte den Mann aus der Türkei sehen, und man wunderte sich beinahe, daß er noch aussehe wie andere Menschen. Das junge Volk hatte zwar keine Erinnerungen von ihm, aber die Alten fanden seine Züge noch ganz wohl heraus, so erbärmlich entstellt er auch war.
»Johannes, Johannes, was seid Ihr grau geworden!« sagte eine alte Frau. »Und woher habt Ihr den schiefen Hals?« – »Vom Holz- und Wassertragen in der Sklaverei«, versetzte er. –
»Und was ist aus Mergel geworden? Ihr seid doch zusammen fortgelaufen?« –
»Freilich wohl; aber ich weiß nicht, wo er ist, wir sind voneinander gekommen. Wenn Ihr an ihn denkt, betet für ihn,« fügte er hinzu, »er wird es wohl nötig haben.«
Man fragte ihn, warum Friedrich sich denn aus dem Staube gemacht, da er den Juden doch nicht erschlagen? – »Nicht?« sagte Johannes und horchte gespannt auf, als man ihm erzählte, was der Gutsherr geflissentlich verbreitet hatte, um den Fleck von Mergels Namen zu löschen. »Also ganz umsonst,« sagte er nachdenkend, »ganz umsonst so viel ausgestanden!« Er seufzte tief und fragte nun seinerseits nach manchem. Simon war lange tot, aber zuvor noch ganz verarmt, durch Prozesse und böse Schuldner, die er nicht gerichtlich belangen durfte, weil es, wie man sagte, zwischen ihnen keine reine Sache war. Er hatte zuletzt Bettelbrot gegessen und war in einem fremden Schuppen auf dem Stroh gestorben. Margret hatte länger gelebt, aber in völliger Geistesstumpfheit. Die Leute im Dorf waren es bald müde geworden, ihr beizustehen, da sie alles verkommen ließ, was man ihr gab, wie es denn die Art der Menschen ist, gerade die Hilflosesten zu verlassen, solche, bei denen der Beistand nicht nachhaltig wirkt und die der Hilfe immer gleich bedürftig bleiben. Dennoch hatte sie nicht eigentlich Not gelitten; die Gutsherrschaft sorgte sehr für sie, schickte ihr täglich das Essen und ließ ihr auch ärztliche Behandlung zukommen, als

ihr kümmerlicher Zustand in völlige Abzehrung übergegangen war. In ihrem Hause wohnte jetzt der Sohn des ehemaligen Schweinehirten, der an jenem Abende Friedrichs Uhr so sehr bewundert hatte. –

»Alles hin, alles tot!« seufzte Johannes.

Am Abend, als es dunkel geworden war und der Mond schien, sah man ihn im Schnee auf dem Kirchhofe umherhumpeln; er betete bei keinem Grabe, ging auch an keines dicht hinan, aber auf einige schien er aus der Ferne starre Blicke zu heften. So fand ihn der Förster Brandis, der Sohn des Erschlagenen, den die Gutsherrschaft abgeschickt hatte, ihn ins Schloß zu holen.

Beim Eintritt in das Wohnzimmer sah er scheu umher, wie vom Licht geblendet, und dann auf den Baron, der sehr zusammengefallen in seinem Lehnstuhl saß, aber noch immer mit den hellen Augen und dem roten Käppchen auf dem Kopfe wie vor achtundzwanzig Jahren; neben ihm die gnädige Frau, auch alt, sehr alt geworden.

»Nun, Johannes,« sagte der Gutsherr, »erzähl mir einmal recht ordentlich von deinen Abenteuern. Aber,« er musterte ihn durch die Brille, »du bist ja erbärmlich mitgenommen in der Türkei!« – Johannes begann: wie Mergel ihn nachts von der Herde abgerufen und gesagt, er müsse mit ihm fort. – »Aber warum lief der dumme Junge denn? Du weißt doch, daß er unschuldig war?« – Johannes sah vor sich nieder: »Ich weiß nicht recht, mich dünkt, es war wegen Holzgeschichten. Simon hatte so allerlei Geschäfte; mir sagte man nichts davon, aber ich glaube nicht, daß alles war, wie es sein sollte.« – »Was hat denn Friedrich dir gesagt?« – »Nichts, als daß wir laufen müßten, sie wären hinter uns her. So liefen wir bis Heerse; da war es noch dunkel, und wir versteckten uns hinter das große Kreuz am Kirchhofe, bis es etwas heller würde, weil wir uns vor den Steinbrüchen am Zellerfelde fürchteten; und wie wir eine Weile gesessen hatten, hörten wir mit einem Male über uns schnauben und stampfen und sahen lange Feuerstrahlen in der Luft, gerade über dem Heerser Kirchturm.

Wir sprangen auf und liefen, was wir konnten, in Gottes Namen geradeaus, und wie es dämmerte, waren wir wirklich auf dem rechten Wege nach P.«

Johannes schien noch vor der Erinnerung zu schaudern, und der Gutsherr dachte an seinen seligen Kapp und dessen Abenteuer am Heerser Hange. –

»Sonderbar!« lachte er, »so nah wart ihr einander! aber fahr fort.« –

Johannes erzählte nun, wie sie glücklich durch P. und über die Grenze gekommen.

Von da an hatten sie sich als wandernde Handwerksbursche durchgebettelt bis Freiburg im Breisgau. »Ich hatte meinen Brotsack bei mir,« sagte er, »und Friedrich ein Bündelchen; so glaubte man uns.« In Freiburg hatten sie sich von den Österreichern anwerben lassen: ihn hatte man nicht gewollt, aber Friedrich bestand darauf. So kam er unter den Train. »Den Winter über blieben wir in Freiburg,« fuhr er fort, »und es ging uns ziemlich gut; mir auch, weil Friedrich mich oft erinnerte und mir half, wenn ich etwas verkehrt machte. Im Frühling mußten wir marschieren, nach Ungarn, und im Herbst ging der Krieg mit den Türken los. Ich kann nicht viel davon nachsagen, denn ich wurde gleich in der ersten Affäre gefangen und bin seitdem sechsundzwanzig Jahre in der türkischen Sklaverei gewesen!« – »Gott im Himmel! das ist doch schrecklich!« sagte Frau von S. – »Schlimm genug; die Türken halten uns Christen nicht besser als Hunde; das Schlimmste war, daß meine Kräfte unter der harten Arbeit vergingen; ich ward auch älter und sollte noch immer tun wie vor Jahren.«

Er schwieg eine Weile.

»Ja,« sagte er dann, »es ging über Menschenkräfte und Menschengeduld; ich hielt es auch nicht aus. – Von da kam ich auf ein holländisches Schiff.« – »Wie kamst du denn dahin?«

fragte der Gutsherr. – »Sie fischten mich auf, aus dem Bosporus«, versetzte Johannes. Der Baron sah ihn befremdet an und hob den Finger warnend auf; aber Johannes erzählte weiter.

Auf dem Schiffe war es ihm nicht viel besser gegangen. »Der Skorbut riß ein; wer nicht ganz elend war, mußte über Macht arbeiten, und das Schiffstau regierte ebenso streng wie die türkische Peitsche.«

»Endlich,« schloß er, »als wir nach Holland kamen, nach Amsterdam, ließ man mich frei, weil ich unbrauchbar war, und der Kaufmann, dem das Schiff gehörte, hatte auch Mitleiden mit mir und wollte mich zu seinem Pförtner machen. Aber« – er schüttelte den Kopf – »ich bettelte mich lieber durch bis hieher.« – »Das war dumm genug«, sagte der Gutsherr. Johannes seufzte tief: »O Herr, ich habe mein Leben zwischen Türken und Ketzern zubringen müssen, soll ich nicht wenigstens auf einem katholischen Kirchhofe liegen?« Der Gutsherr hatte seine Börse gezogen: »Da, Johannes, nun geh und komm bald wieder. Du mußt mir das alles noch ausführlicher erzählen; heute ging es etwas konfus durcheinander. Du bist wohl noch sehr müde?« – »Sehr müde«, versetzte Johannes; »und«, er deutete auf seine Stirn, »meine Gedanken sind zuweilen so kurios, ich kann nicht recht sagen, wie es so ist.« – »Ich weiß schon,« sagte der Baron, »von alter Zeit her. Jetzt geh. Hülsmeyers behalten dich wohl noch die Nacht über, morgen komm wieder.«

Herr von S. hatte das innigste Mitleiden mit dem armen Schelm; bis zum folgenden Tage war überlegt worden, wo man ihn einmieten könne; essen sollte er täglich im Schlosse, und für Kleidung fand sich auch wohl Rat. »Herr,« sagte Johannes, »ich kann auch noch wohl etwas tun; ich kann hölzerne Löffel machen, und Ihr könnt mich auch als Boten schicken.«

Herr von S. schüttelte mitleidig den Kopf: »Das würde doch nicht sonderlich ausfallen.« – »O doch, Herr, wenn ich erst im Gange bin – es geht nicht schnell, aber hin komme ich doch, und es wird mir auch nicht so sauer, wie man denken sollte.« – »Nun,« sagte der Baron zweifelnd, »willst du's versuchen? Hier ist ein Brief nach P. Es hat keine sonderliche Eile.«

Am folgenden Tage bezog Johannes sein Kämmerchen bei einer Witwe im Dorfe.

Er schnitzelte Löffel, aß auf dem Schlosse und machte Botengänge für den gnädigen Herrn. Im ganzen gings ihm leidlich; die Herrschaft war sehr gütig, und Herr von S. unterhielt sich oft lange mit ihm über die Türkei, den österreichischen Dienst und die See. –

»Der Johannes könnte viel erzählen,« sagte er zu seiner Frau, »wenn er nicht so grundeinfältig wäre.« – »Mehr tiefsinnig als einfältig,« versetzte sie; »ich fürchte immer, er schnappt noch über.« – »Ei bewahre,« antwortete der Baron, »er war sein Leben lang ein Simpel; simple Leute werden nie verrückt.«

Nach einiger Zeit blieb Johannes auf einem Botengange über Gebühr lange aus. Die gute Frau von S. war sehr besorgt um ihn und wollte schon Leute aussenden, als man ihn die Treppe heraufstelzen hörte. –

»Du bist lange ausgeblieben, Johannes,« sagte sie, »ich dachte schon, du hättest dich im Brederholz verirrt.« – »Ich bin durch den Förengrund gegangen.« –

»Das ist ja ein weiter Umweg; warum gingst du nicht durchs Brederholz?« –

Er sah trübe zu ihr auf: »Die Leute sagten mir, der Wald sei gefällt, und jetzt seien so viele Kreuz- und Querwege darin, da fürchtete ich, nicht wieder hinauszukommen. Ich werde alt und duselig«, fügte er langsam hinzu. – »Sahst du wohl,« sagte Frau von S. nachher zu ihrem Manne, »wie wunderlich und quer er aus den Augen sah? Ich sage dir, Ernst, das nimmt noch ein schlimmes Ende.«

Indessen nahte der September heran. Die Felder waren leer,

das Laub begann abzufallen, und mancher Hektische fühlte die Schere an seinem Lebensfaden. Auch Johannes schien unter dem Einflusse des nahen Äquinoktiums zu leiden; die ihn in diesen Tagen sahen, sagten, er habe auffallend verstört ausgesehen und unaufhörlich leise mit sich selber geredet, was er auch sonst mitunter tat, aber selten. Endlich kam er eines Abends nicht nach Hause. Man dachte, die Herrschaft habe ihn verschickt; am zweiten auch nicht; am dritten ward seine Hausfrau ängstlich. Sie ging ins Schloß und fragte nach. – »Gott bewahre,« sagte der Gutsherr, »ich weiß nichts von ihm; aber geschwind den Jäger gerufen und Försters Wilhelm! Wenn der armselige Krüppel«, setzte er bewegt hinzu, »auch nur in einen trockenen Graben gefallen ist, so kann er nicht wieder heraus. Wer weiß, ob er nicht gar eines von seinen schiefen Beinen gebrochen hat! – Nehmt die Hunde mit«, rief er den abziehenden Jägern nach, »und sucht vor allem in den Gräben; seht in die Steinbrüche!« rief er lauter.
Die Jäger kehrten nach einigen Stunden heim; sie hatten keine Spur gefunden. Herr von S. war in großer Unruhe. »Wenn ich mir denke, daß einer so liegen muß wie ein Stein und kann sich nicht helfen! Aber er kann noch leben; drei Tage hälts ein Mensch wohl ohne Nahrung aus.« – Er machte sich selbst auf den Weg; in allen Häusern wurde nachgefragt, überall in die Hörner geblasen, gerufen, die Hunde zum Suchen angehetzt – umsonst! – Ein Kind hatte ihn gesehen, wie er am Rande des Brederholzes saß und an einem Löffel schnitzelte; »er schnitt ihn aber ganz entzwei«, sagte das kleine Mädchen. Das war vor zwei Tagen gewesen. Nachmittags fand sich wieder eine Spur: abermals ein Kind, das ihn an der andern Seite des Waldes bemerkt hatte, wo er im Gebüsch gesessen, das Gesicht auf den Knieen, als ob er schliefe. Das war noch am vorigen Tage. Es schien, er hatte sich immer um das Brederholz herumgetrieben.
»Wenn nur das verdammte Buschwerk nicht so dicht wäre! da kann keine Seele hindurch«, sagte der Gutsherr. Man trieb

die Hunde in den jungen Schlag; man blies und hallote und kehrte endlich mißvergnügt heim, als man sich überzeugt, daß die Tiere den ganzen Wald abgesucht hatten. – »Laßt nicht nach! laßt nicht nach!« bat Frau von S.; »besser ein paar Schritte umsonst, als daß etwas versäumt wird.« – Der Baron war fast ebenso beängstigt wie sie. Seine Unruhe trieb ihn sogar nach Johannes' Wohnung, obwohl er sicher war, ihn dort nicht zu finden. Er ließ sich die Kammer des Verschollenen aufschließen. Da stand sein Bett noch ungemacht, wie er es verlassen hatte; dort hing sein guter Rock, den ihm die gnädige Frau aus dem alten Jagdkleide des Herrn hatte machen lassen; auf dem Tische ein Napf, sechs neue hölzerne Löffel und eine Schachtel.

Der Gutsherr öffnete sie; fünf Groschen lagen darin, sauber in Papier gewickelt, und vier silberne Westenknöpfe; der Gutsherr betrachtete sie aufmerksam. »Ein Andenken von Mergel«, murmelte er und trat hinaus, denn ihm ward ganz beengt in dem dumpfen, engen Kämmerchen.

Die Nachsuchungen wurden fortgesetzt, bis man sich überzeugt hatte, Johannes sei nicht mehr in der Gegend, wenigstens nicht lebendig. So war er denn zum zweiten Mal verschwunden; ob man ihn wiederfinden würde – vielleicht einmal nach Jahren seine Knochen in einem trockenen Graben? Ihn lebend wiederzusehen, dazu war wenig Hoffnung, und jedenfalls nach achtundzwanzig Jahren gewiß nicht.

Vierzehn Tage später kehrte der junge Brandis morgens von einer Besichtigung seines Reviers durch das Brederholz heim. Es war ein für die Jahreszeit ungewöhnlich heißer Tag; die Luft zitterte, kein Vogel sang, nur die Raben krächzten langweilig aus den Ästen und hielten ihre offenen Schnäbel der Luft entgegen. Brandis war sehr ermüdet. Bald nahm er seine von der Sonne durchglühte Kappe ab, bald setzte er sie wieder auf. Es war alles gleich unerträglich, das Arbeiten durch den kniehohen Schlag sehr beschwerlich. Ringsumher kein Baum außer der Judenbuche. Dahin strebte er denn auch aus allen Kräften und ließ sich todmatt auf das beschattete Moos darunter nieder. Die Kühle zog so angenehm durch seine Glieder, daß er die Augen schloß.

»Schändliche Pilze!« murmelte er halb im Schlaf. Es gibt nämlich in jener Gegend eine Art sehr saftiger Pilze, die nur ein paar Tage stehen, dann einfallen und einen unerträglichen Geruch verbreiten. Brandis glaubte solche unangenehmen Nachbarn zu spüren, er wandte sich ein paarmal hin und her, mochte aber doch nicht aufstehen; sein Hund sprang unterdessen umher, kratzte am Stamm der Buche und bellte hinauf. – »Was hast du da, Bello? eine Katze?« murmelte Brandis. Er öffnete die Wimper halb, und die Judenschrift fiel ihm ins Auge, sehr ausgewachsen, aber doch noch ganz kenntlich. Er schloß die Augen wieder; der Hund fuhr fort zu bellen und legte endlich seinem Herrn die kalte Schnauze ans Gesicht. – »Laß mich in Ruh! was hast du denn?« Hiebei sah Brandis, wie er so auf dem Rücken lag, in die Höhe, sprang dann mit einem Satze auf und wie besessen ins Gestrüpp hinein.

Totenbleich kam er auf dem Schlosse an: in der Judenbuche hänge ein Mensch; er habe die Beine gerade über seinem Gesichte hängen sehen. »Und du hast ihn nicht abgeschnitten, Esel?« rief der Baron.

»Herr,« keuchte Brandis, »wenn Euer Gnaden dagewesen wären, so wüßten Sie wohl, daß der Mensch nicht mehr lebt. Ich glaubte anfangs, es seien die Pilze!« Dennoch trieb der Gutsherr zur größten Eile und zog selbst mit hinaus.

Sie waren unter der Buche angelangt. »Ich sehe nichts«, sagte Herr von S. – »Hierher müssen Sie treten, hierher, an diese Stelle.« – Wirklich, dem war so: der Gutsherr erkannte seine eigenen abgetragenen Schuhe. –

»Gott, es ist Johannes! – Setzt die Leiter an! – so – nun herunter! – sacht, sacht! laßt ihn nicht fallen! – Lieber Himmel, die Würmer sind schon daran! Macht dennoch die Schlinge auf und die Halsbinde.« – Eine breite Narbe ward sichtbar; der Gutsherr fuhr zurück. –

»Mein Gott!« sagte er; er beugte sich wieder über die Leiche, betrachtete die Narbe mit großer Aufmerksamkeit und schwieg eine Weile in tiefer Erschütterung.

Dann wandte er sich zu den Förstern: »Es ist nicht recht, daß der Unschuldige für den Schuldigen leide; sagt es nur allen Leuten: der da« – er deutete auf den Toten – »war Friedrich Mergel.« –

Die Leiche ward auf dem Schindanger verscharrt.

Dies hat sich nach allen Hauptumständen wirklich so begeben im September des Jahres 1789. –

Die hebräische Schrift an dem Baume heißt: »Wenn du dich diesem Orte nahest, so wird es dir ergehen, wie du mir getan hast.«

FRIEDRICH SCHILLER

Der Geisterseher

Aus den Papieren des Grafen von O**

Erstes Buch

Ich erzähle eine Begebenheit, die vielen unglaublich scheinen wird, und von der ich großenteils selbst Augenzeuge war. Den wenigen, welche von einem gewissen politischen Vorfalle unterrichtet sind, wird sie – wenn anders diese Blätter sie noch am Leben finden – einen willkommenen Aufschluß darüber geben; und auch ohne diesen Schlüssel wird sie den übrigen, als ein Beitrag zur Geschichte des Betrugs und der Verirrungen des menschlichen Geistes, vielleicht wichtig sein. Man wird über die Kühnheit des Zwecks erstaunen, den die Bosheit zu entwerfen und zu verfolgen imstande ist; man wird über die Seltsamkeit der Mittel erstaunen, die sie aufzubeiten vermag, um sich dieses Zwecks zu versichern. Reine, strenge Wahrheit wird meine Feder leiten; denn wenn diese Blätter in die Welt treten, bin ich nicht mehr und werde durch den Bericht, den ich abstatte, weder zu gewinnen noch zu verlieren haben.

Es war auf meiner Zurückreise nach Kurland, im Jahre 17** um die Karnevalszeit, als ich den Prinzen von ** in Venedig besuchte. Wir hatten uns in **schen Kriegsdiensten kennen lernen und erneuerten hier eine Bekanntschaft, die der Friede unterbrochen hatte. Weil ich ohnedies wünschte, das Merkwürdige dieser Stadt zu sehen, und der Prinz nur noch Wechsel erwartete, um nach ** zurückzureisen, so beredete er mich leicht, ihm Gesellschaft zu leisten und meine Abreise so lange zu verschieben. Wir kamen überein, uns nicht voneinander zu trennen, solange unser Aufenthalt in Venedig dauern würde, und der Prinz war so gefällig, mir seine eigene Wohnung im Mohren anzubieten.

Er lebte hier unter dem strengsten Inkognito, weil er sich selbst leben wollte und seine geringe Apanage ihm auch nicht verstattet hätte, die Hoheit seines Rangs zu behaupten. Zwei Kavaliere, auf deren Verschwiegenheit er sich vollkommen verlassen konnte, waren nebst einigen treuen Bedienten sein ganzes Gefolge. Den Aufwand vermied er, mehr aus Temperament als aus Sparsamkeit. Er floh die Vergnügungen; in einem Alter von fünfunddreißig Jahren hatte er allen Reizungen dieser wollüstigen Stadt widerstanden. Das schöne Geschlecht war ihm bis jetzt gleichgültig gewesen. Tiefer Ernst und eine schwärmerische Melancholie herrschten in seiner Gemütsart. Seine Neigungen waren still, aber hartnäckig bis zum Übermaß, seine Wahl langsam und schüchtern, seine Anhänglichkeit warm und ewig. Mitten in einem geräuschvollen Gewühle von Menschen ging er einsam; in seine Phantasienwelt verschlossen, war er sehr oft ein Fremdling in der wirklichen. Niemand war mehr dazu geboren, sich beherrschen zu lassen, ohne schwach zu sein. Dabei war er unerschrocken und zuverlässig, sobald er einmal gewonnen war, und besaß gleich großen Mut, ein erkanntes Vorurteil zu bekämpfen und für ein andres zu sterben.

Als der dritte Prinz seines Hauses hatte er keine wahrscheinliche Aussicht zur Regierung. Sein Ehrgeiz war nie erwacht, seine Leidenschaften hatten eine andre Richtung genommen. Zufrieden, von keinem fremden Willen abzuhängen, fühlte er keine Versuchung, über andere zu herrschen: die ruhige Freiheit des Privatlebens und der Genuß eines geistreichen Umgangs begrenzten alle seine Wünsche. Er las viel, doch ohne Wahl; eine vernachlässigte Erziehung und frühe Kriegsdienste hatten seinen Geist nicht zur Reife kommen lassen. Alle Kenntnisse, die er nachher schöpfte, vermehrten nur die

Verwirrung seiner Begriffe, weil sie auf keinen festen Grund gebauet waren.
Er war Protestant, wie seine ganze Familie – durch Geburt, nicht nach Untersuchung, die er nie angestellt hatte, ob er gleich in einer Epoche seines Lebens religiöser Schwärmer gewesen war. Freimäurer ist er, soviel ich weiß, nie geworden.
Eines Abends, als wir nach Gewohnheit in tiefer Maske und abgesondert auf dem St. Markusplatz spazieren gingen – es fing an, spät zu werden, und das Gedränge hatte sich verloren –, bemerkte der Prinz, daß eine Maske uns überall folgte. Die Maske war ein Armenier und ging allein. Wir beschleunigten unsre Schritte und suchten sie durch öftere Veränderung unseres Weges irre zu machen – umsonst, die Maske blieb immer dicht hinter uns. »Sie haben doch keine Intrige hier gehabt?« sagte endlich der Prinz zu mir. »Die Ehemänner in Venedig sind gefährlich.« – »Ich stehe mit keiner einzigen Dame in Verbindung«, gab ich zur Antwort. – »Wir wollen uns hier niedersetzen und deutsch sprechen,« fuhr er fort. »Ich bilde mir ein, man verkennt uns.« Wir setzten uns auf ein steinerne Bank und erwarteten, daß die Maske vorübergehen sollte. Sie kam gerade auf uns zu und nahm ihren Platz dicht an der Seite des Prinzen. Er zog die Uhr heraus und sagte mir laut auf französisch, indem er aufstand: »Neun Uhr vorbei. Kommen Sie. Wir vergessen, daß man uns im Louvre erwartet.« Dies sagte er nur, um die Maske von unsrer Spur zu entfernen. »Neun Uhr«, wiederholte sie in eben der Sprache nachdrücklich und langsam. »Wünschen Sie sich Glück, Prinz« (indem sie ihn bei seinem wahren Namen nannte). »Um neun Uhr ist er gestorben.« – Damit stand sie auf und ging.
Wir sahen uns bestürzt an. – »Wer ist gestorben?« sagte endlich der Prinz nach einer langen Stille. – »Lassen Sie uns ihr nachgehen«, sagte ich, »und eine Erklärung fordern.« Wir durchkrochen alle Winkel des Markusplatzes – die Maske

war nicht mehr zu finden. Unbefriedigt kehrten wir nach unserm Gasthof zurück. Der Prinz sagte mir unterwegs nicht ein Wort, sondern ging seitwärts und allein und schien einen gewaltsamen Kampf zu kämpfen, wie er mir auch nachher gestanden hat.

Als wir zu Hause waren, öffnete er zum ersten Male wieder den Mund. »Es ist doch lächerlich,« sagte er, »daß ein Wahnsinniger die Ruhe eines Mannes mit zwei Worten erschüttern soll.« Wir wünschten uns eine gute Nacht, und sobald ich auf meinem Zimmer war, merkte ich mir in meiner Schreibtafel den Tag und die Stunde, wo es geschehen war. Es war ein Donnerstag.

Am folgenden Abend sagte mir der Prinz: »Wollen wir nicht einen Gang über den Markusplatz machen und unsern geheimnisvollen Armenier aufsuchen? Mich verlangt doch nach der Entwicklung dieser Komödie.« Ich wars zufrieden. Wir blieben bis eilf Uhr auf dem Platz. Der Armenier war nirgends zu sehen. Das nämliche wiederholten wir die vier folgenden Abende, und mit keinem bessern Erfolge.

Als wir am sechsten Abend unser Hotel verließen, hatte ich den Einfall – ob unwillkürlich oder aus Absicht, besinn ich mich nicht mehr –, den Bedienten zu hinterlassen, wo wir zu finden sein würden, wenn nach uns gefragt werden sollte. Der Prinz bemerkte meine Vorsicht und lobte sie mit einer lächelnden Miene. Es war ein großes Gedräng auf dem Markusplatz, als wir da ankamen. Wir hatten kaum dreißig Schritte gemacht, so bemerkte ich den Armenier wieder, der sich mit schnellen Schritten durch die Menge arbeitete und mit den Augen jemand zu suchen schien. Eben waren wir im Begriff, ihn zu erreichen, als der Baron von F** aus der Suite des Prinzen atemlos auf uns zukam und dem Prinzen einen Brief überbrachte. »Er ist schwarz gesiegelt«, setzte er hinzu. »Wir vermuteten, daß es Eile hätte.« Das fiel auf mich wie ein Donnerschlag. Der Prinz war zu einer Laterne getreten und fing an zu lesen. »Mein Cousin ist gestorben«, rief er.

»Wann?« fiel ich ihm heftig ins Wort. Er sah noch einmal in den Brief. »Vorigen Donnerstag. Abends um neun Uhr.«
Wir hatten nicht Zeit, von unserm Erstaunen zurückzukommen, so stand der Armenier unter uns. »Sie sind hier erkannt, gnädigster Herr«, sagte er zu dem Prinzen. »Eilen Sie nach dem Mohren. Sie werden die Abgeordneten des Senats dort finden. Tragen Sie kein Bedenken, die Ehre anzunehmen, die man Ihnen erweisen will. Der Baron von F** vergaß, Ihnen zu sagen, daß Ihre Wechsel angekommen sind.« Er verlor sich in dem Gedränge.
Wir eilten nach unserm Hotel. Alles fand sich, wie der Armenier es verkündigt hatte. Drei Nobili der Republik standen bereit, den Prinzen zu bewillkommen und ihn mit Pracht nach der Assemblee zu begleiten, wo der hohe Adel der Stadt ihn erwartete. Er hatte kaum so viel Zeit, mir durch einen flüchtigen Wink zu verstehen zu geben, daß ich für ihn wach bleiben möchte.
Nachts gegen eilf Uhr kam er wieder. Ernst und gedankenvoll trat er ins Zimmer und ergriff meine Hand, nachdem er die Bedienten entlassen hatte. »Graf,« sagte er mit den Worten Hamlets zu mir, »es gibt mehr Dinge im Himmel und auf Erden als wir in unsern Philosophien träumen.«
»Gnädigster Herr,« antwortete ich, »Sie scheinen zu vergessen, daß Sie um eine große Hoffnung reicher zu Bette gehen.« (Der Verstorbene war der Erbprinz, der einzige Sohn des regierenden ***, der alt und kränklich ohne Hoffnung eigner Sukzession war. Ein Oheim unsers Prinzen, gleichfalls ohne Erben und ohne Aussicht, welche zu bekommen, stand jetzt allein noch zwischen diesem und dem Throne. Ich erwähne dieses Umstandes, weil in der Folge davon die Rede sein wird.)
»Erinnern Sie mich nicht daran«, sagte der Prinz. »Und wenn eine Krone für mich wäre gewonnen worden, ich hätte jetzt mehr zu tun, als dieser Kleinigkeit nachzudenken –– Wenn dieser Armenier nicht bloß erraten hat ...«

»Wie ist das möglich, Prinz?« fiel ich ein. –

»So will ich Ihnen alle meine fürstlichen Hoffnungen für eine Mönchskutte abtreten.«

Den folgenden Abend fanden wir uns zeitiger als gewöhnlich auf dem Markusplatz ein. Ein plötzlicher Regenguß nötigte uns, in ein Kaffeehaus einzutreten, wo gespielt wurde. Der Prinz stellte sich hinter den Stuhl eines Spaniers und beobachtete das Spiel. Ich war in ein anstoßendes Zimmer gegangen, wo ich Zeitungen las. Eine Weile darauf hörte ich Lärmen. Vor der Ankunft des Prinzen war der Spanier unaufhörlich im Verluste gewesen, jetzt gewann er auf alle Karten. Das ganze Spiel ward auffallend verändert, und die Bank war in Gefahr, von dem Pointeur, den diese glückliche Wendung kühner gemacht hatte, aufgefordert zu werden. Der Venezianer, der sie hielt, sagte dem Prinzen mit beleidigendem Ton – er störe das Glück, und er solle den Tisch verlassen. Dieser sah ihn kalt an und blieb; dieselbe Fassung behielt er, als der Venezianer seine Beleidigung französisch wiederholte. Der letztere glaubte, daß der Prinz beide Sprachen nicht verstehe, und wandte sich mit verachtungsvollem Lachen zu den übrigen: »Sagen Sie mir doch, meine Herren, wie ich mich diesem Balordo verständlich machen soll?« Zugleich stand er auf und wollte den Prinzen beim Arm ergreifen; diesen verließ hier die Geduld, er packte den Venezianer mit starker Hand und warf ihn unsanft zu Boden. Das ganze Haus kam in Bewegung. Auf das Geräusch stürzte ich herein, unwillkürlich rief ich ihn bei seinem Namen. »Nehmen Sie sich in acht, Prinz,« setzte ich mit Unbesonnenheit hinzu, »wir sind in Venedig.« Der Name des Prinzen gebot eine allgemeine Stille, woraus bald ein Gemurmel wurde, das mir gefährlich schien. Alle anwesenden Italiener rotteten sich zu Haufen und traten beiseite. Einer um den andern verließ den Saal, bis wir uns beide mit dem Spanier und einigen Franzosen allein fanden. »Sie sind verloren, gnädigster Herr,« sagten diese, »wenn Sie nicht sogleich die Stadt verlassen. Der Venezianer, den Sie so übel behandelt haben, ist reich und von Ansehen – es kostet ihm nur funfzig Zechinen, Sie aus der Welt zu schaffen.« Der Spanier bot sich an, zur Sicherheit des Prinzen Wache zu holen und uns selbst nach Hause zu begleiten. Dasselbe wollten auch die Franzosen. Wir standen noch und überlegten, was zu tun wäre, als die Türe sich öffnete und einige Bedienten der Staatsinquisition hereintraten. Sie zeigten uns eine Ordre der Regierung, worin uns beiden befohlen ward, ihnen schleunig zu folgen. Unter einer starken Bedekkung führte man uns bis zum Kanal. Hier erwartete uns eine Gondel, in die wir uns setzen mußten. Ehe wir ausstiegen, wurden uns die Augen verbunden. Man führte uns eine große steinerne Treppe hinauf und dann durch einen langen gewundenen Gang über Gewölbe, wie ich aus dem vielfachen Echo schloß, das unter unsern Füßen hallte. Endlich gelangten wir vor eine andere Treppe, welche uns sechsundzwanzig Stufen in die Tiefe hinunter führte. Hier öffnete sich ein Saal, wo man uns die Binde wieder von den Augen nahm. Wir befanden uns in einem Kreise ehrwürdiger alter Männer, alle schwarz gekleidet, der ganze Saal mit schwarzen Tüchern behangen und sparsam erleuchtet, eine Totenstille in der ganzen Versammlung, welches einen schreckhaften Eindruck machte. Einer von diesen Greisen, vermutlich der oberste Staatsinquisitor, näherte sich dem Prinzen und fragte ihn mit einer feierlichen Miene, während man ihm den Venezianer vorführte:

»Erkennen Sie diesen Menschen für den nämlichen, der Sie auf dem Kaffeehause beleidigt hat?«

»Ja«, antwortete der Prinz.

Darauf wandte jener sich zu dem Gefangenen: »Ist das dieselbe Person, die Sie heute abend wollten ermorden lassen?«

Der Gefangene antwortete mit Ja.

Sogleich öffnete sich der Kreis, und mit Entsetzen sahen wir den Kopf des Venezianers vom Rumpfe trennen. »Sind Sie mit dieser Genugtuung zufrieden?« fragte der Staatsinquisitor. – Der Prinz lag ohnmächtig in den Armen seiner Begleiter. – »Gehen Sie nun«, fuhr jener mit einer schrecklichen Stimme fort, indem er sich gegen mich wandte, »und urteilen Sie künftig weniger vorschnell von der Gerechtigkeit in Venedig.«

Wer der verborgene Freund gewesen, der uns durch den schnellen Arm der Justiz von einem gewissen Tode errettet hatte, konnten wir nicht erraten. Starr von Schrecken erreichten wir unsre Wohnung. Es war nach Mitternacht. Der Kammerjunker von Z* erwartete uns mit Ungeduld an der Treppe.

»Wie gut war es, daß Sie geschickt haben!« sagte er zum Prinzen, indem er uns leuchtete. – »Eine Nachricht, die der Baron von F** gleich nachher vom Markusplatze nach Hause brachte, hätte uns wegen Ihrer in die tödlichste Angst gesetzt.«

»Geschickt hätte ich? Wann? Ich weiß nichts davon.«

»Diesen Abend nach acht Uhr. Sie ließen uns sagen, daß wir ganz außer Sorge sein dürften, wenn Sie heute etwas später nach Hause kämen.«

Hier sah der Prinz mich an. »Haben Sie vielleicht ohne mein Wissen diese Sorgfalt gebraucht?«

Ich wußte von gar nichts.

»Es muß doch wohl so sein, Ihro Durchlaucht,« sagte der Kammerjunker – »denn hier ist ja Ihre Repetieruhr, die Sie zur Sicherheit mitschickten.« Der Prinz griff nach der Uhrtasche. Die Uhr war wirklich fort, und er erkannte jene für die seinige. »Wer brachte sie?« fragte er mit Bestürzung.

»Eine unbekannte Maske, in armenischer Kleidung, die sich sogleich wieder entfernte.«

Wir standen und sahen uns an. – »Was halten Sie davon?« sagte endlich der Prinz nach einem langen Stillschweigen. »Ich habe hier einen verborgenen Aufseher in Venedig.

Der schreckliche Auftritt dieser Nacht hatte dem Prinzen ein

Fieber zugezogen, das ihn acht Tage nötigte, das Zimmer zu hüten. In dieser Zeit wimmelte unser Hotel von Einheimischen und Fremden, die der entdeckte Stand des Prinzen herbeigelockt hatte. Man wetteiferte untereinander, ihm Dienste anzubieten, jeder suchte nach seiner Art sich geltend zu machen. Des ganzen Vorgangs in der Staatsinquisition wurde nicht mehr erwähnt. Weil der Hof zu ** die Abreise des Prinzen noch aufgeschoben wünschte, so erhielten einige Wechsler in Venedig Anweisung, ihm beträchtliche Summen auszuzahlen. So ward er wider Willen in den Stand gesetzt, seinen Aufenthalt in Italien zu verlängern, und auf sein Bitten entschloß ich mich auch, meine Abreise noch zu verschieben.

Sobald er so weit genesen war, um das Zimmer wieder verlassen zu können, beredete ihn der Arzt, eine Spazierfahrt auf der Brenta zu machen, um die Luft zu verändern. Das Wetter war helle, und die Partie ward angenommen. Als wir eben im Begriff waren, in die Gondel zu steigen, vermißte der Prinz den Schlüssel zu einer kleinen Schatulle, die sehr wichtige Papiere enthielt. Sogleich kehrten wir um, ihn zu suchen. Er besann sich aufs genaueste, die Schatulle noch den vorigen Tag verschlossen zu haben, und seit dieser Zeit war er nicht aus dem Zimmer gekommen. Aber alles Suchen war umsonst, wir mußten davon abstehen, um die Zeit nicht zu verlieren. Der Prinz, dessen Seele über jeden Argwohn erhaben war, erklärte ihn für verloren und bat uns, nicht weiter davon zu sprechen.

Die Fahrt war die angenehmste. Eine malerische Landschaft, die mit jeder Krümmung des Flusses sich an Reichtum und Schönheit zu übertreffen schien – der heiterste Himmel, der mitten im Hornung einen Maientag bildete – reizende Gärten und geschmackvolle Landhäuser ohne Zahl, welche beide Ufer der Brenta schmücken – hinter uns das majestätische Venedig, mit hundert aus dem Wasser springenden Türmen und Masten, alles dies gab uns das herrlichste Schauspiel von der Welt. Wir überließen uns ganz dem Zauber dieser schönen Natur, unsere Laune war die heiterste, der Prinz selbst verlor seinen Ernst und wetteiferte mit uns in fröhlichen Scherzen. Eine lustige Musik schallte uns entgegen, als wir einige italienische Meilen von der Stadt ans Land stiegen. Sie kam aus einem kleinen Dorfe, wo eben Jahrmarkt gehalten wurde; hier wimmelte es von Gesellschaft aller Art. Ein Trupp junger Mädchen und Knaben, alle theatralisch gekleidet, bewillkommte uns mit einem pantomimischen Tanz. Die Erfindung war neu, Leichtigkeit und Grazie beseelten jede Bewegung. Eh der Tanz noch völlig zu Ende war, schien die Anführerin desselben, welche eine Königin vorstellte, plötzlich wie von einem unsichtbaren Arme gehalten. Leblos stand sie und alles. Die Musik schwieg. Kein Odem war zu hören in der ganzen Versammlung, und sie stand da, den Blick auf die Erde geheftet, in einer tiefen Erstarrung. Auf einmal fuhr sie mit der Wut der Begeisterung in die Höhe, blickte wild um sich her. – »Ein König ist unter uns«, rief sie, riß ihre Krone vom Haupt und legte sie – zu den Füßen des Prinzen. Alles, was da war, richtete hier die Augen auf ihn, lange Zeit ungewiß, ob Bedeutung in diesem Gaukelspiel wäre, so sehr hatte der affektvolle Ernst dieser Spielerin getäuscht. – Ein allgemeines Händeklatschen des Beifalls unterbrach endlich diese Stille. Meine Augen suchten den Prinzen. Ich bemerkte, daß er nicht wenig betroffen war und sich Mühe gab, den forschenden Blicken der Zuschauer auszuweichen. Er warf Geld unter diese Kinder und eilte, aus dem Gewühle zu kommen.

Wir hatten nur wenige Schritte gemacht, als ein ehrwürdiger Barfüßer sich durch das Volk arbeitete und dem Prinzen in den Weg trat. »Herr,« sagte der Mönch, »gib der Madonna von deinem Reichtum, du wirst ihr Gebet brauchen.« Er sprach dies mit einem Tone, der uns betreten machte. Das Gedränge riß ihn weg.

Unser Gefolge war unterdessen gewachsen. Ein englischer

Lord, den der Prinz schon in Nizza gesehen hatte, einige Kaufleute aus Livorno, ein deutscher Domherr, ein französischer Abbé mit einigen Damen und ein russischer Offizier gesellten sich zu uns. Die Physiognomie des letztern hatte etwas ganz Ungewöhnliches, das unsre Aufmerksamkeit auf sich zog. Nie in meinem Leben sah ich so viele Züge und so wenig Charakter, so viel anlockendes Wohlwollen mit so viel zurückstoßendem Frost in *einem* Menschengesichte beisammen wohnen. Alle Leidenschaften schienen darin gewühlt und es wieder verlassen zu haben. Nichts war übrig als der stille, durchdringende Blick eines vollendeten Menschenkenners, der jedes Auge verscheuchte, worauf er traf. Dieser seltsame Mensch folgte uns von weitem, schien aber an allem, was vorging, nur einen nachlässigen Anteil zu nehmen.

Wir kamen vor eine Bude zu stehen, wo Lotterie gezogen wurde. Die Damen setzten ein, wir andern folgten ihrem Beispiel; auch der Prinz forderte ein Los. Es gewann eine Tabatiere. Als er sie aufmachte, sah ich ihn blaß zurückfahren. – Der Schlüssel lag darin.

»Was ist das?« sagte der Prinz zu mir, als wir einen Augenblick allein waren. »Eine höhere Gewalt verfolgt mich. Allwissenheit schwebt um mich. Ein unsichtbares Wesen, dem ich nicht entfliehen kann, bewacht alle meine Schritte. Ich muß den Armenier aufsuchen und muß Licht von ihm haben.«

Die Sonne neigte sich zum Untergang, als wir vor dem Lusthause ankamen, wo das Abendessen serviert war. Der Name des Prinzen hatte unsre Gesellschaft bis zu sechzehn Personen vergrößert. Außer den oben erwähnten waren noch ein Virtuose aus Rom, einige Schweizer und ein Aventurier aus Palermo, der Uniform trug und sich für einen Kapitän ausgab, zu uns gestoßen. Es ward beschlossen, den ganzen Abend hier zuzubringen und mit Fackeln nach Hause zu fahren. Die Unterhaltung bei Tische war sehr lebhaft, und der Prinz konnte nicht umhin, die Begebenheit mit dem Schlüssel zu erzählen, welche eine allgemeine Verwunderung erregte. Es wurde heftig über diese Materie gestritten. Die meisten aus der Gesellschaft behaupteten dreist weg, daß alle diese geheimen Künste auf eine Taschenspielerei hinausliefen; der Abbé, der schon viel Wein bei sich hatte, forderte das ganze Geisterreich in die Schranken heraus; der Engländer sagte Blasphemien; der Musikus machte das Kreuz vor dem Teufel. Wenige, worunter der Prinz war, hielten dafür, daß man sein Urteil über diese Dinge zurückhalten müsse; währenddessen unterhielt sich der russische Offizier mit den Frauenzimmern und schien das ganze Gespräch nicht zu achten. In der Hitze des Streits hatte man nicht bemerkt, daß der Sizilianer hinausgegangen war. Nach Verfluß einer kleinen halben Stunde kam er wieder, in einen Mantel gehüllt, und stellte sich hinter den Stuhl des Franzosen.

»Sie haben vorhin die Bravour geäußert, es mit allen Geistern aufzunehmen – wollen Sie es mit *einem* versuchen?«

»Topp!« sagte der Abbé – »wenn Sie es auf sich nehmen wollen, mir einen herbeizuschaffen.«

»Das will ich,« antwortete der Sizilianer (indem er sich gegen uns kehrte), »wenn diese Herrn und Damen uns werden verlassen haben.«

»Warum das?« rief der Engländer. »Ein herzhafter Geist fürchtet sich vor keiner lustigen Gesellschaft.«

»Ich stehe nicht für den Ausgang«, sagte der Sizilianer.

»Um des Himmels willen! Nein!« schrieen die Frauenzimmer an dem Tische und fuhren erschrocken von ihren Stühlen.

»Lassen Sie Ihren Geist kommen,« sagte der Abbé trotzig; »aber warnen sie ihn vorher, daß es hier spitzige Klingen gibt« (indem er einen von den Gästen um seinen Degen bat).

»Das mögen Sie alsdann halten, wie Sie wollen,« antwortete der Sizilianer kalt, »wenn Sie nachher noch Lust dazu haben.« Hier kehrte er sich zum Prinzen. »Gnädigster Herr,« sagte er zu diesem, »Sie behaupten, daß Ihr Schlüssel in fremden Händen gewesen – Können Sie vermuten, in welchen?«

»Nein.«

»Raten Sie auch auf niemand?«

»Ich hatte freilich einen Gedanken ...«

»Würden Sie die Person erkennen, wenn Sie sie vor sich sähen?«

»Ohne Zweifel.«

Hier schlug der Sizilianer seinen Mantel zurück und zog einen Spiegel hervor, den er dem Prinzen vor die Augen hielt.

»Ist es diese?«

Der Prinz trat mit Schrecken zurück.

»Was haben Sie gesehen?« fragte ich.

»Den Armenier.«

Der Sizilianer verbarg seinen Spiegel wieder unter dem Mantel. »War es dieselbe Person, die Sie meinen?« fragte die ganze Gesellschaft den Prinzen.

»Die nämliche.«

Hier veränderte sich jedes Gesicht, man hörte auf zu lachen. Alle Augen hingen neugierig an dem Sizilianer.

»Monsieur l'Abbé, das Ding wird ernsthaft,« sagte der Engländer; »ich riet Ihnen, auf den Rückzug zu denken.«

»Der Kerl hat den Teufel im Leibe«, schrie der Franzose und lief aus dem Hause, die Frauenzimmer stürzten mit Geschrei aus dem Saal, der Virtuose folgte ihnen, der deutsche Domherr schnarchte in einem Sessel, der Russe blieb wie bisher gleichgültig sitzen.

»Sie wollten vielleicht nur einen Großsprecher zum Gelächter machen,« fing der Prinz wieder an, nachdem jene hinaus waren – »oder hätten Sie wohl Lust, uns Wort zu halten?«

»Es ist wahr«, sagte der Sizilianer. »Mit dem Abbé war es mein Ernst nicht, ich tat ihm den Antrag nur, weil ich wohl wußte, daß die Memme mich nicht beim Wort nehmen würde. Die Sache selbst ist übrigens zu ernsthaft, um bloß einen Scherz damit auszuführen.«

»Sie räumen also doch ein, daß sie in Ihrer Gewalt ist?«

Der Magier schwieg eine lange Zeit und schien den Prinzen sorgfältig mit den Augen zu prüfen.

»Ja«, antwortete er endlich.

Die Neugierde des Prinzen war bereits auf den höchsten Grad gespannt. Mit der Geisterwelt in Verbindung zu stehen, war ehedem seine Lieblingsschwärmerei gewesen, und seit jener ersten Erscheinung des Armeniers hatten sich alle Ideen wieder bei ihm gemeldet, die seine reifere Vernunft so lange abgewiesen hatte. Er ging mit dem Sizilianer beseite, und ich hörte ihn sehr angelegentlich mit ihm unterhandeln.

»Sie haben hier einen Mann vor sich,« fuhr er fort, »der von Ungeduld brennt, in dieser wichtigen Materie es zu einer Überzeugung zu bringen. Ich würde denjenigen als meinen Wohltäter, als meinen ersten Freund umarmen, der hier meine Zweifel zerstreute und die Decke von meinen Augen zöge. – Wollen Sie sich dieses große Verdienst um mich erwerben?«

»Was verlangen Sie von mir?« sagte der Magier mit Bedenken.

»Vor jetzt nur eine Probe Ihrer Kunst. Lassen Sie mich eine Erscheinung sehen.«

»Wozu soll das führen?«

»Dann mögen Sie aus meiner nähern Bekanntschaft urteilen, ob ich eines höhern Unterrichts wert bin.«

»Ich schätze Sie über alles, gnädigster Prinz. Eine geheime Gewalt in Ihrem Angesichte, die Sie selbst noch nicht kennen, hat mich beim ersten Anblick an Sie gebunden. Sie sind mächtiger, als Sie selbst wissen. Sie haben unumschränkt über meine ganze Gewalt zu gebieten – aber...«

»Also lassen Sie mich eine Erscheinung sehen.«

»Aber ich muß erst gewiß sein, daß Sie diese Forderung nicht aus Neugierde an mich machen. Wenngleich die unsichtbaren Kräfte mir einigermaßen zu Willen sind, so ist es unter der heiligen Bedingung, daß ich die heiligen Geheimnisse nicht profaniere, daß ich meine Gewalt nicht mißbrauche.«

»Meine Absichten sind die reinsten. Ich will Wahrheit.«

Hier verließen sie ihren Platz und traten zu einem entfernten Fenster, wo ich sie nicht weiter hören konnte. Der Engländer, der diese Unterredung gleichfalls mit angehört hatte, zog mich auf die Seite.

»Ihr Prinz ist ein edler Mann. Ich beklage, daß er sich mit einem Betrüger einläßt.«

»Es wird darauf ankommen,« sagte ich, »wie er sich aus dem Handel zieht.«

»Wissen Sie was?« sagte der Engländer. »Jetzt macht der arme Teufel sich kostbar. Er wird seine Kunst nicht auskramen, bis er Geld klingen hört. Es sind unser neune. Wir wollen eine Kollekte machen und ihn durch einen hohen Preis in Versuchung führen. Das bricht ihm den Hals und öffnet Ihrem Prinzen die Augen.«

»Ich bins zufrieden.«

Der Engländer warf sechs Guineen auf einen Teller und sammelte in der Reihe herum. Jeder gab einige Louis; den Russen besonders schien unser Vorschlag ungemein zu interessieren, er legte eine Banknote von hundert Zechinen auf den Teller – eine Verschwendung, über welche der Engländer erstaunte. Wir brachten die Kollekte dem Prinzen. »Haben Sie die Güte,« sagte der Engländer, »bei diesem Herrn für uns fürzusprechen, daß er uns eine Probe seiner Kunst sehen lasse und diesen kleinen Beweis unsrer Erkenntlichkeit annehme.« Der Prinz legte noch einen kostbaren Ring auf den Teller und reichte ihn dem Sizilianer. Dieser bedachte sich einige Sekunden. – »Meine Herrn und Gönner,« fing er darauf an, »diese Großmut beschämt mich. – Es scheint, daß Sie mich verkennen – aber ich gebe Ihrem Verlangen nach. Ihr Wunsch soll erfüllt werden« (indem er eine Glocke zog). »Was dieses Gold betrifft, worauf ich selber kein Recht habe, so werden Sie mir erlauben, daß ich es in dem nächsten Benediktinerkloster für milde Stiftungen niederlege. Diesen Ring behalte ich als ein schätzbares Denkmal, das mich an den würdigsten Prinzen erinnern soll.«

Hier kam der Wirt, dem er das Geld sogleich überlieferte.

»Und er ist dennoch ein Schurke«, sagte mir der Engländer ins Ohr. »Das Geld schlägt er aus, weil ihm jetzt mehr an dem Prinzen gelegen ist.«

»Oder der Wirt versteht seinen Auftrag«, sagte ein anderer.

»Wen verlangen Sie?« fragte jetzt der Magier den Prinzen.

Der Prinz besann sich einen Augenblick. – »Lieber gleich einen großen Mann,« rief der Lord. »Fordern Sie den Papst Ganganelli. Dem Herrn wird das gleich wenig kosten.«

Der Sizilianer biß sich in die Lippen. – »Ich darf keinen zitieren, der die Weihung empfangen hat.«

»Das ist schlimm«, sagte der Engländer. »Vielleicht hätten wir von ihm erfahren, an welcher Krankheit er gestorben ist.«

»Der Marquis von Lanoy«, nahm der Prinz jetzt das Wort, »war französischer Brigadier im vorigen Kriege und mein vertrautester Freund. In der Bataille bei Hastenbeck empfing er eine tödliche Wunde, man trug ihn nach meinem Zelte, wo er bald darauf in meinen Armen starb. Als er schon mit dem Tode rang, winkte er mich noch zu sich. ›Prinz‹, fing er an, ›ich werde mein Vaterland nicht wiedersehen, erfahren Sie also ein Geheimnis, wozu niemand als ich den Schlüssel hat. In einem Kloster auf der flandrischen Grenze lebt eine …‹ – hier verschied er. Die Hand des Todes zertrennte den Faden seiner Rede; ich möchte ihn hier haben und die Fortsetzung hören.«

»Viel gefordert, bei Gott!« rief der Engländer. »Ich erkläre Sie für einen zweiten Salomo, wenn Sie diese Aufgabe lösen.«

Wir bewunderten die sinnreiche Wahl des Prinzen und gaben

ihr einstimmig unsern Beifall. Unterdessen ging der Magier mit starken Schritten auf und nieder und schien unentschlossen mit sich selbst zu kämpfen.

»Und das war alles, was der Sterbende Ihnen zu hinterlassen hatte?«

»Alles.«

»Taten Sie keine weiteren Nachfragen deswegen in seinem Vaterlande?«

»Sie waren alle vergebens.«

»Der Marquis von Lanoy hatte untadelhaft gelebt? – Ich darf nicht jeden Toten rufen.«

»Er starb mit Reue über die Ausschweifungen seiner Jugend.«

»Tragen Sie irgend etwa ein Andenken von ihm bei sich?«

»Ja.« (Der Prinz führte wirklich eine Tabatiere bei sich, worauf das Miniaturbild des Marquis in Emaille war und die er bei der Tafel neben sich hatte liegen gehabt.)

»Ich verlange es nicht zu wissen... Lassen Sie mich allein. Sie sollen den Verstorbenen sehen.«

Wir wurden gebeten, uns so lange in den andern Pavillon zu begeben, bis er uns rufen würde. Zugleich ließ er alle Meublen aus dem Saale räumen, die Fenster ausheben und die Läden auf das genaueste verschließen. Dem Wirt, mit dem er schon vertraut zu sein schien, befahl er, ein Gefäß mit glühenden Kohlen zu bringen und alle Feuer im Hause sorgfältig mit Wasser zu löschen. Ehe wir weggingen, nahm er von jedem insbesondere das Ehrenwort, ein ewiges Stillschweigen über das zu beobachten, was wir sehen und hören würden. Hinter uns wurden alle Zimmer auf diesem Pavillon verriegelt.

Es war nach eilf Uhr, und eine tiefe Stille herrschte im ganzen Hause. Beim Hinausgehen fragte mich der Russe, ob wir geladene Pistolen bei uns hätten? – »Wozu?« sagte ich. – »Es ist auf alle Fälle«, versetzte er. »Warten Sie einen Augenblick, ich will mich darnach umsehen.« Er entfernte sich. Der

Baron von F** und ich öffneten ein Fenster, das jenem Pavillon gegenüber sah, und es kam uns vor, als hörten wir zwei Menschen zusammen flüstern und ein Geräusch, als ob man eine Leiter anlegte. Doch war das nur eine Mutmaßung, und ich getraute mir nicht, sie für wahr auszugeben. Der Russe kam mit einem Paar Pistolen zurück, nachdem er eine halbe Stunde ausgeblieben war. Wir sahen sie ihn scharf laden. Es war beinahe zwei Uhr, als der Magier wieder erschien und uns ankündigte, daß es Zeit wäre. Ehe wir hineintraten, ward uns befohlen, die Schuhe auszuziehen und im bloßen Hemde, Strümpfen und Unterkleidern zu erscheinen. Hinter uns wurde, wie das erste Mal, verriegelt.

Wir fanden, als wir in den Saal zurückkamen, mit einer Kohle einen weiten Kreis beschrieben, der uns alle zehn bequem fassen konnte. Ringsherum an allen vier Wänden des Zimmers waren die Dielen weggehoben, daß wir gleichsam auf einer Insel standen. Ein Altar, mit schwarzem Tuch behangen, stand mitten im Kreis errichtet, unter welchen ein Teppich von rotem Atlas gebreitet war. Eine chaldäische Bibel lag bei einem Totenkopf aufgeschlagen auf dem Altar, und ein silbernes Kruzifix war darauf festgemacht. Statt der Kerzen brannte Spiritus in einer silbernen Kapsel. Ein dicker Rauch von Olibanum verfinsterte den Saal, davon das Licht beinahe erstickte. Der Beschwörer war entkleidet wie wir, aber barfuß; um den bloßen Hals trug er ein Amulett an einer Kette von Menschenhaaren, um die Lenden hatte er eine weiße Schürze geschlagen, die mit geheimen Chiffern und symbolischen Figuren bezeichnet war. Er hieß uns einander die Hände reichen und eine tiefe Stille beobachten; vorzüglich empfahl er uns, ja keine Frage an die Erscheinung zu tun. Den Engländer und mich (gegen uns beide schien er das meiste Mißtrauen zu hegen) ersuchte er, zwei bloße Degen unverrückt und kreuzweise, einen Zoll hoch, über seiner Scheitel zu halten, solange die Handlung dauern würde. Wir standen in einem halben Mond um ihn herum, der russische

Offizier drängte sich dicht an den Engländer und stand zunächst an dem Altar. Das Gesicht gegen Morgen gerichtet, stellte sich der Magier jetzt auf den Teppich, sprengte Weihwasser nach allen vier Weltgegenden und neigte sich dreimal gegen die Bibel. Eine halbe Viertelstunde dauerte die Beschwörung, von welcher wir nichts verstanden; nach Endigung derselben gab er denen, die zunächst hinter ihm standen, ein Zeichen, daß sie ihn jetzt fest bei den Haaren fassen sollten. Unter den heftigsten Zuckungen rief er den Verstorbenen dreimal mit Namen, und das dritte Mal streckte er nach dem Kruzifixe die Hand aus …

Auf einmal empfanden wir alle zugleich einen Streich wie vom Blitze, daß unsre Hände auseinanderflogen; ein plötzlicher Donnerschlag erschütterte das Haus, alle Schlösser klangen, alle Türen schlugen zusammen, der Deckel an der Kapsel fiel zu, das Licht löschte aus, und an der entgegenstehenden Wand über dem Kamine zeigte sich eine menschliche Figur, in blutigem Hemde, bleich und mit dem Gesicht eines Sterbenden.

»Wer ruft mich?« sagte eine hohle, kaum hörbare Stimme.

»Dein Freund,« antwortete der Beschwörer, »der dein Andenken ehret und für deine Seele betet«, zugleich nannte er den Namen des Prinzen.

Die Antworten erfolgten immer nach einem sehr großen Zwischenraum.

»Was verlangt er?« fuhr diese Stimme fort.

»Dein Bekenntnis will er zu Ende hören, das du in dieser Welt angefangen und nicht beschlossen hast.«

»In einem Kloster auf der flandrischen Grenze lebt …«

Hier erzitterte das Haus von neuem. Die Türe sprang freiwillig unter einem heftigen Donnerschlag auf, ein Blitz erleuchtete das Zimmer, und eine andre *körperliche* Gestalt, blutig und blaß wie die erste, aber schrecklicher, erschien an der Schwelle. Der Spiritus fing von selbst wieder an zu brennen, und der Saal wurde helle wie zuvor.

»Wer ist unter uns?« rief der Magier erschrocken und warf einen Blick des Entsetzens durch die Versammlung – »*Dich* hab ich nicht gewollt.«

Die Gestalt ging mit majestätischem, leisem Schritt gerade auf den Altar zu, stellte sich auf den Teppich, uns gegenüber, und faßte das Kruzifix. Die erste Figur sahen wir nicht mehr.

»Wer ruft mich?« sagte diese zweite Erscheinung.

Der Magier fing an heftig zu zittern. Schrecken und Erstaunen hatten uns gefesselt. Ich griff nach einer Pistole, der Magier riß mir sie aus der Hand und drückte sie auf die Gestalt ab. Die Kugel rollte langsam auf dem Altar, und die Gestalt trat unverändert aus dem Rauche. Jetzt sank der Magier ohnmächtig nieder.

»Was wird das?« rief der Engländer voll Erstaunen und wollte einen Streich mit dem Degen nach ihr tun. Die Gestalt berührte seinen Arm, und die Klinge fiel zu Boden. Hier trat der Angstschweiß auf meine Stirn. Baron F** gestand uns nachher, daß er gebetet habe. Diese ganze Zeit über stand der Prinz furchtlos und ruhig, die Augen starr auf die Erscheinung gerichtet.

»Ja! Ich erkenne dich,« rief er endlich voll Rührung aus, »du bist Lanoy, du bist mein Freund –– Woher kömmst du?«

»Die Ewigkeit ist stumm. Frage mich aus dem vergangenen Leben.«

»Wer lebt in dem Kloster, das du mir bezeichnet hast?«

»Meine Tochter.«

»Wie? Du bist Vater gewesen?«

»Weh mir, daß ich es zu wenig war!«

»Bist du nicht glücklich, Lanoy?«

»Gott hat gerichtet.«

»Kann ich dir auf dieser Welt noch einen Dienst erzeigen?«

»Keinen, als an dich selbst zu denken.«

»Wie muß ich das?«

»In Rom wirst du es erfahren.«

Hier erfolgte ein neuer Donnerschlag – eine schwarze Rauchwolke erfüllte das Zimmer; als sie zerflossen war, fanden wir keine Gestalt mehr. Ich stieß einen Fensterladen auf. Es war Morgen.

Jetzt kam auch der Magier aus seiner Betäubung zurück. »Wo sind wir?« rief er aus, als er Tageslicht erblickte. Der russische Offizier stand dicht hinter ihm und sah ihm über die Schulter. »Taschenspieler,« sagte er mit schrecklichem Blick zu ihm, »du wirst keinen Geist mehr rufen!«

Der Sizilianer drehte sich um, sah ihm genauer ins Gesicht, tat einen lauten Schrei und stürzte zu seinen Füßen.

Jetzt sahen wir alle auf einmal den vermeintlichen Russen an. Der Prinz erkannte in ihm ohne Mühe die Züge seines Armeniers wieder, und das Wort, das er eben hervorstottern wollte, erstarb auf seinem Munde. Schrecken und Überraschung hatten uns alle wie versteinert. Lautlos und unbeweglich starrten wir dieses geheimnisvolle Wesen an, das uns mit einem Blicke stiller Gewalt und Größe durchschaute. Eine Minute dauerte dies Schweigen – und wieder eine. Kein Odem war in der ganzen Versammlung.

Einige kräftige Schläge an die Türe brachten uns endlich wieder zu uns selbst. Die Türe fiel zertrümmert in den Saal, und herein drangen Gerichtsdiener mit Wache. »Hier finden wir sie ja beisammen!« rief der Anführer und wandte sich zu seinen Begleitern. »Im Namen der Regierung!« rief er uns zu. »Ich verhafte euch.« Wir hatten nicht so viel Zeit, uns zu besinnen; in wenig Augenblicken waren wir umringt. Der russische Offizier, den ich jetzt wieder den Armenier nenne, zog den Anführer der Häscher auf die Seite, und so viel mir die Verwirrung zuließ, bemerkte ich, daß er ihm einige Worte heimlich ins Ohr sagte und etwas Schriftliches vorzeigte. Sogleich verließ ihn der Häscher mit einer stummen und ehrerbietigen Verbeugung, wandte sich darauf zu uns und nahm seinen Hut ab. »Vergeben Sie, meine Herrn,« sagte er, »daß ich Sie mit diesem Betrüger vermengen konnte. Ich will nicht fragen, wer Sie sind – aber dieser Herr versichert mir, daß ich Männer von Ehre vor mir habe.« Zugleich winkte er seinen Begleitern, von uns abzulassen. Den Sizilianer befahl er wohl zu bewachen und zu binden. »Der Bursche da ist überreif«, setzte er hinzu. »Wir haben schon sieben Monate auf ihn gelauert.«

Dieser elende Mensch war wirklich ein Gegenstand des Jammers. Das doppelte Schrecken der zweiten Geistererscheinung und dieses unerwarteten Überfalls hatte seine Besinnungskraft überwältigt. Er ließ sich binden wie ein Kind; die Augen lagen weit aufgesperrt und stier in einem totenähnlichen Gesichte, und seine Lippen bebten in stillen Zuckungen, ohne einen Laut auszustoßen. Jeden Augenblick erwarteten wir einen Ausbruch von Konvulsionen. Der Prinz fühlte Mitleid mit seinem Zustand und unternahm es, seine Loslassung bei dem Gerichtsdiener auszuwirken, dem er sich zu erkennen gab.

»Gnädigster Herr,« sagte dieser, »wissen Sie auch, wer der Mensch ist, für welchen Sie sich so großmütig verwenden? Der Betrug, den er Ihnen zu spielen gedachte, ist sein geringstes Verbrechen. Wir haben seine Helfershelfer. Sie sagen abscheuliche Dinge von ihm aus. Er mag sich noch glücklich preisen, wenn er mit der Galeere davonkommt.«

Unterdessen sahen wir auch den Wirt nebst seinen Hausgenossen mit Stricken gebunden über den Hof führen. – »Auch dieser?« rief der Prinz. »Was hat denn dieser verschuldet?« – »Er war sein Mitschuldiger und Hehler,« antwortete der Anführer der Häscher, »der ihm zu seinen Taschenspielerstückchen und Diebereien behilflich gewesen und seinen Raub mit ihm geteilt hat. Gleich sollen Sie überzeugt sein, gnädigster Herr« (indem er sich zu seinen Begleitern kehrte). »Man durchsuche das ganze Haus und bringe mir sogleich Nachricht, was man gefunden hat.«

Jetzt sah sich der Prinz nach dem Armenier um – aber er war nicht mehr vorhanden; in der allgemeinen Verwirrung, welche dieser Überfall anrichtete, hatte er Mittel gefunden, sich unbemerkt zu entfernen. Der Prinz war untröstlich; gleich wollte er ihm alle seine Leute nachschicken; er selbst wollte ihn aufsuchen und mich mit sich fortreißen. Ich eilte ans Fenster; das ganze Haus war von Neugierigen umringt, die das Gerücht dieser Begebenheit herbeigeführt hatte. Unmöglich war es, durch das Gedränge zu kommen. Ich stellte dem Prinzen dieses vor: »Wenn es diesem Armenier ein Ernst ist, sich vor uns zu verbergen, so weiß er unfehlbar die Schliche besser als wir, und alle unsre Nachforschungen werden vergebens sein. Lieber lassen Sie uns noch hier bleiben, gnädigster Prinz. Vielleicht kann uns dieser Gerichtsdiener etwas Näheres von ihm sagen, dem er sich, wenn ich anders recht gesehen, entdeckt hat.«

Jetzt erinnerten wir uns, daß wir noch ausgekleidet waren. Wir eilten nach unserm Zimmer, uns in der Geschwindigkeit in unsre Kleider zu werfen. Als wir zurückkamen, war die Haussuchung geschehen.

Nachdem man den Altar weggeräumt und die Dielen des Saals aufgebrochen, entdeckte man ein geräumiges Gewölbe, worin ein Mensch gemächlich aufrecht sitzen konnte, mit einer Türe versehen, die durch eine schmale Treppe nach dem Keller führte. In diesem Gewölbe fand man eine Elektrisiermaschine, eine Uhr und eine kleine silberne Glocke, welche letztere, so wie die Elektrisiermaschine, mit dem Altar und dem darauf befestigten Kruzifixe Kommunikation hatte. Ein Fensterladen, der dem Kamine gerade gegenüberstand, war durchbrochen und mit einem Schieber versehen, um, wie wir nachher erfuhren, eine magische Laterne in seine Öffnung einzupassen, aus welcher die verlangte Gestalt auf die Wand über dem Kamine gefallen war. Vom Dachboden und aus dem Keller brachte man verschiedne Trommeln, woran große bleierne Kugeln an Schnüren befestigt hingen, wahrscheinlich um das Geräusche des Donners hervorzubringen, das wir gehört hatten. Als man die Kleider des Sizilianers durchsuchte, fand man in einem Etui verschiedne Pulver, wie auch lebendigen Merkur in Phiolen und Büchsen, Phosphorus in einer gläsernen Flasche, einen Ring, den wir gleich für einen magnetischen erkannten, weil er an einem stählernen Knopfe hängen blieb, dem er von ungefähr nahe gebracht worden, in den Rocktaschen ein Paternoster, einen Judenbart, Terzerole und einen Dolch. »Laß doch sehen, ob sie geladen sind!« sagte einer von den Häschern, indem er eines von den Terzerolen nahm und ins Kamin abschoß. »Jesus Maria!« rief eine hohle menschliche Stimme, eben die, welche wir von der ersten Erscheinung gehört hatten – und in demselben Augenblick sahen wir einen blutenden Körper aus dem Schlot herunterstürzen. – »Noch nicht zur Ruhe, armer Geist?« rief der Engländer, während daß wir andern mit Schrecken zurückfuhren. »Gehe heim zu deinem Grabe. Du hast geschienen, was du nicht warst; jetzt wirst du sein, was du schienest.«

»Jesus Maria! Ich bin verwundet«, wiederholte der Mensch im Kamine. Die Kugel hatte ihm das rechte Bein zerschmettert. Sogleich besorgte man, daß die Wunde verbunden wurde.

»Aber wer bist du denn, und was für ein böser Dämon muß dich hieher führen?«

»Ein armer Barfüßer«, antwortete der Verwundete. »Ein fremder Herr hier hat mir eine Zechine geboten, daß ich ...«

»Eine Formel hersagen sollte? Und warum hast du dich denn nicht gleich wieder davongemacht?«

»Er wollte mir ein Zeichen geben, wenn ich fortfahren sollte; aber das Zeichen blieb aus, und wie ich hinaussteigen wollte, war die Leiter weggezogen.«

»Und wie heißt denn die Formel, die er dir eingelernt hat?«

Der Mensch bekam hier eine Ohnmacht, daß nichts weiter aus ihm herauszubringen war. Als wir ihn näher betrachteten, erkannten wir ihn für denselben, der sich dem Prinzen den Abend vorher in den Weg gestellt und ihn so feierlich angeredet hatte.

Unterdessen hatte sich der Prinz zu dem Anführer der Häscher gewendet.

»Sie haben uns,« sagte er, indem er ihm zugleich einige Goldstücke in die Hand drückte, »Sie haben uns aus den Händen eines Betrügers gerettet und uns, ohne uns noch zu kennen, Gerechtigkeit widerfahren lassen. Wollen Sie nun unsre Verbindlichkeit vollkommen machen und uns entdecken, wer der Unbekannte war, dem es nur ein paar Worte kostete, uns in Freiheit zu setzen?«

»Wen meinen Sie?« fragte der Anführer der Häscher mit einer Miene, die deutlich zeigte, wie unnötig diese Frage war.

»Den Herrn in russischer Uniform meine ich, der Sie vorhin beiseite zog, Ihnen etwas Schriftliches vorwies und einige Worte ins Ohr sagte, worauf Sie uns sogleich wieder losgaben.«

»Sie kennen diesen Herrn also nicht?« fragte der Häscher wieder. »Er war nicht von Ihrer Gesellschaft?«

»Nein,« sagte der Prinz – »und aus sehr wichtigen Ursachen wünschte ich näher mit ihm bekannt zu werden.«

»Näher«, antwortete der Häscher, »kenn ich ihn auch nicht. Sein Name selbst ist mir unbekannt, und heute hab ich ihn zum ersten Mal in meinem Leben gesehen.«

»Wie? und in so kurzer Zeit, durch ein paar Worte konnte er so viel über Sie vermögen, daß Sie ihn selbst und uns alle für unschuldig erklärten?«

»Allerdings durch ein einziges Wort.«

»Und dieses war? – Ich gestehe, daß ich es wissen möchte.«

»Dieser Unbekannte, gnädiger Herr« – indem er die Zechinen in seiner Hand wog – »Sie sind zu großmütig gegen mich gewesen, um Ihnen länger ein Geheimnis daraus zu machen – dieser Unbekannte war – ein Offizier der Staatsinquisition.«

»Der Staatsinquisition! – Dieser! –«

»Nicht anders, gnädigster Herr – und davon überzeugte mich das Papier, welches er mir vorzeigte.«

»Dieser Mensch, sagten Sie? Es ist nicht möglich.«

»Ich will Ihnen noch mehr sagen, gnädigster Herr. Eben dieser war es, auf dessen Denunziation ich hieher geschickt worden bin, den Geisterbeschwörer zu verhaften.«

Wir sahen uns mit noch größerm Erstaunen an.

»Da hätten wir es ja heraus,« rief endlich der Engländer, »warum der arme Teufel von Beschwörer so erschrocken zusammenfuhr, als er ihm näher ins Gesicht sah. Er erkannte ihn für einen Spion, und darum tat er jenen Schrei und stürzte zu seinen Füßen.«

»Nimmermehr«, rief der Prinz. »Dieser Mensch ist alles, was er sein will, und alles, was der Augenblick will, daß er sein soll. Was er wirklich ist, hat noch kein Sterblicher erfahren. Sahen Sie den Sizilianer zusammensinken, als er ihm die Worte ins Ohr schrie: ›Du wirst keinen Geist mehr rufen!‹ Dahinter ist mehr. Daß man vor etwas Menschlichem so zu erschrecken pflegt, soll mich niemand überreden.«

»Darüber wird uns der Magier selbst wohl am besten zurechtweisen können,« sagte der Lord, »wenn uns dieser Herr« – sich zu dem Anführer der Gerichtsdiener wendend – »Gelegenheit verschaffen will, seinen Gefangenen zu sprechen.«

Der Anführer der Häscher versprach es uns, und wir redeten mit dem Engländer ab, daß wir ihn gleich den andern Morgen aufsuchen wollten. Jetzt begaben wir uns nach Venedig zurück.

Mit dem frühesten Morgen war Lord Seymour da (dies war der Name des Engländers), und bald nachher erschien eine vertraute Person, die der Gerichtsdiener abgeschickt hatte, uns nach dem Gefängnis zu führen. Ich habe vergessen zu erzählen, daß der Prinz schon seit etlichen Tagen einen seiner Jäger vermißte, einen Bremer von Geburt, der ihm viele

Jahre redlich gedient und sein ganzes Vertrauen besessen hatte. Ob er verunglückt oder gestohlen oder auch entlaufen war, wußte niemand. Zu dem letztern war gar kein wahrscheinlicher Grund vorhanden, weil er jederzeit ein stiller und ordentlicher Mensch gewesen und nie ein Tadel an ihm gefunden war. Alles, worauf seine Kameraden sich besinnen konnten, war, daß er in der letzten Zeit sehr schwermütig gewesen und, wo er nur einen Augenblick erhaschen konnte, ein gewisses Minoritenkloster in der Giudecca besucht habe, wo er auch mit einigen Brüdern öfters Umgang gepflegt. Dies brachte uns auf die Vermutung, daß er vielleicht in die Hände der Mönche geraten sein möchte und sich katholisch gemacht hätte; und weil der Prinz über diesen Artikel damals noch sehr gleichgültig dachte, so ließ ers nach einigen fruchtlosen Nachforschungen dabei bewenden. Doch schmerzte ihn der Verlust dieses Menschen, der ihm auf seinen Feldzügen immer zur Seite gewesen, immer treu an ihm gehangen und in einem fremden Lande so leicht nicht wieder zu ersetzen war. Heute nun, als wir eben im Begriffe standen auszugehen, ließ sich der Bankier des Prinzen melden, an den der Auftrag ergangen war, für einen neuen Bedienten zu sorgen. Dieser stellte dem Prinzen einen gutgebildeten und wohlgekleideten Menschen in mittlern Jahren vor, der lange Zeit in Diensten eines Prokurators als Sekretär gestanden, Französisch und auch etwas Deutsch sprach, übrigens mit den besten Zeugnissen versehen war. Seine Physiognomie gefiel, und da er sich übrigens erklärte, daß sein Gehalt von der Zufriedenheit des Prinzen mit seinen Diensten abhängen sollte, so ließ er ihn ohne Verzug eintreten.

Wir fanden den Sizilianer in einem Privatgefängnis, wohin er, dem Prinzen zu gefallen, wie der Gerichtsdiener sagte, einstweilen gebracht worden war, ehe er unter die Bleidächer gesetzt wurde, zu denen kein Zugang mehr offen steht. Diese Bleidächer sind das fürchterlichste Gefängnis in Venedig, unter dem Dach des St. Markuspalastes, worin die unglücklichen Verbrecher von der dörrenden Sonnenhitze, die sich auf der Bleifläche sammelt, oft bis zum Wahnwitze leiden. Der Sizilianer hatte sich von dem gestrigen Zufalle wieder erholt und stand ehrerbietig auf, als er den Prinzen ansichtig wurde. Ein Bein und eine Hand waren gefesselt, sonst aber konnte er frei durch das Zimmer gehen. Bei unserm Eintritt entfernte sich die Wache vor die Türe.

»Ich komme,« sagte der Prinz, nachdem wir Platz genommen hatten, »über zwei Punkte Erklärung von Ihnen zu verlangen. Die eine sind Sie mir schuldig, und es wird Ihr Schade nicht sein, wenn Sie mich über den andern befriedigen.«

»Meine Rolle ist ausgespielt«, versetzte der Sizilianer. »Mein Schicksal steht in Ihren Händen.«

»Ihre Aufrichtigkeit allein«, versetzte der Prinz, »kann es erleichtern.«

»Fragen Sie, gnädigster Herr. Ich bin bereit, zu antworten, denn ich habe nichts mehr zu verlieren.«

»Sie haben mich das Gesicht des Armeniers in Ihrem Spiegel sehen lassen. Wodurch bewirkten Sie dieses?«

»Es war kein Spiegel, was Sie gesehen haben. Ein bloßes Pastellgemälde hinter einem Glas, das einen Mann in armenischer Kleidung vorstellte, hat Sie getäuscht. Meine Geschwindigkeit, die Dämmerung, Ihr Erstaunen unterstützten diesen Betrug. Das Bild wird sich unter den übrigen Sachen finden, die man in dem Gasthof in Beschlag genommen hat.«

»Aber wie konnten sie meine Gedanken so gut wissen und gerade auf den Armenier raten?«

»Dieses war gar nicht schwer, gnädigster Herr. Ohne Zweifel haben Sie sich bei Tische in Gegenwart Ihrer Bedienten über die Begebenheit öfters herausgelassen, die sich zwischen Ihnen und diesem Armenier ereignet hat. Einer von meinen Leuten machte mit einem Jäger, der in Ihren Diensten steht, zufälligerweise in der Giudecca Bekanntschaft, aus welchem er nach und nach soviel zu ziehen wußte, als mir zu wissen nötig war.«

»Wo ist dieser Jäger?« fragte der Prinz. »Ich vermisse ihn, und ganz gewiß wissen Sie um seine Entweichung.«

»Ich schwöre Ihnen, daß ich nicht das geringste davon weiß, gnädigster Herr. Ich selbst hab ihn nie gesehen und nie eine andre Absicht mit ihm gehabt als die eben gemeldete.«

»Fahren Sie fort«, sagte der Prinz.

»Auf diesem Wege nun erhielt ich überhaupt auch die erste Nachricht von Ihrem Aufenthalt und Ihren Begebenheiten in Venedig, und sogleich entschloß ich mich, sie zu nützen. Sie sehen, gnädigster Herr, daß ich aufrichtig bin. Ich wußte von Ihrer vorhabenden Spazierfahrt auf der Brenta; ich hatte mich darauf versehen, und ein Schlüssel, der Ihnen von ungefähr entfiel, gab mir die erste Gelegenheit, meine Kunst an Ihnen zu versuchen.«

»Wie? So hätte ich mich also geirret? Das Stückchen mit dem Schlüssel war Ihr Werk, und nicht des Armeniers? Der Schlüssel, sagen Sie, wäre mir entfallen?«

»Als Sie die Börse zogen – und ich nahm den Augenblick wahr, da mich niemand beobachtete, ihn schnell mit dem Fuße zu verdecken. Die Person, bei der Sie die Lotterielose nahmen, war im Verständnis mit mir. Sie ließ Sie aus einem Gefäße ziehen, wo keine Niete zu holen war, und der Schlüssel lag längst in der Dose, ehe sie von Ihnen gewonnen wurde.«

»Nunmehr begreif ichs. Und der Barfüßermönch, der sich mir in den Weg warf und mich so feierlich anredete?«

»War der nämliche, den man, wie ich höre, verwundet aus dem Kamine gezogen. Es ist einer von meinen Kameraden, der mir unter dieser Verhüllung schon manche gute Dienste geleistet.«

»Aber zu welchem Ende stellten Sie dieses an?«

»Um Sie nachdenkend zu machen – um einen Gemütszustand in Ihnen vorzubereiten, der Sie für das Wunderbare, das ich mit Ihnen im Sinn hatte, empfänglich machen sollte.«

»Aber der pantomimische Tanz, der eine so überraschende seltsame Wendung nahm – dieser war doch wenigstens nicht von Ihrer Erfindung?«

»Das Mädchen, welches die Königin vorstellte, war von mir unterrichtet und ihre ganze Rolle mein Werk. Ich vermutete, daß es Eure Durchlaucht nicht wenig befremden würde, an diesem Orte gekannt zu sein, und, verzeihen Sie mir, gnädigster Herr, das Abenteuer mit dem Armenier ließ mich hoffen, daß Sie bereits schon geneigt sein würden, natürliche Auslegungen zu verschmähen und nach höhern Quellen des Außerordentlichen zu spüren.«

»In der Tat,« rief der Prinz mit einer Miene zugleich des Verdrusses und der Verwunderung, indem er mir besonders einen bedeutenden Blick gab, »in der Tat,« rief er aus, »das habe ich nicht erwartet.«

»Aber«, fuhr er nach einem langen Stillschweigen wieder fort, »wie brachten Sie die Gestalt hervor, die an der Wand über dem Kamine erschien?«

»Durch die Zauberlaterne, welche an dem gegenüberstehenden Fensterladen angebracht war, wo Sie auch die Öffnung dazu bemerkt haben werden.«

»Aber wie kam es denn, daß kein einziger unter uns sie gewahr wurde?« fragte Lord Seymour.

»Sie erinnern sich, gnädigster Herr, daß ein dicker Rauch von Olibanum den ganzen Saal verfinsterte, als Sie zurückgekommen waren. Zugleich hatte ich die Vorsicht gebraucht, die Dielen, welche man weggehoben, neben demjenigen Fenster anlehnen zu lassen, wo die Laterna magica eingefügt war; dadurch verhinderte ich, daß Ihnen dieser Fensterladen nicht sogleich ins Gesicht fiel. Übrigens blieb die Laterne auch so lange durch einen Schieber verdeckt, bis Sie alle Ihre Plätze genommen hatten und keine Untersuchung im Zimmer mehr von Ihnen zu fürchten war.«

»Mir kam vor,« fiel ich ein, »als hörte ich in der Nähe dieses Saals eine Leiter anlegen, als ich in dem andern Pavillon aus dem Fenster sah. War dem wirklich so?«
»Ganz recht. Eben diese Leiter, auf welcher mein Gehilfe zu dem bewußten Fenster emporkletterte, um die Zauberlaterne zu dirigieren.«
»Die Gestalt«, fuhr der Prinz fort, »schien wirklich eine flüchtige Ähnlichkeit mit meinem verstorbenen Freunde zu haben; besonders traf es ein, daß sie sehr blond war. War dieses bloßer Zufall, oder woher schöpften Sie dieselbe?«
»Eure Durchlaucht erinnern sich, daß Sie über Tische eine Dose neben sich hatten liegen gehabt, auf welcher das Porträt eines Offiziers in **scher Uniform in Emaille war. Ich fragte Sie, ob Sie von Ihrem Freunde nicht irgendein Andenken bei sich führten, worauf Sie mit Ja antworteten; daraus schloß ich, daß es vielleicht die Dose sein möchte. Ich hatte das Bild über Tische gut ins Auge gefaßt, und weil ich im Zeichnen sehr geübt, auch im Treffen sehr glücklich bin, so war es mir ein leichtes, dem Bilde diese flüchtige Ähnlichkeit zu geben, die Sie wahrgenommen haben; und um so mehr, da die Gesichtszüge des Marquis sehr ins Auge fallen.«
»Aber die Gestalt schien sich doch zu bewegen ...«
»So schien es – aber es war nicht die Gestalt, sondern der Rauch, der von ihrem Scheine beleuchtet war.«
»Und der Mensch, welcher aus dem Schlot herabstürzte, antwortete also für die Erscheinung?«
»Eben dieser.«
»Aber er konnte ja die Fragen nicht wohl hören.«
»Dieses brauchte er auch nicht. Sie besinnen sich, gnädigster Prinz, daß ich Ihnen allen auf das strengste verbot, selbst eine Frage an das Gespenst zu richten. Was ich ihn fragen würde und er mir antworten sollte, war abgeredet; und damit ja kein Versehen vorfiele, ließ ich ihn große Pausen beobachten, die er an den Schlägen einer Uhr abzählen mußte.«

»Sie gaben dem Wirte Befehl, alle Feuer im Hause sorgfältig mit Wasser löschen zu lassen; dies geschah ohne Zweifel...«

»Um meinen Mann im Kamine außer Gefahr des Erstickens zu setzen, weil die Schornsteine im Hause ineinander laufen und ich vor Ihrer Suite nicht ganz sicher zu sein glaubte.«

»Wie kam es aber,« fragte Lord Seymour, »daß Ihr Geist weder früher noch später da war, als Sie ihn brauchten?«

»Mein Geist war schon eine gute Weile im Zimmer, ehe ich ihn zitierte; aber solange der Spiritus brannte, konnte man diesen matten Schein nicht sehen. Als meine Beschwörungsformel geendigt war, ließ ich das Gefäß, worin der Spiritus flammte, zusammenfallen, so wurde Nacht im Saal, und jetzt erst wurde man die Figur an der Wand gewahr, die sich schon längst darauf reflektiert hatte.«

»Aber in eben dem Moment, als der Geist erschien, empfanden wir alle einen elektrischen Schlag. Wie bewirkten Sie diesen?«

»Die Maschine unter dem Altar haben Sie entdeckt. Sie sahen auch, daß ich auf einem seidnen Fußteppich stand. Ich ließ Sie in einem halben Mond um mich herumstehen und einander die Hände reichen; als es nahe dabei war, winkte ich einem von Ihnen, mich bei den Haaren zu fassen. Das silberne Kruzifix war der Konduktor, und Sie empfingen den Schlag, als ich es mit der Hand berührte.«

»Sie befahlen uns, dem Grafen von O** und mir,« sagte Lord Seymour, »zwei bloße Degen kreuzweise über Ihrer Scheitel zu halten, solange die Beschwörung dauern würde. Wozu nun dieses?«

»Zu nichts weiter, als um Sie beide, denen ich am wenigsten traute, während des ganzen Aktus zu beschäftigen. Sie erinnern sich, daß ich Ihnen ausdrücklich einen Zoll hoch bestimmte; dadurch, daß Sie diese Entfernung immer in acht nehmen mußten, waren Sie verhindert, Ihre Blicke dahin zu richten, wo ich sie nicht gerne haben wollte. Meinen schlimmsten Feind hatte ich damals noch gar nicht ins Auge gefaßt.«

»Ich gestehe,« rief Lord Seymour, »daß dies vorsichtig gehandelt heißt – aber warum mußten wir ausgekleidet sein?«

»Bloß um der Handlung eine Feierlichkeit mehr zu geben und durch das Ungewöhnliche Ihre Einbildungskraft zu spannen.«

»Die zweite Erscheinung ließ Ihren Geist nicht zum Wort kommen«, sagte der Prinz. »Was hätten wir eigentlich von ihm erfahren sollen?«

»Beinahe dasselbe, was Sie nachher gehört haben. Ich fragte Eure Durchlaucht nicht ohne Absicht, ob Sie mir auch alles gesagt, was Ihnen der Sterbende aufgetragen, und ob Sie keine weitere Nachfragen wegen seiner in seinem Vaterlande getan; dieses fand ich nötig, um nicht gegen Tatsachen anzustoßen, die der Aussage meines Geistes hätten widersprechen können. Ich fragte gewisser Jugendsünden wegen, ob der Verstorbene untadelhaft gelebt, und auf die Antwort gründete ich alsdann meine Erfindung.«

»Über diese Sache«, fing der Prinz nach einigem Stillschweigen an, »haben Sie mir einen befriedigenden Aufschluß gegeben. Aber ein Hauptumstand ist noch zurück, worüber ich Licht von Ihnen verlange.«

»Wenn es in meiner Gewalt steht, und ...«

»Keine Bedingungen! Die Gerechtigkeit, in deren Händen Sie sind, dürfte so bescheiden nicht fragen. Wer war dieser Unbekannte, vor dem wir Sie niederstürzen sahen? Was wissen Sie von ihm? Woher kennen Sie ihn? Und was hat es für eine Bewandtnis mit dieser zweiten Erscheinung?«

»Gnädigster Prinz ...«

»Als Sie ihm näher ins Gesicht sahen, stießen Sie einen lauten Schrei aus und stürzten nieder. Warum das? Was bedeutete das?«

»Dieser Unbekannte, gnädigster Prinz ...« Er hielt inne,

wurde sichtbarlich unruhiger und sah uns alle in der Reihe herum mit verlegenen Blicken an. – »Ja, bei Gott, gnädigster Prinz, dieser Unbekannte ist ein schreckliches Wesen.«

»Was wissen Sie von ihm? Wie steht er mit Ihnen in Verbindung? – Hoffen Sie nicht, uns die Wahrheit zu verhehlen.«

»Dafür werd ich mich wohl hüten – denn wer steht mir dafür, daß er nicht in diesem Augenblicke mitten unter uns stehet?«

»Wo? Wer?« riefen wir alle zugleich und schauten uns halb lachend, halb bestürzt im Zimmer um. – »Das ist ja nicht möglich!«

»O! diesem Menschen – oder wer er sein mag – sind Dinge möglich, die noch weit weniger zu begreifen sind.«

»Aber wer ist er denn? Woher stammt er? Armenier oder Russe? Was ist das Wahre an dem, wofür er sich ausgibt?«

»Keines von allem, was er scheint. Es wird wenige Stände, Charaktere und Nationen geben, davon er nicht schon die Maske getragen. Wer er sei? Woher er gekommen? Wohin er gehe? weiß niemand. Daß er lang in Ägypten gewesen, wie viele behaupten, und dort aus einer Pyramide seine verborgene Weisheit geholt habe, will ich weder bejahen noch verneinen. Bei uns kennt man ihn nur unter dem Namen des *Unergründlichen*. Wie alt, zum Beispiel, schätzen Sie ihn?«

»Nach dem äußern Anschein zu urteilen, kann er kaum vierzig zurückgelegt haben.«

»Und wie alt, denken Sie, daß *ich* sei?«

»Nicht weit von funfzig.«

»Ganz recht – und wenn ich Ihnen nun sage, daß ich ein Bursche von siebzehn Jahren war, als mir mein Großvater von diesem Wundermann erzählte, der ihn ungefähr in eben dem Alter, worin er jetzt zu sein scheint, in Famagusta gesehen hat ...«

»Das ist lächerlich, unglaublich und übertrieben.«

»Nicht um einen Zug. Hielten mich diese Fesseln nicht ab, ich wollte Ihnen Bürgen stellen, deren ehrwürdiges Ansehen

Ihnen keinen Zweifel mehr übrig lassen würde. Es gibt glaubwürdige Leute, die sich erinnern, ihn in verschiedenen Weltgegenden zu gleicher Zeit gesehen zu haben. Keines Degens Spitze kann ihn durchbohren, kein Gift ihm etwas anhaben, kein Feuer sengt ihn, kein Schiff geht unter, worauf er sich befindet. Die Zeit selbst scheint an ihm ihre Macht zu verlieren, die Jahre trocknen seine Säfte nicht aus, und das Alter kann seine Haare nicht bleichen. Niemand ist, der ihn Speise nehmen sah, nie ist ein Weib von ihm berührt worden, kein Schlaf besucht seine Augen; von allen Stunden des Tages weiß man nur eine einzige, über die er nicht Herr ist, in welcher niemand ihn gesehen, in welcher er kein irdisches Geschäft verrichtet hat.«

»So?« sagte der Prinz. »Und was ist dies für eine Stunde?«

»Die zwölfte in der Nacht. Sobald die Glocke den zwölften Schlag tut, gehört er den Lebendigen nicht mehr. Wo er auch sein mag, er muß fort, welches Geschäft er auch verrichtet, er muß abbrechen. Dieser schreckliche Glockenschlag reißt ihn aus den Armen der Freundschaft, reißt ihn selbst vom Altar und würde ihn auch aus dem Todeskampf rufen. Niemand weiß, wo er dann hingeht, noch was er da verrichtet. Niemand wagt es, ihn darum zu befragen, noch weniger, ihm zu folgen; denn seine Gesichtszüge ziehen sich auf einmal, sobald diese gefürchtete Stunde schlägt, in einen so finstern und schreckhaften Ernst zusammen, daß jedem der Mut entfällt, ihm ins Gesicht zu blicken oder ihn anzureden. Eine tiefe Todesstille endigt dann plötzlich das lebhafteste Gespräch, und alle, die um ihn sind, erwarten mit ehrerbietigem Schaudern seine Wiederkunft, ohne es nur zu wagen, sich von der Stelle zu heben oder die Türe zu öffnen, durch die er gegangen ist.«

»Aber«, fragte einer von uns, »bemerkt man nichts Außerordentliches an ihm bei seiner Zurückkunft?«

»Nichts, als daß er bleich und abgemattet aussieht, ungefähr wie ein Mensch, der eine schmerzhafte Operation ausgestanden oder eine schreckliche Zeitung erhält. Einige wollen Blutstropfen auf seinem Hemde gesehen haben; dieses aber lasse ich dahingestellt sein.«

»Und hat man es zum wenigsten nie versucht, ihm diese Stunde zu verbergen oder ihn so in Zerstreuung zu verwikkeln, daß er sie übersehen mußte?«

»Ein einziges Mal, sagt man, überschritt er den Termin. Die Gesellschaft war zahlreich, man verspätete sich bis tief in die Nacht, alle Uhren waren mit Fleiß falsch gerichtet, und das Feuer der Unterredung riß ihn dahin. Als die gesetzte Stunde da war, verstummte er plötzlich und wurde starr, alle seine Gliedmaßen verharrten in derselben Richtung, worin dieser Zufall sie überraschte, seine Augen standen, sein Puls schlug nicht mehr, alle Mittel, die man anwendete, ihn wieder zu erwecken, waren fruchtlos; und dieser Zustand hielt an, bis die Stunde verstrichen war. Dann belebte er sich plötzlich von selbst wieder, schlug die Augen auf und fuhr in der nämlichen Silbe fort, worin er war unterbrochen worden. Die allgemeine Bestürzung verriet ihm, was geschehen war, und da erklärte er mit einem fürchterlichen Ernst, daß man sich glücklich preisen dürfte, mit dem bloßen Schrecken davongekommen zu sein. Aber die Stadt, worin ihm dieses begegnet war, verließ er noch an demselben Abend auf immer. Der allgemeine Glaube ist, daß er in dieser geheimnisvollen Stunde Unterredungen mit seinem Genius halte. Einige meinen gar, er sei ein Verstorbener, dem es verstattet sei, dreiundzwanzig Stunden vom Tag unter den Lebenden zu wandeln; in der letzten aber müsse seine Seele zur Unterwelt heimkehren, um dort ihr Gericht auszuhalten. Viele halten ihn auch für den berühmten Apollonius von Tyana, und andre gar für den Jünger Johannes, von dem es heißt, daß er bleiben würde bis zum letzten Gericht.«

»Über einen so außerordentlichen Mann«, sagte der Prinz, »kann es freilich nicht an abenteuerlichen Mutmaßungen fehlen. Alles Bisherige haben Sie bloß von Hörensagen; und doch schien mir sein Benehmen gegen Sie und das Ihrige gegen ihn auf eine genauere Bekanntschaft zu deuten. Liegt hier nicht irgendeine besondre Geschichte zum Grunde, bei der Sie selbst mit verwickelt gewesen? Verhehlen Sie uns nichts.«

Der Sizilianer sah uns mit einem zweifelhaften Blick an und schwieg.

»Wenn es eine Sache betrifft,« fuhr der Prinz fort, »die Sie nicht gerne laut machen wollen, so versichre ich Sie im Namen dieser beiden Herrn der unverbrüchlichsten Verschwiegenheit. Aber reden Sie aufrichtig und unverhohlen.«

»Wenn ich hoffen kann,« fing der Mann nach einem langen Stillschweigen an, »daß Sie solche nicht gegen mich zeugen lassen wollen, so will ich Ihnen wohl eine merkwürdige Begebenheit mit diesem Armenier erzählen, von der ich Augenzeuge war und die Ihnen über die verborgene Gewalt dieses Menschen keinen Zweifel übrig lassen wird. Aber es muß mir erlaubt sein,« setzte er hinzu, »einige Namen dabei zu verschweigen.«

»Kann es nicht ohne diese Bedingung geschehen?«

»Nein, gnädigster Herr. Es ist eine Familie darein verwikkelt, die ich zu schonen Ursache habe.«

»Lassen Sie uns hören«, sagte der Prinz.

»Es mögen nun fünf Jahre sein,« fing der Sizilianer an, »daß ich in Neapel, wo ich mit ziemlichem Glück meine Künste trieb, mit einem gewissen Lorenzo del M★★nte, Chevalier des Ordens von St. Stephan, Bekanntschaft machte, einem jungen und reichen Kavalier aus einem der ersten Häuser des Königreichs, der mich mit Verbindlichkeiten überhäufte und für meine Geheimnisse große Achtung zu tragen schien. Er entdeckte mir, daß der Marchese del M★★nte, sein Vater, ein eifriger Verehrer der Kabbala wäre und sich glücklich schätzen würde, einen Weltweisen (wie er mich zu nennen beliebte) unter seinem Dache zu wissen. Der Greis wohnte auf einem seiner Landgüter an der See, ungefähr sieben Meilen von Neapel, wo er beinahe in gänzlicher Abgeschiedenheit von Menschen das Andenken eines teuern Sohnes beweinte, der ihm durch ein schreckliches Schicksal entrissen ward. Der Chevalier ließ mich merken, daß er und seine Familie in einer sehr ernsthaften Angelegenheit meiner wohl gar einmal bedürfen könnten, um von meiner geheimen Wissenschaft vielleicht einen Aufschluß über etwas zu erhalten, wobei alle natürlichen Mittel fruchtlos erschöpft worden wären. Er insbesondere, setzte er sehr bedeutend hinzu, würde einst vielleicht Ursache haben, mich als den Schöpfer seiner Ruhe und seines ganzen irdischen Glücks zu betrachten. Ich wagte nicht, ihn um das Nähere zu befragen, und für damals blieb es bei dieser Erklärung. Die Sache selbst aber verhielt sich folgendergestalt.

Dieser Lorenzo war der jüngere Sohn des Marchese, weswegen er auch zu dem geistlichen Stand bestimmt war; die Güter der Familie sollten an seinen ältern Bruder fallen. Jeronymo, so hieß dieser ältere Bruder, hatte mehrere Jahre auf Reisen zugebracht und kam ungefähr sieben Jahre vor der Begebenheit, die jetzt erzählt wird, in sein Vaterland zurück, um eine Heirat mit der einzigen Tochter eines benachbarten gräflichen Hauses von C***tti zu vollziehen, worüber beide Familien schon seit der Geburt dieser Kinder übereingekommen waren, um ihre ansehnlichen Güter dadurch zu vereinigen. Ungeachtet diese Verbindung bloß das Werk der elterlichen Konvenienz war und die Herzen beider Verlobten bei der Wahl nicht um Rat gefragt wurden, so hatten sie dieselbe doch stillschweigend schon gerechtfertiget. Jeronymo del M**nte und Antonie C***tti waren miteinander auferzogen worden, und der wenige Zwang, den man dem Umgang zweier Kinder auflegte, die man schon damals gewohnt war als ein Paar zu betrachten, hatte frühzeitig ein zärtliches Verständnis zwischen beiden entstehen lassen, das durch die Harmonie ihrer Charaktere noch mehr befestigt ward und sich in reifern Jahren leicht zur Liebe erhöhte. Eine vierjährige Entferung hatte es vielmehr angefeuert als erkältet, und Jernoymo kehrte ebenso treu und ebenso feurig in die Arme seiner Braut zurück, als wenn er sich niemals daraus gerissen hätte.

Die Entzückungen des Wiedersehens waren noch nicht vorüber, und die Anstalten zur Vermählung wurden auf das lebhafteste betrieben, als der Bräutigam – verschwand. Er pflegte öfters ganze Abende auf einem Landhause zuzubringen, das die Aussicht aufs Meer hatte, und sich da zuweilen mit einer Wasserfahrt zu vergnügen. Nach einem solchen Abende geschah es, daß er ungewöhnlich lang ausblieb. Man schickte Boten nach ihm aus, Fahrzeuge suchten ihn auf der See; niemand wollte ihn gesehen haben. Von seinen Bedienten wurde keiner vermißt, daß ihn also keiner begleitet haben konnte. Es wurde Nacht, und er erschien nicht. Es wurde Morgen – es wurde Mittag und Abend, und noch kein Jeronymo. Schon fing man an, den schrecklichsten Mutmaßungen Raum zu geben, als die Nachricht einlief, ein algierischer Korsar habe vorigen Tages an dieser Küste gelandet, und verschiedene von den Einwohnern seien gefangen weggeführt worden. Sogleich werden zwei Galeeren bemannt, die eben segelfertig liegen; der alte Marchese besteigt selbst die erste, entschlossen, seinen Sohn mit Gefahr seines eigenen Lebens zu befreien. Am dritten Morgen erblickten sie den Korsaren, vor welchem sie den Vorteil des Windes voraus haben; sie haben ihn bald erreicht, sie kommen ihm so nahe, daß Lorenzo, der sich auf der ersten Galeere befindet, das Zeichen seines Bruders auf dem feindlichen Verdeck zu erkennen glaubt, als plötzlich ein Sturm sie wieder voneinander trennt. Mit Mühe stehen ihn die beschädigten Schiffe aus; aber die Prise ist veschwunden, und die Not zwingt sie, auf Malta zu landen. Der Schmerz der Familie ist ohne Grenzen; trostlos rauft sich der alte Marchese die eisgrauen Haare aus, man fürchtet für das Leben der jungen Gräfin.

Fünf Jahre gehen in fruchtlosen Erkundigungen hin. Nachfragen geschehen längs der ganzen barbarischen Küste; ungeheure Preise werden für die Freiheit des jungen Marchese geboten; aber niemand meldet sich, sie zu verdienen. Endlich blieb es bei der wahrscheinlichen Vermutung, daß jener Sturm, welcher beide Fahrzeuge trennte, das Räuberschiff zugrunde gerichtet habe und daß seine ganze Mannschaft in den Fluten umgekommen sei.

So scheinbar diese Vermutung war, so fehlte ihr doch noch viel zur Gewißheit, und nichts berechtigte, die Hoffnung ganz aufzugeben, daß der Verlorne nicht einmal wieder sichtbar werden könnte. Aber gesetzt nun, er würde es nicht mehr, so erlosch mit ihm zugleich die Familie, oder der zweite Bruder mußte dem geistlichen Stand entsagen und in die Rechte des Erstgebornen eintreten. So gewagt dieser Schritt und so ungerecht es an sich selbst war, diesen möglicherweise noch lebenden Bruder aus dem Besitz seiner natürlichen Rechte zu verdrängen, so glaubte man, einer so entfernten Möglichkeit wegen das Schicksal eines alten glänzenden Stammes, der ohne diese Einrichtung erlosch, nicht aufs Spiel setzen zu dürfen. Gram und Alter näherten den alten Marchese dem Grabe; mit jedem neu vereitelten Versuch sank die Hoffnung, den Verschwundenen wiederzufinden; er sah den Untergang seines Hauses, der durch eine kleine Ungerechtigkeit zu verhüten war, wenn er sich nämlich nur entschließen wollte, den jüngern Bruder auf Unkosten des ältern zu begünstigen. Um seine Verbindungen mit dem gräflichen Hause von C***tti zu erfüllen, brauchte nur ein Name geändert zu werden; der Zweck beider Familien war auf gleiche Art erreicht, Gräfin Antonie mochte nun Lorenzos oder Jeronymos Gattin heißen. Die schwache Möglichkeit einer Wiedererscheinung des letztern kam gegen das gewisse und dringende Übel, den gänzlichen Untergang der Familie, in keine Betrachtung, und der alte Marchese, der die Annäherung des Todes mit jedem Tag stärker fühlte, wünschte mit Ungeduld, von *dieser* Unruhe wenigstens frei zu sterben.

Wer diesen Schritt allein verzögerte und am hartnäckigsten bekämpfte, war derjenige, der das meiste dabei gewann – Lorenzo. Ungerührt von dem Reiz unermeßlicher Güter, unempfindlich selbst gegen den Besitz des liebenswürdigsten Geschöpfs, das seinen Armen überliefert werden sollte, weigerte er sich mit der edelmütigsten Gewissenhaftigkeit, einen Bruder zu berauben, der vielleicht noch am Leben wäre und sein Eigentum zurückfordern könnte. ›Ist das Schicksal meines teuern Jernoymo‹, sagte er, ›durch diese lange Gefangenschaft nicht schon schrecklich genug, daß ich es noch durch einen Diebstahl verbittern sollte, der ihn um alles bringt, was ihm das Teuerste war? Mit welchem Herzen würde ich den Himmel um seine Wiederkunft anflehen, wenn sein Weib in meinen Armen liegt? Mit welcher Stirne ihm, wenn endlich ein Wunder ihn uns zurückbringt, entgegeneilen? Und gesetzt, er ist uns auf ewig entrissen, wodurch können wir sein Andenken besser ehren, als wenn wir die Lücke ewig unausgefüllt lassen, die sein Tod in unsern Zirkel gerissen hat, als wenn wir alle Hoffnungen auf seinem Grabe opfern und das, was sein war, gleich einem Heiligtum unberührt lassen?‹
Aber alle Gründe, welche die brüderliche Delikatesse ausfand, waren nicht vermögend, den alten Marchese mit der Idee auszusöhnen, einen Stamm erlöschen zu sehen, der Jahrhunderte geblüht hatte. Alles, was Lorenzo ihm abgewann, war noch eine Frist von zwei Jahren, ehe er die Braut seines Bruders zum Altare führte. Während dieses Zeitraums wurden die Nachforschungen aufs eifrigste fortgesetzt. Lorenzo selbst tat verschiedene Seereisen, setzte seine Person manchen Gefahren aus; keine Mühe, keine Kosten wurden gespart, den Verschwundenen wiederzufinden. Aber auch diese zwei Jahre verstrichen fruchtlos wie alle vorigen.«
»Und Gräfin Antonie?« fragte der Prinz. »Von ihrem Zustande sagen Sie uns nichts. Sollte sie sich so gelassen in ihr Schicksal ergeben haben? Ich kann es nicht glauben.«
»Antoniens Zustand war der schrecklichste Kampf zwischen

Pflicht und Leidenschaft, Abneigung und Bewunderung. Die uneigennützige Großmut der brüderlichen Liebe rührte sie; sie fühlte sich hingerissen, den Mann zu verehren, den sie nimmermehr lieben konnte; zerrissen von widersprechenden Gefühlen, blutete ihr Herz. Aber ihr Widerwille gegen den Chevalier schien in eben dem Grade zu wachsen, wie sich seine Ansprüche auf ihre Achtung vermehrten. Mit tiefem Leiden bemerkte er den stillen Gram, der ihre Jugend verzehrte. Ein zärtliches Mitleid trat unvermerkt an die Stelle der Gleichgültigkeit, mit der er sie bisher betrachtet hatte; aber diese verräterische Empfindung hinterging ihn, und eine wütende Leidenschaft fing an, ihm die Ausübung einer Tugend zu erschweren, die bis jetzt jeder Versuchung überlegen geblieben war. Doch selbst noch auf Unkosten seines Herzens gab er den Eingebungen seines Edelmuts Gehör: er allein war es, der das unglückliche Opfer gegen die Willkür der Familie in Schutz nahm. Aber alle seine Bemühungen mißlangen; jeder Sieg, den er über seine Leidenschaft davontrug, zeigte ihn ihrer nur um so würdiger, und die Großmut, mit der er sie ausschlug, diente nur dazu, ihrer Widersetzlichkeit jede Entschuldigung zu rauben.

So standen die Sachen, als der Chevalier mich beredete, ihn auf seinem Landgute zu besuchen. Die warme Empfehlung meines Gönners bereitete mir da einen Empfang, der alle meine Wünsche übertraf. Ich darf nicht vergessen, hier noch anzuführen, daß es mir durch einige merkwürdige Operationen gelungen war, meinen Namen unter den dortigen Logen berühmt zu machen, welches vielleicht dazu beitragen mochte, das Vertrauen des alten Marchese zu vermehren und seine Erwartungen von mir zu erhöhen. Wie weit ich es mit ihm gebracht und welche Wege ich dabei gegangen, erlassen Sie mir zu erzählen; aus den Geständnissen, die ich Ihnen bereits getan, können Sie auf alles übrige schließen. Da ich mir alle mystische Bücher zunutze machte, die sich in der sehr ansehnlichen Bibliothek des Marchese befanden, so gelang es

mir bald, in seiner Sprache mit ihm zu reden und mein System von der unsichtbaren Welt mit seinen eigenen Meinungen in Übereinstimmung zu bringen. In kurzem glaubte er, was ich wollte, und hätte ebenso zuversichtlich auf die Begattungen der Philosophen mit Salamandrinnen und Sylphiden als auf einen Artikel des Kanons geschworen. Da er überdies sehr religiös war und seine Anlage zum Glauben in dieser Schule zu einem hohen Grade ausgebildet hatte, so fanden meine Märchen bei ihm desto leichter Eingang, und zuletzt hatte ich ihn mit Mystizität so umstrickt und umwunden, daß nichts mehr bei ihm Kredit hatte, sobald es natürlich war. In kurzem war ich der angebetete Apostel des Hauses. Der gewöhnliche Inhalt meiner Vorlesungen war die Exaltation der menschlichen Natur und der Umgang mit höhern Wesen, mein Gewährsmann der untrügliche Graf von Gabalis. Die junge Gräfin, die seit dem Verlust ihres Geliebten ohnehin mehr in der Geisterwelt als in der wirklichen lebte und durch den schwärmerischen Flug ihrer Phantasie mit leidenschaftlichem Interesse zu Gegenständen dieser Gattung hingezogen ward, fing meine hingeworfenen Winke mit schauderndem Wohlbehagen auf; ja sogar die Bedienten des Hauses suchten sich im Zimmer zu tun zu machen, wenn ich redete, um hie und da eins meiner Worte aufzuhaschen, welche Bruchstücke sie alsdann nach ihrer Art aneinander reihten.
Ungefähr zwei Monate mochte ich so auf diesem Rittersitze zugebracht haben, als eines Morgens der Chevalier auf mein Zimmer trat. Tiefer Gram malte sich auf seinem Gesichte, alle seine Züge waren zerstört, er warf sich in einen Stuhl mit allen Gebärden der Verzweiflung.
›Kapitän,‹ sagte er, ›mit mir ist es vorbei. Ich muß fort. Ich kann es nicht länger hier aushalten.‹
›Was ist Ihnen, Chevalier? Was haben Sie?‹
›O diese fürchterliche Leidenschaft!‹ (Hier fuhr er mit Heftigkeit von dem Stuhle auf und warf sich in meine Arme.) – ›Ich

habe sie bekämpft wie ein Mann. – Jetzt kann ich nicht mehr.‹

›Aber an wem liegt es denn, liebster Freund, als an Ihnen? Steht nicht alles in Ihrer Gewalt? Vater, Familie . . .‹

›Vater! Familie! Was ist mir das? – Will ich eine erzwungene Hand oder eine freiwillige Neigung? – Hab ich nicht einen Nebenbuhler? – Ach! Und welchen? Einen Nebenbuhler vielleicht unter den Toten! O lassen Sie mich! Lassen Sie mich! Ging es auch bis ans Ende der Welt. Ich muß meinen Bruder finden.‹

›Wie? Nach so viel fehlgeschlagenen Versuchen können Sie noch Hoffnung . . .‹

›Hoffnung! – In *meinem* Herzen starb sie längst. Aber auch in jenem? – Was liegt daran, ob *ich* hoffe? – Bin ich glücklich, solange noch ein Schimmer dieser Hoffnung in Antoniens Herzen glimmt? – Zwei Worte, Freund, könnten meine Marter enden – Aber umsonst! Mein Schicksal wir elend bleiben, bis die Ewigkeit ihr langes Schweigen bricht und Gräber für mich zeugen.‹

›Ist es diese Gewißheit also, die Sie glücklich machen kann?‹

›Glücklich? O ich zweifle, ob ich es je wieder sein kann! – Aber Ungewißheit ist die schrecklichste Verdammnis!‹ (Nach einigem Stillschweigen mäßigte er sich und fuhr mit Wehmut fort.) ›Daß er meine Leiden sähe! – Kann sie ihn glücklich machen, diese Treue, die das Elend seines Bruders macht? Soll ein Lebendiger eines Toten wegen schmachten, der nicht mehr genießen kann? – Wüßte er meine Qual –‹ (hier fing er an, heftig zu weinen, und drückte sein Gesicht auf meine Brust) ›vielleicht – würde er sie selbst in meine Arme führen.‹

›Aber sollte dieser Wunsch so ganz unerfüllbar sein?‹

›Freund! Was sagen Sie?‹ – Er sah mich erschrocken an.

›Weit geringere Anlässe‹, fuhr ich fort, ›haben die Abgeschiedenen in das Schicksal der Lebenden verflochten. Sollte das ganze zeitliche Glück eines Menschen – eines Bruders . . .‹

›Das ganze zeitliche Glück! O das fühl ich! Wie wahr haben Sie gesagt! Meine ganze Glückseligkeit!‹
›... und die Ruhe einer trauernden Familie keine rechtmäßige Veranlassung sein, die unsichtbaren Mächte zum Beistand aufzufordern? Gewiß! Wenn je eine irdische Angelegenheit dazu berechtigen kann, die Ruhe der Seligen zu stören – von einer Gewalt Gebrauch zu machen ...‹
›Um Gottes willen, Freund!‹ unterbrach er mich, ›nichts mehr davon. Ehmals wohl, ich gesteh es, hegte ich einen solchen Gedanken – mir deucht, ich sagte Ihnen davon – aber ich hab ihn längst als ruchlos und abscheulich verworfen.‹«
»Sie sehen nun schon,« fuhr der Sizilianer fort, »wohin uns dieses führte. Ich bemühte mich, die Bedenklichkeiten des Ritters zu zerstreuen, welches mir endlich auch gelang. Es ward beschlossen, den Geist des Verstorbenen zu zitieren, wobei ich mir nur vierzehn Tage Frist ausbedingte, um mich, wie ich vorgab, würdig darauf vorzubereiten. Nachdem dieser Zeitraum verstrichen und meine Maschinen gehörig gerichtet waren, benutzte ich einen schauerlichen Abend, wo die Familie auf die gewöhnliche Art um mich versammelt war, ihr die Einwilligung dazu abzulocken oder sie vielmehr unvermerkt dahin zu leiten, daß sie selbst diese Bitte an mich tat. Den schwersten Stand hatte man bei der jungen Gräfin, deren Gegenwart doch so wesentlich war; aber hier kam uns der schwärmerische Flug ihrer Leidenschaft zu Hilfe und vielleicht mehr noch ein schwacher Schimmer von Hoffnung, daß der Totgeglaubte noch lebe und auf den Ruf nicht erscheinen werde. Mißtrauen in die Sache selbst, Zweifel in meine Kunst war das einzige Hindernis, welches ich *nicht* zu bekämpfen hatte.
Sobald die Einwilligung der Familie da war, wurde der dritte Tag zu dem Werke angesetzt. Gebete, die bis in die Mitternacht verlängert werden mußten, Fasten, Wachen, Einsamkeit und mystischer Unterricht waren, verbunden mit dem Gebrauch eines gewissen, noch unbekannten musikalischen

Instruments, das ich in ähnlichen Fällen sehr wirksam fand, die Vorbereitungen zu diesem feierlichen Akt, welche auch so sehr nach Wunsche einschlugen, daß die fanatische Begeisterung meiner Zuhörer meine eigene Phantasie erhitzte und die Illusion nicht wenig vermehrte, zu der ich mich bei dieser Gelegenheit anstrengen mußte. Endlich kam die erwartete Stunde...«

»Ich errate,« rief der Prinz, »*wen* Sie uns jetzt aufführen werden – Aber fahren Sie nur fort – fahren Sie fort...«

»Nein, gnädigster Herr. Die Beschwörung ging nach Wunsche vorüber.«

»Aber wie? Wo bleibt der Armenier?«

»Fürchten Sie nicht,« antwortete der Sizilianer, »der Armenier wird nur zu zeitig erscheinen. –– Ich lasse mich in keine Beschreibung des Gaukelspiels ein, die mich ohnehin auch zu weit führen würde. Genug, es erfüllte alle meine Erwartungen. Der alte Marchese, die junge Gräfin nebst ihrer Mutter, der Chevalier und noch einige Verwandte waren zugegen. Sie können leicht denken, daß es mir in der langen Zeit, die ich in diesem Hause zugebracht, nicht an Gelegenheit werde gemangelt haben, von allem, was den Verstorbenen anbetraf, die genaueste Erkundigung einzuziehen. Verschiedne Gemälde, die ich da von ihm vorfand, setzten mich in den Stand, der Erscheinung die täuschendste Ähnlichkeit zu geben, und weil ich den Geist nur durch Zeichen sprechen ließ, so konnte auch seine Stimme keinen Verdacht erwecken. Der Tote selbst erschien in barbarischem Sklavenkleid, eine tiefe Wunde am Halse. Sie bemerken,« sagte der Sizilianer, »daß ich hierin von der allgemeinen Mutmaßung abging, die ihn in den Wellen umkommen lassen, weil ich Ursache hatte zu hoffen, daß gerade das Unerwartete dieser Wendung die Glaubwürdigkeit der Vision selbst nicht wenig vermehren würde; so wie mir im Gegenteil nichts gefährlicher schien als eine zu gewissenhafte Annäherung an das Natürliche.«

»Ich glaube, daß dies sehr richtig geurteilt war«, sagte der

Prinz, indem er sich zu uns wendete. »In einer Reihe außerordentlicher Erscheinungen müßte, deucht mir, just die *wahrscheinlichere* stören. Die Leichtigkeit, die erhaltene Entdekkung zu begreifen, würde hier nur das Mittel, durch welches man dazu gelangt war, herabgewürdigt haben; die Leichtigkeit, sie zu erfinden, dieses wohl gar verdächtig gemacht haben; denn wozu einen Geist bemühen, wenn man nichts weiteres von ihm erfahren soll, als was auch ohne ihn, mit Hilfe der bloß gewöhnlichen Vernunft, herauszubringen war? Aber die überraschende Neuheit und Schwierigkeit der Entdeckung ist hier gleichsam eine Gewährleistung des Wunders, wodurch sie erhalten wird – denn wer wird nun das Übernatürliche einer Operation in Zweifel ziehen, wenn das, was sie leistete, durch natürliche Kräfte nicht geleistet werden kann? – Ich habe Sie unterbrochen«, setzte der Prinz hinzu. »Vollenden Sie Ihre Erzählung.«

»Ich ließ«, fuhr dieser fort, »die Frage an den Geist ergehen, ob er nichts mehr *sein* nenne auf dieser Welt und nichts darauf hinterlassen habe, was ihm teuer wäre? Der Geist schüttelte dreimal das Haupt und streckte eine seiner Hände gen Himmel. Ehe er wegging, streifte er noch einen Ring vom Finger, den man nach seiner Verschwindung auf dem Fußboden liegend fand. Als die Gräfin ihn genauer ins Gesicht faßte, war es ihr Trauring.«

»Ihr Trauring!« rief der Prinz mit Befremdung. »Ihr Trauring! Aber wie gelangten sie zu diesem?«

»Ich – – – Es war nicht der rechte, gnädigster Prinz – Ich hatte ihn – – Es war nur ein nachgemachter...«

»Ein nachgemachter!« wiederholte der Prinz. »Zum Nachmachen brauchten Sie ja den rechten, und wie kamen Sie zu diesem, da ihn der Verstorbene gewiß nie vom Finger brachte?«

»Das ist wohl wahr,« sagte der Sizilianer, nicht ohne Zeichen der Verwirrung – »aber aus einer Beschreibung, die man mir von dem wirklichen Trauring gemacht hatte...«

»Die Ihnen *wer* gemacht hatte?«

»Schon vor langer Zeit«, sagte der Sizilianer. –– »Es war ein ganz einfacher goldner Ring, mit dem Namen der jungen Gräfin, glaub ich –– Aber Sie haben mich ganz aus der Ordnung gebracht …«

»Wie erging es weiter?« sagte der Prinz mit sehr unbefriedigter und zweideutiger Miene.

»Jetzt hielt man sich für überzeugt, daß Jeronymo nicht mehr am Leben sei. Die Familie machte von diesem Tag an seinen Tod öffentlich bekannt und legte förmlich die Trauer um ihn an. Der Umstand mit dem Ringe erlaubte auch Antonien keinen Zweifel mehr und gab den Bewerbungen des Chevaliers einen größern Nachdruck. Aber der heftige Eindruck, den diese Erscheinung auf sie gemacht, stürzte sie in eine gefährliche Krankheit, welche die Hoffnungen ihres Liebhabers bald auf ewig vereitelt hätte. Als sie wieder genesen war, bestand sie darauf, den Schleier zu nehmen, wovon sie nur durch die nachdrücklichsten Gegenvorstellungen ihres Beichtvaters, in welchen sie ein unumschränktes Vertrauen setzte, abzubringen war. Endlich gelang es den vereinigten Bemühungen dieses Mannes und der Familie, ihr das Jawort abzuängstigen. Der letzte Tag der Trauer sollte der glückliche Tag sein, den der alte Marchese durch Abtretung aller seiner Güter an den rechtmäßigen Erben noch festlicher zu machen gesonnen war.

Es erschien dieser Tag, und Lorenzo empfing seine bebende Braut am Altare. Der Tag ging unter, ein prächtiges Mahl erwartete die frohen Gäste im hellerleuchteten Hochzeitsaal, und eine lärmende Musik begleitete die ausgelassene Freude. Der glückliche Greis hatte gewollt, daß alle Welt seine Fröhlichkeit teilte; alle Zugänge zum Palaste waren geöffnet, und willkommen war jeder, der ihn glücklich pries. Unter diesem Gedränge nun …«

Der Sizilianer hielt hier inne, und ein Schauder der Erwartung hemmte unsern Odem ––

»Unter diesem Gedränge also«, fuhr er fort, »ließ mich derjenige, welcher zunächst an mir saß, einen Franziskanermönch bemerken, der unbeweglich wie eine Säule stand, langer hagrer Statur und aschbleichen Angesichts, einen ernsten und traurigen Blick auf das Brautpaar geheftet. Die Freude, welche ringsherum auf allen Gesichtern lachte, schien an diesem einzigen vorüberzugehen, seine Miene blieb unwandelbar dieselbe, wie eine Büste unter lebenden Figuren. Das Außerordentliche dieses Anblicks, der, weil er mich mitten in der Lust überraschte und gegen alles, was mich in diesem Augenblick umgab, auf eine so grelle Art abstach, um so tiefer auf mich wirkte, ließ einen unauslöschlichen Eindruck in meiner Seele zurück, daß ich dadurch allein in den Stand gesetzt worden bin, die Gesichtszüge dieses Mönchs in der Physiognomie des Russen (denn Sie begreifen wohl schon, daß er mit diesem und Ihrem Armenier eine und dieselbe Person war) wiederzuerkennen, welches sonst schlechterdings unmöglich würde gewesen sein. Oft versucht ichs, die Augen von dieser schreckhaften Gestalt abzuwenden, aber unfreiwillig fielen sie wieder darauf und fanden sie jedesmal unverändert. Ich stieß meinen Nachbar an, dieser den seinigen; dieselbe Neugierde, dieselbe Befremdung durchlief die ganze Tafel, das Gespräch stockte, eine allgemeine plötzliche Stille; den Mönch störte sie nicht. Der Mönch stand unbeweglich und immer derselbe, einen ernsten und traurigen Blick auf das Brautpaar geheftet. Einen jeden entsetzte diese Erscheinung; die junge Gräfin allein fand ihren eigenen Kummer im Gesicht dieses Fremdlings wieder und hing mit stiller Wollust an dem einzigen Gegenstand in der Versammlung, der ihren Gram zu verstehen, zu teilen schien. Allgemach verlief sich das Gedränge, Mitternacht war vorüber, die Musik fing an stiller und verlorner zu tönen, die Kerzen dunkler und endlich nur einzeln zu brennen, das Gespräch leiser und immer leiser zu flüstern – und öder ward es und immer öder im trüb erleuchteten Hochzeitsaal; der Mönch stand unbeweglich und immer derselbe, einen stillen und traurigen Blick auf das Brautpaar geheftet.

Die Tafel wird aufgehoben, die Gäste zerstreuen sich dahin und dorthin, die Familie tritt in einen engeren Kreis zusammen; der Mönch bleibt ungeladen in diesem engeren Kreis. Ich weiß nicht, woher es kam, daß niemand ihn anreden wollte; niemand redete ihn an. Schon drängten sich ihre weiblichen Bekannten um die zitternde Braut herum, die einen bittenden, hilfesuchenden Blick auf den ehrwürdigen Fremdling richtet; der Fremdling erwiderte ihn nicht.

Die Männer sammeln sich auf gleiche Art um den Bräutigam. – Eine gepreßte erwartungsvolle Stille. – ›Daß wir untereinander da so glücklich sind,‹ hub endlich der Greis an, der allein unter uns allen den Unbekannten nicht zu bemerken oder sich doch nicht über ihn zu verwundern schien: ›Daß wir so glücklich sind,‹ sagte er, ›und mein Sohn Jeronymo muß fehlen!‹

›Hast du ihn denn geladen, und er ist ausgeblieben?‹ – fragte der Mönch. Es war das erste Mal, daß er den Mund öffnete. Mit Schrecken sahen wir ihn an.

›Ach! er ist hingegangen, wo man auf ewig ausbleibt‹, versetzte der Alte. ›Ehrwürdiger Herr, Ihr versteht mich unrecht. Mein Sohn Jeronymo ist tot.‹

›Vielleicht fürchtet er sich auch nur, sich in solcher Gesellschaft zu zeigen‹, fuhr der Mönch fort. – ›Wer weiß, wie er aussehen mag, dein Sohn Jeronymo! – Laß ihn die Stimme hören, die er zum letzten Mal hörte! – Bitte deinen Sohn Lorenzo, daß er ihn rufe.‹

›Was soll das bedeuten?‹ murmelte alles. Lorenzo veränderte die Farbe. Ich leugne nicht, daß mir das Haar anfing zu steigen.

Der Mönch war unterdessen zum Schenktisch getreten, wo er ein volles Weinglas ergriff und an die Lippen setzte. – ›Das Andenken unsers teuern Jeronymo!‹ rief er. ›Wer den Verstorbenen lieb hatte, tue mirs nach.‹

›Woher Ihr auch sein mögt, ehrwürdiger Herr,‹ rief endlich der Marchese, ›Ihr habt einen teuern Namen genannt. Seid mir willkommen! – Kommt, meine Freunde!‹ (indem er sich gegen uns kehrte und die Gläser herumgehen ließ) ›laßt einen Fremdling uns nicht beschämen! – Dem Andenken meines Sohnes Jeronymo.‹

Nie, glaube ich, ward eine Gesundheit mit so schlimmem Mute getrunken.

›Ein Glas steht noch voll da. – Warum weigert sich mein Sohn Lorenzo, auf diesen freundlichen Trunk Bescheid zu tun?‹

Bebend empfing Lorenzo das Glas aus des Franziskaners Hand – bebend brachte er es an den Mund – ›Meinem vielgeliebten Bruder Jeronymo!‹ stammelte er, und schauernd setzte ers nieder.

›Das ist meines Mörders Stimme‹, rief eine fürchterliche Gestalt, die auf einmal in unserer Mitte stand, mit bluttriefendem Kleid und entstellt von gräßlichen Wunden. – –

Aber um das Weitere frage man mich nicht mehr«, sagte der Sizilianer, alle Zeichen des Entsetzens in seinem Angesicht. »Meine Sinne hatten mich von dem Augenblicke an verlassen, als ich die Augen auf die Gestalt warf, so wie jeden, der zugegen war. Da wir wieder zu uns selber kamen, rang Lorenzo mit dem Tode; Mönch und Erscheinung waren verschwunden. Den Ritter brachte man unter schrecklichen Zuckungen zu Bette; niemand als der Geistliche war um den Sterbenden und der jammervolle Greis, der ihm, wenige Wochen nachher, im Tode folgte. Seine Geständnisse liegen in der Brust des Paters versenkt, der seine letzte Beichte hörte, und kein lebendiger Mensch hat sie erfahren.

Nicht lange nach dieser Begebenheit geschah es, daß man einen Brunnen auszuräumen hatte, der im Hinterhofe des Landhauses unter wildem Gesträuche versteckt und viele Jahre lang verschüttet war; da man den Schutt durcheinanderstörte, entdeckte man ein Totengerippe. Das Haus, wo sich dieses zutrug, steht nicht mehr; die Familie del M★★nte ist erloschen, und in einem Kloster, ohnweit Salerno, zeigt man Ihnen Antoniens Grab.

Sie sehen nun,« fuhr der Sizilianer fort, als er sah, daß wir noch alle stumm und betreten standen und niemand das Wort nehmen wollte: »Sie sehen nun, worauf sich meine Bekanntschaft mit diesem russischen Offizier oder diesem Armenier gründet. Urteilen Sie jetzt, ob ich Ursache gehabt habe, vor einem Wesen zu zittern, das sich mir zweimal auf eine so schreckliche Art in den Weg warf.«

»Beantworten Sie mir noch eine einzige Frage«, sagte der Prinz und stand auf. »Sind Sie in Ihrer Erzählung über alles, was den Ritter betraf, immer aufrichtig gewesen?«

»Ich weiß nicht anders«, versetzte der Sizilianer.

»Sie haben ihn also wirklich für einen rechtschaffenen Mann gehalten?«

»Das hab ich, bei Gott, das hab ich«, antwortete jener.

»Auch da noch, als er Ihnen den bewußten Ring gab?«

»Wie? – Er gab mir keinen Ring. – Ich habe ja nicht gesagt, daß *er* mir den Ring gegeben.«

»Gut«, sagte der Prinz, an der Glocke ziehend und im Begriff wegzugehen. »Und den Geist des Marquis von Lanoy,« (fragte er, indem er noch einmal zurückkam) »den dieser Russe gestern auf den Ihrigen folgen ließ, halten Sie also für einen wahren und wirklichen Geist?«

»Ich kann ihn für nichts anders halten«, antwortete jener.

»Kommen Sie!« sagte der Prinz zu uns. Der Schließer trat herein.

»Wir sind fertig«, sagte er zu diesem. »Sie, mein Herr,« (zu dem Sizilianer sich wendend) »sollen weiter von mir hören.«

›Die Frage, gnädigster Herr, welche Sie zuletzt an den Gaukler getan haben, möchte ich an Sie selbst tun‹, sagte ich zu dem Prinzen, als wir wieder allein waren. ›Halten Sie diesen zweiten Geist für den wahren und echten?‹

»Ich? Nein, wahrhaftig, das tue ich nicht mehr.«

›Nicht mehr? Also haben Sie es doch getan?‹

»Ich leugne nicht, daß ich mich einen Augenblick habe hinreißen lassen, dieses Blendwerk für etwas mehr zu halten.«

›Und ich will *den* sehen‹, rief ich aus, ›der sich unter diesen Umständen einer ähnlichen Vermutung erwehren kann. Aber was für Gründe haben Sie nun, diese Meinung zurückzunehmen? Nach dem, was man uns eben von diesem Armenier erzählt hat, sollte sich der Glaube an seine Wundergewalt eher vermehrt als vermindert haben.‹

»Was ein Nichtswürdiger uns von ihm erzählt hat?« fiel mir der Prinz mit Ernsthaftigkeit ins Wort. »Denn hoffentlich zweifeln Sie nun nicht mehr, daß wir mit einem solchen zu tun gehabt haben?«

›Nein‹, sagte ich. ›Aber sollte deswegen sein Zeugnis ...‹

»Das Zeugnis eines Nichtswürdigen – gesetzt, ich hätte auch weiter keinen Grund, es in Zweifel zu ziehen – kann gegen Wahrheit und gesunde Vernunft nicht in Anschlag kommen. Verdient ein Mensch, der mich mehrmals betrogen, der den Betrug zu seinem Handwerk gemacht hat, in einer Sache gehört zu werden, wo die aufrichtigste Wahrheitsliebe selbst sich erst reinigen muß, um Glauben zu verdienen? Verdient ein solcher Mensch, der vielleicht nie eine Wahrheit um ihrer selbst willen gesagt hat, da Glauben, wo er als Zeuge gegen Menschenvernunft und ewige Naturordnung auftritt? Das klingt ebenso, als wenn ich einen gebrandmarkten Bösewicht bevollmächtigen wollte, gegen die nie befleckte und nie bescholtene Unschuld zu klagen.«

›Aber was für Gründe sollte er haben, einem Manne, den er so viele Ursachen hat zu hassen, wenigstens zu fürchten, ein so glorreiches Zeugnis zu geben?‹

»Wenn ich diese Gründe auch nicht einsehe, soll er sie deswegen weniger haben? Weiß ich, in *wessen* Solde er mich belog? Ich gestehe, daß ich das ganze Gewebe seines Betrugs noch nicht ganz durchschaue; aber er hat der Sache, für die er streitet, einen sehr schlechten Dienst getan, daß er sich als einen Betrüger – und vielleicht als etwas noch Schlimmres – entlarvte.«

›Der Umstand mit dem Ringe scheint mir freilich etwas verdächtig.‹

»Er ist mehr als das,« sagte der Prinz, »er ist entscheidend. Diesen Ring (lassen Sie mich einstweilen annehmen, daß die erzählte Begebenheit sich wirklich ereignet habe) empfing er von dem Mörder, und er mußte in demselben Augenblicke gewiß sein, daß es der Mörder war. Wer als der Mörder konnte dem Verstorbenen einen Ring abgezogen haben, den dieser gewiß nie vom Finger ließ? Uns suchte er die ganze Erzählung hindurch zu überreden, als ob er selbst von dem Ritter getäuscht worden und als ob er geglaubt hätte, *ihn* zu täuschen. Wozu diesen Winkelzug, wenn er nicht selbst bei sich fühlte, wie viel er verloren gab, wenn er sein Verständnis mit dem Mörder einräumte? Seine ganze Erzählung ist offenbar nichts als eine Reihe von Erfindungen, um die wenigen Wahrheiten aneinander zu hängen, die er uns preiszugeben für gut fand. Und ich sollte größeres Bedenken tragen, einen Nichtswürdigen, den ich auf zehn Lügen ertappte, lieber auch noch der eilften zu beschuldigen, als die Grundordnung der Natur unterbrechen zu lassen, die ich noch auf keinem Mißklang betrat?«

›Ich kann Ihnen darauf nichts antworten‹, sagte ich. ›Aber die Erscheinung, die wir gestern sahen, bleibt mir darum nicht weniger unbegreiflich.‹

»Auch mir,« versetzte der Prinz, »ob ich gleich in Versuchung geraten bin, einen Schlüssel dazu ausfindig zu machen.«

›Wie?‹ sagte ich.

»Erinnern Sie sich nicht, daß die zweite Gestalt, sobald sie herein war, auf den Altar zuging, das Kruzifix in die Hand faßte und auf den Teppich trat?«

›So schien mirs. Ja.‹

»Und das Kruzifix, sagt uns der Sizilianer, war ein Konduktor. Daraus sehen sie also, daß sie eilte, sich elektrisch zu machen. Der Streich, den Lord Seymour mit dem Degen nach ihr tat, konnte also nicht anders als unwirksam bleiben, weil der elektrische Schlag seinen Arm lähmte.«

›Mit dem Degen hätte dieses seine Richtigkeit. Aber die Kugel, die der Sizilianer auf sie abschoß und welche wir langsam auf dem Altar rollen hörten?‹

»Wissen Sie auch gewiß, daß es die abgeschossene Kugel war, die wir rollen hörten? – Davon will ich gar nicht einmal reden, daß die Marionette oder der Mensch, der den Geist vorstellte, so gut umpanzert sein konnte, daß er schuß- und degenfest war. – Aber denken Sie doch ein wenig nach, *wer* es war, der die Pistolen geladen.

›Es ist wahr,‹ sagte ich, – und ein plötzliches Licht ging mir auf. – ›Der Russe hatte sie geladen. Aber dieses geschah vor unsern Augen, wie hätte da ein Betrug vorgehen können?‹

»Und warum hätte er nicht sollen vorgehen können? Setzten Sie denn schon damals ein Mißtrauen in diesen Menschen, daß Sie es für nötig befunden hätten, ihn zu beobachten? Untersuchten Sie die Kugel, eh er sie in den Lauf brachte, die ebensogut eine quecksilberne oder auch nur eine bemalte Tonkugel sein konnte? Gaben Sie acht, ob er sie auch wirklich in den Lauf der Pistole oder nicht nebenbei in seine Hand fallen ließ? Was überzeugt Sie – gesetzt, er hätte sie auch wirklich scharf geladen –, daß er gerade die geladenen in den andern Pavillon mit hinübernahm und nicht vielmehr ein andres Paar unterschob, welches so leicht anging, da es niemand einfiel, ihn zu beobachten, und wir überdies mit dem Auskleiden beschäftigt waren? Und konnte die Gestalt nicht in dem Augenblicke, da der Pulverrauch sie uns entzog, eine andre Kugel, womit sie auf den Notfall versehen war, auf den Altar fallen lassen? Welcher von allen diesen Fällen ist der unmögliche?«

›Sie haben recht. Aber diese treffende Ähnlichkeit der Gestalt mit Ihrem verstorbenen Freunde – Ich habe ihn ja auch sehr oft bei Ihnen gesehen, und in dem Geiste hab ich ihn auf der Stelle wiedererkannt.‹

»Auch ich – und ich kann nicht anders sagen, als daß die Täuschung aufs Höchste getrieben war. Wenn aber nun dieser Sizilianer nach einigen wenigen verstohlnen Blicken, die er auf meine Tabatiere warf, auch in *sein* Gemälde eine flüchtige Ähnlichkeit zu bringen wußte, die Sie und mich hinterging, warum nicht um so viel mehr der Russe, der während der ganzen Tafel den freien Gebrauch meiner Tabatiere hatte, der den Vorteil genoß, immer und durchaus unbeobachtet zu bleiben, und dem ich noch außerdem im Vertrauen entdeckt hatte, *wer* mit dem Bilde auf der Dose gemeint sei? – Setzen sie hinzu – was auch der Sizilianer anmerkte –, daß das Charakteristische des Marquis in lauter solchen Gesichtszügen liegt, die sich auch im Groben nachahmen lassen – wo bleibt dann das Unerklärbare in dieser ganzen Erscheinung?«

›Aber der Inhalt seiner Worte? Der Aufschluß über Ihren Freund?‹

»Wie? Sagte uns denn der Sizilianer nicht, daß er aus dem Wenigen, was er mir abfragte, eine ähnliche Geschichte zusammengesetzt habe? Beweist dieses nicht, wie natürlich gerade auf diese Erfindung zu fallen war? Überdies klangen die Antworten des Geists so orakelmäßig dunkel, daß er gar nicht Gefahr laufen konnte, auf einem Widerspruch betreten zu werden. Setzen Sie, daß die Kreatur des Gauklers, die den Geist machte, Scharfsinn und Besonnenheit besaß und von den Umständen nur ein wenig unterrichtet war – wie weit hätte diese Gaukelei nicht noch geführt werden können?«

›Aber überlegen Sie, gnädigster Herr, wie weitläufig die Anstalten zu einem so zusammengesetzten Betrug von seiten des Armeniers hätten sein müssen! Wie viele Zeit dazu gehört haben würde! Wie viele Zeit nur, einen menschlichen Kopf einem andern so getreu nachzumalen, als hier vorausgesetzt wird! Wie viele Zeit, diesen untergeschobenen Geist so gut zu unterrichten, daß man vor einem groben Irrtum gesichert war! Wie viele Aufmerksamkeit die kleinen unnennbaren Nebendinge würden erfordert haben, welche entweder mithelfen oder denen, weil sie stören konnten, auf irgendeine Art doch begegnet werden mußte! Und nun erwägen Sie, daß der Russe nicht über eine halbe Stunde ausblieb. Konnte wohl in nicht mehr als einer halben Stunde alles angeordnet werden, was hier nur das Unentbehrlichste war? – Wahrlich, gnädigster Herr, selbst nicht einmal ein dramatischer Schriftsteller, der um die unerbittlichen drei Einheiten seines Aristoteles verlegen war, würde einem Zwischenakt so viel Handlung aufgelastet, noch seinem Parterre einen so starken Glauben zugemutet haben.‹

»Wie? Sie halten es also schlechterdings für unmöglich, daß in dieser kleinen halben Stunde alle diese Anstalten hätten getroffen werden können?«

›In der Tat,‹ rief ich, ›für so gut als unmöglich.‹

»Diese Redensart verstehe ich nicht. Widerspricht es allen Gesetzen der Zeit, des Raums und der physischen Wirkungen, daß ein so gewandter Kopf, wie doch unwidersprechlich dieser Armenier ist, mit Hilfe seiner vielleicht ebenso gewandten Kreaturen, in der Hülle der Nacht, von niemand beobachtet, mit allen Hilfsmitteln ausgerüstet, von denen sich ein Mann dieses Handwerks ohnehin niemals trennen wird, daß ein solcher Mensch, von solchen Umständen begünstigt, in so weniger Zeit so viel zustand bringen könnte? Ist es geradezu undenkbar und abgeschmackt, zu glauben, daß er mit Hilfe weniger Worte, Befehle oder Winke seinen Helfershelfern weitläuftige Aufträge geben, weitläuftige und zusammengesetzte Operationen mit wenigem Wortaufwande bezeichnen könne? – Und darf etwas anders als eine hell eingesehene Unmöglichkeit gegen die ewigen Gesetze der Natur aufgestellt werden? Wollen Sie lieber ein Wunder glauben, als eine Unwahrscheinlichkeit zugeben? lieber die Kräfte der Natur umstürzen, als eine künstliche und weniger gewöhnliche Kombination dieser Kräfte sich gefallen lassen?«

›Wenn die Sache auch eine so kühne Folgerung nicht rechtfertigt, so müssen Sie mir doch eingestehen, daß sie weit über unsre Begriffe geht.‹

»Beinahe hätte ich Lust, Ihnen auch dieses abzustreiten«, sagte der Prinz mit schalkhafter Munterkeit. »Wie, lieber Graf? wenn es sich, zum Beispiel, ergäbe, daß nicht bloß während und nach dieser halben Stunde, nicht bloß in der Eile und nebenher, sondern den ganzen Abend und die ganze Nacht für diesen Armenier gearbeitet worden? Denken Sie nach, daß der Sizilianer beinahe drei volle Stunden zu seinen Zurüstungen verbrauchte.«

›Der Sizilianer, gnädigster Herr!‹

»Und womit beweisen sie mir denn, daß der Sizilianer an dem zweiten Gespenste nicht ebenso vielen Anteil gehabt habe als an dem ersten?«

›Wie, gnädigster Herr?‹

»Daß er nicht der vornehmste Helfershelfer des Armeniers war – kurz – daß beide nicht miteinander unter *einer* Decke liegen?«

›Das möchte schwer zu erweisen sein‹, rief ich mit nicht geringer Verwunderung.

»Nicht so schwer, lieber Graf, als Sie wohl meinen. Wie? Es wäre Zufall, daß sich diese beiden Menschen in einem so seltsamen, so verwickelten Anschlag auf dieselbe Person, zu derselben Zeit und an demselben Orte begegneten, daß sich unter ihren beiderseitigen Operationen eine so auffallende Harmonie, ein so durchdachtes Einverständnis fände, daß einer dem andern gleichsam in die Hände arbeitete? Setzen Sie, er habe sich des gröbern Gaukelspiels bedient, um dem feinern eine Folie unterzulegen. Setzen Sie, er habe jenes vorausgeschickt, um den Grad von Glauben auszufinden, worauf er bei mir zu rechnen hätte; um die Zugänge zu meinem Vertrauen auszuspähen; um sich durch diesen Versuch, der unbeschadet seines übrigen Planes verunglücken konnte, mit seinem Subjekte zu familiarisieren, kurz, um sein Instrument damit anzuspielen. Setzen Sie, er habe es getan, um eben dadurch, daß er meine Aufmerksamkeit auf einer Seite vorsätzlich aufforderte und wachsam erhielt, sie auf einer andern, die ihm wichtiger war, einschlummern zu lassen. Setzen Sie, er habe einige Erkundigungen einzuziehen gehabt, von denen er wünschte, daß sie auf Rechnung des Taschenspielers geschrieben würden, um den Argwohn von der wahren Spur zu entfernen.«

›Wie meinen Sie das?‹

»Lassen Sie uns annehmen, er habe einen meiner Leute bestochen, um durch ihn gewisse geheime Nachrichten – vielleicht gar Dokumente – zu erhalten, die zu seinem Zwecke dienen. Ich vermisse meinen Jäger. Was hindert mich, zu glauben, daß der Armenier bei der Entweichung dieses Menschen mit im Spiele sei? Aber der Zufall kann es fügen, daß ich hinter diese Schliche komme; ein Brief kann aufgefangen werden, ein Bedienter kann plaudern. Sein ganzes Ansehen scheitert, wenn ich die Quellen seiner Allwissenheit entdecke. Er schiebt also diesen Taschenspieler ein, der diesen oder jenen Anschlag auf mich haben muß. Von dem Dasein und den Absichten dieses Menschen unterläßt er nicht, mir frühzeitig einen Wink zu geben. Was ich also auch entdecken mag, so wird mein Verdacht auf niemand anders als auf diesen Gaukler fallen; und zu den Nachforschungen, welche ihm, dem Armenier, zugute kommen, wird der Sizilianer seinen Namen geben. Dieses war die Puppe, mit der er mich spielen läßt, während daß er selbst, unbeobachtet und unverdächtig, mit unsichtbaren Seilen mich umwindet.«

›Sehr gut! Aber wie läßt es sich mit diesen Absichten reimen, daß er selbst diese Täuschung zerstören hilft und die Geheimnisse seiner Kunst profanen Augen preisgibt? Muß er nicht fürchten, daß die entdeckte Grundlosigkeit einer bis zu einem so hohen Grad von Wahrheit getriebenen Täuschung, wie die Operation des Sizilianers doch in der Tat war, Ihren Glauben überhaupt schwächen und ihm also seine künftigen Plane um ein großes erschweren würde?‹

»Was sind es für Geheimnisse, die er mir preisgibt? Keines von denen zuverlässig, die er Lust hat bei mir in Ausübung zu bringen. Er hat also durch ihre Profanation nichts verloren. – Aber wie viel hat er im Gegenteil gewonnen, wenn dieser vermeintliche Triumph über Betrug und Taschenspielerei mich sicher und zuversichtlich macht, wenn es ihm dadurch gelang, meine Wachsamkeit nach einer entgegengesetzten Richtung zu lenken, meinen noch unbestimmt umherschweifenden Argwohn auf Gegenständen zu fixieren, die von dem eigentlichen Ort des Angriffs am weitesten entlegen sind? – Er konnte erwarten, daß ich, früher oder später, aus eignem Mißtrauen oder fremdem Antrieb, den Schlüssel zu seinen Wundern in der Taschenspielerkunst aufsuchen würde. – Was konnte er Beßres tun, als daß er sie selbst nebeneinander stellte, daß er mir gleichsam den Maßstab dazu in die Hand gab und, indem er der letztern eine künstliche Grenze setzte, meine Begriffe von den erstern desto mehr erhöhete oder verwirrte? Wie viele Mutmaßungen hat er durch diesen Kunstgriff auf einmal abgeschnitten! wie viele Erklärungsarten im voraus widerlegt, auf die ich in der Folge vielleicht hätte fallen mögen!«

›So hat er wenigstens sehr gegen sich selbst gehandelt, daß er die Augen derer, die er täuschen wollte, schärfte und ihren Glauben an Wunderkraft durch Entlarvung eines so künstlichen Betrugs überhaupt schwächte. Sie selbst, gnädigster Herr, sind die beste Widerlegung seines Plans, wenn er ja einen gehabt hat.‹

»Er hat sich in mir vielleicht geirret – aber er hat darum nicht weniger scharf geurteilt. Konnte er voraussehen, daß mir gerade dasjenige im Gedächtnis bleiben würde, welches der Schlüssel zu dem Wunder werden könnte? Lag es in seinem Plan, daß mir die Kreatur, deren er sich bediente, solche Blößen geben sollte? Wissen wir, ob dieser Sizilianer seine Vollmacht nicht weit überschritten hat? – Mit dem Ringe gewiß. – Und doch ist es hauptsächlich dieser einzige Umstand, der mein Mißtrauen gegen diesen Menschen entschieden hat. Wie leicht kann ein zugespitzter feiner Plan durch ein gröberes Organ verunstaltet werden? Sicherlich war es seine Meinung nicht, daß uns der Taschenspieler seinen Ruhm im Marktschreiertone vorposaunen sollte – daß er uns jene Märchen aufschüsseln sollte, die sich beim leichtesten Nachdenken widerlegen. So zum Beispiel – mit welcher Stirne kann dieser Betrüger vorgeben, daß sein Wundertäter auf den Glockenschlag Zwölfe in der Nacht jeden Umgang mit Menschen aufheben müsse? Haben wir ihn nicht selbst um diese Zeit in unsrer Mitte gesehen?«

›Das ist wahr‹, rief ich. ›Das muß er vergessen haben!‹

»Aber es liegt im Charakter dieser Art Leute, daß sie solche Aufträge übertreiben und durch das Zuviel alles verschlimmern, was ein bescheidener und mäßiger Betrug vortrefflich gemacht hätte.«

›Ich kann es demungeachtet noch nicht über mich gewinnen, gnädigster Herr, diese ganze Sache für nichts mehr als ein angestelltes Spiel zu halten. Wie? Der Schrecken des Sizilianers, die Zuckungen, die Ohnmacht, der ganze klägliche Zustand dieses Menschen, der uns selbst Erbarmen einflößte – alles dieses wäre nur eine eingelernte Rolle gewesen? Zugegeben, daß sich das theatralische Gaukelspiel auch noch so weit treiben lasse, so kann die Kunst des Akteurs doch nicht über die Organe seines Lebens gebieten.‹

»Was das anbetrifft, Freund – Ich habe Richard den Dritten von Garrick gesehen – Und waren wir in diesem Augenblicke kalt und müßig genug, um unbefangene Beobachter abzugeben? Konnten wir den Affekt dieses Menschen prüfen, da uns der unsrige übermeisterte? Überdies ist die entscheidende Krise, auch sogar eines Betrugs, für den Betrüger selbst eine so wichtige Angelegenheit, daß bei ihm die Erwartung gar leicht so gewaltsame Symptome erzeugen kann als die Überraschung bei dem Betrogenen. Rechnen Sie dazu noch die unvermutete Erscheinung der Häscher...«

›Eben diese, gnädigster Herr – Gut, daß Sie mich daran erinnern – Würde er es wohl gewagt haben, einen so gefährlichen Plan dem Auge der Gerechtigkeit bloßzustellen? Die Treue seiner Kreatur auf eine so bedenkliche Probe zu bringen? – Und zu welchem Ende?‹

»Dafür lassen Sie ihn sorgen, der seine Leute kennen muß. Wissen wir, was für geheime Verbrechen ihm für die Verschwiegenheit dieses Menschen haften? – Sie haben gehört, welches Amt er in Venedig bekleidet – und lassen Sie auch dieses Vorgeben zu den übrigen Märchen gehören – wie viel wird es ihm wohl kosten, diesem Kerl durchzuhelfen, der keinen andern Ankläger hat als ihn?«

(Und in der Tat hat der Ausgang den Verdacht des Prinzen nur zu sehr gerechtfertigt. Als wir uns einige Tage darauf nach unserm Gefangenen erkundigen ließen, erhielten wir zur Antwort, daß er unsichtbar geworden sei.)

»Und zu welchem Ende, fragen Sie? Auf welchem andern Weg als auf diesem gewaltsamen konnte er dem Sizilianer eine so unwahrscheinliche und schimpfliche Beichte abfordern lassen, worauf es doch so wesentlich ankam? Wer als ein verzweifelter Mensch, der nichts mehr zu verlieren hat, wird sich entschließen können, so erniedrigende Aufschlüsse über sich selbst zu geben? Unter welchen andern Umständen hätten wir sie ihm geglaubt?«

›Alles zugegeben, gnädigster Prinz‹, sagte ich endlich. ›Beide Erscheinungen sollen Gaukelspiele gewesen sein; dieser Sizilianer soll uns meinethalben nur ein Märchen aufgeheftet haben, das ihn sein Prinzipal einlernen ließ; beide sollen zu *einem* Zweck, miteinander einverstanden, wirken, und aus diesem Einverständnis sollen alle jene wunderbaren Zufälle sich erklären lassen, die uns im Laufe dieser Begebenheit in Erstaunen gesetzt haben. Jene Prophezeiung auf dem Markusplatz, das erste Wunder, welches alle übrigen eröffnet hat, bleibt nichtsdestoweniger unerklärt; und was hilft uns der Schlüssel zu allen übrigen, wenn wir an der Auflösung dieses einzigen verzweifeln?‹

»Kehren Sie es vielmehr um, lieber Graf«, gab mir der Prinz hierauf zur Antwort. »Sagen Sie, was beweisen alle jene Wunder, wenn ich herausbringe, daß auch nur ein einziges Taschenspiel darunter war? Jene Prophezeiung – ich bekenn es Ihnen – geht über meine Fassungskraft. Stünde sie *einzeln* da, hätte der Armenier seine Rolle mit ihr beschlossen, wie er sie damit eröffnete – ich gestehe Ihnen, ich weiß nicht, wie weit sie mich noch hätte führen können. In dieser *niedrigen* Gesellschaft ist sie mir ein klein wenig verdächtig.«

›Zugegeben, gnädigster Herr! Unbegreiflich bleibt sie aber doch, und ich fordre alle unsre Philosophen auf, mir einen Aufschluß darüber zu erteilen.‹

»Sollte sie aber wirklich so unerklärbar sein?« fuhr der Prinz fort, nachdem er sich einige Augenblicke besonnen hatte. »Ich bin weit entfernt, auf den Namen eines Philosophen Ansprüche zu machen; und doch könnte ich mich versucht fühlen, auch zu diesem Wunder einen natürlichen Schlüssel aufzusuchen oder es lieber gar von allem Schein des Außerordentlichen zu entkleiden.«

›Wenn Sie *das* können, mein Prinz, dann‹, versetzte ich mit sehr unglaubigem Lächeln, ›sollen *Sie* das einzige Wunder sein, das ich glaube.‹

»Und zum Beweise,« fuhr er fort, »wie wenig wir berechtigt sind, zu übernatürlichen Kräften unsre Zuflucht zu nehmen, will ich Ihnen zwei verschiedene Auswege zeigen, auf welchen wir diese Begebenheit, ohne der Natur Zwang anzutun, vielleicht ergründen.«

›Zwei Schlüssel auf einmal! Sie machen mich in der Tat höchst neugierig.‹

»Sie haben mit mir die nähern Nachrichten von der Krankheit meines verstorbenen Cousins gelesen. Es war in einem

Anfall von kaltem Fieber, wo ihn ein Schlagfluß tötete. Das Außerordentliche dieses Todes, ich gestehe es, trieb mich an, das Urteil einiger Ärzte darüber zu vernehmen, und was ich bei dieser Gelegenheit in Erfahrung brachte, leitet mich auf die Spur dieses Zauberwerks. Die Krankheit des Verstorbenen, eine der seltensten und fürchterlichsten, hat dieses eigentümliche Symptom, daß sie während des Fieberfrostes den Kranken in einen tiefen unerwecklichen Schlaf versenkt, der ihn gewöhnlich bei der zweiten Wiederkehr des Paroxysmus apoplektisch tötet. Da diese Paroxysmen in der strengsten Ordnung und zur gesetzten Stunde zurückkehren, so ist der Arzt von demselben Augenblick an, als sich sein Urteil über das Geschlecht der Krankheit entschieden hat, auch in den Stand gesetzt, die Stunde des Todes anzugeben. Der dritte Paroxysmus eines dreitägigen Wechselfiebers fällt aber bekanntlich in den fünften Tag der Krankheit – und gerade nur so viel Zeit bedarf ein Brief, um von ***, wo mein Cousin starb, nach Venedig zu gelangen. Setzen wir nun, daß unser Armenier einen wachsamen Korrespondenten unter dem Gefolge des Verstorbenen besitze – daß er ein lebhaftes Interesse habe, Nachrichten von dorther zu erhalten, daß er auf mich selbst Absichten habe, die ihm der Glaube an das Wunderbare und der Schein übernatürlicher Kräfte bei mir befördern hilft – so haben Sie einen natürlichen Aufschluß über jene Wahrsagung, die Ihnen so unbegreiflich deucht. Genug, Sie ersehen daraus die Möglichkeit, wie mir ein Dritter von einem Todesfall Nachricht geben kann, der sich in dem Augenblick, wo er ihn meldet, vierzig Meilen weit davon ereignet.«

›In der Tat, Prinz, Sie verbinden hier Dinge, die, einzeln genommen, zwar sehr natürlich lauten, aber nur durch etwas, was nicht besser ist als Zauberei, in diese Verbindung gebracht werden können.‹

»Wie? Sie erschrecken also vor dem Wunderbaren weniger als vor dem Gesuchten, dem Ungewöhnlichen? Sobald wir dem Armenier einen wichtigen Plan, der mich entweder zum Zweck hat oder zum Mittel gebraucht, einräumen – und *müssen* wir das nicht, was wir auch immer von seiner Person urteilen? – so ist nichts unnatürlich, nichts gezwungen, was ihn auf dem kürzesten Wege zu seinem Ziele führt. Was für einen kürzern Weg gibt es aber, sich eines Menschen zu versichern, als das Kreditiv eines Wundertäters? Wer widersteht einem Manne, dem die Geister unterwürfig sind? Aber ich gebe Ihnen zu, daß meine Mutmaßung gekünstelt ist; ich gestehe, daß sie mich selbst nicht befriedigt. Ich bestehe nicht darauf, weil ich es nicht der Mühe wert halte, einen künstlichen und überlegten Entwurf zu Hilfe zu nehmen, wo man mit dem bloßen Zufall schon ausreicht.«

›Wie?‹ fiel ich ein, ›es soll bloßer Zufall ...‹

»Schwerlich etwas mehr!« fuhr der Prinz fort. »Der Armenier wußte von der Gefahr meines Cousins. Er traf uns auf dem St. Markusplatze. Die Gelegenheit lud ihn ein, eine Prophezeiung zu wagen, die, wenn sie fehlschlug, bloß ein verlornes Wort war – wenn sie eintraf, von den wichtigsten Folgen sein konnte. Der Erfolg begünstigte diesen Versuch – und jetzt erst mochte er darauf denken, das Geschenk des Ungefährs für einen zusammenhängenden Plan zu benutzen. – Die Zeit wird dieses Geheimnis aufklären oder auch nicht aufklären – aber glauben Sie mir, Freund (indem er seine Hand auf die meinige legte und eine sehr ernsthafte Miene annahm), ein Mensch, dem höhere Kräfte zu Gebote stehen, wird keines Gaukelspiels bedürfen, oder er wird es verachten.«

So endigte sich eine Unterredung, die ich darum ganz hiehergesetzt habe, weil sie die Schwierigkeiten zeigt, die bei dem Prinzen zu besiegen waren, und weil sie, wie ich hoffe, sein Andenken von dem Vorwurfe reinigen wird, daß er sich blind und unbesonnen in die Schlinge gestürzt habe, die eine unerhörte Teufelei ihm bereitete. Nicht alle – fährt der Graf von O** fort –, die in dem Augenblicke, wo ich dieses schreibe, vielleicht mit Hohngelächter auf seine Schwachheit herabsehen und im stolzen Dünkel ihrer nie angefochtenen Vernunft sich für berechtigt halten, den Stab der Verdammung über ihn zu brechen, nicht alle, fürchte ich, würden diese erste Probe so männlich bestanden haben. Wenn man ihn nunmehr auch nach dieser glücklichen Vorbereitung demungeachtet fallen sieht; wenn man den schwarzen Anschlag, vor dessen entferntester Annäherung ihn sein guter Genius warnte, nichtsdestoweniger an ihm in Erfüllung gegangen findet, so wird man weniger über seine Torheit spotten als über die Größe des Bubenstücks erstaunen, dem eine so wohl verteidigte Vernunft erlag. Weltliche Rücksichten können an meinem Zeugnisse keinen Anteil haben; denn er, der es mir danken soll, ist nicht mehr. Sein schreckliches Schicksal ist geendigt; längst hat sich seine Seele am Thron der Wahrheit gereinigt, vor dem auch die meinige längst steht, wenn die Welt dieses lieset; aber – man verzeihe mir die Träne, die dem Andenken meines teuersten Freundes unfreiwillig fällt – aber zur Steuer der Gerechtigkeit schreib ich es nieder: er war ein edler Mensch, und gewiß wär er eine Zierde des Thrones geworden, den er durch ein Verbrechen ersteigen zu wollen sich betören ließ.

Zweites Buch

Nicht lange nach diesen letztern Begebenheiten – fährt der Graf von O** zu erzählen fort – fing ich an, in dem Gemüt des Prinzen eine wichtige Veränderung zu bemerken. Bis jetzt nämlich hatte der Prinz jede strengere Prüfung seines Glaubens vermieden und sich damit begnügt, die rohen und sinnlichen Religionsbegriffe, in denen er auferzogen worden, durch die bessern Ideen, die sich ihm nachher aufdrangen, zu reinigen, ohne die Fundamente seines Glaubens zu untersuchen. Religionsgegenstände überhaupt, gestand er mir mehrmals, seien ihm jederzeit wie ein bezaubertes Schloß vorgekommen, in das man nicht ohne Grauen seinen Fuß setze, und man tue weit besser, man gehe mit ehrerbietiger Resignation daran vorüber, ohne sich der Gefahr auszusetzen, sich in seinen Labyrinthen zu verirren. Dennoch zog ihn ein entgegengesetzter Hang unwiderstehlich zu Untersuchungen hin, die damit in Verbindung standen.

Eine bigotte, knechtische Erziehung war die Quelle dieser Furcht; diese hatte seinem zarten Gehirne Schreckbilder eingedrückt, von denen er sich während seines ganzen Lebens nie ganz losmachen konnte. Religiöse Melancholie war eine Erbkrankheit in seiner Familie; die Erziehung, welche man ihm und seinen Brüdern geben ließ, war dieser Disposition angemessen, die Menschen, denen man ihn anvertraute, aus diesem Gesichtspunkte gewählt, also entweder Schwärmer oder Heuchler. Alle Lebhaftigkeit des Knaben in einem dumpfen Geisteszwange zu ersticken, war das zuverlässigste Mittel, sich der höchsten Zufriedenheit der fürstlichen Eltern zu versichern.

Diese schwarze nächtliche Gestalt hatte die ganze Jugendzeit unsers Prinzen; selbst aus seinen Spielen war die Freude verbannt. Alle seine Vorstellungen von Religion hatten etwas Fürchterliches an sich, und eben das Grauenvolle und Derbe war es, was sich seiner lebhaften Einbildungskraft zuerst bemächtigte und sich auch am längsten darin erhielt. Sein Gott war ein Schreckbild, ein strafendes Wesen; seine Gottesverehrung knechtisches Zittern oder blinde, alle Kraft und Kühnheit erstickende Ergebung. Allen seinen kindischen und jugendlichen Neigungen, denen ein derber Körper und eine blühende Gesundheit um so kraftvollere Explosionen gab, stand die Religion im Wege; mit allem, woran sein jugendliches Herz sich hängte, lag sie im Streite; er lernte sie nie als eine Wohltat, nur als eine Geißel seiner Leidenschaften kennen. So entbrannte allmählich ein stiller Groll gegen sie in seinem Herzen, welcher mit einem respektvollen Glauben und blinder Furcht in seinem Kopf und Herzen die bizarreste

Mischung machte – einen Widerwillen gegen einen Herrn, vor dem er in gleichem Grade Abscheu und Ehrfurcht fühlte.
Kein Wunder, daß er die erste Gelegenheit ergriff, einem so strengen Joche zu entfliehen – aber er entlief ihm wie ein leibeigener Sklave seinem harten Herrn, der auch mitten in der Freiheit das Gefühl seiner Knechtschaft herumträgt. Eben darum, weil er dem Glauben seiner Jugend nicht mit ruhiger Wahl entsagt; weil er nicht gewartet hatte, bis seine reifere Vernunft sich gemächlich davon abgelöst hatte; weil er ihm als ein Flüchtling entsprungen war, auf den die Eigentumsrechte seines Herrn immer noch fortdauern – so mußte er auch nach noch so großen Distraktionen immer wieder zu ihm zurückkehren. Er war mit der Kette entsprungen, und eben darum mußte er der Raub eines jeden Betrügers werden, der sie entdeckte und zu gebrauchen verstand. Daß sich ein solcher fand, wird, wenn man es noch nicht erraten hat, der Verfolg dieser Geschichte ausweisen.
Die Geständnisse des Sizilianers ließen in seinem Gemüt wichtigere Folgen zurück, als dieser ganze Gegenstand wert war, und der kleine Sieg, den seine Vernunft über diese schwache Täuschung davongetragen, hatte die Zuversicht zu seiner Vernunft überhaupt merklich erhöht. Die Leichtigkeit, mit der es ihm gelungen war, *diesen* Betrug aufzulösen, schien ihn selbst überrascht zu haben. In seinem Kopfe hatten sich Wahrheit und Irrtum noch nicht so genau voneinander gesondert, daß es ihm nicht oft begegnet wäre, die Stützen der einen mit den Stützen des andern zu verwechseln; daher kam es, daß der Schlag, der seinen Glauben an Wunder stürzte, das ganze Gebäude seines religiösen Glaubens zugleich zum Wanken brachte. Es erging ihm hier wie einem unerfahrnen Menschen, der in der Freundschaft oder Liebe hintergangen worden, weil er schlecht gewählt hatte, und der nun seinen Glauben an diese Empfindungen überhaupt sinken läßt, weil er bloße Zufälligkeiten für wesentliche Ei-

genschaften und Kennzeichen derselben aufnimmt. Ein entlarvter Betrug machte ihm auch die Wahrheit verdächtig, weil er sich die Wahrheit unglücklicherweise durch gleich schlechte Gründe bewiesen hatte.

Dieser vermeintliche Triumph gefiel ihm um so mehr, je schwerer der Druck gewesen, wovon er ihn zu befreien schien. Von diesem Zeitpunkt an regte sich eine Zweifelsucht in ihm, die auch das Ehrwürdigste nicht verschonte.

Es halfen mehrere Dinge zusammen, ihn in dieser Gemütslage zu erhalten und noch mehr darin zu befestigen. Die Einsamkeit, in der er bisher gelebt hatte, hörte jetzt auf und mußte einer zerstreuungsvollen Lebensart Platz machen. Sein Stand war entdeckt. Aufmerksamkeiten, die er erwidern mußte, Etikette, die er seinem Rang schuldig war, rissen ihn unvermerkt in den Wirbel der großen Welt. Sein Stand sowohl als seine persönlichen Eigenschaften öffneten ihm die geistvollesten Zirkel in Venedig; bald sah er sich mit den hellsten Köpfen der Republik, Gelehrten sowohl als Staatsmännern, in Verbindung. Dies zwang ihn, den einförmigen, engen Kreis zu erweitern, in welchen sein Geist sich bisher eingeschlossen hatte. Er fing an, die Beschränktheit seiner Begriffe wahrzunehmen und das Bedürfnis höherer Bildung zu fühlen. Die altmodische Form seines Geistes, von so vielen Vorzügen sie auch sonst begleitet war, stand mit den gangbaren Begriffen der Gesellschaft in einem nachteiligen Kontrast, und seine Fremdheit in den bekanntesten Dingen setzte ihn zuweilen dem Lächerlichen aus; nichts fürchtete er so sehr als das Lächerliche. Das ungünstige Vorurteil, das auf seinem Geburtslande haftete, schien ihm eine Aufforderung zu sein, es in seiner Person zu widerlegen. Dazu kam noch die Sonderbarkeit in seinem Charakter, daß ihn jede Aufmerksamkeit verdroß, die er seinem Stande und nicht seinem persönlichen Wert danken zu müssen glaubte. Vorzüglich empfand er diese Demütigung in Gegenwart solcher Personen, die durch ihren Geist glänzten und durch persönliche Verdienste gleichsam über ihre Geburt triumphierten. In einer solchen Gesellschaft sich als Prinz unterschieden zu sehen, war jederzeit eine tiefe Beschämung für ihn, weil er unglücklicherweise glaubte, durch diesen Namen schon von jeder Konkurrenz ausgeschlossen zu sein. Alles dieses zusammengenommen überführte ihn von der Notwendigkeit, seinen Geist die Bildung zu geben, die er bisher verabsäumt hatte, das Jahrfünftel der witzigen und denkenden Welt einzuholen, hinter welchem er so weit zurückgeblieben war.

Er wählte dazu die modernste Lektüre, der er sich mit allem dem Ernste hingab, womit er alles, was er vornahm, zu behandeln pflegte. Aber die schlimme Hand, die bei der Wahl dieser Schriften im Spiele war, ließ ihn unglücklicherweise immer auf solche stoßen, bei denen weder seine Vernunft noch sein Herz viel gebessert waren. Und auch hier waltete sein Lieblingshang vor, der ihn immer zu allem, was nicht begriffen werden soll, mit unwiderstehlichem Reize hinzog. Nur für dasjenige, was damit in Beziehung stand, hatte er Aufmerksamkeit und Gedächtnis; seine Vernunft und sein Herz blieben leer, während sich diese Fächer seines Gehirns mit verworrenen Begriffen anfüllten. Der blendende Stil des einen riß seine Imagination dahin, indem die Spitzfindigkeiten des andern seine Vernunft verstrickten. Beiden wurde es leicht, sich einen Geist zu unterjochen, der ein Raub eines jeden war, der sich ihm mit einer gewissen Dreistigkeit aufdrang.

Eine Lektüre, die länger als ein Jahr mit Leidenschaft fortgesetzt wurde, hatte ihn beinahe mit gar keinem wohltätigen Begriff bereichert, wohl aber seinen Kopf mit Zweifeln angefüllt, die, wie es bei diesem konsequenten Charakter unausbleiblich folgte, bald einen unglücklichen Weg zu seinem Herzen fanden. Daß ich es kurz sage – er hatte sich in dieses Labyrinth begeben als ein glaubenreicher Schwärmer, und er verließ es als Zweifler und zuletzt als ein ausgemachter Freigeist.

Unter den Zirkeln, in die man ihn zu ziehen gewußt hatte, war eine gewisse geschlossene Gesellschaft, der ›Bucentauro‹ genannt, die unter dem äußerlichen Schein einer edeln vernünftigen Geistesfreiheit die zügelloseste Lizenz der Meinungen wie der Sitten begünstigte. Da sie unter ihren Mitgliedern viele Geistliche zählte und sogar die Namen einiger Kardinäle an ihrer Spitze trug, so wurde der Prinz um so leichter bewogen, sich darin einführen zu lassen. Gewisse gefährliche Wahrheiten der Vernunft, meinte er, könnten nirgends besser aufgehoben sein als in den Händen solcher Personen, die ihr Stand schon zur Mäßigung verpflichtete und die den Vorteil hätten, auch die Gegenpartei gehört und geprüft zu haben. Der Prinz vergaß hier, daß Libertinage des Geists und der Sitten bei Personen dieses Standes eben darum weiter um sich greift, weil sie hier einen Zügel weniger findet und durch keinen Nimbus von Heiligkeit, der so oft profane Augen blendet, zurückgeschreckt wird. Und dieses war der Fall bei dem Bucentauro, dessen mehreste Mitglieder durch eine verdammliche Philosophie und durch Sitten, die einer solchen Führerin würdig waren, nicht ihren Stand allein, sondern selbst die Menschheit beschimpften. Die Gesellschaft hatte ihre geheimen Grade, und ich will zur Ehre des Prinzen glauben, daß man ihn des innersten Heiligtums nie gewürdigt habe. Jeder, der in diese Gesellschaft eintrat, mußte, wenigstens solange er *ihr* lebte, seinen Rang, seine Nation, seine Religionspartei, kurz alle konventionelle Unterscheidungszeichen ablegen und sich in einen gewissen Stand universeller Gleichheit begeben. Die Wahl der Mitglieder war in der Tat streng, weil nur Vorzüge des Geists einen Weg dazu bahnten. Die Gesellschaft rühmte sich des feinsten Tons und des ausgebildetsten Geschmacks, und in diesem Rufe stand sie auch wirklich in ganz Venedig. Dieses sowohl als der Schein von Gleichheit, der darin herrschte, zog den Prinzen unwiderstehlich an. Ein geistvoller, durch feinen Witz aufgeheiterter Umgang, unterrichtende Unterhaltungen, das Beste aus der gelehrten und politischen Welt, das hier, wie in seinem Mittelpunkte, zusammenfloß, verbargen ihm lange Zeit das Gefährliche dieser Verbindung. Wie ihm nach und nach der Geist des Instituts druch die Maske hindurch sichtbarer wurde oder man es auch müde war, länger gegen ihn auf seiner Hut zu sein, war der Rückweg gefährlich, und falsche Scham sowohl als Sorge für seine Sicherheit zwangen ihn, sein innres Mißfallen zu verbergen.

Aber schon durch die bloße Vertraulichkeit mit dieser Menschenklasse und ihren Gesinnungen, wenn sie ihn auch nicht zur Nachahmung hinrissen, ging die reine, schöne Einfalt seines Charakters und die Zartheit seiner moralischen Gefühle verloren. Sein durch so wenig gründliche Kenntnisse unterstützter Verstand konnte ohne fremde Beihilfe die feinen Trugschlüsse nicht lösen, womit man ihn hier verstrickt hatte, und unvermerkt hatte dieses schreckliche Korrosiv alles – beinahe alles verzehrt, worauf seine Moralität ruhen sollte. Die natürlichen Stützen seiner Glückseligkeit gab er für Sophismen hinweg, die ihn im entscheidenden Augenblick verließen und ihn dadurch zwangen, sich an den ersten besten willkürlichen zu halten, die man ihm zuwarf.

Vielleicht wäre es der Hand eines Freundes gelungen, ihn noch zur rechten Zeit von diesem Abgrund zurückzuziehen – aber, außerdem daß ich mit dem Innern des Bucentauro erst lange nachher bekannt worden bin, als das Übel schon geschehen war, so hatte mich schon zu Anfang dieser Periode ein dringender Vorfall aus Venedig abgerufen. Auch Mylord Seymour, eine schätzbare Bekanntschaft des Prinzen, dessen kalter Kopf jeder Art von Täuschung widerstand, und der ihm unfehlbar zu einer sichern Stütze hätte dienen können, verließ uns zu dieser Zeit, um in sein Vaterland zurückzukehren. Diejenigen, in deren Händen ich den Prinzen ließ, waren zwar redliche, aber unerfahrene und in ihrer Religion äußerst beschränkte Menschen, denen es sowohl an der Einsicht in das Übel als an Ansehen bei dem Prinzen fehlte. Seinen verfänglichen Sophismen wußten sie nichts als die Machtsprüche eines blinden ungeprüften Glaubens entgegenzusetzen, die ihn entweder aufbrachten oder belustigten; er übersah sie gar zu leicht, und sein überlegner Verstand brachte diese schlechten Verteidiger der guten Sache bald zum Schweigen. Den andern, die sich in der Folge seines Vertrauens bemächtigten, war es vielmehr darum zu tun, ihn immer tiefer darein zu versenken. Als ich im folgenden Jahre wieder nach Venedig zurückkam – wie anders fand ich da schon alles!

Der Einfluß dieser neuen Philosophie zeigte sich bald in des Prinzen Leben. Je mehr er zusehends in Venedig Glück machte und neue Freunde sich erwarb, desto mehr fing er an, bei seinen ältern Freunden zu verlieren. Mir gefiel er von Tag zu Tag weniger, auch sahen wir uns seltener, und überhaupt war er weniger zu haben. Der Strom der großen Welt hatte ihn gefaßt. Nie wurde seine Schwelle leer, wenn er zu Hause war. Eine Lustbarkeit drängte die andre, ein Fest das andre, eine Glückseligkeit die andre. Er war die Schöne, um welche alles buhlte, der König und der Abgott aller Zirkel. So schwer er sich in der vorigen Stille seines beschränkten Lebens den großen Weltlauf gedacht hatte, so leicht fand er ihn nunmehr zu seinem Erstaunen. Es kam ihm alles so entgegen, alles war trefflich, was von seinen Lippen kam, und wenn er schwieg, so war es ein Raub an der Gesellschaft. Auch machte ihn dieses ihn überall verfolgende Glück, dieses allgemeine Gelingen wirklich zu etwas mehr, als er in der Tat war, weil es ihm Mut und Zuversicht zu ihm selbst gab. Die erhöhte Meinung, die er dadurch von seinem eignen Wert erlangte, gab ihm Glauben an die übertriebene und beinahe abgöttische Verehrung, die man seinem Geist widerfahren ließ, die ihm, ohne dieses vergrößerte und gewissermaßen gegründete Selbstgefühl, notwendig hätte verdächtig werden müssen. Jetzt aber war diese allgemeine Stimme nur die Bekräftigung dessen, was sein selbstzufriedener Stolz ihm im stillen sagte – ein Tribut, der ihm, wie er glaubte, von Rechts wegen gebührte. Unfehlbar würde er dieser Schlinge entgangen sein, hätte man ihn zu Atem kommen lassen, hätte man ihm nur ruhige Muße gegönnt, seinen eigenen Wert mit dem Bilde zu vergleichen, das ihm in einem so lieblichen Spiegel vorgehalten wurde. Aber seine Existenz war ein fortdauernder Zustand von Trunkenheit, von schwebendem Taumel. Je höher man ihn gestellt hatte, desto mehr hatte er zu tun, sich auf dieser Höhe zu erhalten: diese immerwährende Anspannung verzehrte ihn langsam; selbst aus seinem Schlaf war die Ruhe geflohen. Man hatte seine Blößen durchschaut und die Leidenschaft gut berechnet, die man in ihm entzündet hatte.

Bald mußten es seine redlichen Kavaliers entgelten, daß ihr Herr zum großen Kopf geworden war. Ernsthafte Empfindungen und ehrwürdige Wahrheiten, an denen sein Herz sonst mit aller Wärme gehangen, fingen nun an, Gegenstände seines Spotts zu werden. An den Wahrheiten der Religion rächte er sich für den Druck, worunter ihn Wahnbegriffe so lange gehalten hatten; aber weil eine nicht zu verfälschende Stimme seines Herzens die Taumeleien seines Kopfes bekämpfte, wo war mehr Bitterkeit als fröhlicher Mut in seinem Witze. Sein Naturell fing an, sich zu ändern, Launen stellten sich ein. Die schönste Zierde seines Charakters, seine Bescheidenheit, verschwand; Schmeichler hatten sein treffliches Herz vergiftet. Die schonende Delikatesse des Umgangs, die es seine Kavaliers sonst ganz vergessen gemacht hatte, daß er ihr Herr war, machte jetzt nicht selten einem gebieterischen, entscheidenden Tone Platz, der um so empfindlicher schmerzte, weil er nicht auf den äußerlichen Abstand der Geburt, worüber man sich mit leichter Mühe tröstet und den er selbst wenig achtete, sondern auf eine beleidigende Voraussetzung seiner persönlichen Erhabenheit gegründet war. Weil er zu Hause doch öfters Betrachtungen Raum gab, die ihn im Taumel der Gesellschaft nicht hatten angehen dürfen, so sahen ihn seine eigenen Leute selten anders als finster, mürrisch und unglücklich, während daß er fremde Zirkel mit einer erzwungenen Fröhlichkeit beseelte. Mit teilnehmendem Leiden sahen wir ihn auf dieser gefährlichen Bahn hinwandeln; aber in dem Tumult, durch den er geworfen wurde, hörte er die schwache Stimme der Freundschaft nicht mehr und war jetzt auch noch zu glücklich, um sie zu verstehen.

Schon in den ersten Zeiten dieser Epoche forderte mich eine wichtige Angelegenheit an den Hof meines Souveräns, die ich auch dem feurigsten Interesse der Freundschaft nicht nachsetzen durfte. Eine unsichtbare Hand, die sich mir erst lange nachher entdeckte, hatte Mittel gefunden, meine Angelegenheiten dort zu verwirren und Gerüchte von mir auszubreiten, die ich eilen mußte durch meine persönliche Gegenwart zu widerlegen. Der Abschied vom Prinzen ward mir schwer, aber ihm war er desto leichter. Schon seit geraumer Zeit waren die Bande erschlafft, die ihn an mich gekettet hatten. Aber sein Schicksal hatte meine ganze Teilnehmung erweckt; ich ließ mir deswegen von dem Baron von F*** versprechen, mich durch schriftliche Nachrichten damit in Verbindung zu erhalten, was er auch aufs gewissenhafteste gehalten hat. Von jetzt an bin ich also auf lange Zeit kein Augenzeuge dieser Begebenheiten mehr: man erlaube mir, den Baron von F*** an meiner Statt aufzuführen und diese Lücke durch Auszüge aus seinen Briefen zu ergänzen. Ungeachtet die Vorstellungsart meines Freundes F*** nicht immer die meinige ist, so habe ich dennoch an seinen Worten nichts ändern wollen, aus denen der Leser die Wahrheit mit wenig Mühe herausfinden wird.

Baron von F*** an den Grafen von O**

Erster Brief

5. Mai 17**

Dank Ihnen, sehr verehrter Freund, daß Sie mir die Erlaubnis erteilt haben, auch abwesend den vertrauten Umgang mit Ihnen fortzusetzen, der während Ihres Hierseins meine beste Freude ausmachte. Hier, das wissen Sie, ist niemand, gegen den ich es wagen dürfte, mich über gewisse Dinge herauszulassen – was Sie mir auch dagegen sagen mögen, dieses Volk ist mir verhaßt. Seitdem der Prinz einer davon geworden ist, und seitdem vollends Sie uns entrissen sind, bin ich mitten in dieser volkreichen Stadt verlassen. Z*** nimmt es leichter, und die Schönen in Venedig wissen ihm die Kränkungen vergessen zu machen, die er zu Hause mit mir teilen muß. Und was hätte er sich auch darüber zu grämen? Er sieht und verlangt in dem Prinzen nichts als einen Herrn, den er überall findet – aber ich! Sie wissen, wie nahe ich das Wohl und Weh unsers Prinzen an meinem Herzen fühle, und wie sehr ich Ursache dazu habe. Sechzehn Jahre sinds, daß ich um seine Person lebe, daß ich nur für ihn lebe. Als ein neunjähriger Knabe kam ich in seine Dienste, und seit dieser Zeit hat mich kein Schicksal von ihm getrennt. Unter seinen Augen bin ich geworden; ein langer Umgang hat mich ihm zugebildet; alle seine großen und kleinen Abenteuer hab ich mit ihm bestanden. Ich lebe in seiner Glückseligkeit. Bis auf dieses unglückliche Jahr hab ich nur meinen Freund, meinen ältern Bruder in ihm gesehen, wie in einem heitern Sonnenscheine hab ich in seinen Augen gelebt – keine Wolke trübte mein Glück; und alles dies soll mir nun in diesem unseligen Venedig zu Trümmern gehen!

Seitdem Sie von uns sind, hat sich allerlei bei uns verändert. Der Prinz von **d** ist vorige Woche mit einer zahlreichen Suite hier angelangt und hat unserm Zirkel ein neues tumultuarisches Leben gegeben. Da er und unser Prinz so nahe verwandt sind und jetzt auf einem ziemlich guten Fuß zusammen stehen, so werden sie sich während seines hiesigen Aufenthalts, der, wie ich höre, bis zum Himmelfahrtsfest dauern soll, wenig voneinander trennen. Der Anfang ist schon bestens gemacht; seit zehn Tagen ist der Prinz kaum zu Atem gekommen. Der Prinz von **d** hat es gleich sehr hoch angefangen, und das mochte er immer, da er sich bald wieder entfernt; aber das Schlimme dabei ist, er hat unsern Prinzen damit angesteckt, weil er sich nicht wohl davon ausschließen konnte und bei dem besondern Verhältnis, das zwischen beiden Häusern obwaltet, dem bestrittenen Range des seinigen hier etwas schuldig zu sein glaubte. Dazu kommt, daß in wenigen Wochen auch unser Abschied von Venedig herannaht; wodurch er ohnehin überhoben wird, diesen außerordentlichen Aufwand in die Länge fortzuführen.

Der Prinz von **d**, wie man sagt, ist in Geschäften des ***Ordens hier, wobei er sich einbildet, eine wichtige Rolle zu spielen. Daß er von allen Bekanntschaften unsers Prinzen sogleich Besitz genommen haben werde, können Sie sich leicht einbilden. In den Bucentauro besonders ist er mit Pomp eingeführt worden, da es ihm seit einiger Zeit beliebt hat, den witzigen Kopf und den starken Geist zu spielen, wie er sich denn auch in seinen Korrespondenzen, deren er in allen Weltgegenden unterhält, nur den ›Prince philosophe‹ nennen läßt. Ich weiß nicht, ob Sie je das Glück gehabt haben, ihn zu sehen. Ein vielversprechendes Äußre, beschäftigte Augen, eine Miene voll Kunstverständigkeit, viel Prunk von Lektüre, viel erworbene Natur (vergönnen Sie mir dieses Wort) und eine fürstliche Herablassung zu Menschengefühlen, dabei eine heroische Zuversicht auf sich selbst und eine alles niedersprechende Beredsamkeit. Wer könnte bei so glänzenden Eigenschaften einer K.H. seine Huldigung versagen? Wie indessen der stille, wortarme und gründliche Wert unsers Prinzen neben dieser schreienden

Vortrefflichkeit auskommen wird, muß der Ausgang lehren.
In unsrer Einrichtung sind seit der Zeit viele und große Veränderungen geschehen. Wir haben ein neues prächtiges Haus, der neuen Prokuratie gegenüber, bezogen, weil es dem Prinzen im Mohren zu eng wurde. Unsre Suite hat sich um zwölf Köpfe vermehrt, Pagen, Mohren, Heiducken u. d. m. – alles geht jetzt ins Große. Sie haben während Ihres Hierseins über Aufwand geklagt – jetzt sollten Sie erst sehen!
Unsre innern Verhältnisse sind noch die alten – außer daß der Prinz, der durch Ihre Gegenwart nicht mehr in Schranken gehalten wird, womöglich noch einsilbiger und frostiger gegen uns geworden ist und daß wir ihn jetzt außer dem An- und Auskleiden wenig haben. Unter dem Vorwand, daß wir das Französische schlecht und das Italienische gar nicht reden, weiß er uns von seinen mehresten Gesellschaften auszuschließen, wodurch er mir für meine Person eben keine große Kränkung antut; aber ich glaube das Wahre davon einzusehen: er schämt sich unsrer – und das schmerzt mich, das haben wir nicht verdient.
Von unsern Leuten (weil Sie doch alle Kleinigkeiten wissen wollen) bedient er sich jetzt fast ganz allein des Biondello, den er, wie Sie wissen, nach Entweichung unsers Jägers in seine Dienste nahm und der ihm jetzt bei dieser neuen Lebensart ganz unentbehrlich geworden ist. Der Mensch kennt alles in Venedig, und alles weiß er zu gebrauchen. Es ist nicht anders, als wenn er tausend Augen hätte, tausend Hände in Bewegung setzen könnte. Er bewerkstellige dieses mit Hilfe der Gondoliers, sagt er. Dem Prinzen kommt er dadurch ungemein zustatten, daß er ihn vorläufig mit allen neuen Gesichtern bekannt macht, die diesem in seinen Gesellschaften vorkommen; und die geheimen Notizen, die er gibt, hat der Prinz immer richtig befunden. Dabei spricht und schreibt er das Italienische und das Französische vortrefflich, wodurch er sich auch bereits zum Sekretär des Prinzen aufgeschwun-

gen hat. Einen Zug von uneigennütziger Treue muß ich Ihnen doch erzählen, der bei einem Menschen dieses Standes in der Tat selten ist. Neulich ließ ein angesehener Kaufmann aus Rimini bei dem Prinzen um Gehör ansuchen. Der Gegenstand war eine sonderbare Beschwerde über Biondello. Der Prokurator, sein voriger Herr, der ein wunderlicher Heiliger gewesen sein mochte, hatte mit seinen Verwandten in unversöhnlicher Feindschaft gelebt, die ihn auch, womöglich, noch überleben sollte. Sein ganzes ausschließendes Vertrauen hatte Biondello, bei dem er alle seine Geheimnisse niederzulegen pflegte; dieser mußte ihm noch am Todbette angeloben, sie heilig zu bewahren und zum Vorteil der Verwandten niemals Gebrauch davon zu machen; ein ansehnliches Legat sollte ihn für diese Verschwiegenheit belohnen. Als man sein Testament eröffnete und seine Papiere durchsuchte, fanden sich große Lücken und Verwirrungen, worüber Biondello allein den Aufschluß geben konnte. Dieser leugnete hartnäkkig, daß er etwas wisse, ließ den Erben das sehr beträchtliche Legat und behielt seine Geheimnisse. Große Erbietungen wurden ihm von seiten der Verwandten getan, aber alle vergeblich; endlich, um ihrem Zudringen zu entgehen, weil sie drohten, ihn rechtlich zu belangen, begab er sich bei dem Prinzen in Dienste. An diesen wandte sich nun der Haupterbe, dieser Kaufmann, und tat noch größre Erbietungen, als die schon geschehen waren, wenn Biondello seinen Sinn ändern wollte. Auch die Fürsprache des Prinzen war umsonst. Diesem gestand er zwar, daß ihm wirklich dergleichen Geheimnisse anvertraut wären, er leugnete auch nicht, daß der Verstorbene im Haß gegen seine Familie vielleicht zu weit gegangen sei; »aber«, setzte er hinzu, »er war mein guter Herr und mein Wohltäter, und im festen Vertrauen auf meine Redlichkeit starb er hin. Ich war der einzige Freund, den er auf der Welt verließ – um so weniger darf ich seine einzige Hoffnung hintergehen.« Zugleich ließ er merken, daß diese Eröffnungen dem Andenken seines verstorbenen Herrn nicht sehr zur Ehre gereichen dürften. Ist das nicht fein gedacht und edel? Auch können Sie leicht denken, daß der Prinz nicht sehr darauf beharrte, ihn in einer so löblichen Gesinnung wankend zu machen. Diese seltene Treue, die er gegen seinen verstorbenen Herrn bewies, hat ihm das uneingeschränkte Vertrauen des lebenden gewonnen.

Leben Sie glücklich, liebster Freund. Wie sehne ich mich nach dem stillen Leben zurück, in welchem Sie uns hier fanden, und wofür Sie uns so angenehm entschädigten! Ich fürchte, meine guten Zeiten in Venedig sind vorbei, und Gewinn genug, wenn von dem Prinzen nicht das nämliche wahr ist. Das Element, worin er jetzt lebt, ist dasjenige nicht, worin er in die Länge glücklich sein kann, oder eine sechzehnjährige Erfahrung müßte mich betrügen. Leben Sie wohl.

Baron von F*** an den Grafen von O**

Zweiter Brief

18. Mai

Hätt ich doch nicht gedacht, daß unser Aufenthalt in Venedig noch zu irgend etwas gut sein würde! Er hat einem Menschen das Leben gerettet, ich bin mit ihm ausgesöhnt.

Der Prinz ließ sich neulich bei später Nacht aus dem Bucentauro nach Hause tragen, zwei Bediente, unter denen Biondello war, begleiteten ihn. Ich weiß nicht, wie es zugeht, die Sänfte, die man in der Eile aufgerafft hatte, zerbricht, und der Prinz sieht sich genötigt, den Rest des Weges zu Fuße zu machen. Biondello geht voran, der Weg führte durch einige dunkle, abgelegene Straßen, und da es nicht weit mehr von Tages Anbruch war, so brannten die Lampen dunkel oder waren schon ausgegangen. Eine Viertelstunde mochte man gegangen sein, als Biondello die Entdeckung machte, daß er verirrt sei. Die Ähnlichkeit der Brücken hatte ihn getäuscht, und anstatt in St. Markus überzusetzen, befand man sich im

Sestiere von Castello. Es war in einer der abgelegensten Gassen und nichts Lebendes weit und breit; man mußte umkehren, um sich in einer Hauptstraße zu orientieren. Sie sind nur wenige Schritte gegangen, als nicht weit von ihnen in einer Gasse ein Mordgeschrei erschallt. Der Prinz, unbewaffnet wie er war, reißt einem Bedienten den Stock aus den Händen, und mit dem entschlossenen Mut, den Sie an ihm kennen, nach der Gegend zu, woher diese Stimme erschallte. Drei fürchterliche Kerls sind eben im Begriff, einen vierten niederzustoßen, der sich mit seinem Begleiter nur noch schwach verteidigt; der Prinz erscheint noch eben zu rechter Zeit, um den tödlichen Stich zu hindern. Sein und der Bedienten Rufen bestürzt die Mörder, die sich an einem so abgelegnen Ort auf keine Überraschung versehen hatten, daß sie nach einigen leichten Dolchstichen von ihrem Manne ablassen und die Flucht ergreifen. Halb ohnmächtig und vom Ringen erschöpft, sinkt der Verwundete in den Arm des Prinzen; sein Begleiter entdeckt diesem, daß er den Marchese von Civitella, den Neffen des Kardinals A***i, gerettet habe. Da der Marchese viel Blut verlor, so macht Biondello, so gut er konnte, in der Eile den Wundarzt, und der Prinz trug Sorge, daß er nach dem Palast seines Oheims geschafft wurde, der am nächsten gelegen war und wohin er ihn selbst begleitete. Hier verließ er ihn in der Stille und ohne sich zu erkennen gegeben zu haben.

Aber durch einen Bedienten, der Biondello erkannt hatte, ward er verraten. Gleich den folgenden Morgen erschien der Kardinal, eine alte Bekanntschaft aus dem Bucentauro. Der Besuch dauerte eine Stunde; der Kardinal war in großer Bewegung, als sie herauskamen, Tränen standen in seinen Augen, auch der Prinz war gerührt. Noch an demselben Abend wurde bei dem Kranken ein Besuch abgestattet, von dem der Wundarzt übrigens das Beste versichert. Der Mantel, in den er gehüllt war, hatte die Stöße unsicher gemacht und ihre Stärke gebrochen. Seit diesem Vorfall verstrich kein Tag, an

welchem der Prinz nicht im Hause des Kardinals Besuche gegeben oder empfangen hätte, und eine starke Freundschaft fängt an, sich zwischen ihm und diesem Hause zu bilden.
Der Kardinal ist ein ehrwürdiger Sechziger, majestätisch von Ansehen, voll Heiterkeit und frischer Gesundheit. Man hält ihn für einen der reichsten Prälaten im ganzen Gebiete der Republik. Sein unermeßliches Vermögen soll er noch sehr jugendlich verwalten und bei einer vernünftigen Sparsamkeit keine Weltfreude verschmähen. Dieser Neffe ist sein einziger Erbe, der aber mit seinem Oheim nicht immer im besten Vernehmen stehen soll. Sowenig der Alte ein Feind des Vergnügens ist, so soll doch die Aufführung des Neffen auch die höchste Toleranz erschöpfen. Seine freien Grundsätze und seine zügellose Lebensart, unglücklicherweise durch alles unterstützt, was Laster schmücken und die Sinnlichkeit hinreißen kann, machen ihn zum Schrecken aller Väter und zum Fluch aller Ehemänner; auch diesen letzten Angriff soll er sich, wie man behauptet, durch eine Intrige zugezogen haben, die er mit der Gemahlin des **schen Gesandten angesponnen hatte; anderer schlimmen Händel nicht zu gedenken, woraus ihn das Ansehen und das Geld des Kardinals nur mit Mühe hat retten können. Dieses abgerechnet, wäre letzterer der beneidetste Mann in ganz Italien, weil er alles besitzt, was das Leben wünschenswürdig machen kann. Mit diesem einzigen Familienleiden nimmt das Glück alle seine Gaben zurück und vergällt ihm den Genuß seines Vermögens durch die immerwährende Furcht, keinen Erben dazu zu finden.
Alle diese Nachrichten habe ich von Biondello. In diesem Menschen hat der Prinz einen wahren Schatz erhalten. Mit jedem Tage macht er sich unentbehrlicher, mit jedem Tage entdecken wir irgendein neues Talent an ihm. Neulich hatte sich der Prinz erhitzt und konnte nicht einschlafen. Das Nachtlicht war ausgelöscht, und kein Klingeln konnte den Kammerdiener erwecken, der außer dem Hause seinen Lieb-

schaften nachgegangen war. Der Prinz entschließt sich also, selbst aufzustehen, um einen seiner Leute zu errufen. Er ist noch nicht weit gegangen, als ihm von ferne eine liebliche Musik entgegenschallt. Er geht wie bezaubert dem Schall nach und findet Biondello auf seinem Zimmer auf der Flöte blasend, seine Kameraden um ihn her. Er will seinen Augen, seinen Ohren nicht trauen und befiehlt ihm, fortzufahren. Mit einer bewundernswürdigen Leichtigkeit extemporiert dieser nun dasselbe schmelzende Adagio mit den glücklichsten Variationen und allen Feinheiten eines Virtuosen. Der Prinz, der ein Kenner ist, wie Sie wissen, behauptet, daß er sich getrost in der besten Kapelle hören lassen dürfte.

»Ich muß diesen Menschen entlassen,« sagte er mir den Morgen darauf, »ich bin unvermögend, ihn nach Verdienst zu belohnen.« Biondello, der diese Worte aufgefangen hatte, trat herzu. ›Gnädigster Herr,‹ sagte er, ›wenn Sie das tun, so rauben Sie mir meine beste Belohnung.‹

»Du bist zu etwas Besserm bestimmt, als zu dienen«, sagte mein Herr. »Ich darf dir nicht vor deinem Glücke sein.«

›Dringen Sie mir doch kein andres Glück auf, gnädigster Herr, als das ich mir selbst gewählt habe.‹

»Und ein solches Talent zu vernachlässigen – Nein! Ich darf es nicht zugeben.«

›So erlauben Sie mir, gnädigster Herr, daß ich es zuweilen in Ihrer Gegenwart übe.‹

Und dazu wurden auch sogleich die Anstalten getroffen. Biondello erhielt ein Zimmer zunächst am Schlafgemach seines Herrn, wo er ihn mit Musik in den Schlummer wiegen und mit Musik daraus erwecken kann. Seinen Gehalt wollte der Prinz verdoppeln, welches er aber verbat, mit der Erklärung: der Prinz möchte ihm erlauben, diese zugedachte Gnade als ein Kapital bei ihm zu deponieren, welches er vielleicht in kurzer Zeit nötig haben würde zu erheben. Der Prinz erwartet nunmehr, daß er nächstens kommen werde, um etwas zu bitten; und was es auch sein möge, es ist ihm zum voraus gewährt. Leben Sie wohl, liebster Freund. Ich erwarte mit Ungeduld Nachrichten aus K***n.

Baron von F*** an den Grafen von O**

Dritter Brief

4. Junius

Der Marchese von Civitella, der von seinen Wunden nun ganz wiederhergestellt ist, hat sich vorige Woche durch seinen Onkel, den Kardinal, bei dem Prinzen einführen lassen, und seit diesem Tage folgt er ihm wie sein Schatten. Von diesem Marchese hat mir Biondello doch nicht die Wahrheit gesagt, wenigstens hat er sie weit übertrieben. Ein sehr liebenswürdiger Mensch von Ansehen und unwiderstehlich im Umgang. Es ist nicht möglich, ihm gram zu sein; der erste Anblick hat mich erobert. Denken Sie sich die bezauberndste Figur, mit Würde und Anmut getragen, ein Gesicht voll Geist und Seele, eine offne einladende Miene, einen einschmeichelnden Ton der Stimme, die fließendste Beredsamkeit, die blühendste Jugend mit allen Grazien der feinsten Erziehung vereinigt. Er hat gar nichts von dem geringschätzigen Stolz, von der feierlichen Steifheit, die uns an den übrigen Nobili so unerträglich fällt. Alles an ihm atmet jugendliche Frohherzigkeit, Wohlwollen, Wärme des Gefühls. Seine Ausschweifungen muß man mir weit übertrieben haben, nie sah ich ein vollkommneres, schöneres Bild der Gesundheit. Wenn er wirklich so schlimm ist, als mir Biondello sagt, so ist es eine Sirene, der kein Mensch widerstehen kann.

Gegen mich war er gleich sehr offen. Er gestand mir mit der angenehmsten Treuherzigkeit, daß er bei seinem Onkel, dem Kardinal, nicht am besten angeschrieben stehe und es auch wohl verdient haben möge. Er sei aber ernstlich entschlossen, sich zu bessern, und das Verdienst davon würde ganz dem Prinzen zufallen. Zugleich hoffe er, durch diesen mit seinem Onkel wieder ausgesöhnt zu werden, weil der Prinz alles über den Kardinal vermöge. Es habe ihm bis jetzt nur an einem Freunde und Führer gefehlt, und beides hoffe er sich in dem Prinzen zu erwerben.

Der Prinz bedient sich auch aller Rechte eines Führers gegen ihn und behandelt ihn mit der Wachsamkeit und Strenge eines Mentors. Aber eben dieses Verhältnis gibt auch ihm gewisse Rechte an den Prinzen, die er sehr gut geltend zu machen weiß. Er kommt ihm nicht mehr von der Seite, er ist bei allen Partien, an denen der Prinz teilnimmt; für den Bucentauro ist er – und das ist sein Glück! – bis jetzt nur zu jung gewesen. Überall, wo er sich mit dem Prinzen einfindet, entführt er diesen der Gesellschaft, durch die feine Art, womit er ihn zu beschäftigen und auf sich zu ziehen weiß. Niemand, sagen sie, habe ihn bändigen können, und der Prinz verdiene eine Legende, wenn ihm dieses Riesenwerk gelänge. Ich fürchte aber sehr, das Blatt möchte sich vielmehr wenden und der Führer bei seinem Zögling in die Schule gehn, wozu sich auch bereits alle Umstände anzulassen scheinen.

Der Prinz von **d** ist nun abgereist, und zwar zu unserm allerseitigen Vergnügen, auch meinen Herrn nicht ausgenommen. Was ich vorausgesagt habe, liebster O**, ist auch richtig eingetroffen. Bei so entgegengesetzten Charakteren, bei so unvermeidlichen Kollisionen konnte dieses gute Vernehmen auf die Dauer nicht bestehen. Der Prinz von **d** war nicht lange in Venedig, so entstand ein bedenkliches Schisma in der spirituellen Welt, das unsern Prinzen in Gefahr setzte, die Hälfte seiner bisherigen Bewunderer zu verlieren. Wo er sich nur sehen ließ, fand er diesen Nebenbuhler in seinem Wege, der gerade die gehörige Dosis kleiner List und selbstgefälliger Eitelkeit besaß, um jeden noch so kleinen Vorteil geltend zu machen, den ihm der Prinz über sich gab. Weil ihm zugleich alle kleinlichen Kunstgriffe zu Gebote standen, deren Gebrauch dem Prinzen ein edles Selbstgefühl untersagte, so konnte es nicht fehlen, daß er nicht in kurzer Zeit die

Schwachköpfe auf seiner Seite hatte und an der Spitze einer Partei prangte, die seiner würdig war.* Das Vernünftigste wäre freilich wohl gewesen, mit einem Gegner dieser Art sich in gar keinen Wettkampf einzulassen, und einige Monate früher wäre dies gewiß die Partie gewesen, welche der Prinz ergriffen hätte. Jetzt aber war er schon zu weit in den Strom gerissen, um das Ufer so schnell wieder erreichen zu können. Diese Nichtigkeiten hatten, wenn auch nur durch die Umstände, einen gewissen Wert bei ihm erlangt, und hätte er sie auch wirklich verachtet, so erlaubte ihm sein Stolz nicht, ihnen in einem Zeitpunkte zu entsagen, wo sein Nachgeben weniger für einen freiwilligen Entschluß als für ein Geständnis seiner Niederlage würde gegolten haben. Das unselige Hin- und Widerbringen schneidender Reden von beiden Seiten kam dazu, und der Geist von Rivalität, der seine Anhänger erhitzte, hatte auch ihn ergriffen. Um also seine Eroberungen zu bewahren, um sich auf dem schlüpfrigen Platz zu erhalten, den ihm die Meinung der Welt angewiesen hatte, glaubte er die Gelegenheiten häufen zu müssen, wo er glänzen und verbinden konnte, und dies konnte nur durch einen fürstlichen Aufwand erreicht werden; daher ewige Feste und Gelage, kostbare Konzerte, Präsente und hohes Spiel. Und weil sich diese seltsame Raserei bald auch der beiderseitigen Suite und Dienerschaft mitteilte, die, wie Sie wissen, über den Artikel der Ehre noch weit wachsamer zu halten pflegt als ihre Herrschaft, so mußte er dem guten Willen seiner Leute durch seine Freigebigkeit zu Hilfe kommen. Eine ganze lange Kette von Armseligkeiten, alles unvermeidliche Folgen einer einzigen ziemlich verzeihlichen Schwachheit, von der sich der Prinz in einem unglücklichen Augenblick überschleichen ließ!

* Das harte Urteil, welches sich der Baron von F*** hier und in einigen Stellen des ersten Briefs über einen geistreichen Prinzen erlaubt, wird jeder, der das Glück hat, diesen Prinzen näher zu kennen, mit mir übertrieben finden und es dem eingenommenen Kopfe dieses jugendlichen Beurteilers zugute halten.

Anm. des Grafen von O**

Den Nebenbuhler sind wir zwar nun los, aber was er verdorben hat, ist nicht so leicht wieder gutzumachen. Des Prinzen Schatulle ist erschöpft; was er durch eine weise Ökonomie seit Jahren erspart hat, ist dahin; wir müssen eilen, aus Venedig zu kommen, wenn er sich nicht in Schulden stürzen soll, wovor er sich bis jetzt auf das sorgfältigste gehütet hat. Die Abreise ist auch fest beschlossen, sobald nur erst frische Wechsel da sind.
Möchte indes aller dieser Aufwand gemacht sein, wenn mein Herr nur eine einzige Freude dabei gewonnen hätte! Aber nie war er weniger glücklich als jetzt! Er fühlte, daß er nicht ist, was er sonst war – er sucht sich selbst –, er ist unzufrieden mit sich selbst und stürzt sich in neue Zerstreuungen, um den Folgen der alten zu entfliehen. Eine neue Bekanntschaft folgt auf die andre, die ihn immer tiefer hineinreißt. Ich sehe nicht, wie das noch werden soll. Wir müssen fort – hier ist keine andre Rettung – wir müssen fort aus Venedig.
Aber, liebster Freund, noch immer keine Zeile von Ihnen! Wie muß ich dieses lange hartnäckige Schweigen mir erklären?

Baron von F*** an den Grafen von O**

Vierter Brief

12. Junius

Haben Sie Dank, liebster Freund, für das Zeichen Ihres Andenkens, das mir der junge B***hl von Ihnen überbrachte. Aber was sprechen Sie darin von Briefen, die ich erhalten haben soll? Ich habe keinen Brief von Ihnen erhalten, nicht eine Zeile. Welchen weiten Umweg müssen die genommen haben! Künftig, liebster O**, wenn Sie mich mit Briefen beehren, senden Sie solche über Trient und unter der Adresse meines Herrn.
Endlich haben wir den Schritt doch tun müssen, liebster

Freund, den wir bis jetzt so glücklich vermieden haben. – Die Wechsel sind ausgeblieben, jetzt in diesem dringendsten Bedürfnis zum ersten Mal ausgeblieben, und wir waren in die Notwendigkeit gesetzt, unsre Zuflucht zu einem Wucherer zu nehmen, weil der Prinz das Geheimnis gern etwas teurer bezahlt. Das Schimmste an diesem unangenehmen Vorfalle ist, daß er unsre Abreise verzögert.

Bei dieser Gelegenheit kam es zu einigen Erläuterungen zwischen mir und dem Prinzen. Das ganze Geschäft war durch Biondellos Hände gegangen, und der Ebräer war da, ehe ich etwas davon ahnete. Den Prinzen zu dieser Extremität gebracht zu sehen, preßte mir das Herz und machte alle Erinnerungen der Vergangenheit, alle Schrecken für die Zukunft in mir lebendig, daß ich freilich etwas grämlich und düster ausgesehen haben mochte, als der Wucherer hinaus war. Der Prinz, den der vorhergehende Auftritt ohnehin sehr reizbar gemacht hatte, ging mit Unmut im Zimmer auf und nieder, die Rollen lagen noch auf dem Tische, ich stand am Fenster und beschäftigte mich, die Scheiben in der Prokuratie zu zählen, es war eine lange Stille; endlich brach er los.

»F***!« fing er an. »Ich kann keine finstern Gesichter um mich leiden.«

Ich schwieg.

»Warum antworten Sie mir nicht? – Seh ich nicht, daß es Ihnen das Herz abdrücken will, Ihren Verdruß auszugießen? Und ich will haben, daß Sie reden. Sie dürften sonst wunder glauben, was für weise Dinge Sie verschweigen.«

›Wenn ich finster bin, gnädigster Herr,‹ sagte ich, ›so ist es nur, weil ich *Sie* nicht heiter sehe.‹

»Ich weiß,« fuhr er fort, »daß ich Ihnen nicht recht bin – schon seit geraumer Zeit –, daß alle meine Schritte mißbilligt werden – daß – Was schreibt der Graf von O**?«

›Der Graf von O** hat mir nichts geschrieben.‹

»Nichts? Was wollen Sie es leugnen? Sie haben Herzensergießungen zusammen – Sie und der Graf! Ich weiß es recht gut.

Aber gestehen Sie mirs immer. Ich werde mich nicht in Ihre Geheimnisse eindrängen.«

›Der Graf von O**‹, sagte ich, ›hat mir von drei Briefen, die ich ihm schrieb, noch den ersten zu beantworten.‹

»Ich habe unrecht getan«, fuhr er fort. »Nicht wahr?« (eine Rolle ergreifend) – »Ich hätte das nicht tun sollen?«

›Ich sehe wohl ein, daß dies notwendig war.‹

»Ich hätte mich nicht in die Notwendigkeit setzen sollen?«

Ich schwieg.

»Freilich! Ich hätte mich mit meinen Wünschen nie über das hinauswagen sollen und darüber zum Greis werden, wie ich zum Mann geworden bin! Weil ich aus der traurigen Einförmigkeit meines bisherigen Lebens einmal herausgehe und herumschaue, ob sich nicht irgend anderswo eine Quelle des Genusses für mich öffnet – weil ich ...«

›Wenn es ein Versuch war, gnädigster Herr, dann hab ich nichts mehr zu sagen – dann sind die Erfahrungen, die er Ihnen verschafft haben wird, mit noch dreimal so viel nicht zu teuer erkauft. Es tat mir wehe, ich gesteh es, daß die Meinung der Welt über eine Frage, die nur für Ihr eigenes Herz gehört, die Frage, *wie* Sie glücklich sein sollen, zu entscheiden haben sollte.‹

»Wohl Ihnen, daß Sie sie verachten können, die Meinung der Welt! Ich bin ihr Geschöpf, ich muß ihr Sklave sein. Was sind wir anders als Meinung? Alles an uns Fürsten ist Meinung. Die Meinung ist unsre Amme und Erzieherin in der Kindheit, unsre Gesetzgeberin und Geliebte in männlichen Jahren, unsre Krücke im Alter. Nehmen Sie uns, was wir von der Meinung haben, und der Schlechteste aus den übrigen Klassen ist besser daran als wir; denn sein Schicksal hat ihm doch zu einer Philosophie verholfen, welche ihn über dieses Schicksal tröstet. Sein Fürst, der die Meinung verlacht, hebt sich selbst auf, wie der Priester, der das Dasein eines Gottes leugnet.«

›Und dennoch, gnädigster Prinz ...‹

»Ich weiß, was Sie sagen wollen. Ich kann den Kreis überschreiten, den meine Geburt um mich gezogen hat – aber kann ich auch alle Wahnbegriffe aus meinem Gedächtnis herausreißen, die Erziehung und frühe Gewohnheit darein gepflanzt und hunderttausend Schwachköpfe unter euch immer fester und fester darin gegründet haben? Jeder will doch gerne *ganz* sein, was er ist, und unsre Existenz ist nun einmal, *glücklich scheinen*. Weil wir es nicht *sein* können auf eure Weise, sollen wir es darum gar nicht sein? Wenn wir die Freude aus ihrem reinen Quell unmittelbar nicht mehr schöpfen dürfen, sollen wir uns auch nicht mit einem künstlichen Genuß hintergehen, nicht von eben der Hand, die uns beraubte, eine schwache Entschädigung empfangen dürfen?«

›Sonst fanden Sie diese in Ihrem Herzen.‹

»Wenn ich sie nun nicht mehr darin finde? – O wie kommen wir darauf? Warum mußten Sie diese Erinnerungen in mir aufwecken? – Wenn ich nun eben zu diesem Sinntumult meine Zuflucht nahm, um eine innere Stimme zu betäuben, die das Unglück meines Lebens macht – um diese grübelnde Vernunft zur Ruhe zu bringen, die wie eine schneidende Sichel in meinem Gehirn hin und her fährt und mit jeder neuen Forschung einen neuen Zweig meiner Gückseligkeit zerschneidet?«

›Mein bester Prinz!‹ – Er war aufgestanden und ging im Zimmer herum, in ungewöhnlicher Bewegung.

»Wenn alles vor mir und hinter mir versinkt – die Vergangenheit im traurigen Einerlei wie ein Reich der Versteinerung hinter mir liegt – wenn die Zukunft mir nichts bietet – wenn ich meines Daseins ganzen Kreis im schmalen Raume der Gegenwart beschlossen sehe – wer verargt es mir, daß ich dieses magre Geschenk der Zeit – den Augenblick – feurig und unersättlich wie einen Freund, den ich zum letzten Male sehe, in meine Arme schließe?«

›Gnädigster Herr, sonst glaubten Sie an ein bleibenderes Gut...‹

»O machen Sie, daß mir das Wolkenbild halte, und ich will meine glühenden Arme darumschlagen. Was für Freude kann es mir geben, Erscheinungen zu beglücken, die morgen dahin sein werden wie ich? – Ist nicht alles Flucht um mich herum? Alles stößt sich und drängt seinen Nachbar weg, aus dem Quell des Daseins einen Tropfen eilends zu trinken und lechzend davonzugehen. Jetzt in dem Augenblick, wo ich meiner Kraft mich freue, ist schon ein werdendes Leben an meine Zerstörung angewiesen. Zeigen Sie mir etwas, das dauert, so will ich tugendhaft sein.«

›Was hat denn die wohltätigen Empfindungen verdrängt, die einst der Genuß und die Richtschnur Ihres Lebens waren? Saaten für die Zukunft zu pflanzen, einer hohen ewigen Ordnung zu dienen ...‹

»Zukunft! Ewige Ordnung! – Nehmen wir hinweg, was der Mensch aus seiner eigenen Brust genommen und seiner eingebildeten Gottheit als Zweck, der Natur als Gesetz untergeschoben hat – was bleibt uns dann übrig? – Was mir vorherging und was mir folgen wird, sehe ich als zwei schwarze undurchdringliche Decken an, die an beiden Grenzen des menschlichen Lebens herunterhangen und welche noch kein Lebender aufgezogen hat. Schon viele hundert Generationen stehen mit der Fackel davor und raten und raten, was etwa dahinter sein möchte. Viele sehen ihren eigenen Schatten, die Gestalten ihrer Leidenschaft, vergrößert auf der Decke der Zukunft sich bewegen und fahren schaudernd vor ihrem eigenen Bilde zusammen. Dichter, Philosophen und Staatenstifter haben sie mit ihren Träumen bemalt, lachender oder finstrer, wie der Himmel über ihnen trüber oder heiterer war; und von weitem täuschte die Perspektive. Auch manche Gaukler nützten diese allgemeine Neugier und setzten durch seltsame Vermummungen die gespannten Phantasien in Erstaunen. Eine tiefe Stille herrscht hinter dieser Decke; keiner, der einmal dahinter ist, antwortet hinter ihr hervor; alles, was man hörte, war ein hohler Widerschall der Frage, als ob man in eine Gruft gerufen hätte. Hinter diese Decke müssen alle, und mit Schaudern fassen sie sie an, ungewiß, wer wohl dahinterstehe und sie in Empfang nehmen werde; quid sit id, quod tantum perituri vident. Freilich gab es auch Ungläubige darunter, die behaupteten, daß diese Decke die Menschen nur narre und daß man nichts beobachtet hätte, weil auch nichts dahinter sei; aber um sie zu überweisen, schickte man sie eilig dahinter.«

›Ein rascher Schluß war es immer, wenn sie keinen bessern Grund hatten, als weil sie nichts sahen.‹

»Sehen Sie nun, lieber Freund, ich bescheide mich gern, nicht hinter diese Decke blicken zu wollen – und das Weiseste wird doch wohl sein, mich von aller Neugier zu entwöhnen. Aber indem ich diesen unüberschreitbaren Kreis um mich ziehe und mein ganzes Sein in die Schranken der Gegenwart einschließe, wird mir dieser kleine Fleck desto wichtiger, den ich schon über eiteln Eroberungsgedanken zu vernachlässigen in Gefahr war. Das, was Sie den Zweck meines Daseins nennen, geht mich jetzt nichts mehr an. Ich kann mich ihm nicht entziehen, ich kann ihm nicht nachhelfen; ich weiß aber und glaube fest, daß ich einen solchen Zweck erfüllen muß und erfülle. Ich bin einem Boten gleich, der einen versiegelten Brief an den Ort seiner Bestimmung trägt. Was er enthält, kann ihm einerlei sein – er hat nichts, als sein Botenlohn dabei zu verdienen.«

›O wie arm lassen Sie mich stehn!‹

»Aber wohin haben wir uns verirrt?« rief jetzt der Prinz aus, indem er lächelnd auf den Tisch sah, wo die Rollen lagen. »Und doch nicht so sehr verirret!« setzte er hinzu – »denn vielleicht werden Sie mich jetzt in dieser neuen Lebensart wiederfinden. Auch ich konnte mich nicht so schnell von dem eingebildeten Reichtum entwöhnen, die Stützen meiner Moralität und meiner Glückseligkeit nicht so schnell von dem lieblichen Traume ablösen, mit welchem alles, was bis jetzt in mir gelebt hatte, so fest verschlungen war. Ich sehnte mich nach dem Leichtsinne, der das Dasein der mehresten Menschen um mich her erträglich macht. Alles, was mich mir selbst entführte, war mir willkommen. Soll ich es Ihnen gestehen? Ich wünschte zu *sinken*, um diese Quelle meines Leidens auch mit der Kraft dazu zu zerstören.«

Hier unterbrach uns ein Besuch. – »Künftig werde ich Sie von einer Neuigkeit unterhalten, die Sie wohl schwerlich auf ein Gespräch wie das heutige erwarten dürften. Leben Sie wohl.«

Baron von F*** an den Grafen von O**

Fünfter Brief

1. Julius

Da unser Abschied von Venedig nunmehr mit starken Schritten herannaht, so sollte diese Woche noch dazu angewandt werden, alles Sehenswürdige an Gemälden und Gebäuden noch nachzuholen, was man bei einem langen Aufenthalte immer verschiebt. Besonders hatte man uns mit vieler Bewunderung von der Hochzeit zu Kana des Paul Veronese gesprochen, die auf der Insel St. Georg in einem dortigen Benediktinerkloster zu sehen ist. Erwarten Sie von mir keine Beschreibung dieses außerordentlichen Kunstwerks, das mir im ganzen zwar einen sehr überraschenden, aber nicht sehr genußreichen Anblick gegeben hat. Wir hätten so viele Stunden als Minuten gebraucht, um eine Komposition von hundertundzwanzig Figuren zu umfassen, die über dreißig Fuß in der Breite hat. Welches menschliche Auge kann ein so zusammengesetztes Ganze umreichen und die ganze Schönheit, die der Künstler darin verschwendet hat, in *einem* Eindruck genießen! Schade ist es indessen, daß ein Werk von diesem Gehalte, das an einem öffentlichen Orte glänzen und von jedermann genossen werden sollte, keine beßre Bestimmung hat, als eine Anzahl Mönche in ihrem Refektorium zu vergnügen. Auch die Kirche dieses Klosters verdient nicht weniger gesehen zu werden. Sie ist eine der schönsten in dieser Stadt.

Gegen Abend ließen wir uns in die Giudecca überfahren, um dort in den reizenden Gärten einen schönen Abend zu verleben. Die Gesellschaft, die nicht sehr groß war, zerstreute sich bald, und mich zog Civitella, der schon den ganzen Tag über Gelegenheit gesucht hatte, mich zu sprechen, mit sich in eine Boskage.

»Sie sind der Freund des Prinzen,« fing er an, »vor dem er keine Geheimnisse zu haben pflegt, wie ich von sehr guter Hand weiß. Als ich heute in sein Hotel trat, kam ein Mann heraus, dessen Gewerbe mir bekannt ist – und auf des Prinzen Stirne standen Wolken, als ich zu ihm hereintrat.« – Ich wollte ihn unterbrechen – »Sie können es nicht leugnen,« fuhr er fort, »ich kannte meinen Mann, ich hab ihn sehr gut ins Auge gefaßt. – Und wär es möglich? Der Prinz hätte Freunde in Venedig, Freunde, die ihm mit Blut und Leben verpflichtet sind, und sollte dahin gebracht sein, in einem dringenden Falle sich solcher Kreaturen zu bedienen? Seien Sie aufrichtig Baron! – Ist der Prinz in Verlegenheit? – Sie bemühen sich umsonst, es zu verbergen. Was ich von Ihnen nicht erfahre, ist mir bei meinem Manne gewiß, dem jedes Geheimnis feil ist.«

›Herr Marchese ...‹

»Verzeihen Sie. Ich muß indiskret scheinen, um nicht ein Undankbarer zu werden. Dem Prinzen dank ich Leben und, was mir weit über das Leben geht, einen vernünftigen Gebrauch des Lebens. Ich sollte den Prinzen Schritte tun sehen, die ihm kosten, die unter seiner Würde sind; es stünde in meiner Macht, sie ihm zu ersparen, und ich sollte mich leidend dabei verhalten?«

›Der Prinz ist nicht in Verlegenheit‹, sagte ich. ›Einige Wechsel, die wir über Trient erwarteten, sind uns unvermutet ausgeblieben. Zufällig, ohne Zweifel – oder weil man, in Ungewißheit wegen seiner Abreise, noch eine nähere Weisung von ihm erwartete. Dies ist nun geschehen, und bis dahin ...‹

Er schüttelte den Kopf. »Verkennen Sie meine Absicht nicht«, sagte er. »Es kann hier nicht davon die Rede sein, meine Verbindlichkeit gegen den Prinzen dadurch zu vermindern – würden alle Reichtümer meines Onkels dazu hinreichen? Die Rede ist davon, ihm einen einzigen unangenehmen Augenblick zu ersparen. Mein Oheim besitzt ein großes Vermögen, worüber ich so gut als über mein Eigentum disponieren kann. Ein glücklicher Zufall führt mir den einzigen möglichen Fall entgegen, daß dem Prinzen von allem, was in meiner Gewalt stehet, etwas nützlich werden kann. Ich weiß,« fuhr er fort, »was die Delikatesse dem Prinzen auflegt – aber sie ist auch gegenseitig – und es wäre großmütig von dem Prinzen gehandelt, mir diese kleine Genugtuung zu gönnen, geschäh es auch nur zum Scheine – um mir die Last von Verbindlichkeit, die mich niederdrückt, weniger fühlbar zu machen.«

Er ließ nicht nach, bis ich ihm versprochen hatte, mein möglichstes dabei zu tun; ich kannte den Prinzen und hoffte darum wenig. Alle Bedingungen wollte er sich von dem letztern gefallen lassen, wiewohl er gestand, daß es ihn empfindlich kränken würde, wenn ihn der Prinz auf dem Fuß eines Fremden behandelte.

Wir hatten uns in der Hitze des Gesprächs weit von der übrigen Gesellschaft verloren und waren eben auf dem Rückweg, als Z*** uns entgegenkam.

»Ich suche den Prinzen bei Ihnen – Ist er nicht hier?«

›Eben wollen wir zu ihm. Wir vermuteten, ihn bei der übrigen Gesellschaft zu finden ...‹

»Die Gesellschaft ist beisammen, aber er ist nirgends anzutreffen. Ich weiß gar nicht, wie er uns aus den Augen gekommen ist.«

Hier erinnerte sich Civitella, daß ihm vielleicht eingefallen sein könnte, die anstoßende ***Kirche zu besuchen, auf die er ihn kurz vorher sehr aufmerksam gemacht hatte. Wir machten uns sogleich auf den Weg, ihn dort aufzusuchen. Schon von weitem entdeckten wir Biondello, der am Eingang der Kirche wartete. Als wir näher kamen, trat der Prinz etwas hastig aus einer Seitentüre; sein Gesicht glühte, seine Augen suchten Biondello, den er herbeirief. Er schien ihm etwas sehr angelegentlich zu befehlen, wobei er immer die Augen auf die Türe richtete, die offen geblieben war. Biondello eilte schnell von ihm in die Kirche – der Prinz, ohne uns gewahr zu werden, drückte sich an uns vorbei, durch die Menge, und eilte zur Gesellschaft zurück, wo er noch vor uns anlangte.

Es wurde beschlossen, in einem offenen Pavillon dieses Gartens das Souper einzunehmen, wozu der Marchese ohne unser Wissen ein kleines Konzert veranstaltet hatte, das ganz auserlesen war. Besonders ließ sich eine junge Sängerin dabei hören, die uns alle durch ihre liebliche Stimme wie durch ihre reizende Figur entzückte. Auf den Prinzen schien nichts Eindruck zu machen: er sprach wenig und antwortete zerstreut, seine Augen waren unruhig nach der Gegend gekehrt, woher Biondello kommen mußte; eine große Bewegung schien in seinem Innern vorzugehen. Civitella fragte, wie ihm die Kirche gefallen hätte; er wußte nichts davon zu sagen. Man sprach von einigen vorzüglichen Gemälden, die sie merkwürdig machten; er hatte kein Gemälde gesehen. Wir merkten, daß unsre Fragen ihn belästigten, und schwiegen. Eine Stunde verging nach der andern, und Biondello kam noch immer nicht. Des Prinzen Ungeduld stieg aufs höchste; er hob die Tafel frühzeitig auf und ging in einer abgelegenen Allee ganz allein mit starken Schritten auf und nieder. Niemand begriff, was ihm begegnet sein mochte. Ich wagte es nicht, ihn um die Ursache einer so seltsamen Veränderung zu befragen; es ist schon lange, daß ich mir die vorigen Vertraulichkeiten nicht mehr bei ihm herausnehme. Mit desto mehr Ungeduld erwartete ich Biondellos Zurückkunft, der mir dieses Rätsel aufklären sollte.

Es war nach zehn Uhr, als der wiederkam. Die Nachrichten, die er dem Prinzen mitbrachte, trugen nichts dazu bei, diesen gesprächiger zu machen. Mißmutig trat er zur Gesellschaft, die Gondel wurde bestellt, und bald darauf fuhren wir nach Hause.

Den ganzen Abend konnte ich keine Gelegenheit finden, Biondello zu sprechen; ich mußte mich also mit meiner unbefriedigten Neugierde schlafen legen. Der Prinz hatte uns frühzeitig entlassen; aber tausend Gedanken, die mir durch den Kopf gingen, erhielten mich munter. Lange hört ich ihn über meinem Schlafzimmer auf und nieder gehen; endlich überwältigte mich der Schlaf. Spät nach Mitternacht erweckte mich eine Stimme – eine Hand fuhr über mein Gesicht; wie ich aufsah, war es der Prinz, der, ein Licht in der Hand, vor meinem Bette stand. Er könne nicht einschlafen, sagte er und bat mich, ihm die Nacht verkürzen zu helfen. Ich wollte mich in meine Kleider werfen – er befahl mir, zu bleiben, und setzte sich zu mir vor das Bette.

»Es ist mir heute etwas vorgekommen,« fing er an, »davon der Eindruck aus meinem Gemüte nie mehr verlöschen wird. Ich ging von Ihnen, wie Sie wissen, in die ***Kirche, worauf mich Civitella neugierig gemacht, und die schon von ferne meine Augen auf sich gezogen hatte. Weil weder Sie noch er mir gleich zur Hand waren, so machte ich die wenigen Schritte allein; Biondello ließ ich am Eingange auf mich warten. Die Kirche war ganz leer – eine schaurigkühle Dunkelheit umfing mich, als ich aus dem schwülen, blendenden Tageslicht hineintrat. Ich sah mich einsam in dem weiten Gewölbe, worin eine feierliche Grabstille herrschte. Ich stellte mich in die Mitte des Doms und überließ mich der ganzen Fülle dieses Eindrucks; allmählich traten die großen Verhältnisse dieses majestätischen Baues meinen Augen bemerkbarer hervor, ich verlor mich in ernster ergötzender Betrachtung. Die Abendglocke tönte über mir, ihr Ton verhallte sanft in diesem Gewölbe wie in meiner Seele. Einige

Altarstücke hatten von weitem meine Aufmerksamkeit erweckt; ich trat näher, sie zu betrachten; unvermerkt hatte ich diese ganze Seite der Kirche bis zum entgegenstehenden Ende durchwandert. Hier lenkt man um einen Pfeiler einige Treppen hinauf in eine Nebenkapelle, worin mehrere kleinere Altäre und Statuen von Heiligen in Nischen angebracht stehen. Wie ich in die Kapelle zur Rechten hineintrete – höre ich nahe an mir ein zartes Wispern, wie wenn jemand leise spricht – ich wende mich nach dem Tone, und – zwei Schritte von mir fällt mir eine weibliche Gestalt in die Augen –– Nein! ich kann sie nicht nachschildern, diese Gestalt! – Schrecken war meine erste Empfindung, die aber bald dem süßesten Hinstaunen Platz machte.«

›Und diese Gestalt, gnädigster Herr – wissen Sie auch gewiß, daß sie etwas Lebendiges war, etwas Wirkliches, kein bloßes Gemälde, kein Gesicht Ihrer Phantasie?‹

»Hören Sie weiter – Es war eine Dame – Nein! Ich hatte bis auf diesen Augenblick dies Geschlecht nie gesehen! – Alles war düster ringsherum, nur durch ein einziges Fenster fiel der untergehende Tag in die Kapelle, die Sonne war nirgends mehr als auf dieser Gestalt. Mit unaussprechlicher Anmut – halb knieend, halb liegend – war sie vor einem Altar hingegossen – der gewagteste, lieblichste, gelungenste Umriß, einzig und unnachahmlich, die schönste Linie in der Natur. Schwarz war ihr Gewand, das sich spannend um den reizendsten Leib, um die niedlichsten Arme schloß und in weiten Falten, wie eine spanische Robe, um sie breitete; ihr langes, lichtblondes Haar, in zwei breite Flechten geschlungen, die durch ihre Schwere losgegangen und unter dem Schleier hervorgedrungen waren, floß in reizender Unordnung weit über den Rücken hinab – eine Hand lag an dem Kruzifixe, und sanft hinsinkend ruhte sie auf der andern. Aber wo finde ich Worte, Ihnen das himmlisch schöne Angesicht zu beschreiben, wo eine Engelseele, wie auf ihrem Thronensitz, die ganze Fülle ihrer Reize ausbreitete? Die Abendsonne

spielte darauf, und ihr luftiges Gold schien es mit einer künstlichen Glorie zu umgeben. Können Sie sich die Madonna unsers Florentiners zurückrufen? – Hier war sie ganz, ganz bis auf die unregelmäßigen Eigenheiten, die ich an jenem Bilde so anziehend, so unwiderstehlich fand.«
Mit der Madonna, von der der Prinz hier spricht, verhält es sich so. Kurz nachdem Sie abgereiset waren, lernte er einen florentinischen Maler hier kennen, der nach Venedig berufen worden war, um für eine Kirche, deren ich mich nicht mehr entsinne, ein Altarblatt zu malen. Er hatte drei andre Gemälde mitgebracht, die er für die Galerie im Cornarischen Palaste bestimmt hatte. Die Gemälde waren eine Madonna, ein Heloise und eine fast ganz unbekleidete Venus – alle drei von ausnehmender Schönheit und am Werte einander so gleich, daß es beinahe unmöglich war, sich für eines von den dreien ausschließend zu entscheiden. Nur der Prinz blieb nicht einen Augenblick unschlüssig; man hatte sie kaum vor ihm ausgestellt, als das Madonnastück seine ganze Aufmerksamkeit an sich zog, in den beiden übrigen wurde das Genie des Künstlers bewundert, bei diesem vergaß er den Künstler und seine Kunst, um ganz im Anschauen seines Werks zu leben. Er war ganz wunderbar davon gerührt; er konnte sich von dem Stücke kaum losreißen. Der Künster, dem man wohl ansah, daß er das Urteil des Prinzen im Herzen bekräftigte, hatte den Eigensinn, die drei Stücke nicht trennen zu wollen, und forderte 1500 Zechinen für alle. Die Hälfte bot ihm der Prinz für dieses einzige an – der Künstler bestand auf seiner Bedingung, und wer weiß, was noch geschehen wäre, wenn sich nicht ein entschlossener Käufer gefunden hätte. Zwei Stunden darauf waren alle drei Stück weg; wir haben sie nicht mehr gesehen. Dieses Gemälde kam dem Prinzen jetzt in Erinnerung.
»Ich stand,« fuhr er fort, »ich stand in ihrem Anblick verloren. Sie bemerkte mich nicht, sie ließ sich durch meine Dazwischenkunft nicht stören, so ganz war sie in ihrer Andacht ver-

tieft. Sie betete zu ihrer Gottheit, und ich betete zu ihr – Ja, ich betete sie an – Alle diese Bilder der Heiligen, diese Altäre, diese brennenden Kerzen hatten mich nicht daran erinnert; jetzt zum ersten Mal ergriff michs, als ob ich in einem Heiligtum wäre. Soll ich es Ihnen gestehen? Ich glaubte in diesem Augenblick felsenfest an den, den ihre schöne Hand umfaßt hielt. Ich las ja seine Antwort in ihren Augen. Dank ihrer reizenden Andacht! Sie machte mir ihn wirklich – ich folgte ihr nach durch alle seine Himmel.

Sie stand auf, und jetzt erst kam ich wieder zu mir selbst. Mit schüchterner Verwirrung wich ich auf die Seite; das Geräusch, das ich machte, entdeckte mich ihr. Die unvermutete Nähe eines Mannes mußte sie überraschen, meine Dreistigkeit konnte sie beleidigen; keines von beiden war in dem Blicke, womit sie mich ansah. Ruhe, unaussprechliche Ruhe war darin, und ein gütiges Lächeln spielte um ihre Wangen. Sie kam aus ihrem Himmel – und ich war das erste glückliche Geschöpf, das sich ihrem Wohlwollen anbot. Sie schwebte noch auf der letzten Sprosse des Gebets – sie hatte die Erde noch nicht berührt.

In einer andern Ecke der Kapelle regte es sich nun auch. Eine ältliche Dame war es, die dicht hinter mir von einem Kirchstuhle aufstand. Ich hatte sie bis jetzt nicht wahrgenommen. Sie war nur wenige Schritte von mir, sie hatte alle meine Bewegungen gesehen. Dies bestürzte mich – ich schlug die Augen zu Boden, und man rauschte an mir vorüber.

Ich sehe sie den langen Kirchgang hinuntergehen. Die schöne Gestalt ist aufgerichtet – Welche liebliche Majestät! Welcher Adel im Gange! Das vorige Wesen ist es nicht mehr – neue Grazien – eine ganz neue Erscheinung. Langsam gehen sie hinab. Ich folge von weitem und schüchtern, ungewiß, ob ich es wagen soll, sie einzuholen? ob ich es nicht soll? – Wird sie mir keinen Blick mehr schenken? Schenkte sie mir einen Blick, da sie an mir vorüberging und ich die Augen nicht zu ihr aufschlagen konnte? – O wie marterte mich der Zweifel!

Sie stehen stille, und ich – kann keinen Fuß von der Stelle setzen. Die ältliche Dame, ihre Mutter, oder was sie ihr sonst war, bemerkt die Unordnung in den schönen Haaren und ist geschäftig, sie zu verbessern, indem sie ihr den Sonnenschirm zu halten gibt. O wie viel Unordnung wünschte ich diesen Haaren, wie viel Ungeschicklichkeit diesen Händen!
Die Toilette ist gemacht, und man nähert sich der Türe. Ich beschleunige meine Schritte – Eine Hälfte der Gestalt verschwindet – und wieder eine – nur noch der Schatten ihres zurückfliegenden Kleides – Sie ist weg – Nein, sie kommt wieder. Eine Blume entfiel ihr, sie bückt sich nieder, sie aufzuheben – sie sieht noch einmal zurück und – nach mir? – Wen sonst kann ihr Auge in diesen toten Mauern suchen? Also war ich ihr kein fremdes Wesen mehr – auch mich hat sie zurückgelassen, wie ihre Blume. – Lieber F***, ich schäme mich, es Ihnen zu sagen, wie kindisch ich diesen Blick auslegte, der – vielleicht nicht einmal mein war!«
Über das letzte glaubte ich den Prinzen beruhigen zu können.
»Sonderbar,« fuhr der Prinz nach einem tiefen Stillschweigen fort, »kann man etwas nie gekannt, nie vermißt haben, und einige Augenblicke später nur in diesem einzigen leben? Kann ein einziger Moment den Menschen in zwei so ungleichartige Wesen zertrennen? Es wäre mir ebenso unmöglich, zu den Freuden und Wünschen des gestrigen Morgens als zu den Spielen meiner Kindheit zurückzukehren, seit ich *das* sah, seitdem dieses Bild hier wohnet – dieses lebendige, mächtige Gefühl in mir: du kannst nichts mehr lieben als *das*, und in dieser Welt wird nichts anders mehr auf dich wirken!«
›Denken Sie nach, gnädigster Herr, in welcher reizbaren Stimmung Sie waren, als diese Erscheinung Sie überraschte, und wie vieles zusammenkam, Ihre Einbildungskraft zu spannen. Aus dem hellen blendenden Tageslicht, aus dem

Gewühle der Straße plötzlich in diese stille Dunkelheit versetzt – ganz den Empfindungen hingegeben, die, wie Sie selbst gestehen, die Stille, die Majestät dieses Orts in Ihnen rege machte – durch Betrachtung schöner Kunstwerke für Schönheit überhaupt empfänglicher gemacht – zugleich allein und einsam Ihrer Meinung nach – und nun auf einmal – in dieser Nähe – von einer Mädchengestalt überrascht, wo Sie sich keines Zeugen versahen – von einer Schönheit, wie ich Ihnen gerne zugebe, die durch eine vorteilhafte Beleuchtung, eine glückliche Stellung, einen Ausdruck begeisterter Andacht noch mehr erhoben ward – was war natürlicher, als daß Ihre entzündete Phantasie sich etwas Idealisches, etwas überirdisch Vollkommenes daraus zusammensetzte?‹

»Kann die Phantasie etwas geben, was sie nie empfangen hat? – und im ganzen Gebiete meiner Darstellung ist nichts, was ich mit diesem Bilde zusammenstellen könnte. Ganz und unverändert, wie im Augenblicke des Schauens, liegt es in meiner Erinnerung; ich habe nichts als dieses Bild – aber Sie könnten mir eine Welt dafür bieten!«

›Gnädigster Prinz, das ist Liebe.‹

»Muß es denn notwendig ein Name sein, unter welchem ich glücklich bin? Liebe! – Erniedrigen Sie meine Empfindung nicht mit einem Namen, den tausend schwache Seelen mißbrauchen! Welcher andre hat gefühlt, was ich fühle? Ein solches Wesen war noch nie vorhanden – wie kann der Name früher da sein als die Empfindung? Es ist ein neues einziges Gefühl, neu entstanden mit diesem neuen einzigen Wesen, und für dieses Wesen nur möglich! – Liebe! Vor der Liebe bin ich sicher!«

›Sie verschickten Biondello – ohne Zweifel, um die Spur Ihrer Unbekannten zu verfolgen, um Erkundigungen von ihr einzuziehen? Was für Nachrichten brachte er Ihnen zurück?‹

»Biondello hat nichts entdeckt – soviel als gar nichts. Er fand sie noch an der Kirchtüre. Ein bejahrter, anständig gekleideter Mann, der eher einem hiesigen Bürger als einem Bedienten gleichsah, erschien, sie nach der Gondel zu begleiten. Eine Anzahl Armer stellte sich in Reihen, wie sie vorüberging, und verließ sie mit sehr vergnügter Miene. Bei dieser Gelegenheit, sagt Biondello, wurde eine Hand sichtbar, woran einige kostbare Steine blitzten. Mit ihrer Begleiterin sprach sie einiges, das Biondello nicht verstand; er behauptet, es sei Griechisch gewesen. Da sie eine ziemliche Strecke nach dem Kanal zu gehen hatten, so fing schon etwas Volk an, sich zu sammeln; das Außerordentliche des Anblicks brachte alle Vorübergehenden zum Stehen. Niemand kannte sie. – Aber die Schönheit ist eine geborene Königin. Alles machte ihr ehrerbietig Platz. Sie ließ einen schwarzen Schleier über das Gesicht fallen, der das halbe Gewand bedeckte, und eilte in die Gondel. Längs dem ganzen Kanal der Giudecca behielt Biondello das Fahrzeug im Gesicht, aber es weiter zu verfolgen, hinderte ihn das Gedränge.«

›Aber den Gondolier hat er sich doch gemerkt, um diesen wenigstens wiederzuerkennen?‹

»Den Gondolier getraut er sich ausfindig zu machen; doch ist es keiner von denen, mit denen er Verkehr hat. Die Armen, die er ausfragte, konnten ihm weiter keinen Bescheid geben, als daß Signora sich schon seit einigen Wochen und immer Sonnabends hier zeige und noch allemal ein Goldstück unter sie verteilt habe. Es war ein holländischer Dukaten, den er eingewechselt und mir überbracht hat.«

›Eine Griechin also, und von Stande, wie es scheint, von Vermögen wenigstens, und wohltätig. Das wäre fürs erste genug, gnädigster Herr – genug und fast zu viel! Aber eine Griechin und in einer katholischen Kirche!‹

»Warum nicht? Sie kann ihren Glauben verlassen haben. Überdies – etwas Geheimnisvolles ist es immer. – Warum die Woche nur einmal? Warum nur Sonnabends in dieser Kirche, wo diese gewöhnlich verlassen sein soll, wie mir Biondello sagt? – Spätestens der kommende Sonnabend muß dies entscheiden. Aber bis dahin, lieber Freund, helfen Sie mir diese Kluft von Zeit überspringen! Aber umsonst! Tage und Stunden gehen ihren gelassenen Schritt, und mein Verlangen hat Flügel.«

›Und wenn dieser Tag nun erscheint – was dann, gnädigster Herr? Was soll dann geschehen?‹

»Was geschehen soll? – Ich werde sie sehen. Ich werde ihren Aufenthalt erforschen. Ich werde erfahren, wer sie ist. – Wer sie ist? – Was kann mich dieses bekümmern? Was ich *sah*, machte mich glücklich, also weiß ich ja schon alles, was mich glücklich machen kann!«

›Und unsre Abreise aus Venedig, die auf den Anfang kommenden Monats festgesetzt ist?‹

»Konnte ich im voraus wissen, daß Venedig noch einen solchen Schatz für mich einschließe? – Sie fragen mich aus meinem gestrigen Leben. Ich sage Ihnen, daß ich nur von heute an bin und sein will.«

Jetzt glaube ich die Gelegenheit gefunden zu haben, dem Marchese Wort zu halten. Ich machte dem Prinzen begreiflich, daß sein längeres Bleiben in Venedig mit dem geschwächten Zustand seiner Kasse durchaus nicht bestehen könne und daß, im Fall er seinen Aufenthalt über den zugestandnen Termin verlängerte, auch von seinem Hofe nicht sehr auf Unterstützung würde zu rechnen sein. Bei dieser Gelegenheit erfuhr ich, was mir bis jetzt ein Geheimnis gewesen, daß ihm von seiner Schwester, der regierenden ***von***, ausschließlich vor seinen übrigen Brüdern und heimlich, ansehnliche Zuschüsse bezahlt werden, die sie gerne bereit sei zu verdoppeln, wenn sein Hof ihn im Stiche ließe. Diese Schwester, eine fromme Schwärmerin, wie Sie wissen, glaubt die großen Ersparnisse, die sie bei einem sehr eingeschränkten Hofe macht, nirgends besser aufgehoben als bei einem Bruder, dessen weise Wohltätigkeit sie kennt und den sie enthusiastisch verehrt. Ich wußte zwar schon längst, daß zwischen beiden ein sehr genaues Verhältnis stattfindet, auch viele Briefe gewechselt werden; aber weil sich der bisherige Aufwand des Prinzen aus den bekannten Quellen hinlänglich bestreiten ließ, so war ich auf diese verborgene Hilfsquelle nie gefallen. Es ist also klar, daß der Prinz Ausgaben gehabt hat, die mir ein Geheimnis waren und es noch jetzt sind; und wenn ich aus seinem übrigen Charakter schließen darf, so sind es gewiß keine andre, als die ihm zur Ehre gereichen. Und ich konnte mir einbilden, ihn ergründet zu haben? – Um so weniger glaubte ich nach dieser Entdeckung anstehen zu dürfen, ihm das Anerbieten des Marchese zu offenbaren – welches zu meiner nicht geringen Verwunderung ohne alle Schwierigkeiten angenommen wurde. Er gab mir Vollmacht, diese Sache mit dem Marchese auf die Art, welche ich für die beste hielt, abzutun und dann sogleich mit dem Wucherer aufzuheben. An seine Schwester sollte unverzüglich geschrieben werden.

Es war Morgen, als wir auseinandergingen. So unangenehm mir dieser Vorfall aus mehr als einer Ursache ist und sein muß, so ist doch das Allerverdrüßlichste daran, daß er unsern Aufenthalt in Venedig zu verlängern droht. Von dieser anfangenden Leidenschaft erwarte ich viel mehr Gutes als Schlimmes. Sie ist vielleicht das kräftigste Mittel, den Prinzen von seinen metaphysischen Träumereien wieder zur ordinären Menschheit herabzuziehen: sie wird, hoffe ich, die gewöhnliche Krise haben und, wie eine künstliche Krankheit, auch die alte mit sich hinwegnehmen.

Leben Sie wohl, liebster Freund. Ich habe Ihnen alles dies nach frischer Tat hingeschrieben. Die Post geht sogleich; Sie werden diesen Brief mit dem vorhergehenden an *einem* Tage erhalten.

Baron von F*** an den Grafen O**

Sechster Brief

20. Julius

Dieser Civitella ist doch der dienstfertigste Mensch von der Welt. Der Prinz hatte mich neulich kaum verlassen, als schon ein Billett von dem Marchese erschien, worin mir die bewußte Sache aufs dringendste empfohlen wurde. Ich schickte ihm sogleich eine Verschreibung in des Prinzen Namen auf 6000 Zechinen; in weniger als einer halben Stunde folgte sie zurück nebst der doppelten Summe, in Wechseln sowohl als barem Gelde. In diese Erhöhung der Summe willigte endlich auch der Prinz; die Verschreibung aber, die nur auf sechs Wochen gestellt war, mußte angenommen werden.

Diese ganze Woche ging in Erkundigungen nach der geheimnisvollen Griechin hin. Biondello setzte alle seine Maschinen in Bewegung, bis jetzt aber war alles vergeblich. Den Gondolier machte er zwar ausfindig; aus diesem war aber nichts weiter herauszubringen, als daß er beide Damen auf der Insel Murano ausgesetzt habe, wo zwei Sänften auf sie gewartet hätten, in die sie gestiegen seien. Er machte sie zu Engländerinnen, weil sie eine fremde Sprache gesprochen und ihn mit Gold bezahlt hätten. Auch ihren Begleiter kenne er nicht; er komme ihm vor wie ein Spiegelfabrikant aus Murano. Nun wußten wir wenigstens, daß wir sie nicht in der Giudecca zu suchen hätten und daß sie aller Wahrscheinlichkeit nach auf der Insel Murano zu Hause sei; aber das Unglück war, daß die Beschreibung, welche der Prinz von ihr machte, schlechterdings nicht dazu taugte, sie einem Dritten kenntlich zu machen. Gerade die leidenschaftliche Aufmerksamkeit, womit er ihren Anblick gleichsam verschlang, hatte ihn gehindert, sie zu *sehen*; für alles das, worauf andre Menschen ihr Augenmerk vorzüglich würden gerichtet haben, war er ganz blind gewesen; nach seiner Schilderung war man eher versucht, sie im Ariost oder Tasso als auf einer venezianischen Insel zu suchen. Außerdem mußte diese Nachfrage mit größter Vorsicht geschehen, um kein anstößiges Aufsehen zu erregen. Weil Biondello außer dem Prinzen der einzige war, der sie, durch den Schleier wenigstens, gesehen hatte und also wieder erkennen konnte, so suchte er, wo möglich an allen Orten, wo sie vermutet werden konnte, zu gleicher Zeit zu sein; das Leben des armen Menschen war diese ganze Woche über nichts als ein beständiges Rennen durch alle Straßen von Venedig. In der griechischen Kirche besonders wurde keine Nachforschung gespart, aber alles mit gleich schlechtem Erfolge; und der Prinz, dessen Ungeduld mit jeder fehlgeschlagenen Erwartung stieg, mußte sich endlich doch noch auf den nächsten Sonnabend vertrösten.

Seine Unruhe war schrecklich. Nichts zerstreute ihn, nichts vermochte ihn zu fesseln. Sein ganzes Wesen war in fiebrischer Bewegung, für alle Gesellschaft war er verloren, und das Übel wuchs in der Einsamkeit. Nun wurde er gerade nie mehr von Besuchern belagert als eben in dieser Woche. Sein naher Abschied war angekündigt, alles drängte sich herbei. Man mußte diese Menschen beschäftigen, um ihre argwöhnische Aufmerksamkeit von ihm abzuziehen; man mußte *ihn* beschäftigen, um seinen Geist zu zerstreuen. In diesem Bedrängnis verfiel Civitella auf das Spiel, und um die Menge wenigstens zu entfernen, sollte hoch gespielt werden. Zugleich hoffte er, bei dem Prinzen einen vorübergehenden Geschmack an dem Spiel zu erwecken, der diesen romanhaften Schwung seiner Leidenschaft bald ersticken und den man immer in der Gewalt haben würde, ihm wieder zu benehmen. »Die Karten«, sagte Civitella, »haben mich vor mancher Torheit bewahrt, die ich im Begriff war zu begehen, manche wieder gutgemacht, die schon begangen war. Die Ruhe, die Vernunft, um die mich ein Paar schöne Augen brachten, habe ich oft am Pharotisch wiedergefunden, und nie hatten die Weiber mehr Gewalt über mich, als wenn mirs an Geld gebrach, um zu spielen.«

Ich lasse dahingestellt sein, inwieweit Civitella recht hatte – aber das Mittel, worauf wir gefallen waren, fing bald an, noch gefährlicher zu werden als das Übel, dem es abhelfen sollte. Der Prinz, der dem Spiel nur allein durch hohes Wagen einen flüchtigen Reiz zu geben wußte, fand bald keine Grenzen mehr darin. Er war einmal aus seiner Ordnung. Alles, was er tat, nahm eine leidenschaftliche Gestalt an; alles geschah mit der ungeduldigen Heftigkeit, die jetzt in ihm herrschte. Sie kennen seine Gleichgültigkeit gegen das Geld; hier wurde sie zur gänzlichen Unempfindlichkeit. Goldstücke zerrannen wie Wassertropfen in seinen Händen. Er verlor fast ununterbrochen, weil er ganz und gar ohne Aufmerksamkeit spielte. Er verlor ungeheure Summen, weil er wie ein verzweifelter Spieler wagte. – Liebster O**, mit Herzklopfen schreib ich es nieder – in vier Tagen waren die 12000 Zechinen – und noch darüber verloren.

Machen Sie mir keine Vorwürfe. Ich klage mich selbst genug an. Aber konnt ich es hindern? Hörte mich der Prinz? Konnte ich etwas anders, als ihm Vorstellungen tun? Ich tat, was in meinem Vermögen stand. Ich kann mich nicht schuldig finden.

Auch Civitella verlor beträchtlich; ich gewann gegen sechshundert Zechinen. Das beispiellose Unglück des Prinzen machte Aufsehen; um so weniger konnte er jetzt das Spiel verlassen. Civitella, dem man die Freude ansieht, ihn zu verbinden, streckte ihm sogleich die nämliche Summe vor. Die Lücke ist zugestopft; aber der Prinz ist dem Marchese 24000 Zechinen schuldig. O wie sehne ich mich nach dem Spargeld der frommen Schwester! – Sind alle Fürsten so, liebster Freund? Der Prinz beträgt sich nicht anders, als wenn er dem Marchese noch eine große Ehre erwiesen hätte, und dieser – spielt seine Rolle wenigstens gut.

Civitella suchte mich damit zu beruhigen, daß gerade diese Übertreibung, dieses außerordentliche Unglück das kräftigste Mittel sei, den Prinzen wieder zur Vernunft zu bringen.

Mit dem Gelde habe es keine Not. Er selbst fühle diese Lücke gar nicht und stehe dem Prinzen jeden Augenblick mit noch dreimal soviel zu Diensten. Auch der Kardinal gab mir die Versicherung, daß die Gesinnung seines Neffen aufrichtig sei und daß er selbst bereit stehe, für ihn zu gewähren.

Das Traurigste war, daß diese ungeheuren Aufopferungen ihre Wirkung nicht einmal erreichten. Man sollte meinen, der Prinz habe wenigstens mit Teilnehmung gespielt. Nichts weniger. Seine Gedanken waren weit weg, und die Leidenschaft, die wir unterdrücken wollten, schien von seinem Unglück im Spiele nur mehr Nahrung zu erhalten. Wenn ein entscheidender Streich geschehen sollte und alles sich voll Erwartung um seinen Spieltisch herum drängte, suchten seine Augen Biondello, um ihm die Neuigkeit, die er etwa mitbrächte, von dem Angesicht zu stehlen. Biondello brachte immer nichts – und das Blatt verlor immer.

Das Geld kam übrigens in sehr bedürftige Hände. Einige Exzellenza, die, wie die böse Welt ihnen nachsagt, ihr frugales Mittagsmahl in der Senatormütze selbst von dem Markte nach Hause tragen, traten als Bettler in unser Haus und verließen es als wohlhabende Leute. Civitella zeigte sie mir. »Sehen Sie,« sagte er, »wie vielen armen Teufeln es zugute kommt, daß es einem gescheiten Kopf einfällt, nicht bei sich selbst zu sein! Aber das gefällt mir. Das ist fürstlich und königlich! Ein großer Mensch muß auch in seinen Verirrungen noch Glückliche machen und wie ein übertretender Strom die benachbarten Felder befruchten.«

Civitella denkt brav und edel – aber der Prinz ist ihm 24000 Zechinen schuldig!

Der so sehnlich erwartete Sonnabend erschien endlich, und mein Herr ließ sich nicht abhalten, sich gleich nach Mittag in der ***Kirche einzufinden. Der Platz wurde in eben der Kapelle genommen, wo er seine Unbekannte das erste Mal gesehen hatte, doch so, daß er ihr nicht sogleich in die Augen fallen konnte. Biondello hatte Befehl, an der Kirchtüre Wache zu stehn und dort mit dem Begleiter der Dame Bekanntschaft anzuknüpfen. Ich hatte auf mich genommen, als ein unverdächtiger Vorübergehender bei der Rückfahrt in derselben Gondel Platz zu nehmen, um die Spur der Unbekannten weiter zu verfolgen, wenn das übrige mißlingen sollte. An demselben Orte, wo sie sich nach des Gondoliers Aussage das vorige Mal hatte aussetzen lassen, wurden zwei Sänften gemietet; zum Überfluß hieß der Prinz noch den Kammerjunker von Z*** in einer besonderen Gondel nachfolgen. Der Prinz selbst wollte ganz ihrem Anblick leben und, wenn es anginge, sein Glück in der Kirche versuchen. Civitella blieb ganz weg, weil er bei dem Frauenzimmer in Venedig in zu übelm Rufe steht, um durch seine Einmischung die Dame nicht mißtrauisch zu machen. Sie sehen, liebster Graf, daß es an unsern Anstalten nicht lag, wenn die schöne Unbekannte uns entging.

Nie sind wohl in einer Kirche wärmere Wünsche getan worden als in dieser, und nie wurden sie grausamer getäuscht. Bis nach Sonnenuntergang harrte der Prinz aus, von jedem Geräusche, das seiner Kapelle nahekam, von jedem Knarren der Kirchtüre in Erwartung gesetzt – sieben volle Stunden – und keine Griechin. Ich sage Ihnen nichts von seiner Gemütslage. Sie wissen, was eine fehlgeschlagene Hoffnung ist – und eine Hoffnung, von der man sieben Tage und sieben Nächte fast einzig gelebt hat.

Baron von F*** an den Grafen von O**

Siebenter Brief

Julius

Die geheimnisvolle Unbekannte des Prinzen erinnerte den Marchese Civitella an eine romantische Erscheinung, die ihm selbst vor einiger Zeit vorgekommen war, und um den Prinzen zu zerstreuen, ließ er sich bereitfinden, sie uns mitzuteilen. Ich erzähle sie Ihnen mit seinen eignen Worten. Aber der muntre Geist, womit er alles, was er spricht, zu beleben weiß, geht freilich in meinem Vortrage verloren.

»Voriges Frühjahr«, erzählte Civitella, »hatte ich das Unglück, den spanischen Ambassadeur gegen mich aufzubringen, der in seinem siebenzigsten Jahr die Torheit begangen hatte, eine achtzehnjährige Römerin für sich allein heiraten zu wollen. Seine Rache verfolgte mich, und meine Freunde rieten mir an, mich durch eine zeitige Flucht den Wirkungen derselben zu entziehen, bis mich entweder die Hand der Natur oder eine gütliche Beilegung von diesem gefährlichen Feind befreit haben würden. Weil es mir aber doch zu schwer fiel, Venedig ganz zu entsagen, so nahm ich meinen Aufenthalt in einem entlegenen Quartier von Murano, wo ich unter einem fremden Namen ein einsames Haus bewohnte, den Tag über mich verborgen hielt und die Nacht meinen Freunden und dem Vergnügen lebte.

Meine Fenster wiesen auf einen Garten, der von der Abendseite an die Ringmauer eines Klosters stieß, gegen Morgen aber wie eine kleine Halbinsel in die Laguna hineinlag. Der Garten hatte die reizendste Anlage, ward aber wenig besucht. Des Morgens, wenn mich meine Freunde verließen, hatte ich die Gewohnheit, ehe ich mich schlafen legte, noch einige Augenblicke am Fenster zuzubringen, die Sonne über dem Golf aufsteigen zu sehen und ihr dann gute Nacht zu sagen. Wenn Sie sich diese Lust noch nicht gemacht haben, gnädigster Prinz, so empfehle ich Ihnen diesen Standort, den ausgesuchtesten vielleicht in ganz Venedig, diese herrliche Erscheinung zu genießen. Eine purpurne Nacht liegt über der Tiefe, und ein goldener Rauch verkündigt sie von fern am Saum der Laguna. Erwartungsvoll ruhen Himmel und Meer. Zwei Winke, so steht sie da, ganz und vollkommen, und alle Wellen brennen – es ist ein entzückendes Schauspiel!

Eines Morgens, als ich mich nach Gewohnheit der Lust dieses Anblicks überlasse, entdecke ich auf einmal, daß ich nicht der einzige Zeuge desselben bin. Ich glaube Menschenstimmen im Garten zu vernehmen, und als ich mich nach dem Schall wende, nehme ich eine Gondel wahr, die an der Wasserseite landet. Wenige Augenblicke, so sehe ich Menschen im Garten hervorkommen und mit langsamen Schritten, Spaziergehenden gleich, die Allee heraufwandeln. Ich erkenne, daß es eine Mannsperson und ein Frauenzimmer ist, die einen kleinen Neger bei sich haben. Das Frauenzimmer ist weiß gekleidet, und ein Brillant spielt an ihrem Finger; mehr läßt mich die Dämmerung noch nicht unterscheiden.

Meine Neugier wird rege. Ganz gewiß eine Rendezvous und ein liebendes Paar – aber an diesem Ort und zu einer so ganz ungewöhnlichen Stunde! – denn kaum war es drei Uhr, und alles lag noch in trübe Dämmerung verschleiert. Der Einfall schien mir neu und zu einem Roman die Anlage gemacht. Ich wollte das Ende erwarten.

In den Laubgewölben des Gartens verlier ich sie bald aus dem Gesicht, und es wird lange, bis sie wieder erscheinen. Ein angenehmer Gesang erfüllt unterdessen die Gegend. Er kam von dem Gondolier, der sich auf diese Weise die Zeit in seiner Gondel verkürzte und dem von einem Kameraden aus der Nachbarschaft geantwortet wurde. Es waren Stanzen aus dem Tasso; Zeit und Ort stimmten harmonisch dazu, und die Melodie verklang lieblich in der allgemeinen Stille.

Mittlerweile war der Tag angebrochen, und die Gegenstände ließen sich deutlicher erkennen. Ich suche meine Leute. Hand in Hand gehen sie jetzt eine breite Allee hinauf und bleiben öfters stehen, aber sie haben den Rücken gegen mich gekehrt, und ihr Weg entfernt sie von meiner Wohnung. Der Anstand ihres Ganges läßt mich auf einen vornehmen Stand und ein edler engelschöner Wuchs auf eine ungewöhnliche Schönheit schließen. Sie sprachen wenig, wie mir schien, die Dame jedoch mehr als ihr Begleiter. An dem Schauspiel des Sonnenaufgangs, das sich jetzt eben in höchster Pracht über ihnen verbreitete, schienen sie gar keinen Anteil zu nehmen.

Indem ich meinen Tubus herbeihole und richte, um mir diese sonderbare Erscheinung so nahe zu bringen als möglich, verschwinden sie plötzlich wieder in einem Seitenweg, und eine lange Zeit vergeht, ehe ich sie wieder erblicke. Die Sonne ist nun ganz aufgegangen, sie kommen dicht unter mir vor und sehen mir gerade entgegen. --- Welche himmlische Gestalt erblicke ich! – War es das Spiel meiner Einbildung, war es die Magie der Beleuchtung? Ich glaubte ein überirdisches Wesen zu sehen, und mein Auge floh zurück, geschlagen von dem blendenden Licht. – So viel Anmut bei so viel Majestät! So viel Geist und Adel bei so viel blühender Jugend! – Umsonst versuch ich, es Ihnen zu beschreiben. Ich kannte keine Schönheit vor diesem Augenblick.

Das Interesse des Gesprächs verweilt sie in meiner Nähe, und ich habe volle Muße, mich in dem wundervollen Anblick zu verlieren. Kaum aber sind meine Blicke auf ihren Begleiter gefallen, so ist selbst diese Schönheit nicht mehr imstande, sie zurückzurufen. Er schien mir ein Mann zu sein in seinen besten Jahren, etwas hager und von großer edler Statur – aber von keiner Menschenstirne strahlte mir noch so viel Geist, so viel Hohes, so viel Göttliches entgegen. Ich selbst, obgleich vor aller Entdeckung gesichert, vermochte es nicht, dem durchbohrenden Blick standzuhalten, der unter den finstern Augenbrauen blitzewerfend hervorschoß. Um seine Augen lag eine stille rührende Traurigkeit, und ein Zug des Wohlwollens um die Lippen milderte den trüben Ernst, der das ganze Gesicht überschattete. Aber ein gewisser Schnitt des Gesichts, der nicht europäisch war, verbunden mit einer Kleidung, die aus den verschiedensten Trachten, aber mit einem Geschmacke, den niemand ihm nachahmen wird, kühn und glücklich gewählt war, gaben ihm eine Miene von Sonderbarkeit, die den außerordentlichen Eindruck seines ganzen Wesens nicht wenig erhöhte. Etwas Irres in seinem Blicke konnte einen Schwärmer vermuten lassen, aber Gebärden und äußrer Anstand verkündigten einen Mann, den die Welt ausgebildet hat.«

Z***, der, wie Sie wissen, alles heraussagen muß, was er denkt, konnte hier nicht länger an sich halten. »Unser Armenier!« rief er aus. »Unser ganzer Armenier, niemand anders!«

»Was für ein Armenier, wenn man fragen darf?« sagte Civitella.

›Hat man Ihnen die Farce noch nicht erzählt?‹ sagte der Prinz. ›Aber keine Unterbrechung! Ich fange an, mich für Ihren Mann zu interessieren. Fahren Sie fort in Ihrer Erzählung.‹

»Etwas Unbegreifliches war in seinem Betragen. Seine Blicke ruhten mit Bedeutung, mit Leidenschaft auf ihr, wenn sie wegsah, und sie fielen zu Boden, wenn sie auf die ihrigen trafen. Ist dieser Mensch von Sinnen? dachte ich. Eine Ewigkeit wollt ich stehen und nichts anders betrachten.

Das Gebüsche raubte sie mir wieder. Ich wartete lange, lange, sie wieder hervorkommen zu sehen, aber vergebens. Aus einem andern Fenster endlich entdeck ich sie aufs neue.

Vor einem Bassin standen sie, in einer gewissen Entfernung voneinander, beide in tiefes Schweigen verloren. Sie mochten schon ziemlich lange in dieser Stellung gestanden haben. Ihr offnes seelenvolles Auge ruhte forschend auf ihm und schien jeden aufkeimenden Gedanken von seiner Stirne zu nehmen. Er, als ob er nicht Mut genug in sich fühlte, es aus der ersten Hand zu empfangen, suchte verstohlen ihr Bild in der spiegelnden Flut oder blickte starr auf den Delphin, der das Wasser in das Becken spritzte. Wer weiß, wie lang dieses stumme Spiel noch gedauert haben würde, wenn die Dame es hätte aushalten können? Mit der liebenswürdigsten Holdseligkeit ging das schöne Geschöpf auf ihn zu, faßte, den Arm um seinen Nacken flechtend, eine seiner Hände und führte sie zum Munde. Gelassen ließ der kalte Mensch es geschehen, und ihre Liebkosung blieb unerwidert.

Aber es war etwas an diesem Auftritt, was mich rührte. Der Mann war es, was mich rührte. Ein heftiger Affekt schien in seiner Brust zu arbeiten, eine unwiderstehliche Gewalt ihn zu ihr hinzuziehen, ein verborgener Arm ihn zurückzureißen. Still, aber schmerzhaft war dieser Kampf, und die Gefahr so schön an seiner Seite. Nein, dacht ich, er unternimmt zu viel. Er wird, er muß unterliegen.

Auf einen heimlichen Wink von ihm verschwindet der kleine Neger. Ich erwarte nun einen Auftritt von empfindsamer Art, eine knieende Abbitte, eine mit tausend Küssen besiegelte Versöhnung. Nichts von dem allen. Der unbegreifliche Mensch nimmt aus einem Portefeuille ein versiegeltes Paket und gibt es in die Hände der Dame. Trauer überzieht ihr Gesicht, da sie es ansieht, und eine Träne schimmert in ihrem Auge.

Nach einem kurzen Stillschweigen brechen sie auf. Aus einer Seitenallee tritt eine bejahrte Dame zu ihnen, die sich die ganze Zeit über entfernt gehalten hatte und die ich jetzt erst entdecke. Langsam gehen sie hinab, beide Frauenzimmer in Gespräch miteinander, währenddessen er der Gelegenheit wahrnimmt, unvermerkt hinter ihnen zurückzubleiben. Unschlüssig und mit starrem Blick nach ihr hingewendet, steht er und geht und steht wieder. Auf einmal ist er weg im Gebüsche.

Vorn sieht man sich endlich um. Man scheint unruhig, ihn nicht mehr zu finden, und steht stille, wie es scheint, ihn zu erwarten. Er kommt nicht. Die Blicke irren ängstlich umher, die Schritte verdoppeln sich. Meine Augen helfen den ganzen Garten durchsuchen. Er bleibt aus. Er ist nirgends.

Auf einmal hör ich am Kanal etwas rauschen, und eine Gondel stößt vom Ufer. Er ists, und mit Mühe enthalt ich mich, es ihr zuzuschreien. Jetzt also wars am Tage – es war eine Abschiedsszene.

Sie schien zu ahnen, was ich wußte. Schneller, als die andre ihr folgen kann, eilt sie nach dem Ufer. Zu spät. Pfeilschnell fliegt die Gondel dahin, und nur ein weißes Tuch flattert noch fern in den Lüften. Bald darauf seh ich auch die Frauenzimmer überfahren.

Als ich von einem kurzen Schlummer erwachte, mußte ich über meine Verblendung lachen. Meine Phantasie hatte diese Begebenheit im Traum fortgesetzt, und nun wurde mir auch die Wahrheit zum Traume. Ein Mädchen, reizend wie eine Houri, die vor Tagesanbruch in einem abgelegenen Garten vor meinem Fenster mit ihrem Liebhaber lustwandelt, ein Liebhaber, der von einer solchen Stunde keinen bessern Gebrauch zu machen weiß, dies schien mir eine Komposition zu sein, welche höchstens die Phantasie eines Träumenden wagen und entschuldigen konnte. Aber der Traum war zu schön gewesen, um ihn nicht so oft als möglich zu erneuern, und auch der Garten war mir jetzt lieber geworden, seitdem ihn meine Phantasie mit so reizenden Gestalten bevölkert hatte. Einige unfreundliche Tage, die auf diesen Morgen folgten, verscheuchten mich von dem Fenster, aber der erste heitre Abend zog mich unwillkürlich dahin. Urteilen Sie von meinem Erstaunen, als mir nach kurzem Suchen das weiße Gewand meiner Unbekannten entgegenschimmerte. Sie war es selbst. Sie war wirklich. Ich hatte nicht bloß geträumt.

Die vorige Matrone war bei ihr, die einen kleinen Knaben führte; sie selbst aber ging in sich gekehrt und seitwärts. Alle Plätze wurden besucht, die ihr noch vom vorigen Male her durch ihren Begleiter merkwürdig waren. Besonders lange verweilte sie an dem Bassin, und ihr starr hingeheftetes Auge schien das geliebte Bild vergebens zu suchen.

Hatte mich diese hohe Schönheit das erste Mal hingerissen, so wirkte sie heute mit einer sanftern Gewalt auf mich, die nicht weniger stark war. Ich hatte jetzt vollkommene Freiheit, das himmlische Bild zu betrachten; das Erstaunen des ersten Anblicks machte unvermerkt einer süßen Empfindung Platz. Die Glorie um sie verschwindet, und ich sehe in ihr nichts mehr als das schönste aller Weiber, das meine Sinne in Glut setzt. In diesem Augenblick ist es beschlossen. Sie muß mein sein.

Indem ich bei mir selbst überlege, ob ich hinuntergehe und

mich ihr nähere oder, eh ich dieses wage, erst Erkundigungen von ihr einziehe, öffnet sich eine kleine Pforte an der Klostermauer, und ein Karmelitermönch tritt aus derselben. Auf das Geräusch, das er macht, verläßt die Dame ihren Platz, und ich sehe sie mit lebhaften Schritten auf ihn zugehen. Er zieht ein Papier aus dem Busen, wornach sie begierig hascht, und eine lebhafte Freude scheint in ihr Angesicht zu fliegen.

In eben diesem Augenblick treibt mich mein gewöhnlicher Abendbesuch von dem Fenster. Ich vermeide es sorgfältig, weil ich keinem andern diese Eroberung gönne. Eine ganze Stunde muß ich in dieser peinlichen Ungeduld aushalten, bis es mir endlich gelingt, diese Überlästigen zu entfernen. Ich eile an mein Fenster zurück, aber verschwunden ist alles!

Der Garten ist ganz leer, als ich hinunter gehe. Kein Fahrzeug mehr im Kanal. Nirgends eine Spur von Menschen. Ich weiß weder, aus welcher Gegend sie kam, noch wohin sie gegangen ist. Indem ich, die Augen aller Orten herumgewandt, vor mich hinwandle, schimmert mir von fern etwas Weißes im Sand entgegen. Wie ich hinzutrete, ist es ein Papier, in Form eines Briefs geschlagen. Was konnte es anders sein als der Brief, den der Karmeliter ihr überbracht hatte? ›Glücklicher Fund‹, rief ich aus. ›Dieser Brief wird mir das Geheimnis aufschließen, er wird mich zum Herrn ihres Schicksals machen.‹

Der Brief war mit einer Sphinx gesiegelt, ohne Überschrift und in Chiffern verfaßt; dies schreckte mich aber nicht ab, weil ich mich auf das Dechiffrieren verstehe. Ich kopiere ihn geschwind, denn es war zu erwarten, daß sie ihn bald vermissen und zurückkommen würde, ihn zu suchen. Fand sie ihn nicht mehr, so mußte ihr dies ein Beweis sein, daß der Garten von mehreren Menschen besucht würde, und diese Entdekkung konnte sie leicht auf immer daraus verscheuchen. Was konnte meiner Hoffnung Schlimmers begegnen?

Was ich vermutet hatte, geschah. Ich war mit meiner Kopie

kaum zu Ende, so erschien sie wieder mit ihrer vorigen Begleiterin, beide ängstlich suchend. Ich befestige den Brief an einem Schiefer, den ich vom Dache losmache, und lasse ihn an einen Ort herabfallen, an dem sie vorbei muß. Ihre schöne Freude, als sie ihn findet, belohnt mich für meine Großmut. Mit scharfem, prüfendem Blick, als wollte sie die unheilige Hand daran ausspähen, die ihn berührt haben konnte, musterte sie ihn von allen Seiten; aber die zufriedene Miene, mit der sie ihn einsteckte, bewies, daß sie ganz ohne Arges war. Sie ging, und ein zurückfallender Blick ihres Auges nahm einen dankbaren Abschied von den Schutzgöttern des Gartens, die das Geheimnis ihres Herzens so treu gehütet hatten.

Jetzt eilte ich, den Brief zu entziffern. Ich versuchte es mit mehrern Sprachen; endlich gelang es mir mit der englischen. Sein Inhalt war mir so merkwürdig, daß ich ihn auswendig behalten habe.« –

Ich werde unterbrochen. Den Schluß ein andermal.

Baron von F*** an den Grafen von O**

Achter Brief

August

Nein, liebster Freund. Sie tun dem guten Biondello unrecht. Gewiß, Sie hegen einen falschen Verdacht. Ich gebe Ihnen alle Italiener preis, aber dieser ist ehrlich.

Sie finden es sonderbar, daß ein Mensch von so glänzenden Talenten und einer so exemplarischen Aufführung sich zum Dienen herabsetze, wenn er nicht geheime Absichten dabei habe; und daraus ziehen Sie den Schluß, daß diese Absichten verdächtig sein müssen. Wie? Ist es denn so etwas Neues, daß ein Mensch von Kopf und Verdiensten sich einem Fürsten gefällig zu machen sucht, der es in der Gewalt hat, sein Glück zu machen? Ist es etwa entehrend, ihm zu dienen? Läßt Bion-

dello nicht deutlich genug merken, daß seine Anhänglichkeit an den Prinzen persönlich sei? Er hat ihm ja gestanden, daß er eine Bitte an ihn auf dem Herzen habe. Diese Bitte wird uns ohne Zweifel das ganze Geheimnis erklären. Geheime Absichten mag er immer haben; aber können diese nicht unschuldig sein?
Es befremdet Sie, daß dieser Biondello in den ersten Monaten, und das waren die, in denen Sie uns Ihre Gegenwart noch schenkten, alle die großen Talente, die er jetzt an den Tag kommen lasse, verborgen gehalten und durch gar nichts die Aufmerksamkeit auf sich gezogen habe. Das ist wahr; aber wo hätte er damals Gelegenheit gehabt, sich auszuzeichnen? Der Prinz bedurfte seiner ja noch nicht, und seine übrigen Talente mußte der Zufall uns entdecken.
Aber er hat uns ganz kürzlich einen Beweis seiner Ergebenheit und Redlichkeit gegeben, der alle Ihre Zweifel zu Boden schlagen wird. Man beobachtet den Prinzen. Man sucht geheime Erkundigungen von seiner Lebensart, von seinen Bekanntschaften und Verhältnissen einzuziehen. Ich weiß nicht, wer diese Neugierde hat. Aber hören Sie an.
Es ist hier in St. Georg ein öffentliches Haus, wo Biondello öfters aus und ein geht; er mag da etwas Liebes haben; ich weiß es nicht. Vor einigen Tagen ist er auch da, er findet eine Gesellschaft beisammmen, Advokaten und Offizianten der Regierung, lustige Brüder und alte Bekannte von sich. Man verwundert sich, man ist erfreut, ihn wiederzusehen. Die alte Bekanntschaft wird erneuert, jeder erzählt seine Geschichte bis auf diesen Augenblick, Biondello soll auch die seinige zum besten geben. Er tut es in wenig Worten. Man wünscht ihm Glück zu seinem neuen Etablissement, man hat von der glänzenden Lebensart des Prinzen von *** schon erzählen hören, von seiner Freigebigkeit gegen Leute besonders, die ein Geheimnis zu bewahren wissen; seine Verbindung mit dem Kardinal A***i ist weltbekannt, er liebt das Spiel, usw. Biondello stutzt. – Man scherzt mit ihm, daß er den Geheim-

nisvollen mache, man wisse doch, daß er der Geschäftsträger des Prinzen von *** sei; die beiden Advokaten nehmen ihn in die Mitte; die Flasche leert sich fleißig – man nötigt ihn, zu trinken; er entschuldigt sich, weil er keinen Wein vertrage, trinkt aber doch, um sich zum Schein zu betrinken.

»Ja,« sagte endlich der eine Advokat, »Biondello versteht sein Handwerk; aber ausgelernt hat er noch nicht, er ist nur ein Halber.«

›Was fehlt mir noch?‹ fragte Biondello.

»Er versteht die Kunst,« sagte der andre, »ein Geheimnis bei sich zu behalten, aber die andre noch nicht, es mit Vorteil wieder loszuwerden.«

›Sollte sich ein Käufer dazu finden?‹ fragte Biondello.

Die übrigen Gäste zogen sich hier aus dem Zimmer, er blieb tête-à-tête mit seinen beiden Leuten, die nun mit der Sprache herausgingen. Daß ich es kurz mache, er sollte ihnen über den Umgang des Prinzen mit dem Kardinal und seinem Neffen Aufschlüsse verschaffen, ihnen die Quelle angeben, woraus der Prinz Geld schöpfe, und ihnen die Briefe, die an den Grafen von O** geschrieben würden, in die Hände spielen. Biondello beschied sie auf ein andermal; aber wer sie angestellt habe, konnte er nicht aus ihnen herausbringen. Nach den glänzenden Anerbietungen, die ihm gemacht wurden, zu schließen, mußte die Nachfrage von einem sehr reichen Mann herrühren.

Gestern abend entdeckte er meinem Herrn den ganzen Vorfall. Dieser war anfangs willens, die Unterhändler kurz und gut beim Kopf nehmen zu lassen; aber Biondello machte Einwendungen. Auf freien Fuß würde man sie doch wieder stellen müssen, und dann habe er seinen ganzen Kredit unter dieser Klasse, vielleicht sein Leben selbst in Gefahr gesetzt. Alle dieses Volk hange unter sich zusammen, alle stehen für einen; er wolle lieber den hohen Rat in Venedig zum Feind haben, als unter ihnen für einen Verräter verschrieen wer-

den; er würde dem Prinzen auch nicht mehr nützlich sein können, wenn er das Vertrauen dieser Volksklasse verloren hätte.
Wir haben hin und her geraten, von wem dies wohl kommen möchte. Wer ist in Venedig, dem daran liegen kann, zu wissen, was mein Herr einnimmt und ausgibt, was er mit dem Kardinal A***i zu tun hat undwas ich Ihnen schreibe? Sollte es gar noch ein Vermächtnis von dem Prinzen von **d** sein? Oder regt sich etwa der Armenier wieder?

Baron von F*** an den Grafen von O**

Neunter Brief

August

Der Prinz schwimmt in Wonne und Liebe. Er hat seine Griechin wieder. Hören Sie, wie dies zugegangen ist.
Ein Fremder, der über Chiozza gekommen war und von der schönen Lage dieser Stadt am Golf viel zu erzählen wußte, machte den Prinzen neugierig, sie zu sehen. Gestern wurde dies ausgeführt, und um allen Zwang und Aufwand zu vermeiden, sollte niemand ihn begleiten als Z*** und ich nebst Biondello, und mein Herr wollte unbekannt bleiben. Wir fanden ein Fahrzeug, das eben dahin abging, und mieteten uns darauf ein. Die Gesellschaft war sehr gemischt, aber unbedeutend, und die Hinreise hatte nichts Merkwürdiges.
Chiozza ist auf eingerammten Pfählen gebaut, wie Venedig, und soll gegen vierzigtausend Einwohner zählen. Adel findet man wenig, aber bei jedem Tritte stößt man auf Fischer oder Matrosen. Wer eine Perücke und einen Mantel trägt, heißt ein Reicher; Mütze und Überschlag sind das Zeichen eines Armen. Die Lage der Stadt ist schön, doch darf man Venedig nicht gesehen haben.
Wir verweilten uns nicht lange. Der Patron, der noch mehr Passagiers hatte, mußte zeitig wieder in Venedig sein, und

den Prinzen fesselte nichts in Chiozza. Alles hatte seinen Platz schon im Schiffe genommen, als wir ankamen. Weil sich die Gesellschaft auf der Herfahrt so beschwerlich gemacht hatte, so nahmen wir diesmal ein Zimmer für uns allein. Der Prinz erkundigte sich, wer noch mehr da sei? Ein Dominikaner, war die Antwort, und einige Damen, die retour nach Venedig gingen. Mein Herr war nicht neugierig, sie zu sehen, und nahm sogleich sein Zimmer ein.

Die Griechin war der Gegenstand unsers Gesprächs auf der Herfahrt gewesen, und sie war es auch auf der Rückfahrt. Der Prinz wiederholte sich ihre Erscheinung in der Kirche mit Feuer; Plane wurden gemacht und verworfen; die Zeit verstrich wie ein Augenblick; ehe wir es uns versahen, lag Venedig vor uns. Einige von den Passagiers stiegen aus, der Dominikaner war unter diesen. Der Patron ging zu den Damen, die, wie wir jetzt erst erfuhren, nur durch ein dünnes Brett von uns geschieden waren, und fragte sie, wo er anlegen sollte. »Auf der Insel Murano«, war die Antwort, und das Haus wurde genannt. – »Insel Murano!« rief der Prinz, und ein Schauer der Ahnung schien durch seine Seele zu fliegen. Eh ich ihm antworten konnte, stürzte Biondello herein. »Wissen Sie auch, in welcher Gesellschaft wir reisen?« Der Prinz sprang auf – »Sie ist hier! Sie selbst!« fuhr Biondello fort. »Ich komme eben von ihrem Begleiter.«

Der Prinz drang hinaus. Das Zimmer ward ihm zu enge, die ganze Welt wär es ihm in diesem Augenblick gewesen. Tausend Empfindungen stürmten in ihm, seine Knie zitterten, Röte und Blässe wechselten in seinem Gesichte. Ich zitterte erwartungsvoll mit ihm. Ich kann Ihnen diesen Zustand nicht beschreiben.

In Murano ward angehalten. Der Prinz sprang ans Ufer. Sie kam. Ich las im Gesicht des Prinzen, daß sie's war. Ihr Anblick ließ mir keinen Zweifel übrig. Eine schönere Gestalt hab ich nie gesehen; alle Beschreibungen des Prinzen waren unter der Wirklichkeit geblieben. Eine glühende Röte über-

zog ihr Gesicht, als sie den Prinzen ansichtig wurde. Sie hatte unser ganzes Gespräch hören müssen, sie konnte auch nicht zweifeln, daß sie der Gegenstand desselben gewesen sei. Mit einem bedeutenden Blicke sah sie ihre Begleiterin an, als wollte sie sagen: das ist er! und mit Verwirrung schlug sie die Augen nieder. Ein schmales Brett ward vom Schiff an das Ufer gelegt, über welches sie zu gehen hatte. Sie schien ängstlich, es zu betreten – aber weniger, wie mir vorkam, weil sie auszugleiten fürchtete, als weil sie es ohne fremde Hilfe nicht konnte und der Prinz schon den Arm ausstreckte, ihr beizustehn. Die Not siegte über diese Bedenklichkeit. Sie nahm seine Hand an und war am Ufer. Die heftige Gemütsbewegung, in der der Prinz war, machte ihn unhöflich; die andre Dame, die auf den nämlichen Dienst wartete, vergaß er – was hätte er in diesem Augenblick nicht vergessen? Ich erwies ihr endlich diesen Dienst, und dies brachte mich um das Vorspiel einer Unterredung, die sich zwischen meinem Herrn und der Dame angefangen hatte.
Er hielt noch immer ihre Hand in der seinigen – aus Zerstreuung, denke ich, und ohne daß er es selbst wußte.
»Es ist nicht das erste Mal, Signora, daß – daß ...« Er konnte es nicht heraussagen.
»Ich sollte mich erinnern«, lispelte sie –
»In der ***Kirche«, sagte er –
»In der ***Kirche war es«, sagte sie –
»Und konnte ich mir heute vermuten – – Ihnen no nahe ...«
Hier zog sie ihre Hand leise aus der seinigen – Er verwirrte sich augenscheinlich. Biondello, der indes mit dem Bedienten gesprochen hatte, kam ihm zu Hilfe.
»Signor, »fing er an, »die Damen haben Sänften hieher bestellt; aber wir sind früher zurückgekommen, als sie sichs vermuteten. Es ist hier ein Garten in der Nähe, wo Sie so lange eintreten können, um dem Gedränge auszuweichen.«
Der Vorschlag ward angenommen, und Sie können denken,

gebe es am Ende gar keine Wydli mehr. Dann was machen? Das möchte er wissen, das solle ihm doch einer sagen!
Daß sein Töchterlein größer wurde, aus einem Kinde ein erwachsen Meitschi, das merkte Barthli lange nicht, und als man es ihm zu merken gab, wollte er es erst nicht glauben. Züsi blieb wirklich wundersam lang ein anspruchloses Mädchen und plagte den Vater nicht mit Begehrlichkeiten, wie viele Mädchen alsbald damit anfangen, sobald sie entwöhnt sind. Es kam ganz spöttisch schlecht daher, sein dünnes Kitteli war manchmal einen halben Fuß und mehr zu kurz, denn das Mädchen wuchs, vom übrigen Firlefanz war keine Rede, und das Meitschi plagte den Vater nicht damit. Sie seien gar grusam arm, der Vater vermöge das nicht, pflegte es zu sagen, wenn eine Gespielin ihns fragte, ob es dieses und jenes nicht anschaffen wolle? Mit den Kleidern zum ersten Abendmahl, wo sonst so gerne der Teufel sich einmischt und Streit stiftet, wo gerade der Friede anfangen soll, hatte eine Gotte nachgeholfen und Züsi mit einem alten Kittel und einem neuen Halstuch glücklich gemacht.
Was das Schönste an Züsi war, es schämte sich seines Vaters nie. Man sollte nicht glauben, daß dieses als etwas Besonderes anzuführen wäre, denn warum sollten sich Kinder ihrer Eltern schämen, wenn sie nichts Schlechtes machen, welches den Kindern Schande bringt? Aber man würde sich sehr irren, wenn man es so meinte, denn nur zu viele Kinder schämen sich der Eltern, haben keine Ursache dazu, sondern wegen Dummheiten und ganz besonders wegen ihrer eigenen Dummheit. Sie schämen sich derselben, weil sie altväterisch gekleidet sind, altväterisch reden, altväterisch denken, sich gebärden; aber wäre es denn schön, wenn die Alten die Jungen spielen, jung sich kleiden, jung sich gebärden wollten? Sie schämen sich ihrer, weil sie alt sind und nicht mehr jung, aber ist das gescheut oder dumm, und was hat man für ein Mittel, nicht alt zu werden, als sich jung zu hängen? Eine holdselige Erscheinung war der alte Barthli jedenfalls nicht,

und eben anmütig tat er nicht, aber Züsi wußte nichts anderes, als daß einmal der Vater so war und so tat, und ging neben ihm und saß neben ihm und aß neben ihm jetzt, als es größer war, um einen halben Batzen Suppe, und alles unbeschwert.

Es fing eher umgekehrt an zu fehlen. Ein hübsches Meitschi ward zu jeder Zeit bemerkt, es ist ein Ding, das nie außer Kurs kam und nie außer Kurs kommen wird. Man sah Züseli an, man sprach es an, und wenn Barthli mit ihm nach Bern ging, hatte das Tüfelwerk kein Ende. Da ein Küher sagte: »Meitschi, ttst ryte, hock uf e Karre, ih zieh dih.« Dort sagte einer, es solle die Körbe auflegen, sie seien ein gar unkommod Tragen. Und wenn Barthli in eine Wirtschaft kam, wollte man es dem Meitschi bringen, rühmte, wie hübsch es sei, fragte, ob es einen Schatz habe oder vielleicht schon zwei? Das trieb den Alten fast aus der Haut. Und dann noch das Meitschi obendrein, wie das ihn zornig machte! Wenn man es ihm brachte, so trank es, und man von einem Schatz sprach, so plärrete es nicht, es lachte eher. Es sei, wie wenn der Teufel in ihns gefahren, klagte er. Das Meitschi hätte sich ganz g'änderet. Das sei jetzt daheim ein Waschen und Strählen, es hätte keine Art. Ehedem sei es genug gewesen, wenn es, wie üblich und brüchlich, es alle Wochen gemacht, jetzt geschehe das in der Woche, es wisse kein Mensch, wie oft; fast allemal, wenn es von Hause gehe, müsse das Spiel angehen mit Strählen und Waschen, und dazu hätte es einen Trieb von Haus weg, er hätte das nie erlebt. Statt daß es ihm z'wider sein sollte, wenn er ihns irgendwohin schicke, lächere es ihns schier. Und mit den Kleidern fange es auch an, ihn zu plagen, und rede von Fürtüchern und Hemderen und meine, er solle neue machen lassen. Oh, selb einmal noch nicht, oben im Trögli sei noch manches Stück von seiner Alten selig, das müsse erst gebraucht sein, ehe er Neues machen lasse. Er wüßte nicht, wo das Geld nehmen dazu, er möchte jetzt schon fast gar nit g'fahre, und alle Jahre böse es noch.

Züsi konnte dem Vater nichts mehr recht machen, es hatte bös bei ihm, die Leute hatten recht Erbarmen mit ihm. Er schäme sich des Meitschis, sagte der Alte, er dürfe nirgends mehr hingehen mit ihm; wenn auf hundert Stunden herum ein Mannsvolk sei, so lache das einander an, und es sei ein Tschäder, er hätte es nie so gehört. Zu seiner Zeit sei das nicht so gewesen, er habe erst vierzehn Tage nach seiner Hochzeit z'grechtem angefangen mit seiner Frau zu reden. Wenn ers vermöchte, er ließe vor dem rueßigen Graben einen Gatter machen hundert Schuh hoch, und dahinter müßte ihm das Meitschi bleiben und könne dann seinethalb lachen, wenn ein paar Mannshosen von weitem vorbeigingen. Er tat vor den Leuten wüst mit dem Meitschi und putzte es in öffentlichen Wirtschaften aus, wenn ihns ein Mannsbild angesehen oder in einem geantwortet hatte. Das hatte Folgen, man kann es sich denken. Es gab Leute, besonders Weiber, die bedauerten das Mädchen aufrichtig und sagten es ihm auch. »Du kannst mich erbarmen,« sagten sie, »du armes Tröpfli, was du bist; er ist ein rechter Unflat gegen dich. Ich blieb nicht bei ihm, ich lief ihm fort, so gequält wollte ich nicht sein. Ein Meitschi wie du findet Platz überall, macht schönen Lohn, kommt zu Kleidern.« Es wisse in Gottes Namen nicht, was es dem Vater z'widerdienet, jammerte es dann. Es habe mit keinem Buben nichts, es lueg nebe ume soviel möglich, wenn einer daherkomme, aber daß sie es anluegten und ein Wort mit ihm redeten, dessen vermöge es sich doch weiß Gott nichts, es könne ihnen das nicht verbieten. Der Vater solle es verbieten, wenn er könne, ihm sei's recht. Daheim könne es nicht fort. Wer wollte die Sache machen, pflanzen, melken, den Hühnern die Eier greifen und finden, wo sie legen, von dem verstehe der Vater hell nichts. Aber er sei seit einiger Zeit so grusam wunderlich, es müsse ihn jemand aufweisen, aber, wer es sei, darüber könne es nicht kommen. Aber lieber sterben wolle es, als immer so dabeisein; und dazu weinte es bitterlich, und das Weinen stund ihm gar tusigs wohl an, zehnmal besser oder hundertmal als einer alten Frau das Lachen.

Etwas anderes war aber noch viel schlimmer. Eine bekannte Sache ist, daß, sobald jemand etwas Besonders haßt und dieses Hassen auf eine auffallende oder komische Weise an Tag gibt, es allen bösen Buben ein Herrenfressen ist, diesem Menschen zu machen, was er haßt, wie Schuljungen alle Hunde reizen, welche ihnen tapfer nachbellen. Es gibt immerhin einen schönen Spektakel und kostet nicht viel als allfällig ein Loch in die Hosen.

Sobald merkbar wurde, wie der alte Korber grimmig werde, wenn man sein Züsi ansehe oder mit ihm rede oder gar Miene machte, irgendwie mit ihm zu schätzelen, so wars, als seien alle bösen Geister los. Es schien dem Alten, als wolle alles mit Züsi reden. Sein Lebtag hatten sich nie so viel Leute auf dem Wege gestellt und ein Gespräch angefangen von Sonne, Mond und Sternen oder sonst von nichts und wieder nichts und dann von Tanzen, Kiltern usw. Und Züsi weinte nicht dazu, sprang nicht über die Zäune, ja, blieb manchmal sogar ebenfalls stehen, man denke! Ja, die Bursche kamen sogar bis in den rueßigen Graben, klopften an Züsis Fensterchen und baten um Einlaß. Es fehlte nicht viel, so fuhr der Alte wie eine Büchsenkugel aus dem Laufe aus der Haut durchs Fensterchen den Burschen an Kopf. Wohl, die würden gegangen sein, anders als vor des Alten Drohungen mit Schießen, Hauen und Stechen, welche weidlich verlacht wurden!

Ja, er erlebte sogar, daß er einen, als er von einer Stör heimkam abends, vor seiner Küchentüre traf, und die war nota bene offen, ganz offen, und inwendig der Türe stand sein sauberes Züsi und sprach nicht bloß mit dem Burschen, sondern sie hatten beide gelacht, er hatte es selbst gehört, und zwar mit eigenen Ohren. Wohl, das gab ein Donnerwetter von den mehbessern, und der Bursche erschrak nicht einmal schrecklich, stob nicht davon wie auf den Flügeln des Sturmwindes, sondern sagte ziemlich kaltblütig: »Alter, tue nicht so wüst! Das ist dumm, damit erschreckst mich nicht. Ich habs nicht gehört verlesen, daß es verboten sei, mit deinem Meitschi zu reden und noch dazu am heiterhellen Tage. Das Meitschi gefällt mir, und dich fürchte ich nicht, und das wirst du dir müssen gefallen lassen.« Der Alte spie Feuer, aber was halfs? Trotzig und unversehrt ging der Bursche endlich. Es war dazu nur ein Knechtlein auf einem benachbarten Hofe, aber ein gutes, wie sie rar sind in diesen Zeiten.

Man kann sich vorstellen, was das dem Alten für einen Verdruß machte, daß er die Möglichkeit erlebt, wie in seiner Abwesenheit Bursche zum Hause kommen konnten zu Züsi, und wie das mit ihnen rede und sogar lache, statt mit Ofengabeln und mutzen Besen gegen sie zu agieren. Was halfs ihm nun, wenn er des Nachts schon wachte besser als der beste Haushund, wenn sie des Tags kamen, während er auf der Stör war? Da hatte er jetzt eine Qual, welche er mit sich herumschleppen mußte, wohin er ging, daß er denken mußte: ›Ist wohl aber einer vor der Türe und lachet mit ihm? Ja, und so eine ist nüt z'gut dafür, er geyt noch einist innefür. Ude?‹ Wie konnte er davor sein, was dagegen machen? Auf die Stören mußte er, das Meitschi einschließen konnte er auch nicht, in der Stube konnte es nicht pflanzen, mit auf die Stören nehmen ging wiederum nicht wegen der Geiß und dem Gitzi, und die auch mitnehmen auf die Stör, wäre den Bauern kaum anständig gewesen; wenn er mit dem sämtlichen Haus- und Viehstand aufgezogen wäre, die Hühner noch hinterdrein, sie hätten kuriose Gesichter gemacht.

Und wenn er dann sein Elend Leuten klagte, so fand er weder Mitleiden noch Trost. »Barthli,« hieß es, »tue nit dumm und schick dich drein, du wirst die Welt mit anders machen, und Weibervolk und Mannevolk kam immer zusammen und gehört zusammen, sonst hätte unser Herrgott sie nicht so erschaffen. Und wenn schon dein Meitschi nit einem Mannsbild redet, so ist das lange noch nichts Schlechtes, und g'setzt, es nähme einen Mann, und dann? Nahmst du nicht auch eine

Frau? Du wirst es dem Meitschi nicht erwehren. Mach den Weltlauf anders, wenn du kannst!«

Das beelendete Barthli noch mehr, Religion sei keine mehr in der Welt und keine brave Manne. Er könne klagen, wie er wolle, so lache man dazu, wolle d'Sach mit Verlachen machen, statt wie ehemals mit Plärren und Beten. So komme es nicht gut, er wünsche nichts, als daß sie das gleiche an ihren Meitschene erleben müßten, es nähme ihn wunder, ob sie es dann auch nur mit Lachen machen wollten. Das gehe mit den braven Leuten akkurat wie mit den Wydleni, je weniger diesere, desto weniger auch o äyre.

Dem Meitschi war nichts vorzuwerfen, aber allgemach begann es ihm zu gehen wie der Eva im Paradies, denn jetzt waren Schlangen gekommen und als Hauptschlange gerade der Vater. Was war natürlicher, als daß, wenn der Vater über das Mannsvolk schimpfte, als ob es aus lauter Ufläte und Uhünge bestünde, es sich achtete, ob es dann wirklich so sei, genauer es ansah? Und da fand es, daß der Vater wirklich übertreibe, daß es gar nicht so übel aussehe, und als es genauer hinsah, fand es sogar recht hübsche Bursche darunter, die ihm immer besser gefielen und namentlich das Knechtlein, von dem schon früher die Rede war. Zudem hörte es gerade über diesen noch recht viel Gutes, und daß er gar kein Hudel sei und seine alte Mutter nicht vergesse. Da mußte es diesen doch wiederum ansehen, ob das wohl wahr sein könne oder etwa erlogen. Und da schien es ihm – je länger, je mehr –, erlogen könne das nicht sein, denn so b'sunderbar ein lieblich Gesicht habe es noch nie gesehen. Wenn es sich zutragen sollte, daß es ein Kind haben müßte und sogar einen Buben, so möchte es einen gerade mit einem solchen Gesicht, von wegen es wüßte dann, Vater und Mutter hätten sich seiner z'trösten im Alter.

Natürlich waren noch viele Schlangen und Schlänglein, die es lockten, zu laufen und zu reutern im Lande herum, wo es lustig zuging, oder z'leerem auf breiter Straße einem guten

Schick nach. Ach Gott, und der gute Schick dieser armen, verblendeten Tröpflein, worin besteht dann der? Wir wollen es euch sagen, ihr armen Tröpflein. Der besteht darin, einen Mann zu kriegen oder vielmehr zu pressen in Ängsten und Nöten, der nichts besitzt als eine Tabakspfeife, einen großen Zottel an der Kappe, viel Himmeldonner im Maul und namhaft Schulden beim Krämer, keine Meisterfrau zu haben, die des Morgens aufjagt und den Tag über oft sagt: »Mach! Mach!«, des Abends niederzukönnen mit den Hühnern und z'Mittag kochen zu können alles, was man hat, auf einmal, ohne sich mit dem dummen Abteilen quälen zu müssen, plauderen zu können stehenden Fußes, von einer Tagheitere zur andern, unbekümmert, wer d'Sach mache. Das ist die Herrlichkeit drei Tage oder drei Wochen lang, dann kommt das Elend: immer mehr Kinder, immer weniger Brot, immer schlechtere Kleider und bösere Worte von Mann und Kindern sechs Tage lang, am Sonntag Schläge zum Trinkgeld, schließlich das Betteln, halb nackt, Sommer und Winter, das Liegen auf schlechtem Laubsack, das schreckliche Frieren Tag und Nacht, nie mehr erwarmen können, bis der Tod kömmt, der ganz kalt macht, aber dann spürt mans doch nicht, muß nicht mehr höpperlen auf den hartgefrornen Straßen in bösen Schuhen und Strümpfen den dünnen Brotrinden nach. Das sind die Herrlichkeiten, welche auf den Heerstraßen die mannssüchtigen Mädchen erreutern, errennen.

Nun, Züseli erzwang das Reutern nicht, lief seinem Alten nicht davon. Aber wenn es des Sonntags im rueßigen Graben saß, auf der Küchenschwelle den Hühnern zusah und die Geißen weidete, so mußte es doch denken, wie es lustiger zugehen werde in der Welt als hier im rueßigen Graben. Mitzumachen begehre es nicht, dachte es, nur zusehen von weitem möchte es, um zu sehen, um zu wissen, wie es eigentlich auch ginge. Es juckte ihns wirklich manchmal, wenn der Alte schlief oder wenn er den Wydliwuchs beau-

genscheinigte in seinen Revieren, drauszulaufen und sich das Ding recht zu besehen, besonders da, wo Tanz war oder sonst berühmte Lustbarkeiten. Aber es traute sich doch nicht, Schläge hätte es bar gehabt, und es fiel ihm gar nicht ein, den Vater nicht für den Vater zu halten. Es liebte ihn eigentlich; wenn er gestorben wäre, so hätte es sich kaum trösten lassen. Und auch der Vater liebte sein Töchterlein, wenn er es schon selbst nicht wußte, es war sein Schatz und sein Kleinod, seine Plackereien eigentlich nichts als Eifersucht und Angst, es möchte ihm jemand denselben rauben oder denselben mit ihm teilen wollen. Wie der rechte Geizhals, dem das Geld sein Gott ist, sich dessen nicht rühmt und groß damit tut, sondern sich arm stellt und wegen Armut jammert, ungefähr so hatte es Barthli mit seinem Töchterlein und umgekehrt wie die Väter und besonders die Mütter mit ihren Töchtern, denen sie gerne los wären, gerne sie glücklich machen, das heißt, an Mann bringen würden. Sie hatten aber auch ein ähnlich Schicksal, den umgekehrten Kummer, Barthli, es wolle ihm jeder sein Meitschi nehmen, die anderen, die ihren wolle keiner; und denn was man am nötlichsten sucht, findet man nicht, sondern das Gegenteil.
Barthli mußte einmal wieder z' Märit nach Bern, denn es gibt Zeiten im Jahr, wo man auf dem Lande keine Körbe absetzt. Züsi mußte mit, er hatte viele Körbe; und nahm ers mit, hatte er es wenigstens unter Augen. Daheim hütete es ihm niemand, denn eine Nachbarin, welche sonst ein Auge auf ihns haben sollte, ging auch z' Märit. Züsi ging auch gerne. Wenn es schon nicht mehr so in Entzücken versank, so sah es doch vieles, an welches es denken konnte in seiner Einsamkeit, und wenn ihm die Suppe auch nicht mehr so vorkam wie eine Speise von den Tafeln aus dem Tausendjährigen Reiche, so lebte es doch wohl daran, und wenn sie guten Verkauf hatten, ließ der Vater wohl auch ein Stücklein Fleisch und etwas, sah aus wie Wein, aufmarschieren. Er gab hie und da einen schwachen Schimmer von sich, als dürfe er sich etwas mehr

gönnen als früher, aber bemerkte es jemand, so tat er auf lange kümmerlicher als je.

Wer an einem großen Markttage an einer Hauptstraße steht, findet Stoff zu mancher gottseligen Betrachtung, zu mancher Predigt, er sieht sichtbarlich vor sich die Lebensstraße. Es rennen die einen dem Getriebe des Marktes zu, wie unwillkürlich durch einen Magnet oder einen Strudel angezogen. Es wandern andere besonnen und behaglich dahin, meiden die Steine, suchen den besten Weg, verkürzen sich den Weg mit Plaudern, haben vergnügliche Gesichter und zuversichtliche, daß ihnen was Gutes nicht fehlen werde. Es karren und trappen die dritten mühsam daher, möchten auch eilen, aber es geht nicht, sie kommen hintenher durch dick und dünn, haben Angst, sie kämen zu spät zu den guten Dingen, und kommen doch nicht vorwärts. Wie die den vorübersprengenden Fuhrwerken nachsehen, die einen schmerzlich, die andern zornig! »Fahr nur, so stark du magst, so kommst desto früher zum Lumpentürli; dann kannst wieder mit mir laufen, wenn du noch laufen magst! Ich sprengte auch und mochte nicht warten, bis ich in einem Gasthof saß. Jetzt weiß ich wieder, wie das Laufen ist, und wäre zufrieden, wenn ich einen Batzen hätte und zu einem Schluck Branntenwein käme.« So führt mancher Selbstgespräche, hängt jedem dahineilenden Fuhrwerke eine Lebensskizze der darin Sitzenden an samt etwelchen frommen Wünschen und Weissagungen. Humpelt aber noch einer mit ihm, so führen sie zusammen erbauliche Gespräche, machen sich vertrauliche Mitteilungen über ihre Nächsten und streiten sich darüber, ob diese sich seinerzeit selbst hängen oder ob sie gehängt werden würden, und was sie noch alles darüberaus verdient.

Barthli und Züseli gehörten unter die Karrenden, doch nicht unter die Unglücklichen und von Grund aus Mißvergnügten. Barthli wäre für heut mit der Welt zufrieden gewesen, wenn nur gar kein Mannsbild auf der Straße gewesen wäre, und Züseli sah ganz vergnügt aus. Sie kamen früh in die

Stadt, so wurde am besten der gefährlichste Teil des Volkes gemieden, der junge. Manchen Ärger über die Stadtweiber hatte Barthli auszustehen, sorgte aber, soweit billig, für Entschädigung.

Züseli machte indessen noch bessere Geschäfte, denn mit ihm machte man lieber Geschäfte als mit dem rueßigen Alten, und als Trinkgeld obendrein bekam es nicht selten die Bemerkung: »Es scharmants Meitschi! Wäre das recht angezogen, so machte das Puff.« »Mach nur nicht, daß es das hört!« sagte dann wohl eine Begleiterin. »Es wäre imstande, es käme in die Stadt. Wohl, das würde ein sauber Dirnlein abgeben!« Wer weiß, was die Rednerin selbst abgegeben hätte, wenn sie hübsch gewesen wäre, wovor sie aber Gott bewahrt hatte! Wird seine Gründe gehabt haben, der liebe Gott.

Neben dem Ärger über die Stadtfrauen hatte Barthli noch großen Zorn zu verwerchen über die Gendarmes. Er könne nicht glauben, daß der liebe Gott die ganze Welt erschaffen, sagte er. Der liebe Gott sei ein weiser Mann. Zweier Gattig Kreaturen hätte er nicht gemacht, Kröten und Gendarmes. (Wenns noch Landjäger wären, er wollte nicht soviel sagen.) Von denen wisse er nicht, und kein Mensch habe es ihm sagen können, für was die gut seien, und allen Leuten gruse es drob. »Wohl, Barthli,« sagte ihm ein Kamerad, »das kann ich dir sagen. Lue e Krott oder e Gendarm recht a, und dann wirst du Gott danken, daß er es geordnet, daß du der Barthli geworden und nit e Krott oder e Gendarm. Dafür hat er sie gemacht.« »Ja sieh,« sagte Barthli, »das ist das nichtsnutzigst Volk auf Gottes Erdboden; gerade das, wo sie wehren sollen, machen sie selbst. Sie sollen heute machen, daß der Weg nicht gesperrt sei, sondern jedermann passieren könne,und gerade sie stehen dem ganzen Volk im Weg. Unsereiner sollte nirgends sein; wenn sie ein alt Mannli sehen, so kujonieren sie es, es ist nie am rechten Ort, schon dreimal hat mich heute einer angeflucht um nichts und wieder nichts.

Und die Obrigkeit wird ihm doch nicht den Lohn geben, daß er die Leute das Fluchen lehre und wie man umgehen müsse mit alten Leuten. Dagegen steht der Aff da vor meinem Meitli, es weiß kein Mensch, wie lang, verstopft den Leuten das Loch, hält dem Meitschi die Kunden ab, macht ihm den Kopf groß, das steht ihm immer am rechten Ort. Das muß gehen, sich zu waschen, von wegen ich habe immer gehört, wenn ein Gendarm ein Meitschi lang ansehe, so werde es krätzig oder bekomme aufs wenigste eine Haut, wie eine vierhundertjährige Eiche Rinde habe. Dem Hagel darf ich nichts machen, nicht einmal was sagen, aber ich will es der Obrigkeit eintreiben; wenn ich der was zuleide tun kann, so will ich es gewiß nicht sparen.«
Natürlich mußte es einstweilen das Meitschi entgelten, dem er kein gutes Wort gab und im Wirtshaus es so kurz als möglich abspeiste, daß es recht hungrig blieb und Augenwasser bekam vor Elend. Wenn es nur schon daheim wäre, dachte es, so könnte es doch den Hunger g'stellen. Wenn sie nur schon daheim wären, dachte der Alte, dann müsse ihm das Meitschi nicht bald wieder z'Märit, daß es ein Gendarm nach dem andern angrännen könne. Da es ihnen beiden pressierte, kamen sie also auch aus der Stadt, aber viele Worte gönnten sie einander nicht.
An einem Markttage geht es lustig zu, überall sind die Geigen los, und wo ein Schild an einem Häuschen hängt, da stehen die Fenster offen, damit Geigen und Trampeln das Häuschen nicht versprengen. An diesen allen müssen die Heimkehrenden vorbei, haben so die Musik umsonst. Für Mädchen, die nicht einkehren dürfen, sondern auf der Straße bleiben müssen, ist es eine Art von Spießrutenlaufen, besonders wenn sie weite Herzen haben, für viele Platz darin, und nun denken, hier innen kann ein Schatz sein und dort wieder einer und so fort. Züseli war noch nie auf einem Tanzboden gewesen. Es könne nicht tanzen, sagte es, und könnts nie lernen und begehre sonst nicht zu gehen. Wohl, der Vater würde ihm,

sagte es. Es dachte nicht daran, daß es viele Mädchen mit dem Tanzen haben wie junge Hunde mit dem Schwimmen. Man werfe nur einen ins Wasser, so kann man sehen, wie er das erste Mal schon munter fortkömmt. Züsi tat es also nicht weh im Herzen, wenn es an einem zitternden Häuschen voll Geigen vorbeiging, etwas kürzer wurden wohl seine Schritte, die Musik gefiel ihm.

Schon mehr als halbwegs waren sie und eben fast wieder an einem Wirtshause vorbei, als ein Bursche zur Türe ausstürzte, Züsi packte, »jetzt mußt du kommen und einen mit mir haben!« schrie und mit ihm fahren wollte dem Wirtshause zu, wie es üblich und bräuchlich ist. Das Meitschi wehrte sich, der Alte brüllte: »Willst mir das Meitschi sein lassen, du Uhung du?« und faßte auf der andern Seite und riß auch. Sie rissen und brüllten; es war ein Mordspektakel, wäre jedoch kaum beachtet worden, wenns bloß gewöhnlicher Schryß gewesen wäre. Ein Mädchen hat Schryß, heißt soviel als: es ist fetiert, gesucht. Es sollen nämlich die Mädchen, wenn Bursche sie zu Wein und Tanz führen wollen, sich erst tapfer wehren, tuns jedoch nicht alle, wenigstens nicht nötlich, aus Furcht, die Burschen könnten nicht recht anwenden, zögen gerne den kürzern und ließen ab. Nun geschieht es auch, daß zwei Bursche an einem Mädchen zerren, bis Kleider und Arme fast vom Leibe gehen, oder wenn ein Mädchen im Ernst heimwill, sie es förmlich zurückschleppen, daß ein Femder meinen würde, sie hätten Befehl erhalten, das Mensch tot oder lebendig einzubringen. Diesmal schien es mehr oder weniger eine abgeredete Sache zu sein, Züsi mal ins Wirtshaus zu bringen, dem Alten z'Hohn und z'Trotz, denn aus den Fenstern brüllte es: »Benz, wehr dich, Benz, setz nicht ab, zieh brav, bist e Leide, daß du der Alt nit magst!« So mußte Benz alle seine Kraft anwenden und schwor dazu alle Zeichen, sie möchten sich wehren, wie sie wollten, Züsi müsse einmal ins Wirtshaus, das sei fertig; und er schleppte sie beide wirklich hinter sich her zur Burgerlust der Zuschauer. »Alter, setz ab, heute zwängst du nichts, du reißest ja deinem Meitschi den Arm aus dem Leibe. Komm mit, z'trinke mußt haben, soviel du magst.« »Benz, zieh recht, und wenn du nicht fahren magst, so wollen wir kommen und dir helfen!« so scholl es aus den Fenstern. »Nit nötig!« rief Benz, tat frisch einen mächtigen Ruck, daß der Alte das Mädchen lassen mußte und Benz samt dem Mädchen bei einem Haar überpurzelt wäre. Ein furchtbar Gelächter erscholl. Desto schneller machte sich Benz mit dem förmlich eroberten Mädchen ins Haus.

Drunten blieb der Alte fluchend stehen und wünschte der mutwilligen Jugend alle Hagelwetter auf den Hals, schalt sie Räuber, Mörder und merkte nicht, daß er da eine Komödie aufführe, und dazu noch unentgeltlich, zum Ergötzen des Publikums. Endlich kam die Wirtin, eine resolute kuraschierte Frau mit gutem Herzen. »Das ist öppe nüt Witzigs von euch, ein alt Mannli so z'plage, wollt so vornehme Bauernsöhne sein! Hätte geglaubt, zu einem solchen Lümmelstückli wäret ihr zu stolz. Und für was seid ihr denn da?« schnauzte sie gegen einen Gendarm. »Unglücksmacher seid ihr, wenn man euch brauchen könnte, sieht man euch nicht, und wo ihr abwehren solltet, da helft ihr noch. Komm, Barthli, hinauf, trink, was sie dir ja angeboten, laß das Meitschi es paar halten, dann müssen sie es dir lassen, wann du willst, ich bin dir gut dafür. Ich will schon Ordnung machen, ich! Dazu brauche ich niemanden, und wenn er eine Montur anhätte und ein Säbeli am Hintern.«

Als Barthli hinaufkam mit der Wirtin, da war Züsi, zum großen Ärger des Alten, bereits mitten im Tanzen. Es war ihm wirklich zu seinem eigenen Erstaunen gegangen wie, doch per se nicht zusammengezählt, einem jungen Hunde, und seine Beine bewegten sich ung'sinnet und ungeheißen, wie der Geiger es aufmachte. Gar freundlich wurde Barthli oben empfangen, mit Wein und Speisen reich regaliert, Gläser von allen Seiten ihm dargestreckt, man wollte ihn versäumen, mit Wein zudecken, daß er Pressieren und Heimgehen vergesse.

Aber Barthli war nicht erst gestern auf die Welt gekommen und von Natur nicht dumm. Ein Glas Wein, wenn es ihn nichts kostete, trank er nicht ungern, er teilte diese Schwachheit mit noch ganz anderen Leuten, aber das Spiel mit sich treiben ließ er nicht gerne, den Posten, anderer Narr zu sein, liebte er nicht, auch wenn er was eintrug und er, Barthli, geizig war. Er nahm, bis es ihn dünkte, er hätte genug, und drei Tänze sollten getanzt sein. Da wollte er sein Meitschi haben und fort, aber man lachte ihn aus, und der Spektakel ging von neuem an. Das Meitschi hörte es, und obgleich es ihm beim Tanzen war, als sei es halb selig, so stellte es doch dasselbe ein, wollte keinen Fuß mehr versetzen, sondern mit dem Vater heim. Aber Benz wollte es nicht gehen lassen, sondern zerrte immer frisch an ihm. Da kam die Wirtin wieder und sagte: »Jetzt laßt mir das Meitschi, ich versprach es dem Alten, und er soll es haben, und wer es nur noch anrührt, den treffe ich, und wenn es an einem Mal nicht genug ist, zweimal. Es nimmt mich wunder, ob in meinem Hause die Leute nicht ein- und ausgehen dürfen, wie sie wollen.« »Aber, Wirtin, hätte geglaubt, du hättest mehr Verstand als so. Seit wann ists Sitte, mit einem Mädchen zu tanzen und es so z'trocknem laufen zu lassen? Das tut dir kein rechter Bursche, einmal wenn er noch einen Kreuzer Geld im Sacke hat«, hieß es von allen Seiten. »Mir wärs manchmal lieber gewesen, z'trocknem zu gehen, als so einem Schnürfli ein Glas abzunehmen«, antwortete die Wirtin. »Aber meinetwegen! Soll ich eine Halbe bringen?«

Als die Halbe getrunken war, fing die Geschichte wieder von vornen an. Benz wollte das Meitschi nicht lassen, erst jetzt habe er recht Mut zum Tanzen, und mit dem Trinken sei es nicht gemacht, es müsse gegessen auch sein, die Wirtschaft solle aufwarten mit dem, wo zu haben sei, heute müsse was gehen, er setze nicht ab. Das Mädchen weinte, und der Alte

war fuchswild. Benz schimpfte ihn mit allen möglichen Ehrentiteln aus und fing den Schryß wieder an.
Da erschien die Wirtin, warf Benz mit ihrem mächtigen Arm in die lachenden Zuschauer hinein, daß er davonfuhr wie ein Kegel, von gewaltiger Kugel getroffen. »Jetzt, Alter, nimm das Meitschi und mach, daß du mit ihm fortkommst; und daß mir sie keiner anrühre oder plage, sonst treffe ich ihn, daß er weiß, daß er getroffen ist!« so rief das zornige Weib.
Und unangetastet im Frieden zog der Alte mit seinem Kleinod ab. Man glaubt nicht, was so eine mutige Wirtin für eine Herrschaft übt. Der Wirt ist immer nur ein Fösel dagegen.
Der Alte fuhr wie ein großer Feuerteufel oder feuerspeiender Berg dahin, schimpfte über alles im Himmel und auf Erden und nicht am wenigsten über sein Töchterlein, daß das einen Fuß zum Tanzen aufgehoben, gäb wie das sagte, es hätte nicht anders können, es hätte sich ja gewehrt, bis z'ußerist use. »Zum Schein, du Täschli!« polterte der Alte, »wenn es dir ernst gewesen, du hättest dich g'stabelig gemacht wie ein buchenes Scheit, daß der Tüfel g'hört hätt, mir dir z'tanze, jawolle!«
Ja, so ein alter Barthli, ein sechzigjährig Kudermannli hat gut reden; so einer, der von Natur g'stabelig ist wie ein Garbenknebel, der weiß nicht, was das Ung'hürigs wär für ein achtzehnjährig Meitschi, wenn es sich g'stabelig machen sollte, wenn der Geiger einen recht Lustigen aufmacht und ein Benz mit ihm tanzen will. Dem Meitschi gings ganz wunderlich im Kopf herum, bitter und süß durcheinander. Das Schelten des Alten tat ihm weh. Das Wüsttun von Benz plagte ihns. Daß er so einer sei, so wüst tun könnte, hätte es keiner sterblichen Seele geglaubt, dachte es, und zu diesen Gedanken machte der Geiger lustig auf, die Töne zuckten ihm durch den ganzen Leib, die Füße trippelten im Takt. Es war in dem seltsamen Zustand, wo man oben weint und unten tanzt, Füße und Augen allen Rapport zueinander verloren haben.

So kamen sie heim, und d's Meitschi sollte die Haushaltung machen, und zwar hinten und vornen im Hause. Wie die Ziegen mit ihrem Traktament zufrieden waren, wissen wir nicht, Klagen darüber kamen uns keine zu Ohren, aber über das seine schimpfte Barthli ungemessen, und zwar hatte er etwas recht, wir müssen es sagen. Der Kaffee war ganz ohne Sinn und Verstand, das Meitschi hatte das Pulver vergessen, er kam ganz weiß aus der Kanne. Die Erdäpfelrösti war schwarz wie ein Wollhut, ungesalzen und ungeschmalzen. Die Milch war ein unerhört, nie erlebt Getränke, denn im Verschuß hatte Züseli Salz und Butter in die Milch getan statt in die Rösti. Man kann sich denken, was das für den hungrigen Barthli für ein Herrenleben war! Er war drauf und dran, was er sonst nie machte, ins Wirtshaus zu gehen und nachzubessern und den Leuten zu klagen, wie es ihm ergangen und was er für ein Meitschi habe. Zu gutem Glück fiel ihm noch zu rechter Zeit ein, der Teufel sei von je ein Schelm gewesen, es wäre sehr möglich, daß er es jetzt noch wäre und Benz und Züseli zusammenführen könnte, so oder so. Er besserte sein Hundefressen mit einem Stück Käs aus, trank frische Geißmilch dazu und paßte scharf auf Züseli, in welcher Richtung dessen Augen gingen, ob es wohl jemanden erwarte oder nicht. Und als es ihm sagte, es wolle zu Bette, es sei müde und schläferig, da ward ihm die Sache erst recht verdächtig. »Aber wart, du Täschli, du bist mir noch lange z'wenig, Barthli ist dir und andern schlau genug, du Täsche! Wart bis morgen, dann will ich dir die Schlauheit auflegen, daß du sie faustdick am Leibe greifen kannst!« brummelte der Schlaue.

Nun machte es der Alte schlau. Er stellte sich in die sieben Bohnenstecken, von denen aus er die Zugänge zum Häuschen übersah und namentlich die Fensterchen allzumal, die blinden und die halbblinden. Da lauerte er wie die Katze auf die Maus und dachte: ›Wartet nur, der alte Barthli ist euch schlau genug, der tut euch Pulver in die Kanne und Salz in die mit welcher Bereitwilligkeit von seiten des Prinzen. Man blieb in dem Garten, bis es Abend wurde. Es gelang uns, Z*** und mir, die Matrone zu beschäftigen, daß der Prinz sich mit der jungen Dame ungestört unterhalten konnte. Daß er diese Augenblicke gut zu benutzen gewußt habe, können Sie daraus abnehmen, daß er die Erlaubnis empfangen hat, sie zu besuchen. Eben jetzt, da ich Ihnen schreibe, ist er dort. Wenn er zurückkommt, werde ich mehr erfahren.

Gestern, als wir nach Hause kamen, fanden wir auch die erwarteten Wechsel von unserm Hofe, aber von einem Briefe begleitet, der meinen Herrn sehr in Flammen setzte. Man ruft ihn zurück, und in einem Tone, wie er ihn gar nicht gewohnt ist. Er hat sogleich in einem ähnlichen geantwortet und wird bleiben. Die Wechsel sind eben hinreichend, um die Zinsen von dem Kapitale zu bezahlen, das er schuldig ist. Einer Antwort von seiner Schwester sehen wir mit Verlangen entgegen.

Baron von F*** an den Grafen von O**

Zehnter Brief

September

Der Prinz ist mit seinem Hofe zerfallen, alle unsre Ressourcen von daher abgeschnitten.

Die sechs Wochen, nach deren Verfluß mein Herr den Marchese bezahlen sollte, waren schon um einige Tage verstrichen, und noch keine Wechsel weder von seinem Cousin, von dem er aufs neue und aufs dringendste Vorschuß verlangt hatte, noch von seiner Schwester. Sie können wohl denken, daß Civitella nicht mahnte; ein desto treueres Gedächtnis aber hatte der Prinz. Gestern mittag kam eine Antwort vom regierenden Hofe.

Wir hatten kurz vorher einen neuen Kontrakt unsers Hotels wegen abgeschlossen, und der Prinz hatte sein längeres Bleiben schon öffentlich deklariert. Ohne ein Wort zu sagen, gab mir mein Herr den Brief. Seine Augen funkelten, ich las den Inhalt schon auf seiner Stirne.

Können Sie sich vorstellen, lieber O**? Man ist in *** von allen hiesigen Verhältnissen meines Herrn unterrichtet, und die Verleumdung hat ein abscheuliches Gewebe von Lügen daraus gesponnen. Man habe mißfällig vernommen, heißt es unter andern, daß der Prinz seit einiger Zeit angefangen habe, seinen vorigen Charakter zu verleugnen und ein Betragen anzunehmen, das seiner bisherigen lobenswürdigen Art zu denken ganz entgegengesetzt sei. Man wisse, daß er sich dem Frauenzimmer und dem Spiel aufs ausschweifendste ergebe, sich in Schulden stürze, Visionärs und Geisterbannern sein Ohr leihe, mit katholischen Prälaten in verdächtigen Verhältnissen stehe und einen Hofstaat führe, der seinen Rang sowohl als seine Einkünfte überschreite. Es heiße sogar, daß er im Begriff stehe, dieses höchst anstößige Betragen durch eine Apostasie zur römischen Kirche vollkommen zu machen. Um sich von der letztern Beschuldigung zu reinigen, erwarte man von ihm eine ungesäumte Zurückkunft. Ein Bankier in Venedig, dem er den Etat seiner Schulden übergeben solle, habe Anweisung, sogleich nach seiner Abreise seine Gäubiger zu befriedigen; denn unter diesen Umständen finde man nicht für gut, das Geld in seine Hände zu geben.

Was für Beschuldigungen und in welchem Tone! Ich nahm den Brief, durchlas ihn noch einmal, ich wollte etwas darin aufsuchen, das ihn mildern könnte; ich fand nichts, es war mir ganz unbegreiflich.

Z*** erinnerte mich jetzt an die geheime Nachfrage, die vor einiger Zeit an Biondello ergangen war. Die Zeit, der Inhalt, alle Umstände kamen überein. Wir hatten sie fälschlich dem Armenier zugeschrieben. Jetzt wars am Tage, von wem sie herrührte. Apostasie! – Aber wessen Interesse kann es sein, meinen Herrn so abscheulich und so platt zu verleumden? Ich fürchte, es ist ein Stückchen von dem Prinzen von **d**, der es durchsetzen will, unsern Herrn aus Venedig zu entfernen.

Dieser schwieg noch immer, die Augen starr vor sich hingeworfen. Sein Stillschweigen ängstigte mich. Ich warf mich zu seinen Füßen. »Um Gottes willen, gnädigster Prinz,« rief ich aus, »beschließen Sie nichts Gewaltsames. Sie sollen, Sie werden die vollständigste Genugtuung haben. Überlassen Sie *mir* diese Sache. Senden Sie mich hin. Es ist unter Ihrer Würde, sich gegen solche Beschuldigungen zu verantworten; aber *mir* erlauben Sie, es zu tun. Der Verleumder muß genannt und dem *** die Augen geöffnet werden.«

In dieser Lage fand uns Civitella, der sich mit Erstaunen nach der Ursache unsrer Bestürzung erkundigte. Z*** und ich schwiegen. Der Prinz aber, der zwischen ihm und uns schon lange keinen Unterschied mehr zu machen gewohnt ist, auch noch in zu heftiger Wallung war, um in diesem Augenblick der Klugheit Gehör zu geben, befahl uns, ihm den Brief mitzuteilen. Ich wollte zögern, aber der Prinz riß ihn mir aus der Hand und gab ihn selbst dem Marchese.

»Ich bin ihr Schuldner, Herr Marchese,« fing der Prinz an, nachdem dieser den Brief mit Erstaunen durchlesen hatte, »aber lassen Sie sich das keine Unruhe machen. Geben Sie mir nur noch zwanzig Tage Frist, und Sie sollen befriedigt werden.«

›Gnädigster Prinz,‹ rief Civitella heftig bewegt, ›verdien ich dieses?‹

»Sie haben mich nicht erinnern wollen; ich erkenne Ihre Delikatesse und danke Ihnen. In zwanzig Tagen, wie gesagt, sollen Sie völlig befriedigt werden.«

›Was ist das?‹ fragte Civitella mich voll Bestürzung. ›Wie hängt dies zusammen? Ich faß es nicht.‹

Wir erklärten ihm, was wir wußten. Er kam außer sich. Der Prinz, sagte er, müsse auf Genugtuung dringen; die Beleidigung sei unerhört. Unterdessen beschwöre er ihn, sich seines ganzen Vermögens und Kredits unumschränkt zu bedienen.

Der Marchese hatte uns verlassen und der Prinz noch immer kein Wort gesprochen. Er ging mit starken Schritten im Zimmer auf und nieder; etwas Außerordentliches arbeitete in ihm. Endlich stand er still und murmelte vor sich zwischen den Zähnen: »Wünschen Sie sich Glück – sagte er – Um neun Uhr ist er gestorben.«

Wir sahen ihn erschrocken an.

»Wünschen Sie sich Glück,« fuhr er fort; »Glück – Ich soll mir Glück wünschen – Sagte er nicht so? Was wollte er damit sagen?«

›Wie kommen Sie jetzt darauf?‹ rief ich. ›Was soll das hier?‹

»Ich habe damals nicht verstanden, was der Mensch wollte. Jetzt verstehe ich ihn – O es ist unerträglich hart, einen Herrn über sich haben!«

›Mein teuerster Prinz!‹

»Der es uns fühlen lassen kann! – Ha! Es muß süß sein!«

Er hielt wieder inne. Seine Miene erschreckte mich. Ich hatte sie nie an ihm gesehen.

»Der Elendeste unter dem Volk,« fing er wieder an, »oder der nächste Prinz am Throne! Das ist ganz dasselbe. Es gibt nur *einen* Unterschied unter den Menschen – Gehorchen oder Herrschen!«

Er sah noch einmal in den Brief.

»Sie haben den Menschen gesehen,« fuhr er fort, »der sich unterstehen darf, mir dieses zu schreiben. Würden Sie ihn auf der Straße grüßen, wenn ihn das Schicksal nicht zu Ihrem Herrn gemacht hätte? Bei Gott! Es ist etwas Großes um eine Krone!«

In diesem Ton ging es weiter, und es fielen Reden, die ich keinem Brief anvertrauen darf. Aber bei dieser Gelegenheit entdeckte mir der Prinz einen Umstand, der mich in nicht geringes Erstaunen und Schrecken setzte und der die gefährlichsten Folgen haben kann. Über die Familienverhältnisse am ***Hofe sind wir bisher in einem großen Irrtum gewesen.

Der Prinz beantwortete den Brief auf der Stelle, so sehr ich mich dagegen setzte, und die Art, wie er es getan hat, läßt keine gütliche Beilegung mehr hoffen.

Sie werden nun auch begierig sein, liebster O**, von der Griechin endlich etwas Positives zu erfahren; aber eben dies ist es, worüber ich Ihnen immer noch keinen befriedigenden Aufschluß geben kann. Aus dem Prinzen ist nichts herauszubringen, weil er in das Geheimnis gezogen ist und sich, wie ich vermute, hat verpflichten müssen, es zu bewahren. Daß sie aber die Griechin *nicht* ist, für die wir sie hielten, ist heraus. Sie ist eine Deutsche und von der edelsten Abkunft. Ein gewisses Gerücht, dem ich auf die Spur gekommen bin, gibt ihr eine sehr hohe Mutter und macht sie zu der Frucht einer unglücklichen Liebe, wovon in Europa viel gesprochen worden ist. Heimliche Nachstellungen von mächtiger Hand haben sie, laut dieser Sage, gezwungen, in Venedig Schutz zu suchen, und eben diese sind auch die Ursache ihrer Verborgenheit, die es dem Prinzen unmöglich gemacht hat, ihren Aufenthalt zu erforschen. Die Ehrerbietung, womit der Prinz von ihr spricht, und gewisse Rücksichten, die er gegen sie beobachtet, scheinen dieser Vermutung Kraft zu geben.

Er ist mit einer fürchterlichen Leidenschaft an sie gebunden, die mit jedem Tage wächst. In der ersten Zeit wurden die Besuche sparsam zugestanden; doch schon in der zweiten Woche verkürzte man die Trennungen, und jetzt vergeht kein Tag, wo der Prinz nicht dort wäre. Ganze Abende verschwinden, ohne daß wir ihn zu Gesicht bekommen; und ist er auch nicht in ihrer Gesellschaft, so ist *sie* es doch allein, was ihn beschäftigt. Sein ganzes Wesen scheint verwandelt. Er geht wie ein Träumender umher, und nichts von allem, was ihn sonst interessiert hatte, kann ihm jetzt nur eine flüchtige Aufmerksamkeit abgewinnen.

Wohin wird das noch kommen, liebster Freund? Ich zittre für

die Zukunft. Der Bruch mit seinem Hofe hat meinen Herrn in eine erniedrigende Abhängigkeit von einem einzigen Menschen, von dem Marchese Civitella, gesetzt. Dieser ist jetzt Herr unsrer Geheimnisse, unsers ganzen Schicksals. Wird er immer so edel denken, als er sich uns jetzo noch zeigt? Wird dieses gute Vernehmen auf die Dauer bestehen, und ist es wohlgetan, einem Menschen, auch dem vortrefflichsten, so viel Wichtigkeit und Macht einzuräumen?

An die Schwester des Prinzen ist ein neuer Brief abgegangen. Den Erfolg hoffe ich Ihnen in meinem nächsten Brief melden zu können.

Der Graf von O** zur Fortsetzung

Aber dieser nächste Brief blieb aus. Drei ganze Monate vergingen, ehe ich Nachrichten aus Venedig erhielt – eine Unterbrechung, deren Ursache sich in der Folge nur zu sehr aufklärte. Alle Briefe meines Freundes an mich waren zurückbehalten und unterdrückt worden. Man urteile von meiner Bestürzung, als ich endlich im Dezember dieses Jahrs folgendes Schreiben erhielt, das bloß ein glücklicher Zufall (weil Biondello, der es zu bestellen hatte, plötzlich krank wurde) in meine Hände brachte.

»Sie schreiben nicht. Sie antworten nicht – Kommen Sie – o kommen Sie auf Flügeln der Freundschaft. Unsre Hoffnung ist dahin. Lesen Sie diesen Einschluß. Alle unsre Hoffnung ist dahin.

Die Wunde des Marchese soll tödlich sein. Der Kardinal brütet Rache, und seine Meuchelmörder suchen den Prinzen. Mein Herr – o mein unglücklicher Herr! – Ist es dahin gekommen? Unwürdiges, entsetzliches Schicksal! Wie Nichtswürdige müssen wir uns vor Mördern und Gläubigern verbergen.

Ich schreibe Ihnen aus dem ***Kloster, wo der Prinz eine

Zuflucht gefunden hat. Eben ruht er auf einem harten Lager neben mir und schläft – ach den Schlummer der tödlichsten Erschöpfung, der ihn nur zu neuem Gefühl seiner Leiden stärken wird. Die zehen Tage, daß sie krank war, kam kein Schlaf in seine Augen. Ich war bei der Leichenöffnung. Man fand Spuren von Vergiftung. Heute wird man sie begraben.

Ach liebster O**, mein Herz ist zerrissen. Ich habe einen Auftritt erlebt, der nie aus meinem Gedächtnis verlöschen wird. Ich stand vor ihrem Sterbebette. Wie eine Heilige schied sie dahin, und ihre letzte sterbende Beredsamkeit erschöpfte sich, ihren Geliebten auf den Weg zu leiten, den sie zum Himmel wandelte – Alle unsre Standhaftigkeit war erschüttert, der Prinz allein stand fest, und ob er gleich ihren Tod dreifach mit erlitt, so behielt er doch Stärke des Geistes genug, der frommen Schwärmerin ihre letzte Bitte zu verweigern.«

In diesem Brief lag folgender Einschluß:

An den Prinzen von *** von seiner Schwester

»Die alleinseligmachende Kirche, die an dem Prinzen von *** eine so glänzende Eroberung gemacht hat, wird es ihm auch nicht an Mitteln fehlen lassen, die Lebensart fortzusetzen, der sie diese Eroberung verdankt. Ich habe Tränen und Gebet für einen Verirrten, aber keine Wohltaten mehr für einen Unwürdigen.

*Henriette****.«

Ich nahm sogleich Post, reiste Tag und Nacht, und in der dritten Woche war ich in Venedig. Meine Eilfertigkeit nützte mir nichts mehr. Ich war gekommen, einem Unglücklichen Trost und Hilfe zu bringen; ich fand einen Glücklichen, der meines schwachen Beistandes nicht mehr benötigt war. F*** lag krank und war nicht zu sprechen, als ich anlangte; folgendes Billett überbrachte man mir von seiner Hand. »Reisen Sie zurück, liebster O**, wo Sie hergekommen sind. Der Prinz bedarf Ihrer nicht mehr, auch nicht meiner. Seine Schulden sind bezahlt, der Kardinal versöhnt, der Marchese wiederhergestellt. Erinnern Sie sich des Armeniers, der uns voriges Jahr so zu verwirren wußte? In *seinen* Armen finden Sie den Prinzen, der seit fünf Tagen – die erste Messe hörte.«

Ich drängte mich nichtsdestoweniger zum Prinzen, ward aber abgewiesen. An dem Bette meines Freundes erfuhr ich endlich die unerhörte Geschichte.

JEREMIAS GOTTHELF

Barthli der Korber

Im rueßigen Graben am südlichen Abhang hing ein kleines Häuschen. Man begriff nicht, warum es noch da hing und nicht längst den Graben hinuntergerutscht, denn es machte akkurat die Figur eines Menschen, der in vollem Lauf einen Berg hinuntergesprungen, plötzlich die Beine verstellt, stillhalten will und nicht recht kann. Wenn man das Dach betrachtete, so kam es einem vor, als höre man den Wind pfeifen, als kriege man Stöße. Es sah aus wie der Sack eines Bettlers, der das Flicken übel nötig hätte, jedoch bei allem Flicken immer ein Bettlersack bleiben wird. Die kleinen Türen zu Ställchen und Tenn stunden alle schief nach einem ganz eigenen Baustil. Hinter dem Hause fand man, wenn er nämlich nicht gerade zu Nutzen angelegt war, einen kleinen Düngerhaufen ungefähr von Gestalt und Größe eines ansehnlichen Zuckerstockes. Vor dem Hause war ein Gärtchen, in welchem eilf Mangoldstauden ihre breiten, ausdruckslosen Gesichter sonneten, sieben Bohnenstauden kühn an gebrechlichen Stecken hingen, zwischen denen zwei blühende Rosenstöcke gar freundlich hervorblickten. Um dasselbe lagen im Frieden die Gerüste eines ehemaligen Zaunes, harrend einer helfenden Hand zum Auferstehen.

Im Häuschen wohnten hinten eine Ziege und ihr Zieglein. Es war eine stattliche Ziege. Achtunggebietend trug sie ihr Haupt, und in glänzendem, zottigem Felle ging sie würdigen Schrittes einher, während hinter ihr her, gleichsam der Hanswurst, das Töchterlein graziöse, lustige Sprünge machte. Vornen wohnten ebenfalls zwei Personen, ein alter, lahmer

Korber oder Korbmacher und sein nicht lahmes Töchterlein. Der Alte hätte wirklich, was Anstand und Würde in Gang und Haltung betraf, viel von seiner Ziege lernen können, in beidem stund er ihr beträchtlich nach. Indessen der gute Alte war kaum mehr bildungsfähig, wenigstens sah man an ihm weder entschiedenen noch unentschiedenen Fortschritt, sondern gar keinen. Dagegen, wir gestehen es aufrichtig, gefiele uns das Töchterlein viel besser als das junge Geißlein. Dasselbe ist gar so anmütig und lieblich, kann auch springen leicht und hoch, daß es uns lieber wäre als zehn Geißlein, und wenn man uns die Wahl gelassen hätte, hinten oder vornen in dem Häuschen zu wohnen, so hätten wir ungeachtet der Würdigkeit der alten Ziege unbedenklich dem vordern Teile den Vorzug gegeben, wohlverstanden nicht von wegen dem alten, lahmen Korber, sondern wegen seinem schönen Töchterlein. Dasselbe wußte nicht einmal, wie hübsch es war, und das war nicht das mindeste an ihm. Wenn es sich auch im Spiegel besah, kam es doch nicht zur umfassenden Einsicht, denn erstlich bestund sein Spiegel nur aus einem dreieckigen Scherben, zweitens durfte es sich bloß am Sonntag mit Muße waschen so recht um und um, und bis am Dienstag, vielleicht schon am Montag hatte es bereits vergessen, wie es gestaltet war, andere Leute brachten es ihm auch nicht in Erinnerung.

Im rueßigen Graben machten die Leute sich selten Komplimente. Zudem war Züseli nicht besonders nach ihrem Geschmack; wenn es einen halben Zentner schwerer gewesen wäre, es hätte ihnen unendlich besser gefallen. Wärs in Östreich gewesen, es wäre ihm eine Arsenikkur angeraten worden. Arsenikfressen macht nämlich fett, wie man sagt. Wird aber mit Verstand geschehen müssen, sonst könnts fehlen. Es war nicht bloß ein liebliches, sondern auch ein liebes, emsiges Kind, das von früh bis spät nach dem Willen des Vaters tat und nie unwillig und ebenfalls vom Werte dieser Eigenschaften keine Ahnung hatte, viel weniger mit Geräusch sie geltend machte. Oder, um gebildet zu reden, es war ohne alle Ansprüche. Eigentlich ist dieses ein dumm Wort, hat aber dennoch einen tiefen Sinn. Die eigentliche Anspruchslosigkeit ist nichts anderes als der demütige, kindliche Sinn, dem, wie Christus selbst sagt, das Himmelreich gehört, der keiner Verdienste sich bewußt ist, aber ein inniges Danken hat für jede Gabe, jedes Zeichen der Liebe, nichts sehnlicher wünscht, an nichts größere Freude hat, als lieb zu sein Gott und Menschen, Gott und Menschen es recht zu machen. Die harmlosen, bescheidenen Naturen sind nicht moderne Naturen.

Der alte Korber war dagegen nichts weniger als liebenswürdig, weder innen noch außen; man konnte eigentlich nicht begreifen, besonders am Sonntag nicht, wo Züseli um und um gewaschen war, wie die beiden zusammenkamen und noch dazu als Vater und Tochter. Der alte Barthli war hässig und häßlich, Sauersehen seine Freundlichkeit, gute Worte gab er nicht für Geld, geschweige umsonst, und dennoch galt er etwas in der Welt, denn er war etwas, eine Persönlichkeit, ein Charakter, würde man heutzutage sagen. Er war ein ausgezeichneter Korber, sehr ehrlich auf seine Weise, hielt Wort. Ja, da ist es einem Menschen wohl erlaubt, saugrob zu sein. Er war überdies noch sehr arbeitsam und sehr sparsam. Wenn er sich recht rühmen wollte, so sagte er, er hätte noch niemanden plaget, die Gemeinde nicht und andere Leute auch nicht. Das war wirklich viel gemacht in unserer Zeit, wo viele meinen, sie schenken der Gemeinde etwas, wenn sie ihre Hülfe nicht in Anspruch nehmen; einer so reichen und geduldigen Person was schenken, sei ja dumm. Barthlis Verdienst war nicht groß, aber er besaß das Ehrgefühl eines Mannes; er begriff, daß, wer selbständig sein wolle, vor allem imstande sein müsse, sich und die Seinigen selbst zu erhalten mit Gottes Hülfe. Es wäre gut, dieses Ehrgefühl wäre im Zu- statt im Abnehmen, dann wäre der Friede größer in der Welt; es wäre gut, wenn mancher Schöne und manche

Schöne den wüsten Barthli zum Exempel nehmen würden und nichts begehrten, was man nicht selbst verdienen kann, keiner fliegen wollte, der keine Flügel hat.
Das Häuschen hatte er von seinem Vater geerbt und so viel Land dazu, daß er etwas pflanzen und zwei Ziegen halten konnte, wenn er die Zäune seiner Nachbaren nicht schonte und die Tiere lange Hälse hatten, um über die Zäune hinüber im jenseitigen Grase hospitieren zu können. Mit Reparaturen an der Hütte hatte er sich nie abgegeben. Ihm sei sie gut so; wenn sie ihn nur aushalte, hernach könnten die sehen, wo nachkämen, sagte er. Er galt für sehr ehrlich, obgleich er sich in dieser Beziehung bedenkliche Freiheiten herausnahm, nämlich mit den Weidenruten, welche er zu seinen Körben brauchte. Eine bedeutende Zeit des Jahres brachte er bei Bauern auf sogenannten Stören zu, wo er ihnen Körbe flocht und ausbesserte. Indessen machte er auch Körbe auf den Kauf, und namentlich sein Meitschi machte solche, denn dieses nahm er auf die Stören nicht mit, es mußte daheim zu Haus und Hof sehen. Die Ruten nun zu diesen Körben nahm er, wo er sie fand, unbekümmert darum, wem die Weiden gehörten, an denen sie gewachsen waren. Er trieb dieses nicht im verborgenen mit äußerster Vorsicht, um nicht gesehen zu werden, er sagte offenherzig, sein Vater und sein Großvater seien Korber gewesen, hätten aber nie einen Kreuzer für Ruten ausgegeben, sondern die Wydli genommen, wie sie gewachsen, ein Bauer würde sich geschämt haben, einem armen Mannli einen Kreuzer dafür abzunehmen. Körbe habe man ihnen gemacht, alte plätzet, öppe wohlfeil genug, damit seien beide Teile wohlzufrieden gewesen. Jetzt sollte man ihnen jedes Wydli übergülden, dazu noch grusam danken, daß man fast um den Atem komme, und obendrein machten sie alle Weidenstöcke aus, nur hie und da ein alter Bauer lasse noch einen stehen zum Andenken, und damit die Kinder wüßten, wie so ein Weidstock gewesen. Dann könnten die Bauern seinetwegen Körbe flechten lassen aus den

Schmachtzotteln, welche ihre Töchter über die Stirne herabzwängten mit Tüfelsgewalt. Trotzdem kam Barthli nie in Verlegenheit, keine Strenge, kein Verbot ward gegen ihn angewendet. Wohl hob hie und da ein Bauer die Hand drohend auf und sagte: »Barthli, Barthli, du machst es mir wohl gut, nimm dich in acht, sonst mache ich dir den Marsch. Ich habe bald nicht mehr Wydli für ein Erdäpfelkörbchen, und selb ist mir doch dann nicht anständig.« »Warum gönnst mir das Maul nicht und sagst, wenn du Körbe mangelst? Mir kann es nicht in Sinn kommen, und d'Wydli muß man nehmen, wenn es Zeit ist, und hausieren damit wirst du kaum wollen«, so antwortete Barthli keck. Und sanftmütig redete der Bauer mit ihm eine Stör ab, sagte bloß: »D'Wydli bringst dann mit. Ein andermal wollte ich sie dann doch lieber selbst hauen.« »Warum nicht!« antwortete Barthli, »die Mühe mag ich dir wohl gönnen, aber machs zur rechten Zeit, sonst fahre ich zu.« »Aber frage doch dann zuerst!« meinte der Bauer. »Man kanns machen, wenn mans nicht vergißt«, entgegnete Barthli. »Fragen«, setzte er hinzu, »ist auch so eine neue Mode vom Tüfel. Man sagt, Fragen schade nichts, jawolle, nichts schaden! Ich habs erfahren. Frage um nichts mehr mein Lebtag, wenn es nicht sein muß und es ungefragt auch zu machen ist.«

Diese Schonung kam aus dem gleichen Grunde, aus welchem Barthli seine Rechte nahm, es war auch so eine Art von Grundrecht, entstanden aus uralter Gewohnheit, welches man ihm noch stillschweigend zugestand, trotz der neuen Sitte, aus allem soviel Geld als möglich zu machen, welche man gegen alle andern mit aller Strenge in Anwendung brachte.

In diesem Punkte ist allerdings eine bedenkliche Änderung erfolgt, welche man bei Beurteilung des Verhältnisses unterer Klassen nicht außer acht lassen darf. In früheren Zeiten war viel wildes, viel fast herrenloses Land; was auf solchem Lande wuchs, war Beutepreis, und arme Leute hatten da eine reiche Fundgrube von allerlei, welches sie entweder selbst brauchen oder zu Geld machen konnten. Viele Handwerker, Rechenmacher, Küfer, Korber, Besenbinder und andere, selbst Wagner hatten gleichsam Hoheitsrechte auf solchem Lande, sie nahmen, was ihnen beliebte, und zwar unentgeltlich und ungefragt. In solchem Lande weideten die armen Leute den Sommer über Schafe und Ziegen, sammelten für den Winter Streu und Futter. Das ist anders geworden. Viel Land ist urbar gemacht, und herrenloses Land wird rar sein im Lande Kanaan. Was nicht Privaten angehört, hat der Staat an sich genommen, und wo dem Staate sieben magere Gräslein wachsen an einer Straße magerem Rande, verpachtet er sie, und um so soliden Pächtern zu kommen, werden Steigerungen abgehalten, ganz splendide. So machen es auch die Privaten, und was einen Kreuzer giltet, verwerten sie in ihrem Nutzen. Sie haben vollkommen das Recht dazu, aber – aber jedenfalls sollte ob dem Kreuzer der Nächste nie vergessen werden.

Mit den Körben, welche Barthli zu Hause machte, schickte er Züsi hausieren oder ging selbsten mit. Obgleich er kaum zwei Stunden von Bern entfernt wohnte, ging er doch selten dahin und ungern. Er möge mit den Stadtweibern nichts zu tun haben, sagte er, die hätten keinen Verstand von der Sache. Die bildeten sich ein, die müßten bei allen Dingen markten bis zum Schwitzen, das sei die Hauptsache beim Handeln. Schätze er ihnen einen Korb um sieben Batzen, so böten sie ihm fünf Batzen, und schätze er ihnen ein andermal den gleichen Korb für vier Batzen, so seien sie imstande, ihm zwei Batzen zu bieten, so viel Verstand hätten sie. »Aber Barthli, da ist ja gut helfen«, sagte man ihm oft. »Schätze deine Körbe alle um neun Batzen, dann hast du ja immer sieben richtig.« Das wollte aber Barthli nicht. Jede Sache habe ihr Maß, sagte er, darüberaus fahre er nicht. Er wolle nicht, daß es heiße, der Barthli im rueßigen Graben sei ein Narr geworden. Sie könnten seinethalben in der Stadt sehen, wo sie ihre Körbe herbekämen, den seinen käme er sonstwo ab, wo die Leute Verstand hätten.

Sein Töchterlein hatte es umgekehrt. Tage in der Stadt waren ihm ganz andere als die übrigen Tage, Tage, wie die Juden sie sich im Tausendjährigen Reiche dachten, wo die Sonne siebenmal größer ist und die Stadttore zu Jerusalem aus Diamanten und Rubinen gemacht, alle Bäume voll der süßesten Früchte, die Zäune voll Weintrauben, jede ungefähr so groß wie Goliath und die Beeren wie Kürbisse.

Man denke aber auch: die schönen Herren und Damen, die Läden voll Gold, Silber und freßbarer Herrlichkeiten, Schweinefleisch, daß es eine helle Pracht war, Brot und Brötchen von allen Sorten, und Bänder und Sachen unter Glas und hinter Glas, denen es keinen Namen wußte, sondern dabei denken mußte, die kämen geradenwegs vom Himmel her! Man sieht oft Kinder in der Stadt, die offenbar nicht mehr wissen, sind sie über der Erde oder unter der Erde. Sie sperren Augen, Nase, Mund auf, daß das ganze Gesicht nur ein Loch ist, durch das die guten Kinder alle die Herrlichkeiten in sich hineinziehen möchten. Man kann sie stoßen, treten, sie merken es kaum, ja, es ist zweifelhaft, ob sie es merken würden, wenn man sie zertreten täte. Manchmal hängt so ein Kind mit einer Hand an der Rocktasche des Vaters oder am Kittel der Mutter. Wie Schleppdampfschiffe segeln die Alten voraus, bewußtlos wird das Kind nachgezogen mit den aufgesperrten Löchern, und glücklich ist der Vater, wenn das Kind ihm noch am Rocke hängt, wenn er landet in einer Wirtschaft oder endlich hinaussegelt aus den Toren ins Weite. Dann macht das Kind das Gesicht zu. Das Chaos der Eindrücke beginnt sich zu ordnen, die einen schwinden, andere treten bestimmter hervor, prägen sich aus; Fragen, Erzählen beginnt, und sind die Menschen zu Bette, geht das Träumen an, eine neue Welt ist entstanden, ein bewegtes Leben reget sich, manchmal bleibts, manchmal stirbts wieder. Das eine, das bleibt, wächst auf zu des Herrn Freude, anderes

gestaltet sich zum Distelfelde, auf dem vor allem der Neid wächst und Begehrlichkeiten von allen Arten.
Bei Barthlis Töchterlein ging es nicht so schlimm. Die Herrlichkeiten alle stunden so weit außerhalb seines Lebens, daß es an keinen Besitz dachte, sondern eine reine Freude daran hatte, sie zu betrachten. Nun, ein Evatöchterchen war Züsi sicher auch, wie sie alle sind, aber es fehlte die Schlange. Der alte Barthli hatte keine Anlagen, die Schlange zu machen, er war eher zum Michael geeignet, der Weibern die Mücken austreibt, und mit niemanden als dem Vater lief es in der Stadt herum.
Aber es war noch eins, was das Meitschi in die Stadt zog. Wenn Barthli hinein mußte, so wollte er darin auch wohlleben, nahm in einer Wirtschaft für einen halben Batzen Branntenwein, und dem Meitschi ließ er für einen Kreuzer Suppe geben, dazu aßen sie das Brot oder schnitten es ein, welches sie von Hause gebracht, und einmal erhielt Züseli von der Wirtin geschenkt eine Küchelschnitte und ein ander Mal ein kreuzeriges Bernerweggli, welches ein Gast übriggelassen. Und das war allemal eine Suppe, von welcher man im rueßigen Graben gar keinen Begriff hatte, ja, wo man gar keine Ahnung hatte, daß so was Gutes in der Welt sein könnte. Oh, arme Leute haben auch ein großes Wohlleben, zu welchem viele Reiche nie kommen und um so weniger, je besser sie leben wollen; denn darauf kömmt es nicht an, was man genießt, und wie viel es kostet, sondern wie es schmeckt. Für seinen Kreuzer lebte Züseli viel besser als mancher Große, wenn er es sich hundert Louisdors kosten läßt.
An Barthli ging die Zeit scheinbar machtlos vorüber, er achtete sich ihrer bloß, wenn die Weiden grünten und die Wydli reif zum Schneiden waren, und wenn die Wydstöcke wieder gemindert hatten, seine Ernte wieder geringer ausfiel und mühsamer zusammengebracht werden mußte. Dann fluchte er über die böse Zeit und sagte, es nehme ihn doch wunder, wie das am Ende kommen solle? Wenn es so fortgehe, so

Rösti.‹ Er machte sich g'stabelig wie ein buchenes Scheit in seinen Bohnenstecken, und das war ihm keine Kunst, denn er war von Natur schon fast so, und spitzte die Ohren wie ein Has in einem Kabisplätz. Er hörte immer etwas, bald hinten, bald vornen, bald links, bald rechts, es knisterte was im Laube, es trappete auf der Straße, es schlich etwas, es hustete, kurz, er hörte alles mögliche, aber es kam niemand. Es fror ihn, es fiel ihm ein, der Kerl könnte schon drinnen sein, er hörte drinnen was. Richtig, da redete es. Barthli schlich wie eine Spinne, wenn sie eine Fliege um ihr Netz surren hört, gegen seiner Tochter Bett, stand stille und wollte wissen, wer da spräche, und was, und wenns Benz sei, ihn prügeln nicht für Spaß. Aber er verstand sich nicht auf die Töne, bis er dicht vor dem Bette stund. Da hörte er, wie Züseli brummte: »Drli drli, drli drli, drlum drlum, drlum, drlurili drlurili.« Das gute Meitschi tanzte im Schlaf und machte den Geiger dazu und war sicherlich selig in seiner Freude. Es fehlte aber nicht viel, der Alte hätte sie ihm rauh vertrieben und ihm zugemessen, was er Benz zugedacht. Hart rüttelte er das Meitschi auf und gab ihm einen väterlichen Zuspruch nicht bloß aus dem Salz, sondern aus dem Pfeffer, der aber dennoch nicht tief ging, denn kaum stand der Alte wieder in seinen Bohnenstecken, so summste es im Stübchen wieder: »Drlü drlü, drli drli«, und lustig gings in des Mädchens Seele zu, während draußen der Alte fror und fluchte und alles umsonst.

Benz kam nicht, aber kommen hatte er wirklich wollen, der Geist wäre willig gewesen, aber das Fleisch war zu schwach. Er war hart betrunken, fand den Weg nicht, fand überhaupt keinen Weg mehr, und wie und wann er nach Hause kam, darüber gehen verschiedene Gerede. Als Benz wieder zu ordentlicher Besinnung kam, da ward sein Gewissen beschwert durch die Art und Weise, wie er Barthli behandelt und tituliert hatte. Das Meitschi stak ihm im Herzen und d's Hüsli im Kopf, und beide tief. Das Meitschi gefiel ihm wohl, es war eingezogen, flink und fleißig, hübsch genug für ihn, wie er sagte, aber es chömm nit alles uf d'Hübschi a, sondern d's meiste uf's Ordelitue, und dann könne er einmal noch ein ganzes (die Löcher im Dache rechnete Benz für nichts) Hüsli erben, da brauche man keinen Hauszins, könne pflanzen, ja, das wäre ein schöner Anfang und viel gewonnen. Wenn man ein Meitschi gerne möchte, so schien es Benz denn doch nicht als zweckmäßige Präliminarien, den künftigen Schwäher zu mißhandeln, er erachtete, der Schaden müsse ausgebessert werden, aber das Wie, das gab ihm lang zu sinnen. Endlich fiel ihm was ein. Er stahl seiner Meisterfrau einige alte, zerrissene Körbe und machte sich nach dem Feierabend mit denselben dem rueßigen Graben zu. Er fand den Alten auf dem Bänkli vor dem Häuschen. Das Meitschi saß neben ihm auf dem Tritt der Stege, die ins Obergaden führte.

Die Meisterfrau schicke ihn, sagte Benz, er hätte da einige alte Körbe zum Flicken, wenn es sich der Mühe lohne, er solle sie g'schauen, und somit saß er ohne weitere Komplimente neben den Alten auf das Bänkli ab. Der Alte hatte alsbald die Trümmer der Körbe zur Hand genommen und geriet in schauerlichen Zorn. Er ließ ihn zuerst los über die Bauernweiber, wie die immer hundshäriger würden, wüst Gythüng. Da solle er Körbe flicken; fordere er mehr als zwei Kreuzer für einen, so sage sie ihm wüst, und habe er mit demselben doch mehr zu tun als mit einem neuen, dreibatzigen. So gehe man mit armen Leuten um; nachdem man sie blutt gemacht, wolle man sie noch schinden.

Nachdem er alles gemustert, wandte sich sein Zorn. »Los, Bub,« sagte er, »mit solchem Zeug schickt dich keine Bäurin, wenn sie recht im Kopf ist, und das ist deine, das ist eine rechte Frau. Du Lumpenkerli willst anfangen, wo du es gelassen, ich soll dein Narr sein, aber du bist am Lätzen, stell einen hölzernen an, wenn du einen Narren haben mußt, oder sei ihn selbst, aber den Barthli laß ruhig, der zeigt dir sonst

den Weg unsauber. Nimm den Zeug und packe dich, und daß du mir nicht mehr unter das Dach kömmst, sonst mache ich, was gut ist.«
Benz blieb sitzen und sagte ruhig: »Etwas recht hast und etwas nicht. D'Meisterfrau hat mir in der Tat diesen Zeug nicht gegeben, sondern ich kam aus mir selbst, und weißt, warum? Ich wollte schon am Märitabend kommen, es war aber besser, ich kam nicht, ich war z'volle, mein Lebtag nie so, wie ein Kalb, sag ich dir. Nachher kams mir, ich sei wohl grob mit dir umgegangen, und es war mir leid, von wegen sieh, es geschah nicht aus Absicht oder gar aus Bosheit, sondern wegen der Bekanntschaft. Sieh, ich will es dir gradusesäge, dein Meitschi g'fallt mir, es dünkt mich, es schicke sich niemand besser zueinander als ich und es. Wir sind beide jung und hübsch genug füreinander, können beide wohl verdienen, es bekömmt ein Hüsli und ich keins, es hat einen Ätti und ich ein Müetti, beide alt, wegen der Hübschi haben sie einander nichts vorzuhalten. Wenn du und es einander heirateten, so brauchte ich für d's Müetti keinen Hauszins mehr, es könnte die Haushaltung machen und d's Meitschi desto besser verdienen, und wenn denn da alles zusammenkäme, so hätten wir bald Geld z'weg und könnten entweder mehr Land kaufen oder das Hüsli neu unterziehen lassen, es mangelt dasselbe grusam. Wenn du mir d's Meitschi gä wottsch, es hat nichts dawider, ich wüßt nicht, was es wett ha, so b'sinn dih nit lang und sägs, daß ih mih rangieren cha! Mit Werche mag mich keiner, und sparsam bin ich auch. Daß ich mich vollgesoffen letzthin, daran stoß dich nicht, das geschieht des Jahrs nicht manchmal, und selb macht nichts, sagt man. Die Mutter ist huslich, für Schmutzigs z'spare i d'Suppe, i d's Krut u sust, kratzet sie alle Egge us. Die erspart dir manche Krone des Jahrs. Lue, du bist afe alt, und lang wirst es nicht mehr machen, aber du sollst deine Sache haben, wie recht und brüchlich, für einen Hund sollst nicht gehalten werden, wie es an manchem vornehmen Orte der Brauch ist, wir wollen

dich für e Ätti ha, seiest wunderlich oder nicht, krank oder g'sund. Ich habe gedacht, du werdest froh sein, wenn dein Meitschi einen habe, ehe du davon müssest. Da habe ich gedacht, du gebest mir die Tochter, sie machts auf my armi türi besser mit mir als mit einem, der manch tausend Gulden hat, daneben dann aber ein Hudel ist, und dann ists auch nicht, daß ich ganz nichts hätte. Oder was meinst, Barthli, nicht wahr, du gibst mir d'Tochter?«

»Ja, ja, ja, einem solchen Lausbub wie du die Tochter geben, ja, ja, ja, das wäre es witzigs Stückli vo Barthli, einem, wo nichts als plagen kann und damit anfängt, mich zum Narren halten zu wollen. Ich glaube, du möchtest gern es Hüsli und dazu noch mir deine Alte, die wüste Schnupfdrucke, anhängen, so was käme noch manchem Narr in Sinn. Mein Meitschi mangelt keinen Mann, wir mögen die Sache, welche wir pflanzen, selbst fressen, brauchen keinen Schmarotzer und Unflat dazu. Und jetzt mach, daß du fortkömmst, und das Gnist, wo du gebracht, nimm mit, oder ich schlage es dir ums Gesicht.«

Benz wollte frisch ansetzen, versuchte, Barthli darzutun, wie kommod in alle Spiel ein Tochtermann wäre, wie er doch einen haben müsse, und viel besser täte, einen zu nehmen, der am Tag komme, als einen, den ihm das Meitschi z'Nacht zucheschleipfe. Er sollte nur das Meitschi fragen, ob es ihn wolle oder nicht. Aber Barthli fragte das Meitschi nit: ›Wottsch oder wottsch nit?‹ Benz hatte seine Sache nur schlimmer gemacht, den Verdacht geheimen Einverständnisses erweckt und jetzt wirklich Zeit zu gehen, wenn er nicht fremde Hände am Kopf haben wollte. »Sag,« rief ihm Barthli nach, »deinem alten Kratte, wenn sie einen Mann wolle, solle sie sich einen kuderigen machen lassen, andern bekomme sie keinen!« Da drehte sich Benz um und sagte: »Jetzt schweig, Alter, und wart du nur, es kömmt einmal die Zeit, wo du froh über Benz wärest, aber dann kannst du lange pfeifen, du alte Wydlimuser du, was d'bist!«

Züseli war bei der ganzen Verhandlung gewesen, aber nicht gefragt, hatte es auch nichts dazu gesagt. Der Alte fragte ihns auch nachher nicht, ob er es ihm recht gemacht, sondern behandelte es als Mitschuldige. E Dirne, e wüsts Bubemeitschi sei's, nit trocke hinter den Ohren und schon einen Mann wollen, pfy Tüfel! Kabiswasser saufen müß es ihm, bis solche Mücken vergangen seien. Daß es ihm nicht d's Herrgotts sei, mehr einen anzusehen, sonst wolle er ihm die Augen schon vermachen mit Harz oder Schnupf, was er zuerst bei der Hand habe. Er wolle ihm das Gaffen und Liebäugeln vertreiben! Es sei nichts besser dafür als eine Drucke voll Schnupf i d's G'fräß. Er möchte doch wissen, was sie da mit einem Tochtermann, mit so emene Gränni machen sollten in dem kleinen Hüsli, wo sie kaum selbst Platz hätten. Es sei jetzt mehr als zehn Jahre, daß seine Alte gestorben, sie hätten es seither machen können ohne Tochtermann, er wüßte gar nicht, warum sie jetzt auf einmal einen nötig haben sollten, son e Kerli, wo freß für zwei, Platz versperr und nichts könne, als die andern versäumen! »Wir mangeln keinen Tochtermann, wir können es alleine, gibt die Geiß ja längs Stück für uns kaum oder gar nicht Milch, verschweige dann für ein groß Kalb.«

Von diesem Standpunkt aus sah Barthli die Sache an. Es wird sicher niemanden und namentlich keiner lieben Leserin unerwartet kommen, wenn wir sagen, daß Züseli nicht von diesem Gesichtspunkte aus die Lage der Dinge betrachtete. Das Tanzen und der Tochtermann hatten in seinem Köpfchen sich Platz gemacht und drehten sich darin miteinander herum, daß ihm fast alles Sinnen und Denken verging. Kaum achtzehn Jahre alt und hätte schon einen Mann haben können, und ist manche schon siebenzig Jahre alt und hat noch keinen! Dann hätte es mit ihm z'Märit gehen können und beim Heimgehen tanzen, drli, drlü. Und wenn der Alte nicht dabei war, so probierte Züseli richtig, ob es es noch könne.

Man sieht, Züseli hätte mit einem Tochtermann seines Vaters schon was anzufangen gewußt. Aber es sollte ihn ja nicht haben, sollte keinen Mann haben, denn der Alte wollte ja keinen Tochtermann, nie mit einem vom Märit heimgehen und mit ihm tanzen! Das kam ihm fast übers Herz, es mußte weinen, es mochte wollen oder nicht, es mußte an Benz denken. Der hätte sich doch so wohl geschickt, fand es je länger je mehr; die Mutter hätte es eben auch nicht begehrt, aber ihn wohl, und zu brauchen wäre er sicher auch gewesen, was er nicht gekonnt beim Korben, hätte man ihn b'richten können.

Bis jetzt hatte Barthli mit Recht nicht über Züseli klagen können, sondern Ursache gehabt, dem lieben Gott für das Meitschi zu danken, denn es war nicht bloß die Stütze, sondern auch die Blume seines Alters. Nun begann es zu ändern. Böses machte, soviel wir wissen, das Meitschi nichts, aber mit seinen Sinnen und Gedanken war dasselbe nicht mehr da, wo es sein sollte, sie flogen ihm davon, es wußte selbst kaum, wohin. Das eine vergaß es, das andere machte es verkehrt, daß der Alte wirklich manchmal schlimm daran war. Bald war nicht gekocht, bald nicht gemolken, die beiden Handhaben an einem Korbe auf der nämlichen Seite, oder gar feuerte es mit Korbwydlene an.

Dazu begann das Meitschi schlecht auszusehen, müde zu werden, plärrete viel, daß der Alte wirklich ans Krankwerden dachte und eine alte Nachbarin zu Rate zog. Die tröstete ihn. Das sei nicht anders bei jungen Mädchen, sagte sie, das gebe es oft und werde schon bessern. Da sei nichts besser dafür, als ab Bocksbart zu trinken, der sei b'sunderbar gut i sellige Umständen. Zu all seinem Elend mußte nun Züseli ab Bocksbart trinken, der schmeckte ihm aber grundschlecht, und man sah gar nichts, daß er ihm anschlug, eher das Gegenteil. Je weniger er aber anschlug, desto böser wurde der Alte mit Züseli. »Du sufst ume z'wenig,« sagte er, »es würde sonst schon bessern, der ist ja expreß gut dafür. Wottsch sufe oder nit?« Wegem Bocksbart konnte er fragen: »Wottsch oder wottsch nit?«; hätte er wegem Tochtermann so gefragt, es hätte vielleicht besser angeschlagen.

Ob Züseli in dieser Zeit Benz nie gesehen, nie gesprochen, wissen wir nicht, wir haben Ursache zu glauben, daß sie sich gesehen haben. Wenigstens wollte es eine Nachbarin behaupten, nicht daß sie dieselben beieinander gesehen, aber Züseli suche das Futter für die Geißen und den Bocksbart gar oft am nämlichen Orte und an einem Orte, wo nüt Aparts für die Geißen wachse, und der Verstand gebe es doch mit, daß am nämlichen Orte nicht stets etwas zu finden sei. Aber von dort sehe man den Hof, wo Benz diene, und von dorther gehe man herunter ins Dorf, das komme ihr sehr kurios vor. Uns dagegen gar nicht, denn jedem achtzehnjährigen Meitschi ist bekannt, daß ein solches Mädchen in einem Zimmer, wo drei Fenster sind, von denen eins gegen das Haus seines Schatzes sieht, sich immer an dieses Fenster setzt, auch wenn es gar keine Hoffnung hat, mit dem Schatz hinter den Fenstern zusammenzutreffen. Es ist immer Hoffnung, vielleicht ein Bein oder einen Kuttenfecken des Geliebten zu sehen, jedenfalls hat man einen sichern Haltpunkt für seine Gedanken, und schaden kann es ja doch nicht viel!

Wir wollen nicht entscheiden, wie es sich verhielt; das wissen wir, daß am zweiten Sonntag im August vergangenen Jahres Züseli daheim vor dem Häuschen saß und grusam Langeweile hatte und ein Blangen dazu, daß es ihm sein kleines Herz fast versprengen wollte.

Die Bewohner des rueßigen Grabens meinten nicht, daß sie alle Sonntage zur Kirche müßten. Wenn man die Sonntagskleider alle Sonntage anziehen wollte, man wäre ja alsbald fertig damit, meinten sie. Barthli ging noch zuweilen, und manchmal nur, damit das Meitschi daheim bleiben müsse, um zu hüten, denn das sah er sehr ungern gehen und legte ihm, wenn es einmal gehen wollte, Hindernisse in Weg, wie er nur konnte und mochte. Ledigen Leuten sollte man d's Chilchegah ganz verbiete, meinte er. Es sei ihnen doch nie wegen Gottes Wort, sondern nur, daß ein Löhl den andern angaffen könne, und daraus entstünden böse Sachen, wie man Exempel genug hätte. Mit Lesen gab Züseli sich auch nicht besonders ab, und Barthli gab ihm das Beispiel nicht. Sie hatten wohl eine Bibel, aber nicht großen Appetit dazu. Hier ist das Sprichwort besonders wahr: ›Der Appetit kömmt überm Essen.‹ Man muß früh anfangen zu lesen und gut lesen, nicht bloß halb buchstabieren können, wenn man Freude am Lesen bekommen soll. Der Sonntagsmorgen ging noch an. Es hatte für Menschen und Vieh zu sorgen, sich recht zu waschen und zu kämmen; statt Kartoffeln machte es einen Eiertätsch oder ein Eierbrot. Fleisch hatten sie des Jahres nicht oft auf dem Tisch. Diese Mahlzeit wurde schon um eilf Uhr eingenommen, lang vor zwölfe war man mit allem fertig, mit Essen und Abwaschen, und jetzt? Nun, manchmal ging Züseli beeren im Walde. Erd-, Heidel-, Him- und Brombeeren fanden sich zur Genüge. Wohl flocht es auch niedliche Körbchen mit allerlei Kunstwerken für sich, denn eigentliche Arbeit duldete der alte Korber am Sonntag nicht. Das sei das beste Zeichen, um wie viel die Menschen geschlechtet hätten und nichtsnutziger geworden seien, ehedem hätten sie arbeiten können in sechs Tagen, daß sie sieben Tage zu leben gehabt, jetzt schafften viele sieben Tag und brächten es nicht z'weg, daß sie sich des Bettelns erwehren könnten, behauptete er.

Aber auf die Straße, ins Dorf hinunter, wo Wirtshäuser waren, dahin ließ es der Alte nicht, von wegen er war da nicht mit der Schnupfdrucke bei der Hand, um zur rechten Zeit vor allfälligem Schaden sein zu können. Da gab es lange Sonntagnachmittage und viel Seufzens.

So war es eben an jenem genannten Sonntagnachmittag. Die Ziege mäckerte im Stalle, und der Alte sagte, es sei ihm in den Gliedern, es nehme ihn wunder, ob es ein Wetter geben würde? Er wolle hinaustrappen auf die Egg, dort sehe man am besten, was werden wolle. Es finge sich fast an zu fürchten, sagte Züseli. Vor acht Tagen hätte es so grusam Unglück gegeben vom Wasser, und man sage, es gebe gern zwei Wassergrößen hintereinander, und die zweite sei größer als die erste. Es wollte, er bliebe da, oder es wolle mit ihm kommen.

»Dumm!« sagte Barthli, »es muß jemand daheim sein, um Bescheid zu geben; wenn es schon ein wenig Wasser gibt – und daß es gibt, ist noch lange nicht gesagt, das will ich eben gehen zu gucken – so wird dir doch hier oben die Emme nichts tun und die Aare nichts, und wenn es wäre, könnte ich dir doch nichts helfen, und die Sündflut wär nicht mehr weit.« »Man kann nie wissen«, sagte Züseli kläglich. »Dumm!« sagte Barthli und ging langsam der Egg zu.

Wenn es doch dann an einem Sonntag von Hause weg sein müßte, so sei es doch überall der Brauch, daß die Jungen gingen und nicht die Alten, dachte Züseli traurig. Aber es sei ein armes Tröpfli, es wollte bald lieber sterben als so dabei sein, keine Freude, keine Gesellschaft, von Lustbarkeit wolle es nicht einmal reden. Es setzte sich aufs Bänklein und hätte wahrscheinlich geweint, wenn es nicht Gesellschaft bekommen hätte. Seine Hühner kamen daher, nicht des Fressens wegen, sondern als ob sie bei ihm Schutz suchen wollten. Es wird ein Vogel in der Nähe sein, dachte es. Aber die Hühner wollten nicht wieder von ihm weg, wie sie sonst tun, wenn sie den Vogel weitergeflogen glauben. Wie halb krank stunden sie um ihns herum und versetzten keinen Fuß, um Futter zu suchen. Warum nur die Hühner so mudrig seien? dachte es. Wenn sie nur nicht was Böses gefressen, ihm nur nicht draufgingen, es ginge ihm viel zu übel. Der Vater wolle kein Fleisch kaufen und Brot so wenig als möglich; wenn es nicht zuweilen was von Eiern machen könnte, so hätten sie d's Jahr ein, d's Jahr aus nichts als Kaffee und Erdäpfel, und selb wär denn doch gar zu lantwylig.

Es donnerte dumpf, das Meitschi wußte nicht, von welcher Seite her. Es wurde dunkler, es sei fast, als ob es Nacht wer-

den wollte, kein Wunder, daß die Hühner gekommen, sie würden gemeint haben, es sei schon Zeit z'Sädel zu gehen, meinte es. Es fürchte sich schier; »wenn nur d'r tusig Gottswille d'r Ätti wieder da wär!« sagte es zu sich selbst.
Es stund vor das Dach hinaus, und über sich sah es den Himmel schwarz wie ein ungeheures schwarzes Grab. »So habe ich es nie gesehen,« sagte es zu seinen Hühnern, »wenn doch nur der Ätti käme, was braucht doch der seine G'wundernase auf die Egg hinaufzutragen!«
Still war es auch wie im Grabe, kein Vogel zeigte sich mehr, von ferne hörte man ein Gerolle: es war, als wenn ein gewaltiger Totengräber Erde würfe auf einen eben versenkten Sarg. Schwere Tropfen fielen.
Eine Nachbarin stand zu Züseli und sagte: »Es ist mir so angst, ich bekomme fast den Atem nicht, ich weiß nicht, was es geben will.« »Ja,« sagte Züseli, »und Ätti ist noch nicht heim, wollte auf der Egg nach dem Wetter sehen, und wenn er nur das täte, so dünkt mich, er sollte heimkommen, aber er wird sich mit Klappern versäumen.«
»Sieh, dort kömmt er, und es pressiert ihm!« sagte die Nachbarin. »Hätte nicht geglaubt, daß Barthli noch so schnelle Beine hätte.« Da flammte es vor ihren Augen, als ob Feuer vom Himmel falle, daß beide die Hände vor die Augen schlugen, ein entsetzlicher Donner betäubte die Menschen, die Erde erzitterte, und ehe sie noch zueinander gesagt: ›Gott, mein Gott!‹, brachen Wasserströme aus den Tiefen des Himmels, der schwarze Sarg war geborsten, und seine Wasser platzten zur Erde. Beide stürzten ihren Häuschen zu, einige Schritte weit, sie erreichten sie zur Not, naß bis auf die Haut, außer Atem. Kaum hatte Züseli ihn wieder, jammerte es: »Mein Gott, mein Gott, der Vater!«
Es war, als ob Gott ihn bringe, er stürzte unter Dach: »Mein Gott, mein Gott, so habe ichs noch nie erlebt«, keuchte Barthli. Sie flüchteten sich in die Küche, um den Herd stunden betäubt die Hühner, hinten im Stalle schrie wehlich die

Ziege, man hörte zuweilen ihre jammervolle Stimme durch das Rauschen der Wasser, zwischen den betäubenden Donnerschlägen.

»Wenn wir nur die Geiß hier hätten,« sagte Barthli, »die hat grusam Angst, und dort ist das Dach nicht am besten.«

»Will probieren,« sagte Züseli, »sie zu holen.« Dreimal setzte das Meitschi an, um aus der Küche zu kommen, dreimal schlugen es die Wasser des Himmels – denn es war kein Regen mehr, es war ein Strom, der aus dem Himmel brach – zurück. Endlich kam es zum Ställchen, konnte die Türe öffnen, da fuhr Feuer durch die Gewässer, blendete ihm die Augen, betäubt lehnte es sich an die Wand. Als es wieder Besinnung hatte, nach wenigen Sekunden, war die Ziege weg, das Gitzlein auch; furchtbar brausten die Wasser, es donnerte, wie es in des Blitzes Glut gesehen, ein gewaltiger Bach durch den Graben, wo sonst nur in nassen Zeiten ein klein Wässerchen lief, das zur Not ein Rädchen trieb, wie Kinder in Bächen einzuhängen pflegen.

Züseli floh zur Küche, naß bis auf die Knochen. »Vater, d' Geiß wird da sein?« rief es. »Als ich den Stall auftat, kam der Blitz, und als ich wieder sah, war keine Geiß mehr da.«

»Sie wird in der Angst ums Häuschen sein, man muß ihr rufen,« sagte Barthli und rief ihr mit seiner rauhen Stimme: »Gybe, sä, sä! Chum, sä, sä!« Aber Barthlis Stimme war zu dünn, drang nicht durch den Donner Gottes und das Brausen der Wasser, Gybe kam nicht. Er drang in seinem Eifer vor die Türe, da sah er denn im Scheine der ununterbrochen flammenden Blitze den donnernden Bach, die Breite des Grabens füllend, höher und höher steigend, mit Gebüsch und jungen Tannen den breiten trüben Rücken bedeckt. »Oh, o Züseli, o Züseli, wir müssen sterben!« schrie Barthli und vergaß die Ziege. Sie dachten einen Augenblick an Flucht, aber wohin in den wogenden Wassern? Sie dachten an den Jüngsten Tag, und wenn der komme, so komme er ihnen auf den Bergen oder in den Tälern oder in den schäumenden Wellen. Sie beteten, was sie konnten, erwarteten zitternd das Vergehen von Himmel und Erde. Die Wasser brausten, die Hütte wankte, sie hatten sich ihrem Gott ergeben, achteten sich nicht mehr der Zeit, sie warteten auf das Öffnen der Tore der Ewigkeit.

Da ward es wieder heller, die Blitze minder feurig, die einzelnen Donnerschläge ließen sich unterscheiden, waren weniger betäubend, wurden majestätischer, die armen Sterblichen atmeten wieder, sie hofften wieder: über die Gerichteten sei aufgegangen die Sonne der Gnade.

Da kam plötzlich eine Stimme durch die Küchentüre: »Barthli, lebst noch?« »U de?« war alles, was Barthli hervorbringen konnte. »G'schwing, g'schwing komm, sonst nimmts dir d's Hüsli weg.« Ohne weitern Übergang brachte dieser Ruf Barthli urplötzlich aus allen höheren Stimmungen heraus in die Gegenwart, er machte sich hinaus. Durch Züseli bebte es wunderbar, es hatte sich ergeben, alsbald vor Gott zu stehen, jetzt kam plötzlich Benzens Stimme zur Türe hinein. Es konnte nicht aufstehen, der Atem fehlte ihm, die Glieder waren wie gelähmt, Ströme fluteten um sein Herz, die Ströme ums Hüsli vergaß es.

Bedenklich sah es um das letztere aus, schon war eine Ecke untergraben, und die Wasser mehrten sich noch. Aber Benz tat klug und kühn das Nötigste, den Strom zu brechen, den Zorn desselben abzuleiten. Barthli schleppte Material herbei, ihr wehlicher Ruf um Beistand scholl weithin, brachte Helfende herbei, und das Häuschen ward zur Not aufrecht erhalten; aber es war die höchste Zeit gewesen, daß dazu getan wurde, in wenigen Minuten wäre es verschlungen gewesen.

Nun ward es durch gemeinsame Anstrengungen außer Gefahr gestellt, die Wasser begannen zu mindern glücklicherweise, ihren Lauf konnte man wieder meistern, die nachhaltige Kraft der Menschen siegte über die rasch verbrausende Gewalt des Elements.

Die Angst wich aus den Herzen der Menschen, machte aber bei vielen nur dem Jammer Platz, absonderlich bei Barthli. Er gehörte, wie man gesehen haben wird, unter die Jammersüchtigen, welche immer Ursache haben zum Wehklagen, nie zum Frohlocken, über Verlorenes klagen, des Geretteten nicht gedenken, nie dankbar sind in der Glückseligkeit, aber fort und fort mit der Vorsehung hadern über jede Widerwärtigkeit. Wie ihm die Nachbarn auch sein Glück priesen, daß er, sein Kind und sein Häuschen gerettet worden, er hatte keine Ohren dafür, er jammerte nur über seine verlorenen Geißen. Wie die alte gebe es keine mehr, weder im Oberland noch im Unterland, kein Ratsherr sei so witzig wie sie gewesen, die hätte gewußt, wo das Gras melchiger sei, außer dem Zaun oder inner dem Zaun, und wo sie innerhalb hätte grasen wollen, habe es ihr kein Zaun gewehrt, und dazu sei sie wenigstens acht Taler wert gewesen. Wenn das Gitzi geworden wäre wie die Geiß, so wäre es auch acht Taler wert geworden, zusammen also sechzehn Taler, woher jetzt die nehmen? Und wenn man sie auch je wieder zusammenbrächte, wo dann Geißen finden so melchig und witzig und merkiger als key Ratsherr? Was nütze so das Hausen, wenn dann der Herrgott selbst komme und die Sache verherrge, daß es key Art und Gattig habe, man sein Lebtag sie nicht wieder z'wegbringe?

Solche Rede ärgerte die Leute stark, und während sie starke Antworten beizten, mäckerte es hinter Barthli erst grob, dann fein. Hastig sah er sich um, es waren seine Ziegen, welche ihm die Antwort brachten, hellauf und wohlbehalten, und Benz wars, der sie hielt. Da war wieder, größer als die Freude über die Geißen, der Ärger, daß Benz es war, der sie hielt. »Hieltest sie versteckt, hätten sie dir vielleicht auch gefallen?« sagte er giftig. »He,« sagte Benz ganz kaltblütig, »wie kam ich zu ihnen? Wo es so wetterte, daß man nicht wußte, bleibt etwas ganz auf dem Erdboden oder ists Matthäi am letzten, da sagte mir der Meister: ›Benz, und unsere Ware im Schürli! Die erbarmet mich, darfst es wagen und sehen, ob ihnen zu helfen ist?‹ ›Meister‹, sagte ich, ›warum nicht! Wenns aus ist, so kömmt es in eins, bin ich hier oder draußen, und allweg ists den armen Tieren ein Trost, wenn jemand Vernünftiges bei ihnen ist.‹« Als er z'Not hinausgekommen, denn bald habe ihn der Wind genommen, bald das Wasser, habe er nebem Schürli mäckern hören und da die Geiß gefunden, die sich dahin unter Dach geflüchtet und schön Wind ab.

»Ja,« sagte Barthli, »die ist witziger als mancher Ratsherr, hab ich ja gesagt.« Er habe sie in Stall gelassen, fuhr Benz fort, und weil er sie erkannt, habe er gleich gedacht, die sei unten dem Wasser entronnen, und Barthlis könnte ein Unglück begegnet sein, und als er für das Schürlein gesorgt und gesehen, daß es demselben nichts mehr tue, sei er daher gekommen, wie, wisse er nicht, das Häuschen sei noch gestanden, aber not z'wehre, hätte es getan; wenn ihm die Geiß die Beine nicht gleitig gemacht, wer weiß, ob der Alt und das Meitschi noch am Leben wären.

»He, ja, ja, man hätte eigentlich Ursache, dir zu danken, aber was soll ich jetzt mit den Geißen anfangen, wo soll ich sie hintun? Das Ställi hanget ja in der Luft und hat keinen Boden mehr, und das Hüsli ist über Ort, was soll ich jetzt mit den Geißen, wo wir nicht wissen, wohin«, antwortete Barthli hässig.

»Barthli, du bist doch der Wüstest, hättest Ursache, dem lieben Gott zu danken, daß du mit dem Leben davongekommen, hast ja auch die Geißen wieder und tust nichts als brummen und zanken«, sagte ein Nachbar.

»Dank du, wenn es dir drum ist«, antwortete Barthli. »Jetzt noch danken für ein solches Wetter, wie nie eins erhört ist seit Noahs Zeiten!« Darin hatte Barthli recht, daß in dieser Gegend nie ein solches Gewitter erhört worden war, es mußten Wolken geborsten sein vom Druck gewaltiger Wassermassen, die dann über den Rücken und an den Seiten einer nicht

hohen Hügelkette hinstürzten, wo sie nicht wie in einem Trichter sich fingen und gepreßt zu einem Loch ausmußten, sondern wo von allen Seiten Abfluß war in verschiedene Täler, verschiedenen Flüssen zu, nach Ost und nach West.
Barthlis Häuschen hing über der halben Höhe des Berges, die Wasser, welche dort hinunterbrachen, flossen in ganz kleinem Raume zusammen, und doch brachten sie über hundert Zentner schwere Steine zu Tale, trugen unter Barthlis Hütte von einem Hause einen schweren steinernen Brunnentrog weg und begruben ihn weit unten im Tale tief in den Schlamm, wo er lange nicht gefunden wurde. Als in der Tat das Ställchen unbewohnbar gefunden wurde, sagte der gutmütige Benz, den Barthlis schlechter Dank nicht gekränkt hatte: »He, weißt was, das Meitschi söll se melche, de nime ih se i üses Schürli, uf es paar Hämpfeli Futter chunnts dem Meister nit a, und es ist nit wyt, am Abe und am Morge cha das Meitschi se cho melche.«
Da sah der Barthli den Benz an mit einem unbeschreiblichen Blick. »Meinst, Bürschli, meinst«, sagte er. »Hans,« wandte er sich zu einem Nachbar, »du nimmst mir sie zu deinen, will sehen, daß ich fürs Fressen sorge.«
Die Nachbaren hatten Spaß und Ärger ob Barthli. Natürlich war Benzens Abferggete (Korb) bekannt, und wie Barthli gesagt, er wüßte nicht, für was er einen Tochtermann nötig hätte. Natürlich hielten es alle mit Benz. Die Antwort ward zum Sprichwort, und wenn man Barthli einen Streich spielen konnte, so sparte es sicherlich niemand. Er war eben eine, bei der immer größeren Abgeschliffenheit der Menschen, der immer größer werdenden Menge ohne Gepräge, immer seltener werdende Persönlichkeit, vor der man eine Art Respekt hat und doch, sooft man sie sieht, lachen muß und Lust verspürt, sie zu helken oder zum besten zu halten.
»Nein, Barthli, nein,« sagte Hans, »Platz für deine Geißen habe ich nicht, und wenn ich hätte, so schickten sie sich nicht zusammen, meine Geißen sind gar so dumm und deine ja

witzig wie ein Ratsherr. Die wird gewußt haben, warum sie da hinauf zu Benze Schürli lief. Sei nicht dümmer jetzt als die Geiß und laß sie gehen mit Benz! Und daneben glaube ich, wir haben das Wetter deinetwegen leiden müssen. Unser Herrgott wird dir haben zeigen wollen, für was man einen Tochtermann brauchen kann.« »Öppis Dumms e so!« brummte Barthli, »üse Herrgott wird sih sellige Sache achte! Für e Geiß z'fa, braucht man kein Tochtermann zu sein, das kann jeder Maulaff, und für ein solch Wetter wird man, so Gott will, keine Hülf mehr brauchen, es ist genug, wenn man eins erlebt! Wie dumm wärs, deretwegen e Tochtermann anzustellen, für e Sach, die nimme chunnt, was soll me mit em ne söllige Mulaff afa?« – »Wenn Hans d'r Kolder macht, so nimmst du mir sie, Niggi, nicht wahr?« sagte Barthli zu einem andern Nachbar. »Nein, Barthli, nein, brauch Verstand, denke, was Gott zusammengefügt hat, soll der Mensch nit scheide! Junge, fahr mit dene Geiße dr Berg uf, su hört das G'stürm uf.«
Benz begriff das, rief Züseli, das begreiflich nicht weit davon stund, zu: »Um sechsi, hörst, ist g'futteret und wird g'mulche, chast mache, daß d'ufmagst und obe bist, nachher b'schließe ih wieder u chönntisch nit yche, u jetz milch g'schwing, was noch da isch, su chann ih fahre, muß ga zur War luege.«
Züseli tat das geschwind und schweigend ab, und Benz sagte auch nicht viel, wahrscheinlich befaßten sie sich mehr mit der Zukunft als mit der Vergangenheit. Und als gemolken war, folgte stolz mit hoch emporgehobenem Haupte, wie wirklich ein Ratsherr es nicht besser gekonnt hätte, die Ziege ohne Widerstand Benz nach, als ob sie wüßte, was sie verrichtet hätte. Lustig tanzte das Gitzlein um sie herum, akkurat wie ein achtzehnjährig Meitschi, wenn es vernimmt, es gäbe nächstens eine Hochzeit, wo es Brautjungfer sein müsse und dann tanzen könne nach Herzenslust und dann vielleicht, man kann nicht wissen, einen Mann auflesen und dann wie-

derum eine Hochzeit und dazu eine noch lustigere, denn Braut sein ist doch lustiger als Brautjungfer sein, oder ist Bratis essen nicht besser als Bratis riechen? Wir fragen.

»Morgen wirst dich kaum verschlafen, Meitschi!« lachte Niggi. »Daneben vergiß nicht, was dein Alter mit Schein noch nicht weiß, daß, was Gott tut, wohlgetan ist. Als es anfing zu donnern und als die Wasserbäche kamen, da dachtest du nicht daran, was die Sache für einen Austrag nehmen würde.« Züseli vergaß es aber auch nicht, und selbe Nacht schlief es nicht, verschlief sich am Morgen nicht. Die ganze Nacht stund der gestrige Nachmittag vor seinen Augen als wie ein großes bewegliches Gemälde. Es dachte nicht, es schaute nur, fühlte die Angst rieseln durch Mark und Bein; es war ihm das Herz eingeklemmt, daß es oft kaum Atem hatte, und doch war ihm wohl dabei, es war ihm, als ob hinter dem Graus die Sonne stehe und bald schöner als nie scheinen werde und die Greuel verklären und alles vergehen bis an Benz und Geiß und Gitzlein und sonst noch allerlei. So lag es da und sah, was vor ihm stund, bis es ung'sinnet graute draußen. Dann machte es sich auf, leise, um den Alten nicht zu wecken, der gar tapfer schnarchte.

Der hatte auch lange nicht schlafen können, aber daran nicht so wohlgelebt, wie sein Meitschi, im Gegenteil, sehr schlecht. Er war zornig über den lieben Gott und über seine Nachbarn, rechnete seinen Schaden nach und ärgerte sich über die Schadenfreude. Er hätte nicht geglaubt, daß die Menschen so schlecht sein könnten, ihm ein solch Unglück noch zu gönnen, das G'spött mit ihm zu treiben und mit einem solchen Schnürfli gegen ihn zusammenzuspielen. Aber wohl, denen wolle er vor der Freude sein, die müßten ihn nicht auslachen! Morgen wolle er gehen und die Geiß melken, das werde kein Hexenwerk sein, und g'setzt, er brächte die Milch nicht alle heraus und die Geiß würde wüst tun, so werde das nicht alles zwingen, und sie hätten doch dann nichts zum Lachen. Er sei gestraft genug mit dem Hüsli, das er müsse plätzen lassen, das Meitschi müsse ihm nicht noch heiraten obendrein, er wolle nicht zwei Unglück aufeinander, wo eins größer sei als das andere. Er wälzte Vorsätze in seinem Gemüte, groß, wild, trüb, fast wie die Wasserwogen am gestrigen Abend. Und mittendrein schlich der Schlaf, gaukelte ihm immer Wilderes vor, band ihm leise die Glieder, drückte ihm die Augen zu, entriß ihm das Bewußtsein, blies ihm die Einbildungskraft noch einmal tapfer an und ließ dann das miteinander machen; weiß Gott, wo Barthli war, in welchem Weltteil oder gar im Himmel oder der Hölle, als sein Meitschi ihm davonlief, und zwar noch lange, ehe es sechs Uhr war!

Diesmal war der Himmel nicht trüb, wie er sonst oft ist nach solch gewaltigen Ergüssen, in klarer Bahn ging die Sonne, und frisch und schön war es auf Erden, wo die Wasser gestern nicht gehauset; wo sie gewütet, war es fürchterlich. Züseli hatte Mühe, zum Wasser zu kommen, wo es gewöhnlich mit Hülfe eines alten zwilchenen Lumpens Toilette machte und dabei eine schönere Haut hervorbrachte, strahlender vom Bache kam als je eine Hochgeborne von ihrer Toilette und deren tausendfältigem Kram von Seifen, Pomaden, Essenzen, Bürsten, Kämmen, Zangen und Scheren und anderlei unnennbaren Dingen. Diesmal, vielleicht zum ersten Mal, war es Züseli dran gelegen, anzuwenden und sich so schön zu machen als möglich mit Hülfe von Wasser und dem zwilchenen Lumpen, der einer dahingegangenen Kutte des alten Barthli entstammte. Der gewöhnliche Weg zum Bach war fortgerissen, es rutschte hinunter, kam nicht bloß zum Wasser, sondern ins Wasser und weit mehr, als nötig und ihm lieb war. Überdem war das Wasser trüb und häßlich und mörderlich kalt. Desto mehr wandte Züseli an, desto kräftiger drehte es seinen Lumpen aus, fing wieder von vornen an, und als es mit Vorsicht am zerrissenen Uferrand emporstieg, erschien es oben lieblich und glänzte fast wie der Morgenstern oder wie die Morgenröte, wenn sie das Haupt der großen

Jungfrau im Berner Oberlande verklärt. Davon aber wußte Züseli denn doch nichts, hatte nicht einmal einen Spiegel, um sich über den Erfolg seiner Anstrengungen zu vergewissern, dachte auch nicht daran, sondern nahm das Milchgeschirr und eilte damit den Berg auf. Es möchte sich verspäten, das war seine Sorge. Gar zu ungerne hätte es gehabt, wenn Benz geglaubt, es seie e fule Hung.

So ein Meitschi wie Züseli setzt seinen Stolz in Arbeitsamkeit und Arbeitsgeschick, es hatte keinen Begriff davon, daß man mit Klavierspielen und Affektieren zu einem Mann kommen könne. Es sucht dahin zu kommen, daß die Leute sagen: ›Der ist g'fellig, wo das bekömmt, von wegen es ist ein b'sunderbar werchbar Mensch, versteht alles wohl und dreht sich des Tags nicht bloß einmal.‹

Doch lief das Meitschi nicht in gleichem Schritte bis oben. Der müsse doch nicht meinen, daß es ihm so pressiere, daß es nicht warten möge, bis es bei ihm sei, er könnte sonst meinen, wie viel ihm an ihm gelegen sei.

Benz war schon fertig mit Melken, als Züseli daherkam. »Hast Zeit!« sagte er, »hätt nit lang meh g'wartet, bei uns steht man des Morgens auf und nicht erst mittags.«

Züseli wollte diesen Vorwurf nicht leiden, begehrte auf, da mäckerte es im Stall zweistimmig, die Tiere hatten seine Stimme erkannt, und als sie es sahen, taten sie zärtlich, daß Benz das Wasser im Munde zusammenlief. Die Alte stund an Züseli auf und leckte ihm das Gesicht, das Kleine stieß ihns mit dem Kopf und tanzte ihm um die Füße.

»Seh, gib das Melchterli!« sagte er, »so kömmst nicht ans Melken.« Aber so meinte es die Alte nicht, sie wollte ihm nicht stille halten, ihn gar nicht dulden, eines so groben Kerlis war sie nicht gewohnt, Züseli mußte sein alt Amt verrichten. Wie hätte die alte Geiß erst getan, wenn der alte Barthli an ihr hätte rupfen wollen!

Unterdessen gewann Benz des Gitzleins Freundschaft mit einigen Handvoll schönen Grases, so daß, als Züseli fertig war und dem Gitzlein auch flattieren wollte, dasselbe in große Verlegenheit kam, von wem es sich eigentlich rechtmäßig sollte flattieren lassen, und schön war es anzusehen, wie Benz und Züseli an dem verlegenen Gitzlein wetteiferten im Flattieren, jedes dem andern zeigen wollte, daß es doch am schönsten und wirksamsten flattieren könnte. Da hätte man gar nicht glauben sollen, daß eins oder das andere von ihnen pressiert sei.

Am Ende mußte es doch geschieden sein, was seine Not hatte, und zwar eigentlich wegen der Geißen, die mit Gewalt Züseli nachwollten und mit Mühe in die Trennung sich fügten.

Das freute Züseli sehr. »Siehst du,« sagte es, »sie haben mich doch noch lieber als dich! Ich habe es mit allen Tieren so, mit den Hühnern und den Katzen auch. Die Tiere wissens, wer wohlmeinig ist oder nicht, und können die Liebe erzeigen wie Menschen und d's Gunträri auch. Aber mein Gott, was wird der Vater sagen, daß ich so lang mache, adie!«, und fort wars. Benz sah ihm nach und schüttelte den Kopf. »Ist das trümpft oder sonst g'stochen?« sagte er. »Meint es dann, die Tiere hasseten mich, weil die alte dumme Geiß mich nicht wollte melken lassen? Wohl, das will ich anders b'richten, und zwar schon diesen Abend.«

Als Züseli heimkam, war Barthli eben am Erwachen, grunzte bedenklich und hob mühsam sein struppicht Haupt aus dem Bett empor. Als er das Meitschi angezogen sah, sagte er: »Mach z'Morge, drwyle will ich gehn und melche, bis d'fertig bist, bin ich wieder da.«

»Vater, es ist g'mulche, ich bin wieder da, und wenn Ihr auf seid, ist z'Morge fertig.« Was da der Alte für ein Gesicht machte, und wie er mit dem Meitschi brüllte, was es so hätte zu pressieren gebraucht, seit wann man nach Mitternacht melke, und was die Leute sagen würden, was es für ein wüstes, mannsüchtiges Meitschi sei, man kann es sich kaum vorstellen. Züseli verteidigte sich mit der Abrede und mit der

Zeit, und wie kein Mensch was Böses denken werde, sie wären ja dabeigewesen, wo man die Sache abgeredet usw. Aber das half alles nichts, denn der Alte war eine von den glücklichen Naturen, die auf keine Einrede achten, immer fortreden in einem Zuge, und antworte man oder antworte man nicht, es kommt auf eins, sie tun, als hätten sie keine Ohren; selbst der Stand der Sonne, und wäre auch der Mond neben ihr gestanden, überzeugten ihn nicht, daß er sich verschlafen habe. Es geschah ihm sonst nicht, daher hielt er es für eine Unmöglichkeit, es schien ihm viel natürlicher, daß ob dem gestrigen Wetter die Sonne sturm geworden, daher den rechten Weg verfehlt, daher sich verspätet hätte. »Es ist gut für einmal,« sagte er endlich, »zum zweiten Mal wirst du nicht melken da oben!«

Nach schöner Landessitte erscheinen bei großen Unglücksfällen, Feuersbrünsten, Überschwemmungen usw. nähere und fernere Nachbarn mit passendem Werkzeuge, schaffen den Schutt weg, machen, was not scheint, nicht bloß unentgeltlich, sondern viele bringen noch Lebensmittel mit und nicht bloß für sich, sondern auch für die Geschädigten. So geschah es auch am Montag nach dem verhängnisvollen Sonntag im rueßigen Graben.

Die ersten erschienen schon, während Barthli noch haderte mit seinem Meitschi; dadurch neugierig gemacht, vernahmen sie leicht von den nächsten Nachbarn des Haders Grund und Ursache. Es gab Stoff zum Lachen, und der arme Barthli war verkauft und verraten, keiner hielt es mit ihm, alle waren gegen ihn. Als man sich gehörig umgesehen, wurde Rat gehalten, wo anzufangen, was anzugreifen sei. Barthli redete stark von seinem Häuschen, das vor allem herzustellen sei.

»Selb meine er auch«, sagte eine Stimme hinter ihm, und als Barthli hastig sich umdrehte, stand Benz hinter ihm, hoch die Schaufel auf der Achsel, als Abgeordneter seines Meisters.

»Bist auch schon da, was hast du dein Maul dreinzuhängen, was geht das dich an?« schnauzte Barthli ihn ab. »Hättest daheim bleiben können, wirst doch nit viel verrichte.«

»E, e, Barthli,« rief ihm ein Nachbar zu, »vergiß nit, was er gestern verrichtet hat, und allweg gehts den Tochtermann was an, wie es des Schwähers Häuschen geht.« »Er ist es einmal noch nicht!« brummte Barthli, und drehte Benz den Rükken zu, als ob er ihn sein Lebtag nicht mehr ansehen wolle.

Vor allem aus räumte man die Gräben und Straßen, verschaffte dem Wasser freien Lauf, kurz, schaffte da, wo ein wachsender Schade war.

Ob der fleißigen Arbeit läutete es Mittag, bald hier, bald da von einem Kirchlein her, man merkte, daß man hungrig war, denn so ein Mittagsläuten ist für die Landleute das Gläschen, welches die Städter zu sich nehmen, um sich Appetit zu machen. Man stieß die Werkhölzer in die Erde, suchte sein Säcklein mit dem Vorrat, suchte ein schattig Plätzchen, eine Küche, das eine oder das andere sich wärmen zu lassen, zum Beispiel Milch, wer sie nicht kalt vertragen konnte. Am meisten sammelte man sich um Barthlis Häuschen, welches Schattseite lag und große Bäume in der Nähe hatte. Züseli hatte vollauf zu tun mit Wärmen und Leihen von allerlei Geschirr und sollte dazu Bescheid geben auf gar allerlei Reden, grobe und feine, und daß Benz nicht weit von der Küchentüre war, versteht sich von selbst. So gabs viel Lachens, und Züseli wußte wirklich nicht, wo ihm der Kopf stund, es summste und surrete ihm in den Ohren, als ob es den mächtigsten Schwindel hätte. In Angst suchte es allen, die was wollten, zu entsprechen, hatte daher nicht Zeit, Rede zu stehen, höchstens hie und da zu einer kurzen Antwort, hörte das meiste nicht, was geredet wurde, und das gefiel den Leuten. Es sei ein recht Meitschi, sagten sie, öppe nit es uverschamts und alässigs, behülflich und gutmeinig, es gefiel ihnen am ganzen Leib besser als der alte Korber am kleinen Finger, und es wäre schade, wenn das nicht bald heiratete.

»Nimms!« hieß es dann zu Benz, »nimms, sust nimmts e andere. Öppe der hübschist Schwäher bekommst nit, aber was frägt man des Schwähers Hübschi nah, sie ist mängist noh drzu e uchummligi Sach, b'sunderbar, wenn er Witlig ist u sust e Vogel. D's Meitschi ist allweg e Ma wert öppe wie du, d'Geiße nit gerechnet, dem Hüsli ist sih öppe nit viel z'achte.« Seh, Alte, du heißest uns dann z'Hochzeit cho, es wird doch e Niedersinget gä? U schieße wey mr, wenn d's Pulver zahlst, daß me im Äärgäu glaubt, d'Franzose chömme.« Grob antwortete der Alte, und je gröber ers gab, desto lustiger gings.

Zum Glück ging es nachmittags wie üblich, wo Gottes Hand mächtig gewaltet über den Menschenkindern: eine große Menge von Leuten kam daher, die Verheerungen zu betrachten. Aus Neugierde kamen sie, und die meisten gingen mit Erbauung, denn auf solchen Stätten sieht der Mensch am klarsten seine Ohnmacht und des Herrn Gewalt, solche Stätten predigen am gewaltigsten: ›Ich bin der Herr und sonst keiner mehr, der ich das Licht formiere und schaffe die Finsternis, ich, der Herr, tue dieses alles.‹ Dann kommt Erbarmen in viele Herzen, und mancher schöne Batzen fließt in die Hand der Geschlagenen, und manche Gabe wird hergesandt in den folgenden Tagen.

Als es Barthli war, als sei er in einem Wespen- oder gar Hornüssennest, sah er einen alten Bauer unweit von sich stehen, der auch gekommen war, das Unglück zu sehen, und eben Barthlis Häuschen betrachtete. Er war sein Schulkamerad gewesen und, was noch mehr sagen will, mit ihm erst zum Herrn gegangen und dann zu des Herrn Tisch (in die Unterweisung, dann zum Nachtmahl). Das alte, trauliche Verhältnis war geblieben, der reiche Hans Uli war Barthlis treuster Gönner. Zu dem flüchtete sich Barthli.

»Kömmst auch, mein Unglück zu sehen?« sagte er. »Warum mußte ich das erleben und noch dazu mit dem Leben davonkommen, was soll ich mehr auf der Welt? Was habe ich als böse Leute und böse Tage!« »Nit, nit, Barthli, versündige dich nicht!« sagte der Bauer, »hast Ursache dem lieben Gott zu danken, daß es dir noch so leicht abgegangen. Aber du bist immer der gleiche, siehst immer nur, was zu klagen ist, und nie, wofür zu danken wäre, bist übrigens nicht der einzige, haben es noch viele wie du, aber das ist eben lätz.«

»Aber was habe ich dann da zu danken?« frug Barthli, »d's Hüsli halber fort und d's Herz voll V'rdruß und e Zorn, daß ih ne nit verwerche ma, und wenn ih hundert Jahr alt würd. Ih möcht doch de da frage, was da B'sunderbars z'danke sy sött?«

»Du bist ein wüster Barthli, weißt es nur!« sagte der Alte. »Wie leicht hättest können um das Meitschi kommen, die Geißen kriegtest auch wieder, das ist d'Hauptsach, ums Hüsli und die paar Bohnenstauden ist nicht viel g'fochte, und du weißt nit, warum danke?« »Wüßt nit, warum ich zu danken hätte, wenn man mir meine Sache ruhig läßt und mir nicht nimmt, was mein ist! Da hätte ich ja nichts zu tun, als zu danken und jedem Hund zu scharwänzeln, der mich nicht frißt. Aber z'klage habe ich, wenn mir einer, sei's, wer es wolle, nimmt, was mein ist, und dazu muß ich mich lassen ausspotten, daß es mich vor Zorn fast versprengt. Daß es keine Frömmigkeit mehr gibt auf der Welt, sagte ich schon lange, aber daß es so schlechte Leute geben könne, hätte ich doch nicht gedacht.«

»Was ist dir geschehen, ward dir etwa noch gestohlen?« frug der Bauer. »Aparti g'stohle nit,« antwortete Barthli, »aber mehr als g'stohle. Da ist so ein wüster Schnürfli, der will für d's Tüfels G'walt Tochtermann werde, und d's Meitschi, die Täsche, hets wie die andere, es hätt nichts dagegen, ich glaub gar, es wär ihm noch anständig. Und wie das unter die Leute kam, weiß ich nicht, aber da hält mir ein jeder Lausbub den Tochtermann vor, rühmt ihn an spottsweise, preisen ihn dem Meitschi an und hetzen den Lümmel ans Meitschi, und der stolpert ihm nach, und dem muß ich zusehen und wie das

Meitschi keinen Verstand hat und keine Scham, es wär sonst über alle Berge, und die ersten Tage täte es niemand hier sehen. Und statt dessen bleibt es da, ja, denk, Hans Uli, gibt ihm sogar Bescheid und wartet ihm.«

»Es wird doch nicht der sein, wo die Leute sagen, er habe Euch das Leben gerettet, und die Geißen hätten ihn so gleichsam herbeigerufen?« frägte der Alte.

»Wohl, grade der ists. Meinethalb hätte er gar nicht zu kommen brauchen. Und sei es ihn, oder sei es ihn nicht, so brauche ich keinen Tochtermann, zwei Unglück aufeinander will ich nicht, es ist genug, wenn ich Kosten haben muß für das Hüsli z'plätzen und nicht weiß, wo das Geld hernehmen, ich will noch nicht auf alles hin auch einen Tochtermann, für daß er uns die Speise, wo wir längs Stück d's Halbe mehr nähmen, vor dem Maul wegfresse. Ich sagte es ihm, ich brauche keinen Tochtermann, wir können alles selber essen, und er tut nichts darum, will es zwängen, dä Uflat!« – »Es wird doch nicht der sein, welcher Euch zu Hülfe kam im Unwetter und Euch das Leben gerettet?« frug der Bauer noch einmal.

»Wohl, gerade der ists,« sagte Barthli, »aber wegem Rette mag ich nichts hören, es war nicht halb so gefährlich. Es hat nicht sein sollen, darum kamen wir davon; wenn es hätte sein sollen, so würde der Kerli wenig dran haben machen können, hätte lange können brüllen. Jetzt hintendrein ists kommod, sich zu rühmen, was man alles getan.«

»Hör, Barthli, du bist ein wüster Mann und tust ungattlich, es kommt dir so nicht gut, zähl darauf! Den Burschen kenne ich wohl, er ist ein guter, z'werche, und danebe e freine Schlufi und huslich, grad einen bessern findest nicht, und wenn du mußt bauen lassen, so wirst es erfahren, wozu du einen Tochtermann brauchen kannst!«

Nun begehrte Barthli erst recht auf, was er sinne mit dem Bauen, z'wegmache z'Not, daß d'Geiß nicht erfriere, das werde sein müssen, aber von mehr sei keine Rede. »Ein Kreuzer, den du verplätzest, ist g'schändet«, sagte Hans Uli.

»Geh den Bauern nach um Holz! Wenn du schon ein wunderlicher Barthli bist, daß es key Gattig hat, so hast du gut Lüt, kriegst Holz mehr als genug, und wenn du das hast, kostet dich der Rest nicht mehr viel, hundert bis zweihundert Taler ist alle Handel, mehr als genug.« »Ja, ja, hundert bis zweihundert Taler ist bald gesagt, wenn man es hat, aber, wenn man es nicht hat, wo nehmen und nicht stehlen? Und Schulden machen will ich nicht, wer sollte sie zahlen, und, wenn ich schon wollte, wer vertraute mir einen Batzen an?«

»G'stürm!« sagte Hans Uli. »Aber hör, Barthli, weil wir einmal bei diesem Kapitel sind, muß ich doch etwas fragen, was mich schon lange wundernahm. Es gibt Leute, welche guten Verdienst haben und wenig zu brauchen scheinen, von denen man glauben sollte, sie äufneten sich, und wenn es lange währe, müßten sie notwendig reich werden. Und doch sieht man nichts davon, sie sind immer nötig oder tun nötlich, kommen nicht vorwärts, gehen oft unerwartet zugrunde. Wenn man dann untersuchte, fand man immer ein heimlich Loch, wo der Sack rann, daß es niemand merkte. Da begriff man dann bald, wo es hielt, daß es dem so ging, daß er eine Eiterbeule am Leibe hatte, welche alle guten Säfte einsog und verzehrte. Grade so einer bist, Barthli, auch du. Verdient hast seit vielen Jahren schwer Geld.«

Potz, wie polterte Barthli da über den Verdienst und die Mißgunst der Bauern, wenn ein arm Mannli nicht Hungers verreble; und lange kam Hans Uli nicht zum Fortfahren.

»Verdient hast viel allweg und dem Schein nach wenig gebraucht. Im Wirtshaus sah man dich wunderselten, mit der Hoffart übertatest du es auch nicht, deine Leute hatten es eben nicht am besten, hattest sie nicht im Salb, hättest sie lieber ins Paradies geschickt, wo man es mit Feigenblättern wohlfeil machen konnte. Jetzt, Barthli, mußt du Geld haben, oder hast ein geheim Loch im Sack, wo es rinnt. Wo hast das, hast etwa irgendwo jemanden, dem du es anhängst? Aber es dünkt mich, in der langen Zeit wäre es dir an Tag gekommen, und ich vernahm doch nie etwas der Art von dir. Glaub, es wäre dir lieber, unser Herrgott hätte nur einer Gattig Leute erschaffen statt zweier Gattig.«

Nun begehrte Barthli wieder schrecklich auf über solche Verleumdungen und Zumutungen und wie reiche Bauern nie glauben könnten, daß arme Leute so ehrlich sein könnten als die reichen Schindhunde, und er werde ihn doch nicht, mit einem Fuß im Grabe, zu einem schlechten Mann machen wollen. Er solle es probieren, wenn er könne, aber er wolle sich wehren, wie mans nicht denken sollte.

Aber in unerschütterlicher Ruhe stund der Alte vor dem belferenden Barthli und entgegnete endlich: »Und sag mir, was du willst, so ists, wie ich sage! Ich habe zu lange gelebt, als daß ich mich so leicht anders berichten lasse. Entweder, Barthli, hast du ein geheimes Loch oder lange mehr Geld, als für ein neu Hüsli nötig ist, und anders berichtest du mich nicht.«

»Los neuis!« knurrte Barthli, winkte seinem alten Kameraden und ging mit ihm weit hin auf einen freien Platz, wo weder Baum, noch Strauch, noch Graben war, daß jemand unbemerkt hätte lauschen können.

Da stund er still und sagte: »Hans Uli, du bist ein schlauer Mann, hätte es nicht geglaubt. Ja, was recht hast du, aber schlecht sollst du mich nicht machen. Du weißt, wie das Weibervolk ist; wo es an einem Orte einen Batzen schmöckt, möchte es zwei brauchen. Nit, meine Frau selig war nicht die schlechtest, und d's Meitschi könnte auch noch schlechter sein, es laufen gottlob viele herum, die dreimal schlechter sind als es, aber wenn sie nit geng hätte müsse glaube, wir pfiffen auf dem letzten Löchlein, es weiß ke Hung, wi si ta hätte. Darum tat ich immer nötlich, und wenn ich einen Kreuzer Geld hatte, so ließ ich sie es nie merken, sondern tat just am nötlichsten.«

»Aber wo kamst mit dem Gelde hin?« frug Hans Uli.

»Ich will es dir wohl sagen,« antwortete Barthli, »aber du

mußt mir bei deiner Seele Seligkeit versprechen, es keinem Menschen zu sagen, und hältst du es nicht, soll deine Seele keine Ruhe haben im Grabe, sondern umgehen müssen eine Ewigkeit nach der andern. Einmal, als ich von einer Stör heimkam, wo ich, wie meine Alte wußte, ein Büscheli Geld bekommen, plagte sie mich wieder bis aufs Blut um warme Strümpfe für sich und wegen Lederschuhe fürs Meitschi, es wäre mir nichts übriggeblieben, wenn ich alles hätte nachsagen wollen, was sie mir vorgesagt, und hätte ich nicht nachgesagt, so hätte sie es sonst genommen, sie ließ sich nichts einschließen, und behielt ich etwas im Sack, so erlas sie mir nachts die Hosen. Ich will ihr nichts Böses nachreden, denn daneben war sie huslich; aber das war dir eine, wo man wußte, daß man eine Frau hatte. Das müsse ändern, dachte ich, und als sie einmal beide einen ganzen Tag fort waren, machte ich unter dem Bett ein großes Loch, stellte einen Kübel hinein und machte die Laden schön wieder zu, daß man es nicht merkte, wenn man es nicht wußte. Dort war es am sichersten, denn wir zogen das Bett nie hervor, und unter dasselbe kam man z'Not mit dem Besen. D'Frau selig merkte es auch nicht, aber manchmal g'schirrete sie mit mir aus, daß ich heimlich Geld verbrauche, und wollte wissen, womit. Aber ich hatte ein gut Gewissen und hielt ihr die Stange. Da ist nun ein schöner Schübel Geld und allweg mehr als genug zum Bauen; aber es reut mich, es ist eine harte Sache, und dann noch einen Tochtermann obendrauf, es ist mir nicht zu helfen, denk doch auch, Hans Uli, und noch dazu ume son e Benz!«

»Aber Barthli, wie dumm, aber Barthli, was trägt dir das Geld unter dem Bett ab, hättest es ausgeliehen, hätte es dir Zins getragen«, sagte der Bauer. »Öppis Dumms e so!« sagte Barthli, »meinst, wenn man gewußt, daß ich Geld hätte, ich hätte es können beieinander behalten? Erst dann hätten sie recht an die Sache tun wollen, und d'Bube wäre dem Meitschi erst recht nachgestrichen, hätte mir d's Hüsli voll g'schnürfelt und d's Meitschi hochmütig g'macht, hätts nit könne erwehre und hätt nüt als Kummer gehabt, ich müßte es verliere, bekomme es nicht wieder. Däweg hatte ich es doch, konnte, wenn niemand in der Nähe war, es g'schauen und hatte große Freude, wenn ich dachte, was die Manne, wenn sie nach meinem Tode kämen, das Hüsli zu erlesen, sagen würden, wenn sie so viel Geld beim alte Korber finden würden.«

»Wie hätten sie aber Geld finden wollen, wem wäre in Sinn gekommen, unter deinem Nest Geld zu suchen?« frug der Alte lachend. »Oh,« antwortete Barthli, »dafür habe ich gesorgt, so dumm bin ich denn doch nicht. Sieh, da in meinem alten Kalender, den ich immer bei mir trage, steht geschrieben, gerade vorn drin, es hats mir ein Schulkind müssen dreinmachen: ›Manne, suchit, so werdet ihr finden!‹«

»Und wenn sie es nicht gefunden hätten?« frug Hans Uli.

»Oh, sövli dumm Manne wird man doch, so Gott will, nie an Gemeindrat wählen, die, wenn es ausdrücklich heißt: ›Suchit, so werdet ihr finden!‹, nicht suchten, bis sie es hätten.«

»Aber, und wenn das Wasser heute noch ein wenig mächtiger gekommen und dir das ganze Hüsli samt dem Kübel weggenommen hätte, und dann?« »He nu,« sagte Barthli, »wenn üse Herrgott d's Wüstest alles an mir machen will, su mach er! Wenn dann die Leute über nüt chömme und alli nüt meh hey, so ist er selber schuld und kanns meinethalben haben und denken: ›Selber ta, selber ha!‹ Danebe wird es ihn selbst gedünkt haben, er habe mich genug geplaget, es sei Zeit, lugg zu lassen.« »O Barthli, Barthli, was bist du für e Christ! Du wirst nie wie ein anderer Mensch, und wenn du alt würdest wie Methusalem. Aber jetzt komm, wir wollen das Hüsli g'schaue und abrate, was zu machen und wo allfällig ein neues abzustellen sei.«

Das geschah. Es ließen sich noch andere Bauern herbei, Gönner, denen Barthli die Weiden fleißig stumpete, untersuchten die Sachlage; allgemein war die Ansicht, am Hüsli sei nichts

zu plätzen, um einen jeden Nagel sei's schade, den man einschlage, zu bewohnen sei es kaum mehr, höchstens bei ganz trocknem Wetter, regne es zwei Tage hintereinander, so rutsche wahrscheinlich die ganze Pastete in den Bach hinunter. Ein neu Hüsli, wie Barthli es mangle, sei bald auf dem Platz, wenn man einander helfe, und zur Not bewohnbar zu machen, im Frühjahr könne man dann vollständig ausbauen. Die kundigen Bauern machten Voranschläge über das nötige Holz von allen Sorten, und sicher richtigere als manche Zimmerleute, die nicht selten ihren Bauherren dreimal falsch rechnen, sie dreimal in der Welt herumsenden nach fehlendem Holz und vielleicht zum vierten Male, weil sie einen Teil des Holzes zu dünn behauen, den andern zu kurz versägt. Oh, es gibt große Künstler unter den Zimmermannen!
Barthli war ganz wie verstaunet, wie die Bauern die Sache ihm so rasch und klug z'weglegten und ob ihrem Gutmeinen, wo er nicht gedacht, daß ein solches zu finden sei in Israel. Aber, wie gesagt, er war eine Persönlichkeit, man konnte sich auf ihn verlassen und über ihn lachen, und beides ist dem Bauer gleich anständig.
Plötzlich fuhr er auf, fing mörderlich an zu fluchen und wollte davon. »Was hast, hat dich ein Wespi gestochen?« frug ein Bauer und hielt ihn mit starker Hand. »Laß mich gehen!« rief Barthli, sich sträubend, »dort läuft das Donners Täschli wieder, wart, dem will ich die Haut salben, aber nit mit Öl!« man sah hin, wo Barthli hinzeigte, und erblickte ein Meitschi, welches mit Milchgeschirr in der Hand den Berg aufging. Barthli hatte nicht gemerkt, wie es bald Abend werde, und das Melken vergessen. Züseli mußte ja exakt sein, sonst hätte Benz glauben können, es sei nicht nutz, und wollte den Vater nicht stören in seiner wichtigen Unterhaltung und war, als die Zeit um war, gegangen, begreiflich eher zu früh als zu spät.
»He,« sagte einer, »das ist ja dein Meitschi, es wird die Geißen melken wollen.«

»Das soll es eben nicht, wollte sie selbst melken, es soll mir nicht mehr da zu dem Hagel auf den Berg. Wollt, der Teufel hätte die Geißen geholt und den Hagel dazu! Laß mich gehen, die müssen nicht Freude haben, mich zum Narren zu halten; denen will ich, jawolle!«

Es merkten jetzt alle den Handel, lachten herzlich, ließen aber den Barthli nicht laufen. »Bleib du nur, zwängst doch nichts, ertäubst sie nur, was willst wehren, wirst den Naturlauf nicht ändern, und gönnst dem Meitschi den nicht, nimmts einen andern, der zehnmal ärger ist. Es ist schon manchem Alten so gegangen: er wollte dem Meitschi den Rechten nicht lassen, nachher kam ein anderer, und der Alte hätte sich die Finger vor abbeißen mögen aus Verdruß, daß er es das erste Mal gewehrt. Denk, wenn du Werkleute bekömmst, was die für Rustig mitbringen, wo der Teufel nicht sicher ist, verschweige ein Meitschi! Wieviel wöhler bist dann, wenn das Meitschi am Schatten ist, als wenn du es hüten solltest Tag und Nacht! Daneben kömmt dir der Tochtermann kommod in allen Teilen, hilft dir zur Sache sehen, und während du jetzt bald mit den Weiden machen mußt, ist er daheim und sieht, daß gearbeitet wird und nichts verpfuscht.« Kurz, man sprach ihm von allen Seiten zu, aber stellte sein Brummen nicht, brachte seine Einwilligung nicht heraus.

Derweilen stieg Züseli, unbekümmert um die diplomatischen Unterhandlungen, den Berg auf, aber nicht langsam. Oben stund Benz unter der Stalltüre. »Komm, sieh meine Kühe, ob die mich kennen oder nicht!« sagte er zum Willkomm, ging mit der Läcktäsche den Kühen nach und gab ihnen das übliche G'läck oder Salz, eins von beiden. Das war nun wahr, aller Augen sahen auf ihn, alle Köpfe drehten sich nach ihm, und kam er in die Nähe, rieben sie sich die Köpfe an ihm, er war der wahrhaftige Löwe im Stall, um den sich alles drehte, es war wirklich zum Eifersüchtigwerden, wo irgendwie Anlage dazu da war. »Gelt,« sagte er, »die kennen mich auch, so gut als dich deine Geißen, sie wissen es aber auch, daß ich es gut mit ihnen meine, und lieben mich deretwegen.« »Ja, Späß!« sagte Züseli, »d's G'läck lieben sie, dir würden sie wenig nachfragen ohne G'läck.« Das nahm Benz übel, es gab Händel zwischen ihnen, Händel, wie sie gewöhnlich enden zwischen solchen Personen, ohne Schläge und ohne Schelten. Benz wollte wissen, ob er ohne G'läck nicht lieb sein könne, und Züseli behauptete, seine Geißen flattierten ihm viel uneigennütziger und zärtlicher als die Kühe dem Benz.

Darob hätte Züseli bald das Melken versäumt, wenn ihm nicht der Vater eingefallen wäre. »Ach Gott, was wird der Vater sagen!« rief es erschrocken aus und machte sich alsbald an die Arbeit. Nun fing Benz vom Vater an und wollte wissen, warum er ihm eigentlich so z'wider sei, hätte doch nicht Ursache, z'leid ta hätte er ihm nichts, d's Gegenteil. Er müsse anfangen zu glauben, Züseli weise ihn auf, warum, das begreife er auch nicht, er meine es ehrlich und wäre noch immer gleichen Sinnes, wenn d's Hüsli auch nicht mehr drei Kreuzer wert sei. Es sei ihm doch dann nicht hauptsächlich wegem Hüsli gsi; wenn d's Meitschi nit gsi wär, er hätt em Hüsli nit sövli nachg'fragt, und er wetts no jetzt, eine Reiche bekomme er doch nicht, er müß auf eine Arbeitsame und Huslige luege, und danebe auch uf eine, wo man Freud habe, bei ihr zu sein und ke wüste Hung, und deretwegen wett er Züseli, wenn der Alt nit so wüst tun wollte. Danebe könnte er jetzt erfahre, daß ihm ein Tochtermann kommod komme, für das Hüsli helfe z'weg z'mache, wenns möglich sei, öppe Kosten sollte es nicht viel geben, er verstehe sich auf mehr, als man ihm ansehe.

»Nein, wäger ist das nicht wahr, daß ich den Vater aufgreiset, ich wüßte nicht, warum! Wenn es mir g'ordnet ist, z'heiraten, warum sollte ich es nicht tun, und wenn mir ein Armer g'ordnet ist, was hülf wehre? Und, wenn es mir nicht g'ordnet wär, was wett ih uf ene Ryche warte, sellig luege armi Meitli nit a fürs Hürate. Daneben, wenn ich auch nicht viel

mehr habe, bin ich doch nicht brüüchig, kanns mit wenig mache, und mit Arbeiten fürchte ich keine. Der Vater hat mich dazu gehalten, daß es eine Art hatte. D'rnebe bist m'r nit unanständig. Wüst tun kannst zwar auch, aber was will man, das ist Mannevolksart, es macht ja jeder, was er kann. Nein, gewiß nicht, Benz, den Vater habe ich nicht aufgreiset, sonst frag ihn selbst, wenn du mir nicht glauben willst!«
»Man kanns machen, aber zuerst schlag ein, du wollest mich!« sagte Benz und streckte seine Hand aus, und Züseli schlug zwar nicht ein, gab aber sittig und ohne Zögern die Hand, was wohl gleich viel zu bedeuten hatte. Sie wurden rätig, Benz solle morgen früh vor dem Melken hinunterkommen und fragen. »Und will dann das alt Kudermannli nicht,« setzte Benz hinzu, »so mache ich beim – was gut ist.«
Diese Unterhandlungen hatten ziemliche Zeit verzehrt. Züseli erschien fast schlotternd vor dem Vater, war jedoch nicht so dumm, sich zu entschuldigen, ehe es angefahren wurde, was immer das beste Mittel ist, sich ein hartes Donnerwetter auf den Hals zu ziehen. Aber der Alte sagte nichts, er munkelte bloß, brummte allerlei Unverständliches, daß Züseli nicht wußte, war er bei Troste oder nicht, oder waren dies Präparationen auf eine gründliche Abwaschung seiner Sünden. Es machte daher, daß es zu Bette kam sobald möglich, es wußte aus Erfahrung, daß man die schärfsten Predigten um so leichter erträgt, je besser man schläft.
Am Morgen früh kam richtig Benz und wollte eine Rede dartun; aber kaum hatte er angefangen, fuhr zu seiner Verwunderung der Alte ihn an: »Schweig mit dem G'stürm, weiß schon, was d'witt, es mangelt des Redens nüt, wenns wottst, so nimms! Aber daß du dich stellst und hilfst und nit meinst, su sygist ume Fresses t'wege da, es muß g'schaffet sy jetzt, wenn m'r vor em Winter unter Dach wey.«
Züseli hörte das drinnen und erschrak. »Mein Gott, was hets em Vater gä, ist er vrhürschet im Kopf?« Endlich vernahmen

sie den Beschluß, daß das Hüsli neu gebaut werden müsse und daß man Barthli, geb'richtet, dabei wäre ein Meitschi übel zu hüten, dagegen ein Tochtermann kommod zu brauchen. Darum Benz den Dienst aufsagen und sich alsbald hermachen müsse, sonst nehme er einen andern.

Wie es einem ist, wenn man aus dunkelm Keller plötzlich in die Sonne tritt, werden wohl die meisten erfahren haben. Geradeso war es den beiden, die so plötzlich zu Brautleuten wurden ohne Sturm, Blitz und Donner, sie wußten nicht, wo sie waren, stunden sie auf dem Kopf oder auf den Füßen. Darum glotzte Benz den Alten mit großen Augen an und behielt z'leerem den Mund offen, bis der Alte sagte: »So, jetzt ists dir nicht recht; laß es hocken, es gibt drei für einen.«

Da wurde es Züseli drinnen todangst, jetzt könnte es noch fehlen; es taget Meitschine immer am ersten, wenn es ums Heiraten zu tun ist; es kam ganz wie von ungefähr zur Türe aus, wünschte guten Tag, damit kam Benz die Sprache wieder, mit wenig Worten wurde die Sache richtig und Benz ganz feurig, wollte ans Abbrechen des Häuschens hin, sobald er die Kühe gemolken. Mit Mühe war er zu b'richten, mit Abbrechen sei es frühe genug, wenn man zum Aufrichten z'weg sei, wo sie hinsollten unterdessen? Benz ließ sich endlich b'richten, obschon er es lange im Kopf hatte, eine provisorische Hütte aufzuschlagen am Walde wie die Zigeuner. »Wenn d's Hüsli verbrannt wäre, was wollten sie anders?« frug er. »Es ist drum nit verbrannt«, antwortete der Alte. Das schlug dann Benz, denn darauf wußte er nichts zu antworten.

Barthli hatte keinen Begriff vom Bauen, Benz nicht viel, dagegen begriff er leicht, was Verständigere rieten, Barthli gar nichts, er fragte immer nur nach den Kosten, und wenn dieselben drei Kreuzer überstiegen, jammerte er, als ob es um seinen letzten Heller ginge. Der alte Hans Uli mußte sich der Sache annehmen, angeben, wie das Hüsli sein müsse, mit den Meistern akkordieren usw. Holz wurde ihm verheißen mehr

als zur Genüge, unentgeltlich zugeführt, auch Steine führten benachbarte Bauern gerne ohne Lohn.
Bräuchlich ists, daß, wenn man auch nicht eigentliche Fuhrmähler anstellt, man doch den Fuhrleuten nach dem Abladen etwas von Wein oder Schnaps und Käs und Brot gibt. Da hatte man mit Barthli seine liebe Not. Wenn er mit einem Kreuzer ausrücken sollte, tat er, als ob er sich hängen wolle. Züseli hatte seine schwere Not. Die Donners Bauern vermöchten es besser als er, Wein und Schnaps zu zahlen, die täten ihre Knechte daheim füttern, die Knechte hätten nichts nötig in der Zwischenzeit. Sie hielten ihm nichts darauf, täten es ihm auslegen als Hochmut und Vertunlichkeit.
Nun achtete sich Züseli besser dessen, was die Leute sprachen, und Benz wuße aus eigener Erfahrung, wie es die Knechte hatten und was sie erwarteten, beide kannten die öffentliche Meinung, also das Urteil des Publikums, welches ihrer wartete. Sie besserten nach Vermögen nach, Benz gab dabei seine ganze Barschaft hin. Barthli schien das nicht zu sehen, sah es aber doch, und es lächerte ihn gar herzlich, daß er den Tochtermann schwitzen lassen und ihm das Zeug abpressen konnte, statt daß es sonst umgekehrt der Fall ist.
Da wärs wohl gegangen, aber es kam Barthli noch was ganz anderes, wo weder Benz noch Züseli ihm helfen konnten. Maurer und Zimmermann hatten die Arbeit in die Hände genommen, keiner von ihnen hatte überflüssiges Geld, die Gesellen noch weniger, wollten, wenn nicht Vorschuß, so doch alle acht Tage den Lohn, zudem war es ihnen nicht zu verargen, wenn sie wissen wollten, ob die Arbeit ihnen wirklich auch bezahlt werden würde. Sie klopften bei Barthli ganz unverdächtig an. Am Freitag kam der Maurer und sagte: er möchte gerne wissen, wie es mit dem Zahlen sei, damit er sich rangieren könne. Morgen müsse er seine Gesellen auszahlen, und wenn er das Geld gleich hier haben könnte, so brauchte er nicht welches mitzunehmen. »He, bring nur Geld!« antwortete Barthli, »es dücht mih, du solltest erst an-

fangen, ehe du schon wolltest zahlt sein. Ich muß meine Körbe auch erst verkaufen, wenn sie fertig sind, und nicht, wenn ich dran hingegangen.« Der Maurer zog ein fläm'sch Gesicht, sagte: »Es ist in allem ein Unterschied, du mit den Körben kannst es machen, wie du willst, kannst sie behalten, wenn sie dir niemand bezahlt, aber was soll ich mit der Arbeit machen, wenn sie einmal gemacht ist an deinem Hüsli, die kann ich nicht mehr brauchen. Daneben ists nicht, daß ich so use bin mit Geld und sövli hungerig; wenn man nur immer wüßte, daß es einmal käme, so könnte man schon zuweilen Geduld haben.«

»He, wenn du meinst, du werdest nicht bezahlt, so kannst ja machen, was du willst, du wirst nicht der einzige Maurer sein auf Gottes Erdboden«, sagte Barthli.

Barthli hätte es wahrscheinlich nicht ungern gesehen, wenn alle Arbeiter davongelaufen wären, denn das Bauen war ihm alle Tage widerlicher. Das Donnerwerk werde am Ende zahlt sein müssen, und er möchte doch wissen, was er davon hätte. In der alten Hütte wäre es ihm lange wohl gewesen, aber üse Herrgott habe dies ihm nicht gönnen mögen, räsonierte er.

Am folgenden Morgen trat ihn der Zimmermann an mit seinem Spruch. »Was ich dir sagen wollte,« sprach er, »ich sollte neuis vo Geld ha, für de G'sellen könne ufz'warte, ih bi uff. Hätt y z'zieh, aber es wott nit ygah, es ist bös mit d'm Geld, es ist nie so gsi, ih glaub, es schlüf i Bode. Gell, du machst z'weg; wenns Fürabe ist, sött ihs ha, öppe zwänzg Gulde oder was, oder wenn es dir gleich ist, so mach gleich hundert, ih bruche dih de am andere Samste nit z'plage.«

Potz Himmelbau und Türkenbund, wie da Barthli auffuhr, als wollte er eines Satzes in Himmel hinauf! Er frug den armen Zimmermann, ob er ein Narr sei oder sonst sturm? Er werde meinen, er könne mit ihm machen, was er wolle, weil er nur ein arm Mannli sei, aber er sei am Lätzen, lebendig lasse er sich nicht schinden. Er solle da einziehen, wo man ihm schon lange schuldig sei, selb sei billig, und nicht da, wo er die Arbeit nicht einmal z'grechtem angefangen.

Der Zimmermann schlotterte aber nicht leicht, mit Worten schoß man ihm keine Löcher in Leib, er erklärte rundweg, am Abend müsse er Geld haben, und rücke Barthli nicht aus, nehme er ab, und Barthli sehe ihn einstweilen nicht wieder.

Barthli sagte ebenso kurz: »E mach was d'witt!« und dachte dazu: »Geh du nur, mir ists das rechte, kannst lange warten, ehe ich dich heiße wiederkommen!«

Als es Feierabend wurde, suchten die Meister den Bauherrn, aber fanden ihn nicht, Züseli und Benz wußten nichts um ihn, er war verschwunden. Da brach großer Zorn aus, worob Benz und Züseli sehr erschraken, als sie den Grund davon vernahmen. Sie sollten erst heiraten, wenn das Häuschen bewohnbar war, und wann käms dazu, wenn die Meister aufpackten und mit all ihrem Werkzeug weiterzogen? Sie boten allem auf, die Meister zu begütigen, und Benz versprach, für Geld zu sorgen, wenn der Alte nicht geben wolle. Sie glaubten nicht, daß er diesen Augenblick ihnen begegnen könne, denn viel Geld hätten sie nie bei ihm bemerkt, aber vielleicht sei er eben um Geld aus und habe noch keines bekommen können. Wenn er keins bringe, so wolle er, Benz, für welches sorgen zur Not, er wisse, wo er bekomme. Endlich setzten sich die Meister, versprachen, am Montag wiederzukommen, aber unter dem heitern Vorbehalt, daß in der nächsten Woche Geld auf den Laden müsse.

Als es dunkelte, kam Barthli heim. Die jungen Leute hatten sein mit Bangen geharrt, ja, Züseli sogar daran gedacht, er könnte sich ein Leid angetan haben, weil er um Geld gedrängt worden und keins hatte. Aber in seinem Gesichte war keine Spur von Leid, und als die Jungen ihm jammerten, zog er die Maulecken z'weg und sagte: »G'schäch nüt Bösers!« Er wett, er g'säch se nie meh angers als am Rücken, u de noh vo wytem. Natürlich ließen dies die beiden nicht so kaltblütig

hingehen, aber Barthli sagte eben kaltblütig: »He nu so de, su machits angers, we der cheut!« und ging schlafen.
Am folgenden Morgen hatte Hans Uli, der alte Bauer, einen strengen Tag und sagte mehr als einmal, das hätte man davon, wenn man sich eines Menschen annehme, Plag vom Tüfel. Wenn er nicht dächte, das sei eben d's Tüfels Bosheit, um den Menschen es gründlich zu erleiden, etwas um Gottes willen zu tun, er hätte längst mit der Geißel vom Leib gejagt, wer was von ihm gewollt, Rat oder Geld oder sonst Hülf. Es kam ihm nämlich am Morgen, er hatte kaum noch Schuhe an den Füßen, der Zimmermann, begehrte mit ihm auf, daß er ihn hineingesprengt und in großen Schaden gebracht, er werde sich jedoch an ihn halten, mit ihm habe er akkordiert. Aber so hättens die Donners Bauren, sie hülfen gerne mit Worten, wo nichts kosteten, aber d'Sach solle ein anderer machen, und wenn sie so einen armen Handwerker hineingesprengt, so hätten sie des Teufels Freude dran und lachten den Buckel voll.
Kaum hatte er sich vom Zimmermann losgemacht, stieg der Maurer daher und noch viel zorniger, an einem Fuß hätte man ihn gradaus halten können, so steif hatte ihn der Zorn gemacht. Hans Uli ward wärmer und fertigte den Maurer etwas unglimpflicher ab. Er sagte ihm, es sei unanständig, gleich die erste Woche Geld zu wollen von einem armen Mannli, einem reichen hätten sie es kaum gemacht. Übrigens sollte er wissen, daß er, Hans Uli, noch niemanden hineingesprengt, und wenn er nicht gewußt, daß sie bezahlt würden, hätte er ihnen die Arbeit nicht angetragen. Es sei aber gut für ein ander Mal, sie sollten künftig seinetwegen keinen Kummer mehr haben.
Diese Worte kehrten den Maurer wie ein Handschuh, er ließ sich nieder wie ein Strohfeuer, sagte, es sei nicht böse gemeint, er solle ihm die Worte nicht bös aufnehmen, es seien so schlechte Zeiten, das Geld so rar, daß er oft nicht wisse, wo nehmen und nicht stehlen, und seine Gesellen müßten

den Lohn haben, es vermöchte keiner zu warten. Wenn die Erdäpfel gefehlt, müßte man alles kaufen, da läng kein Geld. Wenn doch üse Herrgott nur die Erdäpfel wieder einmal g'raten ließe, es dünke ihn, die Leute sollten ihn doch afe erbarme, b'sunderbar die arme King.

Hans Uli wurde es heiß ums Haupt. »Schön g'redt wär das,« sagte er, »aber nicht witzig. Unser Herrgott wird wissen, was er macht. Er wird einmal zeigen wollen, wer Meister ist und woher alles kommt. Das wißt gerade Ihr nicht, Meister Maurer, und bis Ihr es erkennet, wird er die Not wohl stehen lassen. Gerade du bist auch einer von denen, welche Tag für Tag die Reichen verfluchen und Rache predigen gegen sie, als wären sie an allem schuld, und an unsern Gott, Schöpfer des Himmels und der Erde, denkst du das ganze Jahr nicht. Und wenn du ihn auch ins Maul nimmst, so ists ungefähr, als ob du einen Knittel in die Hand nehmen würdest, es ist nur, um deinen Nächsten zu treffen. Und weil ich doch dran bin, so will ich dich noch fragen, warum sollte sich Gott der Menschen erbarmen, da sie sich untereinander nicht erbarmen?« »Ja,« sagte der Maurer, »da habt Ihr ganz recht, das ist gerade auch meine Meinung. Da läßt man ganze Haushaltungen verrebeln und verhungern, und kein Mensch erbarmet sich ihrer, und wenn man es noch so wohl hätte und so ring könnte.« »Ja, Maurer, du hast recht, du hast den Nagel auf den Kopf getroffen, und wer erbarmet sich am allerwenigsten?« »He, die, wo es am besten könnten«, sagte der Maurer. »Sag lieber, die, wo es am ersten sollten, Vater und Mutter. Maurer, ich will dir deine Sünden nicht vorhalten, und deine Kinder werden kaum hungrig vom Tisch gegangen sein, daneben weiß ichs nicht. Wenn es aber wäre, wer wäre schuld als du, du könntest ein hablicher Mann sein, aber deine Nase kostet dich zu viel, du hängst alles an sie. Es wäre besser, du sorgtest für grüne Pflanzplätze statt für eine blaue Nase. Und deine Frau staffiert ihr ältest Meitschi aus, es ist eine wahre Schande, hergegen die jungen Kinder läßt sie barfuß laufen und in armen Hüdelen halb erfrieren. Was hast dann erst für Gesellen und wie erbarmen sich die ihrer Kinder! Für ein Gläslein Schnaps jagten sie dieselben dem Teufel barfuß zu, und will sie wer anders zum Guten halten, so brüllt ihr, als ob man sie ans Messer stecken wollte, und achtet es einem Raube gleich, wenn man für ihre Seele sorgen will. So ist es, Maurer, daß es du nur weißt, und wenn ihr wollt, daß unser Herrgott Erbarmen erzeigen soll, so müßt ihr darum tun.« »Ja, und andere auch noch«, sagte der Maurer. »Und also soll ich Geld bekommen, auf wann kann ich rechnen, damit ich mich darnach rangieren kann?« »In der andern Woche kannst zu mir kommen, da sollst Geld kriegen, im Verhältnis zur Arbeit, aber auf Vorschuß zähl nit!« »Davon hab ich noch nichts gesagt; wenn ich nur schon hätte, was ich verdient, ich wäre z'friede«, antwortete der Maurer unwirsch und fuhr ab mit Geräusch.

Kaum war er fort, erschien Benz in großer Not. Sein Meister konnte mit Geld ihm nicht helfen, er hatte es in diesem Augenblick wirklich selbst nicht. Jetzt was machen? Drauf und dran war Hans Uli, Benz klar Wasser einzuschenken und ihm zu sagen, wo Geld zur Genüge sei. Indessen, er hatte Stillschweigen gelobt, tröstete ihn bestens mit der Verheißung, daß zu rechter Zeit Geld da sein werde, er solle sich nur nicht ängstigen.

Kaum war der fort, kam Hans Ulis Tochter aus der Kirche und sagte, Barthlis Züseli lasse ihm dr tusig Gottes wille anhalten, er solle nachmittags hinaufkommen, es wisse seines Lebens nichts mehr anzufangen, es wollte am liebsten, es wäre sechs Schuh unter dem Herd. Es hätte briegget, es hätte einen Stein erbarmet, man hätte die Hände unter seinen Augen waschen können. »Wer kommt wohl noch?« sagte Hans Uli, »jetzt hätte ich es bald satt.«

Doch es kam niemand mehr, Barthli hütete sich wohl, der fünfte zu sein, er hatte ja auch nichts zu fragen oder zu klagen, war froh, wenn niemand des Häuschens wegen etwas zu ihm sagte.

Es war Hans Uli z'wider, am Sonntag blieb er am liebsten daheim und lebte wohl an der Sabbatsruhe auf dem Bänklein vor seinem Hause. Er wußte aber wohl, daß Barthli in seinem Eigensinn nicht zu ihm kommen würde, und wenn er ihn siebenmal kommen hieße; darum machte er sich gegen Abend auf, dem rueßigen Graben zu. Barthli erschrak, als er Hans Uli sah. Hätte er ihn früh genug erblickt, er wäre nicht mehr zu finden gewesen. Als Hans Uli ihn beiseite hatte, begann er ihm den Text zu lesen, und zwar scharf.

Keine Manier sei es, sagte er, wenn man es gut mit ihm meine, dann zum Dank mit solchem Koldern einen zu plagen. Er hätte ja Geld mehr als genug, warum nicht zahlen, was er schuldig sei, einmal müsse es doch geschehen, oder ob er sich einbilde, es sei einer auf der Welt Narrs genug, es für ihn zu tun? Er solle machen, daß morgen Geld da sei, er solle denken, wie ungern er es habe, wenn man ihn von einer Stör unbezahlt entlasse. Barthli wand sich wie ein Aal zwischen Brummen und Flattieren, meinte, Hans Uli solle vorstrekken, er habe so ans Bauen gesetzt, ohne ihn hätte er es nicht unternommen, er habe ihm ja gesagt, er habe viele gute Leute, darum habe er sich auch darauf verlassen, er werde ihm vorschießen, nach und nach könne er es wieder abverdienen.

Hans Uli stund fast auf den Kopf ob solcher Rede: »Aber hast du mich dann angelogen, als du mir sagtest, du hättest einen versteckten Schatz und darin mehr als genug für ein Häuschen?« fuhr er ihn an. »Wäger nicht!« sagte Barthli. »Aber wie soll ich aus dem Kübel Geld nehmen? Tags kann ich nicht, da stürmt alles aus und ein, nachts kann ich nicht, da merkte es d's Meitschi, es ist nit z'mache, wäger nit!« »Und warum soll es das Meitschi nit wüsse?« frug Hans Uli und stellt Barthli handgreiflich die Dummheit vor, den Schatz den jungen Leuten länger verheimlichen zu wollen. Nichts dagegen hätte er, wenn er denselben des weitern nicht austrommeln ließe. Aber Barthli war wie ein beinerner Esel, tat keinen Wank. Erst stellte er sehr beredt die nachteiligen Folgen für die jungen Leute vor, wenn sie den Schatz entdecken würden. »Alle Laster täten sie kriegen,« sagte er, »würden hoffärtig, hochmütig, vertunlich, Uhüng in alle Wege.«

Als Hans Uli ihm daraus nichts gehen ließ und sagte: »Und dann nachher, wenn du tot bist, was dann? Es ist doch besser, du legest das Geld jetzt z'Nutzen an, als sie kriegen es nach deinem Tode; jetzt kannst du wehren, bist tot, kannst nichts mehr dazu sagen«, sagte Barthli: »Und hör uf, u säg, was d'witt, es nützt dih alles nüt, un ih tu es nit, u vo dem Geld bruche ih nüt u nime nüt drvo! Soll ih vrgebe bös gha ha u mih g'freut, was d'Manne säge werde, wenn sie d's Geld finde, u wie d'Lüt d'Naselöcher ufmache werde, wenns heißt: ›Dä alt, wüst Korber het e ganze Kübel voll Geld hinterla, wer hätt das glaubt, wer hätts dem agseh? Er wird nit so dumm gsi sy, als me ne drfür aglueget het.‹ U das alls soll nüt sy, und all my Freud vrgebe! Ney, bim Donner, Hans Uli, das mut m'r nit zu, das tuen ih nit, lieber will mih no hüt henke, de cheu sis de morn füreloche, ih bi doch de gstorbe, u d'Sach geit, wien ih däicht ha.«

So was war Hans Uli wirklich nicht vorgekommen, er erschrak fast ob solchen Reden, er kannte Barthli mit seinem Eigensinn und wußte, wie solche Leute so leicht etwas zu Gemüte fassen und so schwer es nehmen, daß es sie zum Äußersten bringt. Es war von Barthli freilich eine ärgerliche Wunderlichkeit, aber sie berührte seinen Lebenszweck und war seit Jahren eingewurzelt, sein ganzes inneres Leben ging in ihr auf, daß Hans Uli dachte, da könnte einer sich übel verfehlen und etwas zwingen, woraus er sich sein Lebtag ein Gewissen machen müßte.

Er kapitulierte lange, lange mit Barthli hin und her, bis endlich Barthli sagte: »Es kommt mir ja nicht drauf an, sei der Kübel unter meinem Bette oder sei er in deinen Händen, aber ich will nicht wissen, wieviel darin ist, will nichts daraus nehmen, die schönen Stücke, die ich dreingetan, kann ich nicht

draus nehmen, und d's Meitschi und sein Löhl sollen nichts darum wissen. Es wüßte kein Mensch, wie die täten, vor dem Vollmond wär alles fort, die Lumpenleute würden noch sagen, es sei mir recht geschehen, und tapfer mich auslachen.«
»Aber nun die Arbeitsleute, wer soll die zahlen?« frug Hans Uli. »Du, wer anders!« antwortete Barthli, »nimm du es draus!« »Selb ist mir z'wider,« sagte Hans Uli, »und zuerst müßte gezählt werden, was drinnen ist.« »G'hörst,« fuhr Barthli auf, »von dem will ich nichts wissen und nicht, was du ausgibst, und wenn ich was verdiene und beiseite machen kann, will ich es dir geben. Den Lumpenleuten kannst du es dann einmal sagen, wo der Barthli mit dem Gelde hingekommen.«
Dem Hans Uli war dieser seltsame Handel sehr zuwider, und, wäre Barthli nicht der alte Schulkamerad gewesen, derselbe wäre nicht zustande gekommen. Hans Uli erbarmte sich, wurde mit Barthli endlich rätig, derselbe solle den jungen Leuten ein paar Batzen geben und sie ins Wirtshaus schicken, dann, wenns finster sei, den Schatz in Hans Ulis Haus schaffen, derselbe solle ihn geheimhalten, bis Barthli sterbe, und für den Fall, daß Hans Uli früher sterben sollte, es irgendwo vernamsen, wem das Geld gehöre und was mit zu machen sei.
Barthli brachte das Geld. Aber wie es verabredet war, machte Hans Uli es nicht; durch zwei vertraute Männer ließ er das Geld zählen und legte ihre Bescheinigung oben drauf.
Die jungen Leute hatten sich sehr verwundert über Barthlis noch nie erlebte Großmut und hätten das Opfer kaum angenommen, wenn Hans Uli, der dabei war, nicht gesagt, sie sollten es nehmen, wenn der Vater es geben wolle, es könnte vielleicht lange gehen, bis den Alten wieder so was ankäme. Es sei ein Zeichen der Zufriedenheit, und solche dürfe man nie ausschlagen. Sie sollten ihm fürder treu sein und von der Bürde das schwerere Ort auf ihre Achseln nehmen, sie seien

jung und sollten auch stärker sein als Siebenzigjährige. Sie gingen endlich, aber Züseli war immer das Weinen z'vorderst. Das sei eine Änderung vor dem Tode, es könne es nicht anders einsehen, sagte es. Hans Uli hätte lange einreden können, wenn den Vater nicht etwas Übernatürliches angekommen wäre, denn was er nicht im Kopf gehabt, das hätte ihm kein sterblicher Mensch hineingebracht, kaum der Herrgott.

Am Montag stellten die Arbeiter sich ein mit kühnen Gesichtern, auf denen geschrieben stand: »Wart, du alter Schelm, dir wollen wir es zeigen, wenn du heute nicht ausrückst!« Der Maurer mochte fast nicht warten bis am Abend, um zu erfahren, wie es stehe, es versprengte ihn fast vor Ungeduld. Ehe es noch recht Abend ward, trat der Maurer den Barthli an mit der Frage: »Und jetzt, wottst füremache oder nit, möchts gerne wissen?« »Wer hat gesagt, daß es heute sein müsse?« frug Barthli. »Hans Uli hat es verheißen«, antwortete der Maurer. »He nu, wenn es der verheißen hat, warum fragst du mich? Geh zu Hans Uli, der wird schon halten, was er versprochen!« Erst begehrte der Maurer auf, er wolle seinem Gelde nicht nachlaufen und wahrscheinlich um nichts und wieder nichts. Wenn Barthli einen Narren haben wolle, so solle er sich einen eisernen machen lassen. Benz, dem es natürlich himmelangst war, beschwichtigte, so gut er konnte, und am wirksamsten mit dem Bescheid, daß Hans Uli gestern dagewesen und sicher eine Abrede werde getroffen worden sein. Der Vater könne nicht rechnen, kenne keine Zahl und das Geld übel, so werde Hans Uli die Zahlungen übernommen haben.

»Kann sein,« meinte der Maurer; »aber warum sagte der alte Schalk es nicht? Wenn er es so machen will, so soll es dem eingetrieben werden.«

»Und warum wollt ihr mich plagen,« sagte Barthli, »nicht acht Tage arbeiten ohne Bezahlung? Probierit mit Ytrybe, es wird sih de scho zeige, wer z'letzt Meister wird!«

Wir glauben, Barthli mit seiner zähen Schlauheit wäre Meister geworden, war aber nicht nötig. Als die Arbeiter Geld sahen und wußten, daß Hans Uli seine Hand in der Sache habe, ließen sie die Flausen fahren und förderten die Arbeit so, daß das Häuschen unerwartet schnell zu beziehen war.

Nun ließen die jungen Leute verkünden, meinten endlich, glücklich am Ziele zu sein, da kam ein Neues dazwischen, eine neue Verlegenheit, an die sie nicht gedacht; es sollte bei ihnen sich so recht erwahren: ›Per ardua ad astra‹, das heißt, durch dick und dünn zum Himmel. Es ist Sitte, daß man zum Hochzeithalten sich neue Kleider machen läßt. Es herrscht der Glaube, daß, sowie die Hochzeitkleider, namentlich die Hochzeitschuhe, brechen, auch die Liebe auseinander gehe. Bekanntlich halten nun in der Regel neue Kleider länger als alte, ja, viele hängen den ganzen Anzug in den Spycher, tragen denselben selten oder nie mehr und glauben, auf diese Weise für eine ewig junge Liebe vollständig gesorgt zu haben. Wäre allerdings ein ring Mittel und sehr zu empfehlen, wenn es probat erfunden würde, als Universalmittel zu Erhaltung ewig junger Liebe. Es fiel den jungen Leuten ein, daß sie solche Kleider haben müßten notwendig, besonders Züseli, aber woher das Geld dazu nehmen, ohne es zu stehlen? Benz hatte das seine fast ganz in Barthlis Nutzen verbraucht, Züseli nie welches gehabt, und zwei ganze B'kleidige, sie mochten so wohlfeil rechnen, wie sie wollten, kosteten immer schon eine Summe. Sie hätten wahrscheinlich es machen können wie andere, auf Borg nehmen, aber sie schämten sich dessen und wußten, daß man auf diese Weise alles teurer bezahlen muß. Da sie nun an eine Zukunft dachten, so graute es ihnen vor Schulden und unnötigen Ausgaben.

Als Barthli einmal guter Laune schien, chlütterlete ihm Züseli sehr, hätte ihm fast vorgetanzt wie dem Herodes seines Weibes Tochter, und als er eben recht ermürbet schien, rückte Züseli aus mit seinem Anliegen. Aber Potz Himmelblau, wie gabs da plötzlich schwarze Wolken, und wie blitzte

und donnerte es aus denselben schrecklich! Was ihn das angehe, begehrte er auf, er wolle es ja nicht heiraten; wer es haben wolle, der solle ihm auch für die Kleider sorgen, er sei mit einem Tochtermann gestraft genug, er wüßte nicht, aus wes Grund er jetzt noch mit solchen Kosten solle geplagt werden, kurz, er machte es ungefähr so wie mit den Arbeitern, hatte es mit der Tochter wie mit dem Hüsli, am liebsten wäre es ihm gewesen, wenn es beim alten geblieben wäre. Züseli wollte ihm vorstellen, wie Benz bereits so viel Geld in Barthlis Nutzen verwendet, so manche Maß Brönz oder Wein und anderes mehr angeschafft usw. »Wer hat ihn g'heißen?« brüllte Barthli, »wer ihn g'heißen hat, der soll es ihm wiedergeben. Wenn eins von euch einen guten Blutstropfen hätte, ihr kämet mir nicht mit solchem Anmuten jetzt, wo ich solche Kosten habe, worob ich fast z'hinterfür g'rate.«
Wie das Züseli wehtat, besonders wegen Benz, und wie es sich vor ihm schämte, kann man denken. Es dachte oft, am Ende könne es ja auch in seinen alten Kleidern gehen, es werde doch an denen allein die Liebe nicht hängen. Wenn es sein möglichstes tue mit Arbeiten, Huse, Liebha und Benz die Hände unter die Füße lege, so könne es doch fast nicht glauben, daß es gestraft werden sollte für eine Sache, deren es sich so gar nichts vermöge.
Einmal, als es alleine vor dem Häuschen saß, Erdäpfel röstete und dazu bitterlich weinte, kam Hans Uli dazu und wollte wissen, was es habe. Nach vielen Ausflüchten beichtete endlich Züseli. Erst wurde Hans Uli zornig, dann lachte er und sagte: »Dr Alt ist doch immer der gleiche, den könnte man in einem Mörser zerstoßen von unten bis oben, er bliebe der Barthli und würde um kein Haar anders. Aber tröste dich, du mußt Kleider haben und Benz auch, der Alte muß zahlen, er mag wollen oder nicht, ich verrechne ihm dieses in die Baukosten.« »Das nit, Hans Uli, ume das nit! Ich betrog den Vater mein Lebtag nie um einen Kreuzer, obschon ich es oft nötig gehabt wegen Hunger und Durst; jetzt will ich nicht

anfangen und b'sunderbar nicht mit den Hochzeitkleidern; was hülfen neue Kleider, wenn sie mit veruntreutem Gelde angeschafft wären, ich müßte mich ja drinnen schämen, ich dürfte nicht vor aufluegen!« antwortete Züseli. »Du bist ein wunderlich Ding,« sagte Hans Uli, »und wenn du alt wirst, wirst einen Kopf haben akkurat wie dein Alter, vielleicht nit so e wüste, aber uf das allerwenigst ebenso wunderliche.«

Glücklicherweise kam Barthli zufällig zu diesem Handel. Hans Uli wusch ihm tapfer die Kutteln, sagte ihm, er sei der wüstest Alt gegen seine Kinder im ganzen Emmental, und wenn sie nit warten möchten, bis er aufhören müsse, sie anzugrännen und auszubranzen, so geschähe es ihm recht, denn er wäre selbst schuld daran. Mit diesen und ähnlichen kräftigen Redensarten brachte er es endlich dahin, daß Barthli sagte, des Tüfels Zwängs hätte er bald genug. Das werde schön herauskommen, wenn jedes Bettelmensch in Seide und Sammet z'Chilche well. Er solle machen, was er wolle, es gehe zum andern, er wäre alt genug, um in solchen Sachen Verstand zu brauchen. Daneben sei es ihm ganz gleich, am Ende müßten sie denn doch sehen, wer zahle. Schulden seien bald gemacht, aber wiedergeben, das habe eine Nase, sie würden es erfahren. Er machte Züseli bitterlich angst, es wollte verzichten auf neue Kleider, aber Hans Uli tröstete und sagte, hoffärtig habe er die Leute nicht gerne, aber wer bei solchen Anlässen nicht tue wie üblich und bräuchlich, werde später reuig oder ein Kolder, der sein Lebtag tromsigs drin sei. »Das ist grober Tubak«, sagte Barthli. »Kannst mit machen, was du willst,« lachte Hans Uli, »ihn liegen lassen oder schnupfen, es stößt dir ihn niemand in die Nase.«

Züseli war ein recht schönes Bräutchen und hatte wirklich kindliche Freude an sich selbsten, die recht rührend war. Es hatte sich selbst noch nie in einem ordentlichen Anzuge, wo alles zueinander paßte, gesehen. Wenn es schon zuweilen zu was Neuem kam, so machte das Neue das übrige nur älter und schäbiger. Es ward gar nicht satt, an den neuen Schuhen,

den neuen Strümpfen und an einem Stück nach dem andern sich zu ergötzen, gerade wie ein Kind bei der Weihnachtsbescherung. Dasselbe läuft ums Bäumchen, an welchem die schönen Sachen hängen, herum, von einem Stück zum andern, hat bei jedem neue Freude und jedesmal noch größere als die früheren Male.
Es war aber nicht bloß an einem Tage glücklich, wie es leider Gott so manchem armen Bräutchen geschieht, sondern alle Tage glücklicher. Züseli war, seit die Mutter gestorben, an freundliche Worte gar nicht gewohnt; wenn es das ganze Jahr durch drei oder vier der Art vom Vater erhielt, so war es aller Handel. Nun, Benz war auch kein Zuckerstengel, indessen kriegte Züseli doch alle Tage einige gute von ihm, und die andern waren doch wenigstens nicht böse und schnauzig.
Zudem ging ihm eine schöne Zukunft auf. Benz tat zum Korben geschickt, gab schon im ersten Winter dem Alten wenig nach.
Hans Uli fragte Barthli einmal: »Und jetzt, wie gehts mit dem Tochtermann, weißt ihn jetzt was zu brauchen?« »He,« sagte Barthli, »es ging, z'arbeite ist er e Guete, und wenn er d's Korbe g'lehrt hätt und nit d'r Tochtermann wär, es hätt m'r chönne übel gah, er mah mih bald mit d'r Arbeit, und es rückt ihm us d'r Hand, wie wenn er scho lang drbygsy wär. Aber zum Tisch, da ist er e Uchummlige, e Uhung, daß ih's gradusesäge, dä frißt d'r nit wie es arms Mannli, sondere wie e ryche Bur, wo zehn Küh im Stall hat.« »O säg du, Barthli,« sagte Hans Uli lachend, »u de du? Du hast oft an meinem Tische gegessen, und wenn einer mehr mochte, ich oder du, so warst du es.« »O ja, da will ich nichts sagen, so z'ungradem oder auf der Stör,« erwiderte Barthli ruhig, »aber ich meine nicht das, ich meine z'ordinäri daheim, einen Tag was den andern. Das ist ganz was anderes, das g'spürt me, du glaubsts nit.« »Wohl, das glaub ich,« sagte Hans Uli, »habs auch schon erfahren. Oder meinst, e Bur g'spürs nit o, wenn ihm einer frißt wie angerhalbe Metzgerhung?« »Er wird

wohl« antwortete Barthli, »aber was frag ich dem nach! Er wird drfür dasy, oder wofür wär er sust da?« »So, du bist m'r e Lustige!« sagte Hans Uli. »Meinst du dann, wir seien hagenbuchig g'füttert? Wenn drnah öpper g'hörti, wie d'iniredst, du bekämst kei einzigi Stör mehr.« »Was frag ich den Stören nach!« sagte Barthli, »wenn ih ume d'Wydli ha, ich komme viel weiter, wenn ich sie brauchen kann, wie ich will, als wenn ich sie den Bauren verkorben muß und dabei kaum das lautere Wasser verdiene.« »Aber meinst, man lasse dir die Wydli, da steckt man dir den Nagel«, sagte Hans Uli. »Ohä,« sagte Barthli, »selb tut man nicht. Die Bauren begehren nicht, daß ich einmal wiederkomme und in ihren Matten den Weiden nachgehe, und das täte ich, müßt ja nachholen, was sie mich versäumt; sie begehren nicht, daß ich zusehe, wie sie einander das Wasser stehlen, oder in trüben Nächten den alten Bauren, welche auch wiederkommen müssen, erzähle, was für Uhüng es us ihre Bube gä heig.«

Barthlis Mundstück blieb das nämliche, aber seine Kräfte nahmen sichtlich ab, die Erlebnisse im Sommer hatten sein ganzes Eingericht erschüttert und aus dem Gleichgewicht gebracht. Er klagte es nicht, er hüstelte nur etwas mehr als sonst und wurde nie böser, als wenn Züseli ihm zumutete, er solle doch was brauchen, Tee oder Doktorzeug. Er strengte sich dann nur mehr an zur Arbeit und verbarg seine Schwäche um so sorgfältiger. Einmal brachte ihm Züseli eine Halbe roten Wein, da begehrte er über die Verschwendung grimmiglich auf, so aufgebracht hatte ihn Züseli kaum je gesehen, es fehlte nicht viel, er hätte ihm die Flasche ins Gesicht geschlagen. Solange das alte Häuschen gestanden, sei kein Wein dareingekommen, jetzt, sobald ein neues habe sein müssen, habe der Teufel seine Eier dreingelegt, und jetzt könne er schon sehen, wie es gehen werde, wenn er einmal die Augen zuhabe. Aber er täte es ihnen nicht zu Gefallen, Platz z'machen, er wolle eine Weile ihnen zeigen, wodurch es gehen müsse. Solche Reden sind aber vermessen und stehen dem Menschen nicht zu, es ist ein anderer Meister. Am folgenden Morgen war Barthli tot im Bette, aber umgedreht war ihm der Hals nicht; er schien eines ganz friedlichen Todes gestorben zu sein.

Züseli ging dieser Tod nahe zu Herzen; daß Benz trauriger gewesen als andere Tochtermänner, die einen wunderlichen Schwiegervater verloren, können wir nicht behaupten. Aber in großer Angst und Verlegenheit waren beide, wo Geld nehmen und was mit den Schulden anfangen, welche da sein mußten.

Begreiflich ging Benz alsbald zu Hans Uli, um Rat und Trost zu fassen. »Geh zum Pfarrer und gib ihn an, und mit der Gräbt machts wohlfeil, allweg bloß eine Käsgräbt im Hause, keine Fleischgräbt im Wirtshaus! Ich werde noch manchmal Langeweile nach ihm haben, daneben ists ein Glück für euch und ihn, daß er nicht lange krank sein mußte, das hätte eine schwere Not gegeben«, sagte Hans Uli. Benz frug noch, wo er wohl Wein und Käs nehmen sollte, daß sie es am wohlfeilsten machten, er wüßte ohnehin fast nicht, wie zahlen; sie hätten kaum zehn Batzen Geld im Hause. Mit der Zeit könnten sie es schon bezahlen, wenn ihnen nur jetzt jemand dings geben wollte. »Warum nicht! Sag nur, man hätte euch diesen Morgen alles versiegelt, und geh gleich zu einem Gerichtssäß und laß wirklich versiegeln, da darf es dir kaum jemand absagen; ohnehin tät es kaum jemand, man ist mit euch zufrieden, und bei solchen Gelegenheiten erfährt man es, was der Name macht.«

Als nun Benz von weiterm noch reden wollte, sagte Hans Uli: »Geh jetzt, mach, wie ich gesagt! Am Begräbnistag am Abend komm dann mit Züseli, so will ich euch über d'Sach b'richte. Fürchtet euch einstweilen nicht, so bös ist d'Sach nicht.«

Das war ein Trost, aber vollständige Beruhigung brachte er doch nicht. Daß sie blangeten auf den verhängnisvollen Abend, wird man begreifen. Die Nachbarn zeigten sich recht gut gegen das junge Ehepaar, sie boten sich an zum Wachen bei der Leiche, zu laufen für sie, wenn sie was zu verrichten hätten; und wenn sie irgendwas nötig hätten, sollten sie es sagen ohne Komplimente. Ihrer Lebenlang hätten sie nicht geglaubt, daß die Leute es so gut mit ihnen meinten, sagten Benz und Züseli. Sie hatten die Menschen noch nicht gründlich erfahren. Es ist keine Frage, die Menschen sind gutmütig, doch nicht gerne lange hintereinander, sie sind mitleidig, aber jemand, mit dem sie in die Länge zu tun haben sollten, wird ihnen sehr leicht lästig. Nun, so vom Tode bis zum Begräbnis und bei den bessern einige Tage darüber, da geht es schon.

Es kamen noch viele Leute mit Barthli zu Grabe, und an der Käsgräbt führten sich alle bescheiden auf, allgemein war die Rede, die jungen Eheleute hätten einen bösen Anfang und müßten zur Sache sehen, wenn sie g'fahren wollten.

Den Nachmittag füllten sie mit Waschen und Fegen, und am Abend machten sie mit schwerem Herzen zu Hans Uli sich auf. Dort mußten sie erst essen und trinken, ehe Hans Uli an die Geschäfte wollte. Es kam ihnen vor, als seien sie am Henkermähli, und erst als der Alte sah, daß nichts mehr runter wollte, führte er sie ins Stübli. Dort lagen Papiere auf dem Tische, und in der Mitte war ein alter, wüster Kübel und was drinnen. Züseli mochte gar nicht hinsehen, was es sei, aber es dachte, sellig Sache putze man sonst fort, ehe man fremde Leute in ein Gemach führe. Die Papiere enthielten Rechnungen und Quittungen über den Bau. »Herr Jeses, wieviel!« seufzte Züseli aus gepreßtem Herzen, »das wird e Usumm mache!«

»Ho,« sagte der Alte, »es macht sich; man hausete, soviel man konnte, man hätte leicht d's Halb mehr brauchen können, und fertig seid ihr noch nicht. Wenn ihr machen lassen wollt, was nötig ist, so kostet es noch einen Büschel Geld, und ich wollte es fertig machen. Es ist nichts wüster anzusehen und nachteiliger als so unausgemachte Häuser. Läßt man sie einmal liegen, so bleiben sie liegen, solche Häuser werden nie mehr ausgemacht, aber z'plätzen hat man an ihnen fort und fort, solange sie stehen.«

»Aber wieviel würden wir dann schuldig, das wir verzinsen müßten?« fragte Benz mit beklommener Stimme. »Der Vater selig mußte nichts verzinsen und konnte es kaum machen.«

»He,« sagte Hans Uli, »rechnet selbst, es werden ungefähr dreihundert Taler ausgegeben sein, und mit hundert Talern läßt sich noch viel machen, wären also zusammen vierhundert Taler. Es kostet mehr, als ich anfangs dachte, aber ich dachte, es sei besser, d'Sach gleich recht zu machen.« »Wieviel macht das Zins?« frug Züseli halblaut. »He, sechzehn Taler machts, wenn man das Geld schuldig ist.« »Sechzehn Taler im Jahr!« seufzte Züseli. »Es ist schon ein Geld, wer es zahlen muß,« sagte Hans Uli, »aber ihr müßt es nicht zahlen, ihr seid mir das Geld nicht schuldig, es war Barthlis Geld.«

Da stunden beide und hielten das Maul offen. »D's Vaters?« fragte endlich Züseli. »Ja, d's Vaters,« sagte Hans Uli, »und seht, da ist noch mehr«, und somit schob er ihnen den wüsten Kübel dar, nahm das Papier weg, welches drin lag, und fast halbvoll grober Silberstücke war er.

Da verschmeieten beide fast, und Züseli sah den Alten an mit einem Blicke, als ob es sagen wollte: ›Warum hältst du uns zum besten?‹ »Sieh mich nur an, Faueli! Ja, es war eueres Vaters Geld, jetzt ists euer Geld.« Und nun erzählte ihnen Hans Uli den Hergang, gab ihnen das Papier zur Hand, auf welchem von den Männern verzeichnet stand, wieviel sie im Kübel vorgefunden, woraus sich ergab, daß der bessere Teil noch vorhanden war.

Sie stunden da, daß es wohl kein großer Unterschied war zwischen ihren Gesichtern und dem Gesicht, welches Lots Weib machte, und das man noch in der Kirche zu Doberan, freilich etwas verblichen, sehen kann, als es hinter sich sah und die brennenden Städte ihm in die Augen fielen; indessen der Ausgang war anders. Züselis Gesicht versteinerte nicht, kriegte zuerst Leben, und Wasserbäche strömten aus seinen Augen, daß der Vater so bös gehabt und soviel Geld, daß er sich nichts gegönnt und nur für sie gehauset, daß sie es nicht gewußt und nichts für ihn getan, nicht den Doktor geholt oder ihm wenigstens doch eine Laxierig oder andern Zeug gegeben hätten.

»Nun,« sagte endlich Hans Uli, »es freut mich, daß du daran sinnest und z'erst plärrest und nicht jauchzest. Daneben höre jetzt mit Plärren auf und plage dich nicht zu fest mit dem Kummer, er habe seine Sache nicht gehabt. Er wollte es so, und das war seine Freude, und, wie das Sprichwort sagt, es habe jeder Narr Freude an seiner Kappe, so ists meine Meinung, daß man ihm diese Freude nicht störe, das ist sein Wohlleben, und wenn er euch jetzt gesehen und euere Gesichter, so hätte es ihn gelächert wie sein Lebtag noch nie. Diese Freude wollen wir ihm wohl gönnen, aber nicht mehr, andere Leute brauchen nicht zu verstaunen über Barthlis Schatz. Wenn es auf mich abkäme, ich ließe davon nichts unter die Leute. Daneben macht, was ihr wollt! Dir, Frauli, wär das ein schwer Zumuten.«

Benz sagte, er danke für den Rat, er sei ganz der Meinung, die Leute wären jetzt so gut; wenn sie vernähmen, wie reich sie geworden, würden sie mißgünstig. Das best werde sein, daß sie Land kauften, daß sie eine Kuh halten könnten.

Da lachte der Alte herzlich, sagte endlich: »Häbs nit für ungut, aber das wäre gerade das Dümmst. Meinst nit, es nähme die Leute wunder, woher du das Geld hättest, wenn du dich plötzlich so aufließest? Doch d'Hauptsach ist die: du willst ein Korber werden, und das ist recht, du siehst, es hat seinen silbernen Boden. Aber, was ihr verdient, was die Haushaltung kostet, überhaupt wie das Haushalten geht, das wißt ihr nicht. Jetzt hürschet nicht alles durcheinander, meinet, es möge sich alles ergeben, alles erleiden, auf welche Weise die meisten Weibergütlein dahingehen, man weiß nicht wie, und wo man obendrein noch Trom und Boden verliert. D's Hüsli laßt ausbauen, dann hüselet fort, ungefähr so wie bisher. So erfahret ihr genau, was ihr verdient, und was ihr braucht, ob ihr übrig habt oder z'wenig, und d's Vaters Geld laßt einstweilen ruhig, als ob es gar nicht da wäre. Läßt Gott euch gesund, so werdet ihr ohne Zweifel mehr verdienen als brauchen, daraus könnt ihr euch nach und nach Sachen anschaffen, und deren braucht ihr viel, denn ihr habt von allen Sachen nichts, in mancher Bettlerhaushaltung hat man mehr. Unterdessen laßt das Geld arbeiten, man findet ihm schon Platz, daß es hier herum nicht bekannt wird. Seid ihr dann durch euere Arbeit gut in Stand gekommen, im Handwerk b'rühmt und b'liebt, dann ist noch alle Zeit, Land und Kuh zu kaufen, wenn es sich wohl schickt und ihr noch Lust dazu habt. Dann freut es die Leute noch, sie halten euch viel darauf und sagen: husligere Leute gebe es nicht, aber es sei ihnen z'gönnen, sie arbeiteten darnach, z'ünnütz sehe man sie keinen Kreuzer vertun, wenn alle so wären, es gäbe weniger Armi, und es ginge besser auf der Welt.«

Wie die jungen Leute dem Alten dankten, kann jeder sich denken. Er war selbst über die Innigkeit gerührt und ließ sich erbitten, ihnen den Schatz ferner zu verwalten.

Stumm gingen sie lange nebeneinander auf dem Heimweg. Endlich sagte Züseli, es möchte abhocken und beten. Als sie wieder aufstunden, fiel Züseli dem Benz um den Hals und sagte: »O Benz, wie sy mr jetz z'weg so ungsinnet! Aber gäll, hochmütig und gyzig wei mr nie werde, zum Krüzer luege und i d'r Liebe blybe und nie vrgesse, für e Vater z'bete alli Tag, und nie vrgesse, woher alles chunnt und wem mr alles z'vrdanke hey?«

Benz drückte sein Weibchen ans Herz, und stumm Hand in Hand wanderten sie ihrem Häuschen zu und werden darin, so Gott will, den Frieden auf Erden finden und dabei sorgen für den Frieden im Himmel.

FRIEDRICH DE LA MOTTE-FOUQUÉ
Undine

Erstes Kapitel

Wie der Ritter zu dem Fischer kam

Es mögen nun wohl schon viele hundert Jahre her sein, da gab es einmal einen alten guten Fischer; der saß eines schönen Abends vor der Tür und flickte seine Netze. Er wohnte aber in einer überaus anmutigen Gegend. Der grüne Boden, worauf seine Hütte gebaut war, streckte sich weit in einen großen Landsee hinaus, und es schien ebensowohl, die Erdzunge habe sich aus Liebe zu der bläulich klaren, wunderhellen Flut in diese hineingedrängt, als auch, das Wasser habe mit verliebten Armen nach der schönen Aue gegriffen, nach ihren hochschwankenden Gräsern und Blumen und nach dem erquicklichen Schatten ihrer Bäume. Eins ging bei dem andern zu Gaste, und eben deshalb war jegliches so schön. Von Menschen freilich war an dieser hübschen Stelle wenig oder gar nichts anzutreffen, den Fischer und seine Hausleute ausgenommen. Denn hinter der Erdzunge lag ein sehr wilder Wald, den die mehrsten Leute wegen seiner Finsternis und Unwegsamkeit, wie auch wegen der wundersamen Kreaturen und Gaukeleien, die man darin antreffen sollte, allzusehr scheueten, um sich ohne Not hineinzubegeben. Der alte fromme Fischer jedoch durchschritt ihn ohne Anfechtung zu vielen Malen, wenn er die köstlichen Fische, die er auf seiner schönen Landzunge fing, nach einer großen Stadt trug, welche nicht sehr weit hinter dem großen Walde lag. Es ward ihm wohl mehrenteils deswegen so leicht, durch den Forst zu

ziehn, weil er fast keine andre als fromme Gedanken hegte und noch außerdem jedesmal, wenn er die verrufenen Schatten betrat, ein geistliches Lied aus heller Kehle und aufrichtigem Herzen anzustimmen gewohnt war.
Da er nun an diesem Abend ganz arglos bei den Netzen saß, kam ihn doch ein unversehener Schrecken an, als er es im Waldesdunkel rauschen hörte wie Roß und Mann und sich das Geräusch immer näher nach der Landzunge herauszog. Was er in manchen stürmigen Nächten von den Geheimnissen des Forstes geträumt hatte, zuckte ihm nun auf einmal durch den Sinn, vor allem das Bild eines riesenmäßig langen, schneeweißen Mannes, der unaufhörlich auf eine seltsame Art mit dem Kopfe nickte. Ja, als er die Augen nach dem Walde aufhob, kam es ihm ganz eigentlich vor, als sehe er durch das Laubgegitter den nickenden Mann hervorkommen. Er nahm sich aber bald zusammen, erwägend, wie ihm doch niemals in dem Walde selbsten was Bedenkliches widerfahren sei und also auf der freien Landzunge der böse Geist wohl noch minder Gewalt über ihn ausüben dürfe. Zugleich betete er recht kräftiglich einen biblischen Spruch laut aus dem Herzen heraus, wodurch ihm der kecke Mut auch zurückekam und er fast lachend sah, wie sehr er sich geirrt hatte. Der weiße, nickende Mann ward nämlich urplötzlich zu einem ihm längst wohlbekannten Bächlein, das schäumend aus dem Forste hervorrann und sich in den Landsee ergoß. Wer aber das Geräusch verursacht hatte, war ein schön geschmückter Ritter, der zu Roß durch den Baumschatten gegen die Hütte vorgeritten kam. Ein scharlachroter Mantel hing ihm über sein veilchenblaues goldgesticktes Wams herab; von dem goldfarbigen Barette wallten rote und veilchenblaue Federn, am goldnen Wehrgehenke blitzte ein ausnehmend schönes und reichverziertes Schwert. Der weiße Hengst, der den Ritter trug, war schlankeren Baues, als man es sonst bei Streitrossen zu sehen gewohnt ist, und trat so leicht über den Rasen hin, daß dieser grünbunte Tep-

pich auch nicht die mindeste Verletzung davon zu empfangen schien. Dem alten Fischer war es noch immer nicht ganz geheuer zumut, obwohl er einzusehn meinte, daß von einer so holden Erscheinung nichts Übles zu befahren sei, weshalb er auch seinen Hut ganz sittig vor dem näherkommenden Herrn abzog und gelassen bei seinen Netzen verblieb. Da hielt der Ritter stille und fragte, ob er wohl mit seinem Pferde auf diese Nacht hier Unterkommen und Pflege finden könne. – »Was Euer Pferd betrifft, lieber Herr,« entgegnete der Fischer, »so weiß ich ihm keinen bessern Stall anzuweisen, als diese beschattete Wiese, und kein besseres Futter, als das Gras, welches darauf wächst. Euch selbst aber will ich gerne in meinem kleinen Hause mit Abendbrot und Nachtlager bewirten, so gut es unsereiner hat.« – Der Ritter war damit ganz wohl zufrieden, er stieg von seinem Rosse, welches die beiden gemeinschaftlich losgürteten und loszügelten, und ließ es alsdann auf den blumigen Anger hinlaufen, zu seinem Wirte sprechend: »Hätt ich Euch auch minder gastlich und wohlmeinend gefunden, mein lieber alter Fischer, Ihr wäret mich dennoch wohl für heute nicht wieder los geworden; denn, wie ich sehe, liegt vor uns ein breiter See, und mit sinkendem Abende in den wunderlichen Wald zurückzureiten, davor bewahre mich der liebe Gott!« – »Wir wollen nicht allzuviel davon reden«, sagte der Fischer und führte seinen Gast in die Hütte.

Darinnen saß bei dem Herde, von welchem aus ein spärliches Feuer die dämmernde, reinliche Stube erhellte, auf einem großen Stuhle des Fischers betagte Frau; beim Eintritte des vornehmen Gastes stand sie freundlich grüßend auf, setzte sich aber an ihren Ehrenplatz wieder hin, ohne diesen dem Fremdling anzubieten, wobei der Fischer lächelnd sagte: »Ihr müßt es ihr nicht verübeln, junger Herr, daß sie Euch den bequemsten Stuhl im Hause nicht abtritt; das ist so Sitte bei armen Leuten, daß der den Alten ganz ausschließlich gehört.« – »Ei, Mann,« sagte die Frau mit ruhigem Lächeln,

»wo denkst du auch hin? Unser Gast wird doch zu den Christenmenschen gehören, und wie könnte es alsdann dem lieben jungen Blut einfallen, alte Leute von ihren Sitzen zu verjagen?« – »Setzt Euch, mein junger Herr,« fuhr sie, gegen den Ritter gewandt, fort, »es steht dorten noch ein recht artiges Sesselein, nur müßt Ihr nicht allzu ungestüm damit hin und her rutschen, denn das eine Bein ist nicht allzu feste mehr.« – Der Ritter holte den Sessel achtsam herbei, ließ sich freundlich darauf nieder, und es war ihm zumute, als sei er mit diesem kleinen Haushalt verwandt und eben jetzt aus der Ferne dahin heimgekehrt.

Die drei guten Leute fingen an, höchst freundlich und vertraulich miteinander zu sprechen. Vom Walde, nach welchem sich der Ritter einige Male erkundigte, wollte der alte Mann freilich nicht viel wissen; am wenigsten, meinte er, passe sich das Reden davon jetzt in der einbrechenden Nacht; aber von ihrer Wirtschaft und sonstigem Treiben erzählten die beiden Eheleute desto mehr und hörten auch gerne zu, als ihnen der Rittersmann von seinen Reisen vorsprach, und daß er eine Burg an den Quellen der Donau habe und Herr Huldbrand von Ringstetten geheißen sei. Mitten durch das Gespräch hatte der Fremde schon bisweilen ein Plätschern am niedrigen Fensterlein vernommen, als sprütze jemand Wasser dagegen. Der Alte runzelte bei diesem Geräusche jedesmal unzufrieden die Stirn; als aber endlich ein ganzer Guß gegen die Scheiben flog und durch den schlecht verwahrten Rahmen in die Stube hereinsprudelte, stand er unwillig auf und rief drohend nach dem Fenster hin: »Undine! wirst du endlich einmal die Kindereien lassen? Und ist noch obenein heut ein fremder Herr bei uns in der Hütte.« – Es ward auch draußen stille, nur ein leises Gekicher ließ sich noch vernehmen, und der Fischer sagte zurückkommend: »Das müßt Ihr nun schon zugute halten, mein ehrenwerter Gast, und vielleicht noch manche Ungezogenheit mehr; aber sie meint es nicht böse. Es ist nämlich unsere Pflegetochter Undine, die sich das kindische Wesen gar nicht abgewöhnen will, ob sie gleich bereits in ihr achtzehntes Jahr gehen mag. Aber wie gesagt, im Grunde ist sie doch von ganzem Herzen gut.« – »Du kannst wohl sprechen!« entgegnete kopfschüttelnd die Alte. »Wenn du so vom Fischfang heimkommst oder von der Reise, da mag es mit ihren Schäkereien ganz was Artiges sein. Aber sie den ganzen Tag lang auf dem Halse haben und kein kluges Wort hören und, statt bei wachsendem Alter Hülfe im Haushalte zu finden, immer nur dafür sorgen zu müssen, daß uns ihre Torheiten nicht vollends zugrunde richten, – da ist es gar ein andres, und die heilige Geduld selbsten würd es am Ende satt.« – »Nun, nun,« lächelte der Hausherr, »du hast es mit Undinen und ich mit dem See. Reißt mir der doch auch oftmals meine Dämme und Netze durch, aber ich hab ihn dennoch gern, und du mit allem Kreuz und Elend das zierliche Kindlein auch. Nicht wahr?« – »Ganz böse kann man ihr eben nicht werden«, sagte die Alte und lächelte beifällig.

Da flog die Türe auf, und ein wunderschönes Blondchen schlüpfte lachend herein und sagte: »Ihr habt mich nur gefoppt, Vater; wo ist denn nun Euer Gast?« – Selben Augenblicks aber ward sie auch den Ritter gewahr und blieb staunend vor dem schönen Jünglinge stehn. Huldbrand ergötzte sich an der holden Gestalt und wollte sich die lieblichen Züge recht achtsam einprägen, weil er meinte, nur ihre Überraschung lasse ihm Zeit dazu, und sie werde sich bald nachher in zwiefacher Blödigkeit vor seinen Blicken abwenden. Es kam aber ganz anders. Denn als sie ihn nun recht lange angesehn hatte, trat sie zutraulich näher, kniete vor ihm nieder und sagte, mit einem goldnen Schaupfennige, den er an einer reichen Kette auf der Brust trug, spielend: »Ei du schöner, du freundlicher Gast, wie bist du denn endlich in unsre arme Hütte gekommen? Mußtest du denn jahrelang in der Welt herumstreifen, bevor du dich auch einmal zu uns fandest? Kommst du aus dem wüsten Walde, du schöner Freund?« – Die scheltende Alte ließ ihm zur Antwort keine Zeit. Sie ermahnte das Mädchen, fein sittig aufzustehn und sich an ihre Arbeit zu begeben. Undine aber zog, ohne zu antworten, eine kleine Fußbank neben Huldbrands Stuhl, setzte sich mit ihrem Gewebe darauf nieder und sagte freundlich: »Hier will ich arbeiten.« Der alte Mann tat, wie Eltern mit verzognen Kindern zu tun pflegen. Er stellt sich, als merkte er von Undinens Unart nichts, und wollte von etwas anderm anfangen. Aber das Mädchen ließ ihn nicht dazu. Sie sagte: »Woher unser holder Gast kommt, habe ich ihn gefragt, und er hat mir noch nicht geantwortet.« – »Aus dem Walde komme ich, du schönes Bildchen«, entgegnete Huldbrand, und sie sprach weiter: »So mußt du mir erzählen, wie du da hineinkamst, denn die Menschen scheuen ihn sonst, und was für wunderliche Abenteuer du darinnen erlebt hast, weil es doch ohne dergleichen dorten nicht abgehn soll.« – Huldbrand empfand einen kleinen Schauer bei dieser Erinnerung und blickte unwillkürlich nach dem Fenster, weil es ihm zumute war, als müsse eine von den seltsamlichen Gestalten, die ihm im Forste begegnet waren, von dort hereingrinsen; er sah nichts als die tiefe, schwarze Nacht, die nun bereits draußen vor den Scheiben lag. Da nahm er sich zusammen und wollte eben seine Geschichte anfangen, als ihn der Alte mit den Worten unterbrach: »Nicht also, Herr Ritter! zu dergleichen ist es jetzund keine gute Zeit.« – Undine aber sprang zornmütig von ihrem Bänkchen auf, setzte die schönen Arme in die Seiten und rief, sich dicht vor den Fischer hinstellend: »Er soll nicht erzählen, Vater? Er soll nicht? Ich aber wills; er soll! Er soll doch!« – Und damit trat das zierliche Füßchen heftig gegen den Boden, aber das alles mit solch einem drollig anmutigen Anstande, daß Huldbrand jetzt in ihrem Zorn fast weniger noch die Augen von ihr wegbringen konnte, als vorher in ihrer Freundlichkeit. Bei dem Alten hingegen brach der zurückgehaltene Unwillen in volle Flammen aus. Er schalt heftig auf Undinens Ungehorsam und unsittiges Betragen gegen den Fremden, und die gute alte Frau stimmte mit ein.

Da sagte Undine: »Wenn ihr zanken wollt und nicht tun, was ich haben will, so schlaft allein in eurer alten, räuchrigen Hütte!« – Und wie ein Pfeil war sie aus der Tür und flüchtigen Laufes in die finstere Nacht hinaus.

Zweites Kapitel

Auf welche Weise Undine zu dem Fischer gekommen war

Huldbrand und der Fischer sprangen von ihren Sitzen und wollten dem zürnenden Mädchen nach. Ehe sie aber in die Hüttentür gelangten, war Undine schon lange in dem wolkigen Dunkel draußen verschwunden, und auch kein Geräusch ihrer leichten Füße verriet, wohin sie ihren Lauf wohl gerichtet haben könne. Huldbrand sah fragend nach seinem Wirte; fast kam es ihm vor, als sei die ganze liebliche Erscheinung, die so schnell in die Nacht wieder untergetaucht war, nichts andres gewesen als eine Fortsetzung der wunderlichen Gebilde, die früher im Forste ihr loses Spiel mit ihm getrieben hatten, aber der alte Mann murmelte in seinen Bart: »Es ist nicht das erste Mal, daß sie es uns also macht. Nun hat man die Angst auf dem Herzen und den Schlaf aus den Augen für die ganze Nacht; denn wer weiß, ob sie nicht dennoch einmal Schaden nimmt, wenn sie so draußen im Dunkel allein ist bis an das Morgenrot.« – »So laßt uns ihr doch nach, Vater, um Gott!« rief Huldbrand ängstlich aus. Der Alte erwiderte: »Wozu das? Es wär ein sündlich Werk, ließ ich Euch in Nacht und Einsamkeit dem törichten Mädchen so ganz alleine folgen, und meine alten Beine holen den Springinsfeld nicht ein, wenn man auch wüßte, wohin sie gerannt ist.« – »Nun müssen wir ihr doch nachrufen mindestens und sie bitten, daß sie wiederkehrt«, sagte Huldbrand und begann auf das beweglichste zu rufen: »Undine! Ach, Undine! Komm doch zurück!« – Der Alte wiegte sein Haupt hin und her, sprechend, all das Geschrei helfe am Ende zu nichts; der Ritter wisse noch nicht, wie trotzig die Kleine sei. Dabei aber konnte er es doch nicht unterlassen, öfters mit in die finstere Nacht hinauszurufen: »Undine! Ach, liebe Undine! Ich bitte dich, komme doch nur dies eine Mal zurück!«

Es ging indessen, wie es der Fischer gesagt hatte. Keine Undine ließ sich hören oder sehn, und weil der Alte durchaus nicht zugeben wollte, daß Huldbrand der Entflohenen nachspürte, mußten sie endlich beide wieder in die Hütte gehen. Hier fanden sie das Feuer des Herdes beinahe erloschen und die Hausfrau, die sich Undinens Flucht und Gefahr bei weitem nicht so zu Herzen nahm als ihr Mann, bereits zur Ruhe gegangen. Der Alte hauchte die Kohlen wieder an, legte trocknes Holz darauf und suchte bei der wieder auflodernden Flamme einen Krug mit Wein hervor, den er zwischen sich und seinen Gast stellte. »Euch ist auch angst wegen des dummen Mädchens, Herr Ritter,« sagte er, »und wir wollen lieber einen Teil der Nacht verplaudern und vertrinken, als uns auf den Schilfmatten vergebens nach dem Schlafe herumwälzen. Nicht wahr?« Huldbrand war gerne damit zufrieden, der Fischer nötigte ihn auf den ledigen Ehrenplatz der schlafen gegangnen Hausfrau, und beide tranken und sprachen miteinander, wie es zwei wackern und zutraulichen Männern geziemt. Freilich, sooft sich vor den Fenstern das geringste regte, oder auch bisweilen, wenn sich gar nichts regte, sah eines von beiden in die Höhe, sprechend: »Sie kommt!« Dann wurden sie ein paar Augenblicke stille und fuhren nachher, da nichts erschien, kopfschüttelnd und seufzend in ihren Reden fort.

Weil aber nun beide an fast gar nichts anders zu denken vermochten als an Undinen, so wußten sie auch nichts Beßres als: der Ritter, zu hören, welchergestalt Undine zu dem alten Fischer gekommen sei, der alte Fischer, eben diese Geschichte zu erzählen. Deshalben hub er folgendermaßen an:

»Es sind nun wohl funfzehn Jahre vergangen, da zog ich einmal durch den wüsten Wald mit meiner Ware nach der Stadt. Meine Frau war daheim geblieben, wie gewöhnlich, und solches zu der Zeit auch noch um einer gar hübschen Ursach willen; denn Gott hatte uns, in unserm damals schon ziemlich hohen Alter, ein wunderschönes Kindlein beschert. Es war ein Mägdlein, und die Rede ging bereits unter uns, ob wir nicht, dem neuen Ankömmlinge zu Frommen, unsre schöne Landzunge verlassen wollten, um die liebe Himmelsgabe künftig an bewohnbaren Orten besser aufzuziehen. Es ist freilich bei armen Leuten nicht so damit, wie Ihr es meinen mögt, Herr Ritter; aber, lieber Gott! jedermann muß doch einmal tun, was er vermag. – Nun, mir ging unterweges die Geschichte ziemlich im Kopfe herum. Diese Landzunge war mir so im Herzen lieb, und ich fuhr ordentlich zusammen, wenn ich unter dem Lärm und Gezänke in der Stadt bei mir selbsten denken mußte: ›In solcher Wirtschaft nimmst auch du nun mit nächstem deinen Wohnsitz oder doch in einer nicht viel stillern!‹ – Dabei aber hab ich nicht gegen unsern lieben Herrgott gemurret, vielmehr ihm im stillen für das Neugeborne gedankt; ich müßte auch lügen, wenn ich sagen wollte, mir wäre auf dem Hin- oder Rückwege durch den Wald irgend etwas Bedenklicheres aufgestoßen als sonst, wie ich denn nie etwas Unheimliches dorten gesehen habe. Der Herr war immer mit mir in den verwunderlichen Schatten.«

Da zog er sein Mützchen von dem kahlen Schädel und blieb eine Zeit lang in betenden Gedanken sitzen. Dann bedeckte er sich wieder und sprach fort:

»Diesseits des Waldes, ach, diesseits, da zog mir das Elend entgegen. Meine Frau kam gegangen mit strömenden Augen wie zwei Bäche; sie hatte Trauerkleider angelegt. ›O lieber Gott‹, ächzte ich, ›wo ist unser liebes Kind? Sag an!‹ – ›Bei dem, den du rufest, lieber Mann‹, entgegnete sie, und wir gingen nun still weinend miteinander in die Hütte. – Ich suchte nach der kleinen Leiche; da erfuhr ich erst, wie alles gekommen war. Am Seeufer hatte meine Frau mit dem Kinde gesessen, und wie sie so recht sorglos und selig mit ihm spielt, bückt sich die Kleine auf einmal vor, als sähe sie etwas ganz Wunderschönes im Wasser; meine Frau sieht sie noch lachen, den lieben Engel, und mit den Händchen greifen – aber im Augenblick schießt sie ihr durch die rasche Bewegung aus den Armen und in den feuchten Spiegel hinunter. Ich habe viel gesucht nach der kleinen Toten, es war zu nichts: auch keine Spur von ihr war zu finden. –

Nun, wir verwaisten Eltern saßen denn noch selbigen Abends still beisammen in der Hütte; zu reden hatte keiner Lust von uns, wenn man es auch gekonnt hätte vor Tränen. Wir sahen so in das Feuer des Herdes hinein. Da raschelte was draußen an der Tür, sie springt auf, und ein wunderschönes Mägdlein von etwa drei, vier Jahren steht reich geputzt auf der Schwelle und lächelt uns an. Wir blieben ganz stumm vor Erstaunen, und ich wußte erst nicht: war es ein ordentlicher kleiner Mensch, war es bloß ein gaukelhaftiges Bildnis? Da sah ich aber das Wasser von den goldnen Haaren und den reichen Kleidern herabtröpfeln und merkte nun wohl, das schöne Kindlein habe im Wasser gelegen und Hülfe tue ihm not. ›Frau‹, sagte ich, ›uns hat niemand unser liebes Kind erretten können; wir wollen doch wenigstens an andern Leuten tun, was uns selig auf Erden machen würde, vermöchte es jemand an uns zu tun.‹ – Wir zogen die Kleine aus, brachten sie zu Bett und reichten ihr wärmende Getränke, wobei sie kein Wort sprach und uns bloß aus den beiden seeblauen Augenhimmeln immerfort lächelnd anstarrte.

Des andern Morgens ließ sich wohl abnehmen, daß sie keinen weitern Schaden genommen hatte, und ich fragte nun nach ihren Eltern und wie sie hierher gekommen sei. Das aber gab eine verworrne, wundersamliche Geschichte. Von weit her muß sie wohl gebürtig sein, denn nicht nur, daß ich diese funfzehn Jahre her nichts von ihrer Herkunft erforschen konnte, so sprach und spricht sie auch bisweilen so absonderliche Dinge, daß unsereins nicht weiß, ob sie am Ende nicht gar vom Monde herunter gekommen sein könnte. Da ist die Rede von goldnen Schlössern, von kristallnen Dächern, und Gott weiß, wovon noch mehr. Was sie am deutlichsten erzählte, war, sie sei mit ihrer Mutter auf dem großen See spazieren gefahren, aus der Barke ins Wasser gefallen und habe ihre Sinne erst hier unter den Bäumen wiedergefunden, wo ihr an dem lustigen Ufer recht behaglich zumute geworden sei.

Nun hatten wir noch eine große Bedenklichkeit und Sorge auf dem Herzen. Daß wir an der lieben Ertrunkenen Stelle die Gefundne behalten und auferziehn wollten, war freilich sehr bald ausgemacht; aber wer konnte nun wissen, ob das Kind getauft sei oder nicht. Sie selber wußte darüber keine Auskunft zu geben. Daß sie eine Kreatur sei, zu Gottes Preis und Freude geschaffen, wisse sie wohl, antwortete sie uns mehrenteils, und was zu Gottes Preis und Freude gereiche, seie sie auch bereit, mit sich vornehmen zu lassen. – Meine Frau und ich dachten so: ›Ist sie nicht getauft, so gibts da nichts zu zögern; ist sie es aber doch, so kann bei guten Dingen zu wenig eher schaden als zu viel.‹ Und demzufolge sannen wir auf einen guten Namen für das Kind, das wir ohnehin noch nicht ordentlich zu rufen wußten. Wir meinten endlich, Dorothea werde sich am besten für sie schicken, weil ich einmal gehört hatte, das heiße Gottesgabe, und sie uns doch von Gott als Gabe zugesandt war, als ein Trost in unserm Elend. Sie hingegen wollte nichts davon hören und meinte, Undine sei sie von ihren Eltern genannt worden, Undine wolle sie auch ferner heißen. Nun kam mir das wie ein heidnischer Name vor, der in keinem Kalender stehe, und ich holte mir deshalben Rat bei einem Priester in der Stadt. Der wollte auch nichts von dem Undinen-Namen hören und kam auf mein vieles Bitten mit mir durch den verwunderlichen Wald zu Vollziehung der Taufhandlung hier herein in meine Hütte. Die

Kleine stand so hübsch geschmückt und holdselig vor uns, daß dem Priester alsbald sein ganzes Herz vor ihr aufging, und sie wußte ihm so artig zu schmeicheln und mitunter so drollig zu trotzen, daß er sich endlich auf keinen der Gründe, die er gegen den Namen Undine vorrätig gehabt hatte, mehr besinnen konnte. Sie ward denn also Undine getauft und betrug sich während der heiligen Handlung außerordentlich sittig und anmutig, so wild und unstät sie auch übrigens immer war. Denn darin hat meine Frau ganz recht: was Tüchtiges haben wir mit ihr auszustehen gehabt. Wenn ich Euch erzählen sollte ...«

Der Ritter unterbrach den Fischer, um ihn auf ein Geräusch wie von gewaltig rauschenden Wasserfluten aufmerksam zu machen, das er schon früher zwischen den Reden des Alten vernommen hatte und das nun mit wachsendem Ungestüm vor den Hüttenfenstern dahinströmte. Beide sprangen nach der Tür. Da sahen sie draußen im jetzt aufgegangenen Mondenlicht den Bach, der aus dem Walde hervorrann, wild über seine Ufer hinausgerissen und Steine und Holzstämme in reißenden Wirbeln mit sich fortschleudern. Der Sturm brach, wie von dem Getöse erweckt, aus den nächtigen Gewölken, diese pfeilschnell über den Mond hinjagend, hervor, der See heulte unter des Windes schlagenden Fittichen, die Bäume der Landzunge ächzten von Wurzel zu Wipfel hinauf und beugten sich wie schwindelnd über die reißenden Gewässer. – »Undine! Um Gottes willen, Undine!« riefen die zwei beängstigten Männer. – Keine Antwort kam ihnen zurück, und achtlos nun jeglicher andern Erwägung, rannten sie, suchend und rufend, einer hier-, der andre dorthin, aus der Hütte fort.

Drittes Kapitel

Wie sie Undinen wiederfanden

Dem Huldbrand ward es immer ängstlicher und verworrner zu Sinn, je länger er unter den nächtlichen Schatten suchte, ohne zu finden. Der Gedanke, Undine sei nur eine bloße Walderscheinung gewesen, bekam aufs neue Macht über ihn, ja er hätte unter dem Geheul der Wellen und Stürme, dem Krachen der Bäume, der gänzlichen Umgestaltung der kaum noch so still anmutigen Gegend die ganze Landzunge samt der Hütte und ihren Bewohnern fast für eine trügrisch nekkende Bildung gehalten; aber von fern hörte er doch immer noch des Fischers ängstliches Rufen nach Undinen, der alten Hausfrau lautes Beten und Singen durch das Gebraus. Da kam er endlich dicht an des übergetretnen Baches Rand und sah im Mondlicht, wie dieser seinen ungezähmten Lauf grade vor den unheimlichen Wald hin genommen hatte, so daß er nun die Erdspitze zur Insel machte. – ›O lieber Gott‹, dachte er bei sich selbst, ›wenn es Undine gewagt hätte, ein paar Schritte in den fürchterlichen Forst hineinzutun; vielleicht eben in ihrem anmutigen Eigensinn, weil ich ihr nichts davon erzählen sollte, und nun wäre der Strom dazwischen gerollt, und sie weinte nun einsam drüben bei den Gespenstern!‹ – Ein Schrei des Entsetzens entfuhr ihm, und er klomm einige Steine und umgestürzte Fichtenstämme hinab, um in den reißenden Strom zu treten und, watend oder schwimmend, die Verirrte drüben zu suchen. Es fiel ihm zwar alles Grausenvolle und Wunderliche ein, was ihm schon bei Tage unter den jetzt rauschenden und heulenden Zweigen begegnet war. Vorzüglich kam es ihm vor, als stehe ein langer weißer Mann, den er nur allzu gut kannte, grinsend und nickend am jenseitigen Ufer: aber eben diese ungeheuern Bilder rissen ihn gewaltig nach sich hin, weil er bedachte, daß Undine in Todesängsten unter ihnen sei, und allein!

Schon hatte er einen starken Fichtenast ergriffen und stand, auf diesen gestützt, in den wirbelnden Fluten, gegen die er sich kaum aufrecht zu halten vermochte; aber er schritt getrosten Mutes tiefer hinein. Da rief es neben ihm mit anmutiger Stimme: »Trau nicht, trau nicht! Er ist tückisch, der Alte, der Strom!« – Er kannte diese lieblichen Laute, er stand wie betört unter den Schatten, die sich eben dunkel über den Mond gelegt hatten, und ihm schwindelte vor dem Gerolle der Wogen, die er pfeilschnell an seinen Schenkeln hinschießen sah. Dennoch wollte er nicht ablassen. »Bist du nicht wirklich da, gaukelst du nur neblicht um mich her, so mag auch ich nicht leben und will ein Schatten werden wie du, du liebe, liebe Undine!« Dies rief er laut und schritt wieder tiefer in den Strom. »Sieh dich doch um, ei sieh dich doch um, du schöner, betörter Jüngling!« so rief es abermals dicht bei ihm, und seitwärts blickend sah er im eben sich wieder enthüllenden Mondlicht unter den Zweigen hoch verschlungener Bäume auf einer durch die Überschwemmung gebildeten kleinen Insel Undinen lächelnd und lieblich in die blühenden Gräser hingeschmiegt.

O wie viel freudiger brauchte nun der junge Mann seinen Fichtenast zum Stabe als vorhin! Mit wenigen Schritten war er durch die Flut, die zwischen ihm und dem Mägdlein hinstürmte, und neben ihr stand er auf der kleinen Rasenstelle, heimlich und sicher von den uralten Bäumen überrauscht und beschirmt. Undine hatte sich etwas emporgerichtet und schlang nun in dem grünen Laubgezelte ihre Arme um seinen Nacken, so daß sie ihn auf ihren weichen Sitz neben sich niederzog. »Hier sollst du mir erzählen, hübscher Freund,« sagte sie leise flüsternd; »hier hören uns die grämlichen Alten nicht. Und so viel als ihre ärmliche Hütte ist doch hier unser Blätterdach wohl noch immer wert.« – »Es ist der Himmel!« sagte Huldbrand und umschlang inbrünstig küssend die schmeichelnde Schöne.

Da war unterdessen der alte Fischer an das Ufer des Stromes gekommen und rief zu den beiden jungen Leuten herüber:

»Ei, Herr Ritter, ich habe Euch aufgenommen, wie es ein biederherziger Mann dem andern zu tun pflegt, und nun kost Ihr mit meinem Pflegekinde so heimlich und laßt mich noch obendrein in der Angst nach ihr durch die Nacht umherlaufen.« – »Ich habe sie selbst erst eben jetzt gefunden, alter Vater!« rief ihm der Ritter zurück. – »Desto besser,« sagte der Fischer, »aber nun bringt sie mir auch ohne Verzögern an das feste Land herüber.« Davon aber wollte Undine wieder gar nichts hören. Sie meinte, eher wolle sie mit dem schönen Fremden in den wilden Forst vollends hinein als wieder in die Hütte zurück, wo man ihr nicht ihren Willen tue und aus welcher der hübsche Ritter doch über kurz oder lang scheiden werde. Mit unsäglicher Anmut sang sie, Huldbranden umschlingend:

Aus dunstgem Tal die Welle,
Sie rann und sucht' ihr Glück;
Sie kam ins Meer zur Stelle
Und rinnt nicht mehr zurück.

Der alte Fischer weinte bitterlich in ihr Lied, aber es schien sie nicht sonderlich zu rühren. Sie küßte und streichelte ihren Liebling, der endlich zu ihr sagte: »Undine, wenn dir des alten Mannes Jammer das Herz nicht trifft, so trifft ers mir. Wir wollen zurück zu ihm!« – Verwundert schlug sie die großen blauen Augen gegen ihn auf und sprach endlich langsam und zögernd: »Wenn du es so meinst – gut; mir ist alles recht, was du meinst. Aber versprechen muß mir erst der alte Mann da drüben, daß er dich ohne Widerrede will erzählen lassen, was du im Walde gesehn hast, und – nun, das andre findet sich wohl.« – »Komm nur, komm!« rief der Fischer ihr zu, ohne mehr Worte herausbringen zu können. Zugleich streckte er seine Arme weit über die Flut ihr entgegen und nickte mit dem Kopfe, um ihr die Erfüllung ihrer Forderung zuzusagen, wobei ihm die weißen Haare seltsam über das Gesicht herüberfielen und Huldbrand an den nickenden weißen Mann im Forste denken mußte. Ohne sich aber durch irgend etwas irre machen zu lassen, faßte der junge Rittersmann das schöne Mädchen in seine Arme und trug sie über den kleinen Raum, welchen der Strom zwischen ihrem Inselchen und dem festen Ufer durchbrauste. Der Alte fiel um Undinens Hals und konnte sich gar nicht satt freuen und küssen; auch die alte Frau kam herbei und schmeichelte der Wiedergefundenen auf das herzlichste. Von Vorwürfen war gar nicht die Rede mehr, um so minder, da auch Undine, ihres Trotzes vergessend, die beiden Pflegeeltern mit anmutigen Worten und Liebkosungen fast überschüttete.

Als man endlich nach der Freude des Wiederhabens sich recht besann, blickte schon das Morgenrot leuchtend über den Landsee herein; der Sturm war stille geworden, die Vöglein sangen lustig auf den genäßten Zweigen. Weil nun Undine auf die Erzählung der verheißnen Geschichte des Ritters bestand, fügten sich die beiden Alten lächelnd und willig in ihr Begehr. Man brachte ein Frühstück unter die Bäume, welche hinter der Hütte gegen den See zu standen, und setzte sich, von Herzen vergnügt, dabei nieder, Undine, weil sie es durchaus nicht anders haben wollte, zu den Füßen des Ritters ins Gras. Hierauf begann Huldbrand folgendermaßen zu sprechen:

Viertes Kapitel

Von dem, was dem Ritter im Walde begegnet war

»Es mögen nun etwan acht Tage her sein, da ritt ich in die freie Reichsstadt ein, welche dort jenseits des Forstes gelegen ist. Bald darauf gab es darin ein schönes Turnieren und Ringelrennen, und ich schonte meinen Gaul und meine Lanze nicht. Als ich nun einmal an den Schranken still halte, um von der lustigen Arbeit zu rasten, und den Helm an einen meiner Knappen zurückreiche, fällt mir ein wunderschönes Frauenbild in die Augen, das im allerherrlichsten Schmuck auf einem der Altane stand und zusah. Ich fragte meinen

Nachbar und erfuhr, die reizende Jungfrau heiße Bertalda und sei die Pflegetochter eines der mächtigen Herzoge, die in dieser Gegend wohnen. Ich merkte, daß sie auch mich ansah, und wie es nun bei uns jungen Rittern zu kommen pflegt: hatte ich erst brav geritten, so ging es nun noch ganz anders los. Den Abend beim Tanze war ich Bertaldens Gefährte, und das blieb so alle die Tage des Festes hindurch.«

Ein empfindlicher Schmerz an seiner linken, herunterhängenden Hand unterbrach hier Huldbrands Rede und zog seine Blicke nach der schmerzenden Stelle. Undine hatte ihre Perlenzähne scharf in seine Finger gesetzt und sah dabei recht finster und unwillig aus. Plötzlich aber schaute sie ihm freundlich wehmütig in die Augen und flüsterte ganz leise: »Ihr macht es auch darnach.« Dann verhüllte sie ihr Gesicht, und der Ritter fuhr, seltsam verwirrt und nachdenklich, in seiner Geschichte fort.

»Es ist eine hochmütige, wunderliche Maid, diese Bertalda. Sie gefiel mir auch am zweiten Tage schon lange nicht mehr wie am ersten, und am dritten noch minder. Aber ich blieb um sie, weil sie freundlicher gegen mich war als gegen andre Ritter, und so kam es auch, daß ich sie im Scherz um einen ihrer Handschuhe bat. ›Wenn Ihr mir Nachricht bringt, und Ihr ganz allein,‹ sagte sie, ›wie es im berüchtigten Forste aussieht!‹ Mir lag eben nicht soviel an ihrem Handschuhe, aber gesprochen war gesprochen, und ein ehrliebender Rittersmann läßt sich zu solchem Probestücke nicht zweimal mahnen.«

»Ich denke, sie hatte Euch lieb?« unterbrach ihn Undine.

»Es sah so aus«, entgegnete Huldbrand.

»Nun,« rief das Mädchen lachend, »die muß recht dumm sein. Von sich zu jagen, was einem lieb ist! Und vollends in einen verrufnen Wald hinein. Da hätte der Wald und sein Geheimnis lange für mich warten können!«

»Ich machte mich denn gestern morgen auf den Weg«, fuhr der Ritter, Undinen freundlich anlächelnd, fort. »Die Baumstämme blitzten so rot und schlank im Morgenlichte, das sich hell auf dem grünen Rasen hinstreckte, die Blätter flüsterten so lustig miteinander, daß ich in meinem Herzen über die Leute lachen mußte, die an diesem vergnüglichen Orte irgend etwas Unheimliches erwarten konnten. ›Der Wald soll bald durchtrabt sein, hin und zurück‹, sagte ich in behaglicher Fröhlichkeit zu mir selbst, und eh ich noch daran dachte, war ich tief in die grünenden Schatten hinein und nahm nichts mehr von der hinter mir liegenden Ebene wahr. Da fiel es mir erst aufs Herz, daß ich mich auch in dem gewaltigen Forste gar leichtlich verirren könne und daß dieses vielleicht die einzige Gefahr sei, welche den Wandersmann allhier bedrohe. Ich hielt daher stille und sah mich nach dem Stande der Sonne um, die unterdessen etwas höher gerückt war. Indem ich nun so emporblicke, sehe ich ein schwarzes Ding in den Zweigen einer hohen Eiche. Ich denke schon, es ist ein Bär, und fasse nach meiner Klinge; da sagt es mit einer Menschenstimme, aber recht rauh und häßlich, herunter: ›Wenn ich hier oben nicht die Zweige abknusperte, woran solltest du denn heut um Mitternacht gebraten werden, Herr Naseweis?‹ Und dabei grinst es und raschelt mit den Ästen, daß mein Gaul toll wird und mit mir durchgeht, eh ich noch Zeit gewinnen konnte zu sehn, was es denn eigentlich für eine Teufelsbestie war.«

»Den müßt Ihr nicht nennen«, sagte der alte Fischer und kreuzte sich; die Hausfrau tat schweigend desgleichen; Undine sah ihren Liebling mit hellen Augen an, sprechend: »Das beste bei der Geschichte ist, daß sie ihn doch nicht wirklich gebraten haben. Weiter, du hübscher Jüngling!«

Der Ritter fuhr in seiner Erzählung fort: »Ich wäre mit meinem scheuen Pferde fast gegen Baumstämme und Äste angerannt; es triefte von Angst und Erhitzung und wollte sich doch noch immer nicht halten lassen. Zuletzt ging es gerade auf einen steinigen Abgrund los; da kam mirs plötzlich vor, als werfe sich ein langer, weißer Mann dem tollen Hengste quer vor in seinen Weg, der entsetzte sich davor und stand; ich kriegte ihn wieder in meine Gewalt und sah nun erst, daß mein Retter kein weißer Mann war, sondern ein silberheller Bach, der sich neben mir von einem Hügel herunterstürzte, meines Rosses Lauf ungestüm kreuzend und hemmend.«

»Danke, lieber Bach!« rief Undine, in die Händchen klopfend. Der alte Mann aber sah kopfschüttelnd in tiefem Sinnen vor sich nieder.

»Ich hatte mich noch kaum im Sattel wieder zurechtgesetzt und die Zügel wieder ordentlich recht gefaßt,« fuhr Huldbrand fort, »so stand auch schon ein wunderliches Männlein zu meiner Seiten, winzig und häßlich über alle Maßen, ganz braungelb und mit einer Nase, die nicht viel kleiner war als der ganze übrige Bursche selbst. Dabei grinste er mit einer recht dummen Höflichkeit aus dem breit geschlitzten Maule hervor und machte viele tausend Scharrfüße und Bücklinge gegen mich. Weil mir nun das Possenspiel sehr mißhagte, dankte ich ihm ganz kurz, warf meinen noch immer zitternden Gaul herum und gedachte, mir ein andres Abenteuer oder, dafern ich keines fände, den Heimweg zu suchen, denn die Sonne war während meiner tollen Jagd schon über die Mittagshöhe gen Westen gegangen. Da sprang aber der kleine Kerl mit einer blitzschnellen Wendung herum und stand abermals vor meinem Hengste. – ›Platz da!‹ sagte ich verdrießlich, ›das Tier ist wild und rennet dich leichtlich um.‹ – ›Ei,‹ schnarrte das Kerlchen und lachte noch viel entsetzlich dummer, ›schenkt mir doch erst ein Trinkgeld, denn ich hab ja Euer Rösselein aufgefangen. Lägt Ihr doch ohne mich samt Euerm Rösselein in der Steinkluft da unten, hu!‹ – ›Schneide nur keine Gesichter weiter,‹ sagte ich, ›und nimm dein Geld hin, wenn du auch lügst; denn siehe, der gute Bach dorten hat mich gerettet, nicht aber du, höchst ärmlicher Wicht!‹ Und zugleich ließ ich ein Goldstück in seine wunderliche Mütze fallen, die er bettelnd vor mir abgezogen hatte. Dann trabte ich weiter; er aber schrie hinter mir drein und war plötzlich mit unbegreiflicher Schnelligkeit neben mir. Ich sprengte mein Roß im Galopp an; er galoppierte mit, so sauer es ihm zu werden schien und so wunderliche, halb lächerliche, halb gräßliche Verrenkungen er dabei mit seinem Leibe vornahm, wobei er immerfort das Goldstück in die Höhe hielt und bei jedem Galoppsprunge schrie: ›Falsch Geld! falsche Münz! Falsche Münz! falsch Geld!‹ Und das krächzte er aus so hohler Brust heraus, daß man meinte, er müsse nach jeglichem Schreie tot zu Boden stürzen. Auch hing ihm die häßlich rote Zunge weit aus dem Schlunde. Ich hielt verstört; ich fragte: ›Was willst du mit deinem Geschrei? Nimm noch ein Goldstück, nimm noch zwei, aber dann laß ab von mir!‹ – Da fing er wieder mit seinem häßlich höflichen Grüßen an und schnarrte: ›Gold eben nicht, Gold soll es eben nicht sein, mein Jungherrlein, des Spaßes hab ich selbsten allzuviel; wills Euch mal zeigen.‹

Da ward es mir auf einmal, als könnt ich durch den grünen festen Boden durchsehn, als sei er grünes Glas und die ebne Erde kugelrund, und drinnen hielten eine Menge Kobolde ihr Spiel mit Silber und Gold. Kopfauf, kopfunten kugelten sie sich herum, schmissen einander zum Spaß mit den edlen Metallen und pusteten sich den Goldstaub neckend ins Gesicht. Mein häßlicher Gefährte stand halb drinnen, halb draußen; er ließ sich sehr, sehr viel Gold von den andern heraufreichen und zeigte es mir lachend und schmiß es dann immer wieder klingend in die unermeßlichen Klüfte hinab. Dann zeigte er wieder mein Goldstück, was ich ihm geschenkt hatte, den Kobolden drunten, und die wollten sich drüber halb totlachen und zischten mich aus. Endlich reckten sie alle die spitzigen, metallschmutzigen Finger gegen mich aus, und wilder und wilder und dichter und dichter und toller und toller klomm das Gewimmel gegen mich herauf – da erfaßte mich ein Entsetzen, wie vorhin meinen Gaul. Ich gab ihm beide Sporen und weiß nicht, wie weit ich zum zweiten Male toll in den Wald hineingejagt bin.

Als ich nun endlich wieder still hielt, war es abendkühl um

mich her. Durch die Zweige sah ich einen weißen Fußpfad leuchten, von dem ich meinte, er müsse aus dem Forste nach der Stadt zurückführen. Ich wollte mich dahin durcharbeiten, aber ein ganz weißes, undeutliches Antlitz, mit immer wechselnden Zügen, sah mir zwischen den Blättern entgegen; ich wollte ihm ausweichen, aber wo ich hinkam, war es auch. Ergrimmt gedacht ich endlich mein Roß darauf loszutreiben, da sprudelte es mir und dem Pferde weißen Schaum entgegen, daß wir beide geblendet umwenden mußten. So trieb es uns von Schritt zu Schritt, immer von dem Fußsteige abwärts, und ließ uns überhaupt nur nach einer einzigen Richtung hin den Weg noch frei. Zogen wir aber auf dieser fort, so war es wohl dicht hinter uns, tat uns jedoch nicht das geringste zuleide. Wenn ich mich dann bisweilen nach ihm umsah, merkte ich wohl, daß das weiße, sprudelnde Antlitz auf einem ebenso weißen, höchst riesenmäßigen Körper saß. Manchmal dacht ich auch, als sei es ein wandelnder Springbronn, aber ich konnte niemals recht darüber zur Gewißheit kommen. Ermüdet gaben Roß und Reiter dem treibenden, weißen Manne nach, der uns immer mit dem Kopfe zunickte, als wolle er sagen: ›Schon recht, schon recht!‹ – Und so sind wir endlich an das Ende des Waldes hier herausgekommen, wo ich Rasen und Seeflut und eure kleine Hütte sah und wo der lange weiße Mann verschwand.«

»Gut, daß er fort ist«, sagte der alte Fischer, und nun begann er davon zu sprechen, wie sein Gast auf die beste Weise wieder zu seinen Leuten nach der Stadt zurückgelangen könne. Darüber fing Undine an, ganz leise in sich selbst hinein zu kichern. Huldbrand merkte es und sagte: »Ich dachte, du sähest mich gern hier; was freust du dich denn nun, da von meiner Abreise die Rede ist?«

»Weil du nicht fort kannst«, entgegnete Undine. »Prob es doch mal, durch den übergetretnen Waldstrom zu setzen, mit Kahn, mit Roß oder allein, wie du Lust hast! Oder prob es lieber nicht, denn du würdest zerschellt werden von den

blitzschnell getriebenen Stämmen und Steinen. Und was den See angeht, da weiß ich wohl, der Vater darf mit seinem Kahne nicht weit genug darauf hinaus.«
Huldbrand erhob sich lächelnd, um zu sehn, ob es so sei, wie ihm Undine gesagt hatte; der Alte begleitete ihn, und das Mädchen gaukelte scherzend neben den Männern her. Sie fanden es in der Tat, wie sie gesagt hatte, und der Ritter mußte sich drein ergeben, auf der zur Insel gewordnen Landspitz zu bleiben, bis die Fluten sich verliefen. Als die dreie nach ihrer Wandrung wieder der Hütte zugingen, sagte der Ritter der Kleinen ins Ohr: »Nun, wie ist es, Undinchen? Bist du böse, daß ich bleibe?« – »Ach,« entgegnete sie mürrisch, »laßt nur! Wenn ich Euch nicht gebissen hätte, wer weiß, was noch alles von der Bertalda in Eurer Geschichte vorgekommen wär!«

Fünftes Kapitel

Wie der Ritter auf der Seespitze lebte

Du bist vielleicht, mein lieber Leser, schon irgendwo, nach mannigfachem Auf- und Abtreiben in der Welt, an einen Ort gekommen, wo dir es wohl war; die jedwedem eingeborne Liebe zu eignem Herd und stillem Frieden ging wieder auf in dir; du meintest, die Heimat blühe mit allen Blumen der Kindheit und der allerreinsten, innigsten Liebe wieder aus teuren Grabstätten hervor und hier müsse gut wohnen und Hütten bauen sein. Ob du dich darin geirrt und den Irrtum nachher schmerzlich abgebüßt hast, das soll hier nichts zur Sache tun, und du wirst dich auch selbst wohl mit dem herben Nachschmack nicht freiwillig betrüben wollen. Aber rufe jene unaussprechliche süße Ahnung, jenen englischen Gruß des Friedens wieder in dir herauf, und du wirst ungefähr wissen können, wie dem Ritter Huldbrand während seines Lebens auf der Seespitze zu Sinne war.

Er sah oftmals mit innigem Wohlbehagen, wie der Waldstrom mit jedem Tage wilder einherrollte, wie er sich sein Bette breiter und breiter riß und die Abgeschiedenheit auf der Insel so für immer längere Zeit ausdehnte. Einen Teil des Tages über strich er mit einer alten Armbrust, die er in einem Winkel der Hütte gefunden und sich ausgebessert hatte, umher, nach den vorüberfliegenden Vögeln lauernd und, was er von ihnen treffen konnte, als guten Braten in die Küche liefernd. Brachte er nun seine Beute zurück, so unterließ Undine fast niemals, ihn auszuschelten, daß er den lieben, lustigen Tierchen oben im blauen Luftmeer so feindlich ihr fröhliches Leben stehle; ja, sie weinte oftmals bitterlich bei dem Anblicke des toten Geflügels. Kam er aber dann ein andermal wieder heim und hatte nichts geschossen, so schalt sie ihn nicht minder ernstlich darüber aus, daß man nun um seines Ungeschicks und seiner Nachlässigkeit willen mit Fischen und Krebsen vorlieb nehmen müsse. Er freute sich allemal herzinniglich auf ihr anmutiges Zürnen, um so mehr, da sie gewöhnlich nachher ihre üble Laune durch die holdesten Liebkosungen wieder gutzumachen suchte. Die Alten hatten sich in die Vertraulichkeit der beiden jungen Leute gefunden; sie kamen ihnen vor wie Verlobte oder gar wie ein Ehepaar, das ihnen zum Beistand im Alter mit auf der abgerissenen Insel wohne. Eben diese Abgeschiedenheit brachte auch den jungen Huldbrand ganz fest auf den Gedanken, er sei bereits Undinens Bräutigam. Ihm war zumute, als gäbe es keine Welt mehr jenseits dieser umgebenden Fluten oder als könne man doch nie wieder da hinüber zur Vereinigung mit andern Menschen gelangen; und wenn ihn auch bisweilen sein weidendes Roß anwieherte, wie nach Rittertaten fragend und mahnend, oder sein Wappenschild ihm von der Stickerei des Sattels und der Pferdedecke ernst entgegen leuchtete, oder sein schönes Schwert unversehens vom Nagel, an welchem es in der Hütte hing, herab fiel, im Sturze aus der Scheide gleitend, – so beruhigte er sein zweifelndes Gemüt damit:

Undine sei gar keine Fischerstochter, sei vielmehr, aller Wahrscheinlichkeit nach, aus einem wundersamen hochfürstlichen Hause der Fremde gebürtig. Nur das war ihm in der Seele zuwider, wenn die alte Frau Undinen in seiner Gegenwart schalt. Das launische Mädchen lachte zwar meist, ohne alles Hehl, ganz ausgelassen darüber; aber ihm war es, als taste man seine Ehre an, und doch wußte er der alten Fischerin nicht unrecht zu geben, denn Undine verdiente immer zum wenigsten zehnfach so viele Schelte, als sie bekam, daher er denn auch der Hauswirtin im Herzen gewogen blieb und das ganze Leben seinen stillen vergnüglichen Gang fürder ging.

Es kam aber doch endlich eine Störung hinein. Der Fischer und der Ritter waren nämlich gewohnt gewesen, beim Mittagsmahle und auch des Abends, wenn der Wind draußen heulte, wie er es fast immer gegen die Nacht zu tun pflegte, sich miteinander bei einem Kruge Wein zu ergötzen. Nun war aber der ganze Vorrat zu Ende gegangen, den der Fischer früher von der Stadt nach und nach mitgebracht hatte, und die beiden Männer wurden darüber ganz verdrießlich. Undine lachte sie den Tag über wacker aus, ohne daß beide so lustig wie gewöhnlich in ihre Scherze einstimmten. Gegen Abend war sie aus der Hütte gegangen: sie sagte, um den zwei langen und langweiligen Gesichtern zu entgehn. Weil es nun in der Dämmerung wieder nach Sturm aussah und das Wasser bereits heulte und rauschte, sprangen der Ritter und der Fischer erschreckt vor die Tür, um das Mädchen heimzuholen, der Angst jener Nacht gedenkend, wo Huldbrand zum ersten Mal in der Hütte gewesen war. Undine aber trat ihnen entgegen, freundlich in ihre Händchen klopfend. »Was gebt ihr mir, wenn ich euch Wein verschaffe? Oder vielmehr, ihr braucht mir nichts zu geben,« fuhr sie fort, »denn ich bin schon zufrieden, wenn ihr lustiger ausseht und bessere Einfälle habt, als diesen letzten, langweiligen Tag hindurch. Kommt nur mit: der Waldstrom hat ein Faß an das Ufer getrieben, und ich will verdammt sein, eine ganze Woche lang zu schlafen, wenn es nicht ein Weinfaß ist.« – Die Männer folgten ihr nach und fanden wirklich an einer umbüschten Bucht des Ufers ein Faß, welches ihnen Hoffnung gab, als enthalte es den edlen Trank, wonach sie verlangten. Sie wälzten es vor allem aufs schleunigste in die Hütte, denn ein schweres Wetter zog wieder am Abendhimmel herauf, und man konnte in der Dämmerung bemerken, wie die Wogen des Sees ihre weißen Häupter schäumend emporrichteten, als sähen sie sich nach dem Regen um, der nun bald auf sie herunterrauschen sollte. Undine half den beiden nach Kräften und sagte, als das Regenwetter plötzlich allzu schnell heraufheulte, lustig drohend in die schweren Wolken hinein: »Du! du! Hüte dich, daß du uns nicht naß machst; wir sind noch lange nicht unter Dach!« – Der Alte verwies ihr solches als eine sündhafte Vermessenheit; aber sie kicherte leise vor sich hin, und es widerfuhr auch niemanden etwas Übles darum. Vielmehr gelangten alle drei, wider Vermuten, mit ihrer Beute trocken an den behaglichen Herd, und erst als man das Faß geöffnet und erprobt hatte, daß er einen wundersam trefflichen Wein enthalte, riß sich der Regen aus dem dunkeln Gewölke los und rauschte der Sturm durch die Wipfel der Bäume und über des Sees empörte Wogen hin.

Einige Flaschen waren bald aus dem großen Fasse gefüllt, das für viele Tage Vorrat verhieß; man saß trinkend und scherzend und heimisch gesichert vor dem tobenden Unwetter an der Glut des Herdes beisammen. Da sagte der alte Fischer und ward plötzlich sehr ernst: »Ach großer Gott! wir freuen uns hier der edlen Gabe, und der, welchem sie zuerst angehörte und vom Strome genommen ward, hat wohl gar das liebe Leben drum lassen müssen.« – »Er wird ja nicht grade!« meinte Undine und schenkte dem Ritter lächelnd ein. Der aber sagte: »Bei meiner höchsten Ehre, alter Vater, wüßt ich ihn zu finden und zu retten, mich sollte kein Gang in die Nacht hinaus dauern und keine Gefahr! Soviel aber kann ich

Euch versichern: komm ich je wieder zu bewohntern Landen, so will ich ihn oder seine Erben schon ausfindig machen und diesen Wein doppelt und dreifach ersetzen.« – Das freute den alten Mann; er nickte dem Ritter billigend zu und trank nun seinen Becher mit besserm Gewissen und Behagen leer. Undine aber sagte zu Huldbranden: »Mit der Entschädigung und mit deinem Golde halt es, wie du willst! Das aber mit dem Nachlaufen und Suchen war dumm geredet. Ich weinte mir die Augen aus, wenn du darüber verloren gingst, und, nicht wahr, du möchtest auch lieber bei mir bleiben und bei dem guten Wein?« – »Das freilich«, entgegnete Huldbrand lächelnd. – »Nun,« sagte Undine, »also hast du dumm gesprochen. Denn jeder ist sich doch selbst der Nächste, und was gehn einen die andern Leute an.« – Die Hauwirtin wandte sich seufzend und kopfschüttelnd von ihr ab, der Fischer vergaß seiner sonstigen Vorliebe für das zierliche Mägdlein und schalt. »Als ob dich Heiden und Türken erzogen hätten, klingt ja das!« schloß er seine Rede; »Gott verzeih es mir und dir, du ungeratnes Kind!« – »Ja, aber mir ist doch nun einmal so zumute,« entgegnete Undine, »habe mich erzogen, wer da will, und was können da all Eure Worte helfen.« – »Schweig!« fuhr der Fischer sie an, und sie, die ungeachtet ihrer Keckheit doch äußerst schreckhaft war, fuhr zusammen, schmiegte sich zitternd an Huldbrand und fragte ihn ganz leise: »Bist du auch böse, schöner Freund?« Der Ritter drückte ihr die zarte Hand und streichelte ihre Locken. Sagen konnte er nichts, weil ihm der Ärger über des Alten Härte gegen Undinen die Lippen schloß, und so saßen beide Paare mit einem Male unwillig und im verlegnen Schweigen einander gegenüber.

Sechstes Kapitel

Von einer Trauung

Ein leises Klopfen an die Tür klang durch diese Stille und erschreckte alle, die in der Hütte saßen, wie es denn wohl bisweilen zu kommen pflegt, daß auch eine Kleinigkeit, die ganz unvermutet geschieht, einem den Sinn recht furchtbarlich aufregen kann. Aber hier kam noch dazu, daß der verrufne Forst sehr nahe lag und daß die Seespitze für menschliche Besuche jetzt unzugänglich schien. Man sah einander zweifelnd an, das Pochen wiederholte sich, von einem tiefen Ächzen begleitet; der Ritter ging nach seinem Schwerte. Da sagte aber der alte Mann leise: »Wenn es das ist, was ich fürchte, hilft uns keine Waffe.« – Undine näherte sich indessen der Tür und rief ganz unwillig und keck: »Wenn ihr Unfug treiben wollt, ihr Erdgeister, so soll euch Kühleborn was Bessers lehren!« – Das Entsetzen der andern ward durch diese wunderlichen Worte vermehrt, sie sahen das Mädchen scheu an, und Huldbrand wollte sich eben zu einer Frage an sie ermannen, da sagte es von draußen: »Ich bin kein Erdgeist, wohl aber ein Geist, der noch im irdischen Körper hauset. Wollt ihr mir helfen und fürchtet ihr Gott, ihr drinnen in der Hütte, so tut mir auf!« Undine hatte bei diesen Worten die Tür bereits geöffnet und leuchtete mit einer Ampel in die stürmische Nacht hinaus, so daß man draußen einen alten Priester wahrnahm, der vor dem unversehnen Anblicke des wunderschönen Mägdleins erschreckt zurücketrat. Er mochte wohl denken, es müsse Spuk und Zauberei mit im Spiele sein, wo ein so herrliches Bild aus einer so niedern Hüttenpforte erscheine; deshalben fing er an zu beten: »Alle gute Geister loben Gott den Herrn!« – »Ich bin kein Gespenst,« sagte Undine lächelnd, »seh ich denn so häßlich aus? Zudem könnt Ihr ja wohl merken, daß mich kein frommer Spruch erschreckt. Ich weiß doch auch von Gott und versteh ihn auch zu loben, jedweder auf seine Weise freilich, und

dazu hat er uns erschaffen. Tretet herein, ehrwürdiger Vater! Ihr kommt zu guten Leuten.«
Der Geistliche kam neigend und umblickend herein und sah gar lieb und ehrwürdig aus. Aber das Wasser troff aus allen Falten seines dunkeln Kleides und aus dem langen weißen Bart und den weißen Locken des Haupthaares. Der Fischer und der Ritter führten ihn in eine Kammer und gaben ihm andre Kleider, während sie den Weibern die Gewande des Priesters zum Trocknen in das Zimmer reichten. Der fremde Greis dankte aufs demütigste und freundlichste, aber des Ritters glänzenden Mantel, den ihm dieser entgegenhielt, wollte er auf keine Weise umnehmen; er wählte statt dessen ein altes graues Oberkleid des Fischers. So kamen sie denn in das Gemach zurück; die Hausfrau räumte dem Priester alsbald ihren großen Sessel und ruhte nicht eher, bis er sich darauf niedergelassen hatte: »denn«, sagte sie, »Ihr seid alt und erschöpft und geistlich obendrein.« – Undine schob den Füßen des Fremden ihr kleines Bänkchen unter, worauf sie sonst neben Huldbranden zu sitzen pflegte, und bewies sich überhaupt in der Pflege des guten Alten höchst sittig und anmutig. Huldbrand flüsterte ihr darüber eine Neckerei ins Ohr, sie aber entgegnete sehr ernst: »Er dient ja dem, der uns alle gschaffen hat; damit ist nicht zu spaßen.« – Der Ritter und der Fischer labten darauf den Priester mit Speise und Wein, und dieser fing, nachdem er sich etwas erholt hatte, zu erzählen an, wie er gestern aus seinem Kloster, das fern über den großen Landsee hinaus liege, nach dem Sitze des Bischofs habe reisen wollen, um demselben die Not kundzutun, in welche durch die jetzigen wunderbaren Überschwemmungen das Kloster und dessen Zinsdörfer geraten seien. Da habe er nach langen Umwegen, um eben dieser Überschwemmung willen, sich heute gegen Abend dennoch genötigt gesehn, einen übergetretenen Arm des Sees mit Hülfe zweier guten Fährleute zu überschiffen. – »Kaum aber«, fuhr er fort, »hatte unser kleines Fahrzeug die Wellen berührt, so brach auch schon der

ungeheure Sturm los, der noch jetzt über unsern Häuptern fortwütet. Es war, als hätten die Fluten nur auf uns gewartet, um die allertollsten, strudelndsten Tänze mit uns zu beginnen. Die Ruder waren bald aus meiner Führer Hände gerissen und trieben zerschmettert auf den Wogen weiter und weiter vor uns hinaus. Wir selbst flogen, hülflos und der tauben Naturkraft hingegeben, auf die Höhe des Sees zu euern fernen Ufern herüber, die wir schon zwischen den Nebeln und Wasserschäumen emporstreben sahen. Da drehte sich endlich der Nachen immer wilder und schwindliger; ich weiß nicht: stürzte er um, stürzte ich heraus? Im dunkeln Ängstigen des nahen, schrecklichen Todes trieb ich weiter, bis mich eine Welle hier unter die Bäume an eure Insel warf.«

»Ja, Insel!« sagte der Fischer. »Vor kurzem wars noch eine Landspitze. Nun aber, seit Waldstrom und See schier toll geworden sind, sieht es ganz anders mit uns aus.«

»Ich merkte so etwas,« sagte der Priester, »indem ich im Dunkeln das Wasser entlängst schlich und, ringsum nur wildes Gebrause antreffend, endlich schaute, wie sich ein betretner Fußpfad grade in das Getos hinein verlor. Nun sah ich das Licht in eurer Hütte und wagte mich hierher, wo ich denn meinem himmlischen Vater nicht genug danken kann, daß er mich nach meiner Rettung aus dem Gewässer auch noch zu so frommen Leuten geführt hat als zu euch, und das um so mehr, da ich nicht wissen kann, ob ich außer euch vieren noch in diesem Leben andre Menschen wieder zu sehen bekomme.«

»Wie meint Ihr das?« fragte der Fischer.

»Wißt Ihr denn, wie lange dieses Treiben der Elemente währen soll?« entgegnete der Geistliche. »Und ich bin alt an Jahren. Gar leichtlich mag mein Lebensstrom eher versiegend unter die Erde gehn als die Überschwemmung des Waldstromes da draußen. Und überhaupt, es wäre ja nicht unmöglich, daß mehr und mehr des schäumenden Wassers sich zwischen euch und den jenseitigen Forst drängte, bis ihr so weit von der übrigen Erde abgerissen würdet, daß euer Fischerkähnlein nicht mehr hinüberreichte und die Bewohner des festen Landes in ihren Zerstreuungen euer Alter gänzlich vergessen.«

Die alte Hausfrau fuhr hierüber zusammen, kreuzte sich und sagte: »Das verhüte Gott!« – Aber der Fischer sah sie lächelnd an und sprach: »Wie doch auch nun der Mensch ist! Es wäre ja dann nicht anders, wenigstens nicht für dich, liebe Frau, als es nun ist. Bist du denn seit vielen Jahren weiter gekommen als an die Grenze des Forstes? Und hast du andre Menschen gesehn als Undinen und mich? – Seit kurzem sind nun noch der Ritter und der Priester zu uns gekommen. Die blieben bei uns, wenn wir zur vergessenen Insel würden; also hättest du ja den besten Gewinn davon.«

»Ich weiß nicht,« sagte die alte Frau, »es wird einem doch unheimlich zumute, wenn man sichs nun so vorstellt, daß man unwiederbringlich von den andern Leuten geschieden wär, ob man sie übrigens auch weder kennt noch sieht.«

»Du bliebest dann bei uns, du bliebest dann bei uns!« flüsterte Undine ganz leise, halb singend, und schmiegte sich inniger an Huldbrands Seite. Dieser aber war in tiefen und seltsamen Gebilden seines Innern verloren. Die Gegend jenseit des Waldwassers zog sich seit des Priesters letzten Worten immer ferner und dunkler von ihm ab, die blühende Insel, auf welcher er lebte, grünte und lachte immer frischer in sein Gemüt herein. Die Braut glühte als die schönste Rose dieses kleinen Erdstriches und auch der ganzen Welt hervor, der Priester war zur Stelle. Dazu kam noch eben, daß ein zürnender Blick der Hausfrau das schöne Mädchen traf, weil sie sich in Gegenwart des geistlichen Herrn so dicht an ihren Liebling lehnte, und es schien, als wollte ein Strom von unerfreulichen Worten folgen.

Da brach es aus des Ritters Munde, daß er, gegen den Priester gewandt, sagte: »Ihr seht hier ein Brautpaar vor Euch, ehrwürdiger Herr, und wenn dies Mädchen und die guten, alten

Fischersleute nichts dawider haben, sollt Ihr uns heut abend noch zusammengeben.«

Die beiden alten Eheleute waren sehr verwundert. Sie hatten zwar bisher oft so etwas gedacht, aber ausgesprochen hatten sie es doch niemals, und wie nun der Ritter dies tat, kam es ihnen als etwas ganz Neues und Unerhörtes vor. Undine war plötzlich ernst geworden und sah tiefsinnig vor sich nieder, während der Priester nach den nähern Umständen fragte und sich bei den Alten nach ihrer Einwilligung erkundigte. Man kam nach mannigfachem Hin- und Herreden miteinander aufs reine; die Hausfrau ging, um den jungen Leuten das Brautgemach zu ordnen und zwei geweihte Kerzen, die sie seit langer Zeit verwahrt hielt, für die Trauungsfeierlichkeit hervorzusuchen. Der Ritter nestelte indes an seiner goldnen Kette und wollte zwei Ringe losdrehen, um sie mit der Braut wechseln zu können. Diese aber fuhr, es bemerkend, aus ihrem tiefen Sinnen auf und sprach: »Nicht also! Ganz bettelarm haben mich meine Eltern nicht in die Welt hineingeschickt; vielmehr haben sie gewißlich schon frühe darauf gerechnet, daß ein solcher Abend aufgehn solle.« – Damit war sie schnell aus der Tür und kam gleich darauf mit zwei kostbaren Ringen zurück, deren einen sie ihrem Bräutigam gab und den andern für sich behielt. Der alte Fischer war ganz erstaunt darüber und noch mehr die Hausfrau, die eben wieder hereintrat, daß beide diese Kleinodien noch niemals bei dem Kinde gesehn hatten. – »Meine Eltern«, entgegnete Undine, »ließen mir diese Dingerchen in das schöne Kleid nähen, das ich grade anhatte, da ich zu euch kam. Sie verboten mir auch, auf irgendeine Weise jemandem davon zu sagen vor meinem Hochzeitabend. Da habe ich sie denn also stille herausgetrennt und verborgen gehalten bis heute.« – Der Priester unterbrach das weitere Fragen und Verwundern, indem er die geweihten Kerzen anzündete, sie auf einen Tisch stellte und das Brautpaar sich gegenübertreten hieß. Er gab sie sodann mit kurzen, feierlichen Worten zusammen, die alten Eheleute segneten die jungen, und die Braut lehnte sich leise zitternd und nachdenklich an den Ritter. Da sagte der Priester mit einem Male: »Ihr Leute seid doch seltsam! Was sagt ihr mir denn, ihr wäret die einzigen Menschen hier auf der Insel? Und während der ganzen Trauhandlung sah zu dem Fenster mir gegenüber ein ansehnlicher, langer Mann im weißen Mantel herein. Er muß noch vor der Türe stehn, wenn ihr ihn etwa mit ins Haus nötigen wollt.« – »Gott bewahre!« sagte die Wirtin, zusammenfahrend, der alte Fischer schüttelte schweigend den Kopf, und Huldbrand sprang nach dem Fenster. Es war ihm selbst, als sehe er noch einen weißen Streif, der aber bald im Dunkel gänzlich verschwand. Er redete dem Priester ein, daß er sich durchaus geirrt haben müsse, und man setzte sich vertraulich mitsammen um den Herd.

Siebentes Kapitel

Was sich weiter am Hochzeitabende begab

Gar sittig und still hatte sich Undine vor und während der Trauung bewiesen; nun aber war es, als schäumten alle die wunderlichen Grillen, welche in ihr hausten, um so dreister und kecklicher auf die Oberfläche hervor. Sie neckte Bräutigam und Pflegeeltern und selbst den noch kaum so hoch verehrten Priester mit allerhand kindischen Streichen, und als die Wirtin etwas dagegen sagen wollte, brachten diese ein paar ernste Worte des Ritters, worin er Undinen mit großer Bedeutsamkeit seine Hausfrau nannte, zum Schweigen. Ihm selbst indessen, dem Ritter, gefiel Undinens kindisches Bezeigen ebensowenig; aber da half kein Winken und kein Räuspern und keine tadelnde Rede. Sooft die Braut ihres Lieblings Unzufriedenheit merkte – und das geschah einigemal –, ward sie freilich stiller, setzte sich neben ihn, streichelte ihn, flüsterte ihm lächelnd etwas in das Ohr und glättete so die aufsteigenden Falten seiner Stirn. Aber gleich darauf riß sie irgendein toller Einfall wieder in das gaukelnde Treiben hinein, und es ging nur ärger als zuvor. Da sagte der Priester sehr ernsthaft und sehr freundlich: »Mein anmutiges junges Mägdlein, man kann Euch zwar nicht ohne Ergötzen ansehn, aber denkt darauf, Eure Seele beizeiten so zu stimmen, daß sie immer die Harmonie zu der Seele Eures angetrauten Bräutigams anklingen lasse.« – »Seele!« lachte ihn Undine an, »das klingt recht hübsch und mag auch für die mehrsten Leute eine gar erbauliche und nutzreiche Regel sein. Aber wenn nun eins gar keine Seele hat, bitt Euch, was soll es denn da stimmen? Und so geht es mir.« – Der Priester schwieg, tief verletzt, im frommen Zürnen und kehrte sein Antlitz wehmütig von dem Mädchen ab. Sie aber ging schmeichelnd auf ihn zu und sagte: »Nein, hört doch erst ordentlich, eh Ihr böse ausseht! denn Euer Böseaussehn tut mir weh, und Ihr müßt doch keiner Kreatur weh tun, die Euch ihrerseits nichts zuleide getan hat. Zeigt Euch nur duldsam gegen mich, und ich wills Euch ordentlich sagen, wie ichs meine.«

Man sah, sie stellte sich in Bereitschaft, etwas recht Ausführliches zu erzählen, aber plötzlich stockte sie, wie von einem innern Schauer ergriffen, und brach in einen reichen Strom der wehmütigsten Tränen aus. Sie wußten alle nicht mehr, was sie recht aus ihr machen sollten, und starrten sie in unterschiedlichen Besorgnissen schweigend an. Da sagte sie endlich, sich ihre Tränen abtrocknend und den Priester ernsthaft ansehend: »Es muß etwas Liebes, aber auch etwas höchst Furchtbares um eine Seele sein. Um Gott, mein frommer Mann, wär es nicht besser, man würde ihrer nie teilhaftig?« Sie schwieg wieder still, wie auf Antwort wartend; ihre Tränen waren gehemmt. Alle in der Hütte hatten sich von ihren Sitzen erhoben und traten schaudernd vor ihr zurück. Sie aber schien nur für den Geistlichen Augen zu haben, auf ihren Zügen malte sich der Ausdruck einer fürchtenden Neubegier, die eben deshalb den andern höchst furchtbar vorkam. – »Schwer muß die Seele lasten,« fuhr sie fort, da ihr noch niemand antwortete, »sehr schwer! Denn schon ihr annahendes Bild überschattet mich mit Angst und Trauer. Und ach, ich war so leicht, so lustig sonst!« Und in einen erneuten Tränenstrom brach sie aus und schlug das Gewand vor ihrem Antlitze zusammen. Da trat der Priester, ernsten Ansehens, auf sie zu und sprach sie an und beschwur sie bei den heiligsten Namen, sie solle die lichte Hülle abwerfen, falls etwas Böses in ihr sei. Sie aber sank vor ihm in die Kniee, alles Fromme wiederholend, was er sprach, und Gott lobend, und beteuernd, sie meine es gut mit der ganzen Welt. Da sagte endlich der Priester zum Ritter: »Herr Bräutigam, ich lasse Euch allein mit der, die ich Euch angetraut habe. Soviel ich ergründen kann, ist nichts Übles an ihr, wohl aber des Wundersamen viel. Ich empfehle Euch Vorsicht, Liebe und Treue.« – Damit ging er hinaus, die Fischersleute folgten ihm, sich bekreuzend.

Undine war auf die Kniee gesunken, sie entschleierte ihr Angesicht und sagte, scheu nach Huldbranden umblickend: »Ach, nun willst du mich gewiß nicht behalten, und hab ich doch nichts Böses getan, ich armes, armes Kind!« – Sie sah dabei so unendlich anmutig und rührend aus, daß ihr Bräutigam alles Grauens und aller Rätselhaftigkeit vergaß, zu ihr hineilend und sie in seinen Armen emporrichtend. Da lächelte sie durch ihre Tränen; es war, als wenn das Morgenrot auf kleinen Bächen spielt. – »Du kannst nicht von mir lassen!« flüsterte sie vertraulich und sicher und streichelte mit den zarten Händchen des Ritters Wangen. Dieser wandte sich darüber von den furchtbaren Gedanken ab, die noch im Hintergrunde seiner Seele lauerten und ihm einreden wollten, er sei an eine Fei oder sonst ein böslich neckendes Wesen der Geisterwelt angetraut; nur noch die einzige Frage ging fast unversehens über seine Lippen: »Liebes Undinchen, sage mir doch das eine: was war es, das du von Erdgeistern sprachst, da der Priester an die Tür klopfte, und von Kühleborn?« – »Märchen! Kindermärchen!« sagte Undine lachend und ganz wieder in ihrer gewohnten Lustigkeit. »Erst hab ich euch damit bange gemacht, am Ende habt ihrs mich. Das ist das Ende vom Liede und vom ganzen Hochzeitabend.« – »Nein, das ist es nicht!« sagte der von Liebe berauschte Ritter, löschte die Kerzen und trug seine schöne Geliebte unter tausend Küssen, vom Monde, der hell durch die Fenster hereinsah, anmutig beleuchtet, zu der Brautkammer hinein.

Achtes Kapitel

Der Tag nach der Hochzeit

Ein frisches Morgenlicht weckte die jungen Eheleute. Undine verbarg sich schamhaft unter ihre Decken, und Huldbrand lag still sinnend vor sich hin. Sooft er in der Nacht eingeschlafen war, hatten ihn wunderlich grausende Träume verstört von Gespenstern, die sich heimlich grinsend in schöne Frauen zu verkleiden strebten, von schönen Frauen, die mit einem Male Drachenangesichter bekamen. Und wenn er von den häßlichen Gebilden in die Höhe fuhr, stand das Mondlicht bleich und kalt draußen vor den Fenstern; entsetzt blickte er nach Undinen, an deren Busen er eingeschlafen war und die in unverwandelter Schönheit und Anmut neben ihm ruhte. Dann drückte er einen leichten Kuß auf die rosigen Lippen und schlief wieder ein, um von neuen Schrekken erweckt zu werden. Nachdem er sich nun alles dieses recht im vollen Wachen überlegt hatte, schalt er sich selbst über jedweden Zweifel aus, der ihn an seiner schönen Frau hatte irre machen können. Er bat ihr auch sein Unrecht mit klaren Worten ab, sie aber reichte ihm nur die schöne Hand, seufzte aus tiefem Herzen und blieb still. Aber ein unendlich inniger Blick aus ihren Augen, wie er ihn noch nie gesehn hatte, ließ ihm keinen Zweifel, daß Undine von keinem Unwillen gegen ihn wisse. Er stand dann heiter auf und ging zu den Hausgenossen in das gemeinsame Zimmer vor. Die drei saßen mit besorglichen Mienen um den Herd, ohne daß sich einer getraut hätte, seine Worte laut werden zu lassen. Es sah aus, als bete der Priester in seinem Innern um Abwendung alles Übels. Da man nun aber den jungen Ehemann so vergnügt hervorgehen sah, glätteten sich auch die Falten in den übrigen Angesichtern; ja, der alte Fischer fing an, mit dem Ritter zu scherzen, auf eine recht sittige, ehrbare Weise, so daß selbst die alte Hausfrau ganz freundlich dazu lächelte. Darüber war endlich Undine auch fertig geworden und trat nun in die Tür; alle wollten ihr entgegengehn, und alle blieben voll Verwunderung stehen, so fremd kam ihnen die junge Frau vor, und doch so wohlbekannt. Der Priester schritt zuerst mit Vaterliebe in den leuchtenden Blicken auf sie zu, und wie er die Hand zum Segnen emporhob, sank das schöne Weib andächtig schauernd vor ihm in die Kniee. Sie bat ihn darauf mit einigen freundlich demütigen Worten wegen des Törichten, das sie gestern gesprochen haben möge, um Verzeihung und ersuchte ihn mit sehr bewegtem Tone, daß er für das Heil ihrer Seele beten wolle. Dann erhob sie sich, küßte ihre Pflegeeltern und sagte, für alles genossene Gute dankend: »Oh, jetzt fühle ich es im innersten Herzen, wie viel, wie unendlich viel ihr für mich getan habt, ihr lieben, lieben Leute!« – Sie konnte erst gar nicht wieder von ihren Liebkosungen abbrechen, kaum gewahrte sie, daß die Hausfrau nach dem Frühstücke hinsah, so stand sie auch bereits am Herde, kochte und ordnete an und litt nicht, daß die gute alte Mutter auch nur die geringste Mühwaltung über sich nahm.

Sie blieb den ganzen Tag lang so: still, freundlich und achtsam, ein Hausmütterlein und ein zart verschämtes, jungfräuliches Wesen zugleich. Die drei, welche sie schon länger kannten, dachten in jedem Augenblick irgendein wunderliches Wechselspiel ihres launischen Sinnes hervorbrechen zu sehen. Aber sie warteten vergebens darauf: Undine blieb engelmild und sanft. Der Priester konnte seine Augen gar nicht von ihr wegwenden und sagte mehrere Male zum Bräutigam: »Herr, einen Schatz hat Euch gestern die himmlische Güte durch mich Unwürdigen anvertraut: wahrt ihn, wie es sich gebührt, so wird er Euer ewiges und zeitliches Heil befördern!«

Gegen Abend hing sich Undine mit demütiger Zärtlichkeit an des Ritters Arm und zog ihn sanft vor die Tür hinaus, wo die sinkende Sonne anmutig über den frischen Gräsern und um die hohen, schlanken Baumstämme leuchtete. In den Augen der jungen Frau schwamm es wie Tau der Wehmut und der Liebe, auf ihren Lippen schwebte es wie ein zartes, besorgliches Geheimnis, das sich aber nur in kaum vernehmlichen Seufzern kundgab. Sie führte ihren Liebling schweigend immer weiter mit sich fort; was er sagte, beantwortete sie nur mit Blicken, in denen zwar keine unmittelbare Auskunft auf seine Fragen, wohl aber ein ganzer Himmel der Liebe und schüchternen Ergebenheit lag. So gelangte sie an das Ufer des übergetretnen Waldstroms, und der Ritter erstaunte, diesen in leisen Wellen verrinnend dahinrieseln zu sehn, so daß keine Spur seiner vorigen Wildheit und Fülle mehr anzutreffen war. – »Bis morgen wird er ganz versiegt sein,« sagte die schöne Frau weinerlich, »und du kannst dann ohne Widerspruch reisen, wohinaus du willst.« – »Nicht ohne dich, Undinchen«, entgegnete der lachende Ritter. »Denke doch: wenn ich auch Lust hätte auszureisen, so müßte ja Kirche und Geistlichkeit und Kaiser und Reich dreinschlagen und dir den Flüchtling wiederbringen.« – »Kommt alles auf dich an! kommt alles auf dich an!« flüsterte die Kleine halb weinend, halb lächelnd. »Ich denke aber doch, du wirst mich wohl behalten; ich bin dir ja gar zu innig gut. Trage mich nun hinüber auf die kleine Insel, die vor uns liegt. Da soll sichs entscheiden. Ich könnte wohl leichtlich selbst durch die Wellen schlüpfen, aber in deinen Armen ruht sichs so gut, und verstößest du mich, so hab ich doch noch zum letzten Male anmutig darin geruht.« – Huldbrand, voll von einer seltsamen Bangigkeit und Rührung, wußte ihr nichts zu erwidern. Er nahm sie in seine Arme und trug sie hinüber, sich erst besinnend, daß es dieselbe kleine Insel war, von wo er sie in jener ersten Nacht dem alten Fischer zurückgetragen hatte. Jenseits ließ er sie in das weiche Gras nieder und wollte sich schmeichelnd neben seine schöne Bürde setzen, sie aber sagte: »Nein, dorthin, mir gegenüber! Ich will in deinen Augen lesen, noch ehe deine Lippen sprechen. Höre nun recht achtsam zu, was ich dir erzählen will.« Und sie begann:

»Du sollst wissen, mein süßer Liebling, daß es in den Elementen Wesen gibt, die fast aussehen wir ihr und sich doch nur selten vor euch blicken lassen. In den Flammen glitzen und spielen die wunderlichen Salamander, in der Erden tief hausen die dürren, tückischen Gnomen, durch die Wälder streifen die Waldleute, die der Luft angehören, und in den Seen und Strömen und Bächen lebt der Wassergeister ausgebreitetes Geschlecht. In klingenden Kristallgewölben, durch die der Himmel mit Sonn und Sternen hereinsieht, wohnt sichs schön; hohe Korallenbäume mit blau und roten Früchten leuchten in den Gärten; über reinlichen Meeressand wandelt man und über schöne bunte Muscheln, und was die alte Welt des also Schönen besaß, daß die heutige nicht mehr sich dran zu freuen würdig ist, das überzogen die Fluten mit ihren heimlichen Silberschleiern, und unten prangen nun die edlen Denkmale, hoch und ernst, und anmutig betaut vom liebenden Gewässer, das aus ihnen schöne Moosblumen und kränzende Schilfbüschel hervorlockt. Die aber dorten wohnen, sind gar hold und lieblich anzuschauen, meist schöner, als die Menschen sind. Manch einem Fischer ward es schon so gut, ein zartes Wasserweib zu belauschen, wie sie über die Fluten hervorstieg und sang. Der erzählte dann von ihrer Schöne weiter, und solche wundersame Frauen werden von den Menschen Undinen genannt. Du aber siehst jetzt wirklich eine Undine, lieber Freund.«

Der Ritter wollte sich einreden, seiner schönen Frau sei irgendeine ihrer seltsamen Launen wach geworden, und sie finde ihre Lust daran, ihn mit bunt erdachten Geschichten zu necken. Aber so sehr er sich dies auch vorsagte, konnte er doch keinen Augenblick daran glauben; ein seltsamer Schauder zog durch sein Innres; unfähig, ein Wort hervorzubringen, starrte er unverwandten Auges die holde Erzählerin an. Diese schüttelte betrübt den Kopf, seufzte aus vollem Herzen und fuhr alsdann folgendermaßen fort: »Wir wären weit besser daran als ihr andern Menschen – denn Menschen nennen wir uns auch, wie wir es denn der Bildung und dem Leibe nach sind –; aber es ist ein gar Übles dabei. Wir und unsersgleichen in den andern Elementen, wir zerstieben und vergehn mit Geist und Leib, daß keine Spur von uns rückbleibt, und wenn ihr andern dermaleinst zu einem reinern Leben erwacht, sind wir geblieben, wo Sand und Funk und Wind und Welle blieb. Darum haben wir auch keine Seelen; das Element bewegt uns, gehorcht uns oft, solange wir leben, zerstäubt uns immer, sobald wir sterben, und wir sind lustig, ohne uns irgend zu grämen, wie es die Nachtigallen und Goldfischlein und andre hübsche Kinder der Natur ja gleichfalls sind. Aber alles will höher, als es steht. So wollte mein Vater, der ein mächtiger Wasserfürst im Mittelländischen Meere ist, seine einzige Tochter solle einer Seele teilhaftig werden und müsse sie darüber auch viele Leiden der beseelten Leute bestehn. Eine Seele aber kann unsersgleichen nur durch den innigsten Verein der Liebe mit einem eures Geschlechtes gewinnen. Nun bin ich beseelt, dir dank ich die Seele, o du unaussprechlich Geliebter, und dir werd ich es danken, wenn du mich nicht mein ganzes Leben hindurch elend machst. Denn was soll aus mir werden, wenn du mich scheuest und mich verstößest? Durch Trug aber mocht ich dich nicht behalten. Und willst du mich verstoßen, so tu es nun, so geh allein ans Unfer zurück! Ich tauche mich in diesen Bach, der mein Oheim ist und hier im Walde sein wunderliches Einsiedlerleben, von den übrigen Freunden entfernet, führt. Er

ist aber mächtig und vielen großen Strömen wert und teuer, und wie er mich herführte zu den Fischern, mich leichtes und lachendes Kind, wird er mich auch wieder heimführen zu den Eltern, mich beseelte, liebende, leidende Frau.«
Sie wollte noch mehr sagen, aber Huldbrand umfaßte sie voll der innigsten Rührung und Liebe und trug sie wieder ans Ufer zurück. Hier erst schwur er unter Tränen und Küssen, sein holdes Weib niemals zu verlassen, und pries sich glücklicher als den griechischen Bildner Pygmalion, welchem Frau Venus seinen schönen Stein zur Geliebten belebt habe. Im süßen Vertrauen wandelte Undine an seinem Arme nach der Hütte zurück und empfand nun erst von ganzem Herzen, wie wenig sie die verlassenen Kristallpaläste ihres wundersamen Vater bedauern dürfe.

Neuntes Kapitel

Wie der Ritter seine junge Frau mit sich führte

Als Huldbrand am andern Morgen vom Schlaf erwachte, fehlte seine schöne Genossin an seiner Seiten, und er fing schon an, wieder den wunderlichen Gedanken nachzuhängen, die ihm seine Ehe und die reizende Undine selbst als ein flüchtiges Blendwerk und Gaukelspiel vorstellen wollten. Aber da trat sie eben zur Tür herein, küßte ihn, setzte sich zu ihm aufs Bett und sagte: »Ich bin etwas früh hinaus gewesen, um zu sehen, ob der Oheim Wort halte. Er hat schon alle Fluten wieder in sein stilles Bett zurückgelenkt und rinnt nun nach wie vor einsiedlerisch und sinnend durch den Wald. Seine Freunde in Wasser und Luft haben sich auch zur Ruhe gegeben; es wird wieder alles ordentlich und ruhig in diesen Gegenden zugehen, und du kannst trocknen Fußes heimreisen, sobald du willst.« – Es war Huldbranden zumute, als träumte er wachend fort, so wenig konnte er sich in die seltsame Verwandtschaft seiner Frau finden. Dennoch ließ er sich nichts merken, und die unendliche Anmut des holden Weibes wiegte auch bald jedwede unheimliche Ahnung zur Ruhe. – Als er nach einer Weile mit ihr vor der Tür stand und die grünende Seespitze mit ihren klaren Wassergrenzen überschaute, ward es ihm so wohl in dieser Wiege seiner Liebe, daß er sagte: »Was sollen wir denn auch heute schon reisen? Wir finden wohl keine vergnügtern Tage in der Welt haußen, als wir sie an diesem heimlichen Schutzörtlein verlebten. Laß uns immer noch zwei- oder dreimal die Sonne hier untergehn sehn.« – »Wie mein Herr es gebeut!« entgegnete Undine in freundlicher Demut. »Es ist nur, daß sich die alten Leute ohnehin schon mit Schmerzen von mir trennen werden, und wenn sie nun erst die treue Seele in mir spüren und wie ich jetzt innig lieben und ehren kann, bricht ihnen wohl gar vor vielen Tränen das schwache Augenlicht. Noch halten sie meine Stille und Frömmigkeit für nichts Besseres, als es sonst in mir bedeutete, für die Ruhe des Sees, wenn eben die Luft still ist, und sie werden sich nun ebensogut einem Bäumchen oder Blümlein befreunden lernen als mir. Laß mich ihnen dies neugeschenkte, von Liebe wallende Herz nicht kundgeben in Augenblicken, wo sie es für diese Erde verlieren sollen, und wie könnt ich es bergen, blieben wir länger zusammen?« –

Huldbrand gab ihr recht; er ging zu den Alten und besprach die Reise mit ihnen, die noch in dieser Stunde vor sich gehen sollte. Der Priester bot sich den beiden jungen Eheleuten zum Begleiter an, er und der Ritter hoben nach kurzem Abschied die schöne Frau aufs Pferd und schritten mit ihr über das ausgetrocknete Bette des Waldstroms eilig dem Forste zu. Undine weinte still, aber bitterlich, die alten Leute klagten ihr laut nach. Es schien, als seie diesen eine Ahnung aufgegangen von dem, was sie eben jetzt an der holden Pflegetochter verloren.

Die drei Reisenden waren schweigend in die dichtesten Schatten des Waldes gelangt. Es mochte hübsch anzusehen sein in dem grünen Blättersaal, wie die schöne Frauengestalt auf dem edlen, zierlich geschmückten Pferde saß und von einer Seite der ehrwürdige Priester in seiner weißen Ordenstracht, von der andern der blühende junge Ritter in bunten, hellen Kleidern, mit seinem prächtigen Schwerte umgürtet, achtsam beiher schritten. Huldbrand hatte nur Augen für sein holdes Weib; Undine, die ihre lieben Tränen getrocknet hatte, nur Augen für ihn, und sie gerieten bald in ein stilles, lautloses Gespräch mit Blicken und Winken, aus dem sie erst spät durch ein leises Reden erweckt wurden, welches der Priester mit einem vierten Reisegesellschafter hielt, der indes unbemerkt zu ihnen gekommen war.

Er trug ein weißes Kleid, fast wie des Priesters Ordenshabit, nur daß ihm die Kappe ganz tief ins Gesicht hereinhing und das Ganze in so weiten Falten um ihn herflog, daß er alle Augenblicke mit Aufraffen und Über-den-Arm-Schlagen oder sonst dergleichen Anordnungen zu tun hatte, ohne daß er doch dadurch im geringsten im Gehen behindert schien. Als die jungen Eheleute seiner gewahr wurden, sagte er eben: »Und so wohn ich denn seit vielen Jahren hier im Walde, mein ehrwürdiger Herr, ohne daß man mich Eurem Sinne nach einen Eremiten nennen könnte. Denn, wie gesagt, von Buße weiß ich nichts und glaube sie auch nicht sonderlich zu bedürfen. Ich habe nur deswegen den Wald so lieb, weil es sich auf eine ganz eigne Weise hübsch ausnimmt und mir Spaß macht, wenn ich in meinen flatternden weißen Kleidern durch die finstern Schatten und Blätter hingehe und dann bisweilen ein süßer Sonnenstrahl unvermutet auf mich herunterblitzt.« – »Ihr seid ein höchst seltsamer Mann,« entgegnete der Priester, »und ich möchte wohl nähere Kunde von Euch haben.« – »Und wer seid Ihr denn? von einem aufs andre zu kommen«, fragte der Fremde. »Sie nennen mich den Pater Heilmann,« sprach der Geistliche, »und ich komme aus Kloster Mariagruß von jenseit des Sees.« – »So, so«, antwortete der Fremde. »Ich heiße Kühleborn, und wenn es auf Höflich-

keit ankommt, könnte man mich auch wohl ebensogut Herr von Kühleborn betiteln oder Freiherr von Kühleborn; denn frei bin ich wie der Vogel im Walde, und wohl noch ein bißchen drüber. Zum Exempel: jetzt hab ich der jungen Frau dorten etwas zu erzählen.« Und ehe man sichs versah, war er auf der andern Seite des Priesters, dicht neben Undinen, und reckte sich hoch in die Höhe, um ihr etwas ins Ohr zu flüstern. Sie aber wandte sich erschrocken ab, sagend: »Ich habe nichts mit Euch mehr zu schaffen!« – »Hoho,« lachte der Fremde, »was für eine ungeheuer vornehme Heirat habt Ihr denn getan, daß Ihr Eure Verwandten nicht mehr kennt? Wißt Ihr denn nicht vom Oheim Kühleborn, der Euch auf seinem Rücken so treu in diese Gegend trug?« – »Ich bitte Euch aber,« entgegnete Undine, »daß Ihr Euch nicht wieder vor mir sehn laßt! Jetzt fürcht ich Euch; und soll mein Mann mich scheuen lernen, wenn er mich in so seltsamer Gesellschaft und Verwandtschaft sieht?« – »Nichtchen,« sagte Kühleborn, »Ihr müßt nicht vergessen, daß ich hier zum Geleiter bei Euch bin; die spukenden Erdgeister möchten sonst dummen Spaß mit Euch treiben. Laßt mich also doch immer ruhig mitgehn; der alte Priester dort wußte sich übrigens meiner besser zu erinnern, als Ihr es zu tun scheint, denn er versicherte vorhin, ich käme ihm sehr bekannt vor, und ich müsse wohl mit im Nachen gewesen sein, aus dem er ins Wasser fiel. Das war ich auch freilich, denn ich war just die Wasserhose, die ihn herausriß, und schwemmt' ihn hernach zu deiner Trauung vollends ans Land.«
Undine und der Ritter sahen nach Pater Heilmann; der aber schien in einem wandelnden Traume fortzugehn und von allem, was gesprochen ward, nichts mehr zu vernehmen. Da sagte Undine zu Kühleborn: »Ich sehe dort schon das Ende des Waldes. Wir brauchen Eurer Hülfe nicht mehr, und nichts macht uns Grauen als Ihr. Drum bitt Euch in Lieb und Güte: verschwindet und laßt uns in Frieden ziehn!« Darüber schien Kühleborn unwillig zu werden: er zog ein häßliches

Gesicht und grinste Undinen an, die laut aufschrie und ihren Freund zu Hülfe rief. Wie ein Blitz war der Ritter um das Pferd herum und schwang die scharfe Klinge gegen Kühleborns Haupt. Aber er hieb in einen Wasserfall, der von einer hohen Klippe neben ihnen herabschäumte und sie plötzlich mit einem Geplätscher, das beinahe wie Lachen klang, übergoß und bis auf die Haut durchnetzte. Der Priester sagte, wie plötzlich erwachend: »Das hab ich lange gedacht, weil der Bach so dicht auf der Anhöhe neben uns herlief. Anfangs wollt es mir gar vorkommen, als wär er ein Mensch und könne sprechen.« In Huldbrands Ohr rauschte der Wasserfall ganz vernehmlich diese Worte: »Rascher Ritter, rüstger Ritter, ich zürne nicht, ich zanke nicht; schirm nur dein reizend Weiblein stets so gut, du Ritter rüstig, du rasches Blut!« Nach wenigen Schritten waren sie im Freien. Die Reichsstadt lag glänzend vor ihnen, und die Abendsonne, welche deren Türme vergoldete, trocknete freundlich die Kleider der durchnäßten Wandrer.

Zehntes Kapitel

Wie sie in der Stadt lebten

Daß der junge Ritter Huldbrand von Ringstetten so plötzlich vermißt worden war, hatte großes Aufsehen in der Reichsstadt erregt und Bekümmernis bei den Leuten, die ihn allesamt wegen seiner Gewandtheit bei Turnier und Tanz, wie auch wegen seiner milden, freundlichen Sitten liebgewonnen hatten. Seine Diener wollten nicht ohne ihren Herrn von dem Orte wieder weg, ohne daß doch einer den Mut gefaßt hätte, ihm in die Schatten des gefürchteten Forstes nachzureiten. Sie blieben also in ihrer Herberge, untätig hoffend, wie es die Menschen zu tun pflegen, und durch ihre Klagen das Andenken des Verlornen lebendig erhaltend. Wie nun bald darauf die großen Unwetter und Überschwemmungen merkbarer wurden, zweifelte man um so minder an dem gewissen Untergange des schönen Fremden, den auch Bertalda ganz unverhohlen betrauerte und sich selbst verwünschte, daß sie ihn zu dem unseligen Ritte nach dem Walde gelockt habe. Ihre herzoglichen Pflegeeltern waren gekommen, sie abzuholen, aber Bertalda bewog sie, mit ihr zu bleiben, bis man gewisse Nachricht von Huldbrands Leben oder Tod einziehe. Sie suchte verschiedne junge Ritter, die emsig um sie waren, zu bewegen, daß sie dem edlen Abenteurer in den Forst nachziehn möchten. Aber ihre Hand mochte sie nicht zum Preise des Wagestücks ausstellen, weil sie vielleicht noch immer hoffte, dem Wiederkehrenden angehören zu können, und um Handschuh oder Band oder auch selbst um einen Kuß wollte niemand sein Leben dransetzen, einen so gar gefährlichen Nebenbuhler zurückzuholen.

Nun, da Huldbrand unerwartet und plötzlich erschien, freuten sich Diener und Stadtbewohner und überhaupt fast alle Leute, nur Bertalda eben nicht, denn wenn es den andern auch ganz lieb war, daß er eine so wunderschöne Frau mitbrachte und den Pater Heilmann als Zeugen der Trauung, so konnte doch Bertalda nicht anders als sich deshalb betrüben. Erstlich hatte sie den jungen Rittersmann wirklich von ganzer Seele liebgewonnen, und dann war durch ihre Trauer über sein Wegbleiben den Augen der Menschen weit mehr davon kund geworden, als sich nun eben schicken wollte. Sie tat deswegen aber doch immer als ein kluges Weib, fand sich in die Umstände und lebte aufs allerfreundlichste mit Undinen, die man in der ganzen Stadt für eine Prinzessin hielt, welche Huldbrand im Walde von irgendeinem bösen Zauber erlöst habe. Wenn man sie selbst oder ihren Eheherrn darüber befragte, wußten sie zu schweigen oder geschickt auszuweichen, des Pater Heilmann Lippen waren für jedes eitle Geschwätz versiegelt, und ohnehin war er gleich nach Huldbrands Ankunft wieder in sein Kloster zurückgegangen, so daß sich die Leute mit ihren seltsamen Mutmaßungen behelfen mußten und auch selbst Bertalda nicht mehr als jeder andre von der Wahrheit erfuhr.

Undine gewann übrigens dies anmutige Mädchen mit jedem Tage lieber. »Wir müssen uns einander schon eher gekannt haben,« pflegte sie ihr öfters zu sagen, »oder es muß sonst irgendeine wundersame Beziehung unter uns geben, denn so ganz ohne Ursach, versteht mich, ohne tiefe, geheime Ursach, gewinnt man ein andres nicht so lieb, als ich Euch gleich vom ersten Anblicke her gewann.« Und auch Bertalda konnte sich nicht ableugnen, daß sie einen Zug der Vertraulichkeit und Liebe zu Undinen empfinde, wie sehr sie übrigens meinte, Ursach zu den bittersten Klagen über diese glückliche Nebenbuhlerin zu haben. In dieser gegenseitigen Neigung wußte die eine bei ihren Pflegeeltern, die andre bei ihrem Ehegatten den Tag der Abreise weiter und weiter hinauszuschieben; ja, es war schon die Rede davon gewesen, Bertalda solle Undinen auf einige Zeit nach Burg Ringstetten an die Quellen der Donau begleiten.

Sie sprachen auch einmal eines schönen Abends davon, als sie eben bei Sternenschein auf dem mit hohen Bäumen eingefaßten Markte der Reichsstadt umherwandelten. Die beiden jungen Eheleute hatten Bertalden noch spät zu einem Spaziergange abgeholt, und alle drei zogen vertraulich unter dem tiefblauen Himmel auf und ab, oftmals in ihren Gesprächen durch die Bewunderung unterbrochen, die sie dem kostbaren Springborn in der Mitte des Platzes und seinem wundersamen Rauschen und Sprudeln zollen mußten. Es war ihnen so lieb und heimlich zu Sinn: zwischen die Baumschatten durch stahlen sich die Lichtschimmer der nahen Häuser, ein stilles Gesumse von spielenden Kindern und andern lustwandelnden Menschen wogte um sie her; man war so allein und doch so freundlich in der heitern, lebendigen Welt mitten inne; was bei Tage Schwierigkeit geschienen hatte, das ebnete sich nun wie von selber, und die drei Freunde konnten gar nicht mehr begreifen, warum wegen Bertaldens Mitreise auch nur die geringste Bedenklichkeit habe obwalten mögen. Da kam, als sie eben den Tag ihrer gemeinschaftlichen Abfahrt bestimmen wollten, ein langer Mann von der Mitte des Marktplatzes her auf sie zugegangen, neigte sich ehrerbietig vor der Gesellschaft und sagte der jungen Frau etwas ins Ohr. Sie trat, unzufrieden über die Störung und über den Störer, einige Schritte mit dem Fremden zur Seite, und beide begannen miteinander zu flüstern, es schien, in einer fremden Sprache. Huldbrand glaubte den seltsamen Mann zu kennen und sah so starr auf ihn hin, daß er Bertaldens staunende Fragen weder hörte noch beantwortete. Mit einem Male klopfte Undine freudig in die Hände und ließ den Fremden lachend stehn, der sich mit vielem Kopfschütteln und hastigen, unzufriedenen Schritten entfernete und in den Brunnen hineinstieg. Nun glaubte Huldbrand seiner Sache ganz gewiß zu sein, Bertalda aber fragte: »Was wollte dir denn der Brunnenmeister, liebe Undine?« Die junge Frau lachte heimlich in sich hinein und erwiderte: »Übermorgen, auf deinen Namenstag, sollst du's erfahren, du liebliches Kind.« Und weiter war nichts aus ihr herauszubringen. Sie lud nur Bertalden und durch sie ihre Pflegeeltern an dem bestimmten Tage zur Mittagstafel, und man ging bald darauf auseinander.

»Kühleborn?« fragte Huldbrand mit einem geheimen Schauder seine schöne Gattin, als sie von Bertalda Abschied genommen hatten und nun allein durch die dunkler werdenden Gassen zu Haus gingen. »Ja, er war es,« antwortete Undine, »und er wollte mir auch allerhand dummes Zeug vorsprechen! Aber mitten darin hat er mich, ganz gegen seine Absicht, mit einer höchst willkommenen Botschaft erfreut. Willst du diese nun gleich wissen, mein holder Herr und Gemahl, so brauchst du nur zu gebieten, und ich spreche mir alles vom Herzen los. Wolltest du aber deiner Undine eine recht, recht große Freude gönnen, so ließest du es bis übermorgen und hättest dann auch an der Überraschung dein Teil.«

Der Ritter gewährte seiner Gattin gern, warum sie so anmutig bat, und noch im Entschlummern lispelte sie lächelnd vor sich hin: »Was sie sich freuen wird und sich wundern über ihres Brunnenmeisters Botschaft, die liebe, liebe Bertalda!«

Elftes Kapitel

Bertaldens Namensfeier

Die Gesellschaft saß bei Tafel, Bertalda, mit Kleinodien und Blumen, den mannigfachen Geschenken ihrer Pflegeeltern und Freunde, geschmückt wie eine Frühlingsgöttin, obenan, zu ihrer Seiten Undine und Huldbrand. Als das reiche Mahl zu Ende ging und man den Nachtisch auftrug, blieben die Türen offen, nach alter, guter Sitte in deutschen Landen, damit auch das Volk zusehen könne und sich an der Lustigkeit der Herrschaften mitfreuen. Bediente trugen Wein und Kuchen unter den Zuschauern herum. Huldbrand und Bertalda warteten mit heimlicher Ungeduld auf die versprochene Erklärung und verwandten, so sehr es sich tun ließ, kein Auge von Undinen. Aber die schöne Frau blieb noch immer still und lächelte nur heimlich und innig froh vor sich hin. Wer um ihre getane Verheißung wußte, konnte sehen, daß sie ihr erquickendes Geheimnis alle Augenblick verraten wollte und es doch noch immer in lüsterner Entsagung zurücklegte, wie es Kinder bisweilen mit ihren liebsten Leckerbissen tun. Bertalda und Huldbrand teilten dies wonnige Gefühl, in hoffender Bangigkeit das neue Glück erwartend, welches von ihrer Freundin Lippen auf sie herniedertauen sollte. Da baten verschiedne von der Gesellschaft Undinen um ein Lied. Es schien ihr gelegen zu kommen, sie ließ sich sogleich ihre Laute bringen und sang folgende Worte:

Morgen so hell,
Blumen so bunt,
Gräser so duftig und hoch
An wallenden Sees Gestade!
Was zwischen den Gräsern
Schimmert so licht?
Ists eine Blüte weiß und groß,
Vom Himmel gefallen in Wiesenschoß?
Ach, ist ein zartes Kind! –
Unbewußt mit Blumen tändelts,
Faßt nach goldnen Morgenlichtern. –
O woher? Woher, du Holdes? –
Fern vom unbekannten Strande
Trug es hier der See heran. –
Nein, fasse nicht, du zartes Leben,
Mit deiner kleinen Hand herum;
Nicht Hand wird dir zurückgegeben,
Die Blumen sind so fremd und stumm.
Die wissen wohl, sich schön zu schmücken,
Zu duften auch nach Herzenslust,
Doch keine mag dich an sich drücken,
Fern ist die traute Mutterbrust.
So früh, noch an des Lebens Toren,
Noch Himmelslächeln im Gesicht,
Hast du das Beste schon verloren,
O armes Kind, und weißt es nicht.
Ein edler Herzog kommt geritten
Und hemmt vor dir des Rosses Lauf;
Zu hoher Kunst und reinen Sitten
Zieht er in seiner Burg dich auf.
Du hast unendlich viel gewonnen,
Du blühst, die Schönst im ganzen Land,
Doch ach! die allerbesten Wonnen
Ließ'st du am unbekannten Strand.

Undine senkte mit einem wehmütigen Lächeln ihre Laute; die Augen der herzoglichen Pflegeeltern Bertaldens standen voller Tränen. »So war es am Morgen, wo ich dich fand, du arme, holde Waise,« sagte der Herzog tief bewegt; »die schöne Sängerin hat wohl recht: das Beste haben wir dir dennoch nicht zu geben vermocht.« – »Wir müssen aber auch hören, wie es den armen Eltern ergangen ist«, sagte Undine, schlug die Saiten und sang:

Mutter geht durch ihre Kammern,
Räumt die Schränke ein und aus,
Sucht, und weiß nicht was, mit Jammern,
Findet nichts als leeres Haus.

Leeres Haus! O Wort der Klage
Dem, der einst ein holdes Kind
Drin gegängelt hat am Tage,
Drin gewiegt in Nächten lind.

Wieder grünen wohl die Buchen,
Wieder kommt der Sonne Licht,
Aber, Mutter, laß dein Suchen,
Wieder kommt dein Liebes nicht!

Und wenn Abendlüfte fächeln,
Vater heim zum Herde kehrt,
Regt sichs fast in ihm wie Lächeln,
Dran doch gleich die Träne zehrt.

Vater weiß, in seinen Zimmern
Findet er die Todesruh,
Hört nur bleicher Mutter Wimmern,
Und kein Kindlein lacht ihm zu.

»Oh, um Gott, Undine, wo sind meine Eltern?« rief die weinende Bertalda. »Du weißt es gewiß, du hast es erfahren, du wundersame Frau, denn sonst hättest du mir das Herz nicht so zerrissen. Sind sie vielleicht schon hier? Wär es?« – Ihr

Auge durchflog die glänzende Gesellschaft und weilte auf einer regierenden Herrin, die ihrem Pflegevater zunächst saß. Da beugte sich Undine nach der Tür zurück, ihre Augen flossen in der süßesten Rührung über. »Wo sind denn die armen, harrenden Eltern?« fragte sie, und der alte Fischer mit seiner Frau wankten aus dem Haufen der Zuschauer vor. Ihre Augen hingen fragend bald an Undinen, bald an dem schönen Fräulein, das ihre Tochter sein sollte. »Sie ist es!« stammelte die entzückte Geberin, und die zwei alten Leute hingen laut weinend und Gott preisend an dem Halse der Wiedergefundnen.

Aber entsetzt und zürnend riß sich Bertalda aus ihrer Umarmung los. Es war zuviel für dieses stolze Gemüt, eine solche Wiedererkennung in dem Augenblicke, wo sie fest gemeint hatte, ihren bisherigen Glanz noch zu steigern, und die Hoffnung Thronhimmel und Kronen über ihr Haupt herunterregnen ließ. Es kam ihr vor, als habe ihre Nebenbuhlerin dies alles ersonnen, um sie nur recht ausgesucht vor Huldbranden und aller Welt zu demütigen. Sie schalt Undinen, sie schalt die beiden Alten; die häßlichen Worte: »Betrügerin!« und »erkauftes Volk!« rissen sich von ihren Lippen. Da sagte die alte Fischerfrau nur ganz leise vor sich hin: »Ach Gott, sie ist ein böses Weibsbild geworden, und dennoch fühl ichs im Herzen, daß sie von mir geboren ist.« Der alte Fischer aber hatte seine Hände gefaltet und betete still, daß die hier seine Tochter nicht sein möge. Undine wankte todesbleich von den Eltern zu Bertalden, von Bertalden zu den Eltern, plötzlich aus all den Himmeln, die sie sich geträumt hatte, in eine Angst und ein Entsetzen gestürzt, das ihr bisher auch nicht im Traume kund geworden war. »Hast du denn eine Seele? Hast du denn wirklich eine Seele, Bertalda?« schrie sie einige Male in ihre zürnende Freundin hinein, als wolle sie sich aus einem plötzlichen Wahnsinn oder einem tollmachenden Nachtgesichte gewaltsam zur Besinnung bringen. Als aber Bertalda nur immer noch ungestümer wütete, als die verstoßenen Eltern laut zu heulen anfingen und die Gesellschaft sich streitend und eifernd in verschiedne Parten teilte, erbat sie sich mit einem Male so würdig und ernst die Freiheit, in den Zimmern ihres Mannes zu reden, daß alles um sie her wie auf einen Wink stille ward. Sie trat darauf an das obere Ende des Tisches, wo Bertalda gesessen hatte, demütig und stolz, und sprach, während sich aller Augen unverwandt auf sie richteten, folgendergestalt:

»Ihr Leute, die ihr so feindlich ausseht und so verstört und mir mein liebes Fest so grimm zerreißt, ach Gott, ich wußte von euren törichten Sitten und eurer harten Sinnesweise nichts und werde mich wohl mein lebelang nicht drein finden. Daß ich alles verkehrt angefangen habe, liegt nicht an mir; glaubt nur, es liegt einzig an euch, so wenig es euch auch danach aussehen mag. Ich habe euch auch deshalb nur wenig zu sagen, aber das eine muß sein: ich habe nicht gelogen! Beweise kann und will ich euch außer meiner Versicherung nicht geben, aber beschwören will ich es. Mir hat es derselbe gesagt, der Bertalden von ihren Eltern weg ins Wasser lockte und sie nachher dem Herzog in seinen Weg auf die grüne Wiese legte.«

»Sie ist eine Zauberin,« rief Bertalda, »eine Hexe, die mit bösen Geistern Umgang hat! Sie bekennt es ja selbst.«

»Das tue ich nicht«, sagte Undine, einen ganzen Himmel der Unschuld und Zuversicht in ihren Augen. »Ich bin auch keine Hexe; seht mich nur darauf an!«

»So lügt sie und prahlt«, fiel Bertalda ein, »und kann nicht behaupten, daß ich dieser niedern Leute Kind sei. Meine herzoglichen Eltern, ich bitte euch, führt mich aus dieser Gesellschaft fort und aus dieser Stadt, wo man nur darauf ausgeht, mich zu schmähen.«

Der alte, ehrsame Herzog aber blieb fest stehen, und seine Gemahlin sagte: »Wir müssen durchaus wissen, woran wir sind. Gott sei vor, daß ich ehe nur einen Fuß aus diesem Saale setze.« Da näherte sich die alte Fischerin, beugte sich tief vor der Herzogin und sagte: »Ihr schließt mir das Herz auf, hohe, gottesfürchtige Frau. Ich muß Euch sagen, wenn dieses böse Fräulein meine Tochter ist, trägt sie ein Mal, gleich einem Veilchen, zwischen beiden Schultern und ein gleiches auf dem Spann ihres linken Fußes. Wenn sie sich nur mit mir aus dem Saale entfernen wollte!« – »Ich entblöße mich nicht vor der Bäuerin!« sagte Bertalda, ihr stolz den Rücken wendend. – »Aber vor mir doch wohl«, entgegnete die Herzogin mit großem Ernst. »Ihr werdet mir in jenes Gemach folgen, Jungfrau, und die gute Alte kommt mit.« Die drei verschwanden, und alle übrigen blieben in großer Erwartung schweigend zurück. Nach einer kleinen Weile kamen die Frauen wieder, Bertalda totenbleich, und die Herzogin sagte: »Recht muß Recht bleiben; deshalb erklär ich, daß unsre Frau Wirtin vollkommen wahr gesprochen hat. Bertalda ist des Fischers Tochter, und so viel ist, als man hier zu wissen braucht.« Das fürstliche Ehepaar ging mit der Pflegetochter fort; auf einen Wink des Herzogs folgte ihnen der Fischer mit seiner Frau. Die andern Gäste entfernten sich schweigend oder heimlich murmelnd, und Undine sank herzlich weinend in Huldbrands Arme.

Zwölftes Kapitel

Wie sie aus der Reichsstadt abreisten

Dem Herrn von Ringstetten wär es freilich lieber gewesen, wenn sich alles an diesem Tage anders gefügt hätte; aber auch so, wie es nun einmal war, konnte es ihm nicht unlieb sein, da sich seine reizende Frau so fromm und gutmütig und herzlich bewies. – »Wenn ich ihr eine Seele gegeben habe,« mußt er bei sich selber sagen, »gab ich ihr wohl eine beßre, als meine eigne ist«; und nun dachte er einzig darauf, die Weinende zufrieden zu sprechen und gleich des andern Tages einen Ort mit ihr zu verlassen, der ihr seit diesem Vorfalle zuwider sein mußte. Zwar ist es an dem, daß man sie eben nicht ungleich beurteilte. Weil man schon früher etwas Wunderbares von ihr erwartete, fiel die seltsame Entdeckung von Bertaldens Herkommen nicht allzusehr auf, und nur gegen diese war jedermann, der die Geschichte und ihr stürmisches Betragen dabei erfuhr, übel gesinnt. Davon wußten aber der Ritter und seine Frau noch nichts; außerdem wäre eins für Undinen so schmerzhaft gewesen als das andre, und so hatte man nichts Beßres zu tun, als die Mauern der alten Stadt baldmöglichst hinter sich zu lassen.

Mit den ersten Strahlen des Morgens hielt ein zierlicher Wagen für Undinen vor dem Tore der Herberge; Huldbrands und seiner Knappen Hengste stampften daneben das Pflaster. Der Ritter führte seine schöne Frau aus der Tür, da trat ihnen ein Fischermädchen in den Weg. »Wir brauchen deine Ware nicht,« sagte Huldbrand zu ihr, »wir reisen eben fort.« Da fing das Fischermädchen bitterlich an zu weinen, und nun erst sahen die Eheleute, daß es Bertalda war. Sie traten gleich mit ihr in das Gemach zurück und erfuhren von ihr, der Herzog und Herzogin seien so erzürnt über ihre gestrige Härte und Heftigkeit, daß sie die Hand gänzlich von ihr abgezogen hätten, nicht ohne ihr jedoch vorher eine reiche Aussteuer zu schenken. Der Fischer sei gleichfalls wohl begabt worden und habe noch gestern abends mit seiner Frau wieder den Weg nach der Seespitze eingeschlagen.

»Ich wollte mit ihnen gehn,« fuhr sie fort, »aber der alte Fischer, der mein Vater sein soll...«

»Er ist es auch wahrhaftig, Bertalda«, unterbrach sie Undine.

»Sieh nur, der, welchen du für den Brunnenmeister ansahst, erzählte mirs ausführlich. Er wollte mich abreden, daß ich dich nicht mit nach Burg Ringstetten nehmen sollte, und da fuhr ihm dieses Geheimnis heraus.«

»Nun denn,« sagte Bertalda, »mein Vater – wenn es denn so sein soll –, mein Vater sprach: ›Ich nehme dich nicht mit, bis du anders worden bist. Wage dich allein durch den verrufenen Wald zu uns hinaus; das soll die Probe sein, ob du dir etwas aus uns machst. Aber komme mir nicht wie ein Fräulein! wie eine Fischerdirne komm!‹ – Da will ich denn tun, wie er gesagt hat; denn von aller Welt bin ich verlassen, und will als ein armes Fischerkind bei den ärmlichen Eltern einsam leben und sterben. Vor dem Wald graut es mir freilich sehr. Es sollen abscheuliche Gespenster drinnen hausen, und ich bin so furchtsam. Aber was hilfts? – Hierher kam ich nur noch, um bei der edlen Frau von Ringstetten Verzeihung dafür zu erflehen, daß ich mich gestern so ungebührlich erzeigte. Ich fühle wohl, Ihr habt es gut gemeint, holde Dame, aber Ihr wußtet nicht, wie Ihr mich verletzen würdet, und da strömte mir denn in der Angst und Überraschung gar manch unsinnig verwegnes Wort über die Lippen. Ach verzeiht, verzeiht! Ich bin ja so unglücklich schon. Denkt nur selbsten, was ich noch gestern in der Frühe war, noch gestern zu Anfang Eures Festes, und was nun heut!«

Die Worte gingen ihr unter in einem schmerzlichen Tränenstrom, und gleichfalls bitterlich weinend fiel ihr Undine um den Hals. Es dauerte lange, bis die tiefgerührte Frau ein Wort hervorbringen konnte; dann aber sagte sie: »Du sollst ja mit uns nach Ringstetten; es soll ja alles bleiben, wie es früher abgeredet war; nur nenne mich wieder Du und nicht mehr Dame und edle Frau! Sieh, wir wurden als Kinder miteinander vertauscht; da schon verzweigte sich unser Geschick, und wir wollen es fürder so innig verzweigen, daß es keine menschliche Gewalt zu trennen imstand sein soll. Nur erst mit uns nach Ringstetten! Wie wir als Schwestern miteinander teilen wollen, besprechen wir dort.« – Bertalda sah scheu nach Huldbrand empor. Ihn jammerte des schönen, bedrängten Mägdleins; er bot ihr die Hand und redete ihr kosend zu, sich ihm und seiner Gattin anzuvertraun. – »Euern Eltern«, sagte er, »schicken wir Botschaft, warum Ihr nicht gekommen seid« – und noch manches wollte er wegen der

guten Fischersleute hinzusetzen, aber er sah, wie Bertalda bei deren Erwähnung schmerzhaft zusammenfuhr, und ließ also lieber das Reden davon sein. Aber unter den Arm faßte er sie, hob sie zuerst in den Wagen, Undinen ihr nach, und trabte fröhlich beiher, trieb auch den Fuhrmann so wacker an, daß sie das Gebiet der Reichsstadt und mit ihm alle trüben Erinnerungen in kurzer Zeit überflogen hatten und nun die Frauen mit besserer Lust durch die schönen Gegenden hinrollten, welche ihr Weg sie entlängst führte.
Nach einigen Tagereisen kamen sie eines schönen Abends auf Burg Ringstetten an. Dem jungen Rittersmann hatten seine Vögte und Mannen viel zu berichten, so daß Undine mit Bertalden allein blieb. Die beiden ergingen sich auf dem hohen Wall der Feste und freuten sich an der anmutigen Landschaft, die sich ringsum durch das gesegnete Schwaben ausbreitete. Da trat ein langer Mann zu ihnen, der sie höflich grüßte und der Bertalden beinah vorkam wie jener Brunnenmeister in der Reichsstadt. Noch unverkennbarer ward ihr die Ähnlichkeit, als Undine ihm unwillig, ja drohend zurückwinkte und er sich mit eiligen Schritten und schüttelndem Kopfe fortmachte, wie damals, worauf er in einem nahen Gebüsche verschwand. Undine aber sagte: »Fürchte dich nicht, liebes Bertaldchen! diesmal soll dir der häßliche Brunnenmeister nichts zuleide tun.« Und damit erzählte sie ihr die ganze Geschichte ausführlich und auch, wer sie selbst sei und wie Bertalda von den Fischersleuten weg, Undine aber dahin gekommen war. Die Jungfrau entsetzte sich anfänglich vor diesen Reden; sie glaubte, ihre Freundin sei von einem schnellen Wahnsinn befallen. Aber mehr und mehr überzeugte sie sich, daß alles wahr sei, an Undinens zusammenhängenden Worten, die zu den bisherigen Begebenheiten so gut paßten, und noch mehr an dem innern Gefühl, mit welchem sich die Wahrheit uns kundzugeben nie ermangelt. Es war ihr seltsam, daß sie nun selbst wie mitten in einem von den Märchen lebe, die sie sonst nur erzählen gehört. Sie starrte Undine mit Ehrfurcht an, konnte

sich aber eines Schauders, der zwischen sie und ihre Freundin trat, nicht mehr erwehren und mußte sich beim Abendbrot sehr darüber wundern, wie der Ritter gegen ein Wesen so verliebt und freundlich tat, welches ihr seit den letzten Entdeckungen mehr gespenstisch als menschlich vorkam.

Dreizehntes Kapitel

Wie sie auf Burg Ringstetten lebten

Der diese Geschichte aufschreibt, weil sie ihm das Herz bewegt und weil er wünscht, daß sie auch andern ein gleiches tun möge, bittet dich, lieber Leser, um eine Gunst. Sieh es ihm nach, wenn er jetzt über einen ziemlich langen Zeitraum mit kurzen Worten hingeht und dir nur im allgemeinen sagt, was sich darin begeben hat. Er weiß wohl, daß man es recht kunstgemäß und Schritt vor Schritt entwickeln könnte, wie Huldbrands Gemüt begann, sich von Undinen ab- und Bertalden zuzuwenden, wie Bertalda dem jungen Mann mit glühender Liebe immer mehr entgegenkam und er und sie die arme Ehefrau als ein fremdartiges Wesen mehr zu fürchten als zu bemitleiden schienen, wie Undine weinte und ihre Tränen Gewissensbisse in des Ritters Herzen anregten, ohne jedoch die alte Liebe zu erwecken, so daß er ihr wohl bisweilen freundlich tat, aber ein kalter Schauer ihn bald von ihr weg und dem Menschenkinde Bertalda entgegentrieb; – man könnte dies alles, weiß der Schreiber, ordentlich ausführen, vielleicht sollte mans auch. Aber das Herz tut ihm dabei allzu weh, denn er hat ähnliche Dinge erlebt und scheut sich in der Erinnerung auch noch vor ihrem Schatten. Du kennst wahrscheinlich ein ähnliches Gefühl, lieber Leser, denn so ist nun einmal der sterblichen Menschen Geschick. Wohl dir, wenn du dabei mehr empfangen als ausgeteilt hast, denn hier ist Nehmen seliger als Geben! Dann schleicht dir nur ein geliebter Schmerz bei solchen Erwähnungen durch die Seele, und vielleicht eine linde Träne die Wange herab, um deine verwelkten Blumenbeete, deren du dich so herzlich gefreut hattest. Damit sei es aber auch genug; wir wollen uns nicht mit tausendfach vereinzelten Stichen das Herz durchprickeln, sondern nur kurz dabeibleiben, daß es nun einmal so gekommen war, wie ich es vorhin sagte. Die arme Undine war sehr betrübt, die andern beiden waren auch nicht eben vergnügt; sonderlich meinte Bertalda bei der geringsten Abweichung von dem, was sie wünschte, den eifersüchtigen Druck der beleidigten Hausfrau zu spüren. Sie hatte sich deshalb ordentlich ein herrisches Wesen angewöhnt, dem Undine in wehmütiger Entsagung nachgab und das durch den verblendeten Huldbrand gewöhnlich aufs entschiedenste unterstützt ward. – Was die Burggesellschaft noch mehr verstörte, waren allerhand wunderliche Spukereien, die Huldbranden und Bertalden in den gewölbten Gängen des Schlosses begegneten und von denen vorher seit Menschengedenken nichts gehört worden war. Der lange, weiße Mann, in welchem Huldbrand den Oheim Kühleborn, Bertalda den gespenstischen Brunnenmeister nur allzu wohl erkannte, trat oftmals drohend vor beide, vorzüglich aber vor Bertalden hin, so daß diese schon einigemal vor Schrecken krank darniedergelegen hatte und manchmal daran dachte, die Burg zu verlassen. Teils aber war ihr Huldbrand allzu lieb, und sie stützte sich dabei auf ihre Unschuld, weil es nie zu einer eigentlichen Erklärung unter ihnen gekommen war; teils auch wußte sie nicht, wohin sie sonst ihre Schritte richten solle. Der alte Fischer hatte auf des Herrn von Ringstettens Botschaft, daß Bertalda bei ihm sei, mit einigen schwer zu lesenden Federzügen, so wie sie ihm Alter und lange Gewöhnung verstatteten, geantwortet: »Ich bin nun ein armer alter Witwer worden, denn meine liebe, treue Frau ist mir erstorben. Wie sehr ich aber auch allein in der Hütten sitzen mag, Bertalda ist mir lieber dort als bei mir. Nur daß sie meiner lieben Undine nichts zuleide tue, sonst hätte sie meinen Fluch!« Die letztern

Worte schlug Bertalda in den Wind, aber das wegen des Wegbleibens von dem Vater behielt sie gut, so wie wir Menschen in ähnlichen Fällen es immer zu machen pflegen.

Eines Tages war Huldbrand eben ausgeritten, als Undine das Hausgesinde versammelte, einen großen Stein herbeibringen hieß und den prächtigen Brunnen, der sich in der Mitte des Schloßhofes befand, sorgfältig damit zu bedecken befahl. Die Leute wandten ein, sie würden alsdann das Wasser weit unten aus dem Tale heraufzuholen haben. Undine lächelte wehmütig. – »Es tut mir leid um eure vermehrte Arbeit, liebe Kinder,« entgegnete sie; »ich möchte lieber selbst die Wasserkrüge heraufholen, aber dieser Brunnen muß nun einmal zu! Glaubt es mir aufs Wort, daß es nicht anders angeht und daß wir nur dadurch ein größeres Unheil zu vermeiden imstande sind.« – Die ganze Dienerschaft freute sich, ihrer sanften Hausfrau gefällig sein zu können; man fragte nicht weiter, sondern ergriff den ungeheuern Stein. Dieser hob sich unter ihren Händen und schwebte bereits über dem Brunnen; da kam Bertalda gelaufen und rief, man solle innehalten, aus diesem Brunnen lasse sie das Waschwasser holen, welches ihrer Haut so vorteilhaft sei, und sie werde nimmermehr zugeben, daß man ihn verschließe. Undine aber blieb diesmal, obgleich auf gewohnte Weise sanft, dennoch auf ungewohnte Weise bei ihrer Meinung fest; sie sagte, als Hausfrau gebühre ihr, alle Anordnungen der Wirtschaft nach bester Überzeugung einzurichten, und niemand habe sie darüber Rechenschaft abzulegen als ihrem Ehegemahl und Herrn. – »Seht, o seht doch,« rief Bertalda unwillig und ängstlich, »das arme, schöne Wasser kräuselt sich und windet sich, weil es vor der klaren Sonne versteckt werden soll und vor dem erfreulichen Anblick der Menschengesichter, zu deren Spiegel es erschaffen ist!« – In der Tat zischte und regte sich die Flut im Borne ganz wunderlich; es war, als wollte sich etwas daraus hervorringen, aber Undine drang nur um so ernstlicher auf die Erfüllung ihrer Befehle. Es brauchte dieses Ernstes kaum. Das Schloßgesinde war ebenso froh, seiner milden Herrin zu gehorchen, als Bertaldens Trotz zu brechen, und so ungebärdig diese auch schelten und drohen mochte, lag dennoch in kurzer Zeit der Stein über der Öffnung des Brunnens fest. Undine legte sich sinnend darüber hin und schrieb mit den schönen Fingern auf der Fläche. Sie mußte aber wohl etwas sehr Scharfes und Ätzendes dabei in der Hand gehabt haben, denn als sie sich abwandte und die andern näher hinzutraten, nahmen sie allerhand seltsame Zeichen auf dem Steine wahr, die keiner vorher an demselben gesehn haben wollte.

Den heimkehrenden Ritter empfing am Abend Bertalda mit Tränen und Klagen über Undinens Verfahren. Er warf ernste Blicke auf diese, und die arme Frau sah betrübt vor sich nieder. Doch sagte sie mit großer Fassung: »Mein Herr und Ehegemahl schilt ja keinen Leibeignen, bevor er ihn hört, wie minder dann sein angetrautes Weib.« – »Sprich, was dich zu jener seltsamen Tat bewog!« sagte der Ritter mit finsterm Antlitz. – »Ganz allein möcht ich es dir sagen!« seufzte Undine. – »Du kannst es ebensogut in Bertaldens Gegenwart«, entgegnete er. – »Ja, wenn du es gebeutst,« sagte Undine, »aber gebeut es nicht! O bitte, bitte, gebeut es nicht!« – Sie sah so demütig, hold und gehorsam aus, daß des Ritters Herz sich einem Sonnenblick aus bessern Zeiten erschloß. Er faßte sie freundlich unter den Arm und führte sie in sein Gemach, wo sie folgendermaßen zu sprechen begann:

»Du kennst ja den bösen Oheim Kühleborn, mein geliebter Herr, und bist ihm öfters unwillig in den Gängen dieser Burg begegnet. Bertalden hat er gar bisweilen zum Krankwerden erschreckt. Das macht, er ist seelenlos, ein bloßer, elementarischer Spiegel der Außenwelt, der das Innere nicht widerzustrahlen vermag. Da sieht er denn bisweilen, daß du unzufrieden mit mir bist, daß ich in meinem kindischen Sinne darüber weine, daß Bertalda vielleicht eben in derselben Stunde zufällig lacht. Nun bildet er sich allerhand Ungleiches ein und mischt sich auf vielfache Weise ungebeten in unsern Kreis. Was hilfts, daß ich ihn ausschelte? daß ich ihn unfreundlich wegschicke? Er glaubt mir nicht ein Wort. Sein armes Leben hat keine Ahnung davon, wie Liebesleiden und Liebesfreuden einander so anmutig gleichsehn und so innig verschwistert sind, daß keine Gewalt sie zu trennen vermag. Unter der Träne quillt das Lächeln vor, das Lächeln lockt die Träne aus ihren Kammern.«

Sie sah lächelnd und weinend nach Huldbrand in die Höh, der allen Zauber der alten Liebe wieder in seinem Herzen empfand. Sie fühlte das, drückte ihn inniger an sich und fuhr unter freudigen Tränen also fort:

»Da sich der Friedenstörer nicht mit Worten weisen ließ, mußte ich wohl die Tür vor ihm zusperren. Und die einzige Tür, die er zu uns hat, ist jener Brunnen. Mit den andern Quellgeistern hier in der Gegend ist er entzweit, von den nächsten Tälern an, und erst weiterhin auf der Donau, wenn einige seiner guten Freunde hineingeströmt sind, fängt sein Reich wieder an. Darum hieß ich den Stein über des Brunnens Öffnung wälzen und schrieb Zeichen darauf, die alle Kraft des eifernden Oheims lähmen, so daß er nun weder dir, noch mir, noch Bertalden in den Weg kommen soll. Menschen freilich können trotz der Zeichen mit ganz gewöhnlichem Bemühen den Stein wieder abheben; die hindert es nicht. Willst du also, so tu nach Bertaldens Begehr, aber wahrhaftig! sie weiß nicht, was sie bittet. Auf sie hat es der ungezogne Kühleborn ganz vorzüglich abgesehn, und wenn manches käme, was er mir prophezeien wollte und was doch wohl geschehen könnte, ohne daß du es übel meintest, – ach, Lieber, so wärest ja auch du nicht außer Gefahr!«

Huldbrand fühlte tief im Herzen die Großmut seiner holden Frau, wie sie ihren furchtbaren Beschützer so emsig aussperrte und noch dazu von Bertalden darüber gescholten worden war. Er drückte sie daher aufs leibreichste in seine

Arme und sagte gerührt: »Der Stein bleibt liegen, und alles bleibt und soll immer bleiben, wie du es haben willst, mein holdes Undinchen!« Sie schmeichelte ihm, demütig froh über die lang entbehrten Worte der Liebe, und sagte endlich: »Mein allerliebster Freund, da du heute so überaus mild und gütig bist, dürft ich es wohl wagen, dir eine Bitte vorzutragen? Sieh nur, es ist mit dir wie mit dem Sommer! Eben in seiner besten Herrlichkeit setzt sich der flammende und donnernde Kronen von schönen Gewittern auf, darin er als ein rechter König und Erdengott anzusehen ist. So schiltst auch du bisweilen und wetterleuchtest mit Zung und Augen, und das steht dir sehr gut, wenn ich auch bisweilen in meiner Torheit darüber zu weinen anfange. Aber tu das nie gegen mich auf einem Wasser, oder wo wir auch nur einem Gewässer nahe sind. Siehe, dann bekämen die Verwandten ein Recht über mich. Unerbittlich würden sie mich von dir reißen in ihrem Grimm, weil sie meinten, daß eine ihres Geschlechts beleidigt sei, und ich müßte lebenslang drunten in den Kristallpalästen wohnen und dürfte nie wieder zu dir herauf, oder sendeten sie mich zu dir herauf, – o Gott, dann wär es noch unendlich schlimmer. Nein, nein, du süßer Freund, dahin laß es nicht kommen, so lieb dir die arme Undine ist!«

Er verhieß feierlich, zu tun, wie sie begehre, und die beiden Eheleute traten unendlich froh und liebevoll wieder aus dem Gemach. Da kam Bertalda mit einigen Werkleuten, die sie unterdes schon hatte bescheiden lassen, und sagte mit einer mürrischen Art, die sie sich zeither angenommen hatte: »Nun ist doch wohl das geheime Gespräch zu Ende, und der Stein kann herab. Geht nur hin, ihr Leute, und richtets aus!« Der Ritter aber, ihre Unart empört fühlend, sagte in kurzen und sehr ernstlichen Worten: »Der Stein bleibt liegen!« Auch verwies er Bertalden ihre Heftigkeit gegen seine Frau, worauf die Werkleute mit heimlich vergnügtem Lächeln fortgingen, Bertalda aber von der andern Seite erbleichend nach ihren Zimmern eilte.

Die Stunde des Abendessens kam heran, und Bertalda ließ sich vergeblich erwarten. Man schickte nach ihr: da fand der Kämmerling ihre Gemächer leer und brachte nur ein versiegeltes Blatt, an den Ritter überschrieben, mit zurück. Dieser öffnete es bestürzt und las:

»Ich fühle mit Beschämung, wie ich nur eine arme Fischersdirne bin. Daß ich es auf Augenblicke vergaß, will ich in der ärmlichen Hütte meiner Eltern büßen. Lebt wohl mit Eurer schönen Frau!«

Undine war von Herzen betrübt. Sie bat Huldbranden inbrünstig, der entflohenen Freundin nachzueilen und sie wieder mit zurückzubringen. Ach, sie hatte nicht nötig zu treiben! Seine Neigung für Bertalden brach wieder heftig hervor. Er eilte im ganzen Schloß umher, fragend, ob niemand gesehn habe, welches Weges die schöne Flüchtige gegangen sei. Er konnte nichts erfahren und saß schon im Burghofe zu Pferde, entschlossen, aufs Geratewohl dem Wege nachzureiten, den er Bertalden hierher geführt hatte. Da kam ein Schildbub und versicherte, er sei dem Fräulein auf dem Pfade nach dem Schwarztale begegnet. Wie ein Pfeil sprengte der Ritter durch das Tor, der angewiesenen Richtung nach, ohne Undinens ängstliche Stimme zu hören, die ihm aus dem Fenster nachrief: »Nach dem Schwarztal? O dahin nicht! Huldbrand, dahin nicht! Oder um Gottes willen, nimm mich mit!« – Als sie aber all ihr Rufen vergeblich sah, ließ sie eilig ihren weißen Zelter satteln und trabte dem Ritter nach, ohne irgendeines Dieners Begleitung annehmen zu wollen.

Vierzehntes Kapitel

Wie Bertalda mit dem Ritter heimfuhr

Das Schwarztal liegt tief in die Berge hinein. Wie es jetzo heißt, kann man nicht wissen. Damals nannten es die Landleute so wegen der tiefen Dunkelheit, welche von hohen

Bäumen, worunter es vorzüglich viele Tannen gab, in die Niederung heruntergestreuet ward. Selbst der Bach, der zwischen den Klippen hinstrudelte, sah davon ganz schwarz aus und gar nicht so fröhlich, wie es Gewässer wohl zu tun pflegen, die den blauen Himmel unmittelbar über sich haben. Nun, in der hereinbrechenden Dämmerung, war es vollends sehr wild und finster zwischen den Höhen geworden. Der Ritter trabte ängstlich die Bachesufer entlängst; er fürchtete bald, durch Verzögerung die Flüchtige zu weit vorauszulassen, blad wieder, in der großen Eile sie irgendwo, dafern sie sich vor ihm verstecken wolle, zu übersehn. Er war indes schon ziemlich tief in das Tal hineingekommen und konnte nun denken, das Mägdlein bald eingeholt zu haben, wenn er anders auf der rechten Spur war. Die Ahnung, daß er das auch wohl nicht sein könne, trieb sein Herz zu immer ängstlicheren Schlägen. Wo sollte die zarte Bertalda bleiben, wenn er sie nicht fand, in der drohenden Wetternacht, die sich immer furchtbarer über das Tal hereinbog? Da sah er endlich etwas Weißes am Hange des Berges durch die Zweige schimmern. Er glaubte Bertaldens Gewand zu erkennen und machte sich hinzu. Sein Roß aber wollte nicht hinan; es bäumte sich so ungestüm, und er wollte so wenig Zeit verlieren, daß er – zumal da ihm wohl ohnehin zu Pferde das Gesträuch allzu hinderlich geworden wäre – absaß und den schnaubenden Hengst an eine Rüster band, worauf er sich dann vorsichtig durch die Büsche hinarbeitete. Die Zweige schlugen ihm unfreundlich Stirn und Wangen mit der kalten Nässe des Abendtaus, ein ferner Donner murmelte jenseit der Berge hin, es sah alles so seltsam aus, daß er anfing, eine Scheu vor der weißen Gestalt zu empfinden, die nun schon unfern von ihm am Boden lag. Doch konnte er ganz deutlich unterscheiden, daß es ein schlafendes oder ohnmächtiges Frauenzimmer in langen, weißen Gewändern war, wie sie Bertalda heute getragen hatte. Er trat dicht vor sie hin, rauschte an den Zweigen, klirrte an seinem Schwerte: – sie regte sich nicht! – »Bertalda!« sprach er, erst leise, dann immer lauter: – sie hörte nicht! Als er zuletzt den teuern Namen mit gewaltsamer Anstrengung rief, hallte ein dumpfes Echo aus den Berghöhlen des Tales lallend zurück: »Bertalda!« – aber die Schläferin blieb unerweckt. Er beugte sich zu ihr nieder – die Dunkelheit des Tales und der einbrechenden Nacht ließen keinen ihrer Gesichtszüge unterscheiden. Als er sich nun eben mit einigem gramvollen Zweifel ganz nahe zu ihr an den Boden gedrückt hatte, fuhr ein Blitz schnell erleuchtend über das Tal hin. Er sah ein abscheulich verzerrtes Antlitz dicht vor sich, das mit dumpfer Stimme rief: »Gib mir 'nen Kuß, du verliebter Schäfer!« Vor Entsetzen schreiend, fuhr Huldbrand in die Höh, die häßliche Gestalt ihm nach. – »Zu Haus!« murmelte sie, »die Unholde sind wach. Zu Haus! sonst hab ich dich!« – Und es griff nach ihm mit langen weißen Armen. – »Tückischer Kühleborn,« rief der Ritter, sich ermannend, »was gilts, du bist es, du Kobold! Da hast du 'nen Kuß!« Und wütend hieb er mit dem Schwerte gegen die Gestalt. Aber die zerstob, und ein durchnässender Wasserguß ließ dem Ritter keinen Zweifel darüber, mit welchem Feinde er gestritten habe.

»Er will mich zurückschrecken von Bertalden,« sagte er laut zu sich selbst; »er denkt, ich soll mich vor seinen albernen Spukereien fürchten und ihm das arme, geängstigte Mädchen hingeben, damit er sie seine Rache könne fühlen lassen. Das soll er doch nicht, der schwächliche Elementargeist! Was eine Menschenbrust vermag, wenn sie so recht will, so recht aus ihrem besten Leben will, das versteht der ohnmächtige Gaukler nicht.« – Er fühlte die Wahrheit seiner Worte und daß er sich selbst dadurch einen ganz erneuten Mut in das Herz gesprochen habe. Auch schien es, als trete das Glück mit ihm in Bund, denn noch war er nicht wieder bei seinem angebundenen Rosse, da hörte er schon ganz deutlich Bertaldens klagende Stimme, wie sie unfern von ihm durch das immer lauter werdende Geräusch des Donners und Sturmwindes herüberweinte. Beflügelten Fußes eilt' er dem Schalle nach und fand die erbebende Jungfrau, wie sie eben die Höhe hinanzuklimmen versuchte, um sich auf alle Weise aus dem schaurigen Dunkel dieses Tales zu retten. Er aber trat ihr liebkosend in den Weg, und so kühn und stolz auch früher ihr Entschluß mochte gewesen sein, empfand sie doch jetzt nur allzu lebendig das Glück, daß ihr im Herzen geliebter Freund sie aus der furchtbaren Einsamkeit erlöse und das helle Leben in der befreundeten Burg so anmutige Arme nach ihr ausstrecke. Sie folgte fast ohne Widerspruch, aber so ermattet, daß der Ritter froh war, sie bis zu seinem Rosse geleitet zu haben, welches er nun eilig losknüpfte, um die schöne Wandrerin hinaufzuheben und es alsdann am Zügel sich durch die ungewissen Schatten der Talgegend vorsichtig nachzuleiten.

Aber das Pferd war ganz verwildert durch Kühleborns tolle Erscheinung. Selbst der Ritter würde Mühe gebraucht haben, auf des bäumenden, wild schnaubenden Tieres Rücken zu springen; die zitternde Bertalda hinaufzuheben, war eine völlige Unmöglichkeit. Man beschloß also, zu Fuße heimzukehren. Das Roß am Zügel nachzerrend, unterstützte der Ritter mit der andern Hand das schwankende Mägdlein. Bertalda machte sich so stark als möglich, um den furchtbaren Talgrund schnell zu durchwandeln; aber wie Blei zog die Müdigkeit sie herab, und zugleich bebten ihr alle Glieder zusammen, teils noch von mancher überstandnen Angst, womit Kühleborn sie vorwärts gehetzt hatte, teils auch in der fortdauernden Bangigkeit vor dem Geheul des Sturmes und Donners durch die Waldung des Gebirges.

Endlich entglitt sie dem stützenden Arm ihres Führers, und auf das Moos hingesunken, sagte sie: »Laßt mich nur hier liegen, edler Herr! Ich büße meiner Torheit Schuld und muß nun doch auf alle Weise hier verkommen vor Mattigkeit und Angst.« – »Nimmermehr, holde Freundin, verlaß ich Euch!« rief Huldbrand, vergeblich bemüht, den brausenden Hengst an seiner Hand zu bändigen, der ärger als vorhin zu tosen und zu schäumen begann; der Ritter war endlich nur froh, daß er ihn von der hingesunknen Jungfrau fern genug hielt, um sie nicht durch die Furcht vor ihm noch mehr zu erschrecken. Wie er sich aber mit dem tollen Pferde nur kaum einige Schritte entfernte, begann sie auch gleich, ihm auf das allerjämmerlichste nachzurufen, des Glaubens, er wolle sie wirklich hier in der entsetzlichen Wildnis verlassen. Er wußte gar nicht mehr, was er beginnen sollte. Gern hätte er dem wütenden Tiere volle Freiheit gegeben, durch die Nacht hinzustürmen und seine Raserei auszutoben, hätte er nur nicht fürchten müssen, es würde in diesem engen Paß mit seinen beerzten Hufen eben über die Stelle hindonnern, wo Bertalda lag. Während dieser großen Not und Verlegenheit war es ihm unendlich trostreich, daß er einen Wagen langsam den steinigen Weg hinter sich herabfahren hörte. Er rief zum Beistand; eine männliche Stimme antwortete, verwies ihn zur Geduld, aber versprach zu helfen, und bald darauf leuchteten schon zwei Schimmel durch das Gebüsch, der weiße Kärrnerkittel ihres Führers nebenher, worauf sich denn auch die große, weiße Leinewand sehen ließ, mit welcher die Waren, die er bei sich führen mochte, überdeckt waren. Auf ein lautes Brr! aus dem Munde ihres Herrn standen die gehorsamen Schimmel. Er kam gegen den Ritter heran und half ihm das schäumende Tier bändigen. – »Ich merke wohl,« sagte er dabei, »was der Bestie fehlt. Als ich zuerst durch diese Gegend zog, ging es meinen Pferden nicht besser. Das macht, hier wohnt ein böser Wassernix, der an solchen Neckereien Lust hat. Aber ich hab ein Sprüchlein gelernt; wenn Ihr mir vergönnen wolltet, dem Rosse das ins Ohr zu sagen, so sollt es gleich so ruhig stehn wie meine Schimmel da.« – »Versucht Eu'r Heil, und helft nur bald!« schrie der ungeduldige Ritter. Da bog der Fuhrmann den Kopf des bäumenden Pferdes zu sich herunter und sagte ihm einige Worte ins Ohr. Augenblicklich stand der Hengst gezähmt und friedlich still, und nur ein erhitztes Keuchen und Dampfen zeugte noch von der vorherigen Unbändigkeit. Es war nicht viel Zeit für Huldbranden, lange zu fragen, wie dies zugegangen sei. Er ward mit dem Kärrner einig, daß er Bertalden auf den Wagen nehmen solle, wo, seiner Aussage nach, die weichste Baumwolle in Ballen lag, und so möge er sie bis nach Burg Ringstetten führen; der Ritter wolle den Zug zu Pferde begleiten. Aber das Roß schien von seinem vorigen Toben zu erschöpft, um noch seinen Herrn so weit zu tragen, weshalb diesem der Kärrner zuredete, mit Bertalden in den Wagen zu steigen, das Pferd könne man ja hinten anbinden. – »Es geht bergunter,« sagte er, »und da wirds meinen Schimmeln leicht.« – Der Ritter nahm dies Erbieten an, er bestieg mit Bertalden den Wagen, der Hengst folgte geduldig nach, und rüstig und achtsam schritt der Fuhrmann beiher.

In der Stille der tiefer dunkelnden Nacht, aus der das Gewitter immer ferner und schweigsamer abdonnerte, in dem behaglichen Gefühl der Sicherheit und des bequemen Fortkommens entspann sich zwischen Huldbrand und Bertalda ein trauliches Gespräch. Mit schmeichelnden Worten schalt er sie um ihr trotziges Flüchten; mit Demut und Rührung entschuldigte sie sich, und aus allem, was sie sprach, leuchtete es hervor, gleich einer Lampe, die dem Geliebten zwischen Nacht und Geheimnis kundgibt, die Geliebte harre noch sein. Der Ritter fühlte den Sinn dieser Reden weit mehr, als daß er auf die Bedeutung der Worte achtgegeben hätte, und anwortete auch einzig auf jenen. Da rief der Fuhrmann plötzlich mit kreischender Stimme: »Hoch, ihr Schimmel! Hoch den Fuß! Nehmt euch zusammen, Schimmel! Denkt hübsch, was ihr seid!« – Der Ritter beugte sich aus dem Wagen und sah, wie die Pferde mitten im schäumenden Wasser dahinschritten oder fast schon schwammen, des Wagens Räder wie Mühlenräder blinkten und rauschten, der Kärrner vor der wachsenden Flut auf das Fuhrwerk gestiegen war. – »Was soll das für ein Weg sein? Der geht ja mitten in den Strom!«

rief Huldbrand seinem Führer zu. »Nein, Herr,« lachte dieser zurück, »es ist grad umgekehrt: der Strom geht mitten in unsern Weg. Seht Euch nur um, wie alles übergetreten ist.«

In der Tat wogte und rauschte der ganze Talgrund von plötzlich empörten, sichtbar steigenden Wellen. »Das ist der Kühleborn, der böse Wassernix, der uns ersäufen will!« rief der Ritter. »Weißt du kein Sprüchlein wider ihn, Gesell?« – »Ich wüßte wohl eins,« sagte der Fuhrmann, »aber ich kann und mag es nicht eher brauchen, als bis Ihr wißt, wer ich bin.« – »Ist es hier Zeit zu Rätseln?« schrie der Ritter. »Die Flut steigt immer höher, und was geht es mich an, zu wissen, wer du bist?« – »Es geht Euch aber doch was an,« sagte der Fuhrmann, »denn ich bin Kühleborn.« Damit lachte er, verzerrten Antlitzes, zum Wagen herein, aber der Wagen blieb nicht Wagen mehr, die Schimmel nicht Schimmel: alles verschäumte, verrann in zischenden Wogen, und selbst der Fuhrmann bäumte sich als eine riesige Welle empor, riß den vergeblich arbeitenden Hengst unter die Gewässer hinab und wuchs dann wieder und wuchs über den Häuptern des schwimmenden Paares wie zu einem feuchten Turme an und wollte sie eben rettungslos begraben. –

Da scholl Undinens anmutige Stimme durch das Getöse hin, der Mond trat aus den Wolken, und mit ihm ward Undine auf den Höhen des Talgrundes sichtbar. Sie schalt, sie drohte in die Fluten hinab, die drohende Turmeswoge verschwand murrend und murmelnd, leise rannen die Wasser im Mondglanze dahin, und wie eine weiße Taube sah man Undinen von der Höhe hinabtauchen, den Ritter und Bertalden erfassen und mit sich nach einem frischen, grünen Rasenfleck auf der Höhe emporheben, wo sie mit ausgesuchten Labungen Ohnmacht und Schrecken vertrieb; dann half sie, Bertalden zu dem weißen Zelter, der sie selbst hergetragen hatte, hinaufheben, und so gelangten alle dreie nach Burg Ringstetten zurück.

Fünfzehntes Kapitel

Die Reise nach Wien

Es lebte sich seit der letzten Begebenheit still und ruhig auf dem Schloß. Der Ritter erkannte mehr und mehr seiner Frauen himmlische Güte, die sich durch ihr Nacheilen und Retten im Schwarztale, wo Kühleborns Gewalt wieder anging, so herrlich offenbart hatte; Undine selbst empfand den Frieden und die Sicherheit, deren ein Gemüt nie ermangelt, solange es mit Besonnenheit fühlt, daß es auf dem rechten Wege sei, und zudem gingen ihr in der neu erwachenden Liebe und Achtung ihres Ehemannes vielfache Schimmer der Hoffnung und Freude auf. Bertalda hingegen zeigte sich dankbar, demütig und scheu, ohne daß sie wieder diese Äußerungen als etwas Verdienstliches angeschlagen hätte. Sooft ihr eines der Eheleute über die Verdeckung des Brunnens oder über die Abenteuer im Schwarztale irgend etwas Erklärendes sagen wollte, bat sie inbrünstig, man möge sie damit verschonen, weil sie wegen des Brunnens allzu viele Beschämung und wegen des Schwarztales allzu viele Schrecken empfinde. Sie erfuhr daher auch von beiden weiter nichts; und wozu schien es auch nötig zu sein? Der Friede und die Freude hatten ja ihren sichtbaren Wohnsitz in Burg Ringstetten genommen. Man ward darüber ganz sicher und meinte, nun könne das Leben gar nichts mehr tragen als anmutige Blumen und Früchte.

In so erlabenden Verhältnissen war der Winter gekommen und vorübergegangen, und der Frühling sah mit seinen hellgrünen Sprossen und seinem lichtblauen Himmel zu den fröhlichen Menschen herein. Ihm war zumut wie ihnen und ihnen wie ihm. Was Wunder, daß seine Störche und Schwalben auch in ihnen die Reiselust anregten! Während sie einmal nach den Donauquellen hinab lustwandelten, erzählte Huldbrand von der Herrlichkeit des edlen Stromes und wie er wachsend durch gesegnete Länder fließe, wie das köstliche

Wien an seinen Ufern emporglänze und er überhaupt mit jedem Schritte seiner Fahrt an Macht und Lieblichkeit gewinne. – »Es müßte herrlich sein, ihn so bis Wien einmal hinabzufahren!« brach Bertalda aus, aber gleich darauf in ihre jetzige Demut und Bescheidenheit zurückgesunken, schwieg sie errötend still. Eben dies rührte Undinen sehr, und im lebhaftesten Wunsch, der lieben Freundin eine Lust zu machen, sagte sie: »Wer hindert uns denn, die Reise anzutreten?« – Bertalda hüpfte vor Freuden in die Höhe, und die beiden Frauen begannen sogleich, sich die anmutige Donaufahrt mit den allerhellsten Farben vor die Sinne zu rufen. Auch Huldbrand stimmte fröhlich darin ein; nur sagte er einmal besorgt Undinen ins Ohr: »Aber weiterhin ist Kühleborn wieder gewaltig?« – »Laß ihn nur kommen,« entgegnete sie lachend; »ich bin ja dabei, und vor mir wagt er sich mit keinem Unheil hervor.« Damit war das letzte Hindernis gehoben, man rüstete sich zur Fahrt und trat sie alsbald mit frischem Mut und den heitersten Hoffnungen an.

Wundert euch aber nur nicht, ihr Menschen, wenn es dann immer ganz anders kommt, als man gemeint hat! Die tückische Macht, die lauert, uns zu verderben, singt ihr auserkornes Opfer gern mit süßen Liedern und goldnen Märchen in den Schlaf. Dagegen pocht der rettende Himmelsbote oftmals scharf und erschreckend an unsre Tür.

Sie waren die ersten Tage ihrer Donaufahrt hindurch außerordentlich vergnügt gewesen. Es ward auch alles immer besser und schöner, sowie sie den stolzen, flutenden Strom weiter hinunter schifften. Aber in einer sonst höchst anmutigen Gegend, von deren erfreulichem Anblick sie sich die beste Freude versprochen hatten, fing der unbändige Kühleborn ganz unverhohlen an, seine hier eingreifende Macht zu zeigen. Es blieben zwar bloß Neckereien, weil Undine oftmals in die empörten Wellen oder in die hemmenden Winde hinein schalt und sich dann die Gewalt des Feindseligen augenblicklich in Demut ergab; aber wieder kamen die Angriffe, und wieder brauchte es der Mahnung Undinens, so daß die Lustigkeit der kleinen Reisegesellschaft eine gänzliche Störung erlitt. Dabei zischelten sich noch immer die Fährleute zagend in die Ohren und sahen mißtrauisch auf die drei Herrschaften, deren Diener selbsten mehr und mehr etwas Unheimliches zu ahnen begannen und ihre Gebieter mit seltsamen Blicken verfolgten. Huldbrand sagte öfters bei sich im stillen Gemüte: ›Das kommt davon, wenn gleich sich nicht zu gleich gesellt, wenn Mensch und Meerfräulein ein wunderliches Bündnis schließen.‹ Sich entschuldigend, wie wir es denn überhaupt lieben, dachte er freilich oftmals dabei: ›Ich hab es ja nicht gewußt, daß sie ein Meerfräulein war. Mein ist das Unheil, das jeden meiner Schritte durch der tollen Verwandschaft Grillen bannt und stört, aber mein ist nicht die Schuld!‹ Durch solcherlei Gedanken fühlte er sich einigermaßen gestärkt, aber dagegen ward er immer verdrießlicher, ja feindseliger wider Undinen gestimmt. Er sah sie schon mit mürrischen Blicken an, und die arme Frau verstand deren Bedeutung wohl. Dadurch und durch die beständige Anstrengung wider Kühleborns Listen erschöpft, sank sie gegen Abend, von der sanft gleitenden Barke angenehm gewiegt, in einen tiefen Schlaf.

Kaum aber, daß sie die Augen geschlossen hatte, so wähnte jedermann im Schiffe, nach der Seite, wo er grade hinaussah, ein ganz abscheuliches Menschenhaupt zu erblicken, das sich aus den Wellen emporhob, nicht wie das eines Schwimmenden, sondern ganz senkrecht, wie auf den Wasserspiegel grade eingepfählt, aber mitschwimmend, so wie die Barke schwamm. Jeder wollte dem andern zeigen, was ihn erschreckte, und jeder fand zwar auf des andern Gesicht das gleiche Entsetzen, Hand und Auge aber nach einer andern Richtung hinzeigend, als wo ihm selbst das halb lachende, halb dräuende Scheusal vor Augen stand. Wie sie sich nun aber einander darüber verständigen wollten und alles rief: »Sieh dorthin! nein, dorthin!« – da wurden jedwedem die

Greuelbilder aller sichtbar, und die ganze Flut um das Schiff her wimmelte von den entsetzlichsten Gestalten. Von dem Geschrei, das sich darüber erhob, erwachte Undine. Vor ihren aufgehenden Augenlichtern verschwand der mißgeschaffnen Gesichter tolle Schar. Aber Huldbrand war empört über so viele häßliche Gaukeleien. Er wäre in wilde Verwünschungen ausgebrochen, nur daß Undine mit den demütigsten Blicken und ganz leise bittend sagte: »Um Gott, mein Eheherr, wir sind auf den Fluten, zürne jetzt nicht auf mich!« Der Ritter schwieg, setzte sich und versank in ein tiefes Nachdenken. Undine sagte ihm ins Ohr: »Wär es nicht besser, mein Liebling, wir ließen die törichte Reise und kehrten nach Burg Ringstetten in Frieden zurück?« Aber Huldbrand murmelte feindselig: »Also ein Gefangener soll ich sein auf meiner eigenen Burg? Und atmen nur können, solange der Brunnen zu ist? So wollt ich, daß die tolle Verwandtschaft...« Da drückte Undine schmeichelnd ihre schöne Hand auf seine Lippen. Er schwieg auch und hielt sich still, so manches, was ihm Undine früher gesagt hatte, erwägend.

Indessen hatte Bertalda sich allerhand seltsam umschweifenden Gedanken überlassen. Sie wußte vieles von Undinens Herkommen und doch nicht alles, und vorzüglich war ihr der furchtbare Kühleborn ein schreckliches, aber noch immer ganz dunkles Rätsel geblieben, so daß sie nicht einmal seinen Namen je vernommen hatte. Über alle diese wunderlichen Dinge nachsinnend, knüpfte sie, ohne sich dessen recht bewußt zu werden, ein goldnes Halsband los, welches ihr Huldbrand auf einer der letzten Tagereisen von einem herumziehenden Handelsmann gekauft hatte, und ließ es dicht über der Oberfläche des Flusses spielen, sich, halb träumend, an dem lichten Schimmer ergötzend, den es in die abendhellen Gewässer warf. Da griff plötzlich eine große Hand aus der Donau herauf, erfaßte das Halsband und fuhr damit unter die Fluten. Bertalda schrie laut auf, und ein höhnisches Gelächter schallte aus den Tiefen des Stromes drein.

Nun hielt sich des Ritters Zorn nicht länger. Aufspringend schalt er in die Gewässer hinein, verwünschte alle, die sich in seine Verwandtschaft und sein Leben drängen wollten, und forderte sie auf, Nix oder Sirene, sich vor sein blankes Schwert zu stellen. Bertalda weinte indes um den verlornen, ihr so innig lieben Schmuck und goß mit ihren Tränen Öl in des Ritters Zorn, während Undine ihre Hand über den Schiffsbord in die Wellen getaucht hielt, in einem fort sacht vor sich hinmurmelnd und nur manchmal ihr seltsam heimliches Geflüster unterbrechend, indem sie bittend zu ihrem Eheherrn sprach: »Mein Herzlichlieber, hier schilt mich nicht! Schilt alles, was du willst, aber hier mich nicht! Du weißt ja.« – Und wirklich enthielt sich seine vor Zorn stammelnde Zunge noch jedes Wortes unmittelbar wider sie. Da brachte sie mit der feuchten Hand, die sie unter den Wogen gehalten hatte, ein wunderschönes Korallenhalsband hervor, so herrlich blitzend, daß allen davon die Augen fast geblendet wurden. »Nimm hin,« sagte sie, es Bertalden freundlich hinhaltend, »das hab ich dir zum Ersatz bringen lassen, und sei nicht weiter betrübt, du armes Kind.« Aber der Ritter sprang dazwischen. Er riß den schönen Schmuck Undinen aus der Hand, schleuderte ihn wieder in den Fluß und schrie wutentbrannt: »So hast du denn immer Verbindung mit ihnen? Bleib bei ihnen in aller Hexen Namen mit all deinen Geschenken und laß uns Menschen zufrieden, Gauklerin du!« Starren, aber tränenströmenden Blickes sah ihn die arme Undine an, noch immer die Hand ausgestreckt, mit welcher sie Bertalden ihr hübsches Geschenk so freundlich hatte hinreichen wollen. Dann fing sie immer herzlicher an zu weinen, wie ein recht unverschuldet und recht bitterlich gekränktes, liebes Kind. Endlich sagte sie ganz matt: »Ach, holder Freund, ach, lebe wohl! Sie sollen dir nichts tun; nur bleibe treu, daß ich sie dir abwehren kann. Ach, aber fort muß ich, muß fort auf diese ganze junge Lebenszeit. O weh, o weh, was hast du angerichtet! O weh, o weh!«

Und über den Rand der Barke schwand sie hinaus. – Stieg sie hinüber in die Flut, verströmte sie darin, man wußte es nicht, es war wie beides und wie keins. Bald aber war sie in die Donau ganz verronnen; nur flüsterten noch kleine Wellchen schluchzend um den Kahn, und fast vernehmlich wars, als sprächen sie: »O weh, o weh! Ach, bleibe treu! O weh!« – Huldbrand aber lag in heißen Tränen auf dem Verdecke des Schiffes, und eine tiefe Ohnmacht hüllte den Unglücklichen bald in ihre mildernden Schleier ein.

Sechzehntes Kapitel

Von Huldbrands fürderm Ergehn

Soll man sagen: leider, oder: zum Glück, daß es mit unsrer Trauer keinen rechten Bestand hat? Ich meine, mit unsrer so recht tiefen und aus dem Borne des Lebens schöpfenden Trauer, die mit dem verlornen Geliebten so eines wird, daß er ihr nicht mehr verloren ist und sie ein geweihtes Priestertum an seinem Bilde durch das ganze Leben durchführen will, bis die Schranke, die ihm gefallen ist, auch uns zerfällt! Freilich bleiben wohl gute Menschen wirklich solche Priester, aber es ist doch nicht die erste, rechte Trauer mehr. Andre, fremdartige Bilder haben sich dazwischen gedrängt; wir erfahren endlich die Vergänglichkeit aller irdischen Dinge sogar an unserm Schmerz, und so muß ich denn sagen: Leider, daß es mit unsrer Trauer keinen rechten Bestand hat!

Der Herr von Ringstetten erfuhr das auch; ob zu seinem Heile, werden wir im Verfolg dieser Geschichte hören. Anfänglich konnte er nichts als immer recht bitterlich weinen, wie die arme, freundliche Undine geweint hatte, als er ihr den blanken Schmuck aus der Hand riß, mit dem sie alles so schön und gut machen wollte. Und dann streckte er die Hand aus, wie sie es getan hatte, und weinte immer wieder von neuem, wie sie. Er hegte die heimliche Hoffnung, endlich auch ganz in Tränen zu verrinnen, und ist nicht selbst manchem von uns andern in großem Leide der ähnliche Gedanke mit schmerzender Lust durch den Sinn gezogen? Bertalda weinte mit, und sie lebten lange ganz still beieinander auf Burg Ringstetten, Undinens Andenken feiernd und der ehemaligen Neigung fast gänzlich vergessen habend. Dafür kam auch um diese Zeit oftmals die gute Undine zu Huldbrands Träumen; sie streichelte ihn sanft und freundlich und ging dann still weinend wieder fort, so daß er im Erwachen oftmals nicht recht wußte, wovon seine Wangen so naß waren: kam es von ihren oder bloß von seinen Tränen?

Die Traumgesichte wurden aber mit der Zeit seltener, der Gram des Ritters matter, und dennoch hätte er vielleicht nie in seinem Leben einen andern Wunsch gehegt, als so stille fort Undinens zu gedenken und von ihr zu sprechen, wäre nicht der alte Fischer unvermutet auf dem Schloß erschienen und hätte Bertalden nun alles Ernstes als sein Kind zurückgeheischt. Undinens Verschwinden war ihm kund geworden, und er wollte es nicht länger zugeben, daß Bertalda bei dem unverehelichten Herrn auf der Burg verweile. – »Denn ob meine Tochter mich lieb hat oder nicht,« sprach er, »will ich jetzt gar nicht wissen, aber die Ehrbarkeit ist im Spiel, und wo die spricht, hat nichts andres mehr mitzureden.«

Diese Gesinnung des alten Fischers und die Einsamkeit, die den Ritter aus allen Sälen und Gängen der verödeten Burg schauerlich nach Bertaldens Abreise zu erfassen drohte, brachten zum Ausbruch, was früher entschlummert und in dem Gram über Undinen ganz vergessen war: die Neigung Huldbrands für die schöne Bertalda. Der Fischer hatte vieles gegen die vorgeschlagne Heirat einzuwenden. Undine war dem alten Manne sehr lieb gewesen, und er meinte, man wisse ja noch kaum, ob die liebe Verschwundne recht eigentlich tot sei. Liege aber ihr Leichnam wirklich starr und kalt auf dem Grunde der Donau oder treibe mit den Fluten ins

Weltmeer hinaus, so habe Bertalda an ihrem Tode mit schuld, und nicht gezieme es ihr, an den Platz der armen Verdrängten zu treten. Aber auch den Ritter hatte der Fischer sehr lieb; die Bitten der Tochter, die um vieles sanfter und ergebner geworden war, wie auch ihre Tränen um Undinen kamen dazu, und er mußte wohl endlich seine Einwilligung gegeben haben, denn er blieb ohne Widerrede auf der Burg, und ein Eilbote ward abgesandt, den Pater Heilmann, der in frühern, glücklichen Tagen Undinen und Huldbranden eingesegnet hatte, zur zweiten Trauung des Ritters nach dem Schlosse zu holen.

Der fromme Mann aber hatte kaum den Brief des Herrn von Ringstetten durchlesen, so machte er sich in noch viel größerer Eile nach dem Schlosse auf den Weg, als der Bote von dorten zu ihm gekommen war. Wenn ihm auf dem schnellen Gange der Atem fehlte oder die alten Glieder schmerzten vor Müdigkeit, pflegte er zu sich selber zu sagen: »Vielleicht ist noch Unrecht zu hindern; sinke nicht eher als am Ziele, du verdorrter Leib!« – Und mit erneuter Kraft riß er sich alsdann auf und wallte und wallte, ohne Rast und Ruh, bis er eines Abends spät in den belaubten Hof der Burg Ringstetten eintrat.

Die Brautleute saßen Arm in Arm unter den Bäumen, der alte Fischer nachdenklich neben ihnen. Kaum nun, daß sie den Pater Heilmann erkannten, so sprangen sie auf und drängten sich bewillkommend um ihn her. Aber er, ohne viele Worte zu machen, wollte den Bräutigam mit sich in die Burg ziehen; als indessen dieser staunte und zögerte, den ernsten Winken zu gehorchen, sagte der fromme Geistliche: »Was halte ich mich denn lange dabei auf, Euch insgeheim sprechen zu wollen, Herr von Ringstetten? Was ich zu sagen habe, geht Bertalden und den Fischer ebensogut mit an, und was einer doch irgend einmal hören muß, mag er lieber gleich so bald hören, als es nur möglich ist. Seid Ihr denn so gar gewiß, Ritter Huldbrand, daß Eure erste Gattin wirklich gestorben ist? Mir kommt es kaum so vor. Ich will zwar weiter nichts darüber sprechen, welch eine wundersame Bewandtnis es mit ihr gehabt haben mag, weiß auch davon nichts Gewisses. Aber ein frommes, vielgetreues Weib war sie, so viel ist außer allem Zweifel. Und seit vierzehn Nächten hat sie in Träumen an meinem Bette gestanden, ängstlich die zarten Händlein ringend und in einem fort seufzend: ›Ach, hindr' ihn, lieber Vater! Ich lebe noch! Ach, rett ihm den Leib! Ach, rett ihm die Seele!‹ – Ich verstand nicht, was das Nachtgesicht haben wollte; da kam Euer Bote, und nun eilt ich hierher, nicht zu trauen, wohl aber zu trennen, was nicht zusammen gehören darf. Laß von ihr, Huldbrand! Laß von ihm, Bertalda! Er gehört noch einer andern, und siehst du nicht den Gram um die verschwundne Gattin auf seinen bleichen Wangen? So sieht kein Bräutigam aus, und der Geist sagt es mir: ›Ob du ihn auch nicht lässest, doch nimmer wirst du seiner froh.‹«

Die dreie empfanden im innersten Herzen, daß der Pater Heilmann die Wahrheit sprach, aber sie wollten es nun einmal nicht glauben. Selbst der alte Fischer war nun bereits so betört, daß er meinte, anders könne es gar nicht kommen, als sie es in diesen Tagen ja schon oft miteinander besprochen hätten. Daher stritten sie denn alle mit einer wilden, trüben Hast gegen des Geistlichen Warnungen, bis dieser sich endlich kopfschüttelnd und traurig aus der Burg entfernte, ohne die dargebotne Herberge auch nur für diese Nacht annehmen zu wollen oder irgendeine der herbeigeholten Labungen zu genießen. Huldbrand aber überredete sich, der Geistliche sei ein Grillenfänger, und sandte mit Tagesanbruch nach einem Pater aus dem nächsten Kloster, der auch ohne Weigerung verhieß, die Einsegnung in wenigen Tagen zu vollziehen.

Siebenzehntes Kapitel

Des Ritters Traum

Es war zwischen Morgendämmerung und Nacht, da lag der Ritter, halb wachend, halb schlafend, auf seinem Lager. Wenn er vollends einschlummern wollte, war es, als stände ihm ein Schrecken entgegen und scheuchte ihn zurück, weil es Gespenster gäbe im Schlaf. Dachte er aber sich allen Ernstes zu ermuntern, so wehte es um ihn her wie mit Schwanenfittichen und mit schmeichelndem Wogenklang, davon er allemal wieder in den zweifelhaften Zustand, angenehm betört, zurücketaumelte. Endlich aber mochte er doch wohl ganz entschlafen sein, denn es kam ihm vor, als ergreife ihn das Schwanengesäusel auf ordentlichen Fittichen und trage ihn weit fort über Land und See und singe immer aufs anmutigste dazu. »Schwanenklang! Schwanengesang!« mußte er immerfort zu sich selbst sagen. »Das bedeutet ja wohl den Tod?« Aber er hatte vermutlich noch eine andre Bedeutung. Ihm ward nämlich auf einmal, als schwebe er über dem Mittelländischen Meer. Ein Schwan sang ihm gar tönend in die Ohren, dies sei das Mittelländische Meer. Und während er in die Fluten hinuntersah, wurden sie zu lauterm Kristalle, daß er hineinschauen konnte bis auf den Grund. Er freute sich sehr darüber, denn er konnte Undinen sehen, wie sie unter den hellen Kristallgewölben saß. Freilich weinte sie sehr und sah viel betrübter aus als in den glücklichen Zeiten, die sie auf Burg Ringstetten miteinander verlebt hatten, vorzüglich zu Anfang und auch nachher, kurz ehe sie die unselige Donaufahrt begannen. Der Ritter mußte an alle das sehr ausführlich und innig denken, aber es schien nicht, als werde Undine seiner gewahr. Indessen war Kühleborn zu ihr getreten und wollte sie über ihr Weinen ausschelten. Da nahm sie sich zusammen und sah ihn vornehm und gebietend an, daß er fast davor erschrak. »Wenn ich hier auch unter den Wassern wohne,« sagte sie, »so hab ich doch meine Seele mit heruntergebracht. Und darum darf ich wohl weinen, wenn du auch gar nicht erraten kannst, was solche Tränen sind. Auch die sind selig, wie alles selig ist dem, in welchem treue Seele lebt.« Er schüttelte ungläubig mit dem Kopfe und sagte nach einigem Besinnen: »Und doch, Nichte, seid Ihr unsern Elementargesetzen unterworfen, und doch müßt Ihr ihn richtend ums Leben bringen, dafern er sich wieder verehelicht und Euch untreu wird.« – »Er ist noch bis diese Stunde ein Witwer«, sagte Undine, »und hat mich aus traurigem Herzen lieb.« – »Zugleich ist er aber auch ein Bräutigam,« lachte Kühleborn höhnisch, »und laßt nur erst ein paar Tage hingehn, dann ist die priesterliche Einsegnung erfolgt, und dann müßt Ihr doch zu des Zweiweibrigen Tode hinauf.« – »Ich kann ja nicht«, lächelte Undine zurück. »Ich habe ja den Brunnen versiegelt, für mich und meinesgleichen fest.« – »Aber wenn er von seiner Burg geht,« sagte Kühleborn, »oder wenn er einmal den Brunnen wieder öffnen läßt! Denn er denkt gewiß blutwenig an alle diese Dinge.« – »Eben deshalb,« sprach Undine und lächelte noch immer unter ihren Tränen, »eben deshalb schwebt er jetzt im Geiste über dem Mittelmeer und träumt zur Warnung dies unser Gespräch. Ich habe es wohlbedächtig so eingerichtet.« Da sah Kühleborn ingrimmig zu dem Ritter hinauf, dräuete, stampfte mit den Füßen und schoß gleich darauf pfeilschnell unter den Wellen fort. Es war, als schwelle er vor Bosheit zu einem Walfisch auf. Die Schwäne begannen wieder zu tönen, zu fächeln, zu fliegen; dem Ritter war es, als schwebe er über Alpen und Ströme hin, schwebe endlich zur Burg Ringstetten herein und erwache auf seinem Lager.

Wirklich erwachte er auf seinem Lager, und eben trat sein Knappe herein und berichtete ihm, der Pater Heilmann weile noch immer hier in der Gegend: er habe ihn gestern zu Nacht im Forste getroffen, unter einer Hütte, die er sich von Baumästen zusammengebogen habe und mit Moos und Reisig belegt. Auf die Frage, was er denn hier mache? denn einseg-

nen wolle er ja doch nicht! sei die Antwort gewesen: »Es gibt noch andre Einsegnungen als die am Traualtar, und bin ich nicht zur Hochzeit gekommen, so kann es ja doch zu einer andern Feier gewesen sein. Man muß alles abwarten. Zudem ist ja Traum und Trauern gar nicht so weit auseinander, und wer sich nicht mutwillig verblendet, sieht es wohl ein.«
Der Ritter machte sich allerhand wunderliche Gedanken über diese Worte und über seinen Traum. Aber es hält sehr schwer, ein Ding zu hintertreiben, was sich der Mensch einmal als gewiß in den Kopf gesetzt hat, und so blieb denn auch alles beim alten.

Achtzehntes Kapitel

Wie der Ritter Huldbrand Hochzeit hielt

Wenn ich euch erzählen sollte, wie es bei der Hochzeitfeier auf Burg Ringstetten zuging, so würde euch zumute werden, als sähet ihr eine Menge von blanken und erfreulichen Dingen aufgehäuft, aber drüberhin einen schwarzen Trauerflor gebreitet, aus dessen verdunkelnder Hülle hervor die ganze Herrlichkeit minder einer Lust gliche als einem Spott über die Nichtigkeit aller irdischen Freuden. Es war nicht etwa, daß irgendein gespenstisches Unwesen die festliche Geselligkeit verstört hätte, denn wir wissen ja, daß die Burg vor den Spukereien der dräuenden Wassergeister eine gefeite Stätte war. Aber es war dem Ritter und dem Fischer und allen Gästen zumute, als fehle noch die Hauptperson bei dem Feste und als müsse diese Hauptperson die allgeliebte freundliche Undine sein. Sooft eine Tür aufging, starrten aller Augen unwillkürlich dahin, und wenn es dann weiter nichts war als der Hausmeister mit neuen Schüsseln, oder der Schenk mit einem Trunk noch edlern Weines, blickte man wieder trüb vor sich hin, und die Funken, die etwa hin und her von Scherz und Freude aufgeblitzt waren, erloschen in dem Tau wehmütigen

Erinnerns. Die Braut war von allen die Leichtsinnigste und daher auch die Vergnügteste; aber selbst ihr kam es bisweilen wunderlich vor, daß sie in dem grünen Kranze und den goldgestickten Kleidern an der Oberstelle der Tafel sitze, während Undine als Leichnam starr und kalt auf dem Grunde der Donau liege oder mit den Fluten forttreibe ins Weltmeer hinaus. Denn seit ihr Vater ähnliche Worte gesprochen hatte, klangen sie ihr immer vor den Ohren und wollten vorzüglich heute weder wanken noch weichen.

Die Gesellschaft verlor sich bei kaum eingebrochner Nacht; nicht aufgelöst durch des Bräutigams hoffende Ungeduld, wie sonsten Hochzeitversammlungen, sondern nur ganz trüb und schwer auseinandergedrückt durch freudlose Schwermut und Unheil kündende Ahnungen. Bertalda ging mit ihren Frauen, der Ritter mit seinen Dienern, sich auszukleiden: von dem scherzend fröhlichen Geleit der Jungfrauen und Junggesellen bei Braut und Bräutigam war an diesem trüben Fest die Rede nicht.

Bertalda wollte sich aufheitern: sie ließ einen prächtigen Schmuck, den Huldbrand ihr geschenkt hatte, samt reichen Gewanden und Schleiern vor sich ausbreiten, ihren morgenden Anzug aufs schönste und heiterste daraus zu wählen. Ihre Dienerinnen freueten sich des Anlasses, vieles und Fröhliches der jungen Herrin vorzusprechen, wobei sie nicht ermangelten, die Schönheit der Neuvermählten mit den lebhaftesten Worten zu preisen. Man vertiefte sich mehr und mehr in diese Betrachtungen, bis endlich Bertalda, in einen Spiegel blickend, seufzte: »Ach, aber seht ihr wohl die werdenden Sommersprossen hier seitwärts am Halse?« Sie sahen hin und fanden es freilich, wie es die schöne Herrin gesagt hatte, aber ein liebliches Mal nannten sie's, einen kleinen Flecken, der die Weiße der zarten Haut noch erhöhe. Bertalda schüttelte den Kopf und meinte, ein Makel bleib es doch immer. »Und ich könnt es los sein!« seufzte sie endlich. »Aber der Schloßbrunnen ist zu, aus dem ich sonst immer das köstliche, hautreinigende Wasser schöpfen ließ. Wenn ich doch heut nur eine Flasche davon hätte!« – »Ist es nur das?« lachte die behende Dienerin und schlüpfte aus dem Gemach. »Sie wird doch nicht so toll sein,« fragte Bertalda wohlgefällig erstaunt, »noch heut abend den Brunnenstein abwälzen zu lassen?« Da hörte man bereits, daß Männer über den Hof gingen, und konnte aus dem Fenster sehn, wie die gefällige Dienerin sie grade auf den Brunnen los führte und sie Hebebäume und anderes Werkzeug auf den Schultern trugen. »Es ist freilich mein Wille,« lächelte Bertalda; »wenn es nur nicht zu lange währt!« Und froh, im Gefühl, daß ein Wink von ihr jetzt vermöge, was ihr vormals so schmerzhaft geweigert worden war, schaute sie auf die Arbeit in den mondhellen Burghof hinab.

Die Männer hoben mit Anstrengung an dem großen Steine; bisweilen seufzte wohl einer dabei, sich erinnernd, daß man hier der geliebten vorigen Herrin Werk zerstöre. Aber die Arbeit ging übrigens viel leichter, als man gemeint hatte. Es war, als hülfe eine Kraft aus dem Brunnen heraus, den Stein emporbringen. »Es ist ja,« sagten die Arbeiter erstaunt zueinander, »als wäre das Wasser drinnen zum Springborne worden.« Und mehr und mehr hob sich der Stein, und fast ohne Beistand der Werkleute rollte er langsam mit dumpfem Schallen auf das Pflaster hin. Aber aus des Brunnens Öffnung stieg es gleich einer weißen Wassersäule feierlich herauf; sie dachten erst, es würde mit dem Springbrunnen ernst, bis sie gewahrten, daß die aufsteigende Gestalt ein bleiches, weißverschleiertes Weibsbild war. Das weinte bitterlich, das hob die Hände ängstlich ringend über das Haupt und schritt mit langsam ernstem Gange nach dem Schloßgebäu. Auseinander stob das Burggesind vom Brunnen fort, bleich stand, entsetzensstarr, mit ihren Dienerinnen die Braut am Fenster. Als die Gestalt nun dicht unter deren Kammern hinschritt, schaute sie winselnd nach ihr empor, und Bertalda meinte, unter dem Schleier Undinens bleiche Gesichtszüge zu erken-

nen. Vorüber aber zog die Jammernde, schwer, gezwungen, zögernd, wie zum Hochgericht. Bertalda schrie, man solle den Ritter rufen; es wagte sich keine der Zofen aus der Stelle, und auch die Braut selber verstummte wieder, wie vor ihrem eignen Laut erbebend.
Während jene noch immer bang am Fenster standen, wie Bildsäulen regungslos, war die seltsame Wandrerin in die Burg gelangt, die wohlbekannten Treppen hinauf, die wohlbekannten Hallen durch, immer in ihren Tränen still. Ach, wie so anders war sie einstens hier umhergewandelt! –
Der Ritter aber hatte seine Diener entlassen. Halb ausgekleidet, im betrübten Sinnen, stand er vor einem großen Spiegel; die Kerze brannte dunkel neben ihm. Da klopfte es an die Tür mit leisem, leisem Finger. Undine hatte sonst wohl so geklopft, wenn sie ihn freundlich necken wollte. »Es ist alles nur Phantasterei!« sagte er zu sich selbst. »Ich muß ins Hochzeitbett.« – »Das mußt du, aber in ein kaltes!« hörte er eine weinende Stimme draußen vor dem Gemache sagen, und dann sah er im Spiegel, wie die Türe aufging, langsam, langsam, und wie die weiße Wandrerin hereintrat und sittig das Schloß wieder hinter sich zudrückte. »Sie haben den Brunnen aufgemacht,« sagte sie leise, »und nun bin ich hier, und nun mußt du sterben.« Er fühlte in seinem stockenden Herzen, daß es auch gar nicht anders sein könne, deckte aber die Hände über die Augen und sagte: »Mache mich nicht in meiner Todesstunde durch Schrecken toll. Wenn du ein entsetzliches Antlitz hinter dem Schleier trägst, so lüfte ihn nicht und richte mich, ohne daß ich dich schaue.« – »Ach,« entgegnete die Wandrerin, »willst du mich denn nicht noch ein einziges Mal sehn? Ich bin schön, wie als du auf der Seespitze um mich warbst.« – »Oh, wenn das wäre!« seufzte Huldbrand, »und wenn ich sterben dürfte an einem Kusse von dir!« – »Recht gern, mein Liebling«, sagte sie. Und ihre Schleier schlug sie zurück, und himmlisch schön lächelte ihr holdes Antlitz daraus hervor. Bebend vor Liebe und Todesnähe

neigte sich der Ritter ihr entgegen, sie küßte ihn mit einem himmlischen Kusse, aber sie ließ ihn nicht mehr los, sie drückte ihn inniger an sich und weinte, als wolle sie ihre Seele fortweinen. Die Tränen drangen in des Ritter Augen und wogten im lieblichen Wehe durch seine Brust, bis ihm endlich der Atem entging und er aus den schönen Armen als ein Leichnam sanft auf die Kissen des Ruhebettes zurücksank. »Ich habe ihn totgeweint!« sagte sie zu einigen Dienern, die ihr im Vorzimmer begegneten, und schritt durch die Mitte der Erschreckten langsam nach dem Brunnen hinaus.

Neunzehntes Kapitel

Wie der Ritter Huldbrand begraben ward

Der Pater Heilmann war auf das Schloß gekommen, sobald des Herrn von Ringstetten Tod in der Gegend kund geworden war, und just zur selben Stunde erschien er, wo der Mönch, welcher die unglücklichen Vermählten getraut hatte, von Schreck und Grausen überwältigt, aus den Toren floh. – »Es ist schon recht,« entgegnete Heilmann, als man ihm dieses ansagte, »und nun geht mein Amt an, und ich brauche keines Gefährten.« Darauf begann er, die Braut, welche zur Witwe worden war, zu trösten, so wenig Frucht es auch in ihrem weltlich lebhaften Gemüte trug. Der alte Fischer hingegen fand sich, obzwar von Herzen betrübt, weit besser in das Geschick, welches Tochter und Schwiegersohn betroffen hatte, und während Bertalda nicht ablassen konnte, Undinen Mörderin zu schelten und Zauberin, sagte der alte Mann gelassen: »Es konnte nun einmal nicht anders sein. Ich sehe nichts darin als die Gerichte Gottes, und es ist wohl niemandem Huldbrands Tod mehr zu Herzen gegangen als der, die ihn verhängen mußte: der armen, verlaßnen Undine!« Dabei half er die Begräbnisfeier anordnen, wie es dem Range des Toten geziemte. Dieser sollte in einem Kirchdorfe begraben werden, auf dessen Gottesacker alle Gräber seiner Ahnherren standen und welches sie, wie er selbst, mit reichlichen Freiheiten und Gaben geehrt hatten. Schild und Helm lagen bereits auf dem Sarge, um mit in die Gruft versenkt zu werden, denn Herr Huldbrand von Ringstetten war als der Letzte seines Stammes verstorben; die Trauerleute begannen ihren schmerzvollen Zug, Klagelieder in das heiter-stille Himmelblau hinaufsingend, Heilmann schritt mit einem hohen Kruzifix voran, und die trostlose Bertalda folgte, auf ihren alten Vater gestützt. – Da nahm man plötzlich inmitten der schwarzen Klagefrauen in der Wittib Gefolge eine schneeweiße Gestalt wahr, tief verschleiert, und die ihre Hände inbrünstig jammernd emporwand. Die, neben welchen sie ging, kam ein heimliches Grauen an, sie wichen zurück oder seitwärts, durch ihre Bewegung die andern, neben die nun die weiße Fremde zu gehen kam, noch sorglicher erschrekkend, so daß schier darob eine Unordnung unter dem Trauergefolge zu entstehen begann. Es waren einige Kriegsleute so dreist, die Gestalt anzureden und aus dem Zuge fortweisen zu wollen, aber denen war sie wie unter den Händen fort und ward dennoch gleich wieder mit langsam feierlichem Schritte unter dem Leichengefolge mitziehend gesehen. Zuletzt kam sie während des beständigen Ausweichens der Dienerinnen bis dicht hinter Bertalda. Nun hielt sie sich höchst langsam in ihrem Gange, so daß die Wittib ihrer nicht gewahr ward und sie sehr demütig und sittig hinter dieser ungestört fortwandelte.

Das währte, bis man auf den Kirchhof kam und der Leichenzug einen Kreis um die offne Grabstätte schloß. Da sah Bertalda die ungebetene Begleiterin, und halb in Zorn, halb in Schreck auffahrend, gebot sie ihr, von der Ruhestätte des Ritters zu weichen. Die Verschleierte aber schüttelte sanft verneinend ihr Haupt und hob die Hände wie zu einer demütigen Bitte gegen Bertalda auf, davon diese sich sehr bewegt fand und mit Tränen daran denken mußte, wie ihr Undine auf der Donau das Korallenhalsband so freundlich hatte schenken wollen. Zudem winkte Pater Heilmann und gebot Stille, da man über dem Leichnam, dessen Hügel sich eben zu häufen begann, in stiller Andacht beten wolle. Bertalda schwieg und kniete, und alles kniete, und die Totengräber auch, als sie fertig geschaufelt hatten. Da man sich aber wieder erhob, war die weiße Fremde verschwunden; an der Stelle, wo sie gekniet hatte, quoll ein silberhelles Brünnlein aus dem Rasen, das rieselte und rieselte fort, bis es den Grabhügel des Ritters fast ganz umzogen hatte, dann rannte es fürder und ergoß sich in einen stillen Weiher, der zur Seite des Gottesackers lag. Noch in späten Zeiten sollen die Bewohner des Dorfes die Quelle gezeigt und fest die Meinung gehegt haben, dies sei die arme, verstoßene Undine, die auf diese Art noch immer mit freundlichen Armen ihren Liebling umfasse.

LUDWIG TIECK

Der blonde Eckbert

In einer Gegend des Harzes wohnte ein Ritter, den man gewöhnlich nur den blonden Eckbert nannte. Er war ohngefähr vierzig Jahre alt, kaum von mittler Größe, und kurze hellblonde Haare lagen schlicht und dicht an seinem blassen eingefallenen Gesichte. Er lebte sehr ruhig für sich und war niemals in den Fehden seiner Nachbarn verwickelt, auch sah man ihn nur selten außerhalb den Ringmauern seines kleinen Schlosses. Sein Weib liebte die Einsamkeit ebensosehr, und beide schienen sich von Herzen zu lieben, nur klagten sie gewöhnlich darüber, daß der Himmel ihre Ehe mit keinen Kindern segnen wolle.

Nur selten wurde Eckbert von Gästen besucht, und wenn es auch geschah, so wurde ihretwegen fast nichts in dem gewöhnlichen Gange des Lebens geändert, die Mäßigkeit wohnte dort, und die Sparsamkeit selbst schien alles anzuordnen. Eckbert war alsdann heiter und aufgeräumt, nur wenn er allein war, bemerkte man an ihm eine gewisse Verschlossenheit, eine stille, zurückhaltende Melancholie.

Niemand kam so häufig auf die Burg als Philipp Walter, ein Mann, dem sich Eckbert angeschlossen hatte, weil er an ihm ohngefähr dieselbe Art zu denken fand, der auch er am meisten zugetan war. Dieser wohnte eigentlich in Franken, hielt sich aber oft über ein halbes Jahr in der Nähe von Eckberts Burg auf, sammelte Kräuter und Steine und beschäftigte sich damit, sie in Ordnung zu bringen; er lebte von einem kleinen Vermögen und war von niemand abhängig. Eckbert begleitete ihn oft auf seinen einsamen Spaziergängen, und mit jedem Jahre entspann sich zwischen ihnen eine innigere Freundschaft.

Es gibt Stunden, in denen es den Menschen ängstigt, wenn er vor seinem Freunde ein Geheimnis haben soll, was er bis dahin oft mit vieler Sorgfalt verborgen hat; die Seele fühlt dann einen unwiderstehlichen Trieb, sich ganz mitzuteilen, dem Freunde auch das Innerste aufzuschließen, damit er um so mehr unser Freund werde. In diesen Augenblicken geben sich die zarten Seelen einander zu erkennen, und zuweilen geschieht es wohl auch, daß einer vor der Bekanntschaft des andern zurückschreckt.

Es war schon im Herbst, als Eckbert an einem neblichten Abend mit seinem Freunde und seinem Weibe Berta um das Feuer eines Kamines saß. Die Flamme warf einen hellen Schein durch das Gemach und spielte oben an der Decke, die Nacht sah schwarz zu den Fenstern herein, und die Bäume draußen schüttelten sich vor nasser Kälte. Walter klagte über den weiten Rückweg, den er habe, und Eckbert schlug ihm vor, bei ihm zu bleiben, die halbe Nacht unter traulichen Gesprächen hinzubringen und dann in einem Gemache des Hauses bis am Morgen zu schlafen. Walter ging den Vorschlag ein, und nun ward Wein und die Abendmahlzeit hereingebracht, das Feuer durch Holz vermehrt und das Gespräch der Freunde heitrer und vertraulicher.

Als das Abendessen abgetragen war und sich die Knechte wieder entfernt hatten, nahm Eckbert die Hand Walters und sagte: »Freund, Ihr solltet Euch einmal von meiner Frau die Geschichte ihrer Jugend erzählen lassen, die seltsam genug ist.« – »Gern«, sagte Walter, und man setzte sich wieder um den Kamin. Es war jetzt gerade Mitternacht, der Mond sah abwechselnd durch die vorüberflatternden Wolken.

»Ihr müßt mich nicht für zudringlich halten,« fing Berta an, »mein Mann sagt, daß Ihr so edel denkt, daß es unrecht sei, Euch etwas zu verhehlen. Nur haltet meine Erzählung für kein Märchen, so sonderbar sie auch klingen mag.

Ich bin in einem Dorfe geboren, mein Vater war ein armer Hirte. Die Haushaltung bei meinen Eltern war nicht zum besten bestellt, sie wußten sehr oft nicht, wo sie das Brot hernehmen sollten. Was mich aber noch weit mehr jammerte, war, daß mein Vater und meine Mutter sich oft über ihre Armut entzweiten und einer dem andern dann bittere Vorwürfe machte. Sonst hört ich beständig von mir, daß ich ein einfältiges, dummes Kind sei, das nicht das unbedeutendste Geschäft auszurichten wisse, und wirklich war ich äußerst ungeschickt und unbeholfen: ich ließ alles aus den Händen fallen, ich lernte weder nähen noch spinnen, ich konnte nichts in der Wirtschaft helfen, nur die Not meiner Eltern verstand ich außerordentlich gut. Oft saß ich dann im Winkel und füllte meine Vorstellungen damit an, wie ich ihnen helfen wollte, wenn ich plötzlich reich würde, wie ich sie mit Gold und Silber überschütten und mich an ihrem Erstaunen laben möchte; dann sah ich Geister heraufschweben, die mir unterirdische Schätze entdeckten oder mir kleine Kiesel gaben, die sich in Edelsteine verwandelten, kurz, die wunderbarsten Phantasien beschäftigten mich, und wenn ich nun aufstehn mußte, um irgend etwas zu helfen oder zu tragen, so zeigte ich mich noch viel ungeschickter, weil mir der Kopf von allen den seltsamen Vorstellungen schwindelte.

Mein Vater war immer sehr ergrimmt auf mich, daß ich eine so ganz unnütze Last des Hauswesens sei, er behandelte mich daher oft ziemlich grausam, und es war selten, daß ich ein freundliches Wort von ihm vernahm. So war ich ohngefähr acht Jahr alt geworden, und es wurden nun ernstliche Anstalten gemacht, daß ich etwas tun oder lernen sollte. Mein Vater glaubte, es wäre nur Eigensinn oder Trägheit von mir, um meine Tage in Müßiggang hinzubringen, genug, er setzte mir mit Drohungen unbeschreiblich zu; da diese aber doch nichts fruchteten, züchtigte er mich auf die grausamste Art, und fügte hinzu, daß diese Strafe mit jedem Tage wiederkehren sollte, weil ich doch nur ein unnützes Geschöpf sei.

Die ganze Nacht hindurch weint ich herzlich, ich fühlte mich so außerordentlich verlassen, ich hatte ein solches Mitleid mit mir selber, daß ich zu sterben wünschte. Ich fürchtete den Anbruch des Tages, ich wußte durchaus nicht, was ich anfangen sollte, ich wünschte mir alle mögliche Geschicklichkeit und konnte gar nicht begreifen, warum ich einfältiger sei als die übrigen Kinder meiner Bekanntschaft. Ich war der Verzweiflung nahe.

Als der Tag graute, stand ich auf und eröffnete, fast ohne daß ich es wußte, die Tür unsrer kleinen Hütte. Ich stand auf dem freien Felde, bald darauf war ich in einem Walde, in den der Tag fast noch nicht hineinblickte. Ich lief immerfort, ohne mich umzusehn, ich fühlte keine Müdigkeit, denn ich glaubte immer, mein Vater würde mich noch wieder einholen und, durch meine Flucht gereizt, mich noch grausamer behandeln.

Als ich aus dem Walde wieder heraustrat, stand die Sonne schon ziemlich hoch; ich sah jetzt etwas Dunkles vor mir liegen, welches ein dichter Nebel bedeckte. Bald mußte ich über Hügel klettern, bald durch einen zwischen Felsen gewundenen Weg gehn, und ich erriet nun, daß ich mich wohl in dem benachbarten Gebirge befinden müsse, worüber ich anfing, mich in der Einsamkeit zu fürchten. Denn ich hatte in der Ebene noch keine Berge gesehn, und das bloße Wort Gebirge, wenn ich davon hatte reden hören, war meinem kindischen Ohr ein fürchterlicher Ton gewesen. Ich hatte nicht das Herz zurückzugehn, meine Angst trieb mich vorwärts; oft sah ich mich erschrocken um, wenn der Wind über mir weg durch die Bäume fuhr oder ein ferner Holzschlag weit durch den stillen Morgen hintönte. Als mir Köhler und Bergleute endlich begegneten und ich eine fremde Aussprache hörte, wäre ich vor Entsetzen fast in Ohnmacht gesunken.

Ich kam durch mehrere Dörfer und bettelte, weil ich jetzt Hunger und Durst empfand; ich half mir so ziemlich mit meinen Antworten durch, wenn ich gefragt wurde. – So war ich ohngefähr vier Tage fortgewandert, als ich auf einen kleinen Fußsteig geriet, der mich von der großen Straße immer mehr entfernte. Die Felsen um mich her gewannen jetzt eine andre, weit selsamere Gestalt. Es waren Klippen, so aufeinander gepackt, daß es das Ansehn hatte, als wenn sie der erste Windstoß durcheinander werfen würde. Ich wußte nicht, ob ich weitergehen sollte. Ich hatte des Nachts immer im Walde geschlafen, denn es war gerade zur schönsten Jahreszeit, oder in abgelegenen Schäferhütten; hier traf ich aber gar keine menschliche Wohnung und konnte auch nicht vermuten, in dieser Wildnis auf eine zu stoßen; die Felsen wurden immer furchtbarer, ich mußte oft dicht an schwindlichten Abgründen vorbeigehn, und endlich hörte sogar der Weg unter meinen Füßen auf. Ich war ganz trostlos, ich weinte und schrie, und in den Felsentälern hallte meine Stimme auf eine schreckliche Art zurück. Nun brach die Nacht herein, und ich suchte mir eine Moosstelle aus, um dort zu ruhn. Ich konnte nicht schlafen; in der Nacht hörte ich die seltsamsten Töne: bald hielt ich es für wilde Tiere, bald für den Wind, der durch die Felsen klagte, bald für fremde Vögel. Ich betete und schlief nur spät gegen Morgen ein.

Ich erwachte, als mir der Tag ins Gesicht schien. Vor mir war ein steiler Felsen, ich kletterte in der Hoffnung hinauf, von dort den Ausgang aus der Wildnis zu entdecken und vielleicht Wohnungen oder Menschen gewahr zu werden. Als ich aber oben stand, war alles, soweit nur mein Auge reichte, ebenso wie um mich her; alles war mit einem neblichten Dufte überzogen, der Tag war grau und trübe, und keinen Baum, keine Wiese, selbst kein Gebüsch konnte mein Auge entdecken, einzelne Sträucher ausgenommen, die einsam und betrübt in engen Felsenritzen emporgeschossen waren. Es ist unbeschreiblich, welche Sehnsucht ich empfand, nur eines Menschen ansichtig zu werden, wäre es auch, daß ich mich vor ihm hätte fürchten müssen. Zugleich empfand ich einen peinigenden Hunger; ich setzte mich nieder und beschloß zu sterben. Aber nach einiger Zeit trug die Lust zu leben dennoch den Sieg davon, ich raffte mich auf und ging unter Tränen, unter abgebrochenen Seufzern den ganzen Tag hindurch; am Ende war ich mir meiner kaum noch bewußt, ich war müde und erschöpft, ich wünschte kaum noch zu leben und fürchtete doch den Tod.

Gegen Abend schien die Gegend umher etwas freundlicher zu werden, meine Gedanken, meine Wünsche lebten wieder auf, die Lust zum Leben erwachte in allen meinen Adern. Ich glaubte jetzt, das Gesause einer Mühle aus der Ferne zu hören, ich verdoppelte meine Schritte, und wie wohl, wie leicht ward mir, als ich endlich wirklich die Grenze der öden Felsen erreichte! Ich sah Wälder und Wiesen mit fernen angenehmen Bergen wieder vor mir liegen. Mir war, als wenn ich aus der Hölle in ein Paradies getreten wäre, die Einsamkeit und meine Hülflosigkeit schienen mir nun gar nicht fürchterlich.

Statt der gehofften Mühle stieß ich auf einen Wasserfall, der meine Freude freilich um vieles minderte; ich schöpfte mit der Hand einen Trunk aus dem Bache, als mir plötzlich war, als höre ich in einiger Entfernung ein leises Husten. Nie bin ich so angenehm überrascht worden als in diesem Augenblick; ich ging näher und ward an der Ecke des Waldes eine alte Frau gewahr, die auszuruhen schien. Sie war fast ganz schwarz gekleidet, und eine schwarze Kappe bedeckte ihren Kopf und einen großen Teil des Gesichtes, in der Hand hielt sie einen Krückenstock.

Ich näherte mich ihr und bat um ihre Hülfe; sie ließ mich neben sich niedersitzen und gab mir Brot und etwas Wein. Indem ich aß, sang sie mit kreischendem Ton ein geistliches Lied. Als sie geendet hatte, sagte sie mir, ich möchte ihr folgen.

Ich war über diesen Antrag sehr erfreut, so wunderlich mir auch die Stimme und das Wesen der Alten vorkam. Mit ihrem Krückenstocke ging sie ziemlich behende, und bei jedem Schritte verzog sie ihr Gesicht so, daß ich im Anfange darüber lachen mußte. Die wilden Felsen traten immer weiter hinter uns zurück, wir gingen über eine angenehme Wiese und dann durch einen ziemlich langen Wald. Als wir heraustraten, ging die Sonne gerade unter, und ich werde den Anblick und die Empfindung dieses Abends nie vergessen. In das sanfteste Rot und Gold war alles verschmolzen, die Bäume standen mit ihren Wipfeln in der Abendröte, und über den Feldern lag der entzückende Schein; die Wälder und die Blätter der Bäume standen still, der reine Himmel sah aus wie ein aufgeschlossenes Paradies, und das Rieseln der Quellen und von Zeit zu Zeit das Flüstern der Bäume tönte durch die heitre Stille wie in wehmütiger Freude. Meine junge Seele bekam jetzt zuerst eine Ahndung von der Welt und ihren Begebenheiten. Ich vergaß mich und meine Führerin, mein Geist und meine Augen schwärmten nur zwischen den goldnen Wolken.

Wir stiegen nun einen Hügel hinan, der mit Birken bepflanzt war, von oben sah man in ein grünes Tal voller Birken hinein, und unten mitten in den Bäumen lag eine kleine Hütte. Ein munteres Bellen kam uns entgegen, und bald sprang ein kleiner behender Hund die Alte an und wedelte, dann kam er zu mir, besah mich von allen Seiten und kehrte mit freundlichen Gebärden zur Alten zurück.

Als wir vom Hügel heruntergingen, hörte ich einen wunderbaren Gesang, der aus der Hütte zu kommen schien, wie von einem Vogel; es sang also:

Waldeinsamkeit,
Die mich erfreut,
So morgen wie heut
In ewger Zeit!
O wie mich freut
Waldeinsamkeit!

Diese wenigen Worte wurden beständig wiederholt; wenn ich es beschreiben soll, so war es fast, als wenn Waldhorn und Schalmeien ganz in der Ferne durcheinander spielen.

Meine Neugier war außerordentlich gespannt; ohne daß ich auf den Befehl der Alten wartete, trat ich mit in die Hütte. Die Dämmerung war schon eingebrochen, alles war ordentlich aufgeräumt, einige Becher standen auf einem Wandschranke, fremdartige Gefäße auf einem Tische, in einem glänzenden Käfig hing ein Vogel am Fenster, und er war es wirklich, der die Worte sang. – Die Alte keichte und hustete, sie schien sich gar nicht wieder erholen zu können, bald streichelte sie den kleinen Hund, bald sprach sie mit dem Vogel, der ihr nur mit seinem gewöhnlichen Liede Antwort gab; übrigens tat sie gar nicht, als wenn ich zugegen wäre. Indem ich sie so betrachtete, überlief mich mancher Schauer, denn ihr Gesicht war in einer ewigen Bewegung, indem sie dazu wie vor Alter mit dem Kopfe schüttelte, so daß ich durchaus nicht wissen konnte, wie ihr eigentliches Aussehn beschaffen war.

Als sie sich erholt hatte, zündete sie Licht an, deckte einen ganz kleinen Tisch und trug das Abendessen auf. Jetzt sah sie sich nach mir um und hieß mir, einen von den geflochtenen Rohrstühlen nehmen. So saß ich ihr nun dicht gegenüber, und das Licht stand zwischen uns. Sie faltete ihre knöchernen Hände und betete laut, indem sie ihre Gesichtsverzerrungen machte, so daß es mich beinahe wieder zum Lachen gebracht hätte; aber ich nahm mich sehr in acht, um sie nicht boshaft zu machen.

Nach dem Abendessen betete sie wieder, und dann wies sie mir in einer niedrigen und engen Kammer ein Bett an; sie schlief in der Stube. Ich blieb nicht lange munter, ich war halb betäubt, aber in der Nacht wachte ich einigemal auf, und dann hörte ich die Alte husten und mit dem Hunde sprechen und den Vogel dazwischen, der im Traum zu sein schien und immer nur einzelne Worte von seinem Liede sang. Das machte mit den Birken, die vor dem Fenster rauschten, und mit dem Gesang einer entfernten Nachtigall ein so wunderbares Gemisch, daß es mir immer nicht war, als sei ich erwacht, sondern als fiele ich nur in einen andern noch seltsamern Traum.

Am Morgen weckte mich die Alte und wies mich bald nachher zur Arbeit an. Ich mußte spinnen, und ich begriff es auch bald, dabei hatte ich noch für den Hund und für den Vogel zu sorgen. Ich lernte mich schnell in die Wirtschaft finden, und alle Gegenstände umher wurden mir bekannt; nun war mir, als müßte alles so sein: ich dachte gar nicht mehr daran, daß die Alte etwas Seltsames an sich habe, daß die Wohnung abenteuerlich und von allen Menschen entfernt liege und daß an dem Vogel etwas Außerordentliches sei. Seine Schönheit fiel mir zwar immer auf, denn seine Federn glänzten mit allen möglichen Farben: das schönste Hellblau und das brennendste Rot wechselten an seinem Halse und Leibe, und wenn er sang, blähte er sich stolz auf, so daß sich seine Federn noch prächtiger zeigten.

Oft ging die Alte aus und kam erst am Abend zurück, ich ging ihr dann mit dem Hunde entgegen, und sie nannte mich Kind und Tochter. Ich ward ihr endlich von Herzen gut, wie sich unser Sinn denn an alles, besonders in der Kindheit, gewöhnt. In den Abendstunden lehrte sie mich lesen, ich fand mich leicht in die Kunst, und es ward nachher in meiner Einsamkeit eine Quelle von unendlichem Vergnügen, denn sie hatte einige alte geschriebene Bücher, die wunderbare Geschichten enthielten.

Die Erinnerung an meine damalige Lebensart ist mir noch bis jetzt immer seltsam: von keinem menschlichen Geschöpfe besucht, nur in einem so kleinen Familienzirkel einheimisch, denn der Hund und der Vogel machten denselben Eindruck auf mich, den sonst nur längst gekannte Freunde hervorbringen. Ich habe mich immer nicht wieder auf den seltsamen Namen des Hundes besinnen können, sooft ich ihn auch damals nannte.

Vier Jahre hatte ich so mit der Alten gelebt, und ich mochte ohngefähr zwölf Jahre alt sein, als sie mir endlich mehr vertraute und mir ein Geheimnis entdeckte. Der Vogel legte nämlich an jedem Tage ein Ei, in dem sich eine Perl oder ein Edelstein befand. Ich hatte schon immer bemerkt, daß sie heimlich in dem Käfige wirtschaftete, mich aber nie genauer darum bekümmert. Sie trug mir jetzt das Geschäft auf, in ihrer Abwesenheit diese Eier zu nehmen und in den fremdartigen Gefäßen wohl zu verwahren. Sie ließ mir meine Nahrung zurück und blieb nun länger aus, Wochen, Monate; mein Rädchen schnurrte, der Hund bellte, der wunderbare Vogel sang, und dabei war alles so still in der Gegend umher, daß ich mich in der ganzen Zeit keines Sturmwindes, keines Gewitters erinnere. Kein Mensch verirrte sich dorthin, kein Wild kam unserer Behausung nahe, ich war zufrieden und arbeitete mich von einem Tage zum andern hinüber. – Der Mensch wäre vielleicht recht glücklich, wenn er so ungestört sein Leben bis ans Ende fortführen könnte.

Aus dem wenigen, was ich las, bildete ich mir ganz wunderliche Vorstellungen von der Welt und den Menschen; alles war von mir und meiner Gesellschaft hergenommen: wenn von lustigen Leuten die Rede war, konnte ich sie mir nicht anders vorstellen wie den kleinen Spitz, prächtige Damen sahen immer wie der Vogel aus, alle alten Frauen wie meine wunderliche Alte. – Ich hatte auch von Liebe etwas gelesen und spielte nun in meiner Phantasie seltsame Geschichten mit mir selber. Ich dachte mir den schönsten Ritter von der Welt, ich schmückte ihn mit allen Vortrefflichkeiten aus, ohne eigentlich zu wissen, wie er nun nach allen meinen Bemühungen aussah: aber ich konnte ein rechtes Mitleid mit mir selber haben, wenn er mich nicht wiederliebte; dann sagte ich lange rührende Reden in Gedanken her, zuweilen auch wohl laut, um ihn nur zu gewinnen. – Ihr lächelt! Wir sind jetzt freilich alle über diese Zeit der Jugend hinüber.

Es war mir jetzt lieber, wenn ich allein war, denn alsdann war ich selbst die Gebieterin im Hause. Der Hund liebte mich sehr und tat alles, was ich wollte, der Vogel antwortete mir mit seinem Liede auf alle meine Fragen, mein Rädchen drehte sich immer munter, und so fühlte ich im Grunde nie einen Wunsch nach Veränderung. Wenn die Alte von ihren langen Wanderungen zurückkam, lobte sie meine Aufmerksamkeit, sie sagte, daß ihre Haushaltung, seit ich dazu gehöre, weit ordentlicher geführt werde, sie freute sich über mein Wachstum und mein gesundes Aussehn, kurz, sie ging ganz mit mir wie mit einer Tochter um.

›Du bist brav, mein Kind!‹ sagte sie einst zu mir mit einem schnarrenden Tone; ›wenn du so fortfährst, wird es dir auch immer gut gehn: aber nie gedeiht es, wenn man von der rechten Bahn abweicht, die Strafe folgt nach, wenn auch noch so spät.‹ – Indem sie das sagte, achtete ich eben nicht sehr darauf, denn ich war in allen meinen Bewegungen und meinem ganzen Wesen sehr lebhaft; aber in der Nacht fiel es mir wieder ein, und ich konnte nicht begreifen, was sie damit hatte sagen wollen. Ich überlegte alle Worte genau, ich hatte wohl von Reichtümern gelesen, und am Ende fiel mir ein, daß ihre Perlen und Edelsteine wohl etwas Kostbares sein könnten. Dieser Gedanke wurde mir bald noch deutlicher. Aber was konnte sie mit der rechten Bahn meinen? Ganz konnte ich den Sinn ihrer Worte noch immer nicht fassen.

Ich war jetzt vierzehn Jahre alt, und es ist ein Unglück für den Menschen, daß er seinen Verstand nur darum bekömmt, um die Unschuld seiner Seele zu verlieren. Ich begriff nämlich wohl, daß es nur auf mich ankomme, in der Abwesenheit der Alten den Vogel und die Kleinodien zu nehmen und damit die Welt, von der ich gelesen hatte, aufzusuchen. Zugleich war es mir dann vielleicht möglich, den überaus schönen Ritter anzutreffen, der mir immer noch im Gedächtnisse lag.

Im Anfange war dieser Gedanke nichts weiter als jeder andre Gedanke, aber wenn ich so an meinem Rade saß, so kam er mir immer wider Willen zurück, und ich verlor mich so in ihm, daß ich mich schon herrlich geschmückt sah und Ritter und Prinzen um mich her. Wenn ich mich so vergessen hatte, konnte ich ordentlich betrübt werden, wenn ich wieder aufschaute und mich in der kleinen Wohnung antraf. Übrigens, wenn ich meine Geschäfte tat, bekümmerte sich die Alte nicht weiter um mein Wesen.

An einem Tage ging meine Wirtin wieder fort und sagte mir, daß sie diesmal länger als gewöhnlich ausbleiben werde, ich solle ja auf alles ordentlich achtgeben und mir die Zeit nicht lang werden lassen. Ich nahm mit einer gewissen Bangigkeit von ihr Abschied, denn es war mir, als würde ich sie nicht wiedersehn. Ich sah ihr lange nach und wußte selbst nicht, warum ich so beängstigt war; es war fast, als wenn mein Vorhaben schon vor mir stände, ohne mich dessen deutlich bewußt zu sein.

Nie hab ich des Hundes und des Vogels mit einer solchen Emsigkeit gepflegt, sie lagen mir näher am Herzen als sonst. Die Alte war schon einige Tage abwesend, als ich mit dem festen Vorsatze aufstand, mit dem Vogel die Hütte zu verlassen und die sogenannte Welt aufzusuchen. Es war mir enge und bedrängt zu Sinne, ich wünschte wieder da zu bleiben, und doch war mir der Gedanke widerwärtig; es war ein seltsamer Kampf in meiner Seele, wie ein Streiten von zwei widerspenstigen Geistern in mir. In einem Augenblick kam mir die ruhige Einsamkeit so schön vor, dann entzückte mich wieder die Vorstellung einer neuen Welt mit allen ihren wunderbaren Mannigfaltigkeiten.

Ich wußte nicht, was ich aus mir selber machen sollte, der Hund sprang mich unaufhörlich an, der Sonnenschein breitete sich munter über die Felder aus, die grünen Birken funkelten: ich hatte die Empfindung, als wenn ich etwas sehr Eiliges zu tun hätte, ich griff also den kleinen Hund, band ihn in der Stube fest und nahm dann den Käfig mit dem Vogel unter den Arm. Der Hund krümmte sich und winselte über diese ungewohnte Behandlung, er sah mich mit bittenden Augen an, aber ich fürchtete mich, ihn mit mir zu nehmen. Noch nahm ich eins von den Gefäßen, das mit Edelsteinen angefüllt war, und steckte es zu mir, die übrigen ließ ich stehn.

Der Vogel drehte den Kopf auf eine wunderliche Weise, als ich mit ihm zur Tür hinaustrat, der Hund strengte sich sehr an, mir nachzukommen, aber er mußte zurückbleiben.

Ich vermied den Weg nach den wilden Felsen und ging nach der entgegengesetzten Seite. Der Hund bellte und winselte immerfort, und es rührte mich recht inniglich; der Vogel wollte einigemal zu singen anfangen, aber da er getragen ward, mußte es ihm wohl unbequem fallen.

So wie ich weiter ging, hörte ich das Bellen immer schwächer, und endlich hörte es ganz auf. Ich weinte und wäre beinahe wieder umgekehrt, aber die Sucht, etwas Neues zu sehn, trieb mich vorwärts.

Schon war ich über Berge und durch einige Wälder gekommen, als es Abend ward und ich in einem Dorfe einkehren mußte. Ich war sehr blöde, als ich in die Schenke trat; man wies mir eine Stube und ein Bett an, ich schlief ziemlich ruhig, nur daß ich von der Alten träumte, die mir drohte.

Meine Reise war ziemlich einförmig, aber je weiter ich ging, je mehr ängstigte mich die Vorstellung von der Alten und dem kleinen Hunde; ich dachte daran, daß er wahrscheinlich ohne meine Hülfe verhungern müsse, im Walde glaubt ich oft, die Alte würde mir plötzlich entgegentreten. So legte ich unter Tränen und Seufzern den Weg zurück; sooft ich ruhte und den Käfig auf den Boden stellte, sang der Vogel sein wunderliches Lied, und ich erinnerte mich dabei recht lebhaft des schönen verlassenen Aufenthalts. Wie die menschliche Natur vergeßlich ist, so glaubt ich jetzt, meine vormalige Reise in der Kindheit sei nicht so trübselig gewesen als meine jetzige; ich wünschte wieder in derselben Lage zu sein.

Ich hatte einige Edelsteine verkauft und kam nun nach einer Wanderschaft von vielen Tagen in einem Dorfe an. Schon beim Eintritt ward mir wundersam zumute, ich erschrak und wußte nicht worüber; aber bald erkannt ich mich, denn es war dasselbe Dorf, in welchem ich geboren war. Wie ward ich überrascht! wie liefen mir vor Freuden, wegen tausend seltsamer Erinnerungen, die Tränen von den Wangen! Vieles war verändert: es waren neue Häuser entstanden, andre, die man damals erst errichtet hatte, waren jetzt verfallen, ich traf auf Brandstellen; alles war weit kleiner, gedrängter, als ich erwartet hatte. Unendlich freute ich mich darauf, meine Eltern nun nach so manchen Jahren wiederzusehn; ich fand das kleine Haus, die wohlbekannte Schwelle, der Griff der Tür war noch ganz so wie damals, es war mir, als hätte ich sie nur gestern angelehnt; mein Herz klopfte ungestüm, ich öffnete sie hastig, – aber ganz fremde Gesichter saßen in der Stube umher und stierten mich an. Ich fragte nach dem Schäfer Martin, und man sagte mir, er sei schon seit drei Jahren mit seiner Frau gestorben. – Ich trat schnell zurück und ging laut weinend aus dem Dorfe hinaus.

Ich hatte es mir so schön gedacht, sie mit meinem Reichtume zu überraschen; durch den seltsamsten Zufall war das nun wirklich geworden, was ich in der Kindheit immer nur träumte, – und jetzt war alles umsonst, sie konnten sich nicht mit mir freuen, und das, worauf ich am meisten immer im Leben gehofft hatte, war für mich auf ewig verloren.

In einer angenehmen Stadt mietete ich mir ein kleines Haus mit einem Garten und nahm eine Aufwärterin zu mir. So wunderbar, als ich es vermutet hatte, kam mir die Welt nicht vor, aber ich vergaß die Alte und meinen ehemaligen Aufenthalt etwas mehr, und so lebt ich im ganzen recht zufrieden.

Der Vogel hatte schon lange nicht mehr gesungen, ich erschrak daher nicht wenig, als er in einer Nacht plötzlich wieder anfing, und zwar mit einem veränderten Liede. Er sang:

Waldeinsamkeit,
Wie liegst du weit!
O dich gereut
Einst mit der Zeit. –

Ach, einzge Freud,
Waldeinsamkeit!

Ich konnte die Nacht hindurch nicht schlafen, alles fiel mir von neuem in die Gedanken, und mehr als jemals fühlt ich, daß ich Unrecht getan hatte. Als ich aufstand, war mir der Anblick des Vogels ordentlich zuwider, er sah immer nach mir hin, und seine Gegenwart ängstigte mich. Er hörte nun mit seinem Liede gar nicht wieder auf, und er sang es lauter und schallender, als er es sonst gewohnt gewesen war. Je mehr ich ihn betrachtete, je bänger machte er mich; ich öffnete endlich den Käfig, steckte die Hand hinein und faßte seinen Hals, herzhaft drückte ich die Finger zusammen, er sah mich bittend an, ich ließ los, aber er war schon gestorben. – Ich begrub ihn im Garten.

Jetzt wandelte mich oft eine Furcht vor meiner Aufwärterin an, ich dachte an mich selbst zurück und glaubte, daß sie mich auch einst berauben oder wohl gar ermorden könne. – Schon lange kannt ich einen jungen Ritter, der mir überaus gefiel, ich gab ihm meine Hand, – und hiermit, Herr Walter, ist meine Geschichte geendigt.«

»Ihr hättet sie damals sehn sollen,« fiel Eckbert hastig ein, »ihre Jugend, ihre Schönheit, und welch einen unbeschreiblichen Reiz ihr ihre einsame Erziehung gegeben hatte! Sie kam mir vor wie ein Wunder, und ich liebte sie ganz unbeschreiblich. Ich hatte kein Vermögen, aber durch ihre Liebe kam ich in diesen Wohlstand, wir zogen hieher, und unsere Verbindung hat uns bis jetzt noch keinen Augenblick gereut.«

»Aber über unser Schwatzen«, fing Berta wieder an, »ist es schon tief in die Nacht geworden – wir wollen uns schlafen legen!«

Sie stand auf und ging nach ihrer Kammer, Walter wünschte ihr mit einem Handkusse eine gute Nacht und sagte: »Edle Frau, ich danke Euch; ich kann mir Euch recht vorstellen, mit dem seltsamen Vogel, und wie Ihr den kleinen *Stromian* füttert.«

Auch Walter legte sich schlafen, nur Eckbert ging noch unruhig im Saale auf und ab. – »Ist der Mensch nicht ein Tor?« fing er endlich an; »ich bin erst die Veranlassung, daß meine Frau ihre Geschichte erzählt, und jetzt gereut mich diese Vertraulichkeit! – Wird er sie nicht mißbrauchen? Wird er sie nicht andern mitteilen? Wird er nicht vielleicht, denn das ist die Natur des Menschen, eine unselige Habsucht nach unsern Edelgesteinen empfinden und deswegen Plane anlegen und sich verstellen?«

Es fiel ihm ein, daß Walter nicht so herzlich von ihm Abschied genommen hatte, als es nach einer solchen Vertraulichkeit wohl natürlich gewesen wäre. Wenn die Seele erst einmal zum Argwohn gespannt ist, so trifft sie auch in allen Kleinigkeiten Bestätigungen an. Dann warf sich Eckbert wieder sein unedles Mißtrauen gegen seinen wackern Freund vor und konnte doch nicht davon zurückkehren. Er schlug sich die ganze Nacht mit diesen Vorstellungen herum und schlief nur wenig.

Berta war krank und konnte nicht zum Frühstück erscheinen, Walter schien sich nicht viel darum zu kümmern und verließ auch den Ritter ziemlich gleichgültig. Eckbert konnte sein Betragen nicht begreifen, er besuchte seine Gattin, sie lag in einer Fieberhitze und sagte, die Erzählung in der Nacht müsse sie auf diese Art gespannt haben.

Seit diesem Abend besuchte Walter nur selten die Burg seines Freundes, und wenn er auch kam, ging er nach einigen unbedeutenden Worten wieder weg. Eckbert ward durch dieses Betragen im äußersten Grade gepeinigt; er ließ sich zwar gegen Berta und Walter nichts davon merken, aber jeder mußte doch seine innerliche Unruhe an ihm gewahr werden.

Mit Bertas Krankheit ward es immer bedenklicher; der Arzt ward ängstlich: die Röte von ihren Wangen war verschwunden, und ihre Augen wurden immer glühender. – An einem

Morgen ließ sie ihren Mann an ihr Bette rufen, die Mägde mußten sich entfernen.

»Lieber Mann,« fing sie an, »ich muß dir etwas entdecken, das mich fast um meinen Verstand gebracht hat, das meine Gesundheit zerrüttet, so eine unbedeutende Kleinigkeit es auch an sich scheinen möchte. – Du weißt, daß ich mich immer nicht, sooft ich von meiner Kindheit sprach, trotz aller angewandten Mühe auf den Namen des kleinen Hundes besinnen konnte, mit welchem ich so lange umging. – An jenem Abend sagte Walter beim Abschiede plötzlich zu mir: ›Ich kann mir Euch recht vorstellen, wie Ihr den kleinen *Strohmian* füttert.‹ – Ist das Zufall? Hat er den Namen erraten, weiß er ihn und hat er ihn mit Vorsatz genannt? Und wie hängt dieser Mensch dann mit meinem Schicksale zusammen? – Zuweilen kämpfe ich mit mir, als ob ich mir diese Seltsamkeit nur einbilde, aber es ist gewiß, nur zu gewiß! – Ein gewaltiges Entsetzen befiel mich, als mir ein fremder Mensch so zu meinen Erinnerungen half. – Was sagst du, Eckbert?«

Eckbert sah seine leidende Gattin mit einem tiefen Gefühle an, er schwieg und dachte bei sich nach, dann sagte er ihr einige tröstende Worte und verließ sie. – In einem abgelegenen Gemache ging er in unbeschreiblicher Unruhe auf und ab. Walter war seit vielen Jahren sein einziger Umgang gewesen, und doch war dieser Mensch jetzt der einzige in der Welt, dessen Dasein ihn drückte und peinigte. Es schien ihm, als würde ihm froh und leicht sein, wenn nur dieses einzige Wesen aus seinem Wege gerückt werden könnte. – Er nahm seine Armbrust, um sich zu zerstreuen und auf die Jagd zu gehn.

Es war ein rauher, stürmischer Wintertag, tiefer Schnee lag auf den Bergen und bog die Zweige der Bäume nieder. Er streifte umher, der Schweiß stand ihm auf der Stirne, er traf auf kein Wild, und das vermehrte seinen Unmut. Plötzlich sah er sich etwas in der Ferne bewegen, es war Walter, der

Moos von den Bäumen sammelte; ohne zu wissen, was er tat, legte er an, Walter sah sich um und drohte mit einer stummen Gebärde, aber indem flog der Bolzen ab, und Walter stürzte nieder.

Eckbert fühlte sich leicht und beruhigt, und doch trieb ihn ein Schauder nach seiner Burg zurück; er hatte einen großen Weg zu machen, denn er war weit hinein in die Wälder verirrt.– Als er ankam, war Berta schon gestorben; sie hatte vor ihrem Tode noch viel von Walter und der Alten gesprochen.

Eckbert lebte nun eine lange Zeit in der größten Einsamkeit; er war schon sonst immer schwermütig gewesen, weil ihn die seltsame Geschichte seiner Gattin beunruhigte und er irgendeinen unglücklichen Vorfall, der sich ereignen könnte, befürchtete: aber jetzt war er ganz mit sich zerfallen. Die Ermordung seines Freundes stand ihm unaufhörlich vor Augen, er lebte unter ewigen innern Vorwürfen.

Um sich zu zerstreuen, begab er sich zuweilen nach der nächsten großen Stadt, wo er Gesellschaften und Feste besuchte. Er wünschte durch irgendeinen Freund die Leere in seiner Seele auszufüllen, und wenn er dann wieder an Walter zurückdachte, so erschrak er vor dem Gedanken, einen Freund zu finden, denn er war überzeugt, daß er nur unglücklich mit jedwedem Freunde sein könne. Er hatte so lange mit Berta in einer schönen Ruhe gelebt, die Freundschaft Walters hatte ihn so manches Jahr hindurch beglückt, und jetzt waren beide so plötzlich dahingerafft, daß ihm sein Leben in manchen Augenblicken mehr wie ein seltsames Märchen als wie ein wirklicher Lebenslauf erschien.

Ein junger Ritter, *Hugo*, schloß sich an den stillen, betrübten Eckbert und schien eine wahrhafte Zuneigung gegen ihn zu empfinden. Eckbert fand sich auf eine wunderbare Art überrascht, er kam der Freundschaft des Ritters um so schneller entgegen, je weniger er sie vermutet hatte. Beide waren nun häufig beisammen, der Fremde erzeigte Eckbert alle möglichen Gefälligkeiten, einer ritt fast nicht mehr ohne den andern aus, in allen Gesellschaften trafen sie sich, kurz, sie schienen unzertrennlich.

Eckbert war immer nur auf kurze Augenblicke froh, denn er fühlte es deutlich, daß ihn Hugo nur aus einem Irrtume liebe; jener kannte ihn nicht, wußte seine Geschichte nicht, und er fühlte wieder denselben Drang, sich ihm ganz mitzuteilen, damit er versichert sein könne, ob jener auch wahrhaft sein Freund sei. Dann hielten ihn wieder Bedenklichkeiten und die Furcht, verabscheut zu werden, zurück. In manchen Stunden war er so sehr von seiner Nichtswürdigkeit überzeugt, daß er glaubte, kein Mensch könnte ihn seiner Achtung würdigen, für den er nicht ein völliger Fremdling sei. Aber dennoch konnte er sich nicht widerstehn; auf einem einsamen Spazierritte entdeckte er seinem Freunde seine ganze Geschichte und fragte ihn dann, ob er wohl einen Mörder lieben könne. Hugo war gerührt und suchte ihn zu trösten, Eckbert folgte ihm mit leichterm Herzen zur Stadt.

Es schien aber seine Verdammnis zu sein, gerade in der Stunde des Vertrauens Argwohn zu schöpfen, denn kaum waren sie in den Saal getreten, als ihm beim Schein der vielen Lichter die Mienen seines Freundes nicht gefielen. Er glaubte ein hämisches Lächeln zu bemerken, es fiel ihm auf, daß er nur wenig mit ihm spreche, daß er mit den Anwesenden viel rede und seiner gar nicht zu achten scheine. Ein alter Ritter war in der Gesellschaft, der sich immer als den Gegner Eckberts gezeigt und sich oft nach seinem Reichtum und seiner Frau auf eine eigne Weise erkundigt hatte; zu diesem gesellte sich Hugo, und beide sprachen eine Zeit lang heimlich, indem sie nach Eckbert hindeuteten. Dieser sah jetzt seinen Argwohn bestätigt, er glaubte sich verraten, und eine schreckliche Wut bemeisterte sich seiner. Indem er noch immer hinstarrte, sah er plötzlich Walters Gesicht, alle seine Mienen, die ganze, ihm so wohlbekannte Gestalt; er sah noch immer hin und ward überzeugt, daß niemand als *Walter* mit dem Alten spreche. – Sein Entsetzen war unbeschreiblich, außer sich stürzte er hinaus, verließ noch in der Nacht die Stadt und kehrte nach vielen Irrwegen auf seine Burg zurück.

Wie ein unruhiger Geist eilte er jetzt von Gemach zu Gemach, kein Gedanke hielt ihm stand, er verfiel von entsetzlichen Vorstellungen auf noch entsetzlichere, und kein Schlaf kam in seine Augen. Oft dachte er, daß er wahnsinnig sei und sich nur selber durch seine Einbildung alles erschaffe; dann erinnerte er sich wieder der Züge Walters, und alles ward ihm immer mehr ein Rätsel. Er beschloß, eine Reise zu machen, um seine Vorstellungen wieder zu ordnen; den Gedanken an Freundschaft, den Wunsch nach Umgang hatte er nun auf ewig aufgegeben.

Er zog fort, ohne sich einen bestimmten Weg vorzusetzen, ja, er betrachtete die Gegenden nur wenig, die vor ihm lagen. Als er im stärksten Trabe seines Pferdes einige Tage so fortgeeilt war, sah er sich plötzlich in einem Gewinde von Felsen verirrt, in denen sich nirgend ein Ausweg entdecken ließ. Endlich traf er auf einen alten Bauer, der ihm einen Pfad, einem Wasserfall vorüber, zeigte: er wollte ihm zur Danksagung einige Münzen geben, der Bauer aber schlug sie aus. – ›Was gilts?‹ sagte Eckbert zu sich selber, ›ich könnte mir wieder einbilden, daß dies niemand anders als Walter sei‹, – und indem sah er sich noch einmal um, und es war niemand anders als Walter! – Eckbert sporte sein Roß, so schnell es nur laufen konnte, durch Wiesen und Wälder, bis es erschöpft unter ihm zusammenstürzte. – Unbekümmert darüber setzte er nun seine Reise zu Fuß fort.

Er stieg träumend einen Hügel hinan; es war, als wenn er ein nahes munteres Bellen vernahm, Birken säuselten dazwischen, und er hörte mit wunderlichen Tönen ein Lied singen:

Waldeinsamkeit
Mich wieder freut,
Mir geschieht kein Leid,
Hier wohnt kein Neid;

Von neuem mich freut
Waldeinsamkeit.

Jetzt war es um das Bewußtsein, um die Sinne Eckberts geschehn; er konnte sich nicht aus dem Rätsel herausfinden, ob er jetzt träume oder ehemals von einem Weibe Berta geträumt habe; das Wunderbarste vermischte sich mit dem Gewöhnlichsten, die Welt um ihn her war verzaubert und er keines Gedankens, keiner Erinnerung mächtig.

Eine krummgebückte Alte schlich hustend mit einer Krücke den Hügel heran. – »Bringst du mir meinen Vogel? meine Perlen? meinen Hund?« schrie sie ihm entgegen. »Siehe, das Unrecht bestraft sich selbst: niemand als ich war dein Freund Walter, dein Hugo!«

»Gott im Himmel!« sagte Eckbert stille vor sich hin, »in welcher entsetzlichen Einsamkeit hab ich dann mein Leben hingebracht!«

»Und Berta war deine Schwester.«

Eckbert fiel zu Boden.

»Warum verließ sie mich tückisch? Sonst hätte sich alles gut und schön geendet, ihre Probezeit war ja schon vorüber. Sie war die Tochter eines Ritters, die er bei einem Hirten erziehen ließ, die Tochter deines Vaters.«

»Warum hab ich diesen schrecklichen Gedanken immer geahndet?« rief Eckbert aus.

»Weil du in früher Jugend deinen Vater einst davon erzählen hörtest. Er durfte seiner Frau wegen diese Tochter nicht bei sich erziehen lassen, denn sie war von einem andern Weibe!«

Eckbert lag wahnsinnig und verscheidend auf dem Boden; dumpf und verworren hörte er die Alte sprechen, den Hund bellen und den Vogel sein Lied wiederholen.

CLEMENS BRENTANO

Geschichte vom braven Kasperl und dem schönen Annerl

Es war Sommersfrühe. Die Nachtigallen sangen erst seit einigen Tagen durch die Straßen und verstummten heut in einer kühlen Nacht, welche von fernen Gewittern zu uns herwehte. Der Nachtwächter rief die elfte Stunde an. Da sah ich, nach Hause gehend, vor der Tür eines großen Gebäudes einen Trupp von allerlei Gesellen, die vom Biere kamen, um jemand, der auf den Türstufen saß, versammelt. Ihr Anteil schien mir so lebhaft, da ich irgendein Unglück besorgte und mich näherte.

Eine alte Bäuerin saß auf der Treppe, und so lebhaft die Gesellen sich um sie bekümmerten, so wenig ließ sie sich von den neugierigen Fragen und gutmütigen Vorschlägen derselben stören. Es hatte etwas sehr Befremdendes, ja schier Großes, wie die gute, alte Frau so sehr wußte, was sie wollte, daß sie, als sei sie ganz allein in ihrem Kämmerlein, mitten unter den Leuten es sich unter freiem Himmel zur Nachtruhe bequem machte. Sie nahm ihre Schürze als ein Mäntelchen um, zog ihren großen, schwarzen, wachsleinenen Hut tiefer in die Augen, legte sich ihr Bündel unter den Kopf zurecht und gab auf keine Frage Antwort.

»Was fehlt dieser alten Frau?« fragte ich einen der Anwesenden. Da kamen Antworten von allen Seiten: »Sie kömmt sechs Meilen Weges vom Lande, sie kann nicht weiter, sie weiß nicht Bescheid in der Stadt, sie hat Befreundete am andern Ende der Stadt und kann nicht hinfinden.« – »Ich wollte sie führen,« sagte einer, »aber es ist ein weiter Weg, und ich habe meinen Hausschlüssel nicht bei mir. Auch würde sie das Haus nicht kennen, wo sie hinwill.« – »Aber hier kann die Frau nicht liegen bleiben,« sagte ein Neuhinzugetretener. »Sie will aber platterdings«, antwortete der erste. »Ich habe es ihr längst gesagt, ich wolle sie nach Haus bringen, doch sie redet ganz verwirrt, ja sie muß wohl betrunken sein.« – »Ich glaube, sie ist blödsinnig. Aber hier kann sie doch in keinem Falle bleiben,« wiederholte jener, »die Nacht ist kühl und lang.« Während allem diesem Gerede war die Alte, grade als ob sie taub und blind sei, ganz ungestört mit ihrer Zubereitung fertig geworden, und da der letzte abermals sagte: »Hier kann sie doch nicht bleiben«, erwiderte sie mit einer wunderlich tiefen und ernsten Stimme:

»Warum soll ich nicht hierbleiben? Ist dies nicht ein herzogliches Haus? Ich bin achtundachtzig Jahre alt, und der Herzog wird mich gewiß nicht von seiner Schwelle treiben. Drei Söhne sind in seinem Dienst gestorben, und mein einziger Enkel hat seinen Abschied genommen; Gott verzeiht es ihm gewiß, und ich will nicht sterben, bis er in seinem ehrlichen Grabe liegt.«

»Achtundachtzig Jahre und sechs Meilen gelaufen!« sagten die Umstehenden. »Sie ist müd und kindisch, in solchem Alter wird der Mensch schwach.«

»Mutter, Sie kann aber den Schnupfen kriegen und sehr krank werden hier, und Langeweile wird Sie auch haben«, sprach nun einer der Gesellen und beugte sich näher zu ihr.

Da sprach die Alte wieder mit ihrer tiefen Stimme, halb bittend, halb befehlend:

»O laßt mir meine Ruhe und seid nicht unvernünftig; ich brauch keinen Schnupfen, ich brauche keine Langeweile; es ist ja schon spät an der Zeit, achtundachtzig bin ich alt, der Morgen wird bald anbrechen, da geh ich zu meinen Befreundeten. Wenn ein Mensch fromm ist und hat Schicksale und kann beten, so kann er die paar armen Stunden auch noch wohl hinbringen.«

Die Leute hatten sich nach und nach verloren, und die letzten, welche noch dastanden, eilten auch hinweg, weil der Nachtwächter durch die Straße kam und sie sich von ihm ihre Wohnungen wollten öffnen lassen. So war ich allein noch gegenwärtig. Die Straße ward ruhiger. Ich wandelte nachdenkend unter den Bäumen des vor mir liegenden freien Platzes auf und nieder; das Wesen der Bäuerin, ihr bestimmter, ernster Ton, ihre Sicherheit im Leben, das sie achtundachtzigmal mit seinen Jahreszeiten hatte zurückkehren sehen und das ihr nur wie ein Vorsaal im Bethause erschien, hatten mich mannigfach erschüttert. »Was sind alle Leiden, alle Begierden meiner Brust? Die Sterne gehen ewig unbekümmert ihren Weg, wozu suche ich Erquickung und Labung, und von wem suche ich sie und für wen? Alles, was ich hier suche und liebe und erringe, wird es mich je dahin bringen, so ruhig wie diese gute, fromme Seele die Nacht auf der Schwelle des Hauses zubringen zu können, bis der Morgen erscheint, und werde ich dann den Freund finden wie sie? Ach, ich werde die Stadt gar nicht erreichen, ich werde wegemüde schon in dem Sande vor dem Tore umsinken und vielleicht gar in die Hände der Räuber fallen.« So sprach ich zu mir selbst, und als ich durch den Lindengang mich der Alten wieder näherte, hörte ich sie halblaut mit gesenktem Kopfe vor sich hin beten. Ich war wunderbar gerührt und trat zu ihr hin und sprach: »Mit Gott, fromme Mutter, bete Sie auch ein wenig für mich!« – bei welchen Worten ich ihr einen Taler in die Schürze warf.

Die Alte sagte hierauf ganz ruhig: »Hab tausend Dank, mein lieber Herr, daß du mein Gebet erhört.«

Ich glaubte, sie spreche mit mir, und sagte: »Mutter, habt Ihr mich denn um etwas gebeten? Ich wüßte nicht.«

Da fuhr die Alte überrascht auf und sprach: »Lieber Herr, gehe Er doch nach Haus und bete Er fein und lege Er sich schlafen! Was zieht Er so spät noch auf der Gasse herum? Das ist jungen Gesellen gar nichts nütze, denn der Feind geht um und suchet, wo er sich einen erfange. Es ist mancher durch solch Nachtlaufen verdorben. Wen sucht Er? Den Herrn? Der ist in des Menschen Herz, so er züchtiglich lebt, und nicht auf der Gasse! Sucht Er aber den Feind, so hat Er ihn schon; gehe Er hübsch nach Haus und bete Er, daß Er ihn los werde! Gute Nacht!«

Nach diesen Worten wendete sie sich ganz ruhig nach der andern Seite und steckte den Taler in ihren Reisesack. Alles, was die Alte tat, machte einen eigentümlichen ernsten Eindruck auf mich, und ich sprach zu ihr: »Liebe Mutter, Ihr habt wohl recht, aber Ihr selbst seid es, was mich hier hält. Ich hörte Euch beten und wollte Euch ansprechen, meiner dabei zu gedenken.«

»Das ist schon geschehen«, sagte sie. »Als ich Ihn so durch den Lindengang wandeln sah, bat ich Gott, er möge Euch gute Gedanken geben. Nun habe Er sie und gehe Er fein schlafen!«

Ich aber setzte mich zu ihr nieder auf die Treppe und ergriff ihre dürre Hand und sagte: »Lasset mich hier bei Euch sitzen die Nacht hindurch, und erzählet mir, woher Ihr seid und was Ihr hier in der Stadt sucht; Ihr habt hier keine Hülfe, in Eurem Alter ist man Gott näher als den Menschen; die Welt hat sich verändert, seit Ihr jung wart.«

»Daß ich nicht wüßte,« erwiderte die Alte, »ich habs mein Lebetag ganz einerlei gefunden. Er ist noch zu jung, da verwundert man sich über alles: mir ist alles schon so oft wieder vorgekommen, daß ich es nur noch mit Freuden ansehe, weil es Gott so treulich damit meinet. Aber man soll keinen guten Willen von sich weisen, wenn er einem auch grade nicht not tut, sonst möchte der liebe Freund ausbleiben, wenn er ein ander Mal gar willkommen wäre; bleibe Er drum immer sitzen und sehe Er, was Er mir helfen kann. Ich will Ihm erzählen, was mich in die Stadt den weiten Weg hertreibt. Ich hätt es nicht gedacht, wieder hierher zu kommen. Es sind siebenzig Jahre, daß ich hier in dem Hause als Magd gedient habe, auf dessen Schwelle ich sitze, seitdem war ich nicht mehr in der Stadt; was die Zeit herumgeht! Es ist, als wenn man eine Hand umwendet. Wie oft habe ich hier am Abend gesessen vor siebenzig Jahren und habe auf meinen Schatz gewartet, der bei der Garde stand! Hier haben wir uns auch versprochen. Wenn er hier – aber still, da kömmt die Runde vorbei.«

Da hob sie an, mit gemäßigter Stimme, wie etwa junge Mägde und Diener in schönen Mondnächten, vor der Tür zu singen, und ich hörte mit innigem Vergnügen folgendes schöne, alte Lied von ihr:

Wann der Jüngste Tag wird werden,
Dann fallen die Sternelein auf die Erden.
Ihr Toten, ihr Toten sollt auferstehn,
Ihr sollt vor das Jüngste Gerichte gehn;
Ihr sollt treten auf die Spitzen,
Da die lieben Engelein sitzen.
Da kam der liebe Gott gezogen
Mit einem schönen Regenbogen.
Da kamen die falschen Juden gegangen,
Die führten einst unsern Herrn Christum gefangen.
Die hohen Bäum erleuchten sehr,
Die harten Stein zerknirschten sehr.
Wer dies Gebetlein beten kann,
Der bets des Tages nur einmal,
Die Seele wird vor Gott bestehn,
Wann wir werden zum Himmel eingehn!
Amen.

Als die Runde uns näher kam, wurde die gute Alte gerührt. »Ach,« sagte sie, »es ist heute der sechzehnte Mai, es ist doch alles einerlei, grade wie damals, nur haben sie andere Mützen auf und keine Zöpfe mehr. Tut nichts, wenns Herz nur gut ist!«

Der Offizier der Runde blieb bei uns stehen und wollte eben

fragen, was wir hier so spät zu schaffen hätten, als ich den Fähndrich Graf Grossinger, einen Bekannten, in ihm erkannte. Ich sagte ihm kurz den ganzen Handel, und er sagte mit einer Art von Erschütterung: »Hier haben Sie einen Taler für die Alte und eine Rose,« – die er in der Hand trug – »so alte Bauersleute haben Freude an Blumen. Bitten Sie die Alte, Ihnen morgen das Lied in die Feder zu sagen, und bringen Sie mir es. Ich habe lange nach dem Lied getrachtet, aber es nie ganz habhaft werden können.« Hiermit schieden wir, denn der Posten der nahgelegenen Hauptwache, bis zu welcher ich ihn über den Platz begleitet hatte, rief: »Wer da?« Er sagte mir noch, daß er die Wache am Schlosse habe, ich solle ihn dort besuchen. Ich ging zu der Alten zurück und gab ihr die Rose und den Taler.

Die Rose ergriff sie mit einer rührenden Heftigkeit und befestigte sie sich auf ihren Hut, indem sie mit einer etwas feineren Stimme und fast weinend die Worte sprach:

Rosen, die Blumen, auf meinem Hut,
Hätt ich viel Geld, das wäre gut,
Rosen und mein Liebchen.

Ich sagte zu ihr: »Ei, Mütterchen, Ihr seid ja ganz munter geworden«, und sie erwiderte:

»Munter, munter,
Immer bunter,
Immer runder.
Oben stund er,
Nun bergunter,
's ist kein Wunder!

Schau Er, lieber Mensch, ist es nicht gut, daß ich hier sitzen geblieben? Es ist alles einerlei, glaub Er mir. Heut sind es siebenzig Jahre, da saß ich hier vor der Türe, ich war eine flinke Magd und sang gern alle Lieder. Da sang ich auch das Lied vom Jüngsten Gericht wie heute, da die Runde vorbeiging, und da warf mir ein Grenadier im Vorübergehn eine Rose in den Schoß – die Blätter hab ich noch in meiner Bibel liegen –: das war meine erste Bekanntschaft mit meinem seligen Mann. Am andern Morgen hatte ich die Rose vorgesteckt in der Kirche, und da fand er mich, und es ward bald richtig. Drum hat es mich gar sehr gefreut, daß mir heut wieder eine Rose ward. Es ist ein Zeichen, daß ich zu ihm kommen soll, und darauf freu ich mich herzlich. Vier Söhne und eine Tochter sind mir gestorben, vorgestern hat mein Enkel seinen Abschied genommen – Gott helfe ihm und erbarme sich seiner! – und morgen verläßt mich eine andre gute Seele. Aber was sag ich: morgen? ist es nicht schon Mitternacht vorbei?«

»Es ist zwölfe vorüber«, erwiderte ich, verwundert über ihre Rede.

»Gott gebe ihr Trost und Ruhe die vier Stündlein, die sie noch hat!« sagte die Alte und ward still, indem sie die Hände faltete. Ich konnte nicht sprechen, so erschütterten mich ihre Worte und ihr ganzes Wesen. Da sie aber ganz stille blieb und der Taler des Offiziers noch in ihrer Schürze lag, sagte ich zu ihr: »Mutter, steckt den Taler zu Euch, Ihr könntet ihn verlieren.«

»Den wollen wir nicht weglegen, den wollen wir meiner Befreundeten schenken in ihrer letzten Not!« erwiderte sie. »Den ersten Taler nehm ich morgen wieder mit nach Haus, der gehört meinem Enkel, der soll ihn genießen. Ja seht, es ist immer ein herrlicher Junge gewesen und hielt etwas auf seinen Leib und auf seine Seele – ach Gott, auf seine Seele! – Ich habe gebetet den ganzen Weg, es ist nicht möglich, der liebe Herr läßt ihn gewiß nicht verderben. Unter allen Burschen war er immer der reinlichste und fleißigste in der Schule, aber auf die Ehre war er vor allem ganz erstaunlich. Sein Leutnant hat auch immer gesprochen: ›Wenn meine Schwadron Ehre im Leibe hat, so sitzt sie bei dem Finkel im Quartier.‹ Er war unter den Ulanen. Als er zum ersten Mal aus Frankreich zurückkam, erzählte er allerlei schöne Geschichten, aber immer war von der Ehre dabei die Rede. Sein Vater und sein Stiefbruder waren bei dem Landsturm und kamen oft mit ihm wegen der Ehre in Streit, denn was er zuviel hatte, hatten sie nicht genug. Gott verzeih mir meine schwere Sünde, ich will nicht schlecht von ihnen reden, jeder hat sein Bündel zu tragen: aber meine selige Tochter, *seine* Mutter, hat sich zu Tode gearbeitet bei dem Faulpelz, sie konnte nicht erschwingen, seine Schulden zu tilgen. Der Ulan erzählte von den Franzosen, und als der Vater und Stiefbruder sie ganz schlecht machen wollten, sagte der Ulan: ›Vater, das versteht Ihr nicht, sie haben doch viel Ehre im Leibe!‹ Da ward der Stiefbruder tückisch und sagte: ›Wie kannst du deinem Vater so viel von der Ehre vorschwatzen? War er doch Unteroffizier im N**schen Regiment und muß es besser als du verstehn, der nur Gemeiner ist!‹ – ›Ja‹, sagte da der alte Finkel, der nun auch rebellisch ward, ›das war ich und habe manchen vorlauten Burschen fünfundzwanzig aufgezählt; hätte ich nur Franzosen in der Kompanie gehabt, die sollten sie noch besser gefühlt haben mit ihrer Ehre!‹ Die Rede tat dem Ulanen gar weh, und er sagte: ›Ich will ein Stückchen von einem französischen Unteroffizier erzählen, das gefällt mir besser. Unterm vorigen König sollten auf einmal die Prügel bei der französischen Armee eingeführt werden. Der Befehl des Kriegsministers wurde zu Straßburg bei einer großen Parade bekannt gemacht, und die Truppen hörten in Reih und Glied die Bekanntmachung mit stillem Grimm an. Da aber noch am Schluß der Parade ein Gemeiner einen Exzeß machte, wurde sein Unteroffizier vorkommandiert, ihm zwölf Hiebe zu geben. Es wurde ihm mit Strenge befohlen, und er mußte es tun. Als er aber fertig war, nahm er das Gewehr des Mannes, den er geschlagen hatte, stellte es vor sich an die Erde und drückte mit dem Fuße los, daß ihm die Kugel durch den Kopf fuhr und er tot niedersank. Das wurde an den König berichtet, und der Befehl, Prügel zu geben, ward gleich zurückgenommen. Seht, Vater, das war ein Kerl, der Ehre im Leibe hatte!‹ – ›Ein Narr war es!‹ sprach der Bruder. – ›Freß deine Ehre, wenn du Hunger hast!‹ brummte der Vater. Da nahm mein Enkel seinen Säbel und ging aus dem Haus und kam zu mir in mein Häuschen und erzählte mir alles und weinte die bittern Tränen. Ich konnte ihm nicht helfen; die Geschichte, die er mir auch erzählte, konnte ich zwar nicht ganz verwerfen, aber ich sagte ihm doch immer zuletzt: ›Gib Gott allein die Ehre!‹ Ich gab ihm noch den Segen, denn sein Urlaub war am andern Tage aus, und er wollte noch eine Meile umreiten nach dem Orte, wo ein Patchen von mir auf dem Edelhof diente, auf die er gar viel hielt, er wollte einmal mit ihr hausen. – Sie werden auch wohl bald zusammenkommen, wenn Gott mein Gebet erhört. Er hat seinen Abschied schon genommen, mein Patchen wird ihn heut erhalten, und die Aussteuer hab ich auch schon beisammen, es soll auf der Hochzeit weiter niemand sein als ich.« Da ward die Alte wieder still und schien zu beten. Ich war in allerlei Gedanken über die Ehre, und ob ein Christ den Tod des Unteroffiziers schön finden dürfe. Ich wollte, es sagte mir einmal einer etwas Hinreichendes darüber.

Als der Wächter ein Uhr anrief, sagte die Alte: »Nun habe ich noch zwei Stunden. Ei, ist Er noch da, warum geht Er nicht schlafen? Er wird morgen nicht arbeiten können und mit seinem Meister Händel kriegen; von welchem Handwerk ist Er denn, mein guter Mensch?«

Da wußte ich nicht recht, wie ich es ihr deutlich machen sollte, daß ich ein Schriftsteller sei. Ich bin ein Gestudierter, durfte ich nicht sagen, ohne zu lügen. Es ist wunderbar, daß ein Deutscher immer sich ein wenig schämt, zu sagen: er sei ein Schriftsteller; zu den Leuten aus den untern Ständen sagt man es am ungernsten, weil diesen gar leicht die Schriftgelehrten und Pharisäer aus der Bibel dabei einfallen. Der Name Schriftsteller ist nicht so eingebürgert bei uns, wie das ›Homme des lettres‹ bei den Franzosen, welche überhaupt als Schriftsteller zünftig sind und in ihren Arbeiten mehr hergebrachtes Gesetz haben, ja, bei denen man auch fragt: ›Où avez-vous fait votre philosophie? wo haben Sie Ihre Philosophie gemacht?‹ Wie denn ein Franzose selbst viel mehr von einem gemachten Manne hat. Doch diese nicht deutsche Sitte ist es nicht allein, welche das Wort Schriftsteller so schwer auf der Zunge macht, wenn man am Tore um seinen Charakter gefragt wird, sondern eine gewisse innere Scham hält uns zurück, ein Gefühl, welches jeden befällt, der mit freien und geistigen Gütern, mit unmittelbaren Geschenken des Himmels Handel treibt. Gelehrte brauchen sich weniger zu schämen als Dichter, denn sie haben gewöhnlich Lehrgeld gegeben, sind meist in Ämtern des Staats, spalten an groben Klötzen oder arbeiten in Schachten, wo viele wilde Wasser auszupumpen sind. Aber ein sogenannter Dichter ist am übelsten daran, weil er meistens aus dem Schulgarten nach dem Parnaß entlaufen, und es ist auch wirklich ein verdächtiges Ding um einen Dichter von Profession, der es nicht nur nebenher ist. Man kann sehr leicht zu ihm sagen: ›Mein Herr, ein jeder Mensch hat, wie Hirn, Herz, Magen, Milz, Leber und dergleichen, auch eine Poesie im Leibe; wer aber eines dieser Glieder überfüttert, verfüttert oder mästet und es über alle andre hinüber treibt, ja es gar zum Erwerbzweig macht, der muß sich schämen vor seinem ganzen übrigen Menschen.‹ Einer, der von der Poesie lebt, hat das Gleichgewicht verloren, und eine übergroße Gänseleber, sie mag noch so gut schmekken, setzt doch immer eine kranke Gans voraus. Alle Menschen, welche ihr Brot nicht im Schweiße ihres Angesichts verdienen, müssen sich einigermaßen schämen; und das fühlt einer, der noch nicht ganz in der Tinte war, wenn er sagen soll, er sei ein Schriftsteller. So dachte ich allerlei und besann mich, was ich der Alten sagen sollte, welche, über mein Zögern verwundert, mich anschaute und sprach:

»Welch ein Handwerk Er treibt, frage ich; warum will Er mirs nicht sagen? Treibt Er kein ehrlich Handwerk, so greif Ers noch an, es hat einen goldnen Boden. Er ist doch nicht etwa gar ein Henker oder Spion, der mich ausholen will?

Meinethalben sei Er, wer Er will, sag Ers, wer Er ist! Wenn Er bei Tage so hier säße, würde ich glauben, Er sei ein Lehnerich, so ein Tagedieb, der sich an die Häuser lehnt, damit er nicht umfällt vor Faulheit.«

Da fiel mir ein Wort ein, das mir vielleicht eine Brücke zu ihrem Verständnis schlagen könnte: »Liebe Mutter,« sagte ich, »ich bin ein Schreiber.« – »Nun,« sagte sie, »das hätte Er gleich sagen sollen. Er ist also ein Mann von der Feder; dazu gehören feine Köpfe und schnelle Finger und ein gutes Herz, sonst wird einem draufgeklopft. Ein Schreiber ist Er? Kann Er mir dann wohl eine Bittschrift aufsetzen an den Herzog, die aber gewiß erhört wird und nicht bei den vielen andern liegen bleibt?«

»Eine Bittschrift, liebe Mutter,« sprach ich, »kann ich Ihr wohl aufsetzen, und ich will mir alle Mühe geben, daß sie recht eindringlich abgefaßt sein soll.«

»Nun, das ist brav von Ihm«, erwiderte sie; »Gott lohn es Ihm und lasse Ihn älter werden als mich und gebe Ihm auch in Seinem Alter einen so geruhigen Mut und eine so schöne Nacht mit Rosen und Talern wie mir und auch einen Freund, der Ihm eine Bittschrift macht, wenn es Ihm not tut. Aber jetzt gehe Er nach Haus, lieber Freund, und kauf Er sich einen Bogen Papier und schreibe Er die Bittschrift; ich will hier auf Ihn warten. Noch eine Stunde, dann gehe ich zu meiner Pate, Er kann mitgehen; sie wird sich auch freuen an der Bittschrift. Sie hat gewiß ein gut Herz, aber Gottes Gerichte sind wunderbar.«

Nach diesen Worten ward die Alte wieder still, senkte den Kopf und schien zu beten. Der Taler lag noch auf ihrem Schoß. Sie weinte: »Liebe Mutter, was fehlet Euch, was tut Euch so weh? Ihr weinet?« sprach ich.

»Nun, warum soll ich denn nicht weinen? Ich weine auf den Taler, ich weine auf die Bittschrift, auf alles weine ich. Aber es hilft nichts, es ist doch alles viel, viel besser auf Erden, als wir Menschen es verdienen, und gallenbittre Tränen sind noch viel zu süße. Sehe Er nur einmal das goldne Kamel da drüben an der Apotheke. Wie doch Gott alles so herrlich und wunderbar geschaffen hat, aber der Mensch erkennt es nicht! Und ein solch Kamel geht eher durch ein Nadelöhr, als ein Reicher in das Himmelreich. – Aber was sitzt Er denn immer da? Gehe Er, den Bogen Papier zu kaufen, und bringe Er mir die Bittschrift.«

»Liebe Mutter,« sagte ich, »wie kann ich Euch die Bittschrift machen, wenn Ihr mir nicht sagt, was ich hineinschreiben soll?«

»Das muß ich Ihm sagen?« erwiderte sie; »dann ist es freilich keine Kunst, und wundre ich mich nicht mehr, daß Er sich einen Schreiber zu nennen schämte, wenn man Ihm alles sagen soll. Nun, ich will mein mögliches tun. Setz Er in die Bittschrift, daß zwei Liebende beieinander ruhen sollen und daß sie einen nicht auf die Anatomie bringen sollen, damit man seine Glieder beisammen hat, wenn es heißt: Ihr Toten, ihr Toten sollt auferstehn, ihr sollt vor das Jüngste Gerichte gehn!« Da fing sie wieder bitterlich an zu weinen.

Ich ahnete, ein schweres Leid müsse auf ihr lasten, aber sie fühle bei der Bürde ihrer Jahre nur in einzelnen Momenten sich schmerzlich gerührt. Sie weinte, ohne zu klagen, ihre Worte waren immer gleich ruhig und kalt. Ich bat sie nochmals, mir die ganze Veranlassung zu ihrer Reise in die Stadt zu erzählen, und sie sprach:

»Mein Enkel, der Ulan, von dem ich Ihm erzählte, hatte doch mein Patchen sehr lieb, wie ich Ihm vorher sagte, und sprach der schönen Annerl, wie die Leute sie ihres glatten Spiegels wegen nannten, immer von der Ehre vor und sagte ihr immer, sie solle auf ihre Ehre halten und auch auf seine Ehre. Da kriegte dann das Mädchen etwas ganz Apartes in ihr Gesicht und ihre Kleidung von der Ehre; sie war feiner und manierlicher als alle andere Dirnen. Alles saß ihr knapper am Leibe, und wenn sie ein Bursche einmal ein wenig derb beim Tanze anfaßte oder sie etwa höher als den Steg der Baßgeige schwang, so konnte sie bitterlich darüber bei mir weinen und sprach dabei immer, es sei wider ihre Ehre. Ach, das Annerl ist ein eignes Mädchen immer gewesen. Manchmal, wenn kein Mensch es sich versah, fuhr sie mit beiden Händen nach ihrer Schürze und riß sie sich vom Leibe, als ob Feuer drin sei, und dann fing sie gleich entsetzlich an zu weinen; aber das hat seine Ursache: es hat sie mit Zähnen hingerissen, der Feind ruht nicht. Wäre das Kind nur nicht stets so hinter der Ehre her gewesen und hätte sich lieber an unsren lieben Gott gehalten, hätte ihn nie von sich gelassen, in aller Not, und hätte seinetwillen Schande und Verachtung ertragen statt ihrer Menschenehre! Der Herr hätte sich gewiß erbarmt und wird es auch noch. Ach, sie kommen gewiß zusammen, Gottes Wille geschehe!

Der Ulan stand wieder in Frankreich, er hatte lange nicht geschrieben, und wir glaubten ihn fast tot und weinten oft um ihn. Er war aber im Hospital an einer schweren Blessur krank gelegen, und als er wieder zu seinen Kameraden kam und zum Unteroffizier ernannt wurde, fiel ihm ein, daß ihm vor zwei Jahren sein Stiefbruder so übers Maul gefahren: er sei nur Gemeiner und der Vater Korporal, und dann die Geschichte von dem französischen Unteroffizier, und wie er seinem Annerl von der Ehre so viel geredet, als er Abschied genommen. Da verlor er seine Ruhe und kriegte das Heimweh und sagte zu seinem Rittmeister, der ihn um sein Leid fragte: ›Ach, Herr Rittmeister, es ist, als ob es mich mit den Zähnen nach Hause zöge.‹ Da ließen sie ihn heimreiten mit seinem Pferd, denn alle seine Offiziere trauten ihm. Er kriegte auf drei Monate Urlaub und sollte mit der Remonte wieder zurückkommen. Er eilte, so sehr er konnte, ohne seinem Pferde wehe zu tun, welches er besser pflegte als jemals, weil es ihm war anvertraut worden. An einem Tage trieb es ihn ganz entsetzlich, nach Hause zu eilen. Es war der Tag vor dem Sterbetag seiner Mutter, und es war ihm immer, als laufe sie vor seinem Pferde her und riefe: ›Kasper, tue mir eine Ehre an!‹ Ach, ich saß an diesem Tage auf ihrem Grabe ganz allein und dachte auch: ›Wenn Kasper doch bei mir wäre!‹ Ich hatte Blümelein Vergißnichtmein in einen Kranz gebunden und an das eingesunkene Kreuz gehängt und maß mir den Platz umher aus und dachte: ›Hier will ich liegen, und da soll Kasper liegen, wenn ihm Gott sein Grab in der Heimat schenkt, daß wir fein beisammen sind, wenns heißt: Ihr Toten, ihr Toten sollt auferstehn, ihr sollt zum Jüngsten Gerichte gehn!‹ Aber Kasper kam nicht, ich wußte auch nicht, daß er so nahe war und wohl hätte kommen können. Es trieb ihn auch gar zu sehr, zu eilen; denn er hatte wohl oft an diesen Tag in Frankreich gedacht und hatte einen kleinen Kranz von schönen Goldblumen von daher mitgebracht, um das Grab seiner Mutter zu schmücken, und auch einen Kranz für Annerl, den sollte sie sich bis zu ihrem Ehrentage bewahren.«

Hier ward die Alte still und schüttelte mit dem Kopf; als ich aber die letzten Worte wiederholte: »Den sollte sie sich bis zu ihrem Ehrentag bewahren«, fuhr sie fort: »Wer weiß, ob ich es nicht erflehen kann, ach, wenn ich den Herzog nur wecken dürfte!« –»Wozu?« fragte ich, »welch Anliegen habt Ihr denn, Mutter?« Da sagte sie ernst: »Oh, was läge am ganzen Leben, wenns kein End nähme; was läge am Leben, wenn es nicht ewig wäre!« und fuhr dann in ihrer Erzählung fort:

»Kasper wäre noch recht gut zu Mittag in unserm Dorfe angekommen, aber morgens hatte ihm sein Wirt im Stalle gezeigt, daß sein Pferd gedrückt sei, und dabei gesagt: ›Mein Freund, das macht dem Reiter keine Ehre.‹ Das Wort hatte Kasper tief empfunden; er legte deswegen den Sattel hohl und leicht auf, tat alles, ihm die Wunde zu heilen, und setzte seine Reise, das Pferd am Zügel führend, zu Fuße fort. So kam er am späten Abend bis an eine Mühle; eine Meile von unserm Dorf, und weil er den Müller als einen alten Freund seines Vater kannte, sprach er bei ihm ein und wurde wie ein recht lieber Gast aus der Fremde empfangen. Kasper zog sein

Pferd in den Stall, legte den Sattel und sein Felleisen in einen Winkel und ging nun zu dem Müller in die Stube. Da fragte er dann nach den Seinigen und hörte, daß ich alte Großmutter noch lebe und daß sein Vater und sein Stiefbruder gesund seien und daß es recht gut mit ihnen gehe; sie wären erst gestern mit Getreide auf der Mühle gewesen, sein Vater habe sich auf den Roß- und Ochsenhandel gelegt und gedeihe dabei recht gut, auch halte er jetzt etwas auf seine Ehre und gehe nicht mehr so zerrissen umher. Darüber war der gute Kasper nun herzlich froh, und da er nach der schönen Annerl fragte, sagte ihm der Müller: er kenne sie nicht, aber wenn es die sie, die auf dem Rosenhof gedient habe, die hätte sich, wie er gehört, in der Hauptstadt vermietet, weil sie da eher etwas lernen könne und mehr Ehre dabei sei; so habe er vor einem Jahre von dem Knecht auf dem Rosenhof gehört. Das freute den Kasper auch; wenn es ihm gleich leid tat, daß er sie nicht gleich sehen sollte, so hoffte er sie doch in der Hauptstadt bald recht fein und schmuck zu finden, daß es ihm, als einem Unteroffizier, auch eine rechte Ehre sei, mit ihr am Sonntag spazieren zu gehn. Nun erzählte er dem Müller noch mancherlei aus Frankreich; sie aßen und tranken miteinander, er half ihm Korn aufschütten, und dann brachte ihn der Müller in die Oberstube zu Bett und legte sich selbst unten auf einigen Säcken zur Ruhe. Das Geklapper der Mühle und die Sehnsucht nach der Heimat ließen den guten Kasper, wenn er gleich sehr müde war, nicht fest einschlafen. Er war sehr unruhig und dachte an seine selige Mutter und an das schöne Annerl und an die Ehre, die ihm bevorstehe, wenn er als Unteroffizier vor die Seinigen treten würde. So entschlummerte er endlich leis und wurde von ängstlichen Träumen oft aufgeschreckt. Es war ihm mehrmals, als trete seine selige Mutter zu ihm und bäte ihn händeringend um Hülfe; dann war es ihm, als sei er gestorben und würde begraben, gehe aber selbst zu Fuße als Toter mit zu Grabe, und schön Annerl gehe ihm zur Seite; er weine heftig, daß ihn seine Kameraden nicht begleiteten, und da er auf den Kirchhof komme, sei sein Grab neben dem seiner Mutter; und Annerls Grab sei auch dabei, und er gebe Annerl das Kränzlein, das er ihr mitgebracht, und hänge das der Mutter an ihr Grab, und dann habe er sich umgeschaut und niemand mehr gesehen als mich, und die Annerl, die habe einer an der Schürze ins Grab gerissen, und er sei dann auch ins Grab gestiegen und habe gesagt: ›Ist denn niemand hier, der mir die letzte Ehre antut und mir ins Grab schießen will als einem braven Soldaten?‹ und da habe er sein Pistol gezogen und sich selbst ins Grab geschossen. Über dem Schuß wachte er mit großem Schrecken auf, denn es war ihm, als klirrten die Fenster davon; er sah um sich in der Stube; da hörte er noch einen Schuß fallen und hörte Getöse in der Mühle und Geschrei durch das Geklapper. Er sprang aus dem Bett und griff nach seinem Säbel; in dem Augenblick ging seine Türe auf, und er sah beim Vollmondschein zwei Männer mit berußten Gesichtern mit Knitteln auf sich zustürzen. Aber er setzte sich zur Wehre und hieb den einen über den Arm, und so entflohen beide, indem sie die Türe, welche nach außen aufging und einen Riegel draußen hatte, hinter sich verriegelten. Kasper versuchte umsonst, ihnen nachzukommen, endlich gelang es ihm, eine Tafel in der Türe einzutreten. Er eilte durch das Loch die Treppe hinunter und hörte das Wehgeschrei des Müllers, den er geknebelt zwischen den Kornsäcken liegend fand. Kasper band ihn los und eilte dann gleich in den Stall, nach seinem Pferd und Felleisen, aber beides war geraubt. Mit großem Jammer eilte er in die Mühle zurück und klagte dem Müller sein Unglück, daß ihm all sein Hab und Gut und das ihm anvertraute Pferde gestohlen sei, über welches letztere er sich gar nicht zufrieden geben konnte. Der Müller aber stand mit einem vollen Geldsack vor ihm, er hatte ihn in der Oberstube aus dem Schranke geholt und sagte zu dem Ulan: ›Lieber Kasper, sei Er zufrieden! Ich verdanke Ihm die Rettung meines Vermögens; auf diesen Sack, der oben in Seiner Stube lag, hatten es die Räuber gemünzt, und Seiner Verteidigung danke ich alles, mir ist nichts gestohlen. Die Sein Pferd und Sein Felleisen im Stall fanden, müssen ausgestellte Diebeswachen gewesen sein; sie zeigten durch die Schüsse an, daß Gefahr da sei, weil sie wahrscheinlich am Sattelzeug erkannten, daß ein Kavallerist im Hause herberge. Nun soll Er meinethalben keine Not haben, ich will mir alle Mühe geben und kein Geld sparen, Ihm Seinen Gaul wiederzufinden, und finde ich ihn nicht, so will ich Ihm einen kaufen, so teuer er sein mag.‹ Kasper sagte: ›Geschenkt nehme ich nichts, das ist gegen meine Ehre; aber wenn Er mir im Notfall siebzig Taler vorschießen will, so kriegt Er meine Verschreibung, ich schaffe sie in zwei Jahren wieder.‹ Hierüber wurden sie einig, und der Ulan trennte sich von ihm, um nach seinem Dorfe zu eilen, wo auch ein Gerichtshalter der umliegenden Edelleute wohnt, bei dem er die Sache berichten wollte. Der Müller blieb zurück, um seine Frau und seinen Sohn zu erwarten, welche auf einem Dorfe in der Nähe bei einer Hochzeit waren. Dann wollte er dem Ulanen nachkommen und die Anzeige vor Gericht auch machen.

Er kann sich denken, lieber Herr Schreiber, mit welcher Betrübnis der arme Kasper den Weg nach unserm Dorfe eilte, zu Fuß und arm, wo er hatte stolz einreiten wollen; einundfunfzig Taler, die er erbeutet hatte, sein Patent als Unteroffizier, sein Urlaub und die Kränze auf seiner Mutter Grab und für die schöne Annerl waren ihm gestohlen. Es war ihm ganz verzweifelt zumute, und so kam er um ein Uhr in der Nacht in seiner Heimat an und pochte gleich an der Türe des Gerichtshalters, dessen Haus das erste vor dem Dorfe ist. Er ward eingelassen und machte seine Anzeige und gab alles an, was ihm geraubt worden war. Der Gerichtshalter trug ihm auf, er solle gleich zu seinem Vater gehn, welches der einzige Bauer im Dorfe sei, der Pferde habe, und solle mit diesem und seinem Bruder in der Gegend herum patrouillieren, ob er vielleicht den Räubern auf die Spur komme; indessen wolle er andre Leute zu Fuß aussenden und den Müller, wenn er komme, um die weiteren Umstände vernehmen. Kasper ging nun von dem Gerichtshalter weg nach dem väterlichen Hause. Da er aber an meiner Hütte vorüber mußte und durch das Fenster hörte, daß ich ein geistliches Lied sang, wie ich denn vor Gedanken an seine selige Mutter nicht schlafen konnte, so pochte er an und sagte: ›Gelobt sei Jesus Christus! Liebe Großmutter, Kasper ist hier.‹ Ach! wie fuhren mir die Worte durch Mark und Bein, ich stürzte an das Fenster, öffnete es und küßte und drückte ihn mit unendlichen Tränen. Er erzählte mir sein Unglück mit großer Eile und sagte, welchen Auftrag er an seinen Vater vom Gerichtshalter habe; er müsse darum jetzt gleich hin, um den Dieben nachzusetzen, denn seine Ehre hänge davon ab, daß er sein Pferd wiedererhalte.

Ich weiß nicht, aber das Wort *Ehre* fuhr mir recht durch alle Glieder, denn ich wußte schwere Gerichte, die ihm bevorstanden. ›Tue deine Pflicht und gib Gott allein die Ehre!‹ sagte ich; und er eilte von mir nach Finkels Hof, der am andern Ende des Dorfs liegt. Ich sank, als er fort war, auf die Kniee und betete zu Gott, er möge ihn doch in seinen Schutz nehmen, ach, ich betete mit einer Angst wie niemals und mußte dabei immer sagen: ›Herr, dein Wille geschehe wie im Himmel so auf Erden.‹

Der Kasper lief zu seinem Vater mit einer entsetzlichen Angst. Er stieg hinten über den Gartenzaun, er hörte die Pumpe gehen, er hörte im Stall wiehern, das fuhr ihm durch die Seele; er stand still, er sah im Mondschein, daß zwei Männer sich wuschen, es wollte ihm das Herz brechen. Der eine sprach: ›Das verfluchte Zeug geht nicht herunter‹; da sagte der andre: ›Komm erst in den Stall, dem Gaul den Schwanz abzuschlagen und die Mähnen zu verschneiden. Hast du das Felleisen auch tief genug unterm Mist begraben?‹ – ›Ja‹, sagte der andre. Da gingen sie nach dem Stall, und Kasper, vor Jammer wie ein Rasender, sprang hervor und schloß die

Stalltüre hinter ihnen und schrie: ›Im Namen des Herzogs! Ergebt Euch! Wer sich widersetzt, den schieß ich nieder!‹ Ach, da hatte er seinen Vater und seinen Stiefbruder als die Räuber seines Pferdes gefangen. ›Meine Ehre, meine Ehre ist verloren!‹ schrie er, ›ich bin der Sohn eines ehrlosen Diebes.‹ Als die beiden diese Worte hörten, ist ihnen bös zumute geworden; sie schrieen: ›Kasper, lieber Kasper, um Gottes willen, bringe uns nicht ins Elend! Kasper, du sollst ja alles wieder haben! Um deiner seligen Mutter willen, deren Sterbetag heute ist, erbarme dich deines Vaters und Bruders!‹ Kasper aber war wie verzweifelt, er schrie nur immer: ›Meine Ehre, meine Pflicht!‹ Und da sie nun mit Gewalt die Türe erbrechen wollten und ein Fach in der Lehmwand einstoßen, um zu entkommen, schoß er ein Pistol in die Luft und schrie: »Hülfe, Hülfe, Diebe, Hülfe!‹ Die Bauern, von dem Gerichtshalter erweckt, welche schon herannahten, um sich über die verschiedenen Wege zu bereden, auf denen sie die Einbrecher in die Mühle verfolgen wollten, stürzten auf den Schuß und das Geschrei ins Haus. Der alte Finkel flehte immer noch, der Sohn solle ihm die Tür öffnen, der aber sagte: ›Ich bin ein Soldat und muß der Gerechtigkeit dienen.‹ Da traten der Gerichtshalter und die Bauern heran. Kasper sagte: ›Um Gottes Barmherzigkeit willen, Herr Gerichtshalter, mein Vater, mein Bruder sind selbst die Diebe, o daß ich nie geboren wäre! Hier im Stalle habe ich sie gefangen, mein Felleisen liegt im Miste vergraben.‹ Da sprangen die Bauern in den Stall und banden den alten Finkel und seinen Sohn und schleppten sie in ihre Stube. Kasper aber grub das Felleisen hervor und nahm die zwei Kränze heraus und ging nicht in die Stube, er ging nach dem Kirchhofe an das Grab seiner Mutter. Der Tag war angebrochen. Ich war auf der Wiese gewesen und hatte für mich und für Kasper zwei Kränze von Blümelein Vergißnichtmein geflochten; ich dachte: er soll mit mir das Grab seiner Mutter schmücken, wenn er von seinem Ritt zurückkommt. Da hörte ich allerlei ungewohnten Lärm im Dorf, und weil ich das Getümmel nicht mag und am liebsten alleine bin, so ging ich ums Dorf herum nach dem Kirchhof. Da fiel ein Schuß, ich sah den Dampf in die Höhe steigen, ich eilte auf den Kirchhof – o du lieber Heiland, erbarme dich sein! Kasper lag tot auf dem Grabe seiner Mutter. Er hatte sich die Kugel durch das Herz geschossen, auf welches er sich das Kränzlein, das er für schön Annerl mitgebracht, am Knopfe befestigt hatte; durch diesen Kranz hatte er sich ins Herz geschossen. Den Kranz für die Mutter hatte er schon an das Kreuz befestigt. Ich meinte, die Erde täte sich unter mir auf bei dem Anblick, ich stürzte über ihn hin und schrie immer: ›Kasper, o du unglückseliger Mensch, was hast du getan? Ach, wer hat dir denn dein Elend erzählt? Oh, warum habe ich dich von mir gelassen, ehe ich dir alles gesagt! Gott, was wird dein armer Vater, dein Bruder sagen, wenn sie dich so finden!‹ Ich wußte nicht, daß er sich wegen diesen das Leid angetan, ich glaubte, es habe eine ganz andere Ursache. Da kam es noch ärger: der Gerichtshalter und die Bauern brachten den alten Finkel und seinen Sohn mit Stricken gebunden; der Jammer erstickte mir die Stimme in der Kehle, ich konnte kein Wort sprechen. Der Gerichtshalter fragte mich, ob ich meinen Enkel gesehn? Ich zeigte hin, wo er lag. Er trat zu ihm, er glaubte, er weine auf dem Grabe; er schüttelte ihn, da sah er das Blut niederstürzen. ›Jesus Marie!‹ rief er aus, ›der Kasper hat Hand an sich gelegt.‹ Da sahen die beiden Gefangenen sich schrecklich an; man nahm den Leib des Kaspers und trug ihn neben ihnen her nach dem Hause des Gerichtshalters. Es war ein Wehgeschrei im ganzen Dorfe, die Bauernweiber führten mich nach. Ach, das war wohl der schrecklichste Weg in meinem Leben!«

Da ward die Alte wieder still, und ich sagte zu ihr: »Liebe Mutter, Euer Leid ist entsetzlich, aber Gott hat Euch auch recht lieb; die er am härtesten schlägt, sind seine liebsten Kinder. Sagt mir nun, liebe Mutter, was Euch bewogen hat, den weiten Weg hieher zu gehen, und um was Ihr die Bittschrift einreichen wollt!«

»Ei, das kann Er sich doch wohl denken,« fuhr sie ganz ruhig fort, »um ein ehrliches Grab für Kasper und die schöne Annerl, der ich das Kränzlein zu ihrem Ehrentag mitbringe. Es ist ganz mit Kaspers Blut unterlaufen, seh Er einmal!«

Da zog sie einen kleinen Kranz von Flittergold aus ihrem Bündel und zeigte ihn mir. Ich konnte bei dem anbrechenden Tage sehen, daß er vom Pulver geschwärzt und mit Blut besprengt war.

Ich war ganz zerrissen vom dem Unglück der guten Alten, und die Größe und Festigkeit, womit sie es trug, erfüllte mich mit Verehrung. »Ach, liebe Mutter,« sagte ich, »wie werdet Ihr der armen Annerl aber ihr Elend beibringen, daß sie nicht gleich vor Schrecken tot niedersinkt, und was ist denn das für ein Ehrentag, zu welchem Ihr dem Annerl den traurigen Kranz bringet?«

»Lieber Mensch,« sprach sie, »komme Er nur mit, Er kann mich zu ihr begleiten, ich kann doch nicht geschwind fort, so werden wir sie gerade zu rechter Zeit noch finden. Ich will Ihm unterwegs noch alles erzählen.«

Nun stand sie auf und betete ihren Morgensegen ganz ruhig und brachte ihre Kleider in Ordnung, und ihren Bündel hängte sie dann an meinen Arm. Es war zwei Uhr des Morgens, der Tag graute, und wir wandelten durch die stillen Gassen.

»Seh Er,« erzählte die Alte fort, »als der Finkel und sein Sohn eingesperrt waren, mußte ich zum Gerichtshalter auf die Gerichtsstube. Der tote Kasper wurde auf einen Tisch gelegt und mit seinem Ulanenmantel bedeckt hereingetragen, und nun mußte ich alles dem Gerichtshalter sagen, was ich von ihm wußte und was er mir heute morgen durch das Fenster gesagt hatte. Das schrieb er alles auf sein Papier nieder, das vor ihm lag; dann sah er die Schreibtafel durch, die sie bei Kasper gefunden; da standen mancherlei Rechnungen drin, einige Geschichten von der Ehre und auch die von dem französischen Unteroffizier, und hinter ihr war mit Bleistift etwas geschrieben.« Da gab mir die Alte die Brieftasche, und ich las folgende letzte Worte des unglücklichen Kaspers: ›Auch ich kann meine Schande nicht überleben. Mein Vater und mein Bruder sind Diebe, sie haben mich selbst bestohlen; mein Herz brach mir, aber ich mußte sie gefangen nehmen und den Gerichten übergeben, denn ich bin Soldat meines Fürsten, und meine Ehre erlaubt mir keine Schonung. Ich habe meinen Vater und Bruder der Rache übergeben um der Ehre willen. Ach, bitte doch jedermann für mich, daß man mir hier, wo ich gefallen bin, ein ehrliches Grab neben meiner Mutter vergönne! Das Kränzlein, durch welches ich mich erschossen, soll die Großmutter der schönen Annerl schicken und sie von mir grüßen; ach, sie tut mir leid durch Mark und Bein, aber sie soll doch den Sohn eines Diebes nicht heiraten, denn sie hat immer viel auf Ehre gehalten. Liebe schöne Annerl, mögest Du nicht so sehr erschrecken über mich, gib Dich zufrieden, und wenn Du mir jemals ein wenig gut warst, so rede nicht schlecht von mir. Ich kann ja nichts für meine Schande! Ich hatte mir so viele Mühe gegeben, in Ehren zu bleiben mein Leben lang, ich war schon Unteroffizier und hatte den besten Ruf bei der Schwadron, ich wäre gewiß noch einmal Offizier geworden, und, Annerl, Dich hätte ich doch nicht verlassen und hätte keine Vornehmere gefreit – aber der Sohn eines Diebes, der seinen Vater aus Ehre selbst fangen und richten lassen muß, kann seine Schande nicht überleben. Annerl, liebes Annerl, nimm doch ja das Kränzlein, ich bin Dir immer treu gewesen, so Gott mir gnädig sei! Ich gebe Dir nun Deine Freiheit wieder, aber tue mir die Ehre und heirate nie einen, der schlechter wäre als ich. Und wenn Du kannst, so bitte für mich, daß ich ein ehrliches Grab neben meiner Mutter erhalte, und wenn Du hier in unserm Ort sterben solltest, so lasse Dich auch bei uns begraben; die gute Großmutter wird auch zu uns kommen, da sind wir alle beisammen. Ich habe funfzig Taler in meinem Felleisen, die sollen auf Interessen gelegt werden für Dein erstes Kind. Meine silberne Uhr soll der Herr Pfarrer haben, wenn ich ehrlich begraben werde. Mein Pferd, die Uniform und Waffen gehören dem Herzog, diese meine Brieftasche gehört Dein. Adies, herztausender Schatz, adies, liebe Großmutter, betet für mich und lebt alle wohl! – Gott erbarme sich meiner – ach, meine Verzweiflung ist groß!‹

Ich konnte diese letzten Worte eines gewiß edeln, unglücklichen Menschen nicht ohne bittere Tränen lesen. – »Der Kasper muß ein gar guter Mensch gewesen sein, liebe Mutter«, sagte ich zu der Alten, welche nach diesen Worten stehen blieb und meine Hand drückte und mit tief bewegter Stimme sagte: »Ja, es war der beste Mensch auf der Welt. Aber die letzten Worte von der Verzweiflung hätte er nicht schreiben sollen, die bringen ihn um sein ehrliches Grab, die bringen ihn auf die Anatomie. Ach, lieber Schreiber, wenn Er hierin nur helfen könnte.«

»Wieso, liebe Mutter?« fragte ich, »was können diese letzten Worte dazu beitragen?« – »Ja gewiß,« erwiderte sie, »der Gerichtshalter hat es mir selbst gesagt. Es ist ein Befehl an alle Gerichte ergangen, daß nur die Selbstmörder aus Melancholie ehrlich sollen begraben werden, alle aber, die aus Verzweiflung Hand an sich gelegt, sollen auf die Anatomie; und der Gerichtshalter hat mir gesagt, daß er den Kasper, weil er selbst seine Verzweiflung eingestanden, auf die Anatomie schicken müsse.«

»Das ist ein wunderlich Gesetz,« sagte ich, »denn man könnte wohl bei jedem Selbstmord einen Prozeß anstellen, ob er aus Melancholie oder Verzweiflung entstanden, der so lange dauern müßte, daß der Richter und die Advokaten drüber in Melancholie und Verzweiflung fielen und auf die Anatomie kämen. Aber seid nur getröstet, liebe Mutter, unser Herzog ist ein so guter Herr: wenn er die ganze Sache hört, wird er dem armen Kasper gewiß sein Plätzchen neber der Mutter vergönnen.«

»Das gebe Gott!« erwiderte die Alte, »sehe Er nun, lieber Mensch: als der Gerichtshalter alles zu Papier gebracht hatte, gab er mir die Brieftasche und den Kranz für die schöne Annerl, und so bin ich dann gestern hierher gelaufen, damit ich ihr an ihrem Ehrentag den Trost noch mit auf den Weg geben kann. – Der Kasper ist zu rechter Zeit gestorben, hätte er alles gewußt, er wäre närrisch geworden vor Betrübnis.«

»Was ist es denn nun mit der schönen Annerl?« fragte ich die Alte. »Bald sagt Ihr, sie habe nur noch wenige Stunden, bald sprecht Ihr von ihrem Ehrentag, und sie werde Trost gewinnen durch Eure traurige Nachricht. Sagt mir doch alles heraus: will sie Hochzeit halten mit einem andern? Ist sie tot, krank? Ich muß alles wissen, damit ich es in die Bittschrift setzen kann.«

Da erwiderte die Alte: »Ach, lieber Schreiber, es ist nun so, Gottes Wille geschehe! Sehe Er, als Kasper kam, war ich doch nicht recht froh; als Kasper sich das Leben nahm, war ich doch nicht recht traurig; ich hätte es nicht überleben können, wenn Gott sich meiner nicht erbarmt gehabt hätte mit größerem Leid. Ja, ich sage Ihm: es war mir ein Stein vor das Herz gelegt, wie ein Eisbrecher, und alle die Schmerzen, die wie Grundeis gegen mich stürzten und mir das Herz gewiß abgestoßen hätten, die zerbrachen an diesem Stein und trieben kalt vorüber. Ich will Ihm etwas erzählen, das ist betrübt.

Als mein Patchen, die schöne Annerl, ihre Mutter verlor, die eine Base von mir war und sieben Meilen von uns wohnte, war ich bei der kranken Frau. Sie war die Witwe eines armen Bauern und hatte in ihrer Jugend einen Jäger lieb gehabt, ihn aber wegen seines wilden Lebens nicht genommen. Der Jäger war endlich in solch Elend gekommen, daß er auf Tod und Leben wegen eines Mordes gefangen saß. Das erfuhr meine Base auf ihrem Krankenlager, und es tat ihr so weh, daß sie täglich schlimmer wurde und endlich in ihrer Todesstunde, als sie mir die liebe, schöne Annerl als mein Patchen übergab und Abschied von mir nahm, noch in den letzten Augenblikken zu mir sagte: ›Liebe Anne Margret, wenn du durch das Städtchen kömmst, wo der arme Jürge gefangen liegt, so lasse ihm sagen durch den Gefangenwärter, daß ich ihn bitte auf meinem Todesbett, er solle sich zu Gott bekehren, und daß ich herzlich für ihn gebetet habe in meiner letzten Stunde und daß ich ihn schön grüßen lasse.‹ – Bald nach diesen Worten starb die gute Base, und als sie begraben war, nahm ich die kleine Annerl, die drei Jahre alt war, auf den Arm und ging mit ihr nach Haus.

Vor dem Städtchen, durch das ich mußte, kam ich an der Scharfrichterei vorüber, und weil der Meister berühmt war als ein Viehdoktor, sollte ich einige Arznei mitnehmen für unsern Schulzen. Ich trat in die Stube und sagte dem Meister, was ich wollte, und er antwortete, daß ich ihm auf den Boden folgen solle, wo er die Kräuter liegen habe, und ihm helfen aussuchen. Ich ließ Annerl in der Stube und folgte ihm. Als wir zurück in die Stube traten, stand Annerl vor einem kleinen Schranke, der an der Wand befestigt war, und sprach: ›Großmutter, da ist eine Maus drin! hört, wie es klappert! da ist eine Maus drin!‹

Auf diese Rede des Kindes machte der Meister ein sehr ernsthaftes Gesicht, riß den Schrank auf und sprach: ›Gott sei uns gnädig!‹ denn er sah sein Richtschwert, das allein in dem Schranke an einem Nagel hing, hin und her wanken. Er nahm das Schwert herunter, und mir schauderte. ›Liebe Frau,‹ sagte er, ›wenn Ihr das kleine, liebe Annerl liebhabt, so erschreckt nicht, wenn ich ihm mit meinem Schwert rings um das Hälschen die Haut ein wenig aufritze: denn das Schwert hat vor ihm gewankt, es hat nach seinem Blute verlangt, und wenn ich ihm den Hals damit nicht ritze, so steht dem Kinde groß Elend im Leben bevor.‹ Da faßte er das Kind, welches entsetzlich zu schreien begann, ich schrie auch und riß das Annerl zurück. Indem trat der Bürgermeister des Städtchens herein, der von der Jagd kam und dem Richter einen kranken Hund zur Heilung bringen wollte. Er fragte nach der Ursache des Geschreis, Annerl schrie: ›Er will mich umbringen!‹ Ich war außer mir vor Entsetzen. Der Richter erzählte dem Bürgermeister das Ereignis. Dieser verwies ihm seinen Aberglauben, wie er es nannte, heftig und unter scharfen Drohungen; der Richter blieb ganz ruhig dabei und sprach: ›So habens meine Väter gehalten, so halt ichs.‹ Da sprach der Bürgermeister: ›Meister Franz, wenn Ihr glaubtet, Euer Schwert habe sich gerührt, weil ich Euch hiemit anzeige, daß morgen früh um sechs Uhr der Jäger Jürge von Euch soll geköpft werden, so wollt ich es noch verzeihen; aber daß Ihr daraus etwas auf dies liebe Kind schließen wollt, das ist unvernünftig und toll. Es könnte so etwas einen Menschen in Verzweiflung bringen, wenn man es ihm später in seinem Alter sagte, daß es ihm in seiner Jugend geschehen sei. Man soll keinen Menschen in Versuchung führen.‹ – ›Aber auch keines Richters Schwert‹, sagte Meister Franz vor sich und hing sein Schwert wieder in den Schrank. Nun küßte der Bürgermeister das Annerl und gab ihm eine Semmel aus seiner Jagdtasche, und da er mich gefragt, wer ich sei, wo ich herkomme und hinwolle, und ich ihm den Tod meiner Base erzählt hatte und auch den Auftrag an den Jäger Jürge, sagte er mir: ›Ihr sollt ihn ausrichten, ich will Euch selbst zu ihm führen; er hat ein hartes Herz, vielleicht wird ihn das Andenken einer guten Sterbenden in seinen letzten Stunden rühren.‹ Da nahm der gute Herr mich und Annerl auf seinen Wagen, der vor der Tür hielt, und fuhr mit uns in das Städtchen hinein.

Er hieß mich zu seiner Köchin gehn; da kriegten wir gutes Essen, und gegen Abend ging er mit mir zu dem armen Sünder. Und als ich dem die letzten Worte meiner Base erzählte, fing er bitterlich an zu weinen und schrie: ›Ach Gott, wenn sie mein Weib geworden, wäre es nicht so weit mit mir gekommen!‹ Dann begehrte er, man solle den Herrn Pfarrer doch noch einmal zu ihm bitten, er wolle mit ihm beten. Das versprach ihm der Bürgermeister und lobte ihn wegen seiner

Sinnesveränderung und fragte ihn, ob er vor seinem Tode noch einen Wunsch hätte, den er ihm erfüllen könne. Da sagte der Jäger Jürge: ›Ach, bittet hier die gute alte Mutter, daß sie doch morgen mit dem Töchterlein ihrer seligen Base bei meinem Rechte zugegen sein mögen, das wird mir das Herz stärken in meiner letzten Stunde.‹ Da bat mich der Bürgermeister, und so graulich es mir war, so konnte ich es dem armen, elenden Menschen nicht abschlagen. Ich mußte ihm die Hand geben und es ihm feierlich versprechen, und er sank weinend auf das Stroh. Der Bürgermeister ging dann mit mir zu seinem Freunde, dem Pfarrer, dem ich nochmals alles erzählen mußte, ehe er sich ins Gefängnis begab.

Die Nacht mußte ich mit dem Kinde in des Bürgermeisters Haus schlafen, und am andern Morgen ging ich den schweren Gang zu der Hinrichtung des Jägers Jürge. Ich stand neben dem Bürgermeister im Kreis und sah, wie er das Stäblein brach. Da hielt der Jäger Jürge noch eine schöne Rede, und alle Leute weinten, und er sah mich und die kleine Annerl, die vor mir stand, gar beweglich an, und dann küßte er den Meister Franz, der Pfarrer betete mit ihm, die Augen wurden ihm verbunden, und er kniete nieder. Da gab ihm der Richter den Todesstreich. ›Jesus, Maria, Joseph!‹ schrie ich aus; denn der Kopf des Jürgen flog gegen Annerl zu und biß mit seinen Zähnen dem Kinde in sein Röckchen, das ganz entsetzlich schrie. Ich riß meine Schürze vom Leibe und warf sie über den scheußlichen Kopf, und Meister Franz eilte herbei, riß ihn los und sprach: ›Mutter, Mutter, was habe ich gestern morgen gesagt? Ich kenne mein Schwert, es ist lebendig!‹ – Ich war niedergesunken vor Schreck, das Annerl schrie entsetzlich. Der Bürgermeister war ganz bestürzt und ließ mich und das Kind nach seinem Hause fahren. Da schenkte mir seine Frau andre Kleider für mich und das Kind, und nachmittags schenkte uns der Bürgermeister noch Geld, und viele Leute des Städtchens auch, die Annerl sehen wollten, so daß ich an zwanzig Taler und viele Kleider für sie bekam. Am

Abend kam der Pfarrer ins Haus und redete mir lange zu, daß ich das Annerl nur recht in der Gottesfurcht erziehen sollte und auf alle die betrübten Zeichen gar nichts geben, das seien nur Schlingen des Satans, die man verachten müsse; und dann schenkte er mir noch eine schöne Bibel für das Annerl, die sie noch hat; und dann ließ uns der gute Bürgermeister am andern Morgen noch an drei Meilen weit nach Haus fahren. Ach, du mein Gott, und alles ist doch eingetroffen!« sagte die Alte und schwieg.

Eine schauerliche Ahnung ergriff mich; die Erzählung der Alten hatte mich ganz zermalmt. »Um Gottes willen, Mutter,« rief ich aus, »was ist es mit der armen Annerl geworden, ist denn gar nicht zu helfen?«

»Es hat sie mit den Zähnen dazu gerissen,« sagte die Alte, »heut wird sie gerichtet! Aber sie hat es in der Verzweiflung getan: die Ehre, die Ehre lag ihr im Sinn. Sie war zuschanden gekommen aus Ehrsucht, sie wurde verführt von einem Vornehmen, er hat sie sitzen lassen, sie hat ihr Kind erstickt in derselben Schürze, die ich damals über den Kopf des Jägers Jürge warf und die sie mir heimlich entwendet hat. Ach, es hat sie mit Zähnen dazu gerissen, sie hat es in der Verwirrung getan. Der Verführer hatte ihr die Ehe versprochen und gesagt, der Kasper sei in Frankreich geblieben. Dann ist sie verzweifelt und hat das Böse getan und hat sich selbst bei den Gerichten angegeben. Um vier Uhr wird sie gerichtet. Sie hat mir geschrieben, ich möchte noch zu ihr kommen; das will ich nun tun und ihr das Kränzlein und den Gruß von dem armen Kasper bringen und die Rose, die ich heut nacht erhalten, das wird sie trösten. Ach, lieber Schreiber, wenn Er es nur in der Bittschrift auswirken kann, daß ihr Leib und auch der Kasper dürfen auf unsern Kirchhof gebracht werden.«

»Alles, alles will ich versuchen!« rief ich aus. »Gleich will ich nach dem Schlosse laufen; mein Freund, der Ihr die Rose gab, hat die Wache dort, er soll mir den Herzog wecken. Ich will vor sein Bett knieen und ihn um Pardon für Annerl bitten.«

»Pardon?« sagte die Alte kalt. »Es hat sie ja mit Zähnen dazu gezogen! Hör Er, lieber Freund: Gerechtigkeit ist besser als Pardon. Was hilft aller Pardon auf Erden, wir müssen doch alle vor das Gericht:

Ihr Toten, ihr Toten sollt auferstehn,
Ihr sollt vor das Jüngste Gerichte gehn.

Seht: sie will keinen Pardon, man hat ihn ihr angeboten, wenn sie den Vater des Kindes nennen wolle, aber das Annerl hat gesagt: ›Ich habe sein Kind ermordet und will sterben und ihn nicht unglücklich machen; ich muß meine Strafe leiden, daß ich zu meinem Kinde komme, aber ihn kann es verderben, wenn ich ihn nenne.‹ Darüber wurde ihr das Schwert zuerkannt. Gehe Er zum Herzog und bitte Er für Kasper und Annerl um ein ehrlich Grab! Gehe Er gleich! Seh Er: dort geht der Herr Pfarrer ins Gefängnis; ich will ihn ansprechen, daß er mich mit hinein zum schönen Annerl nimmt. Wenn Er sich eilt, so kann Er uns draußen am Gerichte vielleicht den Trost noch bringen mit dem ehrlichen Grab für Kasper und Annerl.«

Unter diesen Worten waren wir mit dem Prediger zusammengetroffen. Die Alte erzählte ihr Verhältnis zu der Gefangenen, und er nahm sie freundlich mit zum Gefängnis. Ich aber eilte nun, wie ich noch nie gelaufen, nach dem Schlosse, und es machte mir einen tröstenden Eindruck, es war mir wie ein Zeichen der Hoffnung, als ich an Graf Grossingers Hause vorüberstürzte und aus einem offnen Fenster des Gartenhauses eine liebliche Stimme zur Laute singen hörte:

Die Gnade sprach von Liebe,
Die Ehre aber wacht
Und wünscht voll Lieb der Gnade
In Ehren gute Nacht.
Die Gnade nimmt den Schleier,
Wenn Liebe Rosen gibt,
Die Ehre grüßt den Freier,
Weil sie die Gnade liebt.

Ach, ich hatte der guten Wahrzeichen noch mehr! Einhundert Schritte weiter fand ich einen weißen Schleier auf der Straße liegend; ich raffte ihn auf, er war voll von duftenden Rosen. Ich hielt ihn in der Hand und lief weiter, mit dem Gedanken: »Ach Gott, das ist die Gnade.« Als ich um die Ecke bog, sah ich einen Mann, der sich in seinen Mantel verhüllte, als ich vor ihm vorübereilte, und mir heftig den Rükken wandte, um nicht gesehen zu werden. Er hätte es nicht nötig gehabt, ich sah und hörte nichts in meinem Innern als: Gnade, Gnade! und stürzte durch das Gittertor in den Schloßhof. Gott sei Dank, der Fähndrich Graf Grossinger, der unter den blühenden Kastanienbäumen vor der Wache auf und ab ging, trat mir schon entgegen.

»Lieber Graf,« sagte ich mit Ungestüm, »Sie müssen mich gleich zum Herzog bringen, gleich auf der Stelle, oder alles ist zu spät, alles ist verloren!«

Er schien verlegen über diesen Antrag und sagte: »Was fällt Ihnen ein, zu dieser ungewohnten Stunde? Es ist nicht möglich; kommen Sie zur Parade, da will ich Sie vorstellen.«

Mir brannte der Boden unter den Füßen. »Jetzt«, rief ich aus, »oder nie! Es muß sein, es betrifft das Leben eines Menschen.«

»Es kann jetzt nicht sein,« erwiderte Grossinger scharf absprechend, »es betrifft meine Ehre; es ist mir untersagt, heute nacht irgendeine Meldung zu tun.«

Das Wort Ehre machte mich verzweifeln; ich dachte an Kaspers Ehre, an Annerls Ehre und sagte: »Die vermaledeite Ehre! Gerade um die letzte Hülfe zu leisten, welche so eine Ehre übrig gelassen, muß ich zum Herzoge. Sie müssen mich melden, oder ich schreie laut nach dem Herzog.«

»So Sie sich rühren,« sagte Grossinger heftig, »lasse ich Sie in die Wache werfen. Sie sind ein Phantast, Sie kennen keine Verhältnisse.«

»Oh, ich kenne Verhältnisse, schreckliche Verhältnisse! Ich muß zum Herzoge, jede Minute ist unerkauflich!« versetzte

ich. »Wollen Sie mich nicht gleich melden, so eile ich allein zu ihm.«
Mit diesen Worten wollte ich nach der Treppe, die zu den Gemächern des Herzogs hinaufführte, als ich den nämlichen in einen Mantel Verhüllten, der mir begegnete, nach dieser Treppe eilend bemerkte. Grossinger drehte mich mit Gewalt um, daß ich diesen nicht sehen sollte. »Was machen Sie, Töriger?« flüsterte er mir zu, »schweigen Sie, ruhen Sie, Sie machen mich unglücklich!«
»Warum halten Sie den Mann nicht zurück, der da hinaufging?« sagte ich. »Er kann nichts Dringenderes vorzubringen haben als ich. Ach, es ist so dringend, ich muß, ich muß! Es betrifft das Schicksal eines unglücklichen, verführten, armen Geschöpfs.«
Grossinger erwiderte: »Sie haben den Mann hinaufgehen sehen; wenn Sie je ein Wort davon äußern, so kommen Sie vor meine Klinge. Gerade weil *er* hinaufging, können *Sie nicht* hinauf, der Herzog hat Geschäfte mit ihm.«
Da erleuchteten sich die Fenster des Herzogs. »Gott, er hat Licht, er ist auf!« sagte ich, »ich muß ihn sprechen, um des Himmels willen, lassen Sie mich, oder ich schreie Hülfe!«
Grossinger faßte mich beim Arm und sagte: »Sie sind betrunken, kommen Sie in die Wache. Ich bin Ihr Freund, schlafen sie aus und sagen Sie mir das Lied, das die Alte heut nacht an der Türe sang, als ich die Runde vorüberführte; das Lied interessiert mich sehr.« »Gerade wegen der Alten und den Ihrigen muß ich mit dem Herzog sprechen!« rief ich aus.
»Wegen der Alten?« versetzte Grossinger, »wegen der sprechen Sie mit mir! Die großen Herren haben keinen Sinn für so etwas; geschwind, kommen Sie nach der Wache.«
Er wollte mich fortziehen, da schlug die Schloßuhr halb vier. Der Klang schnitt mir wie ein Schrei der Not durch die Seele, und ich schrie aus voller Brust zu den Fenstern des Herzogs hinauf:
»Hülfe! um Gottes willen, Hülfe für ein elendes, verführtes

Geschöpf!« Da ward Grossinger wie unsinnig. Er wollte mir den Mund zuhalten, aber ich rang mit ihm; er stieß mich in den Nacken, er schimpfte; ich fühlte, ich hörte nichts. Er rief nach der Wache, der Korporal eilte mit etlichen Soldaten herbei, mich zu greifen, aber in dem Augenblick ging des Herzogs Fenster auf, und es rief herunter:

»Fähndrich Graf Grossinger, was ist das für ein Skandal! Bringen Sie den Menschen herauf, gleich auf der Stelle!«

Ich wartete nicht auf den Fähndrich; ich stürzte die Treppe hinauf, ich fiel nieder zu den Füßen des Herzogs, der mich betroffen und unwillig aufstehen hieß. Er hatte Stiefel und Sporen an und doch einen Schlafrock, den er sorgfältig über der Brust zusammenhielt.

Ich trug dem Herzoge alles, was mir die Alte von dem Selbstmorde des Ulans, von der Geschichte der schönen Annerl erzählt hatte, so gedrängt vor, als es die Not erforderte, und flehte ihn wenigstens um den Aufschub der Hinrichtung auf wenige Stunden und um ein ehrliches Grab für die beiden Unglücklichen an, wenn Gnade unmöglich sei. – »Ach, Gnade, Gnade!« rief ich aus, indem ich den gefundenen weißen Schleier voll Rosen aus dem Busen zog. »Dieser Schleier, den ich auf meinem Wege hierher gefunden, schien mir Gnade zu verheißen.«

Der Herzog griff mit Ungestüm nach dem Schleier und war heftig bewegt; er drückte den Schleier in seinen Händen, und als ich die Worte aussprach: »Euer Durchlaucht! Dieses arme Mädchen ist ein Opfer falscher Ehrsucht, ein Vornehmer hat sie verführt und ihr die Ehe versprochen; ach, sie ist so gut, daß sie lieber sterben will, als ihn nennen« – da unterbrach mich der Herzog mit Tränen in den Augen und sagte: »Schweigen Sie, ums Himmels willen, schweigen Sie!« – Und nun wendete er sich zu dem Fähndrich, der an der Türe stand, und sagte mit dringender Eile: »Fort, eilend zu Pferde mit diesem Menschen hier. Reiten Sie das Pferd tot; nur nach dem Gerichte hin. Heften Sie diesen Schleier an Ihren Degen, winken und schreien Sie: Gnade, Gnade! – Ich komme nach.«

Grossinger nahm den Schleier. Er war ganz verwandelt, er sah aus wie ein Gespenst vor Angst und Eile. Wir stürzten in den Stall, saßen zu Pferd und ritten im Galopp; er stürmte wie ein Wahnsinniger zum Tore hinaus. Als er den Schleier an seine Degenspitze heftete, schrie er: »Herr Jesus, meine Schwester!« Ich verstand nicht, was er wollte. Er stand hoch im Bügel und wehte und schrie: »Gnade, Gnade!« Wir sahen auf dem Hügel die Menge um das Gericht versammelt. Mein Pferd scheute vor dem wehenden Tuch. Ich bin ein schlechter Reiter, ich konnte den Grossinger nicht einholen, er flog im schnellsten Karriere; ich strengte alle Kräfte an. Trauriges Schicksal! Die Artillerie exerzierte in der Nähe, der Kanonendonner machte es unmöglich, unser Geschrei aus der Ferne zu hören. Grossinger stürzte, das Volk stob auseinander, ich sah in den Kreis, ich sah einen Stahlblitz in der frühen Sonne – ach Gott, es war der Schwertblitz des Richters! – Ich sprengte heran, ich hörte das Wehklagen der Menge. »Pardon, Pardon!« schrie Grossinger und stürzte mit wehendem Schleier durch den Kreis wie ein Rasender; aber der Richter hielt ihm das blutende Haupt der schönen Annerl entgegen, das ihn wehmütig anlächelte. Da schrie er: »Gott sei mir gnädig!« und fiel auf die Leiche hin zur Erde. »Tötet mich, tötet mich ihr Menschen: ich habe sie verführt, ich bin ihr Mörder!«

Eine rächende Wut ergriff die Menge; die Weiber und Jungfrauen drangen heran und rissen ihn von der Leiche und traten ihn mit Füßen, er wehrte sich nicht; die Wachen konnten das wütende Volk nicht bändigen. Da erhob sich das Geschrei: »Der Herzog, der Herzog!« Er kam im offnen Wagen gefahren; ein blutjunger Mensch, den Hut tief ins Gesicht gedrückt, in einen Mantel gehüllt, saß neben ihm. Die Menschen schleiften Grossinger herbei. »Jesus, mein Bruder!« schrie der junge Offizier mit der weiblichsten Stimme aus dem Wagen. Der Herzog sprach bestürzt zu ihm: »Schweigen Sie!« Er sprang aus dem Wagen, der junge Mensch wollte folgen; der Herzog drängte ihn schier unsanft zurück, aber so beförderte sich die Entdeckung, daß der junge Mensch die als Offizier verkleidete Schwester Grossingers sei. Der Herzog ließ den mißhandelten, blutenden, ohnmächtigen Grossinger in den Wagen legen, die Schwester nahm keine Rücksicht mehr, sie warf ihren Mantel über ihn; jedermann sah sie in weiblicher Kleidung. Der Herzog war verlegen, aber er sammelte sich und befahl, den Wagen sogleich umzuwenden und die Gräfin mit ihrem Bruder nach ihrer Wohnung zu fahren. Dieses Ereignis hatte die Wut der Menge einigermaßen gestillt. Der Herzog sagte laut zu dem wachthabenden Offizier: »Die Gräfin Grossinger hat ihren Bruder an ihrem Hause vorbeireiten sehen, den Pardon zu bringen, und wollte diesem freudigen Ereignis beiwohnen; als ich zu demselben Zwecke vorüberfuhr, stand sie am Fenster und bat mich, sie in meinem Wagen mitzunehmen; ich konnte es dem gutmütigen Kinde nicht abschlagen. Sie nahm einen Mantel und Hut ihres Bruders, um kein Aufsehen zu erregen, und hat, von dem unglücklichen Zufall überrascht, die Sache gerade dadurch zu einem abenteuerlichen Skandal gemacht. Aber wie konnten Sie, Herr Leutnant, den unglücklichen Grafen Grossinger nicht vor dem Pöbel schützen? Es ist ein gräßlicher Fall, daß er, mit dem Pferde stürzend, zu spät kam; er kann doch aber nichts dafür. Ich will die Mißhandler des Grafen verhaftet und bestraft wissen.«

Auf diese Rede des Herzogs erhob sich ein allgemeines Geschrei: »Er ist ein Schurke, er ist der Verführer, der Mörder der schönen Annerl gewesen, er hat es selbst gesagt, der elende, der schlechte Kerl!«

Als dies von allen Seiten hertönte und auch der Prediger und der Offizier und die Gerichtspersonen es bestätigten, war der Herzog so tief erschüttert, daß er nichts sagte als: »Entsetzlich, entsetzlich, o der elende Mensch!«

Nun trat der Herzog blaß und bleich in den Kreis, er wollte die Leiche der schönen Annerl sehen. Sie lag auf dem grünen Rasen in einem schwarzen Kleide mit weißen Schleifen. Die alte Großmutter, welche sich um alles, was vorging, nicht bekümmerte, hatte ihr das Haupt an den Rumpf gelegt und die schreckliche Trennung mit ihrer Schürze bedeckt. Sie war beschäftigt, ihr die Hände über die Bibel zu falten, welche der Pfarrer in dem kleinen Städtchen der kleinen Annerl geschenkt hatte; das goldene Kränzlein band sie ihr auf den Kopf und steckte die Rose vor die Brust, welche ihr Grossinger in der Nacht gegeben hatte, ohne zu wissen, wem er sie gab.

Der Herzog sprach bei diesem Anblick: »Schönes, unglückliches Annerl! Schändlicher Verführer, du kamst zu spät! – Arme alte Mutter, du bist ihr allein treu geblieben, bis in den Tod.« Als er mich bei diesen Worten in seiner Nähe sah, sprach er zu mir: »Sie sagten mir von einem Letzten Willen des Korporal Kasper, haben Sie ihn bei sich?« Da wendete ich mich zu der Alten und sagte: »Arme Mutter, gebt mir die Brieftasche Kaspers; Seine Durchlaucht wollen seinen Letzten Willen lesen.«

Die Alte, welche sich um nichts bekümmerte, sagte mürrisch: »Ist Er auch wieder da? Er hätte lieber ganz zu Hause bleiben können. Hat Er die Bittschrift? Jetzt ist es zu spät. Ich habe dem armen Kinde den Trost nicht geben können, daß sie zu Kasper in ein ehrliches Grab soll; ach, ich hab es ihr vorgelogen, aber sie hat mir nicht geglaubt.«

Der Herzog unterbrach sie und sprach: »Ihr habt nicht gelogen, gute Mutter; der Mensch hat sein möglichstes getan, der Sturz des Pferdes ist an allem schuld. Aber sie soll ein ehrliches Grab haben bei ihrer Mutter und bei Kasper, der ein braver Kerl war. Es soll ihnen beiden eine Leichenpredigt gehalten werden über die Worte: ›Gebt Gott allein die Ehre!‹ Der Kasper soll als Fähndrich begraben werden, seine Schwadron soll ihm dreimal ins Grab schießen, und des Ver-

derbers Grossingers Degen soll auf seinen Sarg gelegt werden.«
Nach diesen Worten ergriff er Grossingers Degen, der mit dem Schleier noch an der Erde lag, nahm den Schleier herunter, bedeckte Annerl damit und sprach: »Dieser unglückliche Schleier, der ihr so gern Gnade gebracht hätte, soll ihr die Ehre wiedergeben; sie ist ehrlich und begnadigt gestorben, der Schleier soll mit ihr begraben werden.«
Den Degen gab er dem Offizier der Wache mit den Worten: »Sie werden heute noch meine Befehle wegen der Bestattung des Ulanen und dieses armen Mädchens bei der Parade empfangen.«
Nun las er auch die letzten Worte Kaspers laut mit vieler Rührung; die alte Großmutter umarmte mit Freudentränen seine Füße, als wäre sie das glücklichste Weib. Er sagte zu ihr: »Gebe Sie sich zufrieden. Sie soll eine Pension haben bis an Ihr seliges Ende, ich will Ihrem Enkel und der Annerl einen Denkstein setzen lassen.«
Nun befahl er dem Prediger, mit der Alten und einem Sarge, in welchen die Gerichtete gelegt wurde, nach seiner Wohnung zu fahren und sie dann nach ihrer Heimat zu bringen und das Begräbnis zu besorgen. Da währenddem seine Adjutanten mit Pferden gekommen waren, sagte er noch zu mir: »Geben Sie meinem Adjutanten Ihren Namen an, ich werde Sie rufen lassen. Sie haben einen schönen menschlichen Eifer gezeigt.« Der Adjutant schrieb meinen Namen in seine Schreibtafel und machte mir ein verbindliches Kompliment. Dann sprengte der Herzog, von den Segenswünschen der Menge begleitet, in die Stadt. Die Leiche der schönen Annerl ward nun mit der guten alten Großmutter in das Haus des Pfarrers gebracht, und in der folgenden Nacht fuhr dieser mit ihr nach der Heimat zurück. Der Offizier traf, mit dem Degen Grossingers und einer Schwadron Ulanen, auch daselbst am folgenden Abend ein. Da wurde nun der brave Kasper, mit Grossingers Degen auf der Bahre und dem Fähndrichs-

patent, neben der schönen Annerl, zur Seite seiner Mutter begraben. Ich war auch hingeeilt und führte die alte Mutter, welche kindisch vor Freude war, aber wenig redete; und als die Ulanen dem Kasper zum dritten Mal ins Grab schossen, fiel sie mir tot in die Arme. Sie hat ihr Grab auch neben den Ihrigen empfangen. Gott gebe ihnen allen eine freudige Auferstehung!

Sie sollen treten auf die Spitzen,
Wo die lieben Engelein sitzen,
Wo kömmt der liebe Gott gezogen
Mit einem schönen Regenbogen;
Da sollen ihre Seelen vor Gott bestehn,
Wann wir werden zum Himmel eingehn!
Amen.

Als ich in die Hauptstadt zurückkam, hörte ich, Graf Grossinger sei gestorben, er habe Gift genommen. In meiner Wohnung fand ich einen Brief von ihm. Er sagte mir darin:

›Ich habe Ihnen viel zu danken, Sie haben meine Schande, die mir lange das Herz abnagte, zutage gebracht. Jenes Lied der Alten kannte ich wohl, die Annerl hatte es mir oft vorgesagt, sie war ein unbeschreiblich edles Geschöpf. Ich war ein elender Verbrecher; sie hatte ein schriftliches Eheversprechen von mir gehabt und hat es verbrannt. Sie diente bei einer alten Tante von mir, sie litt oft an Melancholie. Ich habe mich durch gewisse medizinische Mittel, die etwas Magisches haben, ihrer Seele bemächtigt. – Gott sei mir gnädig! – Sie haben auch die Ehre meiner Schwester gerettet, der Herzog liebt sie, ich war sein Günstling – die Geschichte hat ihn erschüttert. – Gott helfe mir, ich habe Gift genommen.

Josef Graf Grossinger.‹

Die Schürze der schönen Annerl, in welche ihr der Kopf des Jägers Jürge bei seiner Enthauptung gebissen, ist auf der herzoglichen Kunstkammer bewahrt worden. Man sagt, die Schwester des Grafen Grossinger werde der Herzog mit dem

Namen ›Voile de Grâce‹, auf deutsch ›Gnadenschleier‹, in den Fürstenstand erheben und sich mit ihr vermählen. Bei der nächsten Revue in der Gegend von D** soll das Monument auf den Gräbern der beiden unglücklichen Ehrenopfer auf dem Kirchhof des Dorfs errichtet und eingeweiht werden; der Herzog wird mit der Fürstin selbst zugegen sein. Er ist ausnehmend zufrieden damit; die Idee soll von der Fürstin und dem Herzoge zusammen erfunden sein. Es stellt die falsche und wahre Ehre vor, die sich vor einem Kreuze beiderseits gleich tief zur Erde beugen, die Gerechtigkeit steht mit dem geschwungenen Schwerte zur einen Seite, die Gnade zur andern Seite und wirft einen Schleier heran. Man will im Kopfe der Gerechtigkeit Ähnlichkeit mit dem Herzoge, in dem Kopfe der Gnade Ähnlichkeit mit dem Gesichte der Fürstin finden.

CHARLES SEALSFIELD

Die Erzählung des Obersten Morse

»Unser Wirt war ein fröhlicher Kentuckier und machte seinem Geburtsstaate in jeder Hinsicht Ehre. Unsere Aufnahme war die herzlichste, die es geben konnte. Wir hatten dafür nichts zu entrichten als die Neuigkeiten, die wir von Hause mitbrachten. Aber Sie können sich auch schwerlich einen Begriff von der Gier, der Ängstlichkeit machen, mit der unsere Landsleute in der Fremde Berichte von Hause anhören. Die Spannung ist wirklich fieberisch, und nicht bloß bei Männern, auch bei Frauen und Kindern. Wer sich von dieser wirklich fieberischen Anhänglichkeit unserer Bürger an ihr Vaterland einen Begriff geben will, sollte in der Tat nach Texas oder irgendeinem fremden Lande auswandern und mit da angesiedelten Landsleuten zusammentreffen. Wir waren nachmittags angekommen, und die Morgensonne des folgenden Tages traf uns noch am Erzählen und Debattieren – die ganze Familie um uns herum. Kaum daß wir einige Stunden geschlafen, wurden wir von unsern lieben Wirtsleuten bereits wieder aufgeweckt. Einige zwanzig bis dreißig Rinder sollten eingefangen und nach New Orleans auf den Markt versandt werden. Die Art Jagd, die bei einem solchen Einfangen stattfindet, ist immer interessant, selten gefährlich. Wir ließen uns die freundliche Einladung, wie Sie wohl denken mögen, nicht zweimal sagen, sprangen auf, kleideten uns an, frühstückten und bestiegen dann unsere Mustangs. Wir hatten vier bis fünf Meilen zu reiten, ehe wir zu den Tieren kamen, die in Herden von dreißig bis fünfzig Köpfen teils weideten, teils sich im Grase herumtummelten, die schönsten Rinder, die ich je gesehen, alle hochbeinig, weit höher als die unsrigen, schlanker und besser geformt. Auch die Hörner sind länger und gleichen, in der Ferne gesehen, mehr den Geweihen der Edelhirsche denn Rinderhörnern. Obwohl Sommer und Winter sich selbst überlassen und in der Prärie, arten sie doch nie aus; nur wenn sie Wölfe oder Bären wittern, werden sie wild und selbst gefährlich. Die ganze Herde tobt dann in wütenden Sätzen dem Verstecke zu, wo das Raubtier lauert, und dann ist es heilsam, aus dem Wege zu gehen. Übrigens sind sie beinahe gar keinen Krankheiten ausgesetzt; von der Leberkrankheit, die unter den Herden in Louisiana so große Verwüstungen anrichtet, weiß man da nichts; selbst die Salzätzung ist überflüssig, da Salzquellen allenthalben im Überflusse vorhanden sind.

Wir waren ein halbes Dutzend Reiter, nämlich Mister Neal, mein Freund, ich und drei Neger. Unsere Aufgabe bestand darin, die Tiere dem Hause zuzutreiben, wo die für den Markt bestimmten mit dem Lasso eingefangen und sofort nach Brazoria abgeführt werden sollten. Ich ritt meinen Mustang. Wir hatten uns der ersten Herde, die aus etwa fünfzig bis sechzig Stück bestand, auf eine Viertelmeile genähert. Die Tiere blieben ganz ruhig. Sie umreitend, suchten wir der zweiten den Wind abzugewinnen. Auch diese blieb ruhig, und so ritten wir weiter und weiter, und die letzte und äußerste Truppe hinter uns, begannen wir uns zu trennen, um sämtliche Herden in einen Halbkreis zu schließen und dem Hause zuzutreiben. Mein Mustang hatte sich bisher recht gut gehalten, munter und lustig fortkapriolierend, keine seiner Tücken gezeigt, aber jetzt – wir waren noch keine zweihundert Schritte auseinander – erwachte der alte Unhold. Etwa tausend Schritte von uns weideten nämlich die Mustangs der Pflanzung, und kaum hatte er diese ersehen, als er auch in Kreuz- und Quersprünge ausbrach, die mich, obwohl sonst kein ungeübter Reiter, beinahe aus dem Sattel brachten. – Noch hielt ich mich jedoch. Aber unglücklicherweise hatte ich, dem Rate Mister Neals entgegen, nicht nur statt des mexikanischen Gebisses mein amerikanisches angelegt, ich hatte auch den Lasso, der mir das Tier bisher mehr als selbst das Gebiß regieren geholfen, zurückgelassen, und wo dieser fehlt, ist mit einem Mustang in der Prärie nichts anzufangen. Alle meine Reitergeschicklichkeit vermochte hier nichts, wie ein wilder Stier sprang es etwa fünfhundert Schritte der Herde zu, hielt aber, ehe es in ihrer Mitte anlangte, so plötzlich an, warf die Hinterfüße so unerwartet in die Luft, den Kopf zwischen die Vorderfüße, daß ich über denselben herabgeflogen war, ehe ich mir die Möglichkeit träumen ließ. Auf Zügel und Trense mit beiden Vorderfüßen zugleich springen, den Zaum abstreifen und dann mit wildem Gewieher der Herde zuspringen, das war dem Kobolde das Werk eines Augenblicks.

Wütend erhob ich mich aus dem ellenhohen Grase. Mein nächster Nachbar, einer der Neger, sprengte zu meinem Beistande herbei und bat mich, das Tier einstweilen laufen zu lassen, Anthony der Jäger würde es schon wieder erwischen; aber in meinem Zorne hörte ich nicht. Rasend gebot ich ihm, abzusteigen und mir sein Pferd zu überlassen. Vergebens bat der Schwarze, ja um Himmels willen dem Tiere nicht nachzureiten, es lieber zu allen Teufeln laufen zu lassen; ich wollte nicht hören, sprang auf den Rücken seines Mustangs und schoß dem Flüchtling nach. Mister Neal war unterdessen selbst herbeigesprengt und schrie so stark, als er vermochte, ich möchte ja bleiben, um Himmels willen bleiben, ich wisse nicht, was ich unternehme, wenn ich einem ausgerissenen Mustang auf die Prärie nachreite, eine Texas-Prärie sei keine Virginia- oder Karolina-Wiese. Ich hörte nichts mehr, wollte nichts mehr hören; der Streich, den mir die Bestie gespielt, hatte mir alle Besonnenheit geraubt; wie toll galoppierte ich nach.

Das Tier war der Pferdeherde zugesprungen und ließ mich auf etwa dreihundert Schritte herankommen, den Lasso, der glücklicherweise am Sattel befestigt war, zurechtlegen, und dann riß es abermals aus. Ich wieder nach. Wieder hielt es eine Weile an, und dann galoppierte es wieder weiter; ich immer toller nach. In der Entfernung einer halben Meile hielt es wieder an, und als ich bis auf drei- oder zweihundert Schritte herangekommen, brach es wieder mit wildem, schadenfrohem Gewieher auf und davon. Ich ritt langsamer, auch der Mustang fiel in einen langsameren Schritt; ich ritt schneller, auch er wurde schneller. Wohl zehnmal ließ er mich an die zweihundert Schritte herankommen, und ebensooft riß er wieder aus. Jetzt wäre es allerdings hohe Zeit gewesen, von der wilden Jagd abzustehen, sie Erfahreneren zu überlassen; wer aber je in einem solchen Falle gewesen, wird auch wissen, daß ruhige Besonnenheit richtig immer gleichzeitig Reißaus nimmt. Ich ritt wie betrunken dem Tiere nach, es ließ mich näher und näher kommen, und dann brach es mit einem lachenden, schadenfrohen Gewieher richtig wieder aus. Dieses Gewieher war es eigentlich, was mich so erbitterte, blind und taub machte – es war so boshaft, gellte mir so ganz wie wilder Triumph in die Ohren, daß ich immer wilder wurde. Endlich wurde es mir aber doch zu toll, ich wollte nur noch einen letzten Versuch wagen, dann aber gewiß umkehren. Es hielt vor einer der sogenannten Inseln. Diese wollte ich umreiten, mich durch die Baumgruppe schleichen und ihm, das ganz nahe am Rande graste, von diesem aus den Lasso über den Kopf werfen oder es wenigstens der Pflanzung zutreiben. Ich glaubte meinen Plan sehr geschickt angelegt zu haben, ritt demnach um die Insel herum, dann durch, und kam auf dem Punkte heraus, wo ich meinen Mustang sicher glaubte; allein obwohl ich mich so vorsichtig, als ritte ich auf Eiern, dem Rande näherte, keine Spur war mehr von meinem Mustang zu sehen. Ich ritt nun ganz aus der Insel heraus – er war verschwunden. Ich verwünschte ihn in die Hölle, gab meinem Pferde die Sporen und ritt, oder glaubte wieder zurück-, das heißt der Pflanzung zuzureiten.« Der

Oberst holte tiefer Atem und fuhr fort: »Zwar sah ich diese nicht mehr, selbst die Herde der Mustangs und der Rinder war verschwunden, aber das machte mich nicht bange. Glaubte ich doch die Richtung vor Augen, die Insel vom Hause aus gesehen zu haben. Auch fand ich allenthalben der Pferdespuren so viele, daß mir die Möglichkeit, verirrt zu sein, gar nicht beifiel. So ritt ich denn unbekümmert weiter.

Eine Stunde mochte ich so geritten sein. Nach und nach wurde mir die Zeit etwas lange. Meine Uhr wies auf eins – Schlag neun waren wir ausgeritten. – Ich war also vier Stunden im Sattel, und wenn ich anderthalb Stunden auf die Rinderumkreisung rechnete, so kamen drittehalb auf meine eigene wilde Jagdrechnung. Ich konnte mich denn doch weiter von der Pflanzung entfernt haben, als ich dachte. Auch mein Appetit begann sich stark zu regen. Es war gegen Ende des Märzes, der Tag heiter und frisch wie einer unserer Maryland-Maitage. Die Sonne stand zwar jetzt golden am Himmel, aber der Morgen war trübe und neblig gewesen, und fatalerweise waren wir erst den Tag zuvor, und gerade nachmittags, auf der Pflanzung angelangt, hatten uns sogleich zu Tische gesetzt und den ganzen Abend und die Nacht verplaudert, so daß ich keine Gelegenheit wahrgenommen, mich über die Lage des Hauses zu orientieren. Dieses Übersehen begann mich nun einigermaßen zu ängstigen, auch fielen mir die dringenden Bitten des Negers, die Zurufe Mister Neals ein – aber doch tröstete ich mich noch immer; gewiß war ich jedenfalls nicht weiter als zehn bis fünfzehn Meilen von der Pflanzung, die Herden mußten jeden Augenblick auftauchen, und dann konnte es mir ja gar nicht fehlen. Diese tröstende Stimmung hielt nicht lange an, es kam wieder eine bange; denn abermals war ich eine Stunde geritten und noch immer keine Spur von etwas wie einer Herde oder Pflanzung. Ich wurde ungeduldig, ja böse gegen den armen Mister Neal. Warum sandte er mir nicht einen oder ein paar seiner faulen Neger oder seinen Jäger nach? Aber der war nach Anahuac gegangen, erinnerte ich mich gehört zu haben, konnte vor ein paar Tagen nicht zurück sein. – Aber ein Signal mit einem oder ein paar Flintenschüssen konnte mir der Kentukkier doch geben! Ich hielt an, ich horchte: kein Laut – tiefe Stille ringsumher – selbst die Vögel in den Inseln schwiegen; die ganze Natur hielt Siesta, für mich eine sehr beklemmende Siesta. So weit nur das Auge reichte, ein wallendes, wogendes Meer von Gräsern, hie und da Baumgruppen, aber keine Spur eines menschlichen Daseins. Endlich glaubte ich etwas entdeckt zu haben. Die nächste der Baumgruppen, gewiß war sie dieselbe, die ich bei unserm Ausritte aus dem Hause sehr bewundert; wie eine Schlange, die sich zum Sprunge aufringelt, lag sie aufgerollt. Ich hatte sie rechts, von der Pflanzung etwa sechs bis sieben Meilen, gesehen – es konnte nicht fehlen, wenn ich die Richtung nun links nahm. Und frisch nahm ich sie, trabte eine Stunde, eine zweite in der Richtung, in der das Haus liegen sollte, trabte unermüdet fort. – Mehrere Stunden war ich so fortgeritten, anhaltend, horchend, ob sich denn gar nichts hören ließe – kein Schuß, kein Schrei. Gar nichts ließ sich hören. Dafür aber ließ sich etwas sehen, eine Entdeckung, die mir gar nicht gefallen wollte. In der Richtung, in der wir ausgeritten, waren die Gräser häufiger, die Blumen seltener gewesen; die Prärie, durch die ich jetzt ritt, bot aber mehr einen Blumengarten dar – einen Blumengarten, in dem kaum mehr das Grün zu sehen war. Der bunteste rote, gelbe, violette, blaue Blumenteppich, den ich je geschaut, Millionen der herrlichsten Prärierosen, Tuberosen, Dahlien, Astern, wie sie kein botanischer Garten der Erde so schön, so üppig aufziehen kann. Mein Mustang vermochte sich kaum durch dieses Blumengewirre hindurchzuarbeiten. Eine Weile staunte ich diese außerordentliche Pracht an, die in der Ferne erschien, als ob Regenbogen auf Regenbogen über die Wiese hingebreitet zitterten – aber das Gefühl war kein freudiges, dem peinlicher Angst zu nahe verwandt. Bald sollte diese meiner ganz Meister werden. Ich war nämlich wieder an einer Insel vorbeigeritten, als sich mir in einer Entfernung von etwa zwei Meilen ein Anblick darbot, ein Anblick so wunderbar, als er alles weit übertraf, was ich von außerordentlichen Erscheinungen hierzulande oder in den Staaten je gesehen.

Ein Koloß glänzte mir entgegen, eine gediegene, ungeheure Masse – ein Hügel, ein Berg des glänzendsten, reinsten Silbers. Gerade war die Sonne hinter einer Wolke vorgetreten, und wie jetzt ihre schrägen Strahlen das außerordentliche Phänomen aufleuchteten, hielt ich an, in sprachlosem Staunen starrend und starrend, aber wenn mir alle Schätze der Erde geboten worden wären, nicht imstande, diese außerordentliche, wirklich außerordentliche Erscheinung zu erklären. Bald glänzte es mir wie ein silberner Hügel, bald wie ein Schloß mit Zinnen und Türmen, bald wieder wie ein zauberischer Koloß – aber immer von gediegenem Silber und über alle Beschreibung prachtvoll entgegen. Was war das? In meinem Leben hatte ich nichts dem Ähnliches gesehen. Der Anblick verwirrte mich, es kam mir jetzt vor, als ob es hier nicht geheuer, ich mich auf verzaubertem Grund und Boden befände, irgendein Spukgeist sein Wesen mit mir triebe; denn daß ich mich nun wirklich verirrt, in ganz neue Regionen hineingeraten, daran konnte ich nicht mehr zweifeln. Eine Flut trüber, düsterer Gedanken kam zugleich mit dieser entsetzlichen Gewißheit – alles, was ich von Verirrten, Verlorengegangenen gehört, tauchte mit einem Mal und in den grausigsten Bildern vor mir auf; keine Märchen, sondern Tatsachen, die mir von den glaubwürdigsten Personen erzählt worden, bei welchen Gelegenheiten man mich auch immer ernstlich warnte, ja nicht ohne Begleitung oder Kompaß in die Prärien hinauszuschweifen; selbst Pflanzer, die hier zu Hause waren, täten das nie, denn hügel- und berglos, wie das Land ist, habe der Verirrte auch nicht das geringste Wahrzeichen, er könne tage-, ja wochenlang in diesem Wiesenozeane, Labyrinthe von Inseln herumirren, ohne Aussicht, seinen Weg je herauszufinden. Freilich im Sommer oder Herbste wäre eine solche Verirrung aus dem Grunde minder gefährlich, weil dann die Inseln einen Überfluß der deliziösesten Früchte lieferten, die wenigstens vor dem Hungertode schützten. Die herrlichsten Weintrauben, Parsimonen, Pflaumen, Pfirsiche sind dann allenthalben im Überflusse zu finden, aber nun war der Frühling erst seit wenigen Tagen angebrochen; ich traf zwar allenthalben auch Weinreben, Pfirsich- und Pflaumenbäume, deren Früchte mir als die köstlichsten geschildert waren und die ich in der Tat später so gefunden, aber für mich hatten sie kaum abgeblüht. Auch Wild sah ich vorbeischießen, aber ohne Gewehr stand ich inmitten des reichsten Landes der Erde, vielleicht, ja wahrscheinlich dem Hungertode preisgegeben. Der entsetzliche Gedanke kam jedoch nicht in folgerechter Ordnung, wie ich ihn hier entwickle – er schoß mir vielmehr verwirrt, verdumpfend und doch wieder so blitzartig durch das Gehirn; jedesmal wenn er mich durchzuckte, fühlte ich einen Stich, der mir Krämpfe und Schmerzen verursachte. Doch kamen auch wieder tröstendere Gedanken. Ich war ja bereits vier Wochen im Lande, hatte einen großen Teil desselben in jeder Richtung durchstreift, diese Streifereien waren alle durch Prärien gegangen! – Natürlich, denn das ganze Land war ja eine Prärie, und dann hatte ich meinen Kompaß und war immer in Gesellschaft. Dies hatte mich auch sicher gemacht, so daß ich stupiderweise nun, gegen jede Mahnung und Warnung taub, wie toll der wilden Bestie nachgejagt, uneingedenk, daß vier Wochen kaum hinreichten, mich im Umkreise von zwanzig Meilen, viel weniger in einem Lande, dreimal größer als der Staat New York, zu orientieren. Immerhin tröstete ich mich doch noch; von der eigentlichen Größe der Gefahr hatte ich noch immer keinen deutlichen Begriff; die Blitzfunken eines sanguinischen Temperamentes zuckten denn doch noch häufig, ja oft trotzig hervor. Ich hielt es für unmöglich, mich in den wenigen Stunden so gänzlich verirrt zu haben, daß nicht Mister Neal oder seine Neger meine Spur einholen sollten. Auch die Sonne, die jetzt hinter den dunstumflorten Inseln im Nordwesten unterging, die Dämmerung hereinbrechen ließ, beruhigte mich wieder wunderbar. Ein seltsamer Beruhigungsgrund! Häuslich erzogen und von Kindesbeinen an Ordnung gewöhnt, war es mir zur Regel geworden, nachts zu Hause oder wenigstens unter Obdach zu sein. So sehr hatte sich diese Gewohnheit mit meinem ganzen Dasein verschwistert, daß es mir absolut unmöglich erschien, die Nacht hindurch ohne Obdach zu bleiben. So fix wurde die Idee, dieses Obdach sei in der Nähe, daß ich meinem Mustang unwillkürlich die Sporen gab, fest überzeugt, das Haus Mister Neals in der Dämmerung auftauchen, die Lichter herüberschimmern zu sehen. Jeden Augenblick glaubte ich das Bellen der Hunde, das Gebrülle der Rinder, das Lachen der Kinder hören zu müssen. Wirklich sah ich auch jetzt das Haus vor mir, meine Phantasie ließ mich deutlich die Lichter im Parlour sehen; ich ritt hastiger, aber als ich endlich dem, was Haus sein sollte, näher kam, wurde es wieder zur Insel. Was ich für Lichter gehalten, waren Feuerkäfer, die mir in Klumpen aus der düstern Nacht der Insel entgegenglänzten, nun in dem auch über die Prärie hereinbrechenden Dunkel auf allen Seiten ihre blauen Flämmchen leuchten ließen, bald so hell leuchten ließen, daß ich wie auf einem bengalischen Feuersee mich herumtreibend wähnte. Etwas die Sinne mehr Verwirrendes läßt sich schwerlich denken, als ein solcher Ritt in einer warmen Märznacht durch die endlos einsame Prärie. Über mir das tief dunkelblaue Firmament mit seinem hell funkelnden Sternenheere, zu den Füßen ein Ozean magischen Lichtes, Millionen von Leuchtkäferchen entstrahlend! – Es war mir eine neue, verzauberte Welt. Jedes Gras, jede Blume, jeden Baum konnte ich unterscheiden, aber auch jedes Gras, jede Blume erschien in einem magisch übersinnlichen Lichte. Prärierosen und Tuberosen, Dahlien und Astern, Geranien und Weinranken begannen sich zu regen, zu bewegen, zum Reigen zu ordnen. Die ganze Blumen- und Pflanzenwelt begann um mich herum zu tanzen. – Auf einmal schallte ein laut langgezogener Ton aus dem Feuermeere zu mir herüber. Ich hielt an, horchte, schaute verwirrt um mich. Nichts war mehr zu hören. Wieder ritt ich weiter. Abermals der langgezogene Ton, diesmal aber melancholisch klagend. Wieder hielt ich an, wieder ritt ich weiter. Jetzt ließen sich die Klagelaute ein drittes Mal hören. Sie kamen aus einer Insel, von einer Whippoorwill, sie sang ihr Nachtlied. Wie sie das vierte Mal ihr Whippoorwill in die flammende Nacht hinausklagte, antwortete ihr eine mutwillige Katydid. Oh, wie ich da aufjauchzte, die Nachtsänger meines teuren Maryland zu hören! In dem Augenblicke standen das teure Vaterhaus, die Negerhütten, die heimatliche Pflanzung vor mir. Ich hörte das Gemurmel der Creek, die an den Negerhütten vorbeiplätscherte. So überwältigend war die Täuschung, der ich mich nicht hingab, nein, die mich hinriß, daß ich meinem Mustang die Sporen gab, fest überzeugt, das Vaterhaus liege vor mir. Auch ähnelte die Insel, aus welcher der Nachtgesang herüberkam, in dem magischen Zauberlichte den Waldsäumen, die meines Vater Haus umgaben, so täuschend, daß ich wohl eine halbe Stunde ritt, dann aber hielt und abstieg und Charon Tommy rief. Charon Tommy war der Fährmann. Die Creek, die durch die väterliche Pflanzung floß, war tief und nur wenige Monate im Jahre übersetzbar. Charon Tommy hatte von mir seine klassische Taufe erhalten. Ich rief ein, zwei, ein drittes, ein viertes Mal – kein Charon Tommy antwortete. Erst nachdem ich oftmals vergebens gerufen, erwachte ich.

Ein süßer Traum, ein schmerzliches Erwachen! Die Gefühle zu beschreiben, die sich meiner bemächtigten, ist nicht möglich. Alles lag so dumpf, so sinneverwirrend auf mir, das Gehirn schien sich mir im Kopfe, der Kopf auf dem Rumpfe umherzudrehen. Ich war nicht so müde und matt, so hungrig und durstig, daß ich eine Abnahme meiner Kräfte gefühlt

hätte; aber die Angst, die Furcht, die wunderbaren Erscheinungen, sie brachten einen Schwindel, einen Taumel über mich, der mich wie einen Nachtwandler umhertrieb. Absolut keines Gedankens mehr fähig, stand und starrte ich in die blaue Flammenwelt hinein, wie lange, weiß ich nicht. Mechanisch tat ich endlich, was ich während meines vierwöchigen Aufenthaltes im Lande andere tun gesehen, grub nämlich mit meinem Taschenmesser, das ich glücklicherweise bei mir hatte, ein Loch in den schwarzen Wiesenboden, legte das Lassoende hinein, stampfte das Loch wieder zu; nachdem ich die Schlinge dem Tiere über den Kopf geworfen und ihm Sattel und Zaum abgenommen, ließ ich es weiden, mich außerhalb des Kreises, den es beschreiben konnte, niederlegend. Eine etwas seltene Art, die Pferde zu sichern, werden Sie sagen, aber immerhin die natürlichste und bequemste in einem Lande, wo Sie oft fünfzig Meilen im Umkreise kein Haus und fünfundzwanzig weder Strauch noch Baum sehen.
Schlafen ließ es mich jedoch nicht, denn von mehreren Seiten ließ sich ein Geheul vernehmen, das ich bald als das von Wölfen und Jaguaren erkannte – wahrlich, nirgendwo eine sehr angenehme Nachtmusik, hier aber in diesem Feuerozeane, dieser rätselhaften Zauberwelt, klang dieses Geheul so entsetzlich, daß es mir durch Mark und Knochen schallte, ich wahnsinnig zu werden befürchtete. Meine Fibern und Nerven waren in Aufruhr, und ich weiß in der Tat nicht, was aus mir geworden wäre, wenn ich mich nicht glücklicherweise besonnen, daß mir ja meine Zigarrenbüchse und ein Röllchen Virginia-Dulzissimus treu geblieben – unbezahlbare Schätze in diesem Augenblicke, die auch nicht verfehlten, meine trübe Phantasie wieder heiterer zu stimmen.
Wahrlich, wenn der herrlich ritterliche Sir Walter kein anderes Verdienst um die Menschheit gehabt hätte, dieses allein sollte ihn allen jugendlichen Abenteurern für ewige Zeiten zum Patron heiligen! Ein paar Havannas – ich hatte natürlich – ein ziemlich starker Raucher – das Feuerzeug bei mir –

brachten einen wohltätigen Rausch über mich, in dem ich endlich doch entschlummerte. Der Tag war schon angebrochen, als ich erwachte. Mit den Träumen waren auch die trüben Gedanken verschwunden; ich fühlte scharfen Appetit, aber mich doch noch frisch und munter. Nüchtern, wie ich war, beschloß ich, auch nüchtern die Richtung, die ich zu nehmen hätte, zu erwägen, legte vor allem den Sattel, den Zaum an, grub den Knoten aus dem Loche, brachte den Lasso in Ordnung und bestieg dann meinen Mustang. Ein neckender Geist hatte einen ganzen Tag seine Possen mit mir getrieben, mich meine Unbesonnenheit büßen lassen; dafür, hoffte ich, würde er mir heute gnädiger mitspielen, den Scherz nicht zu sehr Ernst werden lassen. Ich hoffte so, und in dieser Hoffnung begann ich meinen Ritt.

Ich kam an mehreren wunderschönen Inseln, den herrlichsten Pekans-, Pflaumen-, Pfirsichbauminseln vorbei. Es haben aber diese Inseln, sowie überhaupt die Wälder in Texas das Eigentümliche, daß ihre Baumarten nicht gemischt, sondern gewöhnlich ganz rein in ihren Baumschlägen sind. Selten treffen Sie eine Insel mit zweierlei Baumschlägen. Wie die verschiedenen Tiere des Waldes sich zueinander halten, so halten sich hier Lebenseichen zu Lebenseichen, Pflaumen zu Pflaumen, Pekans zu Pekans – nur die Rebe ist allen gemeinsam. Sie verwebt, verschlingt sie alle mit ihren zarten und doch kräftigen Banden. Mehrere dieser herrlichen Inseln betrat ich. Da sie nie sehr groß und weder Gesträuch noch Gestrüpp, stets aber das herrlichste Grün zum Fußteppich haben, so erscheinen sie so frisch, so rein, daß ich mich bei jedem solchen Eintritt auch immer verwundert umschaute. Es schien mir unmöglich, daß die sich selbst überlassene Natur so unglaublich rein sich erhalten sollte – unwillkürlich schaute ich mich um nach der Hand des Menschen, des Künstlers, sah aber nichts als Rudel von Hirschen, die mich mit ihren treuen Augen unschuldig naiv anschauten und erst, wenn ich näher kam, ausbrachen. Was hätte ich jetzt für ein

Lot Pulver, eine Unze Blei und eine Kentucky-Rifle gegeben! Immerhin heiterte mich der Anblick der Tiere auf, gab mir wieder eine gewisse Springkraft, eine Körper- und Geistesfrische, die mich ordentlich trieb, den Tieren nachzujagen. Auch mein Mustang schien etwas Ähnliches zu verspüren, er tanzte dann immer mehr mit mir, als er ging, wieherte frisch und munter in den den Morgen hinein.
So ritt ich denn getrost weiter, Stunde auf Stunde. Der Morgen verging, Mittag kam heran, die Sonne stand hoch oben am wolkenlosen Himmel; der Appetit begann sich nun stärker zu melden, bald zum wahren Heißhunger zu werden, der schneidend in mir nagte. Ein gewisses Zehren in den Eingeweiden, ein krebsartiges Nagen, das allmählich eine schmerzlich peinigende Empfindung aufregte. Ich spürte die Fühlhörner, die Zangen, wie sie in meinen Eingeweiden herumwühlten, die zartesten Teile meines Lebensprinzipes angriffen. Auch meine Kräfte, am Morgen beim Erwachen so frisch lebendig, fühlte ich zusehends abnehmen, eine gewisse Squeamishness, Geschmacklosigkeit, Ermattung über mich kommen.
Nagte jedoch der Hunger peinigend, so quälte mich der Durst folternd. Dieser Durst war wirklich eine folternde, eine höllische Empfindung, doch hielt er, so wie der Hunger, nie lange an; auch die Mattigkeit verging wieder, und es kam jedesmal nach einem solchen Anfalle wieder eine Pause, während welcher ich mich recht leidlich fühlte. Die dreißig oder mehr Stunden, die ich nichts zu mir genommen, hatten meine von Natur starken Nerven mehr an- als abgespannt; – aber doch begann mir klar zu werden, daß dieses wiederholte Anspannen nicht lange mehr währen könne, ohne mich auch abzuspannen, denn bereits meldeten sich die Vorboten. Die Zuversicht und Besonnenheit, die mich im ganzen genommen doch noch immer aufrechterhalten, begannen zu schwinden, eine gewisse Verzagtheit, Geistesabwesenheit sich dafür einzustellen, in der mich so entsetzlich unbe-

stimmte Traumbilder umschwirrten, daß mir die Sinne wirre wurden, ich wie ein Betrunkener von meinem Mustang herabhing. – Solche Vorboten, halbe Ohnmachten, währten bis jetzt zwar nicht lange, immer kam ich wieder zu mir, gab dann dem Tiere die Sporen und eilte wieder rascher vorwärts. Aber die qualvolle Empfindung, das entsetzliche Bewußtsein der Verlassenheit, die mich bei einem solchen Erwachen jedesmal durchdrang! Wie ich dann so hastig, gierig, halb wahnsinnig herumstierte – schaute, mir beinahe die Augen ausschaute, und doch nichts erschaute als den ewigen und ewigen Ozean von Gräsern und Inseln!

Diese Empfindungen zu schildern!

Ich war oft der Verzweiflung nahe, meine Angst so entsetzlich, daß ich wie ein Kind weinte, ja betete. Ja, zu beten begann ich jetzt, und seltsam, wie ich das Gebet des Herrn anfing, war es mir, als ob eine Stimme mir zuriefe, vorwürfe, warum ich mich nicht früher an ihn gewendet, der allein hier helfen könne? Ich betete nun so hastig, flehte so inbrünstig, in meinem Leben habe ich nicht so heiß gefleht. Auch kam, wie ich jetzt nach diesem Gebete meine Augen zu ihm erhob, der in dieser seiner herrlichen Welt so sichtbar thronte, eine Zuversicht über mich, eine unbeschreiblich fromme, kindliche Zuversicht! Es war mir, als müßte ich erhört werden. Ich fühlte so gewiß, daß ich ganz getrost auf- und umherschaute, überzeugt, zu finden, was ich suchte. – Und wie ich so schaue, denken Sie sich mein unaussprechliches Erstaunen, Entzücken! erschaue ich ganz in der Nähe, keine zehn Schritte, Pferd- und Reiterspuren. Bei dieser Entdeckung entfuhr mir ein Freudenschrei, der mir geradezu in die Himmel als Jubeldank für mein erhörtes Gebet dringen zu müssen schien. Es durchfuhr mich wie ein elektrischer Funke. Meine ganze Kraft und Zuversicht waren auf einmal wiedergekehrt. Es trieb mich, vom Pferde zu springen, die Erde, die diese Spuren trug, zu küssen. Freudentränen rollten mir aus den Augen, über die Wangen, wie ich nun jubelnd meinem Tiere die Zügel schießen ließ und mit einer Hast davonritt, als ob die Geliebte meines Herzens mir vom Ziele herüberwinkte. Nie hatte ich gegen die Vorsehung so dankbar gefühlt als in dieser Stunde. Während ich ritt, betete ich, und während ich betete, trat mir wieder die Größe meines Schöpfers so siegend aus seinen herrlichen Werken vor Augen! Ich öffnete sie jetzt weiter denn je, um mich ganz von ihm und seiner herrlichen Natur durchdringen zu lassen. – Wohl herrlichen Natur! Der Mensch, der auf diesem Boden steht und nicht von der Größe und Allmacht seines Schöpfers durchdrungen wird, der muß Tier, ganz Tier sein. Der Gott Moses', der aus dem glühenden Dornbusche sprach, ist ein Kindergott gegen den Gott, der hier allgreifend vor die Augen tritt, klar greiflich aus dieser unermeßlichen Wiesen-, Insel- und Baumwelt vor Augen tritt. Nie zuvor war er mir so groß vorgekommen. Ich erschaute ihn so klar, ich glaubte ihn greifen zu können, seine Stimme tönte mir in die Ohren, seine Herrlichkeit durchdrang mich, erfüllte meine Seele mit einem süßen Rausche, der etwas von Verzückung an sich hatte. Nun ich das Ende meiner Pein, meine Rettung mit Gewißheit voraussah, wollte ich mich gleichsam zum Abschiede noch letzen mit ihm und seinem herrlichen Werke. Es lag so grandios vor mir, so ruhig, so ozeanartig mit seinen Hunderte von Meilen in jeder Richtung hinwogenden Gräsern, den schwankend schwimmenden Inseln, die in den goldenen Strahlen der Nachmittagssonne wirklich schwebend und schwimmend erschienen, während wieder hinten und seitwärts wogende Blumenfelder, in den fernen Äther hinaufschwellend, Himmel und Erde in eine und dieselbe Glorie verschmolzen. So bot sich die Prärie gegen Westen dem Auge dar. Gegen Süden erschien sie womöglich noch zauberischer. Lichte, golden und blau gewirkte Schleier umhingen da die entfernteren Inselgruppen, ihnen zeitweilig ein dunkles Bronzekolorit verleihend, das wieder in der nächsten Minute durch einen leichten Luftzug in die hellste Farbenpracht aufflammte. Wie siegend brachen bei jedem solchen Luftzuge die Strahlen der Sonne durch, diese himmlischen Schleier, und die kolossalen Baummassen schienen mit dem Luftstrome heranzuschwimmen, zu tanzen durch die unglaublich transparente Atmosphäre. Ein unbeschreiblich glorioser Anblick! Vor mir der endlose Wiesen- und Blumenteppich mit seinen Myriaden von Prärierosen, Tuberosen und Mimosen, dieser so lieblich, sinnig zarten Pflanze, die, sowie ihr in ihre Nähe kommt, mit ihren Stengeln und Blättern sich aufrichtet, euch gleichsam anschaut und dann zurückschrickt, so sichtbar zurückschrickt, daß ihr staunend anhaltet und schaut, gerade als ob ihr erwartet, sie würde euch klagen, diese seltsame Pflanze! Ehe die Hufe meines Mustangs oder seine Füße sie berührten, schrak sie schon zurück; in der Entfernung von fünf Schritten sah ich sie schon aufzucken, mich gleichsam scheu, verschämt, vorwurfsvoll anblicken und dann zusammenschrecken. Der Stoß nämlich, den der Pferde- oder Menschentritt verursacht, wird der Pflanze durch ihre langen, horizontal liegenden Wurzeln mitgeteilt, die, erschüttert, auch Stengel und Blätter zucken machen. Ein wirklich seltsames Zusammenzucken – Schrecken! Erst wenn wir eine Strecke geritten, erhebt sie sich wieder, aber zitternd und bebend und ganz wie eine holde Jungfrau, die, durch eine rohe Hand betastet, auch bestürzt und errötend das Köpfchen, die Arme sinken läßt, sie erst, wenn der Rohe gegangen, wieder erhebt.

In einer Lage, wie die war, in der ich mich befand, ist man eigentümlich weich und empfindsam gestimmt. Unsere Roastbeefs, glauben Sie mir, tragen viel dazu bei, uns mit ihrem Fleische und Safte auch halb und halb die dicke Haut der vierfüßigen Tiere, von denen sie stammen, beizulegen. Aber nun hatte ich die vierzig oder mehr Stunden weder Roastbeef noch sonst etwas Genießbares über die Zunge gebracht, und daher denn auch die zarten, frommen Empfindungen. Sie sind wieder großenteils späteren Eindrücken gewichen, bis auf eine, die ich eine Offenbarung meines Gottes nennen möchte und die mich durchdrang, um nimmermehr zu weichen. Ich habe mir, so mag ich wohl sagen, einen neuen, einen lebendigen Gott gewonnen, einen Gott, den ich früher nicht kannte, denn mein früherer Gott war der Gott meines Predigers; der, den ich in der Prärie kennen gelernt, ist aber mein eigener Gott, mein Schöpfer, der sich mir in der Herrlichkeit seiner Werke geoffenbart, der mir von dieser Stunde an vor Augen stand und stehen wird, solange Odem in mir ist.

Doch zurückzukehren zu meiner glücklich gefundenen Spur, so ritt ich und ritt wohl eine Stunde, als ich plötzlich mir zur Seite eine zweite Spur erschaute. Sie lief in paralleler Richtung mit der, welcher ich folgte. – Wäre es möglich gewesen, meinen Jubel zu erhöhen, so würde diese gefundene zweite Spur es bewirkt haben; so stärkte sie bloß meine Zuversicht. Jetzt schien es mir unmöglich, nicht den Ausweg aus dieser entsetzlichen Prärie zu finden. Zwar fiel es mir als einigermaßen sonderbar auf, daß zwei Reiter in dieser endlosen Wiese zusammengetroffen, ihren Weg fortgesetzt haben sollten; aber die beiden Pferdespuren waren einmal da, liefen traulich nebeneinander, setzten ihr Dagewesensein außer allen Zweifel. Auch zeigte ihre Frische, daß sie nicht vor langer Zeit durchgeritten sein konnten. Vielleicht daß es noch möglich war, sie einzuholen? Der Gedanke trieb mich zur größtmöglichen Eile. Ich ritt, was mein Mustang nur durch die ellenhohen Gräser und Blumen traben konnte; aber obwohl ich nun eine, zwei, ja drei Stunden wieder scharf ritt, Reiter bekam ich doch keine zu sehen. Zehn Meilen konnte ich ringsum überschauen, aber nirgends etwas Reiterähnliches! Zwar lagen einige Inseln vor mir, aus einer dieser Inseln glänzte mir ein ähnliches Silberphänomen wie das, welches ich in den vergangenen Tagen gesehen, entgegen; aber jetzt zog mich kein Phänomenglanz mehr an. Um einen der Reiter hätte ich alle Phänomene, alle Silberwerke der Erde gegeben. Zuletzt mußte ich doch auf sie treffen, denn die Spuren lagen vor mir, mußten zu ihnen führen, wenn – ich sie nur nicht verlor? Daß dieses Unglück mir nicht begegne, war meine größte Sorge. Alle meine Geisteskräfte im Auge konzentriert, ritt ich nun Schritt für Schritt. – So verging wieder eine Stunde – eine zweite – der Nachmittag wandte sich dem Abend zu – die Spuren liefen immer noch fort, das tröstete mich. Zwar begannen jetzt meine Kräfte zusehends abzunehmen – ich mich merkbar matter zu fühlen, das krebsartige Nagen kam heftiger, der Mund wurde mir faul, geschmacklos, das Innere kalt, der Magen schlaff, die Glieder wurden schwer, das Blut fühlte kalt in den Adern; – die Anwandlungen von Ohnmacht meldeten sich häufiger, stärker; aber eigentlichen Hunger und Durst fühlte ich nicht mehr an diesem zweiten Nachmittage, nur, wie bemerkt, eine starke Abnahme der Kräfte, und mit dieser stellte sich ein Schwäche aller Organe, aller Sinne ein, die mich mit neuem Schrecken erfüllte. Es wurde mir trübe vor den Augen, dumpf um die Ohren, der Zaum begann mir kalt und schwer zwischen den Fingern zu liegen, in den Gliedern wurde eine gewisse schmerzhafte Empfindsamkeit fühlbar, es war mir, als ob Nacht über mich, mein Sein hereinbräche.

Immer ritt ich jedoch fort und fort. Endlich mußte ich doch auf einen Ausweg stoßen, die Prärie irgendwo ein Ende haben. Freilich war das ganze südliche Texas eine Prärie, aber doch hatte diese Prärie wieder Flüsse, und in der Nähe dieser Flüsse mußte ich auf Ansiedelungen stoßen; ich durfte nur dem Laufe eines dieser Flüsse fünf oder sechs Meilen folgen und war gewiß, auf Häuser und Pflanzungen zu treffen. Wie ich so mich tröstend fortritt und schaute und abermals schaute, ob denn noch keiner der Reiter zu sehen, gewahre ich plötzlich eine dritte Pferdespur, in der Tat und Wahrheit eine dritte Pferdespur, die wieder parallel mit den zweien, denen ich nachritt, fortlief. Nun waren meine seit einigen Stunden gesunkenen Hoffnungen plötzlich wieder neu belebt. Jetzt konnte es mir doch gewiß nicht mehr fehlen; drei

Reiter mußten eine bestimmte, zu irgendeinem Ziele führende Richtung genommen haben; welche, war mir gleichviel, wenn sie nur zu Menschen führte. Zu Menschen, zu Menschen! rief ich jauchzend, meinen Mustang zu erneuerter Eile antreibend.

Die Sonne sank das zweite Mal hinter den hohen Baumwipfeln der westlichen Inseln hinab; – die in diesen südlichen Breitegraden so schnell einbrechende Nacht brach abermals herein; – von den drei Reitern aber – war noch immer nichts zu sehen. Ich fürchtete, in der so schnell überhandnehmenden Dunkelheit die Spuren zu verlieren, hielt daher, als die Dämmerung in Nacht zu verschwimmen begann, vor einer Insel an, schlang das eine Ende des Lasso um einen Baumast, die Schlinge um den Hals des Pferdes und warf mich dann ins Gras.

Rauchen konnte ich nicht mehr, die Zigarren schmeckten mir so wenig als der Dulzissimus, schlafen konnte ich ebensowenig. Kam auch zuweilen der Schlummer, so wurde er jedesmal durch krampfhaftes Auf- und Zusammenschrekken unterbrochen. – Es gibt nichts Gräßlicheres, als, matt und schwach und von Hunger und Durst gefoltert und zernagt, nach Schlaf zu ringen, und doch nicht schlafen zu können! Es war mir, als ob zwanzig Zangen und Marterwerkzeuge in meinem Innern wüteten. Solange die Bewegung zu Pferde angehalten, hatte ich diese Pein weniger gespürt, aber jetzt wurde sie wahrhaft furchtbar. Zugleich spielten so gräßliche Phantome um mich herum! – Ich werde diese Nacht alle Tage meines Lebens nicht vergessen.

Kaum war die Morgendämmerung angebrochen, so raffte ich mich auch wieder auf; aber es dauerte lange, ehe ich den Mustang gerüstet hatte. Der Sattel war mir so schwer geworden, daß ich ihn nur mit Mühe dem Tier auf den Rücken hob; sonst warf ich ihn mit zwei Fingern auf, jetzt vermochte ich es kaum mit Anstrengung aller meiner Kräfte. Noch größere Mühe kostete es mich, den Gurt zu befestigen; doch kam ich endlich zustande und bestieg abermals mein Tier, die Spur so rasch verfolgend, als es uns beiden nur möglich war. Mein Mustang war – wie Sie leicht denken mögen, von dem achtundvierzigstündigen Ritte gleich stark mitgenommen, ein Glück übrigens für mich, denn frisch und munter hätte er mich bei dem ersten Seitensprunge abgeworfen. Selbst jetzt vermochte ich mich kaum mehr im Sattel zu halten, hing wie ein Automat von dem Rücken des Tieres herab, das weder um Sporen noch Zügel sich mehr viel kümmern zu wollen schien.

So mochte ich wieder eine oder zwei Stunden geritten sein, als ich plötzlich und zu meinem größten Schrecken die drei Pferdespuren – verschwunden sah. Ich schaute, ich starrte; mein Schrecken wurde zum Entsetzen, aber sie waren und blieben verschwunden. Noch immer traute ich meinen Augen nicht. Ich schaute, prüfte nochmals, ritt zurück, wieder vorwärts, schaute auf allen Seiten, prüfte aufmerksam, nahm, wie wir zu sagen pflegen, alle Geisteskräfte im Sehorgane zusammen – aber sie waren und blieben verschwunden. Sie kamen bis auf den Punkt, wo ich hielt, hier aber hörten sie auf; auch nicht die geringste Spur weiter. Bis hierher waren die Reiter gekommen und keinen Schritt weiter. Sie mußten hier gelagert haben, denn ich fand das Gras in einem Umkreise von fünfzig bis sechzig Fuß zertreten. Wie ich so schaue, gewahre ich etwas Weißes im Grase. Ich steige ab, gehe darauf zu, hebe es auf. Gott im Himmel! Es war das Papier, in das ich meinen Virginia-Dulzissimus gewickelt, das ich die letzte Nacht weggeworfen! Ich war auf derselben Stelle, wo ich übernachtet, war also meiner eigenen Spur nachgeritten, im Zirkel herumgeritten!

Ich stand wie vernichtet, keines Gedankens mehr fähig. So hatte mich die gräßliche Entdeckung niedergeschmettert, daß ich wie ein Klotz in dumpfer Verzweiflung neben meinem Mustang niedersank, nichts wünschend, als so schnell wie möglich zu sterben. – Ein Schlag vor den Kopf, der mich aus der Welt gefördert, wäre mir jetzt als die größte Wohltat erschienen.

Wie lange ich lag, weiß ich nicht. Lange mußte es gewesen sein, denn als ich mich endlich doch wieder aufraffte, war die Sonne tief am westlichen Himmel herabgesunken. Ich verwünschte sie jetzt samt der Prärie und war so wild! – Wäre ich bei Kräften gewesen, ich hätte sehr wild getan, aber ein dreitägiges Fasten in einer Prärie zähmt jede, auch die exorbitanteste Wildheit, versichere Sie. Ich war nicht nur körperlich, sondern auch geistig so reduziert, daß ich weder Flüche, noch einen andern Gedanken festzuhalten vermochte, mir absolut nicht erklären konnte, wie es gekommen, daß ich meiner eigenen Spur nachgeritten. Später wurde mir dieses freilich klar. Was ich für fremde Reiterspuren gehalten, waren meine eigenen gewesen. Ohne Landmarke, ohne Wegweiser war ich im Zirkel herum – und während ich vorwärts zu kommen glaubte, rückwärts geritten. Ich war, wie ich später erfuhr, in der Jacinto-Prärie, einer der schönsten von Texas, an die siebzig Meilen lang und breit, ein wahres Eden, die auch das mit dem Paradiese gemein hat, daß sie so leicht verführt. Selbst erfahrene Jäger wagten sich nicht so leicht ohne Kompaß in diese von Menschen kaum noch betretene Wiesen- und Inselwelt. Wie hätte ich mich also zurechtfinden sollen, ein soeben vom Kollegium gekommener, zweiundzwanzigjähriger, unerfahrener Frischling! Meine Lage war in der Tat gräßlich. So ganz hatte mir die furchtbare Entdeckung die Kraft geraubt, daß ich mich nur mit vieler Anstrengung auf dem Rücken meines Tieres hielt, mich ihm absolut willen-, ja kraftlos überließ. Was jetzt noch kam, war mir gleichgültig. Den Zaum um die Hand gewunden, klammerte ich mich so stark, als ich es vermochte, an Sattel und Mähne, das Tier in Frieden gehen lassend. Hätte ich es doch früher getan! Wahrscheinlich wäre ich dann nicht in diese äußerste Not geraten, der Instinkt würde das Tier zweifelsohne einer Pflanzung zugeführt haben. Das ist jedoch das Eigentümliche unserer Unbesonnenheiten, daß die erste immer ein ganzes Heer anderer nach sich zieht, so unaufhaltsam nach sich zieht, daß man gar nicht mehr zu einer ruhigen, leidenschaftslosen Anschauung kommen kann. – Die erste Unbesonnenheit begangen, war ich kopflos wie ein wahrer Tor herumgeritten, und doch! käme heute ein anderer in meine Lage, hundert wollte ich gegen eins wetten, er zöge sich nicht besser aus der Teufelei.

Nur so viel weiß ich mich von diesen entsetzlichen Stunden her noch zu erinnern, daß mein Mustang einigemal in der Luft herumschnupperte, dann aber eine entgegengesetzte Richtung, und zwar so rasch einschlug, daß ich nur mit größter Mühe mich in dem Sattel zu behaupten vermochte; denn jetzt schmerzten alle meine Glieder so furchtbar, daß jeder Tritt des Tieres mir zur wahren Folter wurde, ich oft in Versuchung kam, Knopf und Mähne fahren und mich herabsinken zu lassen. Wie lange ich so herumgeschleppt ward, weiß ich nicht, noch, wie ich bei einbrechender Nacht von dem Rücken des Tieres kam. Wahrscheinlich verdankte ich es dem Lasso, daß es so geduldig mit mir umsprang. – Wie ich die Nacht zugebracht, das mag der Himmel wissen. Ich war keines Gedankens mehr fähig, ja, wenn ich einen zu fassen versuchte, zuckte es mir so schmerzlich durch das Gehirn, als ob eine Zange darin herumwühlte. Alles tat mir weh, die Glieder, die Organe, mein ganzer Körper. Ich war wie auf dem Rade zerbrochen. Meine Hände waren abgemagert, meine Wangen eingefallen, meine Augen lagen tief in den Höhlen; wenn ich mir so im Gesichte herumfühlte, entfuhr mir immer ein idiotisches, halb wahnsinniges Lachen – ich war in der Tat dem Wahnsinn nahe. – Des Morgens, als ich aufstand, vermochte ich kaum mich auf den Füßen zu erhalten, so hatten mich der viertägige Ritt, die Anstrengung, Angst und Verzweiflung heruntergebracht. Man behauptet, der gesunde Mann könne neun Tage ohne Nahrung aushalten; vielleicht kann er es in einer Stube oder einem Gefängnisse, aber sicher nicht in einer Texas-Prärie. Ich bin überzeugt, den fünften Tag hätte ich nicht überstanden. Wie ich auf den Rücken meines Mustangs kam, ist mir noch heute ein Rätsel; wahrscheinlich hatte er, ermüdet, sich gelagert und war so mit mir, der ich mich in den Sattel einsetzte, aufgestanden. Sonst wüßte ich wahrhaftig nicht, wie ich hinaufgekommen; aber hinauf kam ich, dank dem Lasso, den ich instinktartig, wie der Ertrinkende, keinen Augenblick aus der Hand gelassen. Jetzt verschwamm alles so chaotisch vor meinen Augen, daß es Momente gab, wo ich mich nicht mehr auf dieser Erde wähnte. Ich sah die herrlichsten Städte, wie sie die Phantasie des genialsten Malers nicht grandioser hervorzuzaubern vermag, mit Türmen, Kuppeln, Säulenhallen, die bis zu den Sternen hinaufreichten; wieder die schönsten Seen, statt mit Wasser, mit flüssigem Golde und Silber gefüllt; Gärten, in den Lüften schwebend, mit den lockendsten Blumen und Bäumen, mit den herrlichsten Früchten; – aber ich vermochte es nicht mehr, auch nur die Hand nach diesen lüsternen Früchten auszustrecken, so schwer waren mir alle meine Glieder geworden. Jeder Schritt des Tieres verursachte mir jetzt die gräßlichsten Schmerzen; die geringste Bewegung, Erschütterung wurde zur wahren Qual; die Eingeweide brannten mir wie glühende Kohlen, es riß darin herum, als wenn Skorpione da wühlten; Gaumen und Zunge waren vertrocknet, die Lungenflügel wie verschrumpft, während die Hände, die Füße zu fühlen waren, als ob sie nicht mehr Teile meines Körpers, nein, fremdartige, mir angesetzte Marterwerkzeuge wären.

Bloß so viel weiß ich mich noch dunkel zu entsinnen, daß es mir plötzlich an den Kopf, um die Ohren schlug – ob wirklich Schläge, ob Laute oder Töne, kann ich nicht sagen; es war etwas wie Gestöhne, das ich zu hören glaubte, ein Röcheln, das mir dumpf in die Ohren drang, vielleicht mein eigenes, vielleicht auch fremdes. – Sinne und Bewußtsein hatten mich nun beinahe gänzlich verlassen. Nur sehr dunkel

schwebt es mir vor, als wenn ich an Blätter und Zweige gestreift, denn es sauste mir in den Ohren wie Knacken, Brechen der Äste – auch hielt ich mit der letzten Kraft an etwas – was es war, ob Sattel, ob Mähne oder sonst etwas, weiß ich gleichfalls nicht; dieser Halt entfuhr mir, die Kraft verließ mich – ich sank.
Ein Schlag, wie der Donner eines losgebrannten Vierundzwanzigpfünders, ein Sausen, Brausen wie das des Niagarakataraktes – ein Wirbeln, als ob ich in den Mittelpunkt der Erde hinabgerissen würde, ein Heer der greulichsten Phantome, die von allen Seiten auf mich einstürmten, mich umkreisten, umtobten! – Und dann eine Musik wie aus höheren Sphären, glänzende Lichtgestalten, ein sich vor meinen Blikken öffnendes Elysium!
Wieder ein schmerzlicher Stich, der mir siedend, glühend durch die Kehle, die Eingeweide brannte, mich wie in lichterlohen Flammen auflodernd fühlen ließ. Etwas, als ob der entwichene Lebensfunke wieder zurückkehrte, die Lungenflügel sich öffneten, als ob es heiß durch die Glieder und Adern quirle, mir in Kopf und Augen dränge. Sie öffneten sich.
Ich schaute auf, um mich.
Ich lag auf der Rasenbank eines schmalen, aber tiefen Flusses. Mir zur Seite stand mein Mustang, neben diesem ein Mann, der, die Arme gekreuzt, eine strohumflochtene Weidmannsflasche in der Hand hielt. Mehr konnte ich nicht wahrnehmen, denn ich war zu schwach, mich aufzurichten. In meinen Eingeweiden brannte es wie höllisches Feuer. Die Kleider, die mir naß am Leibe klebten, waren ein wahres Labsal.
›Wo bin ich?‹ röchelte ich.
›Wo Ihr seid? Fremdling! Wo Ihr seid? Am Jacinto, und daß Ihr *am* – und nicht *im* Jacinto seid, rechne ich, ist nicht Eure Schuld – D–n it! Sie ists nicht. Seid aber am Jacinto, und auf'm – wenn auch nicht im Trocknen.‹
Des Mannes höhnisch feindselig rohes Lachen hatte etwas so

unbeschreiblich widerwärtig Zurückstoßendes, daß es mir Schmerzen in den Ohren verursachte, jedes Wort, das an die Ohrenfelle anschlug, schmerzte. Wenn mir die halbe Welt für einen freundlichen Blick geboten wäre – es wäre mir nicht möglich gewesen, mit solchem Grausen und Abscheu erfüllte mich dieses gräßliche Hohnlachen.

War es der äußerst gereizte, im Abschnappen begriffene Zustand meiner Nerven, war es ein sonstiger Umstand, der dieses gräßlich diskordante Lachen so unsäglich widerwärtig auf mich einwirken ließ, so viel kann ich mit Bestimmtheit versichern, daß, als das letzte Wort meine Ohren zerriß, mir auch der gräßliche Charakter des Lachers mit einer Deutlichkeit, einer Klarheit vor Augen stand, in der ich in meinem ganzen Leben keinen Charakter, selbst die längst bekannten, befreundeten, durchschaut. Ich wußte, daß er mein Lebensretter, daß er es gewesen, der mich aus dem Flusse gezogen, in den ich köpflings über den Hals meines Mustangs gestürzt, als dieser, wütend vor Durst, über die Rasenbank in das Wasser hinabsprang; daß ich ohne ihn unfehlbar ertrunken sein mußte, selbst wenn der Fluß nicht so tief gewesen wäre; daß auch er es war, der mich mit seinem Whisky aus der tödlichen Ohnmacht zum Bewußtsein zurückgebracht! – Aber wenn er mir zehn Leben gerettet hätte, ich vermochte es nicht, den unsäglichen Widerwillen zu überwinden. Es war mir nicht möglich, ihn anzusehen.

›Scheint mir, daß Euch meine Gesellschaft zweimal lieb ist?‹ grinste er mich höhnisch lauernd an.

›Eure Gesellschaft nicht lieb? Habe seit mehr als hundert Stunden keine menschliche Seele gesehen, keinen Bissen, keinen Tropfen über die Zunge gebracht.‹

›Holla! da lügt Ihr!‹ brüllte er lachend, ›habt ja einen Mundvoll aus meiner Flasche genommen – zwar nicht eigentlich genommen, aber ihn doch den Rachen hinabgeschüttet. Und wo kommt Ihr her? Das Tier da ist nicht Eures?‹

›Mister Neals!‹ gab ich zur Antwort.

›Wessen ist es?‹ fragte er nochmals lauernd.
›Mister Neals!‹
›Sehe es am Brand. Aber wie kommt Ihr von Mister Neal her an den Jacinto? Sind gute siebzig Meilen quer über die Prärie zu Neals Pflanzung. Habt doch nicht mit seinem Mustang Reißaus genommen?‹
›Verirrt, habe seit vier Tagen keinen Bissen über die Zunge bekommen.‹
Mehr vermochte ich nicht herauszubringen. Schwäche und Abscheu verschlossen mir den Mund. Die Sprache des Mannes verriet eine Verwilderung, eine Entmenschtheit, die alles weit überstieg, was ich derart je gesehen und gehört.
›Vier Tage nichts über die Zunge gebracht, und in einer Texas-Prärie, und Inseln auf allen Seiten!‹ lachte der Mann. ›Ah, sehe es, seid ein Gentleman, sehe es wohl – war auch ein Espèce von einem. Dachtet, unsere Texas-Prärien wären Eure Prärien in den Niederlassungen drüben oder den Staaten droben. Ha, ha!‹
›Und Ihr wußtet Euch gar nicht zu helfen?‹ lachte er wieder. ›Saht Ihr denn keine Bienen in der Luft, keine Erdbeeren auf der Erde?‹
›Bienen? Erdbeeren?‹ wiederholte ich.
›Ei, Bienen, die in hohlen Bäumen hausen; ist unter zwanzig hohlen Bäumen immer sicher einer, der voll ist, versteht Ihr, voll Honig! Und Ihr habt keine Biene gesehen? kennt aber vielleicht die Tiere nicht, denn sie sind nicht ganz so groß wie Wildgänse oder Truthühner; aber die Erdbeeren kennt Ihr doch, wißt doch auch, daß sie nicht auf den Bäumen wachsen?‹
Alles das sprach der Mann, den Kopf halb über den Rücken zurückgeworfen, höhnisch lachend.
›Und wenn ich auch Bienen gesehen, wie hätte ich ohne Axt zu ihrem Honig kommen können – verirrt, wie ich war?‹
›Wie kam es, daß Ihr Euch verirrtet?‹
›Mein Mustang – ausgebrochen.‹

›Verstehe, verstehe. Seid ihm nachgeritten, die Bestie hat ihren Kopf aufgesetzt, wie sie es immer tun, Euch zum besten gehalten. Verstehe, verstehe; aber was wollt Ihr nun? Was habt Ihr vor?‹

Noch immer sprach der Mann mit halb über den Rücken geworfenem Kopfe, wie als scheue er meinen Blick.

Ich fühlte mich schwach und matt zum Sterben – dem Tode nahe:

›Zu Menschen will ich, in ein Haus, eine Herberge.‹

›Zu Menschen?‹ sprach der Mann mit einem höhnischen Lächeln, ›zu Menschen?‹ brummte er, einige Schritte seitwärts tretend.

Ich vermochte es kaum, den Kopf seitwärts zu drehen, aber die Bewegung des Mannes war mir aufgefallen, und ich zwang mich. Er hatte ein langes Messer aus dem Gürtel gezogen, das er spielend angrinste. Erst jetzt konnte ich ihn näher beschauen. Ein gräßlicheres Menschenantlitz war mir nie vorgekommen. Seine Züge waren die verwildertsten, die ich je gesehen. Die blutunterlaufenen Augen rollten wie glühende Ballen in den Höhlen. Sein Wesen verriet den wütendsten innern Kampf. Er stand keine drei Sekunden still. Bald vorwärts, bald rückwärts, wieder seitwärts schießend, schien es ihm nicht Ruhe zu lassen, spielten seine Finger wie die eines Wahnsinnigen mit dem Messer. In seinem Innern ging zweifelsohne ein Kampf vor, der über mein Sein oder Nichtsein auf dieser Erde entschied. Ich war jedoch vollkommen gefaßt; in meiner Lage hatte der Tod nichts Qualvolles; hing ja mein Leben selbst an einem bloßen Faden! Die Bilder der Heimat, meiner Mutter, meiner Geschwister, meines Vaters tauchten noch einmal vor meinen Augen auf, und dann wandte sich mein Blick unwillkürlich zu Dem droben! Ich betete.

Er war noch mehr zurückgetreten. Ich zwang mich, soviel ich es vermochte, und schaute ihm nach. Wie ihm meine Blicke folgten, trat mir dasselbe grandiose Phänomen, das ich am ersten Tage meiner Verirrung gesehen, abermals vor den Gesichtskreis. Die kolossale Silbermasse stand keine zweihundert Schritte vor mir. Er verschwand dahinter, kam aber nach einer Weile langsam und schwankend wieder hervor. Wie er sich mir jetzt näherte, trat mir allmählich sein Totalbild vor Augen. Er war lang und hager, aber starkknochig gebaut. Sein Gesicht, soviel der seit Wochen nicht geschorene Bart davon sehen ließ, war sonnen- und wettergebräunt, wie das eines Indianers, aber der Bart verriet weiße Abstammung. Die Augen waren jedoch und blieben gräßlich, wurden es mehr, je länger man sie sah. Die Furien der Hölle schienen sich in diesen Augen umherzutreiben. Die Haare hingen ihm struppig um Stirn, Schläfe und Nacken herum. Inneres und Äußeres erschienen desperat. Um den Kopf trug er ein halbzerrissenes Sacktuch mit braunschwarzen dunklen Flecken. Sein hirschledernes Wams, seine Beinkleider und Mokassins hatten dieselben Flecken; ohne Zweifel waren es Blutflecken. Das zwei Fuß lange Jagdmesser mit grobem, hölzernem Griffe hatte er wieder in den Gürtel gesteckt, dafür aber hielt er jetzt eine Kentucky-Rifle in der Hand.

Meine Miene, meine Blicke mochten Abscheu verraten, obwohl ich mir alle Mühe gab, ruhig zu scheinen. Nach einem kurzen Seitenblicke grollte er: ›Scheint nicht, als ob Ihr viel Gefallen an meiner Gesellschaft findet. Sehe ich denn gar so desperat aus? Ist mirs denn gar so leserlich auf der Stirn geschrieben?‹

›Was soll Euch denn auf der Stirn geschrieben sein?‹

›Was? Was? – So fragt man Narren und Kinder aus.‹

›Ich will Euch ja nichts ausfragen, aber als Christ, als Landsmann bitte, beschwöre ich Euch.‹

›Christ!‹ unterbrach er mich hohnlachend. ›Landsmann!‹ schrie er, den Stutzen heftig zur Erde stoßend. ›Das ist mein Christ!‹ schrie er, diesen emporreißend und Stein und Schloß prüfend, ›der erlöst von allen Leiden, ist ein treuer Freund.

Pooh! vielleicht erlöst er auch Euch, bringt Euch zur Ruhe.‹ Die letzten Worte sprach er abgewandt, mehr zu sich. ›Machst ihn ruhig, so wie den ... Pooh! Einer mehr oder weniger. Vielleicht vertreibt der das verfluchte Gespenst.‹

Alles das war zur Rifle gesprochen.

›Verrätst mich auf alle Fälle nicht‹, fuhr er fort.

›Ein Druck!‹

Und so sagend, warf er das Gewehr vor, die Mündung in gerader Richtung gegen meine Brust.

Ich zitterte nicht, von Furcht konnte keine Rede mehr sein. An der Schwelle des Todes verliert dieser seine Schrecken; und ich war an seiner Schwelle, so sterbensschwach! Es brauchte keinen Schuß, ein leichter Schlag mit dem Kolben löschte den Lebensfunken mit einem Male aus. Ruhig, ja gleichgültig sah ich in die Mündung hinein.

›Wenn Ihr es bei Eurem Gotte, meinem und Eurem Schöpfer und Richter, verantworten zu können glaubt, tut, wie Euch gefällt!‹

Meine ersterbende Stimme mußte wohl einen tiefen Eindruck in ihm hervorgebracht haben, denn er setzte erschüttert das Gewehr ab, starrte mich mit offenem Munde an.

›Auch der kommt mit seinem Gott!‹ murmelte er. ›Gott! und meinem und Eurem Schöp-fer und Rich-ter!‹

Er vermochte es kaum, die Worte herauszubringen, und als er sie jetzt wiederholte, schienen sie ihn zu würgen, ihm die Kehle zusammenzuschnüren.

›Sei-nem und mei-nem Richter!‹ stöhnte er wieder. ›Ob es wohl einen Gott, einen Schöpfer und Richter gibt?‹

Als er so murmelnd stand, wurden ihm die Augen starr.

›Gott!‹ wiederholte er in demselben gedehnt fragenden Tone, ›Schöpfer! Richter!‹ – ›Tut das nicht!‹ schrie er plötzlich. ›Bringt keinen Segen, was Ihr vorhabt! Bin ein toter Mann! Gott sei mir gnädig und barmherzig! Mein armes Weib, meine armen Kinder!‹

Die letzteren Worte waren so entsetzlich aus tiefster Brust

heraus gestöhnt! Die Rifle entfiel seinen Händen, zugleich schlug er sich so rasend auf Stirn und Brust. Der Mann wurde mir jetzt grausig, wie er, gepeitscht von den Furien seines Gewissens, umherschlug. Er mußte Höllenqualen ausstehen, der böse Feind schien in ihm zu toben.

›Seht Ihr mir nichts an?‹ fragte er, plötzlich auf mich zuspringend, mit kaum hörbarem Gemurmel.

›Was sollte ich Euch ansehen?‹ Er trat noch näher.

›Schaut mich so recht an, so, was man sagt, in mein Inneres hinein. Seht Ihr da nichts?‹

›Ich sehe nichts‹, sprach ich.

›Ah, begreife, könnt nichts sehen. Seid nicht in der Spionierlaune, kalkuliere ich – nein, nein, seid nicht. Wenn man so die vier Nächte und Tage nichts über die Zunge gebracht, vergeht einem wohl 's Spionieren. Zwei Tage habe ichs auch probiert. Nein, nein, kein Spaß das, kein Spaß, alter Kumpan!‹ redete er, wieder nach der Rifle langend, diese an. ›Sage dir, laß mich in Ruhe, hast genug, genug getan!‹

Und so sagend, wandte er sich, drückte ab, aber das Gewehr versagte.

›Was ist das?‹ schrie er, Schloß und Zündpfanne untersuchend; ›bist du nicht geladen? My! My! wie ich nur... versagst mir, weil ich dich nicht gefüttert, alter Kumpan! nicht gefüttert, seit du! Ah, hätte ich dich damals lieber nicht gefüttert, wäre vielleicht... Wohl ist das ein Wink, soll mir eine Warnung sein – eine Stimme. Sollst ruhen. Schweig stille, alter Hund! Sollst mich nicht in Versuchung führen, hörst du?‹

Alles das sprach er eifrig, heftig zum Stutzen; dann wandte er sich wieder zu mir.

›So, seid Ihr matt und schwach, sterbensmatt, schwach? Freilich müßt Ihrs sein, denn Ihr seht ja drein, als ob Ihr alle Tage Eures Lebens am Hungertuche genagt.‹

›Matt zum Sterben‹, röchelte ich.

›Wohl, so kommt und nehmt noch einen Schluck Whisky.

Wird Euch stärken; aber wartet, will ein wenig Wasser eingießen.‹

Und so sagend, trat er an den Rand des Flusses, schöpfte mit der hohlen Hand einige Male Wasser, ließ es in den Hals der Flasche, und diese an meine Lippen bringend, goß er mir das Getränk ein.

Selbst der blutdürstigste Indianer wird wieder Mensch, wenn er eine menschliche Handlung geübt. Auch er war auf einmal ein ganz anderer geworden. Seine Stimme ward weniger rauh, mißtönig, sein Wesen sanfter.

›Ihr wollt also in eine Herberge?‹

›Um Gottes willen, ja. Habe seit vier Tagen nichts über die Lippen gebracht als einen Biß Kautabak.‹

›Könnt Ihr einen Biß sparen?‹

›Alles, was ich habe.‹

Ich holte aus meiner Tasche die Zigarrenbüchse, den Dulzissimus. Er schnappte mir den letzteren aus der Hand und biß mit der Heißgier eines Wolfes darein.

›Ei, von der rechten Sorte, ganz von der rechten Sorte‹, murmelte er in sich hinein. ›Ei, junger Mann, oder alter Mann – seid ein alter Mann? Wie alt seid Ihr?‹

›Zweiundzwanzig.‹

Er schaute mich kopfschüttelnd an. ›Kann es schier nicht glauben; aber vier Tage in der Prärie und nichts über die Zunge gebracht – wohl, mag sein! Aber sage Euch, Fremdling, hätte ich diesen Rest Kautabak noch vor fünf Tagen gehabt, so ... so ... Oh, einen Biß Kautabak! Nur einen Biß Kautabak! Hätte er nur einen Biß Kautabak gehabt, vielleicht! – Ist ein Biß Kautabak oft viel wert. Liegt mir keiner so am Herzen, als ... Oh, hätte er nur einen Biß Kautabak gehabt, nur einen!‹

Seine Stimme, während er so sprach, hatte einen so kläglich stöhnenden und wieder wild unheimlichen Nachklang!

›Sage Euch, Fremdling!‹ brach er wieder drohend aus, ›sag Euch! Ah, was sage ich? Seht Ihr dort den Lebenseichenbaum? Seht Ihr ihn? Ist der Patriarch, und einen ehrwürdigeren, gewaltigeren werdet Ihr nicht bald finden in den Prärien, sag es Euch. Seht Ihr ihn?‹

›Ich sehe ihn.‹

›Seht Ihr ihn? Seht Ihr ihn?‹ schrie er wieder plötzlich wild. ›Was geht Euch der Patriarch und was darunter ist an? Nichts geht es Euch an. Laßt Eure Neugierde, zähmet sie, rate es Euch! Wagt es nicht, auch nur einen Fuß darunter zu setzen.‹

Und ein Fluch entfuhr ihm, zu schrecklich, um von einer Christenzunge wiederholt zu werden.

›Ist ein Gespenst‹, schrie er, ›ein Gespenst darunter, das Euch schrecken könnte. Geht besser weit weg.‹

›Ich will ja nicht hin, gerne weit weg. Es fiel mir gar nicht ein. Alles, was ich will, ist der nächste Weg zum nächsten Hause, gleichviel ob Pflanzung oder Wirtshaus.‹

›Ah, so recht, Mann, zum nächsten Wirtshaus. Will ihn Euch zeigen, den Weg zum nächsten Wirtshaus. Will, will.‹

›Ich will‹, murmelte er in sich hinein.

›Und ich will Euch ewig als meinem Lebensretter dankbar sein‹, röchelte ich.

›Lebensretter! Lebensretter!‹ lachte er wild. ›Lebensretter! Pooh! Wüßtet Ihr, was für ein Lebensretter... Pooh! Was hilfts, ein Leben zu retten, wenn... Doch will, will Eures retten, will, dann läßt mich vielleicht das verfluchte Gespenst... So laß mich doch einmal in Ruhe. Willst nicht? Willst nicht?‹

Alles das hatte der Mann, zum Lebenseichenbaum gewendet, gesprochen, die ersten Sätze wild, drohend, die letzten bittend, schmeichelnd. Wieder wurde er wild, ballte die Fäuste, starrte einen Augenblick, dann sprang er plötzlich auf den Riesenbaum zu und verschwand unter der Draperie der Silberbärte, die von Ästen und Zweigen auf allen Seiten herabhingen; kam aber bald wieder hervor, einen aufgezäumten Mustang am Lasso vor sich hertreibend.

›Setzt Euch auf!‹ rief er mir zu.

›Ich kann nicht einmal aufstehen.‹

›So will ich Euch helfen.‹

Und so sagend, trat er an mich heran, hob mich mit der Rechten, so leicht war ich geworden, in den Sattel meines Mustangs, mit der Linken nahm er das Ende meines Lassos, schwang sich auf den Rücken seines Tieres und zog Pferd und mich nach. Sein Benehmen, während wir nun die sanft aufsteigende Uferbank hinanritten, wurde äußerst seltsam. Bald rutschte er in seinem Sattel herum, mir einen wilden Blick zuwerfend, bald hielt er an, bohrte ängstlich zwischen die spanischen Moosbärte des Patriarchen hinein, warf mir wieder einen scharf beobachtenden Blick zu, schien zu überlegen, stöhnte, seufzte, spähte dann im Walde wie nach einem Ausweg herum, ritt wieder einen Schritt vorwärts, stöhnte abermals, zuckte schaudernd zusammen. Der Lebenseichenbaum schien ihn furchtbar zu quälen; offenbar näherte er sich ihm mit Entsetzen, und doch zog es ihn wieder mit einer so unwiderstehlichen Gewalt hin, als ob sein Schatz da begraben läge.

Auf einmal gab er seinem Tiere wütend die Sporen, so daß es im Galopp ausbrach. Glücklicherweise hatte er in seiner schrecklichen Zerrüttung den Lasso losgelassen, sonst müßte mich der erste Sprung meines Tieres aus dem Sattel geworfen, mir die morschen Glieder gebrochen haben. So schritt dieses langsam nach.

›Warum kommt Ihr nicht? Was habt Ihr den Patriarchen immer anzuschauen? Habt Ihr noch keinen Lebenseichenbaum gesehen?‹ schrie er mir mit einem Fluche zu. Als fürchtete er sich aber vor meiner Antwort, brach er abermals aus, hielt jedoch, nachdem er beiläufig zweihundert Schritt fortgesprengt, wieder an, schaute sich um. Der Patriarch war hinter mehreren kolossalen Sykomoren verschwunden.

Erst jetzt atmete er freier.

›Aber wo war nur der Anthony?‹ fragte er, auf einmal sichtbar erleichtert.

›Welcher Anthony?‹

›Der Anthony, der Jäger, der Halfbreed Mister Neals?‹

›Nach Anahuac geritten.‹

›Nach Anahuac geritten?‹ wiederholte er. ›Uh! Nach Anahuac!‹ stöhnte er. ›Bin auch dahin – aber, aber…‹ Er wandte sich schaudernd um. ›Er ist doch nicht mehr da, nicht mehr zu sehen.‹

›Wer sollte da sein?‹

›Ah, wer, wer?‹ brummte er. ›Wer?‹

Ich wußte wohl, wer der Wer sei, hütete mich aber, ihn zu nennen, abermals sein Mißtrauen durch Fragen aufzustacheln. In dem Zustande, in dem ich war, vergeht Neu- und Wißbegier.

Wir ritten stillschweigend weiter.

Lange waren wir so geritten, ohne daß ein Wort zwischen uns gewechselt worden wäre. Er sprach zwar fortwährend mit sich; da jedoch mein Mustang zehn Schritte hinter dem seinigen am Lasso nachfolgte, hörte ich bloß das Gemurmel. Zuweilen nahm er seinen Stutzen zur Hand, redete ihm bald schmälend, wieder liebkosend zu, brachte ihn in eine schußgerechte Lage, setzte ihn wieder ab, lachte wieder wild. Dann beugte er sich wieder über den Sattel hinaus, wie einen Gegenstand auf der Erde suchend. Zuweilen schaute er sich, während er so suchte, scheu um, und dann fiel sein Blick immer forschend auf mich, ob ich ihn auch beobachte. Wieder tappte, griff er in der Luft herum, und wie er so herumtappte, fühlte, hing er so unheimlich auf seinem Mustang! Und wenn er dann in das unheimliche, hohle, teuflische Lachen ausbrach, dem wieder ein schauderhaftes Gestöhne folgte, bat ich immer zu Gott um ein baldiges Ende meines Rittes.

Wir mochten wohl zwei Stunden geritten sein, mein durch den gewässerten Whisky neu aufgeflammter Lebensfunke war auf dem Punkte gänzlich zu erlöschen, ich fühlte, als müsse ich jeden Augenblick vom Pferde sinken; da gewahrte ich eine rohe Einfriedung, die endlich eine menschliche Wohnung verkündete.

Ein schwacher Freudenruf entfuhr mir. Ich versuchte es, obwohl vergebens, meinem Tiere die Sporen zu geben.

Mein Begleiter wandte sich, schaute mich mit wild rollenden Augen an und sprach in drohendem Tone: ›Seid ungeduldig, Mann! ungeduldig, sehe ich; glaubt jetzt vielleicht?‹

›Ich sterbe, wenn nicht augenblickliche Hilfe . . .‹

Mehr vermochte ich nicht über die Lippen zu bringen.

›Pooh! Sterben, sterben. Man stirbt nicht sogleich. Und doch, doch! D–n! es könnte wahr werden.‹

Er sprang aus dem Sattel auf meinen Mustang zu. Es war hohe Zeit, denn unfähig, mich im Sattel zu halten, sank ich herab, ihm in die Arme.

Einige Tropfen Whisky brachten mich abermals zum Bewußtsein. Jetzt setzte er mich vor sich auf seinen Mustang und zog den meinigen am Lasso nach.

Wir umritten noch ein Bataten-, ein Welschkornfeld, eine Insel von Pfirsichbäumen und hatten endlich das Blockhaus vor Augen.

Meine Kräfte waren so gänzlich gewichen, daß der Mann mich auf den Arm nehmen und in die Hütte tragen mußte; selbst da konnte ich nicht mehr stehen, er mußte mich wie ein Windelkind auf die Bank niederlassen. Aber trotz des nun rasch vor sich gehenden Ebbens meiner Lebensgeister weiß ich mich noch sehr deutlich nicht nur auf die Wirtsleute, sondern auch auf das Hausgerät, die Stube, kurz alles zu erinnern. War es der Whisky, der den Geist in meinem hinsterbenden Körper so aufgeregt? In keinem Zeitpunkte meines Lebens habe ich so klar wie in diesem äußere Gegenstände wahrgenommen. Alles, was seit meinem Erwachen aus der Todes-Lebenskrise vorging, ist mir noch so deutlich eingeprägt, als ob ich es jetzt noch vor Augen sähe: der gräßliche Mann, das erbärmliche Blockhaus – eine Doppelhütte, mit einer Art Tenne in der Mitte – auf der einen Seite die Stube, auf der andern die Küche; die Stube ohne Fenster, mit Löchern, die mit geöltem Papier verklebt waren, dem hartgestampften Fußboden, an dessen Rändern fußhohes Gras wuchs; in einem Winkel das Bett, in einem andern eine Art Schenktisch, und zwischen diesen beiden Winkeln, wie eine Katze auf dem Sprunge, einherschleichend, eine unaussprechlich widerliche Karikatur, den Wirt vorstellend: rote Haare, rote Schweinsaugen, ein Mund, der grausig scheußlich von einem Ohr zum andern reichte, ein hündisch erdwärts gerichteter Blick, der lauernd giftig ganz dem schleichenden Katzenschritte entsprach! Alles das steht vor meiner Seele so lebendig, daß ich den Mann, lebte er noch, unter Millionen beim ersten Blick herausfände.

Ohne uns nur mit einem Worte, einem Blicke zu bewillkommen, brachte er eine Bouteille mit zwei Gläsern, stellte sie auf den Tisch, der aus drei Brettern bestand, die auf vier in die Erde eingerammte Pfosten genagelt waren und von irgendeinem Schranke oder einer Truhe herkommen mußten, denn sie waren noch zum Teil bemalt, mit drei Anfangsbuchstaben eines Namens und einer Jahreszahl.

Mein Retter hatte den Menschen sein Geschäft schweigend, nur seinen widerwärtigen Bewegungen mit scharfen Blicken folgend, verrichten lassen. Jetzt schenkte er eines der Gläser voll, und es mit einem Zuge leerend, sprach er: ›Johnny!‹

Johnny gab keine Antwort.

›Dieser Gentleman da hat vier Tage nichts gegessen.‹

›So?‹ versetzte, ohne aufzublicken, aus einer Ecke in die andere schleichend, Johnny.

›Vier Tage, sage ich, hörst du? Vier Tage. Und hörst du? Gehst, bringst ihm sogleich Tee, guten, starken Tee. Weiß, habt Tee eingehandelt, und Rum und Zucker. Bringst ihm Tee, und dann eine gute Rindssuppe, und das in einer Stunde. Muß der Tee sogleich, die Rindssuppe in längstens einer Stunde fix und fertig sein, verstehst du? Den Whisky nehme ich, und ein Beefsteak und Bataten. Sagst deiner Sambo das.‹

Johnny schlich, als ob er nicht gehört hätte, fort und fort aus einer Ecke in die andere – wie bei einer Katze war sein letzter Schritt immer springend.

›Habe Geld, verstehst du, Johnny? Hab es, Mann!‹ nahm mein Führer wieder das Wort, einen ziemlich vollen Beutel aus dem Gürtel ziehend.

Johnny schielte mit einem indefinisablen Blicke nach dem Beutel hin, sprang dann vor, schaute meinen Mann hohnlächelnd an.

Die beiden standen, ohne ein Wort zu sagen. Ein höllisches Grinsen fuhr über Johnnys häßliche Züge. Mein Mann schnappte nach Atem.

›Habe Geld‹, schrie er auf einmal, den Kolben seiner Rifle zur Erde stoßend. ›Verstehst du, Johnny? Geld, und zur Not eine Rifle.‹

Und so sagend, schenkte er ein zweites Glas ein, das er abermals mit einem Zuge leerte.

Johnny stahl sich jetzt so leise aus der Stube, daß mein Mann seine Entfernung erst durch das Klappern der Holzklinke gewahr wurde. Kaum war er jedoch diese gewahr, als er auf mich zutrat, mich, ohne ein Wort zu sagen, auf seinen Arm hob und dem Bett zutrug, auf das er mich sanft niederlegte.

›Ihr macht, als ob Ihr hier zu Hause wäret‹, knurrte der wieder eintretende Johnny.

›Bin das so gewohnt, tue das immer, wenn ich in ein Wirtshaus komme‹, versetzte mein Mann, ruhig ein frisches Glas einschenkend und leerend. ›Für heute soll der Gentleman Euer Bett haben. Magst du und deine Sambo meinethalben im Schweinestalle schlafen – habt aber keinen.‹

›Bob!‹ schrie Johnny wütend.

›Das ist mein Name, Bob Rock.‹

›Für jetzt‹, zischte mit schneidendem Hohne Johnny.

›So wie der deinige Johnny Down‹, lachte wieder Bob. ›Pooh, Johnny, glaube doch, kennen uns, oder kennen wir uns nicht?‹

›Kalkuliere, kennen uns‹, versetzte Johnny zähneknirschend.

›Kennen uns von weit und breit und lang und kurz her‹, lachte wieder Bob.

›Seid ja der berühmte Bob von Sodoma in Georgien.‹

›Sodoma in Alabama, Johnny‹, verbesserte ihn lachend Bob. ›Sodoma in Alabama. Sodoma liegt in Alabama‹, sprach er, wieder ein Glas nehmend; ›weißt du das nicht, und warst doch ein geschlagenes Jahr in Kolumbus, und das in allen möglichen schlechten Kapazitäten?‹

›Besser, Ihr schweigt, Bob‹, zischte Johnny mit einem Dolchblicke auf mich.

›Pooh! wird dir kein Haar krümmen, nicht plaudern, bürge dir dafür. Ist ihm die Lust dazu in der Jacinto-Prärie vergangen. Wenn sonst keiner wäre als der. Aber Sodoma‹, hob er wieder an, ›liegt in Alabama, Mann! Kolumbus in Georgien, sind durch den Chatahoochie voneinander geschieden, den Chatahoochie! Ah, war das ein lustiges Leben auf diesem Chatahoochie! Aber alles auf der Welt vergänglich, sagte immer mein alter Schulmeister. Pooh! haben jetzt dem Fasse den Boden ausgeschlagen, die Indianer ein Haus weiter über den Mississippi gesandt. War aber ein glorioses Leben. – War es nicht?‹

Wieder schenkte er ein, wieder trank er aus.

Die Aufschlüsse, die mir die Unterhaltung über den Charakter meiner beiden Gesellschafter gab, dürften für jeden andern wohl wenig Erfreuliches gehabt haben; denn wenn ihre Bekanntschaft von diesem gräßlichen Orte her datierte, mochten sie sich ebensowohl aus der Hölle herleiten. Der ganze Südwesten hatte, Sie wissen es, nichts aufzuweisen, das an Verruchtheit diesem Sodoma, wie es ganz bezeichnend genannt wurde, gleichkam. Es liegt oder lag wenigstens noch vor Jahren in Alabama, Indianergebietes, der Freihafen aller Mörder und Geächteten des Westens und Südwestens, die hier unter indianischer Gerichtsbarkeit Schutz und Sicherheit gegen die Ahndung des Gesetzes fanden. Schauderhaft waren die Frevel-, ja Greueltaten, die hier täglich vorfielen. Kein Tag verging ohne Mord und Plünderung, und das nicht heimlich, nein, am hellen Tage setzte die Mörderbande, mit Messern, Dolchen, Stutzen bewaffnet, über den Chatahoochie, tobte wie die wilde Jagd in Kolumbus ein, stieß nieder, wer in den Weg kam, brach in die Häuser, raubte, plünderte, mordete, tat Mädchen und Weibern Gewalt an und zog dann jubelnd und triumphierend, mit Beute beladen, über den Fluß in ihre Mordhöhle zurück, der Gesetze nur spottend. An Verfolgung oder Gerechtigkeit war nicht zu denken, denn Sodoma stand unter indianischer Gerichtsbarkeit, ja mehrere der indianischen Häuptlinge waren mit den Mördern einverstanden; ein Grund, der denn auch endlich die Veranlassung zu ihrer Fortschaffung wurde. Diese Fortschaffung hat, wie Sie wissen, die Tränendrüsen aller unserer alten politischen Weiber in hohem Grade geöffnet, erstaunlich viele Gegner unter unsern guten Yankees gefunden – Echos unserer ebenso guten Freunde in Großbritannien, denen es freilich nicht angenehm sein konnte, ihre Verbündeten so gleichsam aus unserer Mitte gerissen zu sehen. Ah, die britische Humanität, wie liebreich sie, genauer betrachtet, erscheint! Gar, gar so liebreich! Gott behüte und bewahre uns nur vor dieser liebreichen englischen Humanität! Glücklicherweise hatte Jacksons Eisenseele auch keinen Funken dieses britischen Liebesreichtums. Die Indianer mußten über den Mississippi, wie Sie wissen, und seit der Zeit sind auch Räuber, Mörder und – Sodoma verschwunden, und Kolumbus blüht und gedeiht, eine so repektable, geachtete Stadt als irgendeine im Westen.

Doch zu meinen beiden Gesellschaftern zurückzukehren, so schien die Erinnerung an ihre Großtaten sie merklich zutraulicher zu stimmen. Johnny hatte sich gleichfalls ein volles Glas gebracht, und die beiden wisperten viel und angelegentlich. Doch konnte ich ihre Sprache – eine Art Diebes- und

Spielerkauderwelsch – nicht verstehen. Nur hörte ich von meinem Gönner öfters ein wildes: ›Nein, nein – ich will bestimmt nicht‹ ausstoßen. Dann verschwammen mir Worte und Gegenstände in vagen Klängen und Umrissen.
Eine ziemlich unsanfte Hand rüttelte mich auf. Ich sah aber nicht mehr. Erst als mir einige Löffel Tee eingegossen waren, wurde es mir klarer vor den Augen. Es war eine Mulattin, die mir zur Seite stand und mir Tee mit einem Löffel eingoß. Die Miene, die sie dazu machte, lächelte anfangs nichts weniger als freundlich; erst nachdem sie mir ein halbes Dutzend Löffel eingegossen, begann sich etwas wie weibliches Mitgefühl zu zeigen.
Im Herzen des Weibes, welcher Farbe sie auch sei, trifft ein junger Mann immer wenigstens auf eine Saite, die klingt, wenn auch nicht die zarteste. – Mit jedem Löffel, den sie mir eingoß, wurde sie freundlicher. Es war aber ein köstliches Gefühl, das mich bei dieser Ätzung durchschauerte. Bei jedem Löffel, den sie mir eingoß, war es mir, als ob ein neuer Lebensstrom durch Mund und Kehle in die Adern rieselte. Jawohl, eine köstliche Empfindung – sie tat mir ja wohl!
Viel sanfter, als sie mich vom Kissen aufgehoben, ließ sie mich nieder.
›Gor, Gor!‹ kreischte sie. ›Was für ein armer junger Mann das sein! Aber in einer Stunde, Massa, etwas Suppe nehmen.‹
›Suppe? Wozu Suppe kochen?‹ knurrte Johnny herüber.
›Er Suppe nehmen; ich sie kochen‹, kreischte die Mulattin.
›Und schlimm für dich, Johnny, wenn sie sie nicht kocht; sage dir, schlimm für dich!‹ schrie Bob.
Johnny murmelte etwas, was ich jedoch nicht mehr hörte, da abermals ein leichter Schlummer mich in seine Arme genommen.
Schon nach wenigen Augenblicken, schien es mir, kam richtig die Mulattin mit der Suppe. Hatte mich ihr Tee erquickt, so kräftigte die Suppe erst eigentlich den schwankenden Lebensfunken. Ich fühlte zusehends, wie sie mir Kraft in Einge-

weide, in Adern und Sehnen eingoß. Bereits konnte ich mich im Bett aufrecht sitzend halten.

Während ich von der Mulattin gefüttert wurde, sah ich auch Bob sein Beefsteak verzehren. Es war ein Stück, das wohl für sechs hingereicht haben dürfte; aber der Mann schien auch seit wenigstens drei Tagen nichts gegessen zu haben. Er schnitt Brocken von der Größe einer halben Faust ab, warf sie ohne Brot in den Mund und biß dann in die ungeschälten Bataten ein. Ich hatte nicht bald solchen Heißhunger gesehen. Dazu schüttete er Glas auf Glas ein.

Der Whisky schien ihn zu wecken, sein zerstörtes Wesen in eine gewisse Lustigkeit umzustimmen. Er sprach noch immer mehr mit sich selbst als mit Johnny; aber die Erinnerungen schienen angenehm, denn er lachte öfters laut auf, nickte sich selbstgefällig zu; einige Male verwies er auch Johnny, daß er ein gar so katzenartiger, feiger Geselle, ein gar so feiger, heimtückischer, falscher Galgengeselle sei. Er sei zwar, lachte er, auch ein Galgengeselle, aber ein mutiger, offener, ehrlicher Galgengeselle – Johnny aber, Johnny...

Johnny sprang auf ihn zu, hielt ihm beide Hände vor den Mund, wofür er aber einen Schlag bekam, der ihn an die Stubentür anwarf, durch die er fluchend abzog.

Ich war gerade auf dem Punkte einzuschlummern, als er, den Finger auf dem Munde, leise der Tür zuschlich, da horchte und sich dann dem Bett näherte.

›Mister!‹ raunte er mir in die Ohren, ›Mister, braucht Euch nicht zu fürchten!‹

›Fürchten? Warum sollte ich mich fürchten?‹

›Warum? Darum!‹ versetzte er lakonisch.

›Warum sollte ich fürchten? für mein Leben? Seid Ihr nicht da, der es gerettet, den es nur einen Druck seines Daumens gekostet hätte, es wie ein Talglicht auszulöschen?‹

Der Mann schaute auf. ›Das ist wahr, mögt auch recht haben! Aber unsere Pflanzer, wißt Ihr, fangen auch oft Büffel und Rinder, um sie erst zu mästen und dann abzutun.‹

›Aber Ihr seid mein Retter, mein Landsmann, mein Mitchrist, und ich bin kein Rind, Mann!‹

›Seids nicht, seids nicht!‹ fiel er hastig ein; ›seids nicht! Und doch ... doch ...‹ Er wurde düster, schien sich zu besinnen.

›Hört Ihr?‹ wisperte er, ›versteht Ihr Karten oder Würfel?‹

›Ich habe nie gespielt.‹

›Wenn Euch zu raten ist, so spielt auch nicht; hier absolut nicht! versteht Ihr? Ah, hätte ich das gottverfluchte Spiel nicht! – Kein Spiel, hört Ihr? kein Spiel!‹

Er wandte jetzt den Kopf der Tür zu, horchte, schlich wieder zum Tische, sich einzuschenken – die Bouteille war jedoch leer.

›Johnny!‹ schrie er, einen Dollar auf den Tisch werfend, ›sitzen im Trocknen.‹

Johnny steckte den Kopf durch die Tür.

›Bob, Ihr habt genug.‹

›Wirst du mir sagen, daß ich genug habe? du!‹ schrie Bob, aufspringend und sein Messer ziehend.

Johnny sprang wie eine Katze davon, aber die Mulattin kam und brachte eine volle Bouteille.

Was weiter vorging, hörte ich nicht mehr, denn abermals kam der wohltätige Schlummer über mich.

Während meines Schlummers hörte ich, wie man im Schlummer hört, lauten Wortwechsel, dazwischen Stöße und Schläge; doch weckte mich nicht der Lärm, sondern der Hunger. Dieser ließ mich nicht mehr schlafen. Wie ich die Augen aufschlug, sah ich die Mulattin, die an meinem Bette saß und die Moskitos abwehrte. Sie brachte mir den Rest der Suppe. Nach zwei Stunden sollte ich ein so köstliches Beefsteak haben, als je aus ihrer Pfanne kam. Nun aber müßte ich wieder schlafen.

Ehe noch die zwei Stunden vergangen, erwachte ich; so rasch ging die Verdauung vor sich. Wie ein Reibeisen arbeitete es in meinem Magen herum, aber nicht mehr schmerzlich, im Gegenteile, es war mehr eine wohltuende Empfindung. Das bereitete Beefsteak genoß ich mit einer Lust, einem Appetit, der wirklich nicht zu beschreiben ist. Eine solche Wollust war mir der Genuß diese Rindschnittes, daß er mich halb und halb mit den entsetzlichen Qualen meines hundertstündigen Fastens wieder versöhnte. Doch erlaubte mir die Mulattin, die mehrere Fälle dieser Art erlebt und behandelt, nur ein sehr mäßiges Stück. Dafür brachte sie mir ein volles Bierglas, aus dem mir ein herrlicher Punsch entgegendampfte. In meinem Leben hatte ich oder glaubte ich nichts Köstlicheres genossen zu haben. Auf meine Frage, wo sie den Rum und Zucker sowie die Zitronen her habe, erklärte sie, daß sie mit diesen Artikeln selbst handle, daß Johnny bloß das Haus aufgeblockt, und zwar schlecht genug aufgeblockt, sie aber das Kapital zum Betrieb der Wirtschaft hergegeben und nebenbei noch einen Zucker-, Kaffee- und Schnittwarenhandel führe. Die Zitronen habe sie vom Squire oder, wie er auch genannt wurde, dem Alkalden, der ganze Säcke verschenke.

Allmählich wurde das Weib gesprächiger. Sie begann über Johnny zu klagen, wie er ein wüster Spieler und wohl noch etwas Schlechteres sei; wie er viel Geld bereits gehabt, aber alles wieder verloren – oft flüchtig werden müssen; wie sie ihn im untern Natchez kennen gelernt, von wo er gleichfalls bei Nacht und Nebel fortgemußt. Aber der Bob sei nicht besser, im Gegenteile – das Weib machte die Bewegung des Gurgelabschneidens – einer, der es arg getrieben. Jetzt habe er sich betrunken, Johnny zu Boden geschlagen und überhaupt sehr wüst getan. Er läge draußen auf dem Porche, Johnny aber habe sich verborgen; doch brauche ich mich nicht zu fürchten.

›Fürchten, mein gutes Weib? Warum sollte ich mich fürchten?‹ Sie schaute mich eine Weile bedenklich an, dann sprach sie: Wenn ich wüßte, was sie wisse, würde ich mich wohl fürchten. Sie wolle jedoch auf keine Weise länger bei dem verruchten Johnny bleiben, sobald als möglich sich um einen andern Partner umsehen. Wenn sie nur einen wüßte.

Bei diesen Worten schaute sie mich an.

Ihr Blick sowie ihr ganzes Wesen hatten ein Etwas, das mir gar nicht gefiel. Die alte Sünderin war ihr in jedem Zuge eingedrückt. Ein häßliches, grob sinnliches Gesicht, in dem Laster und Ausschweifungen leserliche Spuren zurückgelassen. Aber jetzt war nicht die Zeit, den zart Empfindsamen zu spielen. Ich versicherte sie so warm, als ich nur vermochte, daß der Dienst, den sie mir erwiesen, meine ganze Dankbarkeit in Anspruch nähme, die ihr auf alle Fälle werden sollte.

Noch sprach sie eine Weile, ich hörte jedoch nicht mehr, denn ich war wieder eingeschlummert.

Diesmal wurde der Schlummer zum festen Schlafe.

Ich mochte sechs bis sieben Stunden geschlafen haben, als ich mich am Arme gerüttelt fühlte. Ich erwachte nicht sogleich, aber das Rütteln wurde so heftig, daß ich laut aufschrie. Es war nicht sowohl Schmerz über den eisernen Griff, der mich erfaßt, als Schrecken, der mich aufkreischen machte. Bob stand vor mir. Die nächtliche Ausschweifung hatte seine Züge bis ins Scheußliche verzerrt, die blutunterlaufenen Augen waren geschwollen und rollten, wie von Dämonen gepeitscht, der Mund stand ihm weit und entsetzt offen: aus seinem ganzen Wesen leuchtete die Zerstörtheit eines Menschen hervor, der soeben von einer schrecklichen Tat gekommen. Er stand vor mir wie der Mörder über dem Leichnam des gemordeten Bruders. Ich schrak entsetzt zurück.

›Um Gottes willen, Mann, was fehlt Euch?‹

Er winkte mir, still zu sein.

›Ihr habt das Fieber, Mann!‹ rief ich, ›die Ague!‹

›Ei, das Fieber‹, stöhnte er und der kalte Schauder überlief ihn; ›das Fieber, aber nicht das Fieber, das Ihr meint; ein Fieber, junger Mann, ein Fieber, Gott behüte Euch vor einem solchen Fieber!‹

Er zitterte, wie er so sprach, am ganzen Leibe.

›Willst du denn gar nicht mehr ruhen? Mich gar keinen Augenblick mehr in Frieden lassen? Hilft denn gar nichts?‹

stöhnte er, die Faust auf die linke Seite drückend. ›Gar nichts? du Gottverfluchte! Sag Euch‹, brüllte er, ›wüßte ich, daß Ihr mit Eurem Gott und Schöpfer und Richter, von dem Ihr gestern geschwätzt ... bei Gott! ich wollte ...‹

›Flucht nicht so entsetzlich, Mann! Mein und Euer Gott sieht und hört Euch ohne Flüche. Bin kein winselnder Pfaffe, aber dieses gotteslästerliche Fluchen ist sündhaft, ekelhaft.‹

›Habt recht, habt recht! ist eine häßliche Gewohnheit; aber sage Euch, ja um Gottes willen! was wollte ich sagen?‹

›Ihr wolltet sagen, vom Fieber wolltet Ihr sagen.‹

›Nein, wollte das nicht sagen; weiß jetzt, was ich sagen wollte; bleibt aber ebensogut ungesagt, was ich sagen wollte. Weiß, daß Ihr es nicht heraufbeschworen. Hatte ja vordem auch nicht Ruhe – die ganzen acht Tage schon keine Ruhe –, ließ mich nicht ruhen, nicht rasten, trieb mich immer wie den, wie heißt er? der seinen – seinen Bruder kalt gemacht – trieb mich unter den Patriarchen, immer und immer unter den Patriarchen.‹

Er hatte diese Worte leise, abgerissen ausgestoßen oder vielmehr gemurmelt. Offenbar sollte ich sie nicht hören.

›Kurios das!‹ murmelte er weiter, ›habe doch mehr als einen kalt gemacht, aber war mir nie so. War vergessen in weniger denn keiner Zeit; ließ mir kein graues Haar um sie wachsen. Kommt jetzt alles auf einmal, die ganze Zeche; kann nicht mehr ruhen, nicht mehr rasten. In der offenen Prärie ists am ärgsten; da steht er gar so deutlich, der alte Mann mit seinem Silberbarte und seinem glänzenden Gewand, und das Gespenst just hinter ihm. Wird mich das furchtbare Gespenst noch zur Verzweiflung bringen. – Soll mich aber doch nicht zur Verzweiflung bringen; soll nicht!‹ schrie er wieder wild.

Ich tat, als hörte ich nicht.

›Was sagt Ihr da vom Gespenste?‹ schrie er mich plötzlich an.

›Ich sage nichts, gar nichts‹, versetzte ich beruhigend.

Seine Augen rollten, er ballte die Hände, öffnete sie wieder, wie der Tiger die Krallen.

›Sagt nichts, nichts, rate es Euch, nichts!‹ murmelte er wieder leise.

›Ich sage nichts, lieber Mann, gar nichts, als daß Ihr Euch Gott und Eurem Schöpfer zuwenden möget.‹

›Gott! Gott! Ei, das ist der alte Mann, kalkuliere ich, im glänzenden Gewande, mit dem langen Barte, der das Gespenst hinter sich hat. Will nichts mit ihm zu tun haben, soll mich in Ruhe lassen. Will Ruhe haben! Will, will. – Will, will!‹ stöhnte er.

›Wißt Ihr? Müßt mir einen Gefallen tun.‹

›Zehn für einen; alles, was in meinen Kräften steht. Sagt an, was ich tun soll, und es soll getan werden. Ich verdanke Euch mein Leben.‹

›Seid ein Gentleman, sehe es, ein Christ. Ihr könnt, Ihr müßt . . .‹ Er schnappte nach Atem, wurde wieder unruhig.

›Ihr müßt mit mir zum Squire, zum Alkalden.‹

›Zum Squire, zum Alkalden! Mann, was soll ich mit Euch beim Squire, beim Alkalden?‹

›Werdet sehen, hören, was Ihr sollt, sehen und hören; hab ihm etwas zu sagen, etwas ins Ohr zu raunen.‹

Hier holte er mit einem schweren Seufzer Atem, hielt eine Weile inne, schaute sich auf allen Seiten ängstlich um.

›Etwas‹, wisperte er, ›das niemand sonst zu hören braucht.‹

›Aber Ihr habt ja Johnny. Warum nehmt Ihr nicht lieber Johnny?‹

›Den Johnny?‹ hohnlachte er, ›den Johnny? der nicht besser ist, als er sein sollte, ja, schlechter, zehnmal schlechter als ich, so schlecht ich bin; und bin schlecht, sag Euch, bin ein arger Geselle – ein sehr arger, aber doch ein offener, ehrlicher, der immer offen, ehrlich, Stirn gegen Stirn – bis auf dieses Mal; – aber Johnny! – würde seine Mutter zur . . . Ist ein feiger, hündischer, heimtückischer Hund, der Johnny.‹

Es bedurfte das keiner weiteren Bekräftigung, denn es war ihm wahrlich auf der Stirn geschrieben, ich schwieg also.

›Aber wozu braucht Ihr mich beim Squire?‹

›Wozu ich Euch beim Squire brauche? Wozu braucht man die Leute vorm Richter? Ist ein Richter, Mann, ein Richter in Texas, eigentlich ein mexikanischer Richter, aber von uns Amerikanern gewählt, ein Amerikaner, wie ich und Ihr. Ist ein Richter der Gerechtigkeit.‹

›Und wie bald soll ich?‹

›Gleich auf der Stelle. Gleich, sobald als möglich. Kann es nicht mehr aushalten. Läßt mich nicht mehr ruhen. Stehe seit den letzten acht Tagen Höllenqualen aus, keine ruhige Stunde mehr. Treibt mich unter den Patriarchen, wieder weg, wieder zu. Am ärgsten ist es in der Prärie, da steht der alte Mann im leuchtenden Gewande und hinter ihm das Gespenst; könnte sie beide mit Händen greifen. Treiben mich schrecklich herum. Keine ruhige Stunde, selbst die Flasche hilft nichts mehr. Weder Rum, noch Whisky, noch Brandy hilft mehr, bannt sie nicht, beim Tarnel! bannt sie nicht. Kurios das! habe gestern getrunken, glaubte es zu vertrinken, sie zu bannen; ließen sich nicht bannen; – kamen richtig beide, trieben mich auf. – Mußte fort, in der Nacht fort. – Ließ mich nicht schlafen, mußte hinüber unter den Patriarchen.‹

›Mußtet hinüber unter den Patriarchen, den Lebenseichenbaum?‹ rief ich entsetzt; ›und Ihr waret in der Nacht drüben unter dem Lebenseichenbaum?‹

›Zog mich hin unter den Patriarchen‹, stöhnte er; ›komme von daher, komme, komme. Bin fest entschlossen ...‹

›Armer, armer Mann!‹ rief ich schaudernd.

›Jawohl, armer Mann!‹ stöhnte er in demselben entsetzlich unheimlich zutraulichen Tone. ›Sage Euch, läßt mich nicht mehr ruhen, absolut nicht mehr. Ist jetzt acht Tage, daß ich hinüber nach San Felipe wollte. Glaubte schon, San Felipe zu sehen, dicht an San Felipe zu sein; als ich aufschaue, wo meint Ihr, daß ich war? – Unter dem Patriarchen.‹

›Armer, armer Mann!‹ rief ich abermals.

›Jawohl, armer Mann!‹ wiederholte er mit durch Mark und Knochen dringendem Gestöhne. ›Armer Mann, wo ich gehe und stehe, bei Nacht und bei Tage. Wollte auch nach Anahuac, ritt hinüber, ritt einen ganzen Tag; am Abend, wo glaubt Ihr wohl, daß ich wieder war? Unterm Patriarchen.‹

Es lag etwas so Gräßliches in der heimlichen und wieder unheimlichen Weise, in der er die Worte herausschnellte; der Wahnsinn des Mörders sprach so laut, so furchtbar deutlich aus seinen wie vom Höllenfeinde gepeitschten Augen. Ich wandte mich bald schaudernd von – wieder mitleidig zu ihm. Bei alledem konnte ich ihm meine Teilnahme nicht versagen.

›Ihr waret also heute schon unter der Lebenseiche?‹

›Ei, so war ich, und das Gespenst drohte mir und sagte mir: Ich will dich nicht ruhen lassen, Bob – Bob ist mein Name – bis du zum Alkalden gegangen, ihm gesagt . . .‹

›Dann will ich mit Euch zu diesem Alkalden‹, sprach ich, mich aus dem Bett erhebend, ›und das sogleich, wenn Ihr es wünscht.‹ ›Was wollt Ihr? Wohin wollt Ihr?‹ krächzte jetzt der hereinschleichende Johnny. ›Nicht von der Stelle sollt Ihr, bis Ihr bezahlt.‹ ›Johnny!‹ sprach Bob, indem er den um einen Kopf kleineren Gesellen mit beiden Händen an den Schultern erfaßte, ihn wie ein Kind emporhob und wieder niedersetzte, daß ihm die Kniee zusammenbrachen. ›Johnny! dieser Gentleman da ist mein Gast, verstehst du? Und hier ist die Zeche, und sage dir, Johnny, sage dir!‹

›Und Ihr wolltet? – Ihr wolltet?‹ winselte Johnny.

›Was ich will, geht dich nichts an – nichts, gar nichts geht dich das an; darum, kalkuliere ich, schweigst du besser, bleibst mir vom Halse.‹

Johnny schlich sich in den Winkel zurück, wie ein Hund, der einen Fußtritt erhalten; aber die Mulattin schien sich nicht abschrecken lassen zu wollen. Die Arme in die Seite gestemmt, watschelte sie herzhaft vor.

›Ihr sollt ihn nicht wegnehmen, den Gentleman!‹ schrie sie belfernd, ›Ihr sollt nicht. Er ist noch schwach und kann den Ritt nicht aushalten, kaum auf den Füßen stehen.‹
Das war nun wirklich der Fall. Stark, wie ich mich im Bett gefühlt, konnte ich mich außer diesem wirklich kaum auf den Füßen erhalten.
Bob schien einen Augenblick unschlüssig, aber nur einen Augenblick, im nächsten hob er die Mulattin, dick und wohlgemästet, wie sie war, in derselben Weise, wie er es mit ihrem Partner getan, einen Fuß über den Estrich empor, trug sie schwebend und kreischend der Tür zu, warf diese mit einem Fuße auf, und sie auf der Schwelle niedersetzend, sprach er: ›Friede! und einen starken, guten Tee, statt deiner häßlichen Zunge, und ein mürbes, frisches Beefsteak, statt deines stinkenden, verfaulten Selbst, das ist dein Geschäft, und das wird den Gentleman stark machen, du alter braunlederner Sünden- und Lasterschlauch!‹
Des Mannes Präzision und Bündigkeit in Wort und Tat wäre unter andern Umständen gar nicht uninteressant gewesen, selbst hier flößten sie einen gewissen Respekt ein. Er war wirklich, wie er sagte, ein arger Geselle, aber offen, geradezu.
Ich hatte angekleidet geschlafen, wollte jetzt die Stube verlassen, Gesicht und Hände zu waschen und nach meinem Mustang zu sehen; Bob ließ es jedoch nicht zu. Johnny mußte Wasser und ein Handtuch bringen, dann befahl er ihm, meinen und seinen Mustang in Bereitschaft zu halten. Seinem Winseln: wenn aber die Mustangs ausgerissen, sich nicht fangen ließen, begegnete er mit den kurzen Worten: ›Müssen in einer Viertelstunde da sein, dürfen nicht ausgebrochen sein; keine Tricks, verstehst du? keine Kniffe, du kennst mich!‹
Johnny mußte ihn wohl kennen, denn ehe noch eine Viertelstunde vergangen, standen die Tiere gesattelt und gezäumt vor der Hütte.
Das Frühstück, aus Tee, Butter, Welschkornbrot und zarten

Steaks bestehend, hatte mich auf eine Weise gestärkt, die es mir möglich machte, meinen Mustang zu besteigen. Zwar schmerzten noch alle Glieder, aber wir ritten langsam, der Morgen war heiter, die Luft elastisch, mild erfrischend, und der Weg oder vielmehr Pfad lag wieder durch die Prärie, die auf der einen Seite gegen den Fluß zu mit Urwald eingesäumt, auf der andern wieder ozeanartig hinausfloß in die weite Ferne, von zahllosen Inseln beschattet. Wir trafen auf eine Menge Wildes, das unsern Tieren beinahe unter den Füßen weglief; aber obwohl Bob sein Gewehr mithatte, er schien nichts zu sehen, sprach immerfort mit sich. Er schien zu ordnen, was er dem Richter zu sagen habe, denn ich hörte ihn in ziemlichem Zusammenhange Sätze vortragen, die mir Aufschlüsse gaben, welche ich in meiner Stimmung wahrlich gern überhört hätte. Aber es ließ sich nicht überhören, denn er schrie wie besessen, und wenn er stockte, schien auch das Gespenst wieder über ihn zu kommen. Er starrte dann wie wahnsinnig auf einen Punkt hin, schrak zusammen, stöhnte, die Fieberschauer, der Wahnsinn des Mörders ergriffen ihn. – Ich war, wie Sie wohl denken mögen, herzlich froh, als wir endlich das Gehege der Pflanzung erblickten.
Sie schien sehr bedeutend. Das Haus, groß und aus Fachwerk zusammengesetzt, verriet Wohlstand und selbst Luxus. Es lag in einer Gruppe von Chinabäumen, die, obwohl offenbar vom Besitzer seit nicht vielen Jahren gepflanzt, doch bereits hoch aufgeschossen, Kühle und Schatten gaben. Ich würde sie für zehnjährig gehalten haben, erfuhr aber später, daß sie kaum vier Jahre gepflanzt waren. Rechts vom Hause stand einer der Könige unserer Pflanzenwelt, ein Lebenseichenbaum, der schönste, edelste, festeste Baum Texas', der Welt, kann man wohl sagen, denn etwas Majestätischeres, Ehrfurchtgebietenderes als ein solcher Riesenbaum mit seinen Silberschuppen und Bärten, die Jahrhunderte ihm angelegt, läßt sich nicht denken! Links dehnten sich etwa zweihundert Acker Kottonfeld gegen den sich hier stark krümmenden Ja-

cinto hin; die Pflanzung lag so ganz in einer Halbinsel, ungemein reizend, eine wahre Idylle. Vor dem Hause die unabsehbare, vielleicht zwanzig, vielleicht fünfzig, ja hundert Meilen gegen Westen hinströmende Prärie, hie und da ein Archipelagus von Inseln, schwankend und schimmernd in der transparenten Atmosphäre – zwischen diesen die grasenden Rinder- und Mustangherden, und links und rechts Kottonfelder und Inseln. Hinter dem Hause waren die Wirtschaftsgebäude und das Negerdörfchen zu sehen. Über dem Ganzen ruhte tiefe Stille, die, bloß durch das Anschlagen zweier Hunde unterbrochen, der so sinnig träumerisch gelegenen Pflanzung etwas Feierliches verlieh, das selbst Bob zu ergreifen schien. Er hielt am Gatter an, schaute zweifelnd auf das Haus hinüber, wie einer, der an einer gefährlichen Schwelle steht, die zu überschreiten nicht geheuer.

So hielt er wohl einige Minuten.

Ich sprach kein Wort, hätte auch um keinen Preis reden, die innere Stimme, die ihn trieb, unterbrechen können; ich hätte es für einen Frevel gehalten. Aber zentnerschwer lag es mir auf der Brust, wie er so hielt.

Mit einem plötzlichen Rucke, der einen ebenso plötzlichen Entschluß verkündete, riß er das Gattertor auf, und wir ritten durch zwei mit Orangen, Bananen und Zitronen besetzte Hausgärten, die, von der Passage durch eine Staketeinfassung getrennt, an einem Vorhof lehnten, wo ein zweites Gattertor mit einer Glocke zu sehen war. Als diese anschlug, erschien ein Neger, der die Haustür öffnete.

Er schien Bob sehr gut zu kennen, denn er nickte ihm wie einem alten Bekannten zu, sagte ihm auch, daß der Squire ihn gebraucht, einige Male nach ihm gefragt habe. Mich bat er abzusteigen, das Frühstück würde sogleich bereit sein; für die Pferde werde gesorgt werden.

Ich bedeutete den Neger, wie ich nicht gekommen, die Gastfreundschaft des Squire in Anspruch zu nehmen, sondern als Begleiter Bobs, der mit seinem Herrn zu sprechen wünsche.

Im Vorbeigehen sei es bemerkt, paßte auch mein Äußeres nichts weniger als zu Besuchen – meine Kleider waren beschmutzt, zum Teil auch zerrissen – ich ganz und gar nicht in der Verfassung, die Gastfreundschaft eines Texas-Granden in Anspruch zu nehmen.

Der Neger schüttelte ungeduldig den Wollkopf: ›Massa immerhin absteigen, das Frühstück sogleich auftragen, und für die Pferde auch gesorgt werden.‹

Bob fiel ihm in die Rede.

›Brauchen dein Frühstück nicht, sag ich dir – will mit dem Squire reden.‹

›Squire noch im Bett sein‹, versetzte der Neger.

›So sag ihm, er solle aufstehen. Bob habe ihm etwas Wichtiges zu sagen.‹

Der Neger schaute Bob mit einem Blicke an, der dem Gentleman eines englischen Herzogs Ehre gemacht haben würde.

›Massa noch schlafen, er nicht wegen zehn Bobs aufstehen.‹

›Aber ich habe ihm etwas Wichtiges, etwas sehr Wichtiges zu sagen‹, versicherte Bob dringlich, beinahe ängstlich.

Der Neger schüttelte abermals den Wollkopf.

›Etwas Wichtiges, sag ich dir, Ptoly!‹ fuhr er nun schmeichelnd und heftig zugleich fort, die Hand nach dem Wollkopfe ausstreckend, ›etwas, das Leben und Tod betrifft.‹

Der Neger duckte sich und sprang der Haustüre zu.

›Massa nicht aufstehen, bis er ausgeschlafen. Ptoly nicht der Narr sein, ihn wegen Bob zu wecken; Massa nicht für zehn Leben und Tode aufstehen.‹

Der aristokratische Neger des aristokratischen Squire würde zu jeder anderen Zeit mein Lachfell gekitzelt haben, hier jedoch hatte der Auftritt etwas Peinigendes; zum Lachen war wahrlich nicht der Zeitpunkt.

›Wann steht der Squire auf?‹ fragte ich.

›In einer oder zwei Stunden.‹

Ich sah auf meine Uhr – sie war abgelaufen; aber der Neger sagte, es wäre sieben. Allerdings eine etwas frühe Stunde zu einem Morgenbesuche, der nichts weniger als unterhaltend zu werden versprach, obwohl spät genug, um einen Texas-Squire außer dem Bette zu sehen; doch ging uns sein Langeschlafen nichts an, und ich glaubte vermittelnd eintreten zu müssen. So wandte ich mich also an Bob, ihm bedeutend, daß die Stunde allerdings zu Geschäften zu früh, und wir in Geduld warten oder zurückkehren müßten.

›Warten, warten mit dieser Höllenpein und dem Gespenste?‹ murmelte Bob. ›Kann nicht warten; wollen zurück.‹

›Wollen zurück und in zwei Stunden wiederkommen!‹ bedeutete ich dem Neger.

›Wenigstens Massa bleiben, Bob allein reiten lassen, Squire Massa gern sehen‹, bat der Neger mit einem vielsagenden, bedenklichen Blick auf Bob, der mich wohl zum Bleiben bewogen haben dürfte, wäre meine Verpflichtung gegen den Elenden nicht von der Art gewesen, daß sie ein solches Bleiben zum schwärzesten Undank gestempelt haben müßte. Wir ritten also wieder zu Johnnys Gasthütte zurück.

Der sanft bequeme Ritt hatte mich erfrischt und, obgleich er hin und wieder zurück nicht zwei Stunden gewährt, meinen Appetit auf eine Weise geschärft, die mir ein zweites Frühstück zum Bedürfnis machte. Überhaupt können Sie den Heißhunger, der sich nach einem Ritte in den Prärien überhaupt und nach einer solchen Hungerkur begreiflicherweise doppelt einstellt, unmöglich begreifen. Man wird ordentlich zum Nimmersatt, der Magen zu einem wahren Schlunde, der alles in seinen Bereich zieht und verschlingt. Kaum daß ich die Zeit erwarten konnte, bis die Mulattin die Steaks brachte. Bob schien mein Appetit ungemein zu freuen. Ein freundlich wehmütiges Grinsen überflog ihn, wenn sein wirrer Blick auf mich fiel; aber trotz meines ermunternden Zuredens ließ er sich nicht bewegen, teilzunehmen. Nüchtern, murmelte er mir zu, müsse das abgetan werden, was er zu tun habe, und nüchtern wolle er bleiben, bis er abgewälzt habe die Last. So saß er, die Augen stier auf einen Punkt gerichtet, die Gesichtsmuskeln starr. Irgendein Fremder, der eingetreten, müßte ihn für ein Waldgespenst gehalten haben. Die Leiden des Elenden waren zu gräßlich, um ihn länger zu quälen. So bestiegen wir denn, nachdem ich mich restauriert, abermals die Pferde.

Diesmal vermochte ich bereits schneller zu reiten; in weniger denn drei Viertelstunden waren wir wieder vor dem Hause.

Wir wurden in ein für Texas recht artig möbliertes Parlour eingeführt, wo wir den Squire, oder richtiger zu sagen, den Alkalden, seine Zigarre rauchend, trafen. Er hatte soeben gefrühstückt, denn Teller und Schüsseln, darunter mehrere unberührt, standen noch auf dem Tische. Von Komplimenten war er offenbar kein großer Freund, ebensowenig von Kopfbrechen oder unserer Yankee-Neugier, denn kaum daß er, während er unsern guten Morgen zurückgab, die Begrüßung mit einem Blick erwiderte. Beim ersten Anblick sah man, daß er aus Westvirginien oder Tennessee stammte; denn nur da wachsen diese antediluvianischen Riesengestalten. Selbst sitzend ragte er über den die Teller und Gedecke stellenden Neger hinaus. Dazu hatte er ganz den westvirginischen Herkulesbau, die enorme Brust, die massiven Gesichtszüge und Schultern, die scharfen grauen Augen, überhaupt ein Ensemble, das wohl rohen Hinterwäldlern imponieren konnte.

Bob schaute er mit einem langen, forschenden Blicke an, mich dagegen schien er sich für später aufzusparen; denn obwohl der Neger nun alles zum Frühstück zurechtgelegt, ich auch einen Sessel genommen, war ich doch noch nicht der Ehre eines näheren Skrutiniums gewürdigt worden. Es lag aber auch wieder viel Takt und Selbstbewußtsein in seiner Art und Weise, wenigstens verriet sie, daß er einen Alkalden zu repräsentieren verstand. Bob war, den mit dem blutigen Sacktuch verbundenen Kopf auf die Brust gesenkt, stehen geblieben. Er schien Respekt vor dem Squire zu fühlen.

Dieser hob endlich an: ›Ah, seid Ihr wieder da, Bob! Haben Euch schon lange nicht gesehen, schier geglaubt, daß Ihr uns vergessen. Sag Euch, haben schier geglaubt, hättet Euch um ein Haus weiter gemacht. Wohl, wohl, Bob. Hätten uns auch nicht den Hals abgerissen, denn sag Euch, sind mir Spieler verhaßt, hasse sie, Mann, ärger als die Skunke*. Ist ein liederliches Wesen mit dem Spiele, hat manchen Mann ruiniert, zeitlich und ewig ruiniert – hat Euch auch ruiniert.‹

Bob gab keine Antwort.

›Hätten Euch übrigens letzte Woche gut brauchen können; wäret überhaupt gut zu brauchen. Ließe sich noch ein wertvolles Glied der bürgerlichen Gesellschaft aus Euch machen, wenn Ihr nur das sündige Spielen lassen könntet. Meine Stieftochter letzte Woche angekommen. Mußten um den Joel senden, uns einen Hirschbock und ein paar Dutzend Schnepfen zu schießen.‹

Bob gab noch immer keine Antwort.

›Jetzt geht hinaus in die Küche und laßt Euch zu essen geben.‹

Bob gab weder Antwort, noch ging er.

›Hört Ihr nicht? In die Küche sollt Ihr hinaus und Euch zu essen geben lassen. Und Ptoly‹, sprach er zum Neger, ›sag der Veny, sie soll ihm eine Pinte Rum bringen.‹

›Brauche Euren Rum nicht, bin nicht durstig‹, knurrte Bob.

›Scheint so, scheint so!‹ versetzte lakonisch der Richter. ›Scheint, als hättet Ihr bereits mehr genommen als nötig. Seht schier aus, als ob Ihr eine wilde Katze lebendig verschlingen könntet.‹

* Stinktiere.

Bob knirschte mit den Zähnen, was aber der Richter zu überhören schien.
›Und Ihr?‹ wandte er sich jetzt zu mir. – ›Was Teufel, Ptoly! was stehst du? Siehst du nicht, daß der Mann frühstücken will? Wo bleibt der Kaffee? Oder trinkt Ihr lieber Tee?‹
›Danke Euch, Alkalde, ich habe soeben gefrühstückt.‹
›Schaut nicht danach aus. Seid doch nicht krank? Wo kommt Ihr her? Was ist Euch zugestoßen? Habt doch nicht die Ague? Wie kommt Ihr zu Bob?‹
Erst jetzt fiel sein Blick forschender auf mich, dann wieder auf Bob. Offenbar kalkulierte er, was wohl den Besuch veranlaßt, mich in Bobs Gesellschaft gebracht haben könne. Das Resultat seiner physiognomischen Beobachtungen schien weder Bob noch mir sehr günstig.
›Sollt alles hören, Richter!‹ beeilte ich mich, ihm zu antworten; ›verdanke Bob sehr viel, ganz eigentlich mein Leben.‹
›Euer Leben? Bob verdankt Ihr Euer Leben?‹ rief der Richter, ungläubig den Kopf schüttelnd.
›Ja, das verdanke ich ihm wirklich, denn ich war auf dem Punkte zu vergehen, als er mich fand. Bin nämlich – in der Jacinto-Prärie verirrt – vier Tage herumgeirrt, ohne einen Bissen über die Zunge gebracht zu haben. Gestern fand und zog mich Bob aus dem Jacinto.‹
›Ihr habt Euch doch nicht …?‹
›Nein, nein!‹ fiel ich ein; ›mein durstiger Mustang sprang mit mir in den Fluß, und kraftlos, wie ich war, fiel ich hinein.‹
›So!‹ sprach der Richter, ›so hat Euch also Bob gerettet? Ist das wahr, Bob? Wohl, freut mich, Bob, freut mich das wieder. Wenn Ihr nur von Eurem Johnny lassen könntet. Sage Euch, Bob, der Johnny wird Euch noch ins Verderben bringen. Laßt ihn besser.‹ Alles das war bedächtig, mit Nachdruck gesprochen, dazwischen immer ein Trunk genommen und ein paar Rauchwolken aus der Zigarre gezogen und gestoßen.
›Ja, Bob‹, wandte er sich wieder an diesen, ›wenn Ihr von dem Johnny lassen könntet!‹

›Ist zu spät!‹ versetzte Bob.

›Weiß nicht, warum es zu spät sein sollte; ist nie zu spät, ein sündig verdorbenes Lasterleben aufzugeben; nie, Mann!‹

›Kalkuliere, ists aber doch!‹ versetzte halb trotzig Bob.

›Ihr kalkuliert, es ist?‹ versetzte der Richter, ihn scharf fixierend. ›Und warum kalkuliert Ihr? Nehmt ein Glas. Ptoly, ein Glas! – und sagt an, warum es zu spät sein sollte, Mann?‹

›Habe keinen Durst, Squire‹, versetzte Bob.

›Reden jetzt nicht vom Durst; – ist der Rum nicht gegen den Durst – ist der Rum, mäßig genossen, das Herz und Nieren zu stärken, die blue Devils zu vertreiben; aber mäßig muß er genossen werden.‹

Und so sagend, füllte er sich ein Glas und leerte es zur Hälfte.

›Reden aber nicht vom Durst‹, hob er wieder an; ›reden davon, daß es zu spät sein sollte. Warum sollte es zu spät sein?‹

Und wieder schaute er ihn scharf an.

›Liegt mir nicht, der Rum‹, brummte wieder Bob, ›liegt mir etwas anderes im Magen.‹

›Liegt Euch etwas anderes im Magen?‹ fiel der Richter ein, die Rauchwolken seiner Zigarre von sich blasend. ›Etwas anderes liegt Euch im Magen? Wohl, Bob, was liegt Euch denn so im Magen? Nehmt eine Zigarre, Mann‹, wandte er sich zu mir. ›Wollen hören, was ihm im Magen liegt. Oder wollt Ihr unter vier Augen mit mir reden? Ist zwar heute Sonntag, Mann, und am Sonntage sollen die Geschäfte ruhen; aber da Ihr es seid und Magendrücken habt, so wollen wir schauen.‹

›Habe den Gentleman expreß mitgebracht, daß er Zeuge sein, hören solle‹, versetzte Bob, eine Zigarre nehmend.

Der Richter, obwohl er ihn zu dieser nicht geladen, hielt ihm ganz ruhig das brennende Licht hin.

Bob rauchte die Zigarre an, tat einige Züge, schaute den

Richter bedenklich an und warf dann die Zigarre zum Fenster hinaus.

›Schmeckt mir nicht, Squire, schmeckt mir nichts mehr, wird immer ärger.‹

›Ah, Bob, wenn Ihr nur Euer ewiges Spielen und Trinken lassen könntet! Sind diese Euer Fieber, Eure Ague-Cakes, Euer Verderben.‹

›Ist nichts, Squire, hilft alles nichts; muß heraus. Kämpfte, stritt lange mit mir. Glaubte es zu verwinden, niederzudrükken; geht aber nicht. Habe manchen unter die siebente Rippe, aber dieser...‹

›Was habt Ihr?‹ sprach der Richter, der, nachdem er die Zigarre gleichfalls durch das Fenster geworfen, Bob mit einer etwas richterlichen Miene maß. ›Was gibt es wieder? Was sollen die Reden von siebenten Rippen? Keine Eurer Sodoma- und Unter-Natchez-Sprünge, hoffe so; könnten sie hier nicht brauchen; verstehen hier keine solchen Späße.‹

›Pooh! Verstehen sie noch weniger drüben in Natchez. Hätten sie sie verstanden, wäre Bob nicht in Texas.‹

›Aber Eure Knochen bleichten dafür drüben irgendwo an einem Baume oder in einem Graben? Wissen das, wissen das, Bob! Je weniger davon geredet wird, desto besser. Habt aber hier versprochen, den alten sündigen Menschen aus-, einen neuen anzuziehen, und wollen deshalb alte Geschichten nicht aufrühren.‹

›Habs wollen, habs wollen‹, stöhnte Bob; ›geht aber nicht, hilft alles nichts; muß heraus, sag es Euch, muß heraus. Wird nicht besser, als bis ich gehängt bin.‹

Ich starrte Bob sprachlos an; der Richter jedoch nahm eine frische Zigarre, zündete sie an, und nachdem er sie in Rauch gesetzt, sprach er ganz gelassen: ›Nicht besser, als bis Ihr gehängt seid? Ja, aber warum wollt Ihr denn gehängt sein? Freilich solltet Ihr das schon lange, denn wenn die Zeitungen in Georgien, Alabama und Mississippi nicht alle lügen, so habt Ihr den Strick wenigstens ein dutzendmal verdient, in den

Staaten drüben nämlich; aber hier sind wir in Texas, unter mexikanischer Gerichtsbarkeit. Geht uns hier nichts an, was Ihr drüben verbrochen, so Ihr nur hier nichts angestellt. Wo kein Kläger, da ist auch kein Richter.‹

›Ho! es ist aber doch ein Kläger‹, versetzte trotzig Bob; ›ist einer, sag ich Euch‹, setzte er leiser und schaudernd hinzu.

›Ein Kläger? Und wer sollte der Kläger sein?‹ fragte der Richter, mich anschauend.

›Wer der Kläger sein sollte?‹ murmelte Bob. ›Wer der Kläger sein sollte?‹ wiederholte er, wechselweise den Richter und wieder mich anstierend.

›Sendet den Neger hinaus, Squire‹, unterbrach er sich plötzlich und nicht ohne Selbstgefühl. ›Was ein freier weißer Mann, ein Bürger, zu sagen hat, soll nicht von schwarzen Ohren gehört werden.‹

›Ptoly, geh hinaus!‹ befahl der Richter; dann wandte er sich wieder zu Bob. ›Sagt, was Ihr zu sagen habt oder sagen wollt! Aber merkts Euch, zwingt Euch niemand dazu. Ist auch nur guter Wille, daß ich Euch überhaupt höre, ist Sonntag.‹

›Weiß es‹, murmelte Bob, ›weiß es, Squire! Läßt mich aber nicht ruhen, habe alles versucht. Bin hinüber nach San Felipe de Austin, hinab nach Anahuac, half alles nichts. Wohin ich immer gehe, das Gespenst folgt mir richtig nach, treibt mich zurück unter den verfluchten Patriarchen.‹

›Unter den Patriarchen?‹ fragte der Richter.

›Ei, unter den Patriarchen!‹ stöhnte Bob. ›Wißt Ihr den Patriarchen? – Steht nicht weit von der Furt am Jacinto!‹

›Weiß, weiß!‹ versetzte der Richter. ›Und was treibt Euch unter den Patriarchen?‹

›Was mich treibt?‹ murmelte Bob in sich hinein. ›Was treibt einen – einen, der...‹

›Einen, der?‹ fragte leise der Richter.

›Einen, der‹ fuhr in demselben leisen Tone Bob fort, ›einen, der einem andern eine Unze Blei in den Leib getan. Liegt da, der andere, unterm Patriarchen, den ich...‹

›Den Ihr?‹ fragte wieder leise der Richter.

›Nun, den ich kalt gemacht‹, schnappte mit einem ungeduldigen Rucke Bob heraus.

›Kalt gemacht?‹ fragte in stärkerem, beinahe rauhem Tone der Richter. ›Ihr ihn? Wen?‹

›Je nun, wen? Warum laßt Ihr mich nicht ausreden? Habt immer Euren Palaver darein‹, brummte verdrießlich Bob.

›Werdet wieder einmal salzig, Bob!‹ fiel ihm der nun gleichfalls ungeduldig werdende Richter in einem Tone ein, so zähledern verdrießlich und doch wieder gleichmütig, daß mir ordentlich unheimlich wurde, ich unwillkürlich an den Hals fühlte, ob das Messer noch nicht an der Kehle, denn dieser Ton ließ doch alles befürchten. In meinem Leben hatte ich so nicht von einem Morde verhandeln gehört. Ich horchte, spitzte die Ohren, meine abgespannten Sinne und Nerven hatten mich vielleicht getäuscht. Vielleicht war die Rede von einem ungeschickt kalt gemachten Bären oder Panther. Einen Augenblick dachte ich auch, es müsse so sein; das Gesicht des Richters verriet so gar keine, auch nicht die leiseste Aufregung, war so handwerksmäßig metzgerartig verdrießlich zu schauen; aber dann das Bobs! Diese Angst und Verzweiflung, diese entsetzliche Unheimlichkeit, mit der es ihm sein Geständnis brockenweise und gleichsam wider Willen herauszwängte, als ob er vom bösen Feinde besessen; die furchtbare Qual, die ihn verzerrte, die rollenden, wie von einer Furie gepeitschten, und wieder stier und entsetzt, wie vor einem Gespenst erstarrenden Augen! Meine Philosophie war hier zu Ende, alle meine Menschenkenntnis überm Haufen. Der Richter rauchte so ruhig fort, als ob, wie gesagt, die Rede von einem ungeschickt geschlachteten Kalbe oder Rinde gewesen wäre. Mir verging Hören und Sehen bei dieser Gefühllosigkeit, die denn doch alles übertraf, was ich je derart gesehen oder gehört.

Er mochte mir unterdessen die Gedanken so ziemlich im Gesichte ablesen, denn nachdem er mich einen Augenblick fi-

xiert, unterbrach er nicht ohne ein spöttisches Lächeln die Pause.
›Wenn Ihr glaubt, Fremdling, in unserm Lande sogenannte gute Gesellschaft zu finden, werdet Ihr Euch wahrscheinlich früher enttäuscht finden, als Euch angenehm sein dürfte. Haben weder New Yorker nocht Bostoner feine Gentlemen hier, brauchen sie auch nicht, können sie leicht entbehren. Wird noch, Gott sei Dank! einige Zeit dauern, bis Eure New Yorker und Londoner und Pariser Fashionables zu uns kommen und uns ihre Manieren oder, besser zu sagen, Unmanieren lehren, die, abgerechnet Sie, vielleicht um kein Haar besser sind als der arme Teufel, den Ihr hier vor Euch seht. Ei, sind bei uns die Teufel nicht so schwarz und bei Euch die Engel nicht so weiß, wie sie aussehen. Werdet hier noch 'ne andere Philosophie kennen lernen, als die Ihr aus Euren Büchern habt.‹
›Laßt weiter hören, Mann!‹ wandte er sich wieder ruhig zu Bob. ›Kalkuliere, ist doch weiter nichts, als einer Eurer gewöhnlichen Tantarums.‹
Bob schüttelte den Kopf.
Der Richter schaute ihn einen Augenblick scharf an und sprach dann in zutraulich ermunterndem Tone: ›Also unterm Patriarchen, und wie kam er unter den Patriarchen?‹
›Schleppte ihn darunter, begrub ihn da, vermute ich‹, versetzte Bob.
›Schlepptet ihn darunter? Und wie kam es, daß Ihr ihn darunter schlepptet?‹
›Weil er wohl selbst nicht gehen konnte, mit mehr als einer halben Unze Blei im Leibe.‹
›Und die halbe Unze Blei tatet Ihr ihm in den Leib, Bob? Wohl, wenn es Johnny war, habt Ihr dem Lande einen Dienst erwiesen, uns einen Strick erspart.‹
Bob schüttelte den Kopf.
›War es nicht, obwohl Johnny – doch mögt hören: Ist, wißt Ihr, gerade zehn Tage, daß Ihr mich ausgezahlt, zahltet mir zwanzig, fünfzig.‹

›Richtig! Zwanzig Dollars, fünzig Cents, Bob! Und mahnte Euch, das Geld stehenzulassen, bis Ihr ein paar hundert Dollars oder so viel beisammen hättet, daß Ihr Euch ein Viertel oder ein Achtel Sitio Land kaufen könntet; aber hilft bei Euch alles Reden nichts.‹

›Hilft nichts!‹ fiel Bob ein; ›treibt mich immer der Teufel, der mich nun schon einmal haben will; trieb mich, und wollte hinab nach San Felipe zu den Mexikanern. Wollte da mein Glück versuchen und auch den Doktor fragen.‹

›Wozu braucht Ihr den Doktor? Konntet Euer Fieber längst los sein, wenn Ihr nur vierzehn Tage mit Eurem Trinken aussetztet; denn sind hier gar nicht so bös, die Fieber. Ist aber mit Euch ein wahres Kreuz, Bob. Seid ein wilder, ungeregelter, gar ungeregelter Bursche, und dann Euer Umgang mit Johnny. Wollen aber jetzt dem Unwesen mit Johnny ein Ende machen. Sind alle Nachbarn einverstanden. Wohl, waret also auf dem Wege nach San Felipe?‹

›Wohl, war auf dem Wege nach San Felipe, und wie ich so meinen Weg ritt, führt mich der Teufel oder mein Unstern, denn der eine oder der andere war es, kalkuliere ich, an Johnnys Haus vorüber. Verspürte wohl Lust zu einem Glase, aber stieg doch nicht ab.

Stieg nicht ab,‹ fuhr er fort, ›aber wie ich vom Rücken meines Mustangs hineinschaue durch die Fensterläden in die Stube, sehe ich einen Mann am Tische sitzen, der sichs wohlschmecken läßt, bei einer Schüssel Steaks und Bataten und einem Glase Steifen. Machte mir das Appetit, stieg aber doch nicht ab.

Wollte nicht; aber wie ich so schaue und ruminiere, kommt der Satan, der Johnny, geschlichen, wispert mir zu, möchte absteigen, es wäre ein Mann im Hause, mit dem etwas anzufangen wäre, wenn wirs gescheit einfädelten; habe eine Geldkatze um den Leib, die schönste, gespickteste Geldkatze, die man nur sehen könnte; und wenn wir just spaßeshalber ein Spielchen machten, würde er wohl anbeißen. –

Hatte nicht rechte Lust,‹ fuhr Bob fort, ›und kalkulierte und ruminierte eine ziemliche Weile; aber knurrte Johnny und tat gar so heimlich und schmeichelnd, und wie er gar so tut, steige ich endlich ab, und wie ich absteige und mir die Dollars im Sacke klimpern, bekomme ich auch Lust, und lustig trete ich ein. – Lustig trete ich ein,‹ fuhr der Mann wild lachend fort, ›ein Glas folgt dem andern; Beefsteaks und Bataten waren auch da, ich aß aber nur ein paar Bissen. Hatte kaum ein paar Bissen drunten und ein, drei, vier Gläser, als Johnny Karten und Würfel brachte. Holla, Johnny! Karten und Würfel, Johnny! Habe zwanzig Dollar fünfzig in der Tasche, Johnny! Wollen ein Spiel machen, Johnny! wollen, aber nüchtern, sag ich, Johnny! denn kenne dich, Johnny!

Johnny aber lacht gar pfiffig und rüttelt Würfel und Karten; und wir heben zu spielen an.

Spielen, und dazwischen trinken wir; ich aber mehr als Johnny, und mit jedem Glase werde ich hitziger, meiner Dollars aber weniger. Rechnete auf den Fremden, kalkulierte, würde der eintreten, daß wir ihn rupfen könnten; saß aber da und aß und trank, als ob ihn das Ganze gar nichts anginge. Wurde, ihm Lust zu machen, immer toller, half aber alles nichts; aß und trank ruhig fort. Ehe eine halbe Stunde vergangen, war ich abgetakelt, meine zwanzig, fünfzig beim Teufel oder, was dasselbe ist, Johnnys.

Wie ich kahl war, ward es mir vor den Augen, Squire! just wie grün und blau wars mir. Nicht bald war mirs so gewesen. Hatte hundertmal größere Summen verspielt, Hunderte, ja Tausende von Dollars verspielt, aber diese Hunderte, ja Tausende hatten mich auch nicht den hundertsten, tausendsten Teil der Mühe gekostet, die mir diese zwanzig, fünfzig nahmen; wißt, habe zwei volle Monate in Wäldern und Prärien herumgelegen, mir das Fieber an den Hals gezogen. Das Fieber hatte ich noch, aber kein Geld, es zu vertreiben. War Euch so wild, konnte mit einem Jaguar anbinden; sprang auch wild, wie ich war, auf Johnny zu; lachte mir nur

höhnisch ins Gesicht, klimperte dazu mit meinen Dollars. Bekam dafür eine Kopfnuß, die, wäre er nicht auf die Seite gesprungen, ihm für acht Tage das Lachen vertrieben hätte.
Hinkt aber doch wieder heran. Hinkt wieder heran, und mir nach, und winkt mir und raunt mir heimlich zu: Bob, raunt er mir zu, Bob, seid Ihr denn gar so auf einmal aus der Art geschlagen, ein Hasenherz geworden, daß Ihr nicht seht, nicht die volle Katze seht, sagt er, mit den Augen auf die Katze hinblinzelnd, die der Mann um den Leib hatte und die, lachte er, für wenig mehr als eine halbe Unze Blei zu haben wäre.‹
›Sagte er das?‹ fragte der Richter.
›Ei, sagte ers,‹ bekräftigte Bob, ›sagte ers. Wollte aber nichts davon hören – war so wild von wegen der zwanzig Dollars; sagte ihm, wenn er Lust auf die gespickte Katze habe, möge er sie ebensowohl selbst dem Fremden abnehmen, brauche mich nicht dazu, ihm die Kastanien aus der heißen Asche zu ziehen; solle gehen und verflucht sein. Gab meinem Mustang die Sporen und ritt wild davon. – Ritt davon‹, fuhr Bob fort. ›In meinem Kopfe gings herum wie in einer Tretmühle. Lagen mir die zwanzig, fünfzig bestialisch im Kopfe. Zu Euch wollte ich nicht, durfte auch nicht, wußte, würdet gescholten haben.‹
›Würde nicht gescholten haben, Bob! Würde zwar gescholten haben, aber zu Eurem Besten. Würde den Johnny vor mich zitiert, eine Jury von zwölf Nachbarn zusammenberufen, Euch zu Euren zwanzig, fünfzig, Johnny aber aus dem Lande oder noch besser, aus der Welt verholfen haben.‹
Die Worte waren zwar noch immer mit vielem Phlegma, aber auch einer Herzlichkeit, einer Teilnahme gesprochen, die mir eine etwas bessere Meinung von der Gewissenszartheit des guten Richters beibrachten. Auch Bob schienen sie wohltätig berührt zu haben. Er holte einen tiefen Seufzer, schaute den Richter gerührt an.

›Ist zu spät,‹ murmelte er, ›zu spät, Squire.‹

›Nicht zu spät,‹ versetzte der Richter; ›doch laßt weiter hören.‹

›Wohl,‹ hob wieder Bob an, ›wie ich so herumritt, war bereits Abend, ritt gegen das Palmettofeld zu, wißt Ihr? Am andern Ufer des Jacinto.‹

Der Richter nickte.

›Ritt so am Palmetto hinauf. – Wie ich so reite, höre ich auf einmal Pferdegetrampel. – Höre Pferdegetrampel‹, fuhr er fort. ›Wie ich das höre, wird mir so kurios zumute, so kurios, wie mir im Leben nicht gewesen, schauderhaft wird mir zumute, ganz kalt überrieselt es mich. War mir, als ob mir zehntausend böse Geister in die Ohren heulten, verlor die Besinnung, verging mir Sehen und Hören, wußte nicht mehr, wo ich war. Stand mir bloß die gespickte Geldkatze vor Augen und meine zwanzig Dollars, fünfzig. Sah nichts, hörte nichts anders. Hörte nichts, hörte aber doch, hörte eine Stimme; ruft mich an, die Stimme ruft: ‚Woher des Weges und wohin, Landsmann?‘

‚Woher und wohin?‘ murmele ich; ‚woher und wohin? Zum Teufel,‘ sage ich, ‚und dahin mögt Ihr gehen und ihm Botschaft bringen.‘

‚Die mögt Ihr ihm selbst überbringen,‘ sagt lachend der Fremde, ‚wenn Ihr Lust habt, mein Weg geht nicht zu ihm.‘

Und wie er so sagt, schau ich auf und sehe, daß es der Mann ist mit der Geldkatze; wußte es zwar, aber schaute doch auf.

‚Seid Ihr nicht der Mann,‘ sagt er, ‚den ich drüben in der Herberge gesehen?‘

‚Und wenn ichs bin, was geht es Euch an?‘ sag ich ihm.

‚Nichts, das ich wüßte,‘ sagt er; ‚geht mich freilich nichts an‘, sagt er.

‚Wohl, so zieht Eures Weges und sagt, seid dagewesen‘, sag ich.

,Will, will!' sagt er. ,Und nichts für ungut,' sagt er, ,ein Wort ist kein Pfeil,' sagt er; ,und kalkuliere, hat Euch Euer Spielverlust eben nicht in kirchengängerische Laune versetzt', sagt er. ,Wenn ich Ihr wäre, würde wahrlich meine Dollars nicht auf Karte und Würfel setzen', sagt er.
Und machte mich das, daß er mir meinen Verlust in die Zähne warf, so giftig; war Euch giftig wie 'ne wilde Katze. Halte aber doch meinen Zorn zurück. Stieg mir aber auf, die Galle, spürte es: ward tückisch.
,Seid mir ein sauberer Geselle,' sag ich, ,da einem seinen Spielverlust in die Zähne zu reiben, ein elender Geselle!'
Wollte ihn nämlich aufreizen und dann mit ihm anbinden. Hatte aber keine Lust zum Anbinden, sagte ganz demütig: ,Werfe Euch nichts in die Zähne; behüte mich Gott, Euch Euren Verlust in die Zähne zu reiben; bedaure Euch im Gegenteil. Seht mir nicht aus wie einer, der viele Dollars zu verlieren hat. Seht mir aus wie ein hartschaffender Mann, der sich sein Geld sauer verdienen muß.'
,Ei wohl, hartschaffiger Mann!' sag ich, ,wohl muß ich mir mein Geld sauer verdienen.'
Und hatten wir so gehalten und waren schier am obern Ende des Canebrake, nahe am Waldsaume, der den Jacinto einsäumt, und hatte mich hart an ihn und der Teufel sich an mich genistet.
,Wohl, hartschaffiger Mann,' sag ich, ,und alles verloren, alles, keinen Cent zu einem Bissen Kautabak.'
,Wenn sonst nichts ist als das,' sagt er, ,da läßt sich wohl abhelfen. Kaue zwar nicht, bin auch kein reicher Mann, habe Weib und Kind und brauche jeden Cent, den ich habe; aber einem Landsmann zu helfen, ist Bürgerpflicht. Sollt Geld zu Kautabak und einem Dram haben.'
Und so sagend, langte er den Beutel aus seiner Tasche, in dem er seine Münze hatte. War ziemlich voll, der Beutel, mochten wohl an zwanzig Dollars darin sein, und war mir, als ob der Teufel mir aus dem Beutel heraus zulache.

,Halbpart!' sag ich.
,Nein, das nicht; hab Weib und Kind und gehört denen, was ich habe; aber einen halben Dollar.'
,Halbpart!' sag ich, ,oder...'
,Oder?' sagt er, und wie er so sagt, steckt er den Beutel wieder in die Tasche und langt nach der Rifle, die er über der Schulter hat. ,Zwingt mich nicht', sagt er, ,Euch Leides anzutun. Tut das nicht,' sagt er, ,möchte ich, möchtet Ihr es bereuen! Bringt keinen Segen, was Ihr vorhabt.'
Ich aber höre nicht mehr, sehe nicht mehr; zehn Millionen böse Geister haben mich ergriffen.
,Halbpart!' schreie ich, und wie ich so schreie, hopst er auch im Sattel auf, fällt zurück – über den Rücken seines Gauls hinab.
,Bin ein toter Mann!' röchelt er noch. ,Gott sei mir gnädig und barmherzig! Mein armes Weib, meine armen Kinder!'‹
Bob hielt jetzt inne, der Atem stockte ihm, der Schweiß stand ihm in großen Tropfen auf der Stirn. Grausig starrte er in die Ecke des Zimmers hinein.
Auch der Richter war bleich geworden. Ich hatte es versucht aufzustehen, taumelte aber wieder zurück; ohne die Tafel wäre ich gesunken.
Eine düstere Pause trat ein.
Endlich murmelte der Richter: ›Ein harter, harter Fall! – Vater, Mutter, Kinder mit einem Schlage! Bob, Ihr seid ein gräßlicher Geselle, ein gräßlicher Geselle, geradezu ein Bösewicht!‹
›Ein gräßlicher Geselle!‹ stöhnte Bob, ›die Kugel war ihm mitten durch die Brust gegangen.‹
›Vielleicht war Euch der Hahn abgeschnappt?‹ sprach leise, wie ängstlich, der Richter; ›vielleicht wars seine eigene Kugel?‹
Bob schüttelte den Kopf.
›Weiß es wohl, denn steht mir noch so deutlich vor Augen, wie er sagt: ,Tut das nicht, zwingt mich nicht, Euch Leides

anzutun. Möchtet Ihr, möchte ich es bereuen!' – Drückte aber ab, war der Teufel, der michs tun hieß. Seine Kugel steckt noch im Rohre.
Wie er jetzt vor mir lag‹, fuhr er stöhnend fort, ›wurde mir, kann Euchs gar nicht beschreiben, wie mir wurde. War nicht der erste, den ich kalt gemacht, aber alle Geldkatzen und Beutel der Welt hätte ich jetzt darum gegeben, die Tat ungeschehen zu machen. Nein, soll der letzte sein, soll und muß der letzte sein; denn läßt mich nicht mehr ruhen, nicht mehr rasten. In der Prärie gar, da ists am ärgsten, sag Euchs geradezu, am allerärgsten. Läßt mich nicht mehr in der Prärie, treibt mich immer unter den Patriarchen. Muß ihn auch unter den Patriarchen geschleppt, da mit meinem Weidmesser verscharrt haben, denn fand ihn da.‹
›Fandet ihn da?‹ murmelte der Richter.
›Weiß nicht, wie er dahin kam, muß ihn wohl selbst hingebracht haben, denn fand ihn da. Sah aber nichts mehr, hörte nur die Worte: ‚Gott sei mir gnädig und barmherzig! Bin ein toter Mann! Mein armes Weib, meine armen Kinder!'‹
›Bringt wohl keinen Segen, was ich getan!‹ stöhnte er wieder.
›Bringt keinen, habe es erfahren. Gellen mir die Worte immer und ewig in den Ohren.‹
Der Richter war aufgestanden und ging in tiefen Gedanken heftig im Parlour auf und ab. Auf einmal hielt er an.
›Was habt Ihr mit seinem Gelde getan?‹
›Stand mir immerfort vor Augen‹, murmelte Bob. ›Wollte nach San Felipe, hatte seinen Beutel zu mir gesteckt, aber seine Katze mit ihm begraben, auch eine Flasche Rum und Brot und Beefsteaks, die er von Johnny mitgenommen. Ritt den ganzen Tag. Am Abend, wie ich absteige und ins Wirtshaus, das ich vor mir sehe, einzutreten gedenke, wo glaubt Ihr, daß ich war?‹
Der Richter und ich starrten ihn an.
›Unter dem Patriarchen. Hatte, statt mich nach San Felipe zu lassen, der Geist des Gemordeten mich unter den Patriarchen

getrieben. Ließ mich da nicht ruhen, bis ich ihn aus- und wieder eingescharrt, aber den Mantelsack nicht.‹

Der Richter schüttelte den Kopf.

›Versuchte es den folgenden Tag mit einer andern Richtung; brauchte Kautabak, hatte keinen mehr. Reite nach Anahuac, durch die Prärie. Wollte um jeden Preis nach Anahuac, hoffte, mirs da schon aus'm Sinn zu schlagen. Ritt auf Leben und Tod auf Anahuac zu – den ganzen Tag. Am Abend, wie ich aufschaue, die Salzwerke zu sehen glaube, wo glaubt Ihr, daß ich wieder war? Richtig wieder unterm Patriarchen. Grub ihn wieder aus, schaut ihn mir wieder von allen Seiten an, vergrub ihn dann wieder.‹

›Quer das!‹ versetzte der Richter.

›Ei, sehr quer!‹ stimmte Bob bei. ›Hilft alles nichts, sag es Euch, geben mir nicht Ruhe, hilft alles nichts. Wird nicht besser, als bis ich gehängt bin.‹

Bob fühlte sich sichtbar erleichtert, nachdem er dies gesprochen. Aber, so seltsam es klingen mag, auch ich. Unwillkürlich nickte ich beistimmend. Der Richter allein verzog keine Miene.

›So,‹ sprach er, ›so! So glaubt Ihr, es wird nicht besser, als bis Ihr gehängt seid?‹

›Ja‹, versetzte mit eifriger Hast Bob. ›Gehängt an demselben Patriarchen, unter dem er begraben liegt.‹

Jetzt nahm der Richter eine Zigarre, zündete sie an und sprach dann: ›Wohl, wenn Ihr es so haben wollt, wollen wir sehen, was sich für Euch tun läßt. Will die Nachbarn morgen zur Jury zusammenrufen lassen.‹

›Dank Euch, Squire‹, brummte Bob, sichtbar erleichtert.

›Will sie zu einer Jury zusammenrufen lassen‹, wiederholte der Alkalde, ›und dann schauen, was sich für Euch tun läßt. Werdet vielleicht andern Sinnes.‹

Ich schaute ihn wieder an, wie aus den Wolken gefallen. Er schien es jedoch nicht zu bemerken.

›Gibt vielleicht noch einen andern Weg, Euer Leben loszuwerden, wenn Ihr es müde seid,‹ fuhr er, die Zigarre aus dem Munde nehmend fort; ›könnt vielleicht den einschlagen, ohne daß Euer Gewissen Hühneraugen bekommt.‹

Bob schüttelte den Kopf, ich unwillkürlich gleichfalls.

›Wollen auf alle Fälle hören, was die Nachbarn sagen‹, sprach wieder der Richter.

Bob stand jetzt auf, trat auf den Richter zu, ihm die Hand zum Abschied zu reichen. Dieser versagte sie. Sich zu mir wendend, sprach er: ›Glaube, Ihr bleibt besser hier.‹

Bob wandte sich ungestüm.

›Der Gentleman muß mit.‹

›Warum muß er mit?‹ fragte der Richter.

›Fragt ihn selbst.‹

Ich erklärte nochmals die Verbindlichkeit, die ich Bob schuldete, die Art und Weise, wie wir miteinander zusammengetroffen, wie er bei Johnny für mich gesorgt.

Er nickte beifällig, sprach aber dann bestimmt: ›Ihr bleibt nichtsdestoweniger hier, gerade jetzt um so mehr hier, und Bob, Ihr geht allein. Ihr seid in der Stimmung, Bob, die am besten allein bleibt, in einer gereizten Stimmung, versteht Ihr? und deshalb laßt Ihr den jungen Mann hier. Könnte noch ein Unglück geben. Ist auf alle Fälle besser hier als bei Euch oder Johnny aufgehoben. Morgen kommt Ihr wieder, und da wollen wir sehen, was sich für Euch tun läßt.‹

Die Worte des Mannes waren mit jenem Gewichte gesprochen, dem Leute von Bobs Charakter selten zu widerstehen vermögen. Er nickte beifällig und ging.

Ich wieder saß noch immer wie betäubt, den seltsamen Mann anstarrend, er kam mir gar so unmenschlich, beinahe ogreartig vor!«

– –

»Pferdegetrampel weckte mich am folgenden Morgen. Es war Bob, der angekommen, soeben abstieg. Aber welches Absteigen! Die Glieder schienen ihm den Dienst zu versagen, auseinanderstreben – reißen zu wollen, so verrenkt, schwankend, taumelnd waren seine Bewegungen. Anfangs glaubte ich, er sei betrunken, aber er war es nicht. Es war die Todesmüdigkeit des unter der Seelenqual erliegenden Körpers – er war gerade zu schauen, als ob er von der Folter käme. Die vierundzwanzig Stunden mußten ihm gräßlich mitgespielt haben.

Schaudernd warf ich mich in die Kleider, sprang die Treppe hinab und öffnete die Haustür.

Den Kopf auf dem Nacken seines Mustangs ruhend, die Hände darüber gekreuzt, stand er, wechselweise zusammenschaudernd und wieder aus tiefster Brust herauf stöhnend.

›Bob, seid Ihr es?‹

Keine Antwort.

›Bob, wollt Ihr nicht ins Haus?‹ sprach ich, bemüht, eine seiner Hände zu erfassen.

Er schaute auf, stierte mich an, schien mich aber nicht zu erkennen. Ich zog ihn vom Mustang weg, band diesen an einen der Pfosten, und führte ihn dann ins Haus. Er ließ es mit sich geschehen, folgte willen-, beinahe kraftlos. Wie ich ihm einen Sessel stellte, fiel er in diesen hinein, daß der Sessel zusammenkrachte, das ganze Haus erschütterte. Aber kein Wort war aus ihm herauszubringen. Eben wollte ich mich in meine Schlafkammer zurückziehen, um meine Toilette soviel als möglich zu ordnen, als sich aber- und abermals Pferdegetrampel hören ließ. Es waren zwei Reiter, denen in einiger Entfernung mehrere folgten, alle in Jagdblusen, hirschledernen Beinkleidern und Wämsern, mit Rifles und Bowie-Knifes bewaffnet, feste, trotzige Gesellen, offenbar aus den süwestlichen Staaten, mit dem echten Kentucky-, halb Roß-, halb Alligatorprofile, auch der gehörigen Beigabe von Donner, Blitz und Erdbeben. Ein Dreitausend solcher Männer konnten es freilich mit einer Armee Mexikaner aufnehmen, wenn alle den Spindelbeinen gleichen, die ich gesehen, denn jede Hand dieser Kolosse wog füglich einen ganzen Mexikaner auf. Übrigens eine sehr behagliche Empfindung, als ich sie mit kentuckischer care-the-devil-Miene absteigen, ihrer Pferde Zügel dem Neger in die Hände werfen und dann in das Haus eintreten sah, ganz wie Leute, die, überall zu Hause, sich auch in Texas als die Herren zeigten, mehr so zeigten als die Mexikaner selbst. Das waren allerdings die Männer, die Texas zur Unabhängigkeit erheben konnten! Beim Eintritte in das Parlour nickten sie mir zwar einen guten, aber etwas kalten Morgen zu, ihre Falkenaugen hatten mit mir zugleich Bob erschaut, ein Zusammentreffen, das ihnen aufzufallen schien, obwohl sie dies unter der Maske gleichgültigen Nichtbeachtens verbargen; doch warfen sie mehrere Male, ohne sich übrigens in ihrer Unterhaltung stören zu lassen, sehr scharfe Blicke auf mich. Diese Unterhaltung bezog sich auf Rinder- und Kottonpreise, auf die Verhandlungen des Cohahuila- und Texas- und wieder Generalkongresses, auf die Demonstrationen, die von Metamora aus gegen Texas, wie es hieß, im Anzuge waren und die auch, wie Sie wissen, kurz darauf stattfanden, die sie aber bis jetzt nicht im mindesten zu beunruhigen schienen. Man hätte schwören sollen, daß die drohenden Demonstrationen sie ganz und gar nichts angingen. Nach und nach kamen ihrer mehrere, so daß ihre Anzahl auf vierzehn stieg, alle fest, entschieden auftretende Gesellen, bis auf zwei, die mir weniger gefielen. Auch den übrigen schienen sie nicht sehr zu gefallen, denn keiner reichte ihnen die Hand und kaum daß sie ihrem good morning ein stummes Nicken entgegengaben. Sie allein traten auf Bob zu, es versuchend, ihn zum Reden zu bringen, allein vergebens.

Der Richter war mittlerweile, nach dem Geräusche im anstoßenden Kabinette zu schließen, aufgestanden und mit seiner Toilette beschäftigt, die ihm aber nur wenig Zeit nehmen mochte, denn kaum waren drei Minuten seit dem Krachen des Bettes verflossen, als auch bereits die Tür aufging und er eintrat.

Zwölf von den Männern traten ihm freundlich, ja herzlich entgegen, die zwei blieben im Hintergrunde – auch schüttelte er nur den ersteren die Hand.

Als er den zwölfen die Hand geschüttelt, den zweien kalt zugenickt, trat er zu mir, nahm mich bei der Hand und stellte mich seinen Gästen vor. Erst jetzt erfuhr ich, daß ich vor keinen geringeren Personagen als den Beisitzern des Ayuntamiento von San Felipe de Austin stand, daß zwei meiner derben Landsleute Korregidoren, einer Prokurator, die übrigen aber buenos hombres – das heißt soviel als Freisassen – Mannen waren, Ehrenbenennungen, die sie übrigens nicht sehr hoch anzuschlagen schienen, denn sie begrüßten und nannten sich bloß bei ihren Familiennamen.

Jetzt bracht der Neger ein Licht, rückte die Zigarrenkistchen, die Armsessel zurecht, der Richter deutete auf den Schenktisch, die Zigarren, und dann ließ er sich nieder.

Einige nahmen einen Schluck, andere Zigarren. Über dem Einschenken, Trinken, dem Anbrennen, in Rauch Versetzen verging eine geraume Weile.

Bob krümmte sich währenddem wie ein Wurm.

Jetzt endlich, dachte ich, würde er ans Geschäft gehen, aber ich schloß fehl.

›Mister Morse!‹ redete er mich an, ›seid so gut, helft Euch.‹

Ich schenkte ein; er winkte mir anzustoßen. Ich trat zu ihm, stieß mit ihm, allen übrigen, bis auf die zwei, an.

Noch mußte ich eine Zigarre nehmen, sie anbrennen, und erst als dies in Ordnung, nickte er zufrieden, die Arme auf die beiden Lehnen des Sessels stützend.

Es war etwas pedantisch Langweiliges, aber auch patriarchalisch Würdevolles und wieder Berechnetes in dieser langsamem Prozedur, die wirklich charakteristisch amerikanisch genannt werden kann. Wie wir alle äußeren Formen entbehren, hat unser ernster Nationalcharakter in dieser würde- und bedachtvoll einleitenden Langsamkeit sehr glücklich, wie mir scheint, die Formalitäten, den Pomp und die Repräsentation anderer Völker bei ihren Gerichts- und öffentlichen Verhandlungen ersetzt.

Nachdem denn endlich alle getrunken, alle ihre Zigarren angeraucht, sprach der Richter, die Zigarre absetzend und sein Glas ergreifend: ›Männer!‹

›Squire!‹ sprachen die Männer.

›Haben ein Geschäft vor uns, ein Geschäft, das, kalkuliere ich, besser der expliziert, den es betrifft.‹

Die Männer schauten den Squire, dann Bob, dann mich an.

›Bob Rock, oder was sonst Euer Name! so Ihr etwas zu sagen habt, so sagt es‹, sprach der Alkalde.

›Habs Euch ja schon gestern gesagt‹, brummte Bob, den Kopf noch immer zwischen den Händen, die Ellenbogen auf den Knieen.

›Ja, aber müßt es heute wieder sagen. War gestern Sonntag, und ist der Sonntag, wißt Ihr, der Tag der Ruhe, der Feier, und nicht der Geschäfte. Sehe das, was Ihr an einem Sonntage sagt, als nicht gesagt an. Will Euch nicht nach Eurem gestrigen Sagen richten oder richten lassen. Habt es denn auch bloß unter vier Augen gesagt, denn Mister Morse rechne ich nicht, betrachte ihn noch als Fremdling.‹

›Aber wozu denn das ewige Palaver, wenn die Sache klar‹, knurrte Bob, den Kopf mürrisch erhebend.

Wie jetzt die Männer auf- und ihn anschauten, legte sich ein düsterer, finsterer Ernst um ihre eisernen Gesichter. Er war wirklich schauderhaft zu schauen, das Gesicht schwarzblau, die Wangen hohl, der gräßliche Bart, die blutunterlaufenen Augen, tief in den Höhlen rollend! Es war nichts Menschliches mehr in diesen Zügen.

›Wie Mississippiwasser‹, versetzte bedächtig der Richter. ›Klar wie Mississippiwasser, wenn es vierundzwanzig Stunden gestanden. Sag Euch, will weder Euch noch irgend jemanden auf sein Wort verdammen, um so weniger Euch, als Ihr in meinem Hause, zwar nicht in meinem Hause, aber doch in meinem Dienste gestanden, von meinem Brot gegessen. Will Euch nicht verdammen, Mann!‹

Bob holte tief Atem.

›Habt Euch gestern selbst angeklagt; hat aber Eure Selbstanklage einen Haken, habt das Fieber.‹

›Hilft alles nichts‹, stöhnte, wie gerührt Bob. ›Hilft alles nichts. Sehe, meint es gut. Aber obwohl Ihr mich retten könnt von Menschenhänden, könnt Ihr mich doch nicht retten vor mir selbst. Hilft nichts, muß gehängt sein, an demselben Patriarchen gehängt sein, unter dem er liegt, den ich kalt gemacht.‹

Abermals schauten die Männer auf, sprachen aber kein Wort.

›Hilft alles nichts‹, fuhr Bob fort. ›Ja, wenn er mir gedroht, wenn er Streit angefangen, mir nur verweigert hätte, tat das aber nicht. Sagte, gellt mir noch in den Ohren, höre ihn noch, wie er sagt: ‚Tut das nicht, zwingt mich nicht, etwas zu tun, was Ihr, was ich bereuen könnte! Tut das nicht, Mann! Habe Weib und Kind, und bringt keinen Segen, was Ihr vorhabt!' – Hörte aber nicht‹, stöhnte er aus tiefster Brust herauf, ›hörte nichts als die Stimme des Teufels, warf die Rifle vor, schlug an, drückte ab.‹

Sein entsetzliches Stöhnen, das wie das unterdrückte Gebrüll eines Rindes tönte, schien selbst die eisernen Zwölf zu erschüttern. Sie betrachteten ihn mit scharfen, aber wie verstohlenen Blicken.

›So habt Ihr einen Mann totgemacht?‹ fragte endlich eine tiefe Baßstimme.

›Ei, so hab ich!‹ schnappte Bob heraus.

Und wie ihm die Worte entschnappten, schaute er den Fragenden stier an, der Mund blieb ihm weit offen.

›Und wie kam das?‹ fragte der Mann weiter.

›Wie es kam? Wie es kam? Müßt den Teufel fragen, oder auch Johnny. Nein, nicht Johnny, kann es Euch doch nicht sagen, der Johnny. War nicht dabei, der Johnny. Kann nur ich es sagen, und doch, kann es kaum sagen, weiß selbst nicht, wie es kam. Traf den Mann bei Johnny, weckte Johnny den Bösen in mir, zeigte mir seine Geldkatze.‹

›Johnny?‹ fragten mehrere.

›Ei, Johnny! kalkulierte auf seine Geldkatze, war aber zu pfiffig, zu gescheit für ihn, und als er mir meine Federn, meine zwanzig, fünfzig, ausgerupft . . .‹

›Zwanzig Dollars, fünfzig Cents‹, erläuterte der Richter, ›die er von mir für erlegtes Wild und eingefangene Mustangs erhalten.‹

Die Männer nickten.

›Und machtet den Mann, weil er nicht spielen wollte, kalt?‹ fragte wieder die Baßstimme.

›Nein, erst einige Stunden darauf am Jacinto, unweit dem Patriarchen. Begegnete ihm unterhalb und machte ihn kalt da.‹

›Dachte mir wohl, daß da etwas Apartes sein müsse,‹ nahm ein anderer das Wort, ›denn war euch doch eine ganze Nation von Aasvögeln und Geiern und Turkeybuzzards und derlei Gezüchte auf und ab, als wir vorüber ritten. Nicht wahr, Mister Heart?‹

Mister Heart nickte.

›Traf ihn nicht weit vom Patriarchen und forderte halbpart von seinem Gelde‹, hob wieder instinktartig Bob an.

›Wollte mir etwas geben,‹ fuhr er fort, ›einen Quid zu kaufen, und mehr als das, aber nicht halbpart. Sagte, habe Weib und Kind.‹

›Und Ihr?‹ fragte wieder der mit der Baßstimme, die aber jetzt hohl klang.

›Schoß ihn nieder‹, versetzte mit einem heisern, entsetzlichen Lachen Bob.

Eine Weile saßen alle mit zu Boden gerichteten Blicken. Dann fuhr der mit der Baßstimme in dem Verhör weiter.

›Und wer war der Mann?‹

›Ei, wer war er? Fragte ihn nicht, wer er war, stand ihm auch nicht auf der Stirn geschrieben. War ein Bürger, ob aber ein Hoshier, oder Buckeye, oder Mudhead, ist mehr, als ich sagen kann.‹

›Die Sache muß denn doch untersucht werden. Alkalde‹, nahm nach einer langen Pause ein anderer das Wort.

›Das muß sie‹, versetzte der Alkalde.

›Wozu da erst lange untersuchen?‹ brummte unwillig Bob.

›Wozu?‹ entgegnete der Richter. ›Weil wir das uns, dem Kaltgemachten und Euch schuldig sind, Euch nicht verurteilen können, ohne das Corpus delicti gesehen zu haben. – Ist auch ein anderes Item,‹ fuhr er, zu den Männern gewandt, fort, ›auf das ich euch aufmerksam machen muß. Ist der Mann halb und halb außer sich, nicht compos mentis, wie wir sagen. Hat das Fieber, hatte es, als er die Tat beging, war ferner da von Johnny aufgereizt, in desperater Stimmung über seinen Verlust; aber trotz dieser gereizten Stimmung hat er diesem Gentleman da, Mister Edward Nathanael Morse, das Leben gerettet.‹

›Hat er das?‹ fragte der mit der tiefen Baßstimme.

›In jeder Beziehung,‹ versetzte ich, ›nicht nur dadurch, daß er mich aus dem tiefen Flusse zog, in dem ich, sterbend von meinem Mustang geworfen, sicher ertrunken wäre, sondern auch durch die sorgfältigste Pflege, die er dem sogenannten Johnny und seiner Mulattin zu meinen Gunsten abdrang. Ohne ihn wäre ich nicht mehr am Leben, das kann ich beschwören.‹

Bob warf mir jetzt einen Blick zu, der mir durch die Nerven drang. Es war so erschütternd, Tränen in diesen Augen zu treffen!

Die Männer hörten in tiefem Schweigen.

›Es scheint, daß Ihr durch Johnny aufgereizt worden, Bob?‹ nahm wieder der mit der Baßstimme das Wort.

›Sagte das nicht. Sagte nur, daß er auf die Geldkatze hinblinzelte, mir sagte …‹

›Was sagte er?‹

›Was geht Euch aber das, was Johnny gesagt, an?‹ knurrte wieder verdrießlich Bob. ›Geht Euch nichts an, kalkuliere ich.‹

›Geht uns aber an,‹ versetzte einer der Männer, ›geht uns an.‹

›Wohl, wenn es Euch angeht, mögt Ihr es ebensowohl wissen‹, brummte wieder Bob. ›Sagte, wie ich so wild aus dem Hause stürze, sagte er: ‚Seid Ihr denn gar so Hühnerherz geworden, Bob,' sagt er, ‚daß Ihr da Fersengeld gebt, wenn nicht zehn Schritte von Euch eine so vollgespickte Katze für wenig mehr denn ein Lot Blei zu haben?'‹

›Hat er das gesagt?‹ fragte wieder die Baßstimme.

›Fragt ihn selbst.‹

›Wir fragen aber Euch.‹

›Je nun, er hat es gesagt.‹

›Hat er es gewiß gesagt?‹

›Sagt' Euch schon, wozu das ewige Palavern? Hats gesagt, aber müßt ihn fragen. Will weder seinem, noch irgendeines andern Gewissen auf die Hühneraugen treten, sind mir die meinigen dick genug, bürg Euch dafür. Will nur die meinigen ausgeschnitten haben, und müssen ausgeschnitten sein. Wollt Ihr sie ihm ausschneiden, müßt Ihr Euch an ihn wenden. Kalkuliere, will bloß für mich reden, für mich gehängt sein.‹

›Alles recht, alles recht, Bob!‹ nahm wieder der Alkalde das Wort. ›Aber wir können Euch doch nicht hängen, ohne uns zuvor zu überzeugen, daß Ihr es auch verdient. Was sagt Ihr dazu, Mister Wythe? seid Prokurator, und Ihr, Mister Heart und Stone? Helft Euch zu Rum oder Brandy, und Mister Brigth und Irwin, eine frische Zigarre. Sind konsiderabel tolerabel, die Zigarren. Sind sie's nicht? Wohl, Mister Wythe, das in der Diamantflasche ist Brandy, was sagt Ihr dazu?‹

Mein aristokratischer Demokrat war so ganz Demokrat geworden, als mir unter andern Umständen wohl ein Lächeln abgenötigt hätte, hier aber verging es mir. Mister Wythe, der

Prokurator, hatte sich erhoben, wie ich glaubte, sein Urteil abzugeben, aber an dem war es noch nicht. Er trat zum Schenktische, stellte sich gemächlich vor diesen hin, und die Diamantflasche mit der einen Hand ergreifend, mit der andern das Glas, sprach er: ›Je nun, Squire, oder vielmehr Alkalde!‹

Nach dem ›Alkalde‹ schenkte er das Glas halb mit Rum voll.

›Wenns so ist‹, meinte er weiter, einen Viertelzoll Wasser hinzugießend.

›Und‹, fuhr er fort, einige Brocken Zucker nachsendend, ›Bob den Mann kalt gemacht hat ...‹

›Meuchlings kalt gemacht hat,‹ setzte er hinzu, den Zucker mit dem hölzernen Stempel zerstoßend und umrührend, ›so kalkuliere ich,‹ argumentierte er, das Glas hebend, ›daß Bob, wenns ihm so recht ist, gehängt werden sollte‹, schloß er, das Glas zum Munde bringend und leerend.

Bob schien eine schwere Last von der Brust genommen. Er holte tief und erleichtert Atem. Die übrigen nickten stumm.

›Wohl!‹ sprach, aber nicht ohne Kopfschütteln, der Richter. ›Wenn Ihr so meint und Bob einverstanden ist, so kalkuliere ich, müssen wir ihm schon seinen Willen tun. Freilich sollte eigentlich das Ganze noch vor die District Court nach San Antonio hinüber; aber da er einer der Unsrigen ist, müssen wir schon ein Auge zudrücken, ihm Gnade für Recht widerfahren lassen, den Gefallen tun. Sag Euch aber, tue es nicht gerne. Tue es zwar, aber muß auf alle Fälle der kaltgemachte Mann noch zuvor untersucht, auch Johnny verhört werden. Sind das uns, sind es Bob als unserm Mitbürger schuldig.‹

›Auf alle Fälle!‹ bekräftigten die sämtlichen Zwölf.

›Was hat aber der Johnny dabei zu tun?‹ fiel mürrisch Bob ein. ›Hab euch schon ein dutzendmal gesagt, war nicht dabei, und geht ihn nichts an.‹

›Geht ihn aber doch an‹, entgegnete der Richter. ›Geht ihn an,

Mann. War zwar nicht dabei, aber sandte Euch dafür, zwar nicht mit ausdrücklichen Worten, aber mit einem geheimen Sporne. Wäre Johnny nicht gewesen, hättet Ihr weder Mann noch Geldkatze gesehen pro primo, pro secundo hättet Ihr Eure zwanzig, fünfzig nicht verspielt, und pro tertio wäre Euch nicht die Notion ins Gehirn gekommen, Euch durch seine gespickte Katze – entgegen einem Lot Blei – zu entschädigen.‹

›Ist ein Fakt das!‹ bekräftigten alle.

›Seid ein greulicher Mörder, Bob! und ein konsiderabler dazu,‹ nahm wieder der Richter das Wort; ›aber sage Euch doch, und gilt mir gleich, wers hört, sag es Euch ins Gesicht, will Euch nicht schmeicheln, aber seid mir doch lieber in Eurer Nagelspitze als der Johnny mit Haut und Haaren. Und tut mir leid um Euch, denn weiß, seid im Grunde kein Bösewicht, seid aber durch böses Beispiel, böse Gesellschaft verführt worden. Könntet aber, kalkuliere ich, noch zurechtgebracht, noch zu manchem gebraucht werden, vielleicht besser gebraucht werden, als Ihr meint. Ist Eure Rifle eine kapitale Rifle.‹

Die letzten Worte machten alle aufschauen. Bob scharf und fragend fixierend, hielten sie in gespannter Erwartung.

›Könntet‹, fuhr der Richter ermutigend fort, ›vielleicht der Welt, Euren beleidigten Mitbürgern, dem verletzten Gesetze noch bessere Dienste leisten als durch Euer Gehängtwerden da. Seid immer noch ein Dutzend Mexikaner wert.‹

Bob war während der Rede des Richters der Kopf auf die Brust gefallen. Jetzt hob er ihn, zugleich tief Atem holend.

›Verstehe, Squire! Weiß, worauf Ihr zielt. Kann aber nicht, darf nicht; kann nicht so lange warten, mag nicht. Ist mir das Leben zur Last, quält mich, foltert mich gar grausam. Läßt mir keine Ruhe, bei Tag und Nacht, wo ich gehe, stehe.‹

›Wohl, so legt Euch!‹ meinte der Richter.

›Steht auch da vor mir, treibt mich zurück unter den Patriarchen.‹

Hier schauten mehrere den Sprecher an, dann fielen ihre Blicke zu Boden. Eine Weile saßen sie so in tiefer Stille, endlich hoben sie die Köpfe, schauten einander forschend an, und der Richter nahm abermals das Wort: ›Es bleibt also dabei, Bob. Wollen heute zum Patriarchen, und morgen kommt Ihr. Seid Ihrs so zufrieden?‹

›Um welche Zeit?‹

›Um die zehn Uhr herum.‹

›Könnte es nicht früher sein?‹ murmelte, ungeduldig den Kopf schüttelnd, Bob.

›Warum früher? Seid Ihr denn gar so lüstern nach der Hanfbraut?‹ meinte Mister Heart.

›Was hilft das Schwätzen und Palavern?‹ brummte mürrisch Bob. ›Sag es euch ja, läßt mich nicht ruhen. Muß aus der Welt, treibt mich daraus; darum je eher, desto besser. Bin satt des Lebens, und wenn ich erst um zehn Uhr komme und ihr da noch ein paar Stunden oder mehr euer Palaver habt und wir dann wieder eine Stunde oder zwei zum Patriarchen reiten, kommt das Fieber.‹

›Aber wir können doch wegen Eurem Fieber da nicht wie die wilden Gänse zusammen und auseinander schießen‹, rief ungeduldig der Prokurator. ›Habt doch nur ein Einsehen, Mann!‹

›Freilich, freilich!‹ meinte wieder beinahe demütig Bob.

›Ist aber ein schlimmer Gast, das Fieber, Mister Wythe!‹ bemerkte Mister Trace, ein frisches Glas nehmend. ›Und kalkuliere,‹ fuhr er fort, es leerend, ›sollten ihm den Gefallen tun.‹

›Wohl, Squire, was meint Ihr dazu?‹ fragte der Prokurator. ›Meint Ihr, daß wir ihm zu Willen sein sollen?‹

›Kalkuliere, ist wirklich ein wenig gar zu importun, unbescheiden da in seinen Forderungen, der Bob,‹ meinte, sehr verdrießlich den Kopf schüttelnd, der Richter.

Alle schwiegen.

›Aber wenn ihr dafür haltet und es zufrieden seid,‹ fuhr er, zu dem Ayuntamiento gewendet, fort, ›und weil es Bob ist, weil Ihr es seid, Bob!‹ wandte er sich an diesen, ›so kalkuliere ich, müssen wir Euch schon zu Willen sein.‹

›Dank Euch!‹ sprach sichtlich erleichtert Bob.

›Nichts zu danken!‹ brummte, während Bob der Türe zuging, mürrisch der Richter. ›Nichts zu danken! Aber jetzt geht in die Küche, versteht Ihr? Und laßt Euch da ein tüchtiges Stück Roastbeef mit Zubehör geben, versteht Ihr?‹

Auf den Tisch klopfend, hielt er inne.

›Ein tüchtiges Stück Roastbeef und Zubehör dem Bob,‹ befahl er der eintretenden Diana, ›und das sogleich, und Ihr seht darauf, daß er es verzehrt. Und zieht Euch anders an, Bob, versteht Ihr? Wie ein Bürger, nicht wie eine wilde Rothaut, versteht Ihr?‹

Er winkte der Negerin abzutreten und fuhr dann, zu Bob gewendet, fort: ›Keine Einrede, Bob! Den Rum wollen wir Euch senden, sollt essen und trinken, Mann, wie ein vernünftiges Geschöpf, Eurem Geschick als Mann und nicht als ein hirnverbrannter Narr entgegentreten. Brauchen da keine Sprünge, keine Hungerkuren, die Euch noch verrückter machen. Sage Euch, tun keinen Schritt, so Ihr nicht vernünftig eßt und trinkt von den Gaben Eures Gottes, die er für Hohe und Niedrige, für Böse und Gute wachsen läßt, Euch wie ein vernunftbegabtes Wesen betragt und kleidet.‹

›Dank Euch!‹ sprach demütig Bob.

›Nichts zu danken, sagt Euchs schon!‹ grollte der Richter.

Bob ging, die Männer blieben sitzen, so ruhig wie immer; einer oder der andere stand wohl auf, sein Glas zu füllen oder eine Zigarre zu nehmen, aber ein Eintretender würde schwerlich erraten haben, daß hier ein Ayuntamiento auf Leben und Tod saß. Zuweilen ließ sich ein Gebrumme hören, aus dem zu entnehmen war, daß sie mit der eilfertigen Zudringlichkeit noch immer nicht einverstanden waren, besonders der Alkalde; allmählich jedoch schien auch er nachzugeben. Es dauerte jedoch noch eine geraume Weile, wohl eine

Stunde, ehe sie alle ihre Notionen vorgebracht, entwickelt und wieder entwickelt hatten, alles in dem allerruhigsten, phlegmatischsten Tone. Kein Wort, keine Silbe war zu hören, lauter als der gewöhnliche Konversationston. Man hätte schwören sollen, irgendeine Kirchstuhl- oder Predigersmietung werde verhandelt; selbst Johnny, der nach aller einstimmigem Urteile ein sehr gefährliches Subjekt sein mußte, war nicht imstande, sie aus der Fassung zu bringen. Sie wurden so ruhig einig, ihn zu lynchen, wie die Hinterwäldlerphrase lautet, als ob die Rede vom Einfangen eines Mustangs gewesen wäre.

Als sie diesen Entschluß endlich gefaßt, erhoben sie sich, traten alle nochmals zum Schenktisch, tranken auf des Richters und meine Gesundheit, schüttelten uns die Hände und verließen Parlour und Haus.

Mir war während dieser grenzenlos zähen Verhandlung so unwohl geworden, daß ich mich nur mit Mühe auf den Füßen zu erhalten vermochte. Das hausbacken Derbe, Gefühllose und wieder Gefühlvolle dieser Menschen widerstand meinen Nerven. Mir schmeckte weder Frühstück, Mittag- noch Abendessen. Aber auch der Richter war sehr übelgelaunt, obwohl der Grund seiner üblen Laune wieder, wie Sie leicht ermessen können, ganz anders lautete. Sein Verdruß war wieder, daß das Ayuntamiento auf seine Notion, Bob dem Gemeinbesten, wie er es nannte, zu erhalten, nicht eingegangen, daß ihm das Gehängtwerden gar so leicht gemacht worden, der doch seinem Lande, der bürgerlichen Gesellschaft, noch recht gute Dienste hätte leisten mögen. Daß Johnny, der elende, niederträchtige, feig verräterische Johnny aus der Welt geschafft würde, war vollkommen recht, aber daß Bob es gleichfalls würde, erschien ihm stupid, stolid, absurd. Es war vergeblich, ihn an die Versündigung an der bürgerlichen Gesellschaft, dem Gesetze Gottes, der Menschen – den Finger Gottes, das rächende Gewissen zu erinnern. Bob hatte sich an der bürgerlichen Gesellschaft, an seinem Schöpfer versündigt, diesen stand es zu, Genugtuung zu fordern, sie zu bestimmen, nicht aber ihm; sich da feige aus der Welt, an der er sich versündigt, herauszuschleichen, damit sei weder Gott noch den Menschen gedient. Unter den vierzehn Männern seien auch zwei gewesen, die wegen Mordes aus den Staaten geflüchtet, aber sie trügen ihre Schuld und Last als Männer, willens, sie als Männer zu büßen, an den Mexikanern gutzumachen.–

Wir gerieten beinahe hart aneinander, sprachen auch den ganzen Tag nur wenig mehr und trennten uns am Abend frühzeitig.

Wir saßen am folgenden Morgen beim Frühstück, als ein ziemlich gut in Schwarz gekleideter Mann angeritten kam, abstieg und vom Richter als Bob angeredet wurde. Es war wirklich Bob, obwohl kaum mehr zu erkennen. Statt des häßlich blutigen Sacktuches, das ihm zuletzt in Fetzen um den Kopf gehangen, hatte er einen Hut auf, statt des Lederwamses und so weiter anständig schwarze Tuchkleider. Der Bart war gleichfalls verschwunden. Der Mann stellte einen Gentleman vor. Mit der Kleidung war auch ein anderer Mensch angezogen. Er schien ruhig, gefaßt, sein Wesen resigniert, ja mild. Mit einer gewissen Wehmut im Blicke streckte er dem Richter die Hand dar, die dieser auch herzlich ergriff und in der seinigen hielt.

›Ah, Bob!‹ sprach er; ›ah, Bob! Wenn Ihr Euch doch hättet sagen lassen, was Euch so oft gesagt worden! Ließ Euch da die Kleider eigens von New Orleans bringen, um wenigstens an Sonntagen einen respektabel und dezent aussehenden Mann aus Euch zu machen. Wie oft habe ich nicht mit Euch gegrollt, sie anzuziehen und mit uns zum Meeting zu gehen, wenn Mister Bliß drüben predigte! War das nicht ohne Ursache, Mann, daß ich Euch Kleider machen ließ. Hat das Sprichwort: Macht das Kleid den Mann, viel Wahres, zieht der Mensch mit dem neuen Kleide wirklich auch etwas wie neue Gesinnungen an. Hättet Ihr diese neuen Gesinnungen nur zweiundfünfzigmal im Jahre angezogen, ei! hätten einen heilsamen Bruch zwischen Johnny und Euch hervorgebracht. War meine Absicht eine gute.‹

Bob gab keine Antwort.

›Brachte Euch just dreimal in sie und in die Meeting; ah, Bob!‹

Bob nickte stumm.

›Wohl, wohl, Bob! Haben alles getan, Euch zu einem Menschen, wie er sein soll, zu bekehren, alles, was in unsern Kräften stand.‹

›Das habt Ihr,‹ sprach erschüttert Bob; ›Gott dank es Euch!‹

Jetzt bekam ich Respekt vor dem Richter, ich versichere Sie, sehr großen Respekt. Ich drückte ihm die Hand. Eine Träne trat ihm ins Auge, die er aber, auf das Frühstück deutend, unterdrückte.

Bob dankte demütig, versichernd, daß er nüchtern zu bleiben, nüchtern vor seinen beleidigten Schöpfer und Richter zu treten wünsche.

›Unserm beleidigten Schöpfer und Richter‹, versetzte der Alkalde ernst, ›werden wir nicht dadurch gefällig, daß wir seine Gaben, die er für uns, seine Kreaturen, geschaffen, zurückweisen, sondern daß wir sie vernünftig genießen. Eßt, Mann! trinkt, Mann! und folgt einmal in Eurem Leben Leuten, die es besser mit Euch meinen als Ihr selbst!‹

Jetzt setzte sich Bob.

Wir waren gerade mit unserm Frühstück fertig, als die erste Abteilung der Männer ankam, abstieg und eintrat. Auf ihren Gesichtern war nichts als das unerschütterliche texasische Phlegma zu lesen. Sie begrüßten den Richter, mich und Bob gleichmütig, ohne eine Miene zu verändern, setzten sich, als frische Schüsseln und Teller aufgetragen waren, an dem Tische nieder, langten zu und aßen und tranken mit einem Appetit, den sie wenigstens vierundzwanzig Stunden geschärft zu haben schienen.

Während sie aßen, kamen die übrigen. Dieselben Grüße, dieselbe stumme Bewillkommnung und Einladung, derselbe Appetit. Während des halbstündigen Mahles wurden, ich bin ganz gewiß, nicht hundert Worte von allen zusammen gesprochen, und diese waren die gewöhnlichen: Will jou help me, yourself...

Endlich waren alle gesättigt, und der Alkalde befahl den Negern, die Tafel zu räumen und dann das Zimmer zu verlassen.

Als die Neger beides getan, nahm der Alkalde am oberen Ende des Tisches Platz, zu beiden Seiten des Ayuntamiento, vor diesem Bob. Ich hatte mich natürlich zurückgezogen, so die zwei Männer, die sich Mordes halber aus den Staaten geflüchtet.

Allmählich nahmen auch die Gesichter einen Ausdruck an, der, weniger phlegmatisch, dem Ernste der Stunde entsprach.

›Mister Wythe!‹ hob der Richter an, ›habt Ihr, als Prokurator, etwas vorzubringen?‹

›Ja, Alkalde!‹ versetzte der Prokurator. ›Habe vorzubringen, daß, kraft meines Auftrags und Amtes, ich mich an den von Bob Rock, wie er genannt wird, angedeuteten Ort begeben, da einen getöteten Mann gefunden, und zwar durch eine Schußwunde getöteten, ihm beigebracht durch die Rifle Bob Rocks oder wie er sonst heißt. Ferner einen Geldgürtel und mehrere Briefe und Empfehlungsschreiben an verschiedene Pflanzer.‹

›Habt Ihr ausgefunden, wer er ist?‹

›Haben es‹, versetzte der Prokurator. ›Haben aus den verschiedenen Briefen und Schreiben ersehen, daß der Mann ein Bürger, aus Illinois gekommen, nach San Felipe de Austin gewollt, um vom Oberst Austin Land zu kaufen und sich anzusiedeln.‹

So sagend, holte der Prokurator aus dem Sattelfelleisen, das ihm zur Seite lag, einen schweren Geldgürtel heraus, den er mit den Briefschaften auf den Tisch legte. Die Briefe waren offen, der Gürtel versiegelt.

Der Richter öffnete den Gürtel, zählte das Geld, das etwas über fünfhundert Dollars in Gold und Silber betrug, dann die kleinere Summe, die sich im Beutel, den Bob zu sich genommen, befand. Dann las der Prokurator die Briefe und Schreiben.

Darauf berichtete einer der Korregidoren betreffend Johnny, daß er sowohl als seine Mulattin entwichen wären. Er, der Korregidor, habe mit seiner Abteilung ihre Spur verfolgt; da diese sich jedoch geteilt, so hätten sich auch die Männer geteilt, aber obgleich sie fünfzig, ja siebzig Meilen nachgeritten, hätten sie doch nichts von ihnen entdecken können.

Der Richter hörte den Bericht sehr unzufrieden an.

›Bob Rock!‹ rief er dann, ›tretet vor!‹

Bob trat vor.

›Bob Rock! oder wie Ihr sonst heißen möget, erkennt Ihr Euch schuldig, den Mann, an dem diese Briefschaften und Gelder gefunden worden, durch einen Schuß getötet zu haben?‹

›Schuldig!‹ murmelte Bob.

›Gentlemen von der Jury!‹ sprach wieder der Richter, ›wollet ihr abtreten, euer Verdikt zu geben?‹

Die Zwölf erhoben sich und verließen den Parlour, bloß der Richter, ich, Bob und die zwei Flüchtlinge blieben zurück. Nach etwa zehn Minuten trat die Jury mit unbedeckten Häuptern ein. Der Richter nahm seine Kappe gleichfalls ab.

›Schuldig!‹ sprach der Vordermann.

›Bob!‹ redete diesen nun der Richter mit erhobener Stimme an, ›Bob Rock, oder wie Ihr heißen möget! Eure Mitbürger und Pairs haben Euch für schuldig erkannt, und ich spreche das Urteil aus, daß Ihr beim Halse aufgehängt werdet, bis Ihr tot seid. Gott sei Eurer Seele gnädig!‹ – ›Amen!‹ sprachen alle.

›Dank Euch!‹ murmelte Bob.

›Wollen noch die Verlassenschaft des Gemordeten gehörig versiegeln, ehe wir unsere traurige Pflicht erfüllen!‹ sprach der Richter.

Er rief die Negerin, der er Licht zu bringen befahl, versiegelte zuerst selbst Gürtel und Papiere, dann der Prokurator, zuletzt die Korregidores.

›Hat noch einer etwas einzuwenden, warum das ausgesprochene Urteil nicht vollzogen werde?‹ hob nochmals der Richter mit einem scharfen Blicke auf mich an.

›Er hat mir das Leben gerettet, Richter und Mitbürger!‹ sprach ich tief erschüttert, ›das Leben auf eine Weise gerettet ...‹

Bobs Augen wurden, während ich so sprach, starr, ein tiefer Seufzer hob seine Brust, aber zugleich schüttelte er den Kopf.

›Laßt uns in Gottes Namen gehen!‹ sprach der Richter.

Ohne ein Wort weiter zu sagen, verließen wir alle Parlour und Haus und bestiegen die Pferde. Der Richter hatte eine Bibel mitgenommen, aus der er Bob für die Ewigkeit vorbereitete. Auch hörte ihn dieser eine Weile aufmerksam, ja andächtig an. Bald schien er jedoch wieder ungeduldig zu werden; er setzte seinen Mustang in rascheren, bald in so raschen Trab, daß wir zu argwohnen begannen, er suche auszureißen. Aber es war nichts als die Furcht, das Fieber möchte ihn vor seinem Ende übereilen.

Nach Verlauf etwa einer Stunde hatten wir den sogenannten Patriarchen vor uns.

Wohl ein Patriarch, ein wahrer Patriarch der Pflanzenwelt! War es die feierliche Stimmung, der Ernst des Todes, der uns im Innersten durchdrungen, aber alle hielten wir bei seinem Anblicke wie vor einer Erscheinung aus einer höheren, einer überirdischen Welt! Mir wars, als ob die Geister einer unsichtbaren Welt aus diesem Riesenwerke heraussäuselten – rauschten, diesem kolossalen Naturwunder, das so gar nichts

Baumähnliches hatte! Eine ungeheure Masse von Vegetation, die mehrere hundert Fuß im Diameter, wohl hundertunddreißig Fuß emporstarrte, aber so emporstarrte, daß man weder Stamm, noch Äste, noch Zweige, nicht einmal Blätter, nur Millionen weißgrünlicher Schuppen mit unzähligen Silberbärten sah. Diese Millionen grünlicher Silberschuppen glänzten euch mit den zahllosen Silberbärten, die oben kürzer, unten länger, in so seltsam phantastischen Gebilden entgegen, daß ihr beim ersten Anblick geschworen hättet, Hunderte, ja Tausende von Patriarchen schauten euch aus ihren Nischen an! Erst tiefer hingen die Bärte, das bekannte spanische, aber hier nicht schmutzig-, sondern silbergraue Moos, länger und wohl an die vierzig Fuß zur Erde herab, so vollkommen den Stamm verhüllend, daß mehrere Männer absteigen, die Moosbärte auseinanderreißen und uns erst freien Durchgang erzwingen mußten. Innerhalb des ungeheuren Domes angekommen, nahm es noch eine geraume Weile, ehe wir, geblendet, wie wir ins Halbdunkel eintraten, das Innere zu schauen vermochten. Die Strahlen der Sonne, durch Silbermoos und Schuppen und Blätter und Bärte gebrochen, drangen grün und rot und gelb und blau wie durch die gemalten Glasfenster eines Domes ein, ganz das Halbdunkel eines Domes verbreitend! Der Stamm war wieder ein eigenes Naturwunder. Wohl vierzig Fuß emporstarrend, ehe er in die Äste auslief, hatte er der Auswüchse und Buckel so viele und ungeheure, daß er vollkommen einem unregelmäßigen Felsenkegel glich, von dem wieder Felsenzacken in jeder Richtung ausliefen, an die erst sich Massen von Silbermoos und Bärten und Gestrüppe und Zweigen angesetzt. So überwältigt fühlte ich mich durch dieses Riesenwerk der Schöpfung, daß ich mehrere Minuten stand, staunend und starrend – erst durch das hohle Gemurmel meiner Gefährten zum Bewußtsein gebracht wurde.

Sie hielten innerhalb der Krone des Baumes in einem Kreise, Bob in der Mitte. Er zitterte wie Espenlaub, die Augen starr

auf einen frischen Erdaufwurf geheftet, der etwa dreißig Schritte vom Stamme zu sehen war.
Darunter ruhte der Gemordete.
Aber eine herrliche Grabesstätte! Kein Dichter könnte sie schöner wünschen oder träumen. Der zarteste Rasen, die hehrste Naturgruft, mit einem ewigen Halbdunkel, so wundersam durchwoben mit Regenbogenstrahlen!
Bob, der Richter und seine Amtsgenossen waren sitzen geblieben, etwa die Hälfte der Männer aber abgestiegen. Einer der letzteren schnitt nun den Lasso vom Sattel Bobs, warf das eine Ende über einen tiefer sich herabneigenden Ast, und es mit dem andern zu einer Schlinge verknüpfend, ließ er diese vom Aste herabfallen.
Nach dieser einfachen Vorkehrung nahm der Richter seinen Hut ab und faltete die Hände; die übrigen folgten seinem Beispiele.
›Bob!‹ sprach er zu dem stier über den Nacken seines Mustangs Herabgebeugten, ›Bob! wir wollen beten für Eure arme Seele, die jetzt scheiden soll von Eurem sündigen Leibe.‹
Bob hörte nicht.
›Bob!‹ sprach abermals der Richter.
Bob fuhr auf. ›Wollte etwas sagen!‹ entfuhr ihm wie im wahnsinnigen Tone. ›Wollte etwas sagen . . .‹
›Was habt Ihr zu sagen?‹
Bob stierte um sich, die Lippen zuckten, aber der Geist war offenbar nicht mehr auf dieser Erde.
›Bob!‹ sprach abermals der Richter, ›wir wollen für Eure Seele beten.‹
›Betet, betet!‹ stöhnte er, ›werde es brauchen.‹
Der Richter betete langsam und laut, mit erschütterter und erschütternder Stimme: ›Unser Vater, der du bist in dem Himmel!‹ Bob sprach ihm jedes Wort nach. Bei der Bitte: Vergib uns unsere Schuld! stöhnte seine Stimme aus tiefster Brust herauf.

›Gott sei seiner Seele gnädig!‹ schloß der Richter.

›Amen!‹ sprachen ihm alle nach.

Einer der Korregidoren legte ihm nun die Lassoschlinge um den Hals, ein anderer verband die Augen, ein dritter zog die Füße aus den Steigbügeln, während ein vierter, die Peitsche hebend, hinter seinen Mustang trat. All das geschah so unheimlich, still, schauerlich!

Jetzt fiel die Peitsche. Das Tier machte einen Sprung vorwärts. In demselben Augenblicke schnappte Bob in verzweifelter Angst nach dem Zügel, stieß ein gellendes Halt aus.

Es war zu spät, er hing bereits.

Das nun in rasendster Verzweiflung herausgeheulte Halt des Richters klingt mir noch in den Ohren, ich sehe ihn noch, wie er wie wahnsinnig, den Peitschenführer überreitend, an die Seite des Gehängten schoß, ihn in seine Arme riß, auf sein Pferd hob.

Mit der einen Hand den Gehängten haltend, mit der andern die Schlinge zu öffnen bemüht, zitterte die ganze Riesengestalt des Mannes in unbeschreiblicher Angst. Es war etwas Furchtbares in diesem Anblicke. Der Prokurator, die Korregidoren, alle standen wie erstarrt.

›Whisky, Whisky! Hat keiner Whisky?‹ kreischte er.

Einer der Männer sprang mit einer Whiskyflasche herbei, ein anderer hielt dem Gehängten den Leib, ein dritter die Füße. Der Richter goß ihm einige Tropfen in den Mund.

Er stierte ihn dazu an, als ob von seinem Erwachen sein eigenes Leben abhinge. Lange war alle Mühe vergebens; aber das Halstuch, das man abzunehmen vergessen, hatte den Bruch des Genickes verhindert; er schlug endlich die gräßlich verdrehten Augen auf.

›Bob!‹ murmelte der Richter mit hohler Stimme.

Bob stierte ihn mit seinen verdrehten Augen an.

›Bob!‹ murmelte abermals der Richter. ›Ihr wolltet etwas sagen, nicht wahr, von Johnny?‹

›Johnny!‹ röchelte Bob. ›Johnny!‹

›Was ist mit Johnny?‹

›Ist nach San Antonio, der John-ny!‹

›Nach San Antonio?‹ murmelte der Richter.

Seine gewaltige Brust hob sich, als wollte sie zerspringen, seine Züge wurden starr.

›Nach San Antonio zum Padre José!‹ röchelte wieder Bob. ›Katholisch – hütet Euch!‹

›Ein Verräter also!‹ murmelten alle wie erstarrt.

›Katholisch!‹ murmelte der Richter.

Die Worte schienen ihm alle Kraft zu rauben, der Gehängte entsank seinen Armen, hing abermals am Lasso.

Einen Augenblick starrte er ihn an – die Männer.

›Katholisch! Ein Verräter!‹

›Ein Bürger und ein Verräter! Katholisch!‹ murmelten sie ihm nach.

›So ists, Männer!‹ murmelte der Richter. ›Haben aber keine Zeit zu verlieren,‹ zischte er in demselben unheimlichen Tone, sie anstarrend, ›keine Zeit zu verlieren – müssen ihn haben.‹

›Keine Zeit zu verlieren, müssen ihn haben!‹ murmelten sie alle.

›Müssen sogleich nach San Antonio!‹ zischte wieder der Richter.

›Nach San Antonio!‹ murmelten sie alle, wie Gespenster, der in die spanischen Moose gerissenen Öffnung zuschreitend und reitend.

Im Freien angekommen, schauten sie den Richter – einander – noch einmal fragend an, die Abgestiegenen schwangen sich in ihre Sättel, und alle sprengten in der Richtung nach San Antonio davon.

Der Richter war allein zurückgeblieben, in tiefen Gedanken, leichenblaß, seine Züge eisig eisern, seine Augen starr auf die Davonreitenden gerichtet.

Plötzlich schien er aus seinen Träumen zu erwachen, erfaßte mich am Arme.

›Eilt nach meinem Hause, reitet, schont nicht Pferdefleisch. Nehmt zu Hause Ptoly und ein frisches Pferd, jagt nach San Felipe und sagt Stephan Austin, was geschehen, was Ihr gesehen, gehört.‹

›Aber, Richter!‹

›Eilt, reitet, schont nicht Pferdefleisch, wenn Ihr Texas einen Dienst erweisen wollt! Bringt meine Frau und Tochter nach Hause!‹

So sagend, trieb er mich mit Händen und Füßen, dem ganzen Körper, fort; in der Ungeduld nahmen seine Züge etwas so Furchtbares an, daß ich, ganz außer mir, meinem Mustang die Sporen gab.

Er flog davon. – Wie ich um die vorspringende Waldesecke herumbog, zurückschaute, war der Richter verschwunden.

Ich ritt, was mein Tier zu laufen vermochte, kam am Hause an, nahm Ptoly, ein frisches Pferd, jagte nach Felipe de Austin, meldete mich bei Oberst Austin.

Stephan Austin hörte mich an, wurde bleich, befahl Pferde zu satteln, sandte zu seinen Nachbarn.

Ehe ich noch mit der Frau und Stieftochter des Alkalden nach ihrem Hause aufbrach, sprengte er mit fünfzig bewaffneten Männern in der Richtung nach San Antonio hin.

Ich kehrte mit den beiden meinem Schutze anbefohlenen Damen nach ihrer Pflanzung zurück, war aber da kaum angekommen, als ich ohnmächtig zusammensank.

Wilde Phantasien, ein heftiges hitziges Fieber ergriffen mich, brachten mich an den Rand des Grabes.

Mehrere Tage schwebte ich so zwischen Leben und Tod; endlich siegte meine jugendliche Natur. Ich erstand, aber – obwohl ich der liebevollsten, aufheiterndsten Pflege genoß – die schrecklichen Bilder wollten mich nicht verlassen, standen immer und allenthalben vor mir. Erst als ich meinen Mustang bestiegen, um mit Anthony, dem Jäger Mister Neals, der mich endlich aufgefunden, nach des letzte-

ren Pflanzung zurückzureiten, begannen heitere Gestalten aufzutauchen.
Unser Heimweg führte am Patriarchen vorbei. Zahllose Raub- und Aasvögel umkreischten ihn. Ich wandte die Augen ab, hielt mir die Ohren zu – alles vergebens; es zog mich wie mit unsichtbarer Gewalt hin. Anthony war bereits durch die in die Moose gerissenen Öffnungen eingedrungen. Sein wildes Triumphgeschrei schallte aus dem Innern heraus.
In unbeschreiblicher Hast stieg ich ab, zog meinen Mustang durch die Öffnung, eilte dem Riesenstamme zu.
Eine Leiche hing etwa vierzig Schritte davon am Lasso von einem Aste herab, demselben Aste, an dem Bob gehangen; aber er war es nicht. Der Hängende war um vieles kleiner.
Ich trat näher, schaute.
›Ei, ein Kaitiff, wie die Welt nicht zwei aufweisen konnte!‹ brummte Anthony, auf die Leiche deutend.
›Johnny!‹ rief ich schaudernd, ›das ist Johnny!‹
›War es; ists, dem Himmel sei Dank! nicht mehr.‹
Ich schauderte.
›Aber wo ist Bob?‹
›Bob?‹ rief Anthony; ›ah, Bob! ja Bob!‹
Ich schaute, da war noch der Grabeshügel, wie ich ihn zuletzt gesehen. Er schien mir größer, höher, und doch wieder nicht. Lag er darunter, bei seinem Opfer?
›Wollen wir dem Elenden nicht den letzten Dienst erweisen, Anthony?‹ fragte ich.
›Dem Kaitiff?‹ versetzte er. ›Will meine Hand nicht vergiften, die Aasvögel mag er vergiften. Laßt uns gehen!‹
Und wir gingen.«

FRANZ GRILLPARZER

Der arme Spielmann

In Wien ist der Sonntag nach dem Vollmonde im Monat Juli jedes Jahres samt dem darauffolgenden Tage ein eigentliches Volksfest, wenn je ein Fest diesen Namen verdient hat. Das Volk besucht es und gibt es selbst; und wenn Vornehmere dabei erscheinen, so können sie es nur in ihrer Eigenschaft als Glieder des Volks. Da ist keine Möglichkeit der Absonderung; wenigstens vor einigen Jahren noch war keine.

An diesem Tage feiert die mit dem Augarten, der Leopoldstadt, dem Prater in ununterbrochener Lustreihe zusammenhängende Brigittenau ihre Kirchweihe. Von Brigittenkirchtag zu Brigittenkirchtag zählt seine guten Tage das arbeitende Volk. Lange erwartet, erscheint endlich das saturnalische Fest. Da entsteht Aufruhr in der gutmütig ruhigen Stadt. Eine wogende Menge erfüllt die Straßen. Geräusch von Fußtritten, Gemurmel von Sprechenden, das hie und da ein lauter Ausruf durchzuckt. Der Unterschied der Stände ist verschwunden; Bürger und Soldat teilt die Bewegung. An den Toren der Stadt wächst der Drang. Genommen, verloren und wiedergenommen, ist endlich der Ausgang erkämpft. Aber die Donaubrücke bietet neue Schwierigkeiten. Auch hier siegreich, ziehen endlich zwei Ströme, die alte Donau und die geschwollnere Woge des Volks, sich kreuzend quer unter- und übereinander, die Donau ihrem alten Flußbette nach, der Strom des Volkes, der Eindämmung der Brücke entnommen, ein weiter, tosender See, sich ergießend in alles deckender Überschwemmung. Ein neu Hinzugekommener fände die Zeichen bedenklich. Es ist aber der Aufruhr der Freude, die Losgebundenheit der Lust.

Schon zwischen Stadt und Brücke haben sich Korbwagen aufgestellt für die eigentlichen Hierophanten dieses Weihfestes: die Kinder der Dienstbarkeit und der Arbeit. Überfüllt und dennoch im Galopp durchfliegen sie die Menschenmasse, die sich hart vor ihnen öffnet und hinter ihnen schließt, unbesorgt und unverletzt. Denn es ist in Wien ein stillschweigender Bund zwischen Wagen und Menschen: nicht zu überfahren, selbst im vollen Lauf; und nicht überfahren zu werden, auch ohne alle Aufmerksamkeit.
Von Sekunde zu Sekunde wird der Abstand zwischen Wagen und Wagen kleiner. Schon mischen sich einzelne Equipagen der Vornehmeren in den oft unterbrochenen Zug. Die Wagen fliegen nicht mehr. Bis endlich fünf bis sechs Stunden vor Nacht die einzelnen Pferde- und Kutschen-Atome sich zu einer kompakten Reihe verdichten, die, sich selber hemmend und durch Zufahrende aus allen Quergassen gehemmt, das alte Sprichwort: ›Besser schlecht gefahren, als zu Fuße gegangen‹ offenbar zuschanden macht. Begafft, bedauert, bespottet, sitzen die geputzten Damen in den scheinbar stillestehenden Kutschen. Des immerwährenden Anhaltens ungewohnt, bäumt sich der Holsteiner Rappe, als wollte er seinen durch den ihm vorgehenden Korbwagen gehemmten Weg obenhin über diesen hinaus nehmen, was auch die schreiende Weiber- und Kinderbevölkerung des Plebejer-Fuhrwerks offenbar zu befürchten scheint. Der schnell dahinschießende Fiaker, zum ersten Male seiner Natur ungetreu, berechnet ingrimmig den Verlust, auf einem Wege drei Stunden zubringen zu müssen, den er sonst in fünf Minuten durchflog. Zank, Geschrei, wechselseitige Ehrenangriffe der Kutscher, mitunter ein Peitschenhieb.
Endlich, wie denn in dieser Welt jedes noch so hartnäckige Stehenbleiben doch nur ein unvermerktes Weiterrücken ist, erscheint auch diesem status quo ein Hoffnungsstrahl. Die ersten Bäume des Augartens und der Brigittenau werden sichtbar. Land! Land! Land! Alle Leiden sind vergessen. Die

zu Wagen Gekommenen steigen aus und mischen sich unter die Fußgänger, Töne entfernter Tanzmusik schallen herüber, vom Jubel der neu Angekommenen beantwortet. Und so fort und immer weiter, bis endlich der breite Hafen der Lust sich auftut und Wald und Wiese, Musik und Tanz, Wein und Schmaus, Schattenspiel und Seiltänzer, Erleuchtung und Feuerwerk sich zu einem pays de cocagne, einem Eldorado, einem eigentlichen Schlaraffenlande vereinigen, das leider, oder glücklicherweise, wie man es nimmt, nur einen und den nächst darauffolgenden Tag dauert, dann aber verschwindet wie der Traum einer Sommernacht und nur in der Erinnerung zurückbleibt und allenfalls in der Hoffnung.

Ich versäume nicht leicht, diesem Feste beizuwohnen. Als ein leidenschaftlicher Liebhaber der Menschen, vorzüglich des Volkes, so daß mir selbst als dramatischem Dichter der rückhaltlose Ausbruch eines überfüllten Schauspielhauses immer zehnmal interessanter, ja belehrender war als das zusammengeklügelte Urteil eines an Leib und Seele verkrüppelten, von dem Blut ausgesogener Autoren spinnenartig aufgeschwollenen literarischen Matadors; – als ein Liebhaber der Menschen, sage ich, besonders wenn sie in Massen für einige Zeit der einzelnen Zwecke vergessen und sich als Teil des Ganzen fühlen, in dem denn doch zuletzt das Göttliche liegt – als einem solchen ist mir jedes Volksfest ein eigentliches Seelenfest, eine Wallfahrt, eine Andacht. Wie aus einem aufgerollten, ungeheuren, dem Rahmen des Buches entsprungenen Plutarch lese ich aus den heitern und heimlich bekümmerten Gesichtern, dem lebhaften oder gedrückten Gange, dem wechselseitigen Benehmen der Familienglieder, den einzelnen, halb unwillkürlichen Äußerungen mir die Biographien der unberühmten Menschen zusammen, und wahrlich! man kann die Berühmten nicht verstehen, wenn man die Obskuren nicht durchgefühlt hat. Von dem Wortwechsel weinerhitzter Karrenschieber spinnt sich ein unsichtbarer, aber ununterbrochener Faden bis zum Zwist der Göttersöhne, und in der jungen Magd, die, halb wider Willen, dem drängenden Liebhaber seitab vom Gewühl der Tanzenden folgt, liegen als Embryo die Julien, die Didos und die Medeen.

Auch vor zwei Jahren hatte ich mich, wie gewöhnlich, den lustgierigen Kirchweihgästen als Fußgänger mit angeschlossen. Schon waren die Hauptschwierigkeiten der Wanderung überwunden, und ich befand mich bereits am Ende des Augartens, die ersehnte Brigittenau hart vor mir liegend. Hier ist nun noch ein – wenngleich der letzte – Kampf zu bestehen. Ein schmaler Damm, zwischen undurchdringlichen Befriedungen hindurchlaufend, bildet die einzige Verbindung der beiden Lustorte, deren gemeinschaftliche Grenze ein in der Mitte befindliches hölzernes Gittertor bezeichnet. An gewöhnlichen Tagen und für gewöhnliche Spaziergänger bietet dieser Verbindungsweg überflüssigen Raum; am Kirchweihfeste aber würde seine Breite, auch vierfach genommen, noch immer zu schmal sein für die endlose Menge, die, heftig nachdrängend und von Rückkehrenden im entgegengesetzten Sinne durchkreuzt, nur durch die allseitige Gutmütigkeit der Lustwandelnden sich am Ende doch leidlich zurechtfindet.

Ich hatte mich dem Zug der Menge hingegeben und befand mich in der Mitte des Dammes, bereits auf klassischem Boden, nur leider zu stets erneutem Stillestehen, Ausbeugen und Abwarten genötigt. Da war denn Zeit genug, das seitwärts am Wege Befindliche zu betrachten. Damit es nämlich der genußlechzenden Menge nicht an einem Vorschmack der zu erwartenden Seligkeit mangle, hatten sich links am Abhang der erhöhten Dammstraße einzelne Musiker aufgestellt, die, wahrscheinlich die große Konkurrenz scheuend, hier an den Propyläen die Erstlinge der noch unabgenützten Freigebigkeit einernten wollten. Eine Harfenspielerin mit widerlich starrenden Augen. Ein alter invalider Stelzfuß, der auf einem entsetzlichen, offenbar von ihm selbst verfertigten Instrumente, halb Hackbrett und halb Drehorgel, die

Schmerzen seiner Verwundung dem allgemeinen Mitleid auf eine analoge Weise empfindbar machen wollte. Ein lahmer, verwachsener Knabe, er und seine Violine einen einzigen ununterscheidbaren Knäuel bildend, der endlos fortrollende Walzer mit all der hektischen Heftigkeit seiner verbildeten Brust herabspielte. Endlich – und er zog meine ganze Aufmerksamkeit auf sich – ein alter, leicht siebzigjähriger Mann in einem fadenscheinigen, aber nicht unreinlichen Moltonüberrock mit lächelnder, sich selbst Beifall gebender Miene. Barhäuptig und kahlköpfig stand er da, nach Art dieser Leute, den Hut als Sammelbüchse vor sich auf dem Boden, und so bearbeitete er eine alte, vielzersprungene Violine, wobei er den Takt nicht nur durch Aufheben und Niedersetzen des Fußes, sondern zugleich durch übereinstimmende Bewegung des ganzen gebückten Körpers markierte. Aber all diese Bemühung, Einheit in seine Leistung zu bringen, war fruchtlos; denn was er spielte, schien eine unzusammenhängende Folge von Tönen ohne Zeitmaß und Melodie. Dabei war er ganz in sein Werk vertieft: die Lippen zuckten, die Augen waren starr auf das vor ihm befindliche Notenblatt gerichtet – ja wahrhaftig Notenblatt! Denn indes alle andern ungleich mehr zu Dank spielenden Musiker sich auf ihr Gedächtnis verließen, hatte der alte Mann mitten in dem Gewühle ein kleines, leicht tragbares Pult vor sich hingestellt mit schmutzigen, zergriffenen Noten, die das in schönster Ordnung enthalten mochten, was er so außer allem Zusammenhange zu hören gab. Gerade das Ungewöhnliche dieser Ausrüstung hatte meine Aufmerksamkeit auf ihn gezogen, so wie es auch die Heiterkeit des vorüberwogenden Haufens erregte, der ihn auslachte und den zum Sammeln hingestellten Hut des alten Mannes leer ließ, indes das übrige Orchester ganze Kupferminen einsackte. Ich war, um das Original ungestört zu betrachten, in einiger Entfernung auf den Seitenabhang des Dammes getreten. Er spielte noch eine Weile fort. Endlich hielt er ein, blickte, wie aus einer langen Abwesenheit zu sich gekommen, nach dem Firmament, das schon die Spuren des nahenden Abends zu zeigen anfing; darauf abwärts in seinen Hut, fand ihn leer, setzte ihn mit ungetrübter Heiterkeit auf, steckte den Geigenbogen zwischen die Saiten; »Sunt certi denique fines«, sagte er, ergriff sein Notenpult und arbeitete sich mühsam durch die dem Feste zuströmende Menge in entgegengesetzter Richtung, als einer, der heimkehrt.

Das ganze Wesen des alten Mannes war eigentlich wie gemacht, um meinen anthropologischen Heißhunger aufs äußerste zu reizen. Die dürftige und doch edle Gestalt, seine unbesiegbare Heiterkeit, so viel Kunsteifer bei so viel Unbeholfenheit; daß er gerade zu einer Zeit heimkehrte, wo für andere seinesgleichen erst die eigentliche Ernte anging; endlich die wenigen, aber mit der richtigsten Betonung, mit völliger Geläufigkeit gesprochenen lateinischen Worte. Der Mann hatte also eine sorgfältigere Erziehung genossen, sich Kenntnisse eigen gemacht, und nun – ein Bettelmusikant! Ich zitterte vor Begierde nach dem Zusammenhange.

Aber schon befand sich ein dichter Menschenwall zwischen mir und ihm. Klein, wie er war, und durch das Notenpult in seiner Hand nach allen Seiten hin störend, schob ihn einer dem andern zu, und schon hatte ihn das Ausgangsgitter aufgenommen, indes ich noch in der Mitte des Dammes mit der entgegenströmenden Menschenmenge kämpfte. So entschwand er mir, und als ich endlich selbst ins ruhige Freie gelangte, war nach allen Seiten weit und breit kein Spielmann mehr zu sehen.

Das verfehlte Abenteuer hatte mir die Lust an dem Volksfest genommen. Ich durchstrich den Augarten nach allen Richtungen und beschloß endlich, nach Hause zu kehren.

In die Nähe des kleinen Türchens gekommen, das aus dem Augarten nach der Taborstraße führt, hörte ich plötzlich den bekannten Ton der alten Violine wieder. Ich verdoppelte meine Schritte, und siehe da! der Gegenstand meiner Neugier stand, aus Leibeskräften spielend, im Kreise einiger Knaben, die ungeduldig einen Walzer von ihm verlangten. »Einen Walzer spiel!« riefen sie; »einen Walzer, hörst du nicht?« Der Alte geigte fort, scheinbar ohne auf sie zu achten, bis ihn die kleine Zuhörerschar schmähend und spottend verließ, sich um einen Leiermann sammelnd, der seine Drehorgel in der Nähe aufgestellt hatte.

»Sie wollen nicht tanzen«, sagte wie betrübt der alte Mann, seine Musikgeräte zusammenlesend. Ich war ganz nahe zu ihm getreten. »Die Kinder kennen eben keinen andern Tanz als den Walzer«, sagte ich. – »Ich spielte einen Walzer«, versetzte er, mit dem Geigenbogen den Ort des soeben gespielten Stückes auf seinem Notenblatte bezeichnend.

»Man muß derlei auch führen, der Menge wegen. Aber die Kinder haben kein Ohr«, sagte er, indem er wehmütig den Kopf schüttelte. – »Lassen Sie mich wenigstens ihren Undank wieder gutmachen«, sprach ich, ein Silberstück aus der Tasche ziehend und ihm hinreichend. – »Bitte! bitte!« rief der alte Mann, wobei er mit beiden Händen ängstlich abwehrende Bewegungen machte, »in den Hut! in den Hut!« – Ich legte das Geldstück in den vor ihm stehenden Hut, aus dem es unmittelbar der Alte herausnahm und ganz zufrieden einsteckte. »Das heißt einmal mit reichem Gewinn nach Hause gehen«, sagte er schmunzelnd. – »Eben recht«, sprach ich, »erinnern Sie mich auf einen Umstand, der schon früher meine Neugier rege machte! Ihre heutige Einnahme scheint nicht die beste gewesen zu sein, und doch entfernen Sie sich in einem Augenblicke, wo eben die eigentliche Ernte angeht. Das Fest dauert, wissen Sie wohl, die ganze Nacht, und Sie könnten da leicht mehr gewinnen als an acht gewöhnlichen Tagen. Wie soll ich mir das erklären?«

»Wie Sie sich das erklären sollen?« versetzte der Alte. »Verzeihen Sie, ich weiß nicht, wer Sie sind, aber Sie müssen ein wohltätiger Herr sein und ein Freund der Musik«; dabei zog er das Silberstück noch einmal aus der Tasche und drückte es zwischen seine gegen die Brust gehobenen Hände. »Ich will Ihnen daher nur die Ursachen angeben, obgleich ich oft deshalb verlacht worden bin. Erstens war ich nie ein Nachtschwärmer und halte es auch nicht für recht, andere durch Spiel und Gesang zu einem solchen widerlichen Vergehen anzureizen; zweitens muß sich der Mensch in allen Dingen eine gewisse Ordnung festsetzen, sonst gerät er ins Wilde und Unaufhaltsame. Drittens endlich – Herr! ich spiele den ganzen Tag für die lärmenden Leute und gewinne kaum kärglich Brot dabei; aber der Abend gehört mir und meiner armen Kunst.«

»Abends halte ich mich zu Hause, und« – dabei ward seine Rede immer leiser, Röte überzog sein Gesicht, sein Auge suchte den Boden – »da spiele ich denn aus der Einbildung, so für mich ohne Noten. Phantasieren, glaub ich, heißt es in den Musikbüchern.«

Wir waren beide ganz stille geworden. Er, aus Beschämung über das verratene Geheimnis seines Innern; ich, voll Erstaunen, den Mann von den höchsten Stufen der Kunst sprechen zu hören, der nicht imstande war, den leichtesten Walzer faßbar wiederzugeben. Er bereitete sich indes zum Fortgehen.

»Wo wohnen Sie?« sagte ich. »Ich möchte wohl einmal Ihren einsamen Übungen beiwohnen.« – »Oh,« versetzte er fast flehend, »Sie wissen wohl, das Gebet gehört ins Kämmerlein.« – »So will ich Sie denn einmal am Tage besuchen«, sagte ich. – »Den Tag über«, erwiderte er, »gehe ich meinem Unterhalt bei den Leuten nach.« – »Also des Morgens denn.« – »Sieht es doch beinahe aus,« sagte der Alte lächelnd, »als ob Sie, verehrter Herr, der Beschenkte wären, und ich, wenn es mir erlaubt ist zu sagen, der Wohltäter; so freundlich sind Sie, und so widerwärtig ziehe ich mich zurück. Ihr vornehmer Besuch wird meiner Wohnung immer eine Ehre sein; nur bäte ich, daß Sie den Tag Ihrer Dahinkunft mir großgünstig im voraus bestimmten, damit weder Sie durch Ungehörigkeit aufgehalten, noch ich genötigt werde, ein zur Zeit etwa begonnenes Geschäft unziemlich zu unterbrechen. Mein Morgen nämlich hat auch seine Bestimmung. Ich halte es jedenfalls für meine Pflicht, meinen Gönnern und Wohltätern für ihr Geschenk eine nicht ganz unwürdige Gegengabe darzureichen. Ich will kein Bettler sein, verehrter Herr. Ich weiß wohl, daß die übrigen öffentlichen Musikleute sich damit begnügen, einige auswendig gelernte Gassenhauer, Deutschwalzer, ja wohl gar Melodien von unartigen Liedern, immer wieder von denselben anfangend, fort und fort herabzuspielen, so daß man ihnen gibt, um ihrer loszuwerden, oder weil ihr Spiel die Erinnerung genossener Tanzfreuden oder sonst unordentlicher Ergötzlichkeiten wieder lebendig macht. Daher spielen sie auch aus dem Gedächtnis und greifen falsch mitunter, ja häufig. Von mir aber sei fern, zu betrügen. Ich habe deshalb, teils weil mein Gedächtnis überhaupt nicht das beste ist, teils weil es für jeden schwierig sein dürfte, verwikkelte Zusammensetzungen geachteter Musikverfasser Note für Note bei sich zu behalten, diese Hefte mir selbst ins reine geschrieben.« Er zeigte dabei durchblätternd auf sein Musikbuch, in dem ich zu meinem Entsetzen mit sorgfältiger, aber widerlich steifer Schrift ungeheuer schwierige Kompositionen alter berühmter Meister, ganz schwarz von Passagen und Doppelgriffen, erblickte. Und derlei spielte der alte Mann mit seinen ungelenken Fingern! »Indem ich nun diese Stücke spiele,« fuhr er fort, »bezeige ich meine Verehrung den nach Stand und Würden geachteten, längst nicht mehr lebenden Meistern und Verfassern, tue mir selbst genug und lebe der angenehmen Hoffnung, daß die mir mildest gereichte Gabe nicht ohne Entgelt bleibt durch Veredlung des Geschmackes und Herzens der ohnehin von so viel Seiten gestörten und irregeleiteten Zuhörerschaft. Da derlei aber, auf daß ich bei meiner Rede bleibe« – und dabei überzog ein selbstgefälliges Lächeln seine Züge – »da derlei aber eingeübt sein will, sind meine Morgenstunden ausschließend diesem Exerzitium bestimmt. Die drei ersten Stunden des Tages der Übung, die

Mitte dem Broterwerb, und der Abend mir und dem lieben Gott, das heißt nicht unehrlich geteilt«, sagte er, und dabei glänzten seine Augen wie feucht; er lächelte aber.
»Gut denn,« sagte ich, »so werde ich Sie einmal morgens überraschen. Wo wohnen Sie?« Er nannte mir die Gärtnergasse. – »Hausnummer?« – »Nummer 34 im ersten Stocke.« – »In der Tat,« rief ich, »im Stockwerke der Vornehmen?« – »Das Haus«, sagte er, »hat zwar eigentlich nur ein Erdgeschoß; es ist aber oben neben der Bodenkammer noch ein kleines Zimmer, das bewohne ich gemeinschaftlich mit zwei Handwerksgesellen.« – »Ein Zimmer zu dreien?« – »Es ist abgeteilt,« sagte er, »und ich habe mein eigenes Bette.«
»Es wird spät,« sprach ich, »und Sie wollen nach Hause. Auf Wiedersehen denn!« und dabei fuhr ich in die Tasche, um das früher gereichte, gar zu kleine Geldgeschenk allenfalls zu verdoppeln. Er aber hatte mit der einen Hand das Notenpult, mit der andern seine Violine angefaßt und rief hastig: »Was ich devotest verbitten muß. Das Honorarium für mein Spiel ist mir bereits in Fülle zuteil geworden, eines andern Verdienstes aber bin ich mir zur Zeit nicht bewußt.« Dabei machte er mir mit einer Abart vornehmer Leichtigkeit einen ziemlich linkischen Kratzfuß und entfernte sich, so schnell ihn seine alten Beine trugen.
Ich hatte, wie gesagt, die Lust verloren, dem Volksfeste für diesen Tag länger beizuwohnen; ich ging daher heimwärts, den Weg nach der Leopoldstadt einschlagend, und von Staub und Hitze erschöpft, trat ich in einen der dortigen vielen Wirtsgärten, die, an gewöhnlichen Tagen überfüllt, heute ihre ganze Kundschaft der Brigittenau abgegeben hatten. Die Stille des Ortes, im Abstich der lärmenden Volksmenge, tat mir wohl, und mich verschiedenen Gedanken überlassend, an denen der alte Spielmann nicht den letzten Anteil hatte, war es völlig Nacht geworden, als ich endlich des Nachhausegehens gedachte, den Betrag meiner Rechnung auf den Tisch legte und der Stadt zuschritt.

In der Gärtnergasse, hatte der alte Mann gesagt, wohne er. »Ist hier in der Nähe eine Gärtnergasse?« fragte ich einen kleinen Jungen, der über den Weg lief. »Dort, Herr!« versetzte er, indem er auf eine Querstraße hinwies, die, von der Häusermasse der Vorstadt sich entfernend, gegen das freie Feld hinauslief. Ich folgte der Richtung. Die Straße bestand aus zerstreuten einzelnen Häusern, die, zwischen großen Küchengärten gelegen, die Beschäftigung der Bewohner und den Ursprung des Namens Gärtnergasse augenfällig darlegten. In welcher dieser elenden Hütten wohl mein Original wohnen mochte? Ich hatte die Hausnummer glücklich vergessen, auch war in der Dunkelheit an das Erkennen irgendeiner Bezeichnung kaum zu denken. Da schritt, auf mich zukommend, ein mit Küchengewächsen schwer beladener Mann an mir vorüber. »Kratzt der Alte einmal wieder«, brummte er, »und stört die ordentlichen Leute in ihrer Nachtruhe.« Zugleich, wie ich vorwärts ging, schlug der leise, langgehaltene Ton einer Violine an mein Ohr, der aus dem offenstehenden Bodenfenster eines wenig entfernten ärmlichen Hauses zu kommen schien, das niedrig und ohne Stockwerk wie die übrigen sich durch dieses in der Umgrenzung des Daches liegende Giebelfenster vor den andern auszeichnete. Ich stand stille. Ein leiser, aber bestimmt gegriffener Ton schwoll bis zur Heftigkeit, senkte sich, verklang, um gleich darauf wieder bis zum lautesten Gellen emporzusteigen, und zwar immer derselbe Ton mit einer Art genußreichem Daraufberuhen wiederholt. Endlich kam ein Intervall. Es war die Quarte. Hatte der Spieler sich vorher an dem Klange des einzelnen Tones geweidet, so war nun das gleichsam wollüstige Schmecken dieses harmonischen Verhältnisses noch ungleich fühlbarer. Sprungweise gegriffen, zugleich gestrichen, durch die dazwischenliegende Stufenreihe höchst holperig verbunden, die Terz markiert, wiederholt. Die Quinte daran gefügt, einmal mit zitterndem Klang wie ein stilles Weinen ausgehalten, verhallend, dann in wirbelnder

Schnelligkeit ewig wiederholt, immer diese selben Verhältnisse, die nämlichen Töne. – Und das nannte der alte Mann Phantasieren! – Obgleich es im Grunde allerdings ein Phantasieren war, für den Spieler nämlich, nur nicht auch für den Hörer.

Ich weiß nicht, wie lange das gedauert haben mochte und wie arg es geworden war, als plötzlich die Türe des Hauses aufging, ein Mann, nur mit dem Hemde und lose eingeknöpftem Beinkleide angetan, von der Schwelle bis in die Mitte der Straße trat und zu dem Giebelfenster emporrief: »Soll das heute einmal wieder gar kein Ende nehmen?« Der Ton der Stimme war dabei unwillig, aber nicht hart oder beleidigend. Die Violine verstummte, ehe die Rede noch zu Ende war. Der Mann ging ins Haus zurück, das Giebelfenster schloß sich, und bald herrschte eine durch nichts unterbrochene Totenstille um mich her. Ich trat, mühsam in den mir unbekannten Gassen mich zurechtfindend, den Heimweg an, wobei ich auch phantasierte, aber niemand störend, für mich, im Kopfe.

Die Morgenstunden haben für mich immer einen eigenen Wert gehabt. Es ist, als ob es mir Bedürfnis wäre, durch die Beschäftigung mit etwas Erhebendem, Bedeutendem in den ersten Stunden des Tages mir den Rest desselben gewissermaßen zu heiligen. Ich kann mich daher nur schwer entschließen, am frühen Morgen mein Zimmer zu verlassen, und wenn ich ohne vollgültige Ursache mich einmal dazu nötige, so habe ich für den übrigen Tag nur die Wahl zwischen gedankenloser Zerstreuung oder selbstquälerischem Trübsinn. So kam es, daß ich durch einige Tage den Besuch bei dem alten Manne, der verabredetermaßen in den Morgenstunden stattfinden sollte, verschob. Endlich ward die Ungeduld meiner Herr, und ich ging. Die Gärtnergasse war leicht gefunden, ebenso das Haus. Die Töne der Violine ließen sich auch diesmal hören, aber durch das geschlossene Fenster bis zum Ununterscheidbaren gedämpft. Ich trat ins

Haus. Eine vor Erstaunen halb sprachlose Gärtnersfrau wies mich eine Bodentreppe hinauf. Ich stand vor einer niedern und halb schließenden Türe, pochte, erhielt keine Antwort, drückte endlich die Klinke und trat ein. Ich befand mich in einer ziemlich geräumigen, sonst aber höchst elenden Kammer, deren Wände von allen Seiten den Umrissen des spitz zulaufenden Daches folgten. Hart neben der Türe ein schmutziges, widerlich verstörtes Bette, von allen Zutaten der Unordentlichkeit umgeben; mir gegenüber, hart neben dem schmalen Fenster, eine zweite Lagerstätte, dürftig, aber reinlich, und höchst sorgfältig gebettet und bedeckt. Am Fenster ein kleines Tischchen mit Notenpapier und Schreibgeräte, im Fenster ein paar Blumentöpfe. Die Mitte des Zimmers von Wand zu Wand war am Boden mit einem dicken Kreidenstriche bezeichnet, und man kann sich kaum einen grelleren Abstich von Schmutz und Reinlichkeit denken, als diesseits und jenseits der gezogenen Linie dieses Äquators einer Welt im kleinen herrschte.

Hart an dem Gleicher hatte der alte Mann sein Notenpult hingestellt und stand, völlig und sorgfältig gekleidet, davor und – exerzierte. Es ist schon bis zum Übelklang so viel von den Mißklängen meines, und ich fürchte beinahe, nur meines Lieblings die Rede gewesen, daß ich den Leser mit der Beschreibung dieses höllischen Konzertes verschonen will. Da die Übung größtenteils aus Passagen bestand, so war an ein Erkennen der gespielten Stücke nicht zu denken, was übrigens auch sonst nicht leicht gewesen sein möchte. Einige Zeit Zuhörens ließ mich endlich den Faden durch dieses Labyrinth erkennen, gleichsam die Methode in der Tollheit. Der Alte genoß, indem er spielte. Seine Auffassung unterschied hierbei aber schlechthin nur zweierlei, den Wohlklang und den Übelklang, von denen der erstere ihn erfreute, ja entzückte, indes er dem letztern, auch dem harmonisch begründeten, nach Möglichkeit aus dem Wege ging. Statt nun in einem Musikstücke nach Sinn und Rhythmus zu betonen, hob er heraus, verlängerte er die dem Gehör wohltuenden Noten und Intervalle, ja nahm keinen Anstand, sie willkürlich zu wiederholen, wobei sein Gesicht oft geradezu den Ausdruck der Verzückung annahm. Da er nun zugleich die Dissonanzen so kurz als möglich abtat, überdies die für ihn zu schweren Passagen, von denen er aus Gewissenhaftigkeit nicht eine Note fallen ließ, in einem gegen das Ganze viel zu langsamen Zeitmaß vortrug, so kann man sich wohl leicht eine Idee von der Verwirrung machen, die daraus hervorging. Mir ward es nachgerade selbst zuviel. Um ihn aus seiner Abwesenheit zurückzubringen, ließ ich absichtlich den Hut fallen, nachdem ich mehrere Mittel schon fruchtlos versucht hatte. Der alte Mann fuhr zusammen, seine Kniee zitterten, kaum konnte er die zum Boden gesenkte Violine halten. Ich trat hinzu. »Oh, Sie sinds, gnädiger Herr!« sagte er, gleichsam zu sich selbst kommend. »Ich hatte nicht auf Erfüllung Ihres hohen Versprechens gerechnet.« Er nötigte mich zu sitzen, räumte auf, legte hin, sah einigemal verlegen im Zimmer herum, ergriff dann plötzlich einen auf einem Tische neben der Stubentür stehenden Teller und ging mit demselben zu jener hinaus. Ich hörte ihn draußen mit der Gärtnersfrau sprechen. Bald darauf kam er wieder verlegen zur Türe herein, wobei er den Teller hinter dem Rücken verbarg und heimlich wieder hinstellte. Er hatte offenbar Obst verlangt, um mich zu bewirten, es aber nicht erhalten können. »Sie wohnen hier recht hübsch«, sagte ich, um seiner Verlegenheit ein Ende zu machen. – »Die Unordnung ist verwiesen. Sie nimmt ihren Rückzug durch die Türe, wenn sie auch derzeit noch nicht über die Schwelle ist. Meine Wohnung reicht nur bis zu dem Striche«, sagte der Alte, wobei er auf die Kreidenlinie in der Mitte des Zimmers zeigte. »Dort drüben wohnen zwei Handwerksgesellen.« – »Und respektieren diese Ihre Bezeichnung?« – »Sie nicht, aber ich«, sagte er. »Nur die Türe ist gemeinschaftlich.« – »Und werden Sie nicht gestört von Ihrer Nachbarschaft?« – »Kaum«, meinte er. »Sie kommen des Nachts spät nach Hause, und wenn sie mich da auch ein wenig im Bette aufschrecken, so ist dafür die Lust des Wiedereinschlafens um so größer. Des Morgens aber wecke *ich* sie, wenn ich mein Zimmer in Ordnung bringe. Da schelten sie wohl ein wenig und gehen.«

Ich hatte ihn währenddessen betrachtet. Er war höchst reinlich gekleidet, die Gestalt gut genug für seine Jahre, nur die Beine etwas zu kurz. Hand und Fuß von auffallender Zartheit. – »Sie sehen mich an«, sagte er, »und haben dabei Ihre Gedanken?« – »Daß ich nach Ihrer Geschichte lüstern bin«, versetzte ich. – »Geschichte?« wiederholte er. »Ich habe keine Geschichte. Heute wie gestern und morgen wie heute. Übermorgen freilich und weiter hinaus, wer kann das wissen? Doch Gott wird sorgen, der weiß es.« – »Ihr jetziges Leben mag wohl einförmig genug sein«, fuhr ich fort; »aber Ihre früheren Schicksale. Wie es sich fügte ...« – »Daß ich unter die Musikleute kam?« fiel er in die Pause ein, die ich unwillkürlich gemacht hatte. Ich erzählte ihm nun, wie er mir beim ersten Anblicke aufgefallen; den Eindruck, den die von ihm gesprochenen lateinischen Worte auf mich gemacht hätten. – »Lateinisch«, tönte er nach. »Lateinisch? das habe ich freilich auch einmal gelernt oder vielmehr, hätte es lernen sollen und können. Loqueris latine?« wandte er sich gegen mich, »aber ich könnte es nicht fortsetzen. Es ist gar zu lange her. Das also nennen Sie meine Geschichte? – Wie es kam? – Ja so! da ist denn freilich allerlei geschehen; nichts Besonderes, aber doch allerlei. Möchte ich mirs doch selbst einmal wieder erzählen. Ob ichs nicht gar vergessen habe. Es ist noch früh am Morgen«, fuhr er fort, wobei er in die Uhrtasche griff, in der sich freilich keine Uhr befand. – Ich zog die meine, es war kaum neun Uhr. – »Wir haben Zeit, und fast kommt mich die Lust zu schwatzen an.« Er war während des letzten zusehends ungezwungener geworden. Seine Gestalt verlängerte sich. Er nahm mir ohne zu große Umstände den Hut aus der Hand und legte ihn aufs Bette, schlug sitzend ein Bein über das

andere und nahm überhaupt die Lage eines mit Bequemlichkeit Erzählenden an.
»Sie haben« – hob er an – »ohne Zweifel von dem Horate ** gehört?« Hier nannte er den Namen eines Staatsmannes, der in der Hälfte des vorigen Jahrhunderts unter dem bescheidenen Titel eines Bureauchefs einen ungeheuren, beinahe ministerähnlichen Einfluß ausgeübt hatte. Ich bejahte meine Kenntnis des Mannes. »Er war mein Vater«, fuhr er fort. – Sein Vater? des alten Spielmanns? des Bettlers? Der Einflußreiche, der Mächtige sein Vater? Der Alte schien mein Erstaunen nicht zu bemerken, sondern spann, sichtbar vergnügt, den Faden seiner Erzählung weiter. »Ich war der mittlere von drei Brüdern, die in Staatsdiensten hoch hinauf kamen, nun aber schon beide tot sind; ich allein lebe noch«, sagte er und zupfte dabei an seinen fadenscheinigen Beinkleidern, mit niedergeschlagenen Augen einzelne Federchen davon herablesend. »Mein Vater war ehrgeizig und heftig. Meine Brüder taten ihm genug. Mich nannte man einen langsamen Kopf; und ich war langsam. Wenn ich mich recht erinnere,« sprach er weiter, und dabei senkte er, seitwärts gewandt, wie in eine weite Ferne hinausblickend, den Kopf gegen die unterstützende linke Hand – »wenn ich mich recht erinnere, so wäre ich wohl imstande gewesen, allerlei zu erlernen, wenn man mir nur Zeit und Ordnung gegönnt hätte. Meine Brüder sprangen wie Gemsen von Spitze zu Spitze in den Lehrgegenständen herum, ich konnte aber durchaus nichts hinter mir lassen, und wenn mir ein einziges Wort fehlte, mußte ich von vorne anfangen. So ward ich denn immer gedrängt. Das Neue sollte auf den Platz, den das Alte noch nicht verlassen hatte, und ich begann stockisch zu werden. So hatten sie mir die Musik, die jetzt die Freude und zugleich der Stab meines Lebens ist, geradezu verhaßt gemacht. Wenn ich abends im Zwielicht die Violine ergriff, um mich nach meiner Art ohne Noten zu vergnügen, nahmen sie mir das Instrument und sagten, das verdirbt die Applikatur,

klagten über Ohrenfolter und verwiesen mich auf die Lehrstunde, wo die Folter für mich anging. Ich habe zeitlebens nichts und niemand so gehaßt, als ich damals die Geige haßte.
Mein Vater, aufs äußerste unzufrieden, schalt mich häufig und drohte, mich zu einem Handwerke zu geben. Ich wagte nicht zu sagen, wie glücklich mich das gemacht hätte. Ein Drechsler oder Schriftsetzer wäre ich gar zu gerne gewesen. Er hätte es ja aber doch nicht zugelassen, aus Stolz. Endlich gab eine öffentliche Schulprüfung, der man, um ihn zu begütigen, meinen Vater beizuwohnen beredet hatte, den Ausschlag. Ein unredlicher Lehrer bestimmte im voraus, was er mich fragen werde, und so ging alles vortrefflich. Endlich aber fehlte mir, es waren auswendig zu sagende Verse des Horaz – ein Wort. Mein Lehrer, der kopfnickend und meinen Vater anlächelnd zugehört hatte, kam meinem Stocken zu Hilfe und flüsterte es mir zu. Ich aber, der das Wort in meinem Innern und im Zusammenhange mit dem übrigen suchte, hörte ihn nicht. Er wiederholte es mehrere Male; umsonst. Endlich verlor mein Vater die Geduld! Cachinnum! (so hieß das Wort) schrie er mir donnernd zu. Nun wars geschehen. Wußte ich das eine, so hatte ich dafür das übrige vergessen. Alle Mühe, mich auf die rechte Bahn zu bringen, war verloren. Ich mußte mit Schande aufstehen, und als ich, der Gewohnheit nach, hinging, meinem Vater die Hand zu küssen, stieß er mich zurück, erhob sich, machte der Versammlung eine kurze Verbeugung und ging. ›Ce gueux‹ schalt er mich, was ich damals nicht war, aber jetzt bin. Die Eltern prophezeien, wenn sie reden! Übrigens war mein Vater ein guter Mann. Nur heftig und ehrgeizig.
Von diesem Tage an sprach er kein Wort mehr mit mir. Seine Befehle kamen mir durch die Hausgenossen zu. So kündigte man mir gleich des nächsten Tages an, daß es mit meinen Studien ein Ende habe. Ich erschrak heftig, weil ich wußte, wie bitter es meinen Vater kränken mußte. Ich tat den ganzen

Tag nichts als weinen und dazwischen jene lateinischen Verse rezitieren, die ich nun aufs Und wußte, mit den vorhergehenden und nachfolgenden dazu. Ich versprach, durch Fleiß den Mangel an Talenten zu ersetzen, wenn man mich noch ferner die Schule besuchen ließe; mein Vater nahm aber nie einen Entschluß zurück.

Eine Weile blieb ich nun unbeschäftigt im väterlichen Hause. Endlich tat man mich versuchsweise zu einer Rechenbehörde. Rechnen war aber nie meine Stärke gewesen. Den Antrag, ins Militär zu treten, wies ich mit Abscheu zurück. Ich kann noch jetzt keine Uniform ohne innerlichen Schauder ansehen. Daß man werte Angehörige allenfalls auch mit Lebensgefahr schützt, ist wohl gut und begreiflich; aber Blutvergießen und Verstümmlung als Stand, als Beschäftigung: Nein! Nein! Nein!« Und dabei fuhr er mit beiden Händen über beide Arme, als fühlte er stechend eigene und fremde Wunden.

»Ich kam nun in die Kanzlei unter die Abschreiber. Da war ich recht an meinem Platze. Ich hatte immer das Schreiben mit Lust getrieben, und noch jetzt weiß ich mir keine angenehmere Unterhaltung, als mit guter Tinte auf gutem Papier Haar- und Schattenstriche aneinanderzufügen zu Worten oder auch nur zu Buchstaben. Musiknoten sind nun gar überaus schön. Damals dachte ich aber noch an keine Musik.

Ich war fleißig, nur aber zu ängstlich. Ein unrichtiges Unterscheidungszeichen, ein ausgelassenes Wort im Konzepte, wenn es sich auch aus dem Sinne ergänzen ließ, machte mir bittere Stunden. Im Zweifel, ob ich mich genau ans Original halten oder aus Eigenem beisetzen sollte, verging die Zeit angstvoll, und ich kam in den Ruf, nachlässig zu sein, indes ich mich im Dienst abquälte wie keiner. So brachte ich ein paar Jahre zu, und zwar ohne Gehalt, da, als die Reihe der Beförderung an mich kam, mein Vater im Rate einem andern seine Stimme gab und die übrigen ihm zufielen aus Ehrfurcht.

Um diese Zeit – Sieh nur,« unterbrach er sich, »es gibt denn doch eine Art Geschichte! Erzählen wir die Geschichte! Um diese Zeit ereigneten sich zwei Begebenheiten: die traurigste und die freudigste meines Lebens. Meine Entfernung aus dem väterlichen Hause nämlich und das Wiederkehren zur holden Tonkunst, zu meiner Violine, die mir treu geblieben ist bis auf diesen Tag.

Ich lebte in dem Hause meines Vaters, unbeachtet von den Hausgenossen, in einem Hinterstübchen, das in des Nachbars Hof hinausging. Anfangs aß ich am Familientische, wo niemand ein Wort an mich richtete. Als aber meine Brüder auswärts befördert wurden und mein Vater beinahe täglich zu Gast geladen war – die Mutter lebte seit lange nicht mehr –, fand man es unbequem, meinetwegen eine eigene Küche zu führen. Die Bedienten erhielten Kostgeld; ich auch, das man mir aber nicht auf die Hand gab, sondern monatweise im Speisehause bezahlte. Ich war daher wenig in meiner Stube, die Abendstunden ausgenommen; denn mein Vater verlangte, daß ich längstens eine halbe Stunde nach dem Schluß der Kanzlei zu Hause sein sollte. Da saß ich denn, und zwar, meiner schon damals angegriffenen Augen halber, in der Dämmerung ohne Licht. Ich dachte auf das und jenes und war nicht traurig und nicht froh.

Wenn ich nun so saß, hörte ich auf dem Nachbarshofe ein Lied singen. Mehrere Lieder heißt das, worunter mir aber eines vorzüglich gefiel. Es war so einfach, so rührend, und hatte den Nachdruck so auf der rechten Stelle, daß man die Worte gar nicht zu hören brauchte. Wie ich denn überhaupt glaube, die Worte verderben die Musik.« Nun öffnete er den Mund und brachte einige heisere, rauhe Töne hervor. »Ich habe von Natur keine Stimme«, sagte er und griff nach der Violine. Er spielte, und zwar diesmal mit richtigem Ausdrucke, die Melodie eines gemütlichen, übrigens gar nicht ausgezeichneten Liedes, wobei ihm die Finger auf den Saiten zitterten und endlich einzelne Tränen über die Backen liefen.

»Das war das Lied«, sagte er, die Violine hinlegend. »Ich

hörte es immer mit neuem Vergnügen. Sosehr es mir aber im Gedächtnis lebendig war, gelang es mir doch nie, mit der Stimme auch nur zwei Töne davon richtig zu treffen. Ich ward fast ungeduldig von Zuhören. Da fiel mir meine Geige in die Augen, die aus meiner Jugend her, wie ein altes Rüststück, ungebraucht an der Wand hing. Ich griff darnach, und – es mochte sie wohl der Bediente in meiner Abwesenheit benützt haben – sie fand sich richtig gestimmt. Als ich nun mit dem Bogen über die Saiten fuhr, Herr, da war es, als ob Gottes Finger mich angerührt hätte. Der Ton drang in mein Inneres hinein und aus dem Innern wieder heraus. Die Luft um mich war wie geschwängert mit Trunkenheit. Das Lied unten im Hofe und die Töne von meinen Fingern an mein Ohr, Mitbewohner meiner Einsamkeit. Ich fiel auf die Kniee und betete laut und konnte nicht begreifen, daß ich das holde Gotteswesen einmal gering geschätzt, ja gehaßt in meiner Kindheit, und küßte die Violine und drückte sie an mein Herz und spielte wieder und fort.

Das Lied im Hofe – es war eine Weibsperson, die sang – tönte derweile unausgesetzt; mit dem Nachspielen ging es aber nicht so leicht.

Ich hatte das Lied nämlich nicht in Noten. Auch merkte ich wohl, daß ich das Wenige der Geigenkunst, was ich etwa einmal wußte, so ziemlich vergessen hatte. Ich konnte daher nicht das und das, sondern nur überhaupt spielen. Obwohl mir das jeweilige Was der Musik, mit Ausnahme jenes Lieds, immer ziemlich gleichgültig war und auch geblieben ist bis zum heutigen Tag. Sie spielen den Wolfgang Amadeus Mozart und den Sebastian Bach, aber den lieben Gott spielt keiner. Die ewige Wohltat und Gnade des Tons und Klangs, seine wundertätige Übereinstimmung mit dem durstigen, zerlechzenden Ohr, daß« – fuhr er leiser und schamrot fort – »der dritte Ton zusammenstimmt mit dem ersten, und der fünfte desgleichen, und die nota sensibilis hinaufsteigt wie eine erfüllte Hoffnung, die Dissonanz herabgebeugt wird als wissentliche Bosheit oder vermessener Stolz, und die Wunder der Bindung und Umkehrung, wodurch auch die Sekunde zur Gnade gelangt in den Schoß des Wohlklangs. – Mir hat das alles, obwohl viel später, ein Musiker erklärt. Und, wovon ich aber nichts verstehe, die fuga und das punctum contra punctum und der canon a due, a tre und so fort, ein ganzes Himmelsgebäude, eines ins andere greifend, ohne Mörtel verbunden und gehalten von Gottes Hand. Davon will niemand etwas wissen bis auf wenige. Vielmehr stören sie dieses Ein- und Ausatmen der Seelen durch Hinzufügung allenfalls auch zu sprechender Worte, wie die Kinder Gottes sich verbanden mit den Töchtern der Erde, daß es hübsch angreife und eingreife in ein schwieliges Gemüt. Herr,« schloß er endlich halb erschöpft, »die Rede ist dem Menschen notwendig wie Speise, man sollte aber auch den Trank rein erhalten, der da kommt von Gott.«

Ich kannte meinen Mann beinahe nicht mehr, so lebhaft war er geworden. Er hielt ein wenig inne. »Wo blieb ich nur in meiner Geschichte?« sagte er endlich. »Ei ja, bei dem Liede und meinen Versuchen, es nachzuspielen. Es ging aber nicht. Ich trat ans Fenster, um besser zu hören. Da ging eben die Sängerin über den Hof. Ich sah sie nur von rückwärts, und doch kam sie mir bekannt vor. Sie trug einen Korb mit, wie es schien, noch ungebackenen Kuchenstücken. Sie trat in ein Pförtchen in der Ecke des Hofes, da wohl ein Backofen inne sein mochte, denn immer fortsingend, hörte ich mit hölzernen Geräten scharren, wobei die Stimme einmal dumpfer und einmal heller klang, wie eines, das sich bückt und in eine Höhlung hineinsingt, dann wieder erhebt und aufrecht dasteht. Nach einer Weile kam sie zurück, und nun merkte ich erst, warum sie mir vorher bekannt vorkam. Ich kannte sie nämlich wirklich seit längerer Zeit. Und zwar aus der Kanzlei.

Damit verhielt es sich so. Die Amtsstunden fingen früh an und währten über den Mittag hinaus. Mehrere von den jüngeren Beamten, die nun entweder wirklich Hunger fühlten oder eine halbe Stunde damit vor sich bringen wollten, pflegten gegen eilf Uhr eine Kleinigkeit zu sich zu nehmen. Die Gewerbsleute, die alles zu ihrem Vorteile zu benutzen wissen, ersparten den Leckermäulern den Weg und brachten ihre Feilschaften ins Amtsgebäude, wo sie sich auf Stiege und Gang damit hinstellten. Ein Bäcker verkaufte kleine Weißbrote, die Obstfrau Kirschen. Vor allem aber waren gewisse Kuchen beliebt, die eines benachbarten Grieslers Tochter selbst verfertigte und noch warm zu Markt brachte. Ihre Kunden traten zu ihr auf den Gang hinaus, und nur selten kam sie, gerufen, in die Amtsstube, wo dann der etwas grämliche Kanzleivorsteher, wenn er ihrer gewahr wurde, ebenso selten ermangelte, sie wieder zur Türe hinauszuweisen, ein Gebot, dem sie sich nur mit Groll und unwillige Worte murmelnd fügte.

Das Mädchen galt bei meinen Kameraden nicht für schön. Sie fanden sie zu klein, wußten die Farbe ihrer Haare nicht zu bestimmen. Daß sie Katzenaugen habe, bestritten einige, Pockengruben aber gaben alle zu. Nur von ihrem stämmigen Wuchs sprachen alle mit Beifall, schalten sie aber grob, und einer wußte viel von einer Ohrfeige zu erzählen, deren Spuren er noch acht Tage nachher gefühlt haben wollte.

Ich selbst gehörte nicht unter ihre Kunden. Teils fehlte mirs an Geld, teils habe ich Speise und Trank wohl immer – oft nur zu sehr – als ein Bedürfnis anerkennen müssen: Lust und Vergnügen darin zu suchen aber ist mir nie in den Sinn gekommen. Wir nahmen daher keine Notiz voneinander. Einmal nur, um mich zu necken, machten ihr meine Kameraden glauben, ich hätte nach ihren Eßwaren verlangt. Sie trat zu meinem Arbeitstisch und hielt mir ihren Korb hin. ›Ich kaufe nichts, liebe Jungfer‹, sagte ich. ›Nun, warum bestellen Sie dann die Leute?‹ rief sie zornig. Ich entschuldigte mich, und sowie ich die Schelmerei gleich weg hatte, erklärte ich ihrs aufs beste. ›Nun, so schenken Sie mir wenigstens einen Bogen Papier, um meine Kuchen darauf zu legen‹, sagte sie. Ich machte ihr begreiflich, daß das Kanzleipapier sei und nicht mir gehöre; zu Hause aber hätte ich welches, das mein wäre, davon wollt ich ihr bringen. ›Zu Hause habe ich selbst genug‹, sagte sie spöttisch und schlug eine kleine Lache auf, indem sie fortging.

Das war nur vor wenigen Tagen geschehen, und ich gedachte aus dieser Bekanntschaft sogleich Nutzen für meinen Wunsch zu ziehen. Ich knöpfte daher des andern Morgens ein ganzes Buch Papier, an dem es bei uns zu Hause nie fehlte, unter den Rock und ging auf die Kanzlei, wo ich, um mich nicht zu verraten, meinen Harnisch mit großer Unbequemlichkeit auf dem Leibe behielt, bis ich gegen Mittag aus dem Ein- und Ausgehen meiner Kameraden und dem Geräusch der kauenden Backen merkte, daß die Kuchenverkäuferin gekommen war, und glauben konnte, daß der Hauptandrang der Kunden vorüber sei. Dann ging ich hinaus, zog mein Papier hervor, nahm mir ein Herz und trat zu dem Mädchen hin, die, den Korb vor sich auf dem Boden und den rechten Fuß auf einen Schemel gestellt, auf dem sie gewöhnlich zu sitzen pflegte, dastand, leise summend und mit dem auf den Schemel gestützen Fuß den Takt dazu tretend. Sie maß mich vom Kopf bis zu den Füßen, als ich näher kam, was meine Verlegenheit vermehrte. ›Liebe Jungfer‹, fing ich endlich an, ›Sie haben neulich von mir Papier begehrt, als keines zur Hand war, das mir gehörte. Nun habe ich welches von Hause mitgebracht und . . .‹ damit hielt ich ihr mein Papier hin. ›Ich habe Ihnen schon neulich gesagt‹, erwiderte sie, ›daß ich selbst Papier zu Hause habe. Indes man kann alles brauchen.‹ Damit nahm sie mit einem leichten Kopfnicken mein Geschenk und legte es in den Korb. ›Von den Kuchen wollen Sie nicht?‹ sagte sie, unter ihren Waren herummusternd; ›auch ist das Beste schon fort.‹ Ich dankte, sagte aber, daß ich eine andere Bitte hätte. ›Nu, allenfalls?‹ sprach sie, mit dem Arm in die Handhabe des Korbes fahrend und aufgerichtet dastehend, wobei sie mich mit heftigen Augen anblitzte. Ich fiel rasch ein, daß ich ein Liebhaber der Tonkunst sei, obwohl erst seit kurzem; daß ich sie so schöne Lieder singen gehört, besonders eines. ›Sie? Mich? Lieder?‹ fuhr sie auf, ›und wo?‹ Ich erzählte ihr weiter, daß ich in ihrer Nachbarschaft wohne und sie auf dem Hofe bei der Arbeit belauscht hätte. Eines ihrer Lieder gefiele mir besonders, so daß ichs schon versucht hätte, auf der Violine nachzuspielen. ›Wären Sie etwa gar derselbe‹, rief sie aus, ›der so kratzt auf der Geige?‹ – Ich war damals, wie ich bereits sagte, nur Anfänger und habe erst später mit vieler Mühe die nötige Geläufigkeit in diese Finger gebracht«, unterbrach sich der alte Mann, wobei er mit der linken Hand, als einer, der geigt, in der Luft herumfingerte. »Mir war es«, setzte er seine Erzählung fort, »ganz heiß ins Gesicht gestiegen, und ich sah auch ihr an, daß das harte Wort sie gereute. ›Werte Jungfer‹, sagte ich, ›das Kratzen rührt von daher, daß ich das Lied nicht in Noten habe, weshalb ich auch höflichst um die Abschrift gebeten haben wollte.‹ – ›Um die Abschrift?‹ sagte sie. ›Das Lied ist gedruckt und wird an den Straßenecken verkauft.‹ ›Das Lied?‹ entgegnete ich. ›Das sind wohl nur die Worte.‹ – ›Nun ja, die Worte, das Lied.‹ – ›Aber der Ton, in dem mans singt.‹ – ›Schreibt man denn derlei auch auf?‹ fragte sie. – ›Freilich!‹ war meine Antwort, ›das ist ja eben die Hauptsache. Und wie haben denn Sie's erlernt, werte Jungfer?‹ – ›Ich hörte es singen, und da sang ichs nach.‹ – Ich erstaunte über das natürliche Ingenium, wie denn überhaupt die ungelernten Leute oft die meisten Talente haben. Es ist aber doch nicht das Rechte, die eigentliche Kunst. Ich war nun neuerdings in Verzweiflung. ›Aber welches Lied ist es denn eigentlich?‹ sagte sie. ›Ich weiß so viele.‹ – ›Alle ohne Noten?‹ – ›Nun freilich; also welches war es denn?‹ – ›Es ist gar so schön‹, erklärte ich mich. ›Steigt gleich anfangs in die Höhe, kehrt dann in sein Inwendiges zurück und hört ganz leise auf. Sie singens auch am öftesten.‹ – ›Ach, das wird wohl das sein!‹ sagte sie, setzte den Korb wieder ab, stellte den Fuß auf den Schemel und sang nun mit ganz leiser und doch klarer Stimme das Lied, wobei sie das Haupt duckte, so schön, so lieblich, daß, ehe sie noch zu Ende war, ich nach ihrer herabhängenden Hand fuhr. ›Oho!‹ sagte sie, den Arm zurückziehend, denn sie meinte wohl, ich wollte ihre Hand unziemlicherweise anfassen; aber nein, küssen wollte ich sie, obschon sie nur ein armes Mädchen war. – Nun, ich bin ja jetzt auch ein armer Mann.

Da ich nun vor Begierde, das Lied zu haben, mir in die Haare fuhr, tröstete sie mich und sagte: der Organist der Peterskirche käme öfter um Muskatnuß in ihres Vaters Gewölbe, den wolle sie bitten, alles auf Noten zu bringen. Ich könnte es nach ein paar Tagen dort abholen. Hierauf nahm sie ihren Korb und ging, wobei ich ihr das Geleite bis zur Stiege gab. Auf der obersten Stufe die letzte Verbeugung machend, überraschte mich der Kanzleivorsteher, der mich an meine Arbeit gehen hieß und auf das Mädchen schalt, an dem, wie er behauptete, kein gutes Haar sei. Ich war darüber heftig erzürnt und wollte ihm eben antworten, daß ich, mit seiner Erlaubnis, vom Gegenteil überzeugt sei, als ich bemerkte, daß er bereits in sein Zimmer zurückgegangen war, weshalb ich mich faßte und ebenfalls an meinen Schreibtisch ging. Doch ließ er sich seit dieser Zeit nicht nehmen, daß ich ein liederlicher Beamter und ein ausschweifender Mensch sei.

Ich konnte auch wirklich desselben und die darauffolgenden Tage kaum etwas Vernünftiges arbeiten, so ging mir das Lied im Kopfe herum, und ich war wie verloren. Ein paar Tage vergangen, wußte ich wieder nicht, ob es schon Zeit sei, die Noten abzuholen oder nicht. Der Organist, hatte das Mädchen gesagt, kam in ihres Vaters Laden, um Muskatnuß zu kaufen; die konnte er nur zu Bier gebrauchen. Nun war seit einiger Zeit kühles Wetter und daher wahrscheinlich, daß der wackere Tonkünstler sich eher an den Wein halten und daher so bald keiner Muskatnuß bedürfen werde. Zu schnell anfragen, schien mir unhöfliche Zudringlichkeit, allzu langes

Warten konnte für Gleichgültigkeit ausgelegt werden. Mit dem Mädchen auf dem Gange zu sprechen getraute ich mir nicht, da unsere erste Zusammenkunft bei meinen Kameraden ruchbar geworden war und sie vor Begierde brannten, mir einen Streich zu spielen.

Ich hatte inzwischen die Violine mit Eifer wieder aufgenommen und übte vorderhand das Fundament gründlich durch, erlaubte mir wohl auch von Zeit zu Zeit aus dem Kopfe zu spielen, wobei ich aber das Fenster sorgfältig schloß, da ich wußte, daß mein Vortrag mißfiel. Aber wenn ich das Fenster auch öffnete, bekam ich mein Lied doch nicht wieder zu hören. Die Nachbarin sang teils gar nicht, teils so leise und bei verschlossener Türe, daß ich nicht zwei Töne unterscheiden konnte.

Endlich – es waren ungefähr drei Wochen vergangen – vermochte ichs nicht mehr auszuhalten. Ich hatte zwar schon durch zwei Abende mich auf die Gasse gestohlen – und das ohne Hut, damit die Dienstleute glauben sollten, ich suchte nur nach etwas im Hause – sooft ich aber in die Nähe des Grieslerladens kam, überfiel mich ein so heftiges Zittern, daß ich umkehren mußte, ich mochte wollen oder nicht. Endlich aber – wie gesagt – konnte ichs nicht mehr aushalten. – Ich nahm mir ein Herz und ging eines Abends – auch diesmal ohne Hut – aus meinem Zimmer die Treppe hinab und festen Schrittes durch die Gasse bis zu dem Grieslerladen, wo ich vorderhand stehen blieb und überlegte, was weiter zu tun sei. Der Laden war erleuchtet, und ich hörte Stimmen darin. Nach einigem Zögern beugte ich mich vor und lugte von der Seite hinein. Ich sah das Mädchen hart vor dem Ladentische am Lichte sitzen und in einer hölzernen Mulde Erbsen oder Bohnen lesen. Vor ihr stand ein derber, rüstiger Mann, die Jacke über die Schulter gehängt, eine Art Knittel in der Hand, ungefähr wie ein Fleischhauer. Die beiden sprachen, offenbar in guter Stimmung; denn das Mädchen lachte einige Male laut auf, ohne sich aber in ihrer Arbeit zu unterbrechen oder auch nur aufzusehen. War es meine gezwungene, vorgebeugte Stellung oder sonst was immer, mein Zittern begann wiederzukommen, als ich mich plötzlich von rückwärts mit derber Hand angefaßt und nach vorwärts geschleppt fühlte. In einem Nu stand ich im Gewölbe, und als ich, losgelassen, mich umschaute, sah ich, daß es der Eigentümer selbst war, der, von auswärts nach Hause kehrend, mich auf der Lauer überrascht und als verdächtig angehalten hatte. ›Element!‹ schrie er, ›da sieht man, wo die Pflaumen hinkommen und die Handvoll Erbsen und Rollgerste, die im Dunkeln aus den Auslagkörben gemaust werden. Da soll ja gleich das Donnerwetter dreinschlagen.‹ Und damit ging er auf mich los, als ob er wirklich dreinschlagen wolle.

Ich war wie vernichtet, wurde aber durch den Gedanken, daß man an meiner Ehrlichkeit zweifle, bald wieder zu mir selbst gebracht. Ich verbeugte mich daher ganz kurz und sagte dem Unhöflichen, daß mein Besuch nicht seinen Pflaumen oder seiner Rollgerste, sondern seiner Tochter gelte. Da lachte der in der Mitte des Ladens stehende Fleischer laut auf und wendete sich zu gehen, nachdem er vorher dem Mädchen ein paar Worte leise zugeflüstert hatte, die sie gleichfalls lachend durch einen schallenden Schlag mit der flachen Hand auf seinen Rücken beantwortete. Der Griesler gab dem Weggehenden das Geleit zur Türe hinaus. Ich hatte derweil schon wieder all meinen Mut verloren und stand dem Mädchen gegenüber, die gleichgültig ihre Erbsen und Bohnen las, als ob das Ganze sie nichts anginge. Da polterte der Vater wieder zur Türe herein. ›Mordtausendelement noch einmal‹, sagte er, ›Herr, was solls mit meiner Tochter?‹ Ich versuchte ihm den Zusammenhang und den Grund meines Besuches zu erklären. ›Was Lied?‹ sagte er, ›ich will euch Lieder singen!‹ wobei er den rechten Arm sehr verdächtig auf und ab bewegte. – ›Dort liegt es‹, sprach das Mädchen, indem sie, ohne die Mulde mit Hülsenfrüchten wegzusetzen, sich samt dem Sessel seitwärts überbeugte und mit der Hand auf den Ladentisch hinwies. Ich eilte hin und sah ein Notenblatt liegen. Es war das Lied. Der Alte war mir aber zuvorgekommen. Er hielt das schöne Papier zerknitternd in der Hand. ›Ich frage‹, sagte er, ›was das abgibt? Wer ist der Mensch?‹ – ›Es ist ein Herr aus der Kanzlei‹, erwiderte sie, indem sie eine wurmstichige Erbse etwas weiter als die andern von sich warf. – ›Ein Herr aus der Kanzlei?‹ rief er, ›im Dunkeln, ohne Hut?‹ – Den Mangel des Hutes erklärte ich durch den Umstand, daß ich ganz in der Nähe wohnte, wobei ich das Haus bezeichnete. – ›Das Haus weiß ich!‹ rief er. ›Da wohnt niemand drinnen als der Hofrat **,‹ hier nannte er den Namen meines Vaters, ›und die Bedienten kenne ich alle.‹ – ›Ich bin der Sohn des Hofrats‹, sagte ich leise, als obs eine Lüge wäre. – Mir sind im Leben viele Veränderungen vorgekommen, aber noch keine so plötzliche, als bei diesen Worten in dem ganzen Wesen des Mannes vorging. Der zum Schmähen geöffnete Mund blieb offen stehen, die Augen drohten noch immer, aber um den untern Teil des Gesichtes fing an eine Art Lächeln zu spielen, das sich immer mehr Platz machte. Das Mädchen blieb in ihrer Gleichgültigkeit und gebückten Stellung, nur daß sie sich die losgegangenen Haare, fortarbeitend, hinter die Ohren zurückstrich. – ›Der Sohn des Herrn Hofrats?‹ schrie endlich der Alte, in dessen Gesichte die Aufheiterung vollkommen geworden war. ›Wollen Euer Gnaden sichs vielleicht bequem machen? Barbara, einen Stuhl!‹ Das Mädchen bewegte sich widerwillig auf dem ihren. – ›Nu, wart, Duckmauser!‹ sagte er, indem er selbst einen Korb von seinem Platze hob und den daruntergestellten Sessel mit dem Vortuche vom Staube reinigte. ›Hohe Ehre‹, fuhr er fort. ›Der Herr Hofrat – der Herr Sohn wollt ich sagen – praktizieren also auch die Musik? Singen vielleicht, wie meine Tochter, oder vielmehr ganz anders, nach Noten, nach der Kunst?‹ Ich erklärte ihm, daß ich von Natur keine Stimme hätte. – ›Oder schlagen Klavierzimbel, wie die vornehmen Leute zu tun pflegen?‹ – Ich sagte, daß ich die Geige spiele. – ›Habe auch in meiner Jugend gekratzt auf der Geige‹, rief er. Bei dem Worte ›kratzen‹ blickte ich unwillkürlich auf das Mädchen hin und sah, daß sie ganz spöttisch lächelte, was mich sehr verdroß.

›Sollten sich des Mädels annehmen, heißt das: in der Musik‹, fuhr er fort. ›Singt eine gute Stimme, hat auch sonst ihre Qualitäten, aber das Feine, lieber Gott, wo solls herkommen?‹, wobei er Daumen und Zeigefinger der rechten Hand wiederholt übereinanderschob. Ich war ganz beschämt, daß man mir unverdienterweise so bedeutende musikalische Kenntnisse zutraute, und wollte eben den wahren Stand der Sache auseinandersetzen, als ein außen Vorübergehender in den Laden hereinrief: ›Guten Abend alle miteinander!‹ Ich erschrak, denn es war die Stimme eines der Bedienten unseres Hauses. Auch der Griesler hatte sie erkannt. Die Spitze der Zunge vorschiebend und die Schulter emporgehoben, flüsterte er: ›Waren einer der Bedienten des gnädigen Papa. Konnten Sie aber nicht erkennnen, standen mit dem Rücken gegen die Türe.‹ Letzteres verhielt sich wirklich so. Aber das Gefühl des Heimlichen, Unrechten ergriff mich qualvoll. Ich stammelte nur ein paar Worte zum Abschied und ging. Ja selbst mein Lied hätte ich vergessen, wäre mir nicht der Alte auf die Straße nachgesprungen, wo er mirs in die Hand steckte.

So gelangte ich nach Hause, auf mein Zimmer, und wartete der Dinge, die da kommen sollten. Und sie blieben nicht aus. Der Bediente hatte mich dennoch erkannt. Ein paar Tage darauf trat der Sekretär meines Vaters zu mir auf die Stube und kündigte mir an, daß ich das elterliche Haus zu verlassen hätte. Alle meine Gegenreden waren fruchtlos. Man hatte mir in einer entfernten Vorstadt ein Kämmerchen gemietet, und so war ich denn ganz aus der Nähe der Angehörigen verbannt. Auch meine Sängerin bekam ich nicht mehr zu sehen. Man hatte ihr den Kuchenhandel auf der Kanzlei eingestellt, und ihres Vaters Laden zu betreten, konnte ich mich nicht entschließen, da ich wußte, daß es dem meinigen mißfiel. Ja,

als ich dem alten Griesler zufällig auf der Straße begegnete, wandte er sich mit einem grimmigen Gesichte von mir ab, und ich war wie niedergedonnert. Da holte ich denn, halbe Tage lang allein, meine Geige hervor und spielte und übte.
Es sollte aber noch schlimmer kommen. Das Glück unseres Hauses ging abwärts. Mein jüngster Bruder, ein eigenwilliger, ungestümer Mensch, Offizier bei den Dragonern, mußte eine unbesonnene Wette, infolge der er, vom Ritt erhitzt, mit Pferd und Rüstung durch die Donau schwamm – es war tief in Ungarn –, mit dem Leben bezahlen. Der ältere, geliebteste, war in der Provinz am Ratstisch angestellt. In immerwährender Widersetzlichkeit gegen seinen Landesvorgesetzten und, wie sie sagten, heimlich dazu von unserem Vater aufgemuntert, erlaubte er sich sogar unrichtige Angaben, um seinem Gegner zu schaden. Es kam zur Untersuchung, und mein Bruder ging heimlich aus dem Lande. Die Feinde unseres Vaters, deren viele waren, benützten den Anlaß, ihn zu stürzen. Von allen Seiten angegriffen und ohnehin ingrimmig über die Abnahme seines Einflusses, hielt er täglich die angreifendsten Reden in der Ratssitzung. Mitten in einer derselben traf ihn ein Schlagfluß. Er wurde sprachlos nach Hause gebracht. Ich selbst erfuhr nichts davon. Des andern Tages auf der Kanzlei bemerkte ich wohl, daß sie heimlich flüsterten und mit den Fingern nach mir wiesen. Ich war aber derlei schon gewohnt und hatte kein Arges. Freitags darauf – es war Mittwochs gewesen – wurde mir plötzlich ein schwarzer Anzug mit Flor auf die Stube gebracht. Ich erstaunte und fragte, und erfuhr. Mein Körper ist sonst stark und widerhältig, aber da fiels mich an mit Macht. Ich sank besinnungslos zu Boden. Sie trugen mich ins Bette, wo ich fieberte und irre sprach den Tag hindurch und die ganze Nacht. Des andern Morgens hatte die Natur die Oberhand gewonnen, aber mein Vater war tot und begraben.
Ich hatte ihn nicht mehr sprechen können; ihn nicht um Verzeihung bitten wegen all des Kummers, den ich ihm ge-

macht; nicht mehr danken für die unverdienten Gnaden – ja Gnaden! denn seine Meinung war gut, und ich hoffe ihn einst wiederzufinden, wo wir nach unsern Absichten gerichtet werden und nicht nach unsern Werken.

Ich blieb mehrere Tage auf meinem Zimmer, kaum daß ich Nahrung zu mir nahm. Endlich ging ich doch hervor, aber gleich nach Tische wieder nach Hause, und nur des Abends irrte ich in den dunklen Straßen umher wie Kain, der Brudermörder. Die väterliche Wohnung war mir dabei ein Schreckbild, dem ich sorgfältigst aus dem Wege ging. Einmal aber, gedankenlos vor mich hinstarrend, fand ich mich plötzlich in der Nähe des gefürchteten Hauses. Meine Kniee zitterten, daß ich mich anhalten mußte. Hinter mir an die Wand greifend, erkenne ich die Türe des Grieslerladens, und darin sitzend Barbara, einen Brief in der Hand, neben ihr das Licht auf dem Ladentische und hart dabei in aufrechter Stellung ihr Vater, der ihr zuzusprechen schien. Und wenn es mein Leben gegolten hätte, ich mußte eintreten. Niemanden zu haben, dem man sein Leid klagen kann, niemanden, der Mitleid fühlt! Der Alte, wußte ich wohl, war auf mich erzürnt, aber das Mädchen sollte mir ein gutes Wort geben. Doch kam es ganz entgegengesetzt. Barbara stand auf, als ich eintrat, warf mir einen hochmütigen Blick zu und ging in die Nebenkammer, deren Türe sie abschloß. Der Alte aber faßte mich bei der Hand, hieß mich niedersitzen, tröstete mich, meinte aber auch, ich sei nun ein reicher Mann und hätte mich um niemanden mehr zu kümmern. Er fragte, wieviel ich geerbt hätte. Ich wußte das nicht. Er forderte mich auf, zu den Gerichten zu gehen, was ich versprach. In den Kanzleien, meinte er, sei nichts zu machen. Ich sollte meine Erbschaft im Handel anlegen. Knoppern und Früchte würfen guten Profit ab; ein Kompagnon, der sich darauf verstände, könnte Groschen in Gulden verwandeln. Er selbst habe sich einmal viel damit abgegeben. Dabei rief er wiederholt nach dem Mädchen, die aber kein Lebenszeichen von sich gab. Doch schien mir, als ob ich an der Türe zuweilen rascheln hörte. Da sie aber immer nicht kam, und der Alte nur vom Gelde redete, empfahl ich mich endlich und ging, wobei der Mann bedauerte, mich nicht begleiten zu können, da er allein im Laden sei. Ich war traurig über meine verfehlte Hoffnung, und doch wunderbar getröstet. Als ich auf der Straße stehen blieb und nach dem Hause meines Vaters hinüberblickte, hörte ich plötzlich hinter mir eine Stimme, die gedämpft und im Tone des Unwillens sprach: ›Trauen Sie nicht gleich jedermann; man meint es nicht gut mit Ihnen.‹ So schnell ich mich umkehrte, sah ich doch niemand; nur das Klirren eines Fensters im Erdgeschosse, das zu des Grieslers Wohnung gehörte, belehrte mich, wenn ich auch die Stimme nicht erkannt hätte, daß Barbara die geheime Warnerin war. Sie hatte also doch gehört, was im Laden gesprochen worden. Wollte sie mich vor ihrem Vater warnen? oder war ihr zu Ohren gekommen, daß gleich nach meines Vaters Tode teils Kollegen aus der Kanzlei, teils andere ganz unbekannte Leute mich mit Bitten um Unterstützung und Nothilfe angegangen, ich auch zugesagt, wenn ich erst zu Geld kommen würde? Was einmal versprochen, mußte ich halten, in Zukunft aber beschloß ich, vorsichtiger zu sein. Ich meldete mich wegen meiner Erbschaft. Es war weniger, als man geglaubt hatte, aber doch sehr viel, nahe an eilftausend Gulden. Mein Zimmer wurde den ganzen Tag von Bittenden und Hilfesuchenden nicht leer. Ich war aber beinahe hart geworden und gab nur, wo die Not am größten war. Auch Barbaras Vater kam. Er schmähte, daß ich sie schon drei Tage nicht besucht, worauf ich der Wahrheit gemäß erwiderte, daß ich fürchte, seiner Tochter zur Last zu sein. Er aber sagte, das solle mich nicht kümmern, er habe ihr schon den Kopf zurechtgesetzt, wobei er auf eine boshafte Art lachte, so daß ich erschrak. Dadurch an Barbaras Warnung rückerinnert, verhehlte ich, als wir bald im Gespräche darauf kamen, den Betrag meiner Erbschaft; auch seinen Handelsvorschlägen wich ich geschickt aus.

Wirklich lagen mir bereits andere Aussichten im Kopfe. In

der Kanzlei, wo man mich nur meines Vaters wegen geduldet hatte, war mein Platz bereits durch einen andern besetzt, was mich, da kein Gehalt damit verbunden war, wenig kümmerte. Aber der Sekretär meines Vaters, der durch die letzten Ereignisse brotlos geworden, teilte mir den Plan zur Errichtung eines Auskunfts-, Kopier- und Übersetzungskontors mit, wozu ich die ersten Einrichtungskosten vorschießen sollte, indes er selbst die Direktion zu übernehmen bereit war. Auf mein Andringen wurden die Kopierarbeiten auch auf Musikalien ausgedehnt, und nun war ich in meinem Glücke. Ich gab das erforderliche Geld, ließ mir aber, schon vorsichtig geworden, eine Handschrift darüber ausstellen. Die Kaution für die Anstalt, die ich gleichfalls vorschoß, schien, obgleich beträchtlich, kaum der Rede wert, da sie bei den Gerichten hinterlegt werden mußte und dort mein blieb, als hätte ich sie in meinem Schranke.

Die Sache war abgetan, und ich fühlte mich erleichtert, erhoben, zum ersten Male in meinem Leben selbständig, ein Mann. Kaum daß ich meines Vaters noch gedachte. Ich bezog eine bessere Wohnung, änderte einiges in meiner Kleidung und ging, als es Abend geworden, durch wohlbekannte Straßen nach dem Grieslerladen, wobei ich mit den Füßen schlenkerte und mein Lied zwischen den Zähnen summte, obwohl nicht ganz richtig. Das B in der zweiten Hälfte habe ich mit der Stimme nie treffen können. Froh und guter Dinge langte ich an, aber ein eiskalter Blick Barbaras warf mich sogleich in meine frühere Zaghaftigkeit zurück. Der Vater empfing mich aufs beste; sie aber tat, als ob niemand zugegen wäre, fuhr fort Papiertüten zu wickeln und mischte sich mit keinem Worte in unser Gespräch. Nur als die Rede auf meine Erbschaft kam, fuhr sie mit halbem Leibe empor und sagte fast drohend: ›Vater!‹ worauf der Alte sogleich den Gegenstand änderte. Sonst sprach sie den ganzen Abend nichts, gab mir keinen zweiten Blick, und als ich mich endlich empfahl, klang ihr ›Guten Abend!‹ beinahe wie ein ›Gott sei Dank!‹

Aber ich kam wieder und wieder, und sie gab allmählich nach. Nicht als ob ich ihr irgend etwas zu Danke gemacht hätte. Sie schalt und tadelte mich unaufhörlich. Alles war ungeschickt; Gott hatte mir zwei linke Hände erschaffen; mein Rock saß wie an einer Vogelscheuche; ich ging wie die Enten, mit einer Anmahnung an den Haushahn. Besonders zuwider war ihr meine Höflichkeit gegen die Kunden. Da ich nämlich bis zur Eröffnung der Kopieranstalt ohne Beschäftigung war und überlegte, daß ich dort mit dem Publikum zu tun haben würde, so nahm ich, als Vorübung, an dem Kleinverkauf im Grieslergewölbe tätigen Anteil, was mich oft halbe Tage lang festhielt. Ich wog Gewürz ab, zählte den Knaben Nüsse und Welkpflaumen zu, gab klein Geld heraus; letzteres nicht ohne häufige Irrungen, wo denn immer Barbara dazwischenfuhr, gewalttätig wegnahm, was ich eben in den Händen hielt, und mich vor den Kunden verlachte und verspottete. Machte ich einem der Käufer einen Bückling oder empfahl mich ihnen, so sagte sie barsch, ehe die Leute noch zur Türe hinaus waren: ›Die Ware empfiehlt!‹ und kehrte mir den Rücken. Manchmal aber wieder war sie ganz Güte. Sie hörte mir zu, wenn ich erzählte, was in der Stadt vorging; aus meinen Kinderjahren; von dem Beamtenwesen in der Kanzlei, wo wir uns zuerst kennen gelernt. Dabei ließ sie mich aber immer allein sprechen und gab nur durch einzelne Worte ihre Billigung oder – was öfter der Fall war – ihre Mißbilligung zu erkennen.

Von Musik oder Gesang war nie die Rede. Erstlich, meinte sie, man müsse entweder singen oder das Maul halten, zu reden sei da nichts. Das Singen selbst aber ging nicht an. Im Laden war es unziemlich, und die Hinterstube, die sie und ihr Vater gemeinschaftlich bewohnten, durfte ich nicht betreten. Einmal aber, als ich unbemerkt zur Türe hereintrat, stand sie auf den Zehenspitzen emporgerichtet, den Rücken mir zugekehrt, und mit den erhobenen Händen, wie man nach etwas sucht, auf einem der höheren Stellbretter herumtastend. Und dabei sang sie leise in sich hinein. – Es war das Lied, mein Lied! – Sie aber zwitscherte wie eine Grasmücke, die am Bache das Hälslein wäscht und das Köpfchen herumwirft und die Federn sträubt und wieder glättet mit dem Schnäblein. Mir war, als ginge ich auf grünen Wiesen. Ich schlich näher und näher und war schon so nahe, daß das Lied nicht mehr von außen, daß es aus mir herauszutönen schien, ein Gesang der Seelen. Da konnte ich mich nicht mehr halten und faßte mit beiden Händen ihren in der Mitte nach vorn strebenden und mit den Schultern gegen mich gesenkten Leib. Da aber kams. Sie wirbelte wie ein Kreisel um sich selbst. Glutrot vor Zorn im Gesichte stand sie vor mir da; ihre Hand zuckte, und ehe ich mich entschuldigen konnte –

Sie hatten, wie ich schon früher berichtet, auf der Kanzlei öfter von einer Ohrfeige erzählt, die Barbara, noch als Kuchenhändlerin, einem Zudringlichen gegeben. Was sie da sagten von der Stärke des eher klein zu nennenden Mädchens und der Schwungkraft ihrer Hand, schien höchlich und zum Scherze übertrieben. Es verhielt sich aber wirklich so und ging ins Riesenhafte. Ich stand wie vom Donner getroffen. Die Lichter tanzten mir vor den Augen. – Aber es waren Himmelslichter: wie Sonne, Mond und Sterne; wie die Engelein, die Versteckens spielen und dazu singen. Ich hatte Erscheinungen, ich war verzückt. Sie aber, kaum minder erschrocken als ich, fuhr mit ihrer Hand wie begütigend über die geschlagene Stelle. ›Es mag wohl zu stark ausgefallen sein‹, sagte sie, und – wie ein zweiter Blitzstrahl – fühlte ich plötzlich ihren warmen Atem auf meiner Wange und ihre zwei Lippen, und sie küßte mich; nur leicht, leicht; aber es war ein Kuß auf diese meine Wange, hier!« Dabei klatschte der alte Mann auf seine Backe, und die Tränen traten ihm aus den Augen. »Was nun weiter geschah, weiß ich nicht«, fuhr er fort. »Nur daß ich auf sie losstürzte und sie in die Wohnstube lief und die Glastüre zuhielt, während ich von der andern Seite nachdrängte. Wie sie nun zusammengekrümmt und mit aller Wucht sich entgegenstemmend gleichsam an dem Türfenster klebte, nahm ich mir ein Herz, verehrtester Herr, und gab ihr ihren Kuß heftig zurück durch das Glas. ›Oho, hier gehts lustig her!‹ hörte ich hinter mir rufen. Es war der Griesler, der eben nach Hause kam. ›Nu, was sich neckt...‹ sagte er. ›Komm nur heraus, Bärbe, und mach keine Dummheiten! Einen Kuß in Ehren kann niemand wehren.‹ – Sie aber kam nicht. Ich selbst entfernte mich nach einigen halb bewußtlos gestotterten Worten, wobei ich den Hut des Grieslers statt des meinigen nahm, den er lachend mir in der Hand austauschte. Das war, wie ich ihn schon früher nannte, der Glückstag meines Lebens. Fast hätte ich gesagt: der einzige, was aber nicht wahr wäre, denn der Mensch hat viele Gnaden von Gott.

Ich wußte nicht recht, wie ich im Sinne des Mädchens stand. Sollte ich sie mir mehr erzürnt oder mehr begütigt denken? Der nächste Besuch kostete einen schweren Entschluß. Aber sie war gut. Demütig und still, nicht auffahrend, wie sonst, saß sie da bei einer Arbeit. Sie winkte mit dem Kopfe auf einen nebenstehenden Schemel, daß ich mich setzen und ihr helfen sollte. So saßen wir denn und arbeiteten. Der Alte wollte hinausgehen. ›Bleibt doch da, Vater‹, sagte sie; ›was Ihr besorgen wollt, ist schon abgetan.‹ Er trat mit dem Fuße hart auf den Boden und blieb. Ab- und zugehend sprach er von diesem und jenem, ohne daß ich mich in das Gespräch zu mischen wagte. Da stieß das Mädchen plötzlich einen kleinen Schrei aus. Sie hatte sich beim Arbeiten einen Finger geritzt, und obgleich sonst gar nicht weichlich, schlenkerte sie mit der Hand hin und her. Ich wollte zusehen, aber sie bedeutete mich fortzufahren. ›Alfanzerei und kein Ende!‹ brummte der Alte, und vor das Mädchen hintretend, sagte er mit starker Simme: ›Was zu besorgen war, ist noch gar nicht getan!‹ und so ging er schallenden Trittes zur Türe hinaus. Ich wollte nun anfangen, mich von gestern her zu entschuldigen; sie aber unterbrach mich und sagte: ›Lassen wir das, und sprechen wir jetzt von gescheitern Dingen.‹

Sie hob den Kopf empor, maß mich vom Scheitel bis zur Zehe und fuhr in ruhigem Tone fort: ›Ich weiß kaum selbst mehr den Anfang unserer Bekanntschaft; aber Sie kommen seit einiger Zeit öfter und öfter, und wir haben uns an Sie gewöhnt. Ein ehrliches Gemüt wird Ihnen niemand abstreiten; aber Sie sind schwach, immer auf Nebendinge gerichtet, so daß Sie kaum imstande wären, Ihren eigenen Sachen selbst vorzustehen. Da wird es denn Pflicht und Schuldigkeit von Freunden und Bekannten, ein Einsehen zu haben, damit Sie nicht zu Schaden kommen. Sie versitzen hier halbe Tage im Laden, zählen und wägen, messen und markten, aber dabei kommt nichts heraus. Was gedenken Sie in Zukunft zu tun, um Ihr Fortkommen zu haben?‹ Ich erwähnte der Erbschaft meines Vaters. ›Die mag recht groß sein‹, sagte sie. Ich nannte den Betrag. ›Das ist viel und wenig‹, erwiderte sie. ›Viel, um etwas damit anzufangen; wenig, um vom Breiten zu zehren. Mein Vater hat Ihnen zwar einen Vorschlag getan; ich riet Ihnen aber ab. Denn einmal hat er schon selbst Geld bei derlei Dingen verloren; dann‹, setzte sie mit gedämpfter Stimme hinzu, ›ist er so gewohnt, von Fremden Gewinn zu ziehen, daß er es Freunden vielleicht auch nicht besser machen würde. Sie müssen jemand an der Seite haben, der es ehrlich meint.‹ – Ich wies auf sie. ›Ehrlich bin ich‹, sagte sie. Dabei legte sie die Hand auf die Brust, und ihre Augen, die sonst ins Graulichte spielten, glänzten hellblau, himmelblau. ›Aber mit mir hats eigene Wege. Unser Geschäft wirft wenig ab, und mein Vater geht mit dem Gedanken um, einen Schenkladen aufzurichten. Da ist denn kein Platz für mich. Mir bliebe nur Handarbeit, denn dienen mag ich nicht.‹ Und dabei sah sie aus wie eine Königin. ›Man hat mir zwar einen andern Antrag gemacht‹, fuhr sie fort, indem sie einen Brief aus ihrer Schürze zog und halb widerwillig auf den Ladentisch warf; ›aber da müßte ich fort von hier.‹ – ›Und weit?‹ fragte ich. – ›Warum? was kümmert Sie das?‹ – Ich erklärte, daß ich an denselben Ort hinziehen wollte. – ›Sind Sie ein Kind!‹

sagte sie. Das ginge nicht an und wären ganz andere Dinge. ›Aber wenn Sie Vertrauen zu mir haben und gerne in meiner Nähe sind, so bringen Sie den Putzladen an sich, der hier nebenan zu Verkauf steht. Ich verstehe das Werk, und um den bürgerlichen Gewinn aus Ihrem Gelde dürften Sie nicht verlegen sein. Auch fänden Sie selbst mit Rechnen und Schreiben eine ordentliche Beschäftigung. Was sich etwa noch weiter ergäbe, davon wollen wir jetzt nicht reden. – Aber ändern müßten Sie sich! Ich hasse die weibischen Männer.‹
Ich war aufgesprungen und griff nach meinem Hute. ›Was ist? wo wollen Sie hin?‹ fragte sie. – ›Alles abbestellen‹, sagte ich mit kurzem Atem. – ›Was denn?‹ – Ich erzählte ihr nun meinen Plan zur Errichtung eines Schreib- und Auskunftskontors. – ›Da kommt nicht viel heraus‹, meinte sie. ›Auskunft einziehen kann ein jeder selbst, und schreiben hat auch ein jeder gelernt in der Schule.‹ – Ich bemerkte, daß auch Musikalien kopiert werden sollten, was nicht jedermanns Sache sei. – ›Kommen sie schon wieder mit solchen Albernheiten?‹ fuhr sie mich an. ›Lassen Sie das Musizieren und denken Sie auf die Notwendigkeit! Auch wären Sie nicht imstande, einem Geschäfte selbst vorzustehen.‹ – Ich erklärte, daß ich einen Kompagnon gefunden hätte. – ›Einen Kompagnon?‹ rief sie aus. ›Da will man Sie gewiß betrügen! Sie haben doch noch kein Geld hergegeben? – Ich zitterte, ohne zu wissen, warum. – ›Haben Sie Geld gegeben?‹ fragte sie noch einmal. – Ich gestand die dreitausend Gulden zur ersten Einrichtung. – ›Dreitausend Gulden?‹ rief sie, ›so vieles Geld!‹ – ›Das übrige‹, fuhr ich fort, ›ist bei den Gerichten hinterlegt und jedenfalls sicher.‹ – ›Also noch mehr?‹ schrie sie auf. – Ich gab den Betrag der Kaution an. – ›Und haben Sie die selbst bei den Gerichten angelegt?‹ – Es war durch meinen Kompagnon geschehen. – ›Sie haben doch einen Schein darüber?‹ – Ich hatte keinen Schein. – ›Und wie heißt Ihr sauberer Kompagnon?‹ fragte sie weiter. – Ich war einigermaßen beruhigt, ihr den Sekretär meines Vaters nennen zu können.

›Gott der Gerechte!‹ rief sie aufspringend und die Hände zusammenschlagend. ›Vater! Vater!‹ – Der Alte trat herein. – ›Was habt Ihr heute aus den Zeitungen gelesen?‹ – ›Von dem Sekretarius?‹ sprach er. – ›Wohl, wohl!‹ – ›Nun, der ist durchgegangen, hat Schulden über Schulden hinterlassen und die Leute betrogen. Sie verfolgen ihn mit Steckbriefen!‹ – ›Vater‹, rief sie, ›er hat ihm auch sein Geld anvertraut. Er ist zugrunde gerichtet.‹ – ›Potz Dummköpfe und kein Ende!‹ schrie der Alte. ›Hab ichs nicht immer gesagt? Aber das war ein Entschuldigen. Einmal lachte sie über ihn, dann war er wieder ein redliches Gemüt. Aber ich will dazwischenfahren! Ich will zeigen, wer Herr im Hause ist. Du, Barbara, marsch hinein in die Kammer! Sie aber, Herr, machen Sie, daß Sie fortkommen, und verschonen uns künftig mit Ihren Besuchen. Hier wird kein Almosen gereicht.‹ –›Vater‹, sagte das Mädchen, ›seid nicht hart gegen ihn, er ist ja doch unglücklich genug.‹ – ›Eben darum‹, rief der Alte, ›will ichs nicht auch werden. Das, Herr,‹ fuhr er fort, indem er auf den Brief zeigte, den Barbara vorher auf den Tisch geworfen hatte, ›das ist ein Mann! Hat Grütz im Kopfe und Geld im Sack. Betrügt niemanden, läßt sich aber auch nicht betrügen; und das ist die Hauptsache bei der Ehrlichkeit.‹ – Ich stotterte, daß der Verlust der Kaution noch nicht gewiß sei. – ›Ja‹, rief er, ›wird ein Narr gewesen sein, der Sekretarius! Ein Schelm ist er, aber pfiffig. Und nun gehen Sie nur rasch, vielleicht holen Sie ihn noch ein!‹ Dabei hatte er mir die flache Hand auf die Schulter gelegt und schob mich gegen die Türe. Ich wich dem Drucke seitwärts aus und wendete mich gegen das Mädchen, die, auf den Ladentisch gestützt, dastand, die Augen auf den Boden gerichtet, wobei die Brust heftig auf und nieder ging. Ich wollte mich ihr nähern, aber sie stieß zornig mit dem Fuße auf den Boden, und als ich meine Hand ausstreckte, zuckte sie mit der ihren halb empor, als ob sie mich wieder schlagen wollte. Da ging ich, und der Alte schloß die Türe hinter mir zu.

Ich wankte durch die Straßen zum Tor hinaus, ins Feld. Manchmal fiel mich die Verzweiflung an, dann kam aber wieder Hoffnung. Ich erinnerte mich, bei Anlegung der Kaution den Sekretär zum Handelsgericht begleitet zu haben. Dort hatte ich unter dem Torwege gewartet, und er war allein hinaufgegangen. Als er herabkam, sagte er, alles sei berichtigt, der Empfangsschein werde mir ins Haus geschickt werden. Letzteres war freilich nicht geschehen, aber Möglichkeit blieb noch immer. Mit anbrechendem Tage kam ich zur Stadt zurück. Mein erster Gang war in die Wohnung des Sekretärs. Aber die Leute lachten und fragten, ob ich die Zeitungen nicht gelesen hätte. Das Handelsgericht lag nur wenige Häuser davon ab. Ich ließ in den Büchern nachschlagen, aber weder sein Name noch meiner kamen darin vor. Von einer Einzahlung keine Spur. So war denn mein Unglück gewiß. Ja, beinahe wäre es noch schlimmer gekommen. Denn da ein Gesellschaftskontrakt bestand, wollten mehrere seiner Gläubiger auf meine Person greifen. Aber die Gerichte gaben es nicht zu. Lob und Dank sei ihnen dafür gesagt! obwohl es auf eines herausgekommen wäre.

In all diesen Widerwärtigkeiten war mir, gestehe ichs nur, der Griesler und seine Tochter ganz in den Hintergrund getreten. Nun, da es ruhiger wurde und ich anfing zu überlegen, was etwa weiter geschehen sollte, kam mir die Erinnerung an den letzten Abend lebhaft zurück. Den Alten, eigennützig, wie er war, begriff ich ganz wohl; aber das Mädchen! Manchmal kam mir in den Sinn, daß, wenn ich das Meinige zu Rate gehalten und ihr eine Versorgung hätte anbieten können, sie wohl gar –. Aber sie hätte mich nicht gemocht.« – Dabei besah er mit auseinanderfallenden Händen seine ganze dürftige Gestalt. – »Auch war ihr mein höfliches Benehmen gegen jedermann immer zuwider.

So verbrachte ich ganze Tage, sann und überlegte. Eines Abends im Zwielicht – es war die Zeit, die ich gewöhnlich im Laden zuzubringen pflegte – saß ich wieder und versetzte mich in Gedanken an die gewohnte Stelle. Ich hörte sie sprechen, auf mich schmähen, ja es schien, sie verlachten mich. Da raschelte es plötzlich an der Türe, sie ging auf, und ein Frauenzimmer trat herein. – Es war Barbara. – Ich saß auf meinem Stuhl angenagelt, als ob ich ein Gespenst sähe. Sie war blaß und trug ein Bündel unter dem Arme. In die Mitte des Zimmers gekommen, blieb sie stehen, sah rings an den kahlen Wänden umher, dann nach abwärts auf das ärmliche Geräte und seufzte tief. Dann ging sie an den Schrank, der zur Seite an der Mauer stand, wickelte ihr Paket auseinander, das einige Hemden und Tücher enthielt – sie hatte in der letzten Zeit meine Wäsche besorgt –, zog die Schublade heraus, schlug die Hände zusammen, als sie den spärlichen Inhalt sah, fing aber gleich darauf an, die Wäsche in Ordnung zu bringen und die mitgebrachten Stücke einzureihen. Darauf trat sie ein paar Schritte vom Schranke hinweg, und die Augen auf mich gerichtet, wobei sie mit dem Finger auf die offene Schublade zeigte, sagte sie: ›Fünf Hemden und drei Tücher. So viel habe ich gehabt, so viel bringe ich zurück.‹ Dann drückte sie langsam die Schublade zu, stützte sich mit der Hand auf den Schrank und fing laut an zu weinen. Es schien fast, als ob ihr schlimm würde, denn sie setzte sich auf einen Stuhl neben dem Schranke, verbarg das Gesicht in ihr Tuch, und ich hörte aus den stoßweise geholten Atemzügen, daß sie noch immer fortweinte. Ich war leise in ihre Nähe getreten und faßte ihre Hand, die sie mir gutwillig ließ. Als ich aber, um ihre Blicke auf mich zu ziehen, an dem schlaff hängenden Arme bis zum Ellenbogen emporrückte, stand sie rasch auf, machte ihre Hand los und sagte in gefaßtem Tone: ›Was nützt das alles? es ist nun einmal so. Sie haben es selbst gewollt, sich und uns haben Sie unglücklich gemacht; aber freilich sich selbst am meisten. Eigentlich verdienen Sie kein Mitleid‹ – hier wurde sie immer heftiger – ›wenn man so schwach ist, seine eigenen Sachen nicht in Ordnung halten zu können; so leichtgläubig, daß man jedem traut, gleichviel, ob es ein Spitzbube ist oder ein ehrlicher Mann. – Und doch tuts mir leid um Sie. Ich bin gekommen, um Abschied zu nehmen. Ja, erschrecken Sie nur. Ists doch Ihr Werk. Ich muß nun hinaus unter die groben Leute, wogegen ich mich so lange gesträubt habe. Aber da ist kein Mittel. Die Hand habe ich Ihnen schon gegeben, und so leben Sie wohl – für immer.‹ Ich sah, daß ihr die Tränen wieder ins Auge traten, aber sie schüttelte unwillig mit dem Kopfe und ging. Mir war, als hätte ich Blei in den Gliedern. Gegen die Türe gekommen, wendete sie sich noch einmal um und sagte: ›Die Wäsche ist jetzt in Ordnung. Sehen Sie zu, daß nichts abgeht! Es werden harte Zeiten kommen.‹ Und nun hob sie die Hand auf, machte wie ein Kreuzeszeichen in die Luft und rief: ›Gott mit dir, Jakob! – In alle Ewigkeit, Amen!‹ setzte sie leiser hinzu und ging.

Nun erst kam mir der Gebrauch meiner Glieder zurück. Ich eilte ihr nach, und auf dem Treppenabsatze stehend, rief ich ihr nach: ›Barbara!‹ Ich hörte, daß sie auf der Stiege stehen blieb. Wie ich aber die erste Stufe hinabstieg, sprach sie von unten herauf: ›Bleiben Sie!‹ und ging die Treppe vollends hinab und zum Tore hinaus.

Ich habe seitdem harte Tage erlebt, keinen aber wie diesen; selbst der darauffolgende war es minder. Ich wußte nämlich doch nicht so recht, wie ich daran war, und schlich daher am kommenden Morgen in der Nähe des Grieslerladens herum, ob mir vielleicht einige Aufklärung würde. Da sich aber nichts zeigte, blickte ich endlich seitwärts in den Laden hinein und sah eine fremde Frau, die abwog und Geld herausgab und zuzählte. Ich wagte mich hinein und fragte, ob sie den Laden an sich gekauft hätte?‹ – ›Zur Zeit noch nicht‹, sagte sie. – Und wo die Eigentümer wären? – ›Die sind heute frühmorgens nach Langenlebarn gereist.‹ – ›Die Tochter auch?‹ stammelte ich. – ›Nun freilich auch‹, sagte sie, ›sie macht ja Hochzeit dort.‹

Die Frau mochte mir nun alles erzählt haben, was ich in der Folge von andern Leuten erfuhr. Der Fleischer des genannten

Ortes nämlich – derselbe, den ich zur Zeit meines ersten Besuches im Laden antraf – hatte dem Mädchen seit lange Heiratsanträge gemacht, denen sie immer auswich, bis sie endlich in den letzten Tagen, von ihrem Vater gedrängt und an allem übrigen verzweifelnd, einwilligte. Desselben Morgens waren Vater und Tochter dahin abgereist, und in dem Augenblick, da wir sprachen, war Barbara des Fleischers Frau.

Die Verkäuferin mochte mir, wie gesagt, das alles erzählt haben, aber ich hörte nicht und stand regungslos, bis endlich Kunden kamen, die mich zur Seite schoben, und die Frau mich anfuhr, ob ich noch sonst etwas wollte, worauf ich mich entfernte.

Sie werden glauben, verehrtester Herr,« fuhr er fort, »daß ich mich nun als den unglücklichsten aller Menschen fühlte. Und so war es auch im ersten Augenblicke. Als ich aber aus dem Laden heraustrat und, mich umwendend, auf die kleinen Fenster zurückblickte, an denen Barbara gewiß oft gestanden und herausgesehen hatte, da kam eine selige Empfindung über mich. Daß sie nun alles Kummers los war, Frau im eigenen Hause, und nicht nötig hatte, wie wenn sie ihre Tage an einen Herd- und Heimatlosen geknüpft hätte, Kummer und Elend zu tragen, das legte sich wie ein lindernder Balsam auf meine Brust, und ich segnete sie und ihre Wege.

Wie es nun mit mir immer mehr herabkam, beschloß ich, durch Musik mein Fortkommen zu suchen; und solange der Rest meines Geldes währte, übte und studierte ich mir die Werke großer Meister, vorzüglich der alten, ein, welche ich abschrieb; und als nun der letzte Groschen ausgegeben war, schickte ich mich an, von meinen Kenntnissen Vorteil zu ziehen, und zwar anfangs in geschlossenen Gesellschaften, wozu ein Gastgebot im Hause meiner Mietfrau den ersten Anlaß gab. Als aber die von mir vorgetragenen Kompositionen dort keinen Anklang fanden, stellte ich mich in die Höfe der Häuser, da unter so vielen Bewohnern doch einige sein

mochten, die das Ernste zu schätzen wußten – ja endlich auf die öffentlichen Spaziergänge, wo ich denn wirklich die Befriedigung hatte, daß einzelne stehen blieben, zuhörten, mich befragten und nicht ohne Anteil weitergingen. Daß sie mir dabei Geld hinlegten, beschämte mich nicht. Denn einmal war gerade das mein Zweck, dann sah ich auch, daß berühmte Virtuosen, welche erreicht zu haben ich mir nicht schmeicheln konnte, sich für ihre Leistungen, und mitunter sehr hoch, honorieren ließen. So habe ich mich, obzwar ärmlich, aber redlich fortgebracht bis diesen Tag.
Nach Jahren sollte mir noch ein Glück zuteil werden. Barbara kam zurück. Ihr Mann hatte Geld verdient und ein Fleischhauergewerbe in einer der Vorstädte an sich gebracht. Sie war Mutter von zwei Kindern, von denen das älteste Jakob heißt wie ich. Meine Berufsgeschäfte und die Erinnerung an alte Zeiten erlaubten mir nicht, zudringlich zu sein; endlich ward ich aber selbst ins Haus bestellt, um dem ältesten Knaben Unterricht auf der Violine zu geben. Er hat zwar nur wenig Talent, kann auch nur an Sonntagen spielen, da ihn in der Woche der Vater beim Geschäft verwendet; aber Barbaras Lied, das ich ihn gelehrt, geht doch schon recht gut; und wenn wir so üben und hantieren, singt manchmal die Mutter mit darein. Sie hat sich zwar sehr verändert in den vielen Jahren, ist stark geworden und kümmert sich wenig mehr um Musik; aber es klingt noch immer so hübsch wie damals.« Und damit ergriff der Alte seine Geige und fing an, das Lied zu spielen, und spielte fort und fort, ohne sich weiter um mich zu kümmern. Endlich hatte ichs satt, stand auf, legte ein paar Silberstücke auf den nebenstehenden Tisch und ging, während der Alte eifrig immer fortgeigte.
Bald darauf trat ich eine Reise an, von der ich erst mit einbrechendem Winter zurückkam. Die neuen Bilder hatten die alten verdrängt, und mein Spielmann war so ziemlich vergessen. Erst bei Gelegenheit des furchtbaren Eisganges im nächsten Frühjahre und der damit in Verbindung stehenden

Überschwemmung der niedrig gelegenen Vorstädte erinnerte ich mich wieder an ihn. Die Umgegend der Gärtnergasse war zum See geworden. Für des alten Mannes Leben schien nichts zu besorgen, wohnte er doch hoch oben am Dache, indes unter den Bewohnern der Erdgeschosse sich der Tod seine nur zu häufigen Opfer ausersehen hatte. Aber entblößt von aller Hilfe, wie groß mochte seine Not sein! Solange die Überschwemmung währte, war nichts zu tun, auch hatten die Behörden nach Möglichkeit auf Schiffen Nahrung und Beistand den Abgeschnittenen gespendet. Als aber die Wasser verlaufen und die Straßen gangbar geworden waren, beschloß ich, meinen Anteil an der in Gang gebrachten, zu unglaublichen Summen angewachsenen Kollekte persönlich an die mich zunächst angehende Adresse zu befördern.

Der Anblick der Leopoldstadt war grauenhaft. In den Straßen zerbrochene Schiffe und Gerätschaften, in den Erdgeschossen zum Teil noch stehendes Wasser und schwimmende Habe. Als ich, dem Gedränge ausweichend, an ein zugelehntes Hoftor hintrat, gab dieses nach und zeigte im Torwege eine Reihe von Leichen, offenbar behufs der amtlichen Inspektion zusammengebracht und hingelegt; ja, im Innern der Gemächer waren noch, hie und da aufrecht stehend und an die Gitterfenster angekrallt, verunglückte Bewohner zu sehen, die – es fehlte eben an Zeit und Beamten, die gerichtliche Konstatierung so vieler Todesfälle vorzunehmen.

So schritt ich weiter und weiter. Von allen Seiten Weinen und Trauergeläute, suchende Mütter und irregehende Kinder. Endlich kam ich an die Gärtnergasse. Auch dort hatten sich die schwarzen Begleiter eines Leichenzuges aufgestellt, doch, wie es schien, entfernt von dem Hause, das ich suchte. Als ich aber näher trat, bemerkte ich wohl eine Verbindung von Anstalten und Hin- und Hergehen zwischen dem Trauergeleite und der Gärtnerswohnung. Am Haustor stand ein wacker aussehender, ältlicher, aber noch kräftiger Mann. In hohen Stiefeln, gelben Lederhosen und langherabgehendem Leibrocke sah er einem Landfleischer ähnlich. Er gab Aufträge, sprach aber dazwischen ziemlich gleichgültig mit den Nebenstehenden. Ich ging an ihm vorbei und trat in den Hofraum. Die alte Gärtnerin kam mir entgegen, erkannte mich auf der Stelle wieder und begrüßte mich unter Tränen. »Geben Sie uns auch die Ehre?« sagte sie. »Ja, unser armer Alter! der musiziert jetzt mit den lieben Engeln, die auch nicht viel besser sein können, als er es war. Die ehrliche Seele saß da oben sicher in seiner Kammer. Als aber das Wasser kam und er die Kinder schreien hörte, da sprang er herunter und rettete und schleppte und trug und brachte in Sicherheit, daß ihm der Atem ging wie ein Schmiedegebläs. Ja – wie man denn nicht überall seine Augen haben kann – als sich ganz zuletzt zeigte, daß mein Mann seine Steuerbücher und die paar Gulden Papiergeld im Wandschrank vergessen hatte, nahm der Alte ein Beil, ging ins Wasser, das ihm schon an die Brust reichte, erbrach den Schrank und brachte alles treulich. Da hatte er sich wohl erkältet, und wie im ersten Augenblicke denn keine Hilfe zu haben war, griff er in die Phantasie und wurde immer schlechter, ob wir ihm gleich beistanden nach Möglichkeit und mehr dabei litten als er selbst. Denn er musizierte in einem fort, mit der Stimme nämlich, und schlug den Takt und gab Lektionen. Als sich das Wasser ein wenig verlaufen hatte und wir den Bader holen konnten und den Geistlichen, richtete er sich plötzlich im Bette auf, wendete Kopf und Ohr seitwärts, als ob er in der Entfernung etwas gar Schönes hörte, lächelte, sank zurück und war tot. Gehen Sie nur hinauf; er hat oft von Ihnen gesprochen. Die Madame ist auch oben. Wir haben ihn auf unsere Kosten begraben lassen wollen; die Frau Fleischermeisterin gab es aber nicht zu.«

Sie drängte mich die steile Treppe hinauf bis zur Dachstube, die offen stand und ganz ausgeräumt war bis auf den Sarg in der Mitte, der, bereits geschlossen, nur der Träger wartete. An dem Kopfende saß eine ziemlich starke Frau, über die Hälfte des Lebens hinaus, im bunt gedruckten Kattunüberrocke, aber mit schwarzem Halstuch und schwarzem Band auf der Haube. Es schien fast, als ob sie nie schön gewesen sein konnte. Vor ihr standen zwei ziemlich erwachsene Kinder, ein Bursche und ein Mädchen, denen sie offenbar Unterricht gab, wie sie sich beim Leichenzuge zu benehmen hätten. Eben als ich eintrat, stieß sie dem Knaben, der sich ziemlich tölpisch auf den Sarg gelehnt hatte, den Arm herunter und glättete sorgfältig die herausstehenden Kanten des Leichentuches wieder zurecht. Die Gärtnersfrau führte mich vor; da fingen aber unten die Posaunen an zu blasen, und zugleich erscholl die Stimme des Fleischers von der Straße herauf: »Barbara, es ist Zeit!« Die Träger erschienen; ich zog mich zurück, um Platz zu machen. Der Sarg ward erhoben, hinabgebracht, und der Zug setzte sich in Bewegung. Voraus die Schuljugend mit Kreuz und Fahne, der Geistliche mit dem Kirchendiener. Unmittelbar nach dem Sarge die beiden Kinder des Fleischers und hinter ihnen das Ehepaar. Der Mann bewegte unausgesetzt, als in Andacht, die Lippen, sah aber dabei links und rechts um sich. Die Frau laß eifrig in ihrem Gebetbuche, nur machten ihr die beiden Kinder zu schaffen, die sie einmal vorschob, dann wieder zurückhielt, wie ihr denn überhaupt die Ordnung des Leichenzuges sehr am Herzen zu liegen schien. Immer aber kehrte sie wieder zu ihrem Buche zurück. So kam das Geleite zum Friedhof. Das Grab war geöffnet. Die Kinder warfen die ersten Handvoll Erde hinab. Der Mann tat stehend dasselbe. Die Frau kniete und hielt ihr Buch nahe an die Augen. Die Totengräber vollendeten ihr Geschäft, und der Zug, halb aufgelöst, kehrte zurück. An der Türe gab es noch einen kleinen Wortwechsel, da die Frau eine Forderung des Leichenbesorgers offenbar zu hoch fand. Die Begleiter zerstreuten sich nach allen Richtungen. Der alte Spielmann war begraben.

Ein paar Tage darauf – es war ein Sonntag – ging ich, von meiner psychologischen Neugierde getrieben, in die Wohnung des Fleischers und nahm zum Vorwande, daß ich die Geige des Alten als Andenken zu besitzen wünschte. Ich fand die Familie beisammen ohne Spur eines zurückgebliebenen besondern Eindrucks. Doch hing die Geige mit einer Art Symmetrie geordnet neben dem Spiegel, einem Kruzifix gegenüber, an der Wand. Als ich mein Anliegen erklärte und einen verhältnismäßig hohen Preis anbot, schien der Mann nicht abgeneigt, ein vorteilhaftes Geschäft zu machen. Die Frau aber fuhr vom Stuhle empor und sagte: »Warum nicht gar! Die Geige gehört unserem Jakob, und auf ein paar Gulden mehr oder weniger kommt es uns nicht an!« Dabei nahm sie das Instrument von der Wand, besah es von allen Seiten, blies den Staub herab und legte es in die Schublade, die sie, wie einen Raub befürchtend, heftig zustieß und abschloß. Ihr Gesicht war dabei von mir abgewandt, so daß ich nicht sehen konnte, was etwa darauf vorging. Da nun zu gleicher Zeit die Magd mit der Suppe eintrat und der Fleischer, ohne sich durch den Besuch stören zu lassen, mit lauter Stimme sein Tischgebet anhob, in das die Kinder gellend einstimmten, wünschte ich gesegnete Mahlzeit und ging zur Türe hinaus. Mein letzter Blick traf die Frau. Sie hatte sich umgewendet, und die Tränen liefen ihr stromweise über die Backen.

E. T. A. HOFFMANN

Der Elementargeist

Gerade am 20. November des Jahres 1815 befand sich Albert von B., Obristleutnant in preußischen Diensten, auf dem Wege von Lüttich nach Aachen. Das Hauptquartier des Armeekorps, dem er beigegeben, sollte auf dem Rückmarsch aus Frankreich an demselben Tage in Lüttich eintreffen und dort zwei oder drei Tage rasten. Albert war schon abends vorher angekommen; am andern Morgen fühlte er sich aber von einer sonderbaren Unruhe ergriffen, und er mochte es sich selbst nicht gestehen, daß nur dunkle Träume, die ihn die ganze Nacht hindurch nicht verlassen und ihm ein sehr frohes Ereignis verkündet hatten, das seiner in Aachen warte, den raschen Entschluß erzeugten, auf der Stelle dorthin aufzubrechen. Indem er sich noch selbst über sein Beginnen höchlich verwunderte, saß er schon auf dem schnellen Pferde, von dem getragen er die Stadt noch vor einbrechender Nacht zu erreichen hoffte.

Ein rauher schneidender Herbstwind brauste über die kahlen Felder hin und weckte die Stimmen des fernen entlaubten Gehölzes, die hineinächzten in sein dumpfes Geheul. Raubvögel stiegen kreischend auf und zogen in Scharen den dicken Wolken nach, die immer mehr zusammentrieben, bis der letzte Sonnenblick dahinschwand und ein mattes, düstres Grau den ganzen Himmel überzog. Albert wickelte sich fester in seinen Mantel ein, und indem er auf der breiten Straße so vor sich hintrabte, entfaltete sich seinem innern Sinn das Bild der letzten, verhängnisvollen Zeit. – Er gedachte, wie er vor wenigen Monden denselben Weg gemacht, in umgekehrter Richtung zur schönsten Jahreszeit. In üppiger Blüte stand damals Feld und Flur; buntgewirkten Teppichen glichen die duftenden Wiesen, und im lieblichen Schein der goldnen Sonnenstrahlen glänzten die Büsche, in denen die Vögel fröhlich zwitscherten und sangen. Festlich geschmückt hatte sich die Erde, wie eine sehnsüchtige Braut, um die dem Tode geweihten Opfer, die im blutigen Kampf gefallenen Helden, zu empfangen in ihrem dunkeln Brautgemach. –

Albert war bei dem Armeekorps, dem er zugewiesen, angekommen, als schon die Kanonen an der Sambre donnerten; doch zeitig genug, um noch teilzunehmen an den blutigen Gefechten bei Charleroi, Gilly, Gosselins. –

Der Zufall wollte, daß Albert gerade da immer zugegen war, wo sich Entscheidendes begab. So fand er sich bei der letzten Erstürmung des Dorfes Planchenoit, die den Sieg in der denkwürdigsten aller Schlachten (Belle-Alliance) vollends herbeiführte. Ebenso kämpfte er den letzten Kampf des Feldzuges mit, als die letzte Anstrengung der Wut, der grimmigen Verzweiflung des Feindes sich an dem unerschütterlichen Kampfesmute der Heldenschar brach, die, in dem Dorfe Issy festgefußt, den Feind, der, unter dem furchtbarsten Kartätschenfeuer stürmend, Tod und Verderben in die Reihen zu schleudern gedachte, zurücktrieb, so daß Scharfschützen ihn bis ganz unfern der Barrieren von Paris verfolgten. In der Nacht darauf (vom 3. bis zum 4. Julius) wurde bekanntlich die die Übergabe der Hauptstadt betreffende Militärkonvention zu St. Cloud abgeschlossen.

Dies Gefecht bei Issy ging nun besonders hell auf vor Alberts Seele. Er besann sich auf Dinge, die, wie es ihn bedünken mußte, er während des Kampfs nicht bemerkt hatte, ja nicht bemerkt haben konnte. So trat ihm nun manches Gesicht einzelner Offiziere, einzelner Bursche in den lebendigsten Zügen vor Augen, und tief traf sein Gemüt der unnennbare Ausdruck nicht stolzer oder gefühlloser Todesverachtung, sondern wahrhaft göttlicher Begeisterung, der aus manches Auge strahlte. So hörte er Worte, bald zum Kampf ermutigend, bald mit dem letzten Todesseufzer ausgestoßen, die der Nachwelt hätten aufbewahrt werden müssen, wie die begeisternden Sprüche der Helden aus der antiken Heroenzeit.

Geht es mir, dachte Albert, nicht beinahe so wie dem, der beim Erwachen zwar seines Traumes gedenkt, sich aber erst mehrere Tage darauf aller einzelnen Züge desselben erinnert? – Ja, ein Traum, – nur ein Traum, sollte man meinen, könne, mit mächtigen Schwingen Zeit und Raum überfliegend, das Gigantische, Ungeheure, Unerhörte geschehen lassen, was sich begab während der verhängnisvollen achtzehn Tage dieses die kühnsten Gedanken, die gewagtesten Kombinationen des spekulierenden Geistes verspottenden Feldzuges. – Nein! – der menschliche Geist erkennt seine eigne Größe nicht; die Tat überflügelt den Gedanken! – Denn nicht die rohe physische Gewalt, nein, der Geist schafft Taten, wie sie geschehen sind, und es ist die psychische Kraft jedes einzelnen wahrhaft Begeisterten, die der Weisheit, dem Genius des Feldherrn zuwächst und das Ungeheure, nicht Geahnte vollbringen hilft! –

In diesen Betrachtungen wurde Albert durch seinen Reitknecht gestört, der ungefähr zwanzig Schritte hinter ihm zurückgeblieben und den er überlaut rufen hörte: »Ei der Tausend, Paul Talkebarth! wo kommst du daher des Weges?«

Albert wandte sein Pferd und gewahrte, wie der Reiter, der, von ihm nicht sonderlich beachtet, soeben vorbeigetrabt war, bei seinem Reitknecht stillhielt und die Backen der ansehnlichen Fuchsmütze, womit sein Haupt bedeckt, auseinanderschlug, so daß alsbald das ganze wohlbekannte, im schönsten Zinnober gleißende Antlitz Paul Talkebarths, des alten Reitknechts des Obristen Viktor von S**, zum Vorschein kam.

Nun wußte Albert auf einmal, was ihn so unwiderstehlich

von Lüttich fortgetrieben nach Aachen, und er konnte es nur gar nicht begreifen, wie der Gedanke an Viktor, an seinen innigsten, geliebtesten Freund, den er wohl in Aachen vermuten mußte, nur dunkel in seiner Seele gelegen und zu keinem klaren Bewußtsein gekommen war. –

Auch Albert rief jetzt: »Sieh da! Paul Talkebarth, wo kommst du her? – wo ist dein Herr?«

Paul Talkebarth kurbettierte aber sehr zierlich heran und sprach, die flache Hand vor der viel zu großen Kokarde der Fuchsmütze, militärisch grüßend: »Alle Donnerwetter, Paul Talkebarth, ja, das bin ich, mein gnädigster Herr Obristleutnant. – Böses Wetter hierzulande, Zermannöre (sur mon honneur)! Aber das macht die Kreuzwurzel. Die alte Liese pflegte das immer zu sagen – ich weiß nicht, ob Sie die Liese Pfefferkorn kennen, Herr Obristleutnant, sie wohnt in Genthin; wenn man aber in Paris gewesen ist und den Muffel im Schartinpland (jardin des plantes) gesehen hat ... Nun, was man weit sucht, findet man nah, und ich halte hier vor dem gnädigen Herrn Obristleutnant, den ich suchen sollte in Lüttich. Meinem Herrn hats der Spirus familus (spiritus familiaris) gestern abend ins Ohr geraunt, daß der gnädige Herr Obristleutnant in Lüttich angekommen. Zackernamthö (sacre nom de Dieu), das war eine Freude! – Nun, es mag sein, wie es will; aber getraut habe ich dem Falben niemals. Ein schönes Tier, Zermannöre, aber pur kindisches Wesen, und die Frau Baronesse tat ihr möglichstes, das ist wahr. – Liebe Leute hierzulande, aber der Wein taugt nichts, und wenn man in Paris gewesen ist! – Nun, der Herr Obrist hätte ebensogut einziehen können wie einer durch den Argen Trumph (Arc de triomphe), und ich hätte dem Schimmel die neue Schabracke aufgelegt – Zacker, der hätte die Ohren gespitzt! – Aber die alte Liese – es war meine Muhme in Genthin –, ja, die pflegte immer zu sagen ... Ich weiß nicht, Herr Obristleutnant, ob Sie ...«

»Daß die Zunge dir erlahme,« unterbrach Albert den heillo-

sen Schwätzer, »dein Herr ist in Aachen, so laß uns schnell vorwärts, wir haben noch über fünf Stunden Weges!«
»Halt,« schrie Paul Talkebarth aus Leibeskräften, »halt, halt, gnädigster Herr Obristleutnant, das Wetter ist schlecht hierzulande; aber Futter! wer solche Augen hat wie wir, die blitzen im Nebel...« »Paul,« rief Albert, »mache mich nicht ungeduldig, wo ist dein Herr? – nicht in Aachen?«
Paul Talkebarth lächelte dermaßen freudig, daß sein ganzes Antlitz zusammenfuhr in tausend Falten wie ein nasser Handschuh, streckte dann den Arm weit aus, zeigte nach den Gebäuden hin, die hinter einem Gehölz auf einer sanft emporsteigenden Anhöhe sichtbar wurden, und sprach: »Dort in jenem Schloß...« Ohne abzuwarten, was Paul Talkebarth noch Weiteres zu schwatzen geneigt, bog Albert ein in den Weg, der seitwärts von der Heerstraße ab nach dem Gehölz führte, und eilte fort im schärfsten Trab. – Nach dem wenigen, was er gesprochen, muß der ehrliche Paul Talkebarth dem geneigten Leser als ein etwas wunderlicher Kauz erscheinen. Es ist nur zu sagen, daß er, Erbstück des Vaters, dem Obristen Viktor von S**, nachdem er Generalintendant und Maître des Plaisirs aller Spiele und tollen Streiche seiner Kinderjahre und des ersten Jünglingsalters gewesen, von dem Augenblick an gedient hatte, als dieser zum ersten Mal den Offizierdegen umgeschnallt. Ein alter, sehr absonderlicher Magister, der Hofmeister des Hauses zwei Generationen hindurch, vollendete durch alles, was er dem ehrlichen Paul Talkebarth an Unterricht und Erziehung zufließen ließ, die glücklichen Anlagen zu außerordentlicher Konfusion und seltener Eulenspiegelei, womit diesen die Natur gar nicht karg ausgestattet. Dabei war letzterer die treueste Seele, die es auf der Welt geben kann. Bereit, für seinen Herrn jeden Augenblick in den Tod zu gehen, konnte weder hohes Alter noch sonst irgendeine Betrachtung den guten Paul abhalten, mit seinem Herrn im Jahre 1813 ins Feld zu ziehen. Seine eisenfeste Natur ließ ihn alles Ungemach überstehen, aber weniger stark als sein körperli-

ches bewies sein geistiges Naturell, das einen merklichen Stoß oder wenigstens einen besondern Schwung erhielt während seines Aufenthalts in Frankreich, vorzüglich in Paris. Paul Talkebarth fühlte nämlich nun erst, daß Herr Magister Sprengepilcus vollkommen recht gehabt, als er ihn ein großes Licht genannt, das einst noch gar hell leuchten werde. Dies Leuchten bemerkte Paul Talkebarth an der Gefügigkeit, mit der er in die Sitten eines fremden Volks eingegangen war und ihre Sprache erlernt hatte. Damit brüstete er sich nicht wenig und schrieb es nur seiner herrlichen Geistesfähigkeit zu, daß er oft, was Quartier und Nahrung betrifft, das erlangte, was zu erlangen unmöglich schien. – Paul Talkebarths herrliche französische Redensarten (einige angenehme Flüche hat der geneigte Leser bereits kennen gelernt) gingen, wo nicht durch die ganze Armee, doch wenigstens durch das Korps, bei dem sein Herr stand. Jeder Reiter, der auf einem Dorfe ins Quartier kam, rief dem Bauer mit Paul Talkebarths Worten entgegen: »Pisang! – de Lavendel pur die Schewals (paysan, de l'avoine pour les chevaux)!«

So wie es exzentrischen Naturen überhaupt eigen, so mochte Paul Talkebarth nicht gern, daß irgend etwas auf die gewöhnliche, einfache Weise geschehe. Er liebte vorzüglich Überraschungen und suchte diese seinem Herrn auf alle nur mögliche Weise zu bereiten, der denn auch wirklich sehr oft überrascht wurde, wiewohl auf ganz andere Art, als es der ehrliche Talkebarth gewollt, dessen glücklichsten Pläne meistenteils in der Ausführung scheiterten. So bat er auch jetzt den Obristleutnant von B**, als dieser geradezu auf das Hauptportal des Landhauses losritt, flehentlichst, doch einen Umweg zu machen und von hinten in den Hof hineinzureiten, damit sein Herr ihn nicht eher gewahre, als bis er in die Stube getreten. – Albert mußte es sich gefallen lassen, über eine morastige Wiese zu reiten und vom emporspritzenden Schlamm gar übel zugerichtet zu werden, dann ging es über die gebrechliche Brücke eines Grabens. Paul Talkebarth

wollte, seine Reiterkünste zeigend, geschickt herübersetzen, fiel aber mit dem Pferde bis an den Bauch hinein und wurde mit Mühe von Alberts Reitknecht wieder auf festen Boden gerettet. Nun gab er aber voll fröhlichen Mutes laut jauchzend dem Pferde die Sporen und sprengte mit wildem Hussa hinein in den Hof des Landhauses. Da aber gerade alle Gänse, Enten, Puter, Hähne und Hühner der Wirtschaft versammelt waren, um zur Ruhe gebracht zu werden, da ferner von der einen Seite eine Herde Schafe, von der andern eine Herde jener Tiere, in die unser Herr einst den Teufel bannte, hereingetrieben wurde, so kann man denken, daß Paul Talkebarth, der, des Pferdes nicht recht mächtig, willkürlos in großen Kreisen auf dem Hofe umhergaloppierte, nicht geringe Verwüstungen in dem Hausstande anrichtete. Unter dem gräßlichen Lärm des quiekenden, schnatternden, blökenden, grunzenden Viehes, der bellenden Hofhunde, der keifenden Mägde hielt Albert seinen glorreichen Einzug, indem er den ehrlichen Paul Talkebarth mit samt seinem Überraschungsprojekt zu allen Teufeln wünschte.
Schnell schwang sich Albert vom Pferde und trat hinein in das Haus, das, ohne allen Anspruch auf Schönheit und Eleganz, doch ganz wirtlich sich ausnahm und bequem und geräumig genug schien. Auf der Treppe trat ihm ein nicht zu großer, wohlgenährter Mann mit braunrotem Gesicht, in einem kurzen grauen Jagdrock entgegen, der mit süßsauerm Lächeln fragte: »Einquartiert?« An dem Tone, mit dem der Mann dies Wort aussprach, erkannte Albert sogleich, daß er den Herrn des Hauses, mithin, wie er es von Paul Talkebarth wußte, den Baron von E** vor sich habe. Er versicherte, daß er keineswegs einquartiert, daß es vielmehr nur seine Absicht sei, seinen innigsten Freund, den Obristen Viktor von S**, der sich hier befinden solle, zu besuchen und daß er die Gastfreundschaft des Herrn Barons nur für diesen Abend und die Nacht in Anspruch nehme, da er des andern Morgens in aller Frühe wieder aufzubrechen gedenke. –

Des Barons Gesicht heiterte sich merklich auf, und der volle Sonnenschein, der gewöhnlich auf diesem gutmütigen, aber etwas zu breiten Antlitz zu liegen schien, kehrte ganz wieder, als, die Treppe mit dem Baron hinaufsteigend, Albert fallen ließ, daß wahrscheinlich gar keine Truppenabteilung des Armeekorps, welches gerade auf dem Marsche befindlich, diese Gegend berühren werde.
Der Baron öffnete eine Türe; Albert trat in einen freundlichen Saal und erblickte Viktor, der den Rücken ihm zugewendet saß. Viktor drehte sich auf das Geräusch um, sprang auf und fiel mit einem lauten Ausruf der Freude dem Obristleutnant in die Arme. »Nicht wahr, Albert, du gedachtest meiner in der vorigen Nacht? – Ich wußte es, mein innerer Sinn sagte es mir, daß du dich in Lüttich befändest in demselben Augenblick, als du hineingeritten! – Alle meine Gedanken figierte ich auf dich, meine geistigen Arme umfaßten dich; du konntest mir nicht entrinnen!« –
Albert gestand, daß ihn wirklich, wie es der geneigte Leser bereits weiß, dunkle Träume, die nur zu keiner deutlichen Gestaltung kommen konnten, von Lüttich fortgetrieben.
»Ja,« rief Viktor ganz begeistert, »ja, es ist kein Wahn, keine leere Einbildung; sie ist uns gegeben, die göttliche Kraft, die, über Zeit und Raum gebietend, das Übersinnliche kundtut in der Sinnenwelt!« –
Albert wußte nicht recht, was Viktor meinte, so wie ihm überhaupt das Betragen des Freundes, das ganz außer seiner gewöhnlichen Weise lag, auf einen gespannten, überreizten Zustand zu deuten schien. – Indessen war die Frau, die neben Viktor vor dem Kamin gesessen, aufgestanden und hatte sich den Freunden genähert. Albert verbeugte sich gegen sie, indem er Viktor mit fragendem Blick anschaute. »Die Frau Baronesse Aurora von E**,« sprach dieser, »meine liebe gastfreundliche Wirtin, meine treue, sorgsame Pflegerin in Krankheit und Ungemach!« –
Albert überzeugte sich, indem er die Baronesse anschaute,

daß die kleine rundliche Frau noch nicht das vierzigste Jahr erreicht haben könne, daß sie sonst wohl sehr fein gebaut gewesen sein müsse, daß aber die nährende Landkost, und viel Sonnenschein dazu, die Formen des Körpers ein wenig zu sehr über die Schönheitslinie hinausgetrieben, welches sogar dem niedlichen, noch frisch genug blühenden Antlitz Eintrag tue, dessen dunkelblaue Augen sonst wohl manchem gefährlich genug ins Herz gestrahlt haben mochten. Den Anzug der gnädigen Frau fand Albert beinahe zu wirtlich, indem das Zeug des Kleides, blendend weiß, zwar die Vortrefflichkeit des Waschhauses und der Bleiche, zugleich aber auch die niedrige Stufe der Industrie bewies, auf der die eigne Spinnstube und Weberei noch stehen mußte. Ein grell-buntes baumwollnes Tuch, nachlässig um den Nacken geschlagen, so daß der weiße Hals sichtbar genug, erhöhte eben nicht den Glanz des Anzugs. Was aber sehr verwunderlich sich ausnahm, war, daß die Baronesse an den kleinen Füßchen die zierlichsten seidnen Schuhe, auf dem Kopfe aber ein allerliebstes Spitzenhäubchen nach dem neuesten Pariser Zuschnitt trug. Erinnerte dieses Häubchen nun zwar den Obristleutnant an eine niedliche Grisette, die ihm einst der Zufall in Paris zuführte, so glitten ihm doch eben deshalb eine Menge ungemein artiger Redensarten über die Lippen, in denen er seine plötzliche Erscheinung entschuldigte. Die Baronesse unterließ nicht, diese Artigkeiten gehörig zu erwidern. Unaufhaltsam floß, nachdem sie den Mund geöffnet, der Strom ihrer Rede, bis sie endlich darauf kam, daß man einen so lieben Gast, den Freund des dem Hause so treuen Obristen, gar nicht sorglich genug bewirten könne. Auf die hastig gezogene Klingel und den gellenden Ruf: Mariane, Mariane! erschien ein altes grämliches Weib, dem großen Schlüsselbunde nach zu urteilen, der ihr am Gürtel hing, die Haushälterin. Mit dieser und dem Herrn Gemahl wurde nun überlegt, was Schönes und Schmackhaftes bereitet werden könne; es fand sich aber, daß alles Leckere, z. B. Wildbret und dergleichen, entweder schon verzehrt oder erst morgen anzuschaffen möglich sei. Mühsam seinen Unmut unterdrückend, versicherte Albert, daß man ihn nötigen werde, augenblicklich in der Nacht wieder aufzubrechen, wenn man seinethalben nur im mindesten die Ordnung des Hauses störe. Ein wenig kalte Küche, ein Butterbrot genüge ihm zum Nachtessen. Es sei unmöglich, erwiderte die Baronesse, daß der Obristleutnant sich nach dem scharfen Ritt in dem rauhen, unfreundlichen Wetter behelfen solle, ohne irgend etwas Warmes zu genießen; und nach langen Beratungen mit Marianen wurde die Bereitung eines Glühweins als ausführbar anerkannt und beschlossen. Mariane entwich klirrend und klappernd durch die Türe; doch in dem Augenblick, als man Platz nehmen wollte, wurde die Baronesse herausgerufen von einer bestürzten Hausmagd. Albert vernahm, daß vor der Türe der Baronesse vollständiger Bericht erstattet wurde von der entsetzlichen Verheerung, die Paul Talkebarth angerichtet hatte; dann folgte die nicht unansehnliche Liste sämtlicher Toten, Verwundeten und Vermißten. Der Baron lief der Baronesse hinterher, und während draußen die Baronesse schalt und schmälte, der Baron den ehrlichen Paul Talkebarth dorthin wünschte, wo der Pfeffer wächst, und die Dienerschaft in ein allgemeines Lamento ausbrach, erzählte Albert kürzlich seinem Freunde, was sich mit Paul Talkebarth auf dem Hofe begeben. »Solche Streiche,« rief Viktor ganz unmutig, »solche Streiche macht nun der alte Eulenspiegel, und dabei meint es der Schlingel so aus Herzensgrunde gut, daß man ihm nie etwas anhaben kann.«

In dem Augenblick wurde es draußen ruhiger; die Großmagd hatte die glückselige Nachricht gebracht, daß Hans Gucklick bloß sehr erschrocken gewesen, daß er aber sonst ohne allen Schaden abgekommen und gegenwärtig mit Appetit fresse.

Der Baron kehrte zurück mit heitrer Miene, wiederholte zufrieden, daß Hans Gucklick verschont worden von dem wilden, Menschenleben nicht achtenden Paul Talkebarth und nahm Gelegenheit, sich sehr weitläufig über den landwirtschaftlichen Nutzen der Hühnerzucht zu verbreiten. Hans Gucklick, der bloß sehr erschrocken und weiter nicht beschädigt, war nämlich der alte, allgemein geschätzte Haushahn, schon seit Jahren der Stolz und Schmuck des ganzen Hühnerhofes.

Auch die Baronesse trat wieder herein, jedoch nur, um sich mit einem großen Schlüsselbunde zu bewaffnen, das sie aus einem Wandschrank nahm. Schnell eilte sie wieder von dannen, und nun hörte Albert, wie beide, Hausfrau und Haushälterin, treppauf, treppab klapperten und klirrten, dabei erschallten die gellenden Stimmen gerufener Mägde, und aus der Küche herauf erklang die angenehme Musik von Mörser und Reibeisen. – ›Gott im Himmel‹, dachte Albert, ›wäre der General eingezogen mit dem ganzen Hauptquartier, mehr Lärm könnt es nicht geben, als meine unglücklichste Tasse Glühwein zu verursachen scheint!‹ –

Der Baron, der von der Hühnerzucht übergegangen zur Jagd, war mit der verwickelten Erzählung von einem sehr schönen Hirsch, der sich blicken lassen und den er *nicht* geschossen, noch nicht völlig zu Ende, als die Baronesse wieder in den Saal trat, hinter ihr aber niemand anders als Paul Talkebarth, der in zierlichem Porzellangeschirr den Glühwein herbeitrug. »Nur alles hierher gestellt, mein guter Paul«, sprach die Baronesse sehr freundlich, welches Paul Talkebarth mit einem unbeschreiblich süßen: »A fu zerpire, Madame!« erwiderte. – Die Manen der auf dem Hofe Erschlagenen schienen versöhnt und alles verziehen.

Man setzte sich nun erst wieder ruhig zueinander. Die Baronesse begann, nachdem sie das Getränk den Freunden kredenzt, an einem ungeheuern wollnen Strumpf zu stricken, und der Baron nahm Gelegenheit, sich weitläuftig über die Art des Gestricks, das bestimmt sei, auf der Jagd getragen zu werden, auszulassen. Währenddessen ergriff er die Kanne, um sich auch eine Tasse Glühwein einzuschenken. »Ernst!« rief ihm die Baronesse mit strafendem Tone zu: augenblicklich stand er von seinem Vorhaben ab und schlich an den Wandschrank, wo er ganz im stillen ein Schnäpschen genoß. – Albert nutzte diesen Augenblick, um endlich den langweiligen Gesprächen des Barons ein Ziel zu setzen, indem er angelegentlich nach seines Freundes Tun und Treiben forschte. Viktor meinte dagegen, daß es noch Zeit genug geben werde, mit zwei Worten zu sagen, was sich während der Zeit, als sie getrennt, mit ihm begeben, daß er es aber gar nicht erwarten könne, aus Alberts Munde alles Denkwürdige von den gewaltigen Ereignissen der letzten verhängnisvollen Zeit zu vernehmen. Die Baronesse versicherte lächelnd, daß sich nichts hübscher anhören lasse als Geschichten von Krieg, Mord und Totschlag. Auch der Baron, der sich wieder zur Gesellschaft gesetzt, meinte, daß er gar zu gern von Schlachten erzählen höre, wo es recht blutig hergegangen, da ihn dies immer an seine Jagdpartien erinnere. Er stand im Begriff, wieder einzubiegen in die Geschichte von dem nicht geschossenen Hirsch. Doch Albert unterbrach ihn, indem er vor innerm Unmut laut auflachend versicherte, daß zwar auf der Jagd auch scharf geschossen werde; übrigens aber die Einrichtung nicht übel sei, daß die Hirsche, Rehe, Hasen usw., deren Blut es koste, nicht wieder schössen.

Albert fühlte sich von dem Getränk, das er genossen und das er von edlem Wein ganz vortrefflich bereitet gefunden, durch und durch erwärmt, und dies körperliche Wohlbehagen wirkte wohltätig auf sein geistiges und schlug den Mißmut völlig nieder, der ihn in der unheimischen Umgebung ergriffen. – Vor Viktors Augen entfaltete er nun das ganze schauerlich erhabene Gemälde jener furchtbaren Schlacht, die auf einmal alle Hoffnungen des geträumten Weltherrschers vernichtete. Mit der glühendsten Begeisterung schilderte Albert den unbezwingbaren Löwenmut jener Bataillone, die zuletzt das Dorf Planchenoit erstürmten, und schloß mit den Worten: »O Viktor! – Viktor! wärst du dabei gewesen, hättest du mit mir gefochten!« –

Viktor war dicht an den Stuhl der Baronesse gerückt, hatte den ansehnlichen Knäuel Wolle, als er von dem Schoß der Baronesse herabgekugelt, ergriffen und spielte damit in den Händen, so daß die emsige Strickerin genötigt war, den Faden zwischen Viktors Fingern durchzuziehen und es nicht wohl vermeiden konnte, öfters mit den überlangen Stricknadeln seinen Arm zu treffen.

Bei jenen, mit erhöhter Stimme ausgesprochnen Worten Alberts schien Viktor plötzlich wie aus einem Traum zu erwachen. Er blickte seinen Freund an mit seltsamem Lächeln und sprach halbleise: »Ja, mein teurer Albert, es ist nur zu wahr, was du sagst! Der Mensch fängt sich oft selbst ganz früh in Schlingen, deren gordischen Knoten erst der Tod gewaltsam zerreißt! – Was aber die Teufelsbeschwörungen überhaupt betrifft, so ist das kecke Rufen des eignen furchtbaren Geistes wohl die bedrohlichste, die es geben mag. – Doch hier schläft schon alles!«

Viktors unverständliche, gheimnisvolle Worte bewiesen hinlänglich, daß er nicht eine Silbe von dem vernommen, was Albert gesprochen, sondern sich vielmehr die ganze Zeit über Träumen überlassen, die noch dazu von gar seltsamer Natur sein mußten.

Man kann denken, daß Albert vor Befremden verstummte. Nun bemerkte er auch, um sich blickend, erst, daß dem Hausherrn, der mit vor dem Bauch gefalteten Händen in die Lehne des Sessels zurückgesunken, das müde Haupt auf der Brust lag und daß die Baronesse, mit festgeschlossenen Augen, nur wie ein aufgezogenes Uhrwerk mechanisch fortstrickte.

Albert sprang schnell und mit Geräusch auf; doch in demselben Augenblick erhob sich auch die Baronesse und näherte sich ihm mit einem Anstande, der so frei, edel und anmutig zugleich war, daß Albert nichts mehr von der kleinen, genährten, beinahe drolligen Figur sah, sondern die Baronesse in ein anderes Wesen verwandelt glaubte. »Verzeihen Sie,« sprach sie dann mit süßem Wohllaut, indem sie Alberts Hand faßte, »verzeihen Sie es, Herr Obristleutnant, der vom Anbruch des Tages an beschäftigten Hausfrau, wenn sie am Abend der Ermüdung nicht zu widerstehen vermag, und wird auch zu ihr auf das herrlichste von den herrlichsten Dingen gesprochen; dasselbe mögen Sie dem rüstigen Jäger verzeihen. Es ist unmöglich, daß Sie sich nicht darnach sehnen sollten, mit Ihrem Freunde allein zu sein und sich recht aus dem Herzen auszusprechen, und da ist jeder Zeuge lästig. Gewiß wird es Ihnen gemütlich scheinen, mit Ihrem Freunde allein das Nachtessen einzunehmen, das ich in seinen Zimmern bereiten lassen.«

Gelegener konnte Albert kein Vorschlag sein. Auf der Stelle beurlaubte er sich in den höflichsten Ausdrücken bei der freundlichen Wirtin, der er jetzt das Schlüsselbund, den Jammer über den erschrockenen Hans Gucklick sowie den Strickstrumpf nebst dem Einnicken von Herzen verzieh.

»Lieber Ernst!« rief die Baronesse, als die Freunde sich bei dem Baron empfehlen wollten; da dieser aber statt aller Antwort sehr vernehmlich rief: »Huß-Huß-Tyras-Waldmann-Allons!« und das Haupt auf die andere Seite hängen ließ, so mochte man ihn in seinen süßen Träumen nicht weiter stören. –

»Sage,« rief Albert, als er sich mit Viktor allein befand, »sage, was ist mit dir vorgegangen? – Doch – erst laß uns essen, denn mich hungert, und in der Tat, es scheint hier mehr vorhanden als das bescheiden gewünschte Butterbrot.«

Der Obristleutnant hatte recht; denn er fand einen gar zierlich gedeckten, mit den leckersten kalten Speisen besetzten Tisch, dessen vorzüglichste Zierde ein Bayonner Schinken und eine Pastete von roten Rebhühnern schien. Paul Talkebarth meinte, als Albert sein Wohlbehagen äußerte, schalkisch lächelnd, daß, wenn er nicht gewesen wäre und der Jungfer Mariane alles gesteckt hätte, was der Herr Obristleutnant gern genieße, als Suppenfink (souper fin) – aber noch könne er es der Muhme Liese nicht vergessen, daß sie an seinem Hochzeitstage den Reisbrei verbrannt, und er sei nun Witwer seit dreißig Jahren, und man könne nicht wissen, denn Ehen würden im Himmel geschlossen, und Jungfer Mariane – doch die gnädige Frau Baronesse habe ihm das Beste selbst zugestellt, nämlich einen ganzen Korb mit Sellerie für die Herrn. – Albert wußte nicht recht, wozu ihm die unbillige Menge Gemüse aufgetischt werden sollte, war dann aber sehr zufrieden, als Paul Talkebarth den Korb, der nichts anders enthielt als sechs Flaschen des schönsten Vin de Sillery, herbeitrug.

Während Albert es sich nun recht wohlschmecken ließ, erzählte Viktor, wie er auf das Gut des Baron von E** gekommen.

Die der stärksten Natur öfters unverwindlichen Strapazen des ersten Feldzuges (1813) hatten Viktors Gesundheit zerrüttet. Die Bäder in Aachen sollten ihn herstellen, und er befand sich gerade dort, als Buonapartes Flucht von Elba die Losung gab zum neuen blutigen Kampf. Als man sich zum Feldzug rüstete, erhielt Viktor von der Residenz aus die Weisung, sich, sollte es sein Gesundheitszustand erlauben, zu der Armee an den Niederrhein zu begeben; das waltende Schicksal erlaubte ihm aber statt dessen nur einen Ritt von vier bis fünf Stunden. Gerade vor dem Tor des Landhauses, in dem sich jetzt die Freunde befanden, wurde Viktors Pferd, sonst das sicherste, furchtloseste Tier von der Welt, geprüft in dem wildesten Getöse der Schlacht, plötzlich scheu, bäumte sich, und Viktor stürzte herab, wie er selbst sagte, gleich einem Schulknaben, der zum ersten Mal ein Roß bestiegen. Besinnungslos lag er da, indem das Blut einer bedeutenden Kopfwunde entströmte, die er sich an einem scharfen Stein geschlagen. Man brachte ihn in das Haus, und hier mußte er, da

jeder Transport gefährlich schien, seine Genesung abwarten, die noch jetzt nicht ganz vollendet schien, da ihn, unerachtet die Wunde längst geheilt war, noch Fieberanfälle ermatteten. Viktor ergoß sich in den wärmsten Lobeserhebungen rücksichts der sorglichsten Wartung und Pflege, welche ihm die Baronesse angedeihen lassen.
»Nun,« rief Albert laut auflachend, »nun, in der Tat, darauf war ich nicht gefaßt, wunder denk ich, was du mir Außerordentliches erzählen wirst, und am Ende läuft es auf eine, nimm mirs nicht übel, etwas einfältige Geschichte hinaus, wie sie in hundert abgedroschenen Romanen zu finden, so daß sie kein Mensch mehr selbst mit Anstand erleben kann. – Der wunde Ritter wird ins Schloß getragen, die Herrin des Hauses pflegt ihn – und der Ritter wird zum zärtlichen Amoroso! – Denn Viktor, daß du deinem bisherigen Geschmack, ja deiner ganzen Lebensweise zum Trotz dich plötzlich in eine ältliche dicke Frau verliebt hast, die so häuslich und wirtschaftlich ist, daß man darüber des Teufels werden möchte, daß du noch dazu den sehnsüchtigen, schmachtenden Jüngling spielst, der, wie es irgendwo heißt, seufzet wie ein Ofen und Lieder macht auf seiner Liebsten Brauen – nun, das alles will ich am Ende auch noch für Krankheit halten! – Das einzige, was dich einigermaßen entschuldigen könnte und dich poetisch darstellen, wäre der spanische Infant im ›Arzt seiner Ehre‹, der, gleiches Schicksal mit dir teilend, an dem Tor des Landhauses der Donna Menzia auf die Nase fiel und am Ende die Geliebte fand, die im unbewußt ...« »Halt,« rief Viktor, »halt! – glaubst du denn nicht, daß ich es vollkommen einsehe, begreife, wenn ich dir als ein ganz alberner Geck vorkommen muß? – Doch! es ist hier noch etwas andres, Geheimnisvolles im Spiel. – Nun laß uns trinken!« –
Der Wein und Alberts lebendiges Gespräch hatte Viktorn wohltätig angeregt; er schien erwacht aus düstrer Träumerei. Als nun aber endlich Albert, das volle Glas erhebend, sprach: »Nun, Viktor, teurer Infant, Donna Menzia soll leben und

aussehen wie unsre kleine dicke Hausfrau!« da rief Viktor lachend: »Nein, ich kann es doch nicht ertragen, daß du mich für einen Gecken halten mußt! – Ich fühle mich im Innersten heiter und aufgelegt, dir alles zu sagen, alles zu beichten! – Du mußt es dir aber gefallen lassen, von einer ganz eignen Periode meines Lebens, die in meine Jünglingsjahre fällt, zu hören, und es ist möglich, daß die halbe Nacht darüber vergeht.«

»Erzähle,« erwiderte Albert, »denn ich gewahre, daß noch hinlänglicher Wein vorhanden, um die etwa sinkenden Lebensgeister aufzufrischen. – Wär es nur nicht so entsetzlich kalt im Saal und ein Verbrechen, jetzt noch jemanden von den Hausleuten aufzustören.«

»Sollte,« sprach Viktor, »sollte Paul Talkebarth nicht dafür gesorgt haben?« – Wirklich versicherte dieser, in seiner bekannten französischen Mundart höflich fluchend, daß er das vortrefflichste Holz selbst klein zugeschnitten und bewahrt habe zum köstlichsten Kaminfeuer, welches er sogleich anfachen werde. – »Es ist nur gut,« sagte Viktor, »daß es mir hier nicht so gehen kann, wie einst bei einem Drogeriehändler in Meaux, wo der ehrliche Paul Talkebarth mir ein Kaminfeuer angemacht, das wenigstens zwölfhundert Franken kostete. Der Gute hatte Sandel-Brasilienholz ergriffen, zerhackt und in den Kamin gesteckt, so daß ich mir beinahe vorkam wie Andalosia, des bekannten Herrn Fortunatus berühmter Sohn, dessen Koch das Feuer von Spezereien anschüren mußte, als der König verbot, ihm Holz zu verkaufen.«

»Du weißt,« fuhr Viktor fort, als das Feuer lustig knisterte und flammte und Paul Talkebarth sich aus dem Zimmer entfernt hatte, »du weißt, mein teurer Freund Albert, daß ich meine militärische Laufbahn bei der Garde in Potsdam begann, sonst aber von meiner Jünglingszeit wohl wenig mehr als das, da es nie besondere Gelegenheit gab, davon zu reden; mehr aber noch, weil das Bild jener Jahre nur in halbverwischten Zügen vor meiner Seele stand und erst hier wieder in hellen Farben aufleuchtete. – Meine erste Erziehung in meines Vaters Hause kann ich nicht eben schlecht nennen. Ich hatte eigentlich gar keine; man überließ mich meinen Neigungen, und gerade diese schienen nichts weniger darzutun, als meinen Beruf zu den Waffen. Offenbar fühlte ich mich zu wissenschaftlicher Bildung hingezogen, die mir der alte Magister, der mein Hofmeister sein sollte und der froh war, wenn man ihn nur in Ruhe ließ, nicht geben konnte. Erst in Potsdam gewann ich mit Leichtigkeit Kenntnis neuerer Sprachen, sowie ich die dem Offizier nötigen Studien mit Eifer trieb und Erfolg. Außerdem las ich mit einer Art von Wut alles, was mir in die Hände kam, ohne Auswahl, ohne Rücksicht auf Nützlichkeit; indessen erhielt ich doch, da mein Gedächtnis vortrefflich, eine Menge historischer Kenntnisse, selbst wußte ich nicht wie. – Man hat mir später die Ehre angetan, zu behaupten, es säße ein poetischer Geist in mir, den ich nur selbst nicht recht anerkennen wolle; gewiß ist es aber, daß mich die Meisterwerke der großen Dichter jener Periode in einen Zustand der Begeisterung versetzten, von dem ich keine Ahnung gehabt; ich erschien mir selbst als ein anderes Wesen, das nur erst sich entwickelt zum regen Leben. – Ich will nur ›Werthers Leiden‹, vorzüglich aber Schillers ›Räuber‹ nennen. Einen ganz andern Schwung aber gab meiner Phantasie ein Buch, das gerade deshalb, weil es nicht vollendet ist, dem Geist einen Stoß gibt, so daß er rastlos fortarbeiten muß in ewigen Pendulschwingungen. – Ich meine Schillers ›Geisterseher‹. Mag es sein, daß der Hang zum Mystischen, zum Wunderbaren, der überhaupt tief in der menschlichen Natur begründet ist, stärker bei mir vorwaltete; genug, als ich jenes Buch gelesen, das die Beschwörungsformeln der mächtigsten schwarzen Kunst selbst zu enthalten scheint, hatte sich mir ein magisches Reich voll überirdischer oder besser unterirdischer Wunder erschlossen, in dem ich wandelte und mich verirrte wie ein Träumer. Einmal in diese Stimmung geraten, verschlang ich mit Begierde alles, was nur zu jener Stimmung sich hinneigte, und selbst Werke von weit geringerem Gehalt verfehlten keineswegs ihre Wirkung. So machte auch der ›Genius‹ von Große auf mich einen tiefen Eindruck, und ich darf mich auch jetzt dessen keineswegs schämen, da wenigstens der erste Teil, dessen größere Hälfte in den Schillerschen ›Horen‹ abgedruckt stand, der Lebendigkeit der Darstellung und auch wohl der geschickten Behandlung des Stoffs halber, die ganze literarische Welt in Bewegung setzte. Manchen Arrest mußte ich dulden, wenn ich auf der Wache, in solch ein Buch oder auch nur in meine mystischen Träume vertieft, das Herausrufen überhört hatte und erst vom Unteroffizier geholt werden mußte. Gerade in dieser Zeit brachte mich der Zufall einem sehr seltsamen Manne näher. – Es begab sich nämlich, daß ich an einem schönen Sommerabend, als die Sonne schon gesunken und die Dämmerung eingebrochen, in der Gegend eines Lustorts vor Potsdam einsam, wie es meine Gewohnheit war, lustwandelte. Da schien es mir, als vernähme ich aus dem Dickicht eines kleinen Wäldchens, das seitwärts ab vom Wege lag, dumpfe Klagetöne und dazwischen in einer mir unbekannten Sprache heftig ausgestoßene Reden. Ich glaubte jemand hilfsbedürftig, eilte hin nach der Stelle, von woher die Laute zu kommen schienen, und gewahrte bald in dem Schimmer des Abendrots eine große breitschultrige Figur, die, in einen gemeinen Soldatenmantel gehüllt, auf dem Boden ausgestreckt lag. Ganz nahe hinzugetreten, erkannte ich zu meinem nicht geringen Erstaunen den Major O'Malley von den Grenadieren. ›Mein Gott‹, rief ich aus, ›sind Sie es, Herr Major? – in diesem Zustande? – Sind Sie krank – kann ich helfen?‹ Der Major betrachtete mich mit starrem, wildem Blick und sprach dann mit barschem Ton: ›Welcher Teufel führt Euch her, Leutnant? Was kümmert es Euch, ob ich hier liege oder nicht, schert Euch nach der Stadt!‹ – Die Leichenblässe, die auf O'Malleys Gesicht lag, die ganze Art, wie ich ihn fand, ließ mich indessen Unheimliches ahnen, und ich erklärte, daß ich ihn durchaus nicht verlassen, sondern nur mit ihm zusammen nach der Stadt zurückkehren würde. ›So?‹ sprach der Major ganz gelassen und kalt, nachdem er einige Augenblicke geschwiegen, und versuchte sich aufzuraffen, worin ich ihm, da es ihm schwer zu werden schien, beistand. Ich bemerkte nun, daß er, wie er es oft tat, wenn er noch des Abends sich hinaus ins Freie machte, bloß über das Hemde, ohne weiter angekleidet zu sein, einen gemeinen sogenannten Kommißmantel geworfen, dazu aber Stiefeln angezogen und den Offiziershut mit breiter goldner Tresse auf das kahle Haupt gedrückt hatte. Eine Pistole, die auf der Erde neben ihm gelegen, ergriff er schnell und steckte sie, um sie meinen Blicken zu entziehen, in die Tasche des Mantels. Auf dem ganzen Wege nach der Stadt sprach er keine Silbe mit mir, sondern stieß nur dann und wann abgebrochene Reden aus in seiner Muttersprache (er war Irländer von Geburt), die ich nicht verstand. Vor seinem Quartier angekommen, drückte er mir die Hand und sprach mit einem Ton, der in der Tat etwas Unbeschreibliches, nie Gehörtes hatte, so daß er noch in meiner Seele wiederklingt: ›Gute Nacht, Leutnant! – Der Himmel beschütze Euch und gebe Euch gute Träume!‹ – Dieser Major O'Malley war wohl einer der allerwunderlichsten Menschen, die es geben kann, und rechne ich vielleicht ein paar etwas exzentrische Engländer ab, die mir vorgekommen, so wüßt ich keinen Offizier in der ganzen großen Armee, der in der äußern Erscheinung mit O'Malley zu vergleichen. Ist es wahr, was viele Reisende behaupten, daß die Natur sich eben nirgends solch ganz besonderer Prägstöcke bedient als in Irland, weshalb denn jede Familie die artigsten Kabinettstückchen aufzuweisen hat, so konnte der Major O'Malley billigerweise für einen Prototypus seiner ganzen Nation gelten. Denke dir einen baumstarken Mann von sechs Fuß Höhe, dessen Bau man gerade nicht ungeschickt nennen kann, aber kein Glied paßt zum andern, und die ganze Figur scheint zusammengewürfelt wie in jenem Spiel, in dem Figuren aus einzelnen Teilen, deren Nummer die Würfel bestimmen, zusammengefügt werden. Die Adlernase, die fein geschlitzten Lippen würden das Antlitz zum Edlen erheben; aber sind die hervorstehenden Glasaugen beinahe widrig, so tragen die hohen schwarzen buschigen Augenbrauen den Charakter der komischen Maske. – Sehr seltsam hatte des Majors Antlitz etwas Weinerliches, wenn er lachte, wiewohl das selten geschah; dagegen war es, als ob er lache, wenn ihn die Wut des wildesten Zorns übermannte: aber dieses Lachen hatte so etwas Grauenhaftes, daß die ältesten, im Gemüt handfestesten Bursche sich davor entsetzten. Ebenso selten als O'Malley lachte, ebenso selten ließ er sich aber auch hinreißen vom Zorn. Ganz unmöglich schien es, daß dem Major jemals hätte eine Uniform passen sollen. Die Kunst des geschicktesten Regimentsschneiders scheiterte an des Majors unförmlicher Gestalt; der nach dem genauesten Maß zugeschnittene Rock schlug schnöde Falten, hing ihm am Leibe, als sei er aufgehängt zum Ausbürsten, während der Degen an den Beinen schlotterte und der Hut in so seltsamer Richtung auf dem Kopfe saß, daß man schon auf hundert Schritte den militärischen Schismatiker erkannte. Was aber bei der pedantischen Formkrämerei jener Zeit ganz unerhört scheinen mußte: O'Malley trug – keinen Zopf. Freilich möchte auch dieser an den wenigen grauen Löckchen, die sich am Hinterhaupte kräuselten, schwer gehaftet haben, da sonst der Kopf völlig haarlos war. Ritt der Major, so glaubte man, er müsse jeden Augenblick vom Pferde fallen, focht er, jeden Augenblick vom Gegner getroffen werden; und doch war er der beste Reiter, Fechter, überhaupt der geübteste, gewandteste Gymnastiker, den es nur geben konnte. – So viel, um dir das Bild eines Mannes zu geben, dessen ganzes Treiben geheimnisvoll zu nennen, da er bald bedeutende Summen wegwarf, bald hilfsbedürftig erschien und, jeder Kontrolle seiner Obern, jedem Dienstzwange entzogen, durchaus tat, was er wollte. Eben das, was er wollte, war aber meistenteils so exzentrisch oder vielmehr so spleenisch toll, daß man um seinen Verstand besorgt werden konnte. – Man sprach davon, daß der Major zu einer gewissen Zeit, in welcher Potsdam mit seinen Umgebungen der Schauplatz seltsamer, in die Geschichte des Tages eingreifender Mystifikationen war, eine wichtige Rolle gespielt habe und noch in Verbindung stehe, die das Unbegreifliche seiner Stellung erzeugten. – Ein sehr verrufenes Buch, das damals (irr ich nicht, unter dem Titel ›Exkorporationen‹) erschien und in welchem man das Bild eines Mannes fand, das dem Major ähnlich, nährte jenen Glauben; und auch ich, von dem mystischen Inhalt jenes Buches angeregt, fühlte mich desto mehr geneigt, O'Malley für eine Art Armenier zu halten, je länger und näher ich sein wunderliches, wohl könnt ich sagen, spukhaftes Treiben beobachtete. Dazu gab er mir nämlich selbst Gelegenheit, indem er seit jenem Abende, als ich ihn krank oder auf andere Weise erschüttert im Walde antraf, eine ganz besondere Zuneigung zu mir gewonnen hatte, so daß es ihm Bedürfnis schien, mich täglich zu sehen. – Dir die ganz absonderliche Art dieses Umgangs zu beschreiben, dir manches zu erzählen, was das Urteil der Burschen, welche keck behaupteten, der Major sei ein Doppeltgänger und stehe überhaupt mit dem Teufel im Bunde, vollkommen zu rechtfertigen schien, alles dessen bedarf es nicht, da du bald den unheimlichen Geist, der bestimmt war, auf verstörende Weise einzugreifen in mein Leben, hinlänglich kennen lernen wirst.

Ich hatte die Schloßwache, und dort besuchte mich mein Vetter, der Hauptmann von T**, der noch mit einem jungen Offizier aus Berlin nach Potsdam gekommen. Im traulichen Gespräch saßen wir beim Glase Wein, als, beinahe war es schon Mitternacht, der Major O'Malley eintrat. ›Ich glaubte Euch allein, Leutnant‹, sprach er, indem er meine Gäste verdrießlich anblickte, und wollte sich wieder entfernen. Der Hauptmann erinnerte ihn daran, daß sie ja alte Bekannte wä-

ren, und auf mein Bitten ließ O'Malley es sich gefallen, bei uns zu bleiben.
›Euer Wein‹, rief O'Malley, als er ein Glas nach seiner Weise schnell hinuntergestürzt, ›Euer Wein, Leutnant, ist der schnödeste Krätzer, der je eines ehrlichen Kerls Gedärme zerrissen; laßt sehen, ob dieser hier von einer bessern Sorte!‹
Damit holte er aus der Tasche des Kommißmantels, den er über das Hemde gezogen, eine Flasche und schenkte ein. Wir fanden den Wein vortrefflich und hielten ihn für einen vorzüglich feurigen Ungar.
Selbst weiß ich nicht, wie sich das Gespräch auf magische Operationen und zuletzt auf jenes verrufene Buch wandte, dessen ich zuvor gedachte. Dem Hauptmann war, vorzüglich wenn er Wein getrunken, ein gewisser spöttelnder Ton eigen, den nicht jeder gut vertragen mag. In diesem Tone begann er von militärischen Geisterbannern und Hexenmeistern zu sprechen, die zu jener Zeit allerliebste Dinge zustande gebracht, wofür man ihrer Macht noch jetzt huldigen und Opfer bringen müsse. ›Wen meint‹, rief O'Malley mit dröhnender Stimme, ›wen meint Ihr, Hauptmann? – Meint Ihr etwa mich, so wollen wir das Geisterbannen beiseite stellen; daß ich mich aber auf das Entgeistern verstehe, könnt ich Euch beweisen, und dazu bedarf ich statt eines sonstigen Talismans nur meines Degens oder eines guten Pistolenlaufs.‹
Zu nichts weniger war der Hauptmann aufgelegt, als mit O'Malley Händel anzufangen; er versicherte daher, artig einlenkend, daß er zwar allerdings den Major gemeint, indessen nur Scherz im Sinne gehabt, der vielleicht unzeitig gewesen. Im Ernst wolle er aber jetzt den Major fragen, ob er nicht gut tun würde, das alberne Gerücht, daß er wirklich über unheimliche Mächte gebiete, zu widerlegen und so auch seinerseits dem dummen Aberglauben zu steuern, der nicht mehr in das aufgeklärte Zeitalter passe. – Der Major lehnte sich über den ganzen Tisch, stützte den Kopf auf beide Fäuste, so daß seine Nase kaum eine Spanne weit von des Hauptmanns

Antlitz entfernt war, und sprach dann, ihn mit seinen hervorglotzenden Augen starr anblickend, sehr gelassen: ›Hat Euch, mein Gönner, der Herr auch nicht etwa mit einem sehr durchdringenden Geist erleuchtet, so werdet Ihr, hoff ich, doch einzusehen vermögen, daß es die törichtste, einbildischste, ja, ich möchte sagen, verruchteste Anmaßung wäre, wenn wir glauben wollten, mit unserm geistigen Prinzip sei alles abgeschlossen, und es gebe keine geistigen Naturen, die, anders begabt als wir, oft nur sich selbst aus jener Natur allein die momentane Form bildend, sich uns offenbaren in Raum und Zeit, ja, die, nach irgendeiner Wechselwirkung strebend, hineinflüchten könnten in das Tongebäcke, was wir Körper nennen. Ich will es Euch nicht zum Vorwurf machen, Hauptmann, daß Ihr in allen Dingen, die man weder bei der Revue noch auf der Parade lernt, sehr unwissend seid und nichts gelesen habt. Hättet Ihr aber nur etwas weniges in tüchtige Bücher geguckt, kenntet Ihr den Cardanus, den Justinus Martyr, den Lactanz, den Cyprian, den Clemens von Alexandrien, den Macrobius, den Trismegistus, den Nollius, den Dorneus, den Theophrastus, den Fludd, den Wilhelm Postel, den Mirandola, ja nur die kabbalistischen Juden, Joseph und Philo, Euch wäre vielleicht eine Ahnung aufgegangen von Dingen, die jetzt Euern Horizont übersteigen und von denen Ihr daher auch gar nicht reden solltet.‹

Damit sprang O'Malley auf und ging mit starken gewaltigen Schritten auf und ab, so daß die Fenster und die Gläser zitterten.

Unerachtet, versicherte der Hauptmann etwas betreten, unerachtet er des Majors Gelehrsamkeit hoch in Ehren halte, unerachtet er gar nicht in Abrede stellen wolle, daß es höhere geistige Naturen gebe und geben müsse: so sei er doch fest überzeugt, daß irgendeine Verbindung mit einer unbekannten Geisterwelt durchaus gegen die Bedingung der menschlichen Natur, mithin unmöglich sei und alles,

was als Beweis des Gegenteils gelten solle, auf Selbsttäuschung oder Betrug beruhe.
O'Malley blieb, als der Hauptmann schon einige Sekunden geschwiegen, plötzlich stehen und begann: ›Hauptmann, oder (sich zu mir wendend) Ihr, Leutnant, tut mir einen Gefallen und setzt Euch hin und schreibt ein Heldengedicht, ebenso herrlich, so übermenschlich groß wie die Ilias!‹
Wir erwiderten beide, daß uns das wohl nicht gelingen werde, da keinem der homerische Geist inwohne. ›Ha, ha‹, rief der Major, ›seht Ihr wohl, Hauptmann! Weil Euer Geist unfähig ist, Göttliches zu empfangen und zu gebären, ja, weil Eure Natur nicht einmal von der Beschaffenheit sein mag, sich auch nur zur Erkenntnis zu entzünden, deshalb müßtet Ihr eigentlich leugnen, daß aus irgendeinem Menschen sich dergleichen gestalten könne. – Ich sage Euch, jener Umgang mit höheren geistigen Naturen ist bedingt durch einen besondern psychischen Organism; und wie die dichterische Schöpfungskraft, so ist auch jener Organism eine Gabe, mit der die Gunst des Weltgeistes seinen Liebling ausstattet.‹
Ich las in des Hauptmanns Gesicht, daß er im Begriff stand, irgend etwas Spöttisches dem Major zu entgegnen. Um es nicht dazu kommen zu lassen, nahm ich das Wort und machte dem Major bemerklich, daß, soviel ich wüßte, doch die Kabbalisten gewisse Formen und Regeln aufstellten, um zu jenem Umgange mit unbekannten geistigen Wesen zu gelangen. Noch ehe der Major aber antworten konnte, sprang der Hauptmann, von Wein erhitzt, auf und sprach im bittern Ton: ›Nun, was hilft hier alles Schwatzen; Ihr gebt Euch für eine höhere Natur aus, Major; Ihr wollt uns glauben machen, daß Ihr, aus besserm Stoff geschaffen als unsereins, den Geistern gebietet! – Erlaubt, daß ich Euch so lange für einen betörten Schwärmer halte, bis Ihr uns Eure psychische Kraft zutage gelegt.‹
Der Major lachte wild auf und sprach dann: ›Ihr haltet mich für einen gemeinen Geisterbanner, für einen kläglichen Ta-

schenspieler, Hauptmann? – Das steht Euerm kurzsichtigen Sinne wohl an! – Doch! – Es soll Euch vergönnt sein, einen Blick in ein dunkles Reich zu tun, das Ihr nicht ahnet und das Euch verderblich erfassen kann! – Ich warne Euch indessen vorher und gebe Euch zu bedenken, daß Euer Gemüt nicht stark genug sein könnte, manches zu ertragen, das mir ein ergötzliches Spiel dünkt.‹

Der Hauptmann versicherte, daß er bereit sei, es mit allen Geistern und Teufeln aufzunehmen, die O'Malley zu beschwören imstande wäre, und nun mußten wir dem Major auf unser Ehrenwort versprechen, uns in der Nacht des Herbstäquinoktiums, und zwar Schlag zehn Uhr in dem dicht vor dem ***er Tor gelegenen Wirtshause einzufinden, wo wir das Weitere erfahren würden.

Es war indessen heller Tag geworden; die Sonne schien durch die Fenster. Da stellte sich der Major mitten ins Zimmer und rief mit donnernder Stimme: ›Incubus! – Incubus! Nehmahmihah Scedim!‹ – warf den Mantel ab, den er bis jetzt nicht abgelegt, und stand da in voller Uniform.

In demselben Augenblick mußte ich heraus, da die Wache ins Gewehr trat. Als ich zurückkam, waren beide, der Major und der Hauptmann, verschwunden.

›Ich blieb,‹ – sprach der junge Offizier, ein liebenswürdiger frommer Jüngling, den ich allein fand – ›ich blieb nur zurück, um Sie vor diesem Major, diesem entsetzlichen Menschen, zu warnen! – Fern von mir sollen seine fürchterlichen Geheimnisse bleiben, und mich gereut es, daß ich mein Wort gab, bei einem Akt zu sein, der vielleicht uns allen, gewiß aber dem Hauptmann verderblich sein kann. Sie werden mir zutrauen, daß ich nicht geneigt bin, jetzt mehr daran zu glauben, was die alte Wärterin dem Kinde vorerzählt; aber – haben Sie wohl bemerkt, daß der Major nach und nach acht Flaschen aus der Tasche zog, die kaum groß genug schien, eine einzige zu fassen? – daß er zuletzt, unerachtet er unter dem Mantel nur das Hemde trug, plötzlich von unsichtbaren

Händen angekleidet dastand?‹ – Es war dem so, wie der Leutnant sagte, und ich muß gestehen, daß eiskalte Schauer mich durchbebten. –

An dem bestimmten Tage fand sich der Hauptmann mit meinem jungen Freunde bei mir ein, und auf den Schlag zehn Uhr nachts waren wir, so wie wir es dem Major zugesagt, in dem Wirtshause. Der Leutnant war still und in sich gekehrt, desto lauter und lustiger aber der Hauptmann.

›In der Tat,‹ rief dieser, als es schon halb eilf Uhr geworden und O'Malley sich nicht blicken ließ, ›in der Tat, ich glaube, der Herr Geisterbanner läßt uns im Stich mitsamt seinen Geistern und Teufeln!‹ ›Das tut er nicht‹, sprach es dicht hinter dem Hauptmann, und O'Malley stand unter uns, ohne daß jemand bemerkt, wie er hereingekommen. – Dem Hauptmann erstarb die Lache, die er aufschlagen wollen. –

Der Major, wie gewöhnlich in seinen Soldatenmantel gekleidet, meinte, daß es, ehe er uns an den Ort führe, wo er gedenke, sein Versprechen zu erfüllen, noch Zeit sei, ein paar Gläser Punsch zu trinken; es würde uns guttun, da die Nacht rauh und kalt sei und wir einen ziemlichen Weg zu machen hätten. Wir setzten uns an einen Tisch, auf den der Major einige zusammengebundene Fackeln und ein Buch legte.

›Hoho‹, rief der Hauptmann, ›das ist wohl Euer Beschwörungsbuch, Major?‹ – ›Allerdings‹, erwiderte O'Malley trokken.

Der Hauptmann ergriff das Buch, schlug es auf und lachte in demselben Augenblick so unmäßig, daß wir nicht wußten, was ihn denn so ganz toll lächerlich bedünken könne.

›Nein,‹ sprach dann der Hauptmann, sich mit Mühe erholend, ›nein, das ist zu arg! – Major, was zum Teufel, wollt Ihr denn Euern Scherz mit uns treiben, oder habt Ihr Euch vergriffen? – Freunde, Kameraden, schaut doch nur her!‹

Du kannst dir, Freund Albert, unser tiefes Erstaunen denken, als wir gewahrten, daß das Buch, das uns der Hauptmann vor die Augen hielt, kein anderes war, als – Pepliers französische

Grammaire! – O'Malley nahm dem Hauptmann das Buch aus der Hand, steckte es in die Manteltasche und sprach dann sehr ruhig, wie er denn überhaupt in seinem ganzen Wesen ruhiger und milder erschien als sonst jemals: ›Sehr gleichgültig kann es Euch sein, Hauptmann, welcher Mittel ich mich bedienen will, um mein Versprechen zu erfüllen, welches in nichts anderm besteht, als Euch sinnlich meine Gemeinschaft mit der Geisterwelt darzutun, die uns umgibt, ja in der unser höheres Sein bedingt ist. Glaubt Ihr denn, daß meine Kraft solcher armseliger Krücken bedarf, als da sind: besondere mystische Formeln, Wahl einer bestimmten Zeit, eines abgelegenen schauerlichen Orts, deren sich armselige kabbalistische Schüler in nutzlosen Experimenten zu bedienen pflegen? – Auf offnem Markt, zu jeder Stunde könnt ich Euch beweisen, was ich vermag; und daß ich damals, als Ihr mich verwegen genug in die Schranken fordertet, eine besondere Zeit und, wie Ihr gleich sehen werdet, einen Ort wählte, der Euch vielleicht schauerlich bedünken möchte, war nur eine Artigkeit, die ich Eurethalben dem erzeigen wollte, der in gewisser Art diesmal Euer Gast sein soll. – Gäste empfängt man gern im Putzzimmer zur gelegensten Stunde.‹

Es schlug eilf Uhr; der Major nahm die Fackeln und gebot uns, zu folgen.

Er schritt so schnell, daß wir Mühe hatten, ihm nachzukommen, voran auf dem großen Wege fort und bog, als wir das Zollhäuschen erreicht, rechts ein in den Fußsteig, der durch den dort gelegenen dichten Tannenwald führt. Nachdem wir beinahe eine Stunde gelaufen, stand der Major still und mahnte uns, dicht hinter ihm zu bleiben, da wir uns sonst leicht im Dickicht des Waldes, in das wir nun hinein müßten, verlieren könnten. Nun ging es quer durch im dicksten Gestrüppe, so daß bald dieser, bald jener mit der Uniform oder mit dem Degen hängenblieb und sich mit Mühe losmachen mußte, bis wir endlich einen freien Platz erreichten. Mondesstrahlen brachen durch das finstre Gewölk, und ich gewahrte

die Ruinen eines ansehnlichen Gebäudes, in welche der Major hineinschritt. Es wurde finstrer und finstrer; der Major rief uns zu, stillzustehen, weil er jeden einzeln hinabführen wolle. Mit dem Hauptmann machte er den Anfang; dann traf mich die Reihe. Der Major hatte mich umfaßt und trug mich mehr, als ich ging, hinunter in die Tiefe. ›Bleibt‹, flüsterte O'Malley mir zu, ›bleibt hier ruhig stehen, bis ich den Leutnant gebracht, dann beginnt mein Werk.‹
Ich vernahm in der undurchdringlichen Finsternis die Atemzüge eines dicht neben mir Stehenden. ›Bist du es, Hauptmann?‹ rief ich. ›Allerdings!‹ erwiderte der Hauptmann; ›gib acht, Vetter, es läuft alles auf dumme Taschenspielerei hinaus; aber es ist ein ganz verdammter Ort, wo uns der Major hingeführt, und ich wollte, ich säße wieder beim Punschnapf; denn mir beben alle Glieder vor Frost und, wenn du willst, auch vor einer gewissen kindischen Bangigkeit.‹ –
Mir gings nicht besser als dem Hauptmann. Der rauhe Herbstwind pfiff und heulte durch die Mauern, und ein seltsames Flüstern und Ächzen antwortete aus der Tiefe. Aufgescheuchtes Nachtgeflügel rauschte und flatterte um uns her, während ein leises Winseln dicht über den Boden wegzuschleichen schien. – Wahrlich, wir beide, der Hauptmann und ich, konnten von den Schauern unseres Aufenthalts wohl dasselbe sagen, was Cervantes vom Don Quixote sagt, als er die verhängnisvolle Nacht vor dem Abenteuer mit den Walkmühlen übersteht: ›Ein minder Beherzter hätte alle Fassung verloren.‹ – An dem Wellengeflüster eines nahen Wassers und an dem Heulen der Hunde gewahrten wir übrigens, daß wir uns nicht ferne von der Lederfabrik befinden mußten, die bei Potsdam dicht an dem Strom gelegen ist. Endlich vernahmen wir dumpfe Tritte, die sich immer mehr näherten, bis dicht bei uns der Major laut rief: ›Nun sind wir beisammen, und es kann vollbracht werden, was begonnen!‹ – Mittelst eines chemischen Feuerzeuges zündete er die Fackeln an, die er mitgebracht, und steckte sie in den Boden. Es wa-

ren sieben an der Zahl. Wir befanden uns in einem verfallenen Kellergewölbe. O'Malley stellte uns in einen Halbkreis, warf Mantel und Hemde ab, so daß er bis an den Gürtel nackt dastand, schlug das Buch auf und begann mit einer Stimme, die mehr dem dumpfen Brüllen eines fernen Raubtiers, als dem Ton eines Menschen glich, zu lesen: ›Monsieur, prêtez-moi un peu, s'il vous plaît, votre canif. – Oui, Monsieur, d'abord – le voilà – je vous le rendrai‹.« –

»Nein,« unterbrach Albert hier den Freund, »nein, das ist zu arg! – Das Gespräch: ›Vom Schreiben‹ aus Pepliers Grammaire als Beschwörungsformel! – Und ihr lachtet nicht laut auf, und das ganze Spiel hatte nicht auf einmal ein Ende?« –

»Ich,« fuhr Viktor fort, »ich komme nun zu einem Moment, von dem ich in der Tat nicht weiß, ob es mir gelingen wird, ihn dir darzustellen. Mag deine Phantasie meine Worte beleben! – Immer entsetzlicher wurde die Stimme des Majors, während der Sturm stärker brauste und der flackernde Schein der Fackeln die Wände mit seltsamen, im Fluge wechselnden Gebilden belebte. – Ich fühlte, wie kalter Schweiß auf meiner Stirn tropfte; mit Gewalt errang ich Fassung – da pfiff ein schneidender Ton durch das Gewölbe, und dicht vor meinen Augen stand ein Etwas ...«

»Wie,« rief Albert, »ein Etwas, meinst du, Viktor? – eine entsetzliche Gestalt?«

»Es scheint,« sprach Viktor weiter, »es scheint heilloser Unsinn, wenn ich von einer gestaltlosen Gestalt sprechen wollte, und doch kann ich kein anderes Wort finden, um das gräßliche Etwas zu bezeichnen, das ich gewahrte. – Genug, in demselben Moment stieß das Grausen der Hölle seine spitzen Eisdolche mir in die Brust, und ich verlor die Besinnung. – Am hellen Mittag fand ich mich wieder, entkleidet auf mein Lager ausgestreckt. Alle Schauer der Nacht waren verschwunden, ich fühlte mich völlig wohl und leicht. Mein junger Freund schlief in dem Lehnstuhl. Sowie ich mich nur regte, erwachte der Leutnant und bezeugte die lebhafteste

Freude, als er mich ganz gesund fand. Von ihm erfuhr ich, daß er, sowie der Major sein düstres Werk begonnen, die Augen zugedrückt und sich bemüht, dem Gespräch aus Pepliers Grammaire fest zu folgen und durchaus sich an nichts weiter zu kehren. Dessenungeachtet hatte ihn eine furchtbare, nie gekannte Angst erfaßt, er indessen die Besinnung nicht verloren. Dem gräßlichen Pfeifen (so erzählte der Leutnant) folgte ein wildes, wüstes Gelächter. Nun schlug der Leutnant unwillkürlich die Augen auf und gewahrte den Major, der den Mantel wieder umgeworfen und im Begriff stand, den Hauptmann, der entseelt am Boden lag, auf die Schultern zu laden.

›Nehmt Euch Eures Freundes an‹, rief O'Malley dem Leutnant zu, gab ihm eine Fackel und stieg mit dem Hauptmann herauf. Jetzt redete der Leutnant mich, der ich regungslos dastand, an, indes vergeblich. Ich schien vom Starrkrampfe ergriffen, und nur mit der äußersten Anstrengung brachte mich der Leutnant herauf ins Freie. Plötzlich kehrte nun der Major zurück, packte mich auf die Schultern und trug mich fort, wie erst den Hauptmann. Tiefes Entsetzen erfaßte aber den Leutnant, als er, aus dem Walde herausgekommen, auf dem breiten Wege einen zweiten O'Malley gewahrte, der den Hauptmann trug. Still für sich betend, besiegte er aber jenes Entsetzen und folgte mir, fest entschlossen, mich, möge sich begeben, was da wolle, nicht zu verlassen, bis vor mein Quartier, wo O'Malley mich absetzte und sich davonmachte, ohne ein Wort zu reden. Mit Hilfe meines Bedienten (das war damals schon mein ehrlicher Eulenspiegel, Paul Talkebarth) brachte mich nun der Leutnant auf mein Zimmer und ins Bette. Mein junger Freund schloß seine Erzählung damit, daß er mich auf das rührendste beschwor, jede Gemeinschaft mit dem furchtbaren O'Malley zu vermeiden. Den Hauptmann hatte der herbeigerufene Arzt in jenem Wirtshause vor dem Tore, wo wir uns versammelt, sprachlos, vom Schlage getroffen gefunden. Er genas zwar, blieb aber untauglich für den Dienst und mußte seinen Abschied nehmen. Der Major war verschwunden; die Offiziere sagten, er sei auf Urlaub. Mir war es lieb, daß ich ihn nicht wiedersah, da mit dem Entsetzen, das sein finstres Treiben mir verursacht, eine tiefe Erbitterung in meine Seele gekommen war. Meines Verwandten Unglück war O'Malleys Werk, und blutige Rache zu nehmen, schien eigentlich meine Pflicht. –

Geraume Zeit war vergangen, das Bild jener verhängnisvollen Nacht verblaßt. Die Beschäftigung, die der Dienst erfordert, unterdrückten meinen Hang zu mystischer Schwärmerei. Da fiel mir ein Buch in die Hände, dessen Wirkung auf mein ganzes Wesen mir selbst ganz unerklärlich dünkte. Ich meine jene wunderbare Erzählung Cazottes, die in einer deutschen Übersetzung ›Teufel Amor‹ benannt ist. – Die mir natürliche Blödigkeit, ja ein gewisses kindisches, scheues Wesen in der Gesellschaft hatte mich entfernt gehalten von dem Frauenzimmer, so wie die besondere Richtung meines Geistes jedem Aufwallen roher Begierde widerstand. Ich kann mit Recht behaupten, daß ich ganz unschuldig war, da weder mein Verstand noch meine Phantasie sich bis jetzt mit dem Verhältnis des Mannes zum Weibe beschäftigt hatte. Jetzt erst wurde das Mysterium einer Sinnlichkeit in mir wach, die ich nicht geahnet. Meine Pulse schlugen, ein verzehrendes Feuer durchströmte Nerven und Adern bei jenen Szenen der gefährlichsten, ja grauenvollsten Liebe, die der Dichter mit glühenden Lebensfarben darstellte. Ich sah, ich hörte, ich empfand nichts als die reizende Biondetta, ich unterlag der wollüstigen Qual wie Alvarez.« –

»Halt,« unterbrach Albert hier den Freund, »halt – nicht ganz lebhaft erinnere ich mich des ›Diable amoureux‹ von Cazotte; aber soviel ich weiß, dreht sich die Geschichte darum, daß ein junger Offizier in der Garde des Königs von Neapel von einem mystischen Kameraden verführt wird, in den Ruinen von Portici den Teufel heraufzubeschwören. Als er die Bannformel gesprochen, streckt ein scheußlicher Kamelskopf mit langem Halse aus einem Fenster sich ihm entgegen und ruft mit gräßlicher Stimme: Che vuoi! – Alvarez, so ist ja der junge Gardeoffizier geheißen, befiehlt dem Gespenst, in der Gestalt eines Wachtelhündchens und dann eines Pagen zu erscheinen. Es geschieht; bald aber wird aus diesem Pagen das reizendste und zugleich verliebteste Mädchen, das den Beschwörer ganz und gar bestrickt. Doch wie Cazottes gar hübsches Märlein endigt, das ist mir entfallen.« –

»Das,« fuhr Viktor fort, »das tut voderhand gar nichts zur Sache, du wirst wohl daran erinnert werden bei dem Schlusse meiner Geschichte, – halt es meinem Hange zum Wunderbaren, wohl aber auch dem Geheimnisvollen zugute, das ich erfahren, wenn Cazottes Märchen mir bald ein Zauberspiegel dünkte, in dem ich mein eignes Schicksal erblickte. – War nicht O'Malley für mich jener mystische Niederländer, jener Soberano, der den Alvarez mit seinen Künsten verlockte? –

Die Sehnsucht, die in meiner Brust glühte, das furchtbare Abenteuer des Alvarez zu bestehen, erfüllte mich mit Grausen; aber selbst die Schauer dieses Grausens ließen mich erbeben vor unbeschreiblicher Wollust, die ich nie gekannt. Oft regte es sich in meinem Innern wie eine Hoffnung, daß O'Malley wiederkehren und die Geburt der Hölle, der mein ganzes Ich hingegeben, in meine Arme liefern würde, und nicht töten konnte diese sündhafte Hoffnung, der tiefe Abscheu, der dann wieder wie ein Dolch meine Brust durchfuhr. Die seltsame Stimmung, die mein aufgeregter Zustand erzeugte, blieb allen ein Rätsel; man hielt mich für gemütskrank, man wollte mich aufheitern, zerstreuen; unter dem Vorwand eines Dienstgeschäftes schickte man mich nach der Residenz, wo die glänzendsten Zirkel mir offen standen. War ich aber jemals scheu und blöde gewesen, so verursachte mir jetzt Gesellschaft, vorzüglich aber jede Annäherung von Frauenzimmern, einen entschiedenen Widerwillen, da die reizendste mir nur Biondettas Bild, das ich im Innern trug, zu verhöhnen schien. Als ich nach Potsdam zurückgekommen, floh ich alle Gemeinschaft meiner Kameraden, und mein liebster Aufenthalt war jener Wald, der Schauplatz der grauenvollen Begebenheiten, die meinem armen Vetter beinahe das Leben gekostet. Dicht bei den Ruinen stand ich und war, von einer dunklen Begierde getrieben, im Begriff, mich durch das dicke Gestrüpp hineinzuarbeiten, als ich plötzlich O'Malley erblickte, der langsam herausschritt und mich gar nicht zu gewahren schien. Der lange verhaltene Zorn wallte auf; ich stürzte los auf den Major und erklärte ihm mit kurzen Worten, daß er sich meines Vetters halber mit mir schlagen müsse. ›Das kann sogleich geschehen‹, sprach der Major kalt und ernst, warf den Mantel ab, zog den Degen und schlug mir den meinigen beim ersten Gange mit unwiderstehlicher Gewandtheit und Stärke aus der Hand. ›Wir schießen uns‹, schrie ich in wilder Wut und wollte meinen Degen aufraffen, da hielt mich O'Malley fest und sprach mit mildem, ruhigem Ton, wie ich ihn beinahe noch niemals reden gehört: ›Sei kein Tor, mein Sohn! du siehst, daß ich dir im Kampfe überlegen bin; ehe könntest du die Luft verwunden, als mich, und niemals werd ich es über mich gewinnen, dir feindlich gegenüberzustehen, da ich dir mein Leben verdanke und wohl noch etwas mehr.‹ – Der Major faßte mich jetzt unter den Arm, und indem er mich mit sanfter Gewalt fortzog, bewies er mir, daß an des Hauptmanns Unfall niemand anders schuld sei als er, der Hauptmann selbst, da er sich, alles Warnens unerachtet, Dinge zugetraut, denen er nicht gewachsen, und ihn, den Major, zu dem, was er getan, genötigt durch unzeitigen, verhöhnenden Spott. – Selbst weiß ich nicht, was für eine seltsame Zauberkraft in O'Malleys Worten, in seinem ganzen Benehmen lag; es gelang ihm nicht allein, mich zu beruhigen, sondern mich auch so anzuregen, daß ich ihm willkürlos das Geheimnis meines innern Zustandes, des zerrüttenden Kampfs meiner Seele, aufschloß. ›Die besondere‹, sprach O'Malley, als er alles erfahren, ›die besondere Konstellation, die über dich, mein guter Sohn, waltet, hat es nun einmal gefügt, daß ein albernes Buch dich auf dein eigentliches inneres Wesen aufmerksam machen sollte. Albern nenne ich jenes Buch, weil darin von einem Popanz die Rede ist, der sich widerlich zeigt und charakterlos. Das, was du der Wirkung jener lüsternen Bilder des Dichters zuschreibst, ist nichts als der Drang zur Vereinigung mit einem geistigen Wesen aus einer andern Region, die durch deinen glücklich gemischten Organismus bedingt ist. Hättest du mir größeres Vertrauen bewiesen, du stündest längst auf einer höheren Stufe; doch nehme ich dich noch jetzt zu meinem Schüler an.‹ – O'Malley fing nun an, mich mit der Natur der Elementargeister bekannt zu machen. Ich verstand wenig von dem, was er sprach, indessen lief alles so ziemlich auf die Lehre von Sylphen, Undinen, Salamandern und Gnomen hinaus, wie du sie in den Unterredungen des Comte de Cabalis finden kannst. Er schloß damit, daß er mir eine besondere Lebensweise vorschrieb, und meinte, daß ich wohl in Jahresfrist zu meiner Biondetta gelangen könne, die mir gewiß nicht die Schmach antun werde, sich in meinen Armen zum leidigen Satan umzugestalten. Mit derselben Hitze wie Alvarez versetzte ich, daß ich in so langer Zeit sterben würde vor Sehnsucht und Ungeduld und alles wagen wolle, früher mein Ziel zu erreichen. Der Major schwieg einige Augenblicke, nachdenklich vor sich hinstarrend, dann erwiderte er: ›Es ist gewiß, daß ein Elementargeist um Eure Gunst buhlt; das kann Euch fähig machen, in kurzer Zeit das zu erlangen, wonach andere jahrelang streben. Ich will Euer Horoskop stellen; vielleicht gibt sich Eure Buhle mir zu erkennen. In neun Tagen sollt Ihr mehr erfahren.‹ – Ich zählte die Stunden. Bald fühlte ich mich von geheimnisvoll seliger Hoffnung durchdrungen, bald war es mir, als habe ich mich in gefährliche Dinge eingelassen. Endlich am späten Abend des neunten Tages trat der Major in mein Gemach und forderte mich auf, ihm zu folgen. ›Es geht nach den Ruinen?‹, so fragte ich. ›Mitnichten,‹ erwiderte O'Malley lächelnd; ›zu dem Werk, das wir vorhaben, bedarf es weder eines abgelegenen, schauerlichen Orts noch einer fürchterlichen Beschwörung aus Pepliers Grammaire. Überdem darf auch mein Incubus keinen Teil haben an dem heutigen Experiment, das *Ihr* eigentlich unternehmt, nicht ich.‹ Der Major führte mich in sein Quartier und erklärte, daß es darauf ankomme, mir das Etwas zu verschaffen, mittels dessen mein Ich dem Elementargeist erschlossen werde und dieser die Macht erhalte, sich mir in der sichtbaren Welt kundzutun und mit mir Umgang zu pflegen. Es sei das Etwas, das die jüdischen Kabbalisten ›Theraphim‹ nennten. Nun schob O'Malley einen Bücherschrank zur Seite, öffnete die dahinter verborgene Tür, und wir traten in ein kleines gewölbtes Kabinett, in dem ich, außer allerlei seltsamem unbekanntem Gerät, einen vollständigen Apparat zu chemischen oder, wie ich beinahe glauben mochte, zu alchimistischen Experimenten gewahrte. Auf einem kleine Herde schlugen aus den glühenden Kohlen bläuliche Flämmchen. Vor diesem Herde mußte ich mich, dem Major gegenüber, hinsetzen und meine Brust entblößen. Kaum hatte ich dies getan, als der Major schnell, ehe ichs mir versah, mich mit einer Lanzette unter der linken Brust ritzte und die wenigen Tropfen Bluts, die der leichten, kaum fühlbaren Wunde entquollen, in einer kleinen Phiole auffing. Dann nahm er eine hell spiegelartig polierte Metallplatte, goß eine andere Phiole, die eine rote blutähnliche Feuchtigkeit enthielt, dann aber die mit meinem Blut gefüllte Phiole darauf aus und brachte mittelst einer Zange die Platte dicht über das Kohlenfeurer. Mich wandelte ein tiefes Grausen an, als ich zu gewahren glaubte, daß auf den Kohlen sich eine lange, spitze, glühende Zunge emporschlängelte und begierig das Blut von dem Metallspiegel wegleckte. Der Major befahl mir nun, mit fest fixiertem Sinn in das Feuer zu schauen. Ich tat es, und bald wurde es mir zumute, als säh ich, wie im Traum, verworrene Gestalten aus dem Metall, das der Major noch immer über den Kohlen festhielt, durcheinander blitzen. Doch plötzlich fühlte ich in der Brust, da, wo der Major meine Haut durchritzt, einen solchen stechenden, gewaltigen Schmerz, daß ich unwillkürlich laut aufschrie. ›Gewonnen, gewonnen‹, rief in demselben Augenblick O'Malley, erhob sich von seinem Sitze und stellte ein kleines, etwa zwei Zoll hohes Püppchen, zu dem sich der Metallspiegel geformt zu haben schien, vor mir hin auf den Herd. ›Das‹, sprach der Major, ›ist Euer Theraphim! Die Gunst des Elementargeistes gegen Euch scheint ungewöhnlich zu sein; Ihr dürfet nun das Äußerste wagen.‹ Auf des Majors Geheiß nahm ich das Püppchen, dem, ungeachtet es zu glühen schien, nur eine wohltuende elektrische Wärme entströmte, drückte es an die Wunde und stellte mich vor einen runden Spiegel, von dem der Major die verhüllende Decke herabgezogen. ›Spannt‹, sprach O'Malley mir nun leise ins Ohr, ›spannt Euer Inneres nun zum inbrünstigsten Verlangen, welches Euch, da der Theraphim wirkt, nicht schwer werden kann, und sprecht mit dem süßesten Ton, dessen Ihr mächtig, das Wort!‹ – In der Tat, ich habe das seltsam klingende Wort, das mir O'Malley vorsprach, vergessen. Kaum war aber die Hälfte der Silben über die Lippen, als ein häßliches, toll verzerrtes Gesicht aus dem Spiegel mich hämisch anlachte. ›Alle Teufel der Hölle, wo kommst du her, verfluchter Hund!‹, so schrie O'Malley hinter mir. Ich wandte mich um und erblickte meinen Paul Talkebarth, der in der Türe stand und dessen schönes Antlitz sich in dem magischen Spiegel reflektiert hatte. Der Major fuhr wütend los auf den ehrlichen Paul; doch ehe ich mich dazwischen werfen konnte, blieb O'Malley dicht vor ihm regungslos stehen, und Paul nützte den Augenblick, sich weitläufig zu entschuldigen, wie er mich gesucht, wie er die Tür offen gefunden, wie er hereingetreten, usw. ›Hebe dich hinweg, Schlingel‹, sprach endlich O'Malley gelassen genug, und da ich hinzu-

fügte: ›Geh nur, guter Paul, gleich komme ich nach Hause‹, so machte sich der Eulenspiegel ganz erschrocken und verblüfft von dannen.
Ich hatte das Püppchen fest in der Hand behalten, und O'Malley versicherte, wie nur dieser Umstand es bewirkt, daß nicht alle Mühe umsonst geblieben. Talkebarths unzeitiges Dazwischentreten habe indessen die Vollendung des Werks auf lange Zeit verschoben. Er riet mir, den treuen Diener fortzujagen; das konnte ich nicht übers Herz bringen. Übrigens belehrte mich der Major, daß der Elementargeist, der mir seine Gunst geschenkt, nichts Geringeres sei, als ein Salamander, wie er es schon vermutet, als er mein Horoskop gestellt, da Mars im ersten Hause gestanden. – Ich komme wiederum zu Momenten, die du, da sie keines Ausdrucks fähig, nur ahnen kannst. Vergessen war Teufel Amor, war Biondetta; ich dachte nur – an meinen Theraphim. Stundenlang konnte ich das Püppchen, vor mir auf den Tisch gestellt, anschauen, und die Liebesglut, die in meinen Adern strömte, schien dann, gleich dem himmlischen Feuer des Prometheus, das Bildlein zu beleben, und in lüsterner Begier wuchs es empor. Doch ebenso schnell zerrann die Gestaltung, als ich sie dachte, und zu der unnennbaren Qual, die mein Herz durchschnitt, gesellte sich ein seltsamer Zorn, der mich antrieb, das Püpplein, ein lächerliches, armseliges Spielwerk, von mir zu werfen. Aber indem ich es faßte, fuhr es durch alle meine Glieder wie ein elektrischer Schlag, und es war mir, als müßte mich die Trennung von dem Talisman der Liebe selbst vernichten. Gestehen will ich offen, daß meine Sehnsucht, unerachtet sie einem Elementargeiste galt, sich vorzüglich in allerlei zweideutigen Träumen auf Gegenstände der Sinnenwelt, die mich umgab, richtete, so daß meine erregte Phantasie bald dieses, bald jenes Frauenzimmer dem spröden Salamander unterschob, der sich meiner Umarmung entzog. – Ich erkannte zwar mein Unrecht und beschwor mein kleines Geheimnis, mir die begangene Untreue zu verzeihen;

allein an der abnehmenden Kraft jener seltsamen Krise, die sonst meine tiefste Seele in glühender Liebe bewegte, ja an einer gewissen unbehaglichen Leere fühlte ich es wohl, daß ich mich immer mehr von meinem Ziele entfernte, statt mich ihm zu nähern. Und doch spotteten die Triebe des in voller Kraft blühenden Jünglings meines Geheimnisses, meines Widerstrebens. Ich erbebte bei der leisesten Berührung irgendeines reizenden Weibes, indem ich mich zugleich in glühender Scham erröten fühlte. – Der Zufall führte mich aufs neue nach der Residenz. Ich sah die Gräfin von L**, das anmutigste, reizendste und zugleich eroberungssüchtigste Weib, das damals in den ersten Zirkeln Berlins prangte; sie warf ihre Blicke auf mich; und die Stimmung, in der ich mich damals befand, mußte es ihr sehr leicht machen, mich ganz und gar in ihre Netze zu verlocken, ja, sie brachte mich endlich dahin, ihr mein Inneres ohne allen Rückhalt zu erschließen, ihr mein Geheimnis zu entdecken, ja ihr das geheimnisvolle Bildlein, das ich auf der Brust trug, zu zeigen.«

»Und,« unterbrach Albert den Freund, »und sie lachte dich nicht wacker aus, schalt dich nicht einen betörten Jüngling?«

»Nichts,« fuhr Viktor fort, »nichts von allem dem. Sie hörte mich mit einem Ernst an, der ihr sonst gar nicht eigen, und als ich geendet, beschwor sie mich, Tränen in den Augen, den Teufelskünsten des berüchtigten O'Malley zu entsagen. Meine beiden Hände fassend, mich mit dem Ausdruck der süßesten Liebe anblickend, sprach sie von dem dunkeln Treiben der kabbalistischen Adepten so gelehrt, so gründlich, daß ich mich nicht wenig darüber verwunderte. Bis zum höchsten Grad stieg aber mein Erstaunen, als sie den Major den ruchlosesten, abscheulichsten Verräter schalt, da ich ihm das Leben gerettet und er mich dafür durch seine schwarze Kunst ins Verderben locken wolle. Zerfallen mit dem Leben, in Gefahr, zu Boden gedrückt zu werden von tiefer Schmach, sei nämlich O'Malley im Begriff gewesen, sich zu erschießen, als ich dazwischengetreten und den Selbstmord gehindert, der ihm dann leid geworden, da das Unheil von ihm abgewandt. Habe mich, so schloß die Gräfin, der Major gestürzt in psychische Krankheit, so wolle sie mich daraus erretten, und der erste Schritt dazu sei, daß ich das Bildlein in ihre Hände liefere. Ich tat das gern und willig, weil ich mich dadurch auf die schönste Art von einer unnützen Qual zu befreien glaubte. Die Gräfin müßte das nicht gewesen sein, was sie wirklich war, hätte sie nicht den Liebhaber lange Zeit schmachten lassen, ohne den brennenden Durst der Liebe zu stillen. So war es mir auch gegangen. Endlich sollte ich glücklich sein. Um Mitternacht harrte eine vertraute Dienerin meiner an einer Hinterpforte des Palastes und führte mich durch entlegene Gänge in ein Gemach, das der Gott der Liebe selbst ausgeschmückt zu haben schien. Hier sollte ich die Gräfin erwarten. Halb betäubt von dem süßen Duft des feinen Räucherwerks, der im Zimmer wallte, bebend vor Liebe und Verlangen, stand ich in des Zimmers Mitte; da traf, durchfuhr wie ein Blitzstrahl mein innerstes Wesen ein Blick ...«

»Wie,« rief Albert, »ein Blick und keine Augen dazu? und du sahst nichts? – wohl wieder eine gestaltlose Gestalt!«

»Magst,« sprach Viktor weiter, »magst du das unbegreiflich finden, genug – keine Gestalt, nichts gewahrte ich, und doch fühlte ich den Blick tief in meiner Brust, und ein jäher Schmerz zuckte an der Stelle, die O'Malley verwundet. In demselben Augenblick gewahrte ich auf dem Simse des Kamins mein Bildlein, faßte es schnell, stürzte heraus, gebot mit drohender Gebärde der erschrockenen Dienerin, mich herabzuführen, rannte nach Hause, weckte meinen Paul und ließ packen. Der früheste Morgen traf mich schon auf dem Rückwege nach Potsdam. – Mehrere Monate hatte ich in der Residenz zugebracht; die Kameraden freuten sich meines unverhofften Wiedersehns und hielten mich den ganzen Tag über fest, so daß ich erst am späten Abend heimkehrte in mein

Quartier. Ich stellte mein liebes, wiedergewonnenes Bildlein auf den Tisch und warf mich, da ich der Ermüdung nicht länger zu widerstehen vermochte, angekleidet auf mein Lager. Bald kam mir aber das träumerische Gefühl, als umflösse mich ein strahlender Glanz! – Ich erwachte, ich schlug die Augen auf: wirklich glänzte das Gemach in magischem Schimmer. – Aber – o Herr des Himmels! – An demselben Tische, auf den ich das Püppchen gestellt, gewahrte ich ein weibliches Wesen, die, den Kopf in die Hand gestützt, zu schlummern schien. Ich kann dir nur sagen, daß ich nie eine zartere, anmutigere Gestalt, nie ein lieblicheres Antlitz träumte; dich den wunderbaren, geheimnisvollen Zauber, der dem holden Bilde entstrahlte, in Worten auch nur ahnen zu lassen, das vermag ich nicht. Sie trug ein seidnes feuerfarbenes Gewand, das, knapp an Brust und Leib anschließend, nur bis an die Knöchel reichte, so daß die zierlichen Füßchen sichtbar wurden. Die schönsten, bis an die Schultern entblößten Arme, in Farbe und Form wie hingehaucht von Tizian, schmückten goldene Spangen; in dem braunen, ins Rötliche spielenden Haar funkelte ein Diamant.« –

»Ei,« sprach Albert lachend, »deine Salamandrin hat keinen sonderlichen Geschmack – rötlichbraunes Haar, und dazu sich in feuerfarbene Seide zu kleiden ...«

»Spotte nicht,« fuhr Viktor fort, »spotte nicht, ich wiederhol es dir, daß, von geheimnisvollem Zauber befangen, mir der Atem stockte. Endlich entfloh ein tiefer Seufzer der beängsteten Brust. Da schlug sie die Augen auf, erhob sich, näherte sich mir, faßte meine Hand! – Alle Glut der Liebe, des brünstigsten Verlangens, zuckte wie ein Blitzstrahl durch mein Inneres, als sie meine Hand leise drückte, als sie mir mit der süßesten Stimme zulispelte: ›Ja! – du hast gesiegt, du bist mein Herrscher, mein Gebieter, ich bin dein!‹ – ›O du Götterkind – himmlisches Wesen!‹, so rief ich laut, umschlang sie und drückte sie an meine Brust. Doch in demselben Augenblicke zerschmolz das Wesen in meinen Armen.« –

»Wie,« unterbrach Albert den Freund, »wie um tausend Himmels willen – zerschmolz?« – »Zerschmolz«, sprach Viktor weiter, »in meinen Armen; anders kann ich dir mein Gefühl des unbegreiflichen Verschwindens jener Holden nicht beschreiben. Zugleich erlosch der Schimmer, und ich fiel, selbst weiß ich nicht wie, in tiefen Schlaf. Als ich erwachte, hielt ich das Püppchen in der Hand. Es würde dich ermüden, wenn ich von dem seltsamen Verhältnisse mit dem geheimnisvollen Wesen, das nun begann und mehrere Wochen fortdauerte, mehr sagen sollte, als daß in jeder Nacht der Besuch sich auf dieselbe Weise wiederholte. So sehr ich mich dagegen sträubte, ich konnte dem träumerischen Zustande nicht widerstehen, der mich befiel und aus dem mich das holde Wesen mit einem Kusse weckte. Doch immer länger und länger weilte sie bei mir. Sie sprach manches von geheimnisvollen Dingen, mehr horchte ich aber auf die süße Melodie ihrer Rede, als auf die Worte selbst. Sie litt und erwiderte die süßesten Liebkosungen. Glaubte ich indessen im Wahnsinn des glühendsten Entzückens den Gipfel des Glücks zu erreichen, so entschwand sie mir, indem ich in tiefen Schlaf versank. – Selbst bei Tage aber war es mir oft, als fühle ich den warmen Hauch eines mir nahen Wesens; ja ein Flüstern, ein Seufzen vernahm ich manchmal dicht bei mir in der Gesellschaft, vorzüglich wenn ich mit einem Frauenzimmer sprach, so daß alle meine Gedanken sich auf meine holde, geheimnisvolle Liebe richteten und ich stumm und starr blieb für das, was mich umgab. Es geschah, daß einst ein Fräulein in einer Gesellschaft sich mir verschämt nahte, um mir den im Pfänderspiel gewonnenen Kuß zu reichen. Indem ich mich aber zu ihr hinbeugte, fühlte ich, noch ehe meine Lippen die ihrigen berührten, einen heißen, schallenden Kuß auf meinem Munde glühen, und zugleich lispelte eine Stimme: ›Nur mir gehören deine Küsse.‹ Ich und das Fräulein, beide waren wir etwas erschrocken, die übrigen glaubten, *wir* hätten uns wirklich geküßt. Dieser Kuß galt mir indessen für ein

Zeichen, daß Aurora (so nannte ich die geheimnisvolle Geliebte) sich nun bald ganz und gar in Leben gestalten und mich nicht mehr verlassen werde. Als die Holde in der folgenden Nacht mir wieder erschien auf die gewöhnliche Weise, beschwor ich sie in den rührendsten Worten, wie die hell-lodernde Glut der Liebe und des Verlangens sie mir eingab, mein Glück zu vollenden, ganz mein zu sein für immer in sichtbarer Gestalt. Sie wand sich sanft aus meinen Armen und sprach dann mit mildem Ernst: ›Du weißt, auf welche Weise du mein Gebieter wurdest. Dir ganz anzugehören, war mein seligster Wunsch; aber nur halb sind die Ketten gesprengt, die mich an den Thron fesseln, dem das Volk, dem ich angehöre, unterwürfig ist. Doch je stärker, je mächtiger deine Herrschaft wird, desto freier fühle ich mich von der qualvollen Sklaverei. Immer inniger wird unser Verhältnis, und wir gelangen zum Ziel, ehe vielleicht ein Jahr vorüber ist. Wolltest du, Geliebter, voraneilen dem waltenden Schicksal, manches Opfer, mancher dir bedenklich scheinende Schritt wäre vielleicht noch nötig.‹ – ›Nein‹, rief ich, ›nein, kein Opfer, keinen bedenklichen Schritt gibt es für mich, um dich zu gewinnen ganz und gar! – Nicht länger leben kann ich ohne dich, ich sterbe vor Ungeduld, vor namenloser Pein!‹ Da umschlang mich Aurora und lispelte mit kaum hörbarer Stimme: ›Bist du selig in meinen Armen?‹ – ›Es gibt keine andere Seligkeit‹, rief ich und drückte, ganz Glut der Liebe, ganz Wahnsinn des Verlangens, das holde Weib an meine Brust. Brennende Küsse fühlte ich auf meinen Lippen, und diese Küsse selbst waren melodischer Wohllaut des Himmels, in dem ich die Worte vernahm: ›Könntest du wohl um den Preis meines Besitzes der Seligkeit eines unbekannten Jenseits entsagen?‹ – Eiskalte Schauer durchbebten mich, aber in diesen Schauern raste stärker die Begier, und ich rief in willkürloser Liebeswut: ›Außer dir keine Seligkeit – ich entsage . . .‹

Ich glaube noch jetzt, daß ich hier stockte. ›Morgen nachts

wird unser Bund geschlossen‹, lispelte Aurora, und ich fühlte, wie sie verschwinden wollte aus meinen Armen. Ich drückte sie stärker an mich, vergebens schien sie zu ringen, und indem ich bange Todesseufzer vernahm, wähnte ich mich auf der höchsten Stufe des Liebesglücks. – Mit dem Gedanken an jenen Teufel Amor, an jene verführerische Biondetta erwachte ich aus tiefem Schlaf. Schwer fiel es auf meine Seele, was ich getan in der verhängnisvollen Nacht. Ich gedachte jener heillosen Beschwörung des entsetzlichen O'Malley, der Warnungen meines frommen jungen Freundes – ich glaubte mich in den Schlingen des Teufels, ich glaubte mich verloren. – Im Innern zerrissen, sprang ich auf und rannte ins Freie. Auf der Straße kam mir der Major entgegen und hielt mich fest, indem er sprach: ›Nun, Leutnant, ich wünsche Euch Glück. In der Tat, für so keck und entschlossen hätt ich Euch kaum gehalten; Ihr überflügelt den Meister!‹ – Von Wut und Scham durchglüht, nicht fähig, ein einziges Wort zu erwidern, machte ich mich los und verfolgte meinen Weg. Der Major lachte hinter mir her. Ich vernahm das Hohnlachen des Satans. – In dem Walde, unfern von jenen verhängnisvollen Ruinen, erblickte ich eine verhüllte weibliche Gestalt, die, unter einem Baume gelagert, sich einem Selbstgespräche zu überlassen schien. Ich schlich behutsam näher und vernahm die Worte: ›Er ist mein, er ist mein – o Seligkeit des Himmels! – auch die letzte Prüfung überstand er! – Sind die Menschen denn solcher Liebe fähig, was ist dann ohne sie unser armseliges Sein!‹ – Du errätst, daß es Aurora war, die ich fand. Sie schlug den Schleier zurück; die Liebe selbst kann nicht schöner, nicht anmutiger sein. Die sanfte Blässe der Wangen, der in süßer Schwermut verklärte Blick ließ mich erbeben in namenloser Lust. Ich schämte mich meiner dunklen Gedanken; – doch in dem Augenblicke, als ich hinstürzen wollte zu ihren Füßen, war sie verschwunden wie ein Nebelbild. Zu gleicher Zeit vernahm ich ein wohlbekanntes Räuspern im Gebüsche, aus dem denn auch bald mein ehrlicher Eulenspiegel, Paul Talkebarth, hervortrat. ›Kerl, wo führt dich der Teufel her?‹ fuhr ich ihn an. – ›Ei nun‹, versetzte er, indem er das lächelnde Fratzengesicht zog, das du kennst, ›ei nun, gerade *hergeführt* hat mich der Teufel nicht, aber *begegnet* mag er mir wohl sein. Der gnädige Herr Leutnant war so früh ausgegangen und hatte die Pfeife vergessen und den Tabak – da dacht ich, so am frühen Morgen in der feuchten Luft ... Denn meine Muhme in Genthin pflegte zu sagen ...‹ – ›Halts Maul, Schwätzer, und gib her!‹ so rief ich und ließ mir die angezündete Pfeife reichen. Doch kaum waren wir ein paar Schritte weitergegangen, als Paul aufs neue ganz leise begann: ›Denn meine Muhme in Genthin pflegte immer zu sagen, dem Wurzelmännlein sei gar nicht zu trauen, so ein Kerlchen sei doch am Ende nichts weiter als ein Incubus oder Chezim und stieße einem zuletzt das Herz ab. – Nun, die alte Kaffeeliese hier in der Vorstadt – ach, gnädiger Herr Leutnant, Sie sollen nur sehen, was die für schöne Blumen und Tiere und Menschen zu gießen weiß. – Der Mensch helfe sich, wie er kann, pflegte meine Muhme in Genthin zu sagen – ich war gestern auch bei der Liese und brachte ihr ein Viertelchen feinen Mokka. – Unsereins hat auch ein Herz – Beckers Dörtchen ist ein schmuckes Ding; aber sie hat so was Besonderes in den Augen, so was Salamandrisches.‹ –

›Kerl, was sprichst du?‹ rief ich heftig. Paul schwieg, begann aber wieder nach einigen Augenblicken: ›Ja – die Liese ist dabei eine fromme Frau – sie sagte, nachdem sie den Kaffeesatz beschaut: mit der Dörte habe es nichts auf sich, denn das Salamandrische in den Augen komme vom Brezelbacken oder dem Tanzboden, doch solle ich lieber ledig bleiben; aber ein gewisser junger gnädiger Herr sei in großer Gefahr. Die Salamander seien die schlimmsten Dinge, deren sich der Teufel bediene, um eine arme Menschenseele ins Verderben zu lokken, weil sie gewisse Begierden ... nun! man müsse nur standhaft bleiben und Gott fest im Herzen behalten – da er-

blickte ich denn auch selbst in dem Kaffeesatze ganz natürlich, ganz ähnlich den Herrn Major O'Malley.‹ –
Ich hieß den Kerl schweigen, aber du kannst dirs denken, welche Gefühle in mir aufgingen bei diesen seltsamen Reden Pauls, den ich plötzlich eingeweiht fand in mein dunkles Geheimnis und der ebenso unerwartet Kenntnisse von kabbalistischen Dingen kundtat, die er wahrscheinlich der Kaffeewahrsagerin zu verdanken hatte. – Ich brachte den unruhigsten Tag meines Lebens zu. Paul war abends nicht aus der Stube zu bringen, immer kehrte er wieder und machte sich etwas zu schaffen. Als er endlich, da es beinahe Mitternacht worden, weichen mußte, sprach er leise, wie für sich betend: ›Trage Gott im Herzen, gedenke des Heils deiner Seele, und du wirst den Lockungen des Satans widerstehen!‹ –
Nicht beschreiben kann ich, wie diese einfachen Worte meines Dieners, ich möchte sagen auf furchtbare Weise, mein Inneres erschütterten. Vergebens war mein Streben, mich wach zu erhalten; ich versank in jenen Zustand des wirren Träumens, den ich für unnatürlich, für die Wirkung irgendeines fremden Prinzips erkennen mußte. Wie gewöhnlich weckte mich der magische Schimmer. Aurora, in vollem Glanze überirdischer Schönheit, stand vor mir und streckte sehnsuchtsvoll die Arme nach mir aus. Doch wie Flammenschrift leuchteten in meiner Seele Pauls fromme Worte. ›Laß ab von mir, verführerische Ausgeburt der Hölle!‹, so rief ich; da ragte aber plötzlich riesengroß der entsetzliche O'Malley empor, und mich mit Augen, aus denen das Feuer der Hölle sprühte, durchbohrend, heulte er: ›Sträube dich nicht, armes Menschlein, du bist uns verfallen!‹ – Dem fürchterlichen Anblicke des scheußlichsten Gespenstes hätte mein Mut widerstanden – O'Malley brachte mich um die Sinne, ich stürzte ohnmächtig zu Boden.
Ein starker Knall weckte mich aus der Betäubung, ich fühlte mich von Mannesarmen umschlungen und versuchte, mich mit der Gewalt der Verzweiflung loszuwinden. ›Gnädiger

Herr Leutnant, ich bin es ja!‹, so sprach es mir in die Ohren. Es war mein ehrlicher Paul, der sich bemühte, mich vom Boden aufzuheben. – Ich ließ ihn gewähren. Paul wollte erst nicht recht mit der Sprache heraus, wie sich alles begeben, endlich versicherte er geheimnisvoll lächelnd, daß er wohl besser gewußt, zu welcher gottlosen Bekanntschaft mich der Major verlockt, als ich ahnen können; die alte fromme Liese habe ihm alles entdeckt. Nicht schlafen gegangen sei er in voriger Nacht, sondern habe seine Büchse scharf geladen und an der Türe gelauscht. Als er nun mich laut aufschreien und zu Boden stürzen gehört, habe er, unerachtet ihm gar grausig zumute gewesen, die verschlossene Türe gesprengt und sei eingedrungen. ›Da‹, so erzählte Paul ungefähr in seiner närrischen Manier, ›da standen der Herr Major O'Malley vor mir, gräßlich und scheußlich anzusehen, wie in der Kaffeetasse, und grinseten mich schrecklich an, aber ich ließ mich gar nicht irremachen und sprach: Wenn du, gnädiger Herr Major, der Teufel bist, so halte zu Gnaden, wenn ich dir keck entgegentrete als ein frommer Christ und also spreche: ›Hebe dich weg, du verfluchter Satan Major, ich beschwöre dich im Namen des Herrn, hebe dich weg, sonst knalle ich los.‹ Aber der Herr Major wollte nicht weichen, sondern grinsete mich immerfort an und wollte sogar häßlich schimpfen. Da rief ich: ›Soll ich losknallen? soll ich losknallen?‹ Und als der Herr Major immer noch nicht weichen wollte, knallte ich wirklich los. Aber da war alles verstoben – beide eilfertig abgegangen durch die Wand, der Herr Major Satan und die Mamsell Beelzebub!‹ –

Die Spannung der verflossenen Zeit, die letzten entsetzlichen Augenblicke warfen mich auf ein langwieriges Krankenlager. Als ich genas, verließ ich Potsdam, ohne O'Malley weiter zu sehen, dessen weiteres Schicksal mir auch unbekannt geblieben. Das Bild jener verhängnisvollen Tage trat in den Hintergrund zurück und verlosch endlich ganz, so daß ich die volle Freiheit meines Gemüts wieder gewann, bis hier ...«

»Nun,« fragte Albert, gespannt von Neugierde und Erstaunen, »hier hast du diese Freiheit wieder verloren? Ich begreife in aller Welt nicht, wie *hier* . . .«

»Oh,« unterbrach Viktor den Freund, indem sein Ton etwas Feierliches annahm, »oh, mit zwei Worten ist dir alles erklärt. – In den schlaflosen Nächten des Krankenlagers, das ich hier überstand, erwachten alle Liebesträume jener herrlichsten und schrecklichsten Zeit meines Lebens. Es war meine glühende Sehnsucht selbst, die sich gestaltete – Aurora –, sie erschien mir wieder verklärt, geläutert in dem Feuer des Himmels; kein teuflischer O'Malley hat mehr Macht über sie – Aurora ist – die Baronesse!« – – »Wie? – was?« rief Albert, indem er ganz erschrocken zurückfuhr. – »Die kleine, rundliche Hausfrau, mit dem großen Schlüsselbunde, ein Elementargeist, ein Salamander!« murmelte er dann vor sich hin und verbiß mit Mühe das Lachen. –

»In der Gestalt«, fuhr Viktor fort, »ist keine Spur der Ähnlichkeit mehr zu finden, das heißt, im gewöhnlichen Leben; aber das geheimnisvolle Feuer, das aus ihren Augen blitzt, der Druck ihrer Hand . . .« – »Du bist,« sprach Albert sehr ernst, »du bist recht krank gewesen, denn die Kopfwunde, die du erhieltest, war bedeutend genug, um dein Leben in Gefahr zu setzen; doch jetzt finde ich dich so weit hergestellt, daß du mit mir fort kannst. Recht aus innigem Herzen bitt ich dich, mein teurer, inniggeliebter Freund, diesen Ort zu verlassen und mich morgen nach Aachen zu begleiten.« – »Meines Bleibens«, erwiderte Viktor, »ist hier freilich länger nicht. – Es sei darum, ich gehe mit dir – doch Aufklärung – erst Aufklärung.« –

Am andern Morgen, sowie Albert erwachte, verkündete ihm Viktor, daß er in einem seltsamen, gespenstischen Traum jenes Beschwörungswort gefunden, das ihm O'Malley vorgesprochen, als der Theraphim bereitet worden. Er gedenke zum letzten Male davon Gebrauch zu machen. Albert schüttelte bedenklich den Kopf und ließ alles vorbereiten zur schnellen Abreise, wobei Paul Talkebarth unter allerlei närrischen Redensarten die freudigste Tätigkeit bewies. »Zakkernamthö,« hörte ihn Albert für sich murmeln, »es ist gut, daß den irländischen Diafel Fus der Diafel Bär längst geholt hat, der hätte hier noch gefehlt!« –

Viktor fand, wie er es gewünscht hatte, die Baronesse allein auf ihrem Zimmer mit irgendeiner häuslichen Arbeit beschäftigt. Er sagte ihr, daß er nun endlich das Haus verlassen wolle, wo er so lange die edelste Gastfreundschaft genossen. Die Baronesse versicherte, daß sie nie einen Freund bewirtet, der ihr teurer gewesen. Da faßte Viktor ihre Hand und fragte: »Waren Sie jemals in Potsdam? – Kannten Sie einen gewissen irländischen Major?« – »Viktor,« fiel ihm die Baronesse schnell und heftig ins Wort, »wir trennen uns heute, wir werden uns niemals wiedersehen, wir dürfen das nicht! – Ein dunkler Schleier liegt über meinem Leben! – Lassen Sie es genug sein, wenn ich Ihnen sage, daß ein düstres Schicksal mich dazu verdammt, beständig ein anderes Wesen zu scheinen, als ich wirklich bin. In dem verhaßten Verhältnisse, worin Sie mich gefunden und das mich geistige Qualen erdulden läßt, deren mein körperliches Wohlsein spottet, büße ich eine schwere Schuld, – doch nun nichts mehr – leben Sie wohl!« – Da rief Viktor mit starker Stimme: »Nehelmiahmiheal!«, und mit einem Schrei des Entsetzens stürzte die Baronesse bewußtlos zu Boden. – Viktor, von den seltsamsten Gefühlen bestürmt, ganz außer sich, gewann kaum Fassung, die Dienerschaft herbeizuklingeln; dann verließ er schnell das Zimmer. »Fort, auf der Stelle fort«, rief er dem Freunde Albert entgegen und sagte ihm mit wenigen Worten, was geschehen. Beide schwangen sich auf die vorgeführten Pferde und ritten von dannen, ohne die Rückkunft des Barons abzuwarten, der auf die Jagd gegangen.

Alberts Betrachtungen auf dem Ritt von Lüttich nach Aachen haben gezeigt, mit welchem tiefen Ernst, mit welchem herrlichen Sinn er die Ereignisse der verhängnisvollen Zeit aufgefaßt hatte. Es gelang ihm, auf der Reise nach der Residenz, wohin beide Freunde nun zurückkehrten, seinen Freund Viktor ganz aus dem träumerischen Zustande zu reißen, worin er versunken, und indem Albert alles Ungeheure, welches die Tage des letzten Feldzuges geboren, nochmals vor Viktors Blicken in den lebendigsten Farben aufgehen ließ, fühlte sich dieser von demselben Geiste beseelt, der Alberten einwohnte. Ohne daß Albert sich jemals auf lange Widerlegungen oder Zweifel eingelassen, schien Viktor selbst sein mystisches Abenteuer bald für nichts Höheres zu achten als für einen *langen, bösen Traum*. – –

Es konnte nicht fehlen, daß in der Residenz die Weiber dem Obristen, der reich, von herrlicher Gestalt, für den hohen Rang, den er bekleidete, noch jung und dabei die Liebenswürdigkeit selbst war, gar freundlich entgegenkamen. Albert meinte, daß er ein glücklicher Mensch sei, der sich die Schönste zur Gattin wählen könne, da erwiderte Viktor aber sehr ernst: »Mag es sein, daß ich, mystifiziert, auf heillose Weise unbekannten Zwecken dienen sollte oder daß wirklich eine unheimliche Macht mich verlocken wollte; die Seligkeit hat es mich nicht gekostet, wohl aber das Paradies der Liebe. Nie kann jene Zeit wiederkehren, da ich die höchste irdische Lust empfand, da das Ideal meiner süßesten, entzückendsten Träume, die Liebe selbst, in meinen Armen lag. Dahin ist Liebe und Lust, seitdem ein entsetzliches Geheimnis mir die geraubt, die meinem innigsten Gemüte wirklich ein höheres Wesen war, wie ich es auf Erden nicht wiederfinde!« –

Der Obrist blieb unvermählt.

WILHELM HAUFF

Das kalte Herz

Erste Abteilung

Wer durch Schwaben reist, der sollte nie vergessen, auch ein wenig in den Schwarzwald hineinzuschauen; nicht der Bäume wegen, obgleich man nicht überall solch unermeßliche Menge herrlich aufgeschossener Tannen findet, sondern wegen der Leute, die sich von den andern Menschen ringsumher merkwürdig unterscheiden. Sie sind größer als gewöhnliche Menschen, breitschultrig, von starken Gliedern, und es ist, als ob der stärkende Duft, der morgens durch die Tannen strömt, ihnen von Jugend auf einen freieren Atem, ein klareres Auge und einen festeren, wenn auch rauheren Mut als den Bewohnern der Stromtäler und Ebenen gegeben hätte. Und nicht nur durch Haltung und Wuchs, auch durch ihre Sitten und Trachten sondern sie sich von den Leuten, die außerhalb des Waldes wohnen, streng ab. Am schönsten kleiden sich die Bewohner des badischen Schwarzwaldes; die Männer lassen den Bart wachsen, wie er von Natur dem Mann ums Kinn gegeben ist; ihre schwarzen Wämser, ihre ungeheuren, enggefalteten Pluderhosen, ihre roten Strümpfe und die spitzen Hüte, von einer weiten Scheibe umgeben, verleihen ihnen etwas Fremdartiges, aber etwas Ernstes, Ehrwürdiges. Dort beschäftigen sich die Leute gewöhnlich mit Glasmachen; auch verfertigen sie Uhren und tragen sie in der halben Welt umher.

Auf der andern Seite des Waldes wohnt ein Teil desselben Stammes; aber ihre Arbeiten haben ihnen andere Sitten und Gewohnheiten gegeben als den Glasmachern. Sie handeln mit ihrem Wald; sie fällen und behauen ihre Tannen, flößen sie durch die Nagold in den Neckar und von dem obern Nekkar den Rhein hinab, bis weit hinein nach Holland, und am Meer kennt man die Schwarzwälder und ihre langen Flöße; sie halten an jeder Stadt, die am Strom liegt, an und erwarten stolz, ob man ihnen Balken und Bretter abkaufen werde; ihre stärksten und längsten Balken aber verhandeln sie um schweres Geld an die Mynheers, welche Schiffe daraus bauen. Diese Menschen nun sind an ein rauhes, wanderndes Leben gewöhnt. Ihre Freude ist, auf ihrem Holz die Ströme hinabzufahren, ihr Leid, am Ufer wieder heraufzuwandeln. Darum ist auch ihr Prachtanzug so verschieden von dem der Glasmänner im andern Teil des Schwarzwaldes. Sie tragen Wämser von dunkler Leinwand, einen handbreiten grünen Hosenträger über die breite Brust, Beinkleider von schwarzem Leder, aus deren Tasche ein Zollstab von Messing wie ein Ehrenzeichen hervorschaut; ihr Stolz und ihre Freude aber sind die Stiefel, die größten wahrscheinlich, welche auf irgendeinem Teil der Erde Mode sind; denn sie können zwei Spannen weit über das Knie hinaufgezogen werden, und die ›Flözer‹ können damit in drei Schuh tiefem Wasser umherwandeln, ohne sich die Füße naß zu machen.

Noch vor kurzer Zeit glaubten die Bewohner dieses Waldes an Waldgeister, und erst in neuerer Zeit hat man ihnen diesen törichten Aberglauben benehmen können. Sonderbar ist es aber, daß auch die Waldgeister, die der Sage nach im Schwarzwalde hausen, in diese verschiedenen Trachten sich geteilt haben. So hat man versichert, daß das ›Glasmännlein‹, ein gutes Geistchen von dreieinhalb Fuß Höhe, sich nie anders zeige als in einem spitzen Hütlein mit großem Rand, mit Wams und Pluderhöschen und roten Strümpfchen. Der ›Holländer-Michel‹ aber, der auf der andern Seite des Waldes umgeht, soll ein riesengroßer, breitschultriger Kerl in der Kleidung der Flözer sein, und mehrere, die ihn gesehen haben wollen, versichern, daß sie die Kälber nicht aus ihrem

Beutel bezahlen möchten, deren Felle man zu seinen Stiefeln brauchen würde. »So groß, daß ein gewöhnlicher Mann bis an den Hals hineinstehen könnte«, sagten sie und wollten nichts übertrieben haben.

Mit diesen Waldgeistern soll einmal ein junger Schwarzwälder eine sonderbare Geschichte gehabt haben, die ich erzählen will. Es lebte nämlich im Schwarzwald eine Witwe, Frau Barbara Munkin; ihr Gatte war Kohlenbrenner gewesen, und nach seinem Tod hielt sie ihren sechzehnjährigen Knaben nach und nach zu demselben Geschäft an.

Der junge Peter Munk, ein schlauer Bursche, ließ es sich gefallen, weil er es bei seinem Vater auch nicht anders gesehen hatte, die ganze Woche über am rauchenden Meiler zu sitzen oder, schwarz und berußt und den Leuten ein Abscheu, hinab in die Städte zu fahren und seine Kohlen zu verkaufen. Aber ein Köhler hat viel Zeit zum Nachdenken über sich und andere, und wenn Peter Munk an seinem Meiler saß, stimmten die dunkeln Bäume umher und die tiefe Waldesstille sein Herz zu Tränen und unbewußter Sehnsucht. Es betrübte ihn etwas, es ärgerte ihn etwas, er wußte nicht recht was. Endlich merkte er sich ab, was ihn ärgerte, und das war – sein Stand. »Ein schwarzer, einsamer Kohlenbrenner!« sagte er sich, »es ist ein elend Leben. Wie angesehen sind die Glasmänner, die Uhrmacher, selbst die Musikanten am Sonntag abends! Und wenn Peter Munk, rein gewaschen und geputzt, in des Vaters Ehrenwams mit silbernen Knöpfen und mit nagelneuen roten Strümpfen erscheint und wenn dann einer hinter mir hergeht und denkt, wer ist wohl der schlanke Bursche? und lobt bei sich die Strümpfe und meinen stattlichen Gang, – sieh, wenn er vorübergeht und schaut sich um, sagt er gewiß: ›Ach, es ist nur der Kohlenmunk-Peter.‹« –

Auch die Flözer auf der andern Seite waren ein Gegenstand seines Neides. Wenn diese Waldriesen herüberkamen, mit stattlichen Kleidern, und an Knöpfen, Schnallen und Ketten einen halben Zentner Silber auf dem Leib trugen, wenn sie mit ausgespreizten Beinen und vornehmen Gesichtern dem Tanz zuschauten, holländisch fluchten und wie die vornehmsten Mynheers aus ellenlangen, kölnischen Pfeifen rauchten, da stellte er sich als das vollendetste Bild eines glücklichen Menschen solch einen Flözer vor. Und wenn diese Glücklichen dann erst in die Taschen fuhren, ganze Hände voll großer Taler herauslangten und um Sechsbätzner würfelten, fünf Gulden hin, zehen her, so wollten ihm die Sinne vergehen, und er schlich trübselig nach seiner Hütte; denn an manchem Feiertagabend hatte er einen oder den andern dieser ›Holzherren‹ mehr verspielen sehen, als der arme Vater Munk in einem Jahr verdiente. Es waren vorzüglich drei dieser Männer, von welchen er nicht wußte, welchen er am meisten bewundern sollte. Der eine war ein dicker, großer Mann mit rotem Gesicht und galt für den reichsten Mann in der Runde. Man hieß ihn den ›dicken Ezechiel‹. Er reiste alle Jahre zweimal mit Bauholz nach Amsterdam und hatte das Glück, es immer um so viel teurer als andere zu verkaufen, daß er, wenn die übrigen zu Fuß heimgingen, stattlich herauffahren konnte. Der andere war der längste und magerste Mensch im ganzen Wald, man nannte ihn den ›langen Schlurker‹, und diesen beneidete Munk wegen seiner ausnehmenden Kühnheit; er widersprach den angesehensten Leuten, brauchte, wenn man noch so gedrängt im Wirtshaus saß, mehr Platz, als vier der Dicksten; denn er stützte entweder beide Ellbogen auf den Tisch oder zog eines seiner langen Beine zu sich auf die Bank, und doch wagte ihm keiner zu widersprechen, denn er hatte unmenschlich viel Geld. Der dritte war ein schöner junger Mann, der am besten tanzte weit und breit und daher den Namen ›Tanzbodenkönig‹ hatte. Er war ein armer Mensch gewesen und hatte bei einem Holzherren als Knecht gedient; da wurde er auf einmal steinreich; die einen sagten, er habe unter einer alten Tanne einen Topf voll Geld gefunden, die andern behaupteten, er habe unweit Bingen im Rhein mit der Stechstange, womit die Flözer zuweilen nach den Fischen stechen, einen Pack mit Goldstücken heraufgefischt, und der Pack gehöre zu dem großen Nibelungenhort, der dort vergraben liegt; kurz, er war auf einmal reich geworden und wurde von jung und alt angesehen wie ein Prinz.

An diese drei Männer dachte Kohlenmunk-Peter oft, wenn er einsam im Tannenwald saß. Zwar hatten alle drei einen Hauptfehler, der sie bei den Leuten verhaßt machte; es war dies ihr unmenschlicher Geiz, ihre Gefühllosigkeit gegen Schuldner und Arme; denn die Schwarzwälder sind ein gutmütiges Völklein. Aber man weiß, wie es mit solchen Dingen geht; waren sie auch wegen ihres Geizes verhaßt, so standen sie doch wegen ihres Geldes in Ansehen; denn wer konnte Taler wegwerfen wie sie, als ob man das Geld von den Tannen schüttelte?

»So geht es nicht mehr weiter,« sagte Peter eines Tages schmerzlich betrübt zu sich; denn tags zuvor war Feiertag gewesen und alles Volk in der Schenke; »wenn ich nicht bald auf den grünen Zweig komme, so tu ich mir etwas zuleid; wär ich doch nur so angesehen und reich wie der dicke Ezechiel oder so kühn und so gewaltig wie der lange Schlurker oder so berühmt und könnte den Musikanten Taler statt Kreuzer zuwerfen wie der Tanzbodenkönig! Wo nur der Bursche das Geld her hat?« Allerlei Mittel ging er durch, wie man sich Geld erwerben könne, aber keines wollte ihm gefallen; endlich fielen ihm auch die Sagen von Leuten bei, die vor alten Zeiten durch den Holländer-Michel und durch das Glasmännlein reich geworden waren. Solang sein Vater noch lebte, kamen oft andere arme Leute zu Besuch, und da wurde oft lang und breit von reichen Menschen gesprochen, und wie sie reich geworden; da spielte nun oft das Glasmännlein eine Rolle; ja, wenn er recht nachsann, konnte er sich beinahe noch des Versleins erinnern, das man am Tannenbühl in der Mitte des Waldes sprechen mußte, wenn es erscheinen sollte. Es fing an:

Schatzhauser im grünen Tannenwald,
Bist schon viel hundert Jahre alt;
Dir gehört all Land, wo Tannen stehn –

Aber er mochte sein Gedächtnis anstrengen, wie er wollte, weiter konnte er sich keines Verses mehr entsinnen. Er dachte oft, ob er nicht diesen oder jenen alten Mann fragen sollte, wie das Sprüchlein heiße; aber immer hielt ihn eine gewisse Scheu, seine Gedanken zu verraten, ab; auch schloß er, es müsse die Sage vom Glasmännlein nicht sehr bekannt sein und den Spruch müssen nur wenige wissen; denn es gab nicht viele reiche Leute im Wald, und – warum hatten denn nicht sein Vater und die andern armen Leute ihr Glück versucht? Er brachte endlich einmal seine Mutter auf das Männlein zu sprechen, und diese erzählte ihm, was er schon wußte, kannte auch nur noch die erste Zeile von dem Spruch und sagte ihm endlich, nur Leuten, die an einem Sonntag zwischen elf und zwei Uhr geboren seien, zeige sich das Geistchen. Er selbst würde wohl dazu passen, wenn er nur das Sprüchlein wüßte; denn er sei Sonntag mittags zwölf Uhr geboren.

Als dies der Kohlenmunk-Peter hörte, war er vor Freude und vor Begierde, dies Abenteuer zu unternehmen, beinahe außer sich. Es schien ihm hinlänglich, einen Teil des Sprüchleins zu wissen und am Sonntag geboren zu sein, und Glasmännlein mußte sich ihm zeigen. Als er daher eines Tages seine Kohlen verkauft hatte, zündete er keinen neuen Meiler an, sondern zog seines Vaters Staatswams und neue rote Strümpfe an, setzte den Sonntagshut auf, faßte seinen fünf Fuß hohen Schwarzdornstock in die Hand und nahm von der Mutter Abschied: »Ich muß aufs Amt in die Stadt; denn wir werden bald spielen müssen, wer Soldat wird, und da will ich dem Amtmann nur noch einmal einschärfen, daß Ihr Witwe seid und ich Euer einziger Sohn.« Die Mutter lobte seinen Entschluß, er aber machte sich auf nach dem Tannenbühl. Der Tannenbühl liegt auf der höchsten Höhe des Schwarz-

waldes, und auf zwei Stunden im Umkreis stand damals kein Dorf, ja nicht einmal eine Hütte, denn die abergläubischen Leute meinten, es sei dort ›unsicher‹. Man schlug auch, so hoch und prachtvoll dort die Tannen standen, ungern Holz in jenem Revier; denn oft waren den Holzhauern, wenn sie dort arbeiteten, die Äxte vom Stiel gesprungen und in den Fuß gefahren, oder die Bäume waren schnell umgestürzt und hatten die Männer mit umgerissen und beschädigt oder gar getötet; auch hätte man die schönsten Bäume von dorther nur zu Brennholz brauchen können, denn die Floßherren nahmen nie einen Stamm aus dem Tannenbühl unter ein Floß auf, weil die Sage ging, daß Mann und Holz verunglücke, wenn ein Tannenbühler mit im Wasser sei. Daher kam es, daß im Tannenbühl die Bäume so dicht und so hoch standen, daß es am hellen Tage beinahe Nacht war, und Peter Munk wurde es ganz schaurig dort zumute; denn er hörte keine Stimme, keinen Tritt als den seinigen, keine Axt; selbst die Vögel schienen diese dichte Tannennacht zu vermeiden.
Kohlenmunk-Peter hatte jetzt den höchsten Punkt des Tannenbühls erreicht und stand vor einer Tanne von ungeheurem Umfang, um die ein holländischer Schiffsherr an Ort und Stelle viele hundert Gulden gegeben hätte. ›Hier‹, dachte er, ›wird wohl der Schatzhauser wohnen‹, zog seinen großen Sonntagshut, machte vor dem Baum eine tiefe Verbeugung, räusperte sich und sprach mit zitternder Stimme: »Wünsche glückseligen Abend, Herr Glasmann.« Aber es erfolgte keine Antwort, und alles umher war so still wie zuvor. ›Vielleicht muß ich doch das Verslein sprechen‹, dachte er weiter und murmelte:

Schatzhauser im grünen Tannenwald,
Bist schon viel hundert Jahre alt;
Dir gehört all Land, wo Tannen stehn –

Indem er diese Worte sprach, sah er zu seinem großen Schrecken eine ganz kleine, sonderbare Gestalt hinter der dicken Tanne hervorschauen; es war ihm, als habe er das

Glasmännlein gesehen, wie man ihn beschrieben, das schwarze Wämschen, die roten Strümpfchen, das Hütchen, alles war so, selbst das blasse, aber feine kluge Gesichtchen, wovon man erzählte, glaubte er gesehen zu haben. Aber ach, so schnell es hervorgeschaut hatte, das Glasmännlein, so schnell war es auch wieder verschwunden! »Herr Glasmann,« rief nach einigem Zögern Peter Munk, »seid so gütig und haltet mich nicht für Narren. – Herr Glasmann, wenn Ihr meint, ich habe Euch nicht gesehen, so täuscht Ihr Euch sehr, ich sah Euch wohl hinter dem Baum hervorgucken.« – Immer keine Antwort, nur zuweilen glaubte er ein leises, heiseres Kichern hinter dem Baum zu vernehmen. Endlich überwand seine Ungeduld die Furcht, die ihn bis jetzt noch abgehalten hatte. »Warte, du kleiner Bursche,« rief er, »dich will ich bald haben!« sprang mit einem Satz hinter die Tanne, aber da war kein Schatzhauser im günen Tannenwald, und nur ein kleines, zierliches Eichhörnchen jagte an dem Baum hinauf.

Peter Munk schüttelte den Kopf; er sah ein, daß er die Beschwörung bis auf einen gewissen Grad gebracht habe und daß ihm vielleicht nur noch ein Reim zu dem Sprüchlein fehle, so könne er das Glasmännlein hervorlocken; aber er sann hin, er sann her und fand nichts. Das Eichhörnchen zeigte sich an den untersten Ästen der Tanne und schien ihn aufzumuntern oder zu verspotten. Es putzte sich, es rollte den schönen Schweif, es schaute ihn mit klugen Augen an; aber endlich fürchtete er sich doch beinahe, mit diesem Tier allein zu sein, denn bald schien das Eichhörnchen einen Menschenkopf zu haben und einen dreispitzigen Hut zu tragen, bald war es ganz wie ein anderes Eichhörnchen und hatte nur an den Hinterfüßen rote Strümpfe und schwarze Schuhe. Kurz, es war ein lustiges Tier; aber dennoch graute Kohlenpeter, denn er meinte, es ginge nicht mit rechten Dingen zu. Mit schnelleren Schritten, als er gekommen war, zog Peter wieder ab. Das Dunkel des Tannenwaldes schien immer schwärzer zu werden, die Bäume standen immer dichter, und ihm fing an so zu grauen, daß er im Trab davonjagte, und erst, als er in der Ferne Hunde bellen hörte und bald darauf zwischen den Bäumen den Rauch einer Hütte erblickte, wurde er wieder ruhiger. Aber als er näher kam und die Tracht der Leute in der Hütte erblickte, fand er, daß er aus Angst gerade die entgegengesetzte Richtung genommen und statt zu den Glasleuten zu den Flözern gekommen sei. Die Leute, die in der Hütte wohnten, waren Holzfäller; ein alter Mann, sein Sohn, der Hauswirt, und einige erwachsene Enkel. Sie nahmen Kohlenmunk-Peter, der um ein Nachtlager bat, gut auf, ohne nach seinem Namen oder Wohnort zu fragen, gaben ihm Apfelwein zu trinken, und abends wurde ein großer Auerhahn, die beste Schwarzwaldspeise, aufgesetzt.

Nach dem Nachtessen setzten sich die Hausfrau und ihre Töchter mit ihren Kunkeln um den großen Lichtspan, den die Jungen mit dem feinsten Tannenharz unterhielten, der Großvater, der Gast und der Hauswirt rauchten und schauten den Weibern zu; die Burschen aber waren beschäftigt, Löffel und Gabeln aus Holz zu schnitzeln. Draußen im Wald heulte der Sturm und raste in den Tannen, man hörte da und dort sehr heftige Schläge, und es schien oft, als ob ganze Bäume abgeknickt würden und zusammenkrachten. Die furchtlosen Jungen wollten hinaus in den Wald laufen und dieses furchtbar schöne Schauspiel mit ansehen; ihr Großvater aber hielt sie mit strengem Wort und Blick zurück. »Ich will keinem raten, daß er jetzt von der Tür geht,« rief er ihnen zu, »bei Gott, der kommt nimmermehr wieder; denn der Holländer-Michel haut sich heute nacht ein neues G'stair (Floßgelenke) im Wald.«

Die Kleinen staunten ihn an; sie mochten von dem Holländer-Michel schon gehört haben, aber sie baten jetzt den Ehni einmal recht schön, von jenem zu erzählen. Auch Peter Munk, der vom Holländer-Michel auf der andern Seite des

Waldes nur undeutlich hatte sprechen hören, stimmte mit ein und fragte den Alten, wer und wo er sei. »Er ist der Herr dieses Waldes, und nach dem zu schließen, daß Ihr in Eurem Alter dies noch nicht erfahren, müßt Ihr drüben über dem Tannenbühl oder wohl gar noch weiter zu Hause sein. Vom Holländer-Michel will ich Euch aber erzählen, was ich weiß und wie die Sage von ihm geht. Vor etwa hundert Jahren, so erzählte es wenigstens mein Ehni, war weit und breit kein ehrlicher Volk auf Erden als die Schwarzwälder. Jetzt, seit so viel Geld im Land ist, sind die Menschen unredlich und schlecht. Die jungen Burschen tanzen und johlen am Sonntag und fluchen, daß es ein Schrecken ist; damals war es aber anders, und wenn er jetzt zum Fenster dort hereinschaute, so sag ichs und hab es oft gesagt, der Holländer-Michel ist schuld an all dieser Verderbnis. Es lebte also vor hundert Jahr und drüber ein reicher Holzherr, der viel Gesind hatte; er handelte bis weit in den Rhein hinab, und sein Geschäft war gesegnet, denn er war ein frommer Mann. Kommt eines Abends ein Mann an seine Türe, dergleichen er noch nie gesehen. Seine Kleidung war wie der Schwarzwälder Bursche, aber er war einen guten Kopf höher als alle, und man hatte noch nie geglaubt, daß es einen solchen Riesen geben könne. Dieser bittet um Arbeit bei dem Holzherrn, und der Holzherr, der ihm ansah, daß er stark und zu großen Lasten tüchtig sei, rechnet mit ihm seinen Lohn, und sie schlagen ein. Der Michel war ein Arbeiter, wie selbiger Holzherr noch keinen gehabt. Beim Baumschlagen galt er für drei, und wenn sechs an einem End schleppten, trug er allein das andere. Als er aber ein halb Jahr Holz geschlagen, trat er eines Tags vor seinen Herrn und begehrte von ihm: ›Hab jetzt lange genug hier Holz gehackt, und so möcht ich auch sehen, wohin meine Stämme kommen, und wie wär es, wenn Ihr mich auch mal auf den Floß ließet?‹
Der Holzherr antwortete: ›Ich will dir nicht im Weg sein, Michel, wenn du ein wenig hinaus willst in die Welt; und zwar beim Holzfällen brauche ich starke Leute, wie du bist,

auf dem Floß aber kommt es auf Geschicklichkeit an; aber es sei für diesmal!‹

Und so war es; der Floß, mit dem er abgehen sollte, hatte acht Glaich (Glieder), und waren im letzten von den größten Zimmerbalken. Aber was geschah? Am Abend zuvor bringt der lange Michel noch acht Balken ans Wasser, so dick und lang, als man keinen je sah, und jeden trug er so leicht auf der Schulter wie eine Flözerstange, so daß sich alles entsetzte. Wo er sie gehauen, weiß bis heute noch niemand. Dem Holzherrn lachte das Herz, als er dies sah, denn er berechnete, was diese Balken kosten könnten; Michel aber sagte: ›So, die sind für mich zum Fahren; auf den kleinen Spänen dort kann ich nicht fortkommen.‹ Sein Herr wollte ihm zum Dank ein Paar Flözerstiefel schenken; aber er warf sie auf die Seite und brachte ein Paar hervor, wie es sonst noch keine gab; mein Großvater hat versichert, sie haben hundert Pfund gewogen und seien fünf Fuß lang gewesen.

Der Floß fuhr ab, und hatte der Michel früher die Holzhauer in Verwunderung gesetzt, so staunten jetzt die Flözer; denn statt daß der Floß, wie man wegen der ungeheuren Balken geglaubt hatte, langsamer auf dem Fluß ging, flog er, sobald sie in den Neckar kamen, wie ein Pfeil; machte der Neckar eine Wendung und hatten sonst die Flözer Mühe gehabt, den Floß in der Mitte zu halten, um nicht auf Kies oder Sand zu stoßen, so sprang jetzt Michel allemal ins Wasser, rückte mit einem Zug den Floß links oder rechts, so daß er ohne Gefahr vorüberglitt, und kam dann eine gerade Stelle, so lief er aufs erste G'stair (Gelenk) vor, ließ alle ihre Stangen beisetzen, steckte seinen ungeheuren Weberbaum ins Kies, und mit *einem* Druck flog der Floß dahin, daß das Land und Bäume und Dörfer vorbeizujagen schienen. So waren sie in der Hälfte der Zeit, die man sonst brauchte, nach Köln am Rhein gekommen, wo sie sonst ihre Ladung verkauft hatten; aber hier sprach Michel: ›Ihr seid mir rechte Kaufleute und versteht euren Nutzen! Meinet ihr denn, die Kölner brauchen all dies

Holz, das aus dem Schwarzwald kömmt, für sich? Nein, um den halben Wert kaufen sie es euch ab und verhandeln es teuer nach Holland. Lasset uns die kleinen Balken hier verkaufen und mit den großen nach Holland gehen; was wir über den gewöhnlichen Preis lösen, ist unser eigener Profit.‹

So sprach der arglistige Michel, und die andern waren es zufrieden; die einen, weil sie gerne nach Holland gezogen wären, es zu sehen, die andern des Geldes wegen. Nur ein einziger war redlich und mahnte sie ab, das Gut ihres Herrn der Gefahr auszusetzen oder ihn um den höheren Preis zu betrügen; aber sie hörten nicht auf ihn und vergaßen seine Worte, aber der Holländer-Michel vergaß sie nicht. Sie fuhren auch mit dem Holz den Rhein hinab, Michel leitete den Floß und brachte sie schnell bis nach Rotterdam. Dort bot man ihnen das Vierfache von dem früheren Preis, und besonders die ungeheuren Balken des Michel wurden mit schwerem Geld bezahlt. Als die Schwarzwälder so viel Geld sahen, wußten sie sich vor Freude nicht zu fassen. Michel teilte ab, einen Teil dem Holzherrn, die drei andern unter die Männer. Und nun setzten sie sich mit Matrosen und anderem schlechten Gesindel in die Wirtshäuser, verschlemmten und verspielten ihr Geld; den braven Mann aber, der ihnen abgeraten, verkaufte der Holländer-Michel an einen Seelenverkäufer, und man hat nichts mehr von ihm gehört. Von da an war den Burschen im Schwarzwald Holland das Paradies und Holländer-Michel ihr König; die Holzherren erfuhren lange nichts von dem Handel, und unvermerkt kam Geld, Flüche, schlechte Sitten, Trunk und Spiel aus Holland herauf.

Der Holländer-Michel war aber, als die Geschichte herauskam, nirgends zu finden, aber tot ist er auch nicht; seit hundert Jahren treibt er seinen Spuk im Wald, und man sagt, daß er schon vielen behilflich gewesen sei, reich zu werden, aber – auf Kosten ihrer armen Seele, und mehr will ich nicht sagen. Aber so viel ist gewiß, daß er noch jetzt in solchen Sturmnächten im Tannenbühl, wo man nicht hauen soll, überall

die schönsten Tannen aussucht, und mein Vater hat ihn eine vier Schuh dicke umbrechen sehen wie ein Rohr. Mit diesen beschenkt er die, welche sich vom Rechten abwenden und zu ihm gehen; um Mitternacht bringen sie dann die G'stair ins Wasser, und er rudert mit ihnen nach Holland. Aber wäre ich Herr und König in Holland, ich ließe ihn mit Kartätschen in den Boden schmettern; denn alle Schiffe, die von dem Holländer-Michel auch nur *einen* Balken haben, müssen untergehen. Daher kommt es, daß man so viel von Schiffbrüchen hört; wie könnte denn sonst ein schönes, starkes Schiff, so groß als eine Kirche, zugrunde gehen auf dem Wasser? Aber sooft Holländer-Michel in einer Sturmnacht im Schwarzwald eine Tanne fällt, springt eine seiner alten aus den Fugen des Schiffes; das Wasser dringt ein, und das Schiff ist mit Mann und Maus verloren. Das ist die Sage vom Holländer-Michel, und wahr ist es, alles Böse im Schwarzwald schreibt sich von ihm her; oh! er kann einen reich machen,« setzte der Greis geheimnisvoll hinzu, »aber ich möchte nichts von ihm haben, ich möchte um keinen Preis in der Haut des dicken Ezechiel und des langen Schlurkers stecken; auch der Tanzbodenkönig soll sich ihm ergeben haben!«
Der Sturm hatte sich während der Erzählung des Alten gelegt; die Mädchen zündeten schüchtern die Lampen an und gingen weg; die Männer aber legten Peter Munk einen Sack voll Laub als Kopfkissen auf die Ofenbank und wünschten ihm gute Nacht.

Kohlenmunk-Peter hatte noch nie so schwere Träume gehabt wie in dieser Nacht; bald glaubte er, der finstere, riesige Holländer-Michel reiße die Stubenfenster auf und reiche mit seinem ungeheuer langen Arm einen Beutel voll Goldstücke herein, die er untereinanderschüttelte, daß es hell und lieblich klang; bald sah er wieder das kleine, freundliche Glasmännlein auf einer ungeheuren grünen Flasche im Zimmer umherreiten, und er meinte das heisere Lachen wieder zu hören wie im Tannenbühl; dann brummte es ihm wieder ins linke Ohr:

In Holland gibts Gold,
Könnets haben, wenn Ihr wollt,
Um geringen Sold
Gold, Gold!

Dann hörte er wieder in sein rechtes Ohr das Liedchen vom Schatzhauser im grünen Tannenwald, und eine zarte Stimme flüsterte: »Dummer Kohlenpeter, dummer Peter Munk, kannst kein Sprüchlein reimen auf *stehen* und bist doch am Sonntag geboren Schlag zwölf Uhr. Reime, dummer Peter, reime!«

Er ächzte, er stöhnte im Schlaf, er mühte sich ab, einen Reim zu finden; aber da er in seinem Leben noch keinen gemacht hatte, war seine Mühe im Traum vergebens. Als er aber mit dem ersten Frührot erwachte, kam ihm doch sein Traum sonderbar vor; er setzte sich mit verschränkten Armen hinter den Tisch und dachte über die Einflüsterungen nach, die ihm noch immer im Ohr lagen; »Reime, dummer Kohlenmunk-Peter, reime«, sprach er zu sich und pochte mit dem Finger an seine Stirne, aber es wollte kein Reim hervorkommen. Als er noch so dasaß und trübe vor sich hinschaute und an den Reim auf *stehen* dachte, da zogen drei Bursche vor dem Haus vorbei in den Wald, und einer sang im Vorübergehn:

Am Berge tat ich stehen,
Und schaute in das Tal,
Da hab ich sie gesehen
Zum allerletzten Mal.

Das fuhr wie ein leuchtender Blitz durch Peters Ohr, und hastig raffte er sich auf, stürzte aus dem Haus, weil er meinte, nicht recht gehört zu haben, sprang den drei Burschen nach und packte den Sänger hastig und unsanft beim Arm. »Halt, Freund!« rief er, »was habt Ihr da auf *stehen* gereimt? Tut mir die Liebe und sprecht, was Ihr gesungen!«

»Was fichts dich an, Bursche?« entgegnete der Schwarzwälder. »Ich kann singen, was ich will, und laß gleich meinen Arm los, oder –«

»Nein, sagen sollst du, was du gesungen hast!« schrie Peter beinahe außer sich und packte ihn noch fester an; die zwei andern aber, als sie dies sahen, zögerten nicht lange, sondern fielen mit derben Fäusten über den armen Peter her und walkten ihn derb, bis er vor Schmerzen das Gewand des dritten ließ und erschöpft in die Kniee sank. »Jetzt hast du dein Teil,« sprachen sie lachend, »und merk dir, toller Bursche, daß du Leute, wie wir sind, nimmer anfällst auf offenem Wege.«

»Ach, ich will mir es gewißlich merken!« erwiderte Kohlenpeter seufzend; »aber so ich die Schläge habe, seid so gut und saget deutlich, was jener gesungen!«

Da lachten sie aufs neue und spotteten ihn aus; aber der das Lied gesungen, sagte es ihm vor, und lachend und singend zogen sie weiter.

»Also *sehen,*« sprach der arme Geschlagene, indem er sich mühsam aufrichtete, »*sehen* auf *stehen,* – jetzt, Glasmännlein, wollen wir wieder ein Wort zusammen sprechen.« Er ging in die Hütte, holte seinen Hut und den langen Stock, nahm Abschied von den Bewohnern der Hütte und trat seinen Rückweg nach dem Tannenbühl an. Er ging langsam und sinnend seine Straße, denn er mußte ja einen Vers ersinnen; endlich, als er schon in dem Bereich des Tannenbühls ging und die Tannen höher und dichter wurden, hatte er auch seinen Vers gefunden und machte vor Freuden einen Sprung in die Höhe. Da trat ein riesengroßer Mann in Flözerkleidung und eine Stange so lang wie ein Mastbaum in der Hand hinter den Tannen hervor. Peter Munk sank beinahe in die Kniee, als er jenen langsamen Schrittes neben sich wandeln sah; denn er dachte, das ist der Holländer-Michel und kein anderer. Noch immer schwieg die furchtbare Gestalt, und Peter schielte zuweilen furchtsam nach ihm hin. Er war wohl einen Kopf größer als der längste Mann, den Peter je gesehen; sein Gesicht war nicht mehr jung, doch auch nicht alt, aber voller Furchen und Falten; er trug ein Wams von Leinwand, und die ungeheuren Stiefel, über die Lederbeinkleider heraufgezogen, waren Peter aus der Sage wohlbekannt.

»Peter Munk, was tust du im Tannenbühl?« fragte der Waldkönig endlich mit tiefer, dröhnender Stimme.

»Guten Morgen, Landsmann,« antwortete Peter, indem er sich unerschrocken zeigen wollte, aber heftig zitterte, »ich will durch den Tannenbühl nach Haus zurück.«

»Peter Munk,« erwiderte jener und warf einen stechenden, furchtbaren Blick nach ihm herüber, »dein Weg geht nicht durch diesen Hain.«

»Nun, so gerade just nicht,« sagte jener, »aber es macht heute warm, da dachte ich, es wird hier kühler sein.«

»Lüge nicht, du Kohlenpeter!« rief der Holländer-Michel mit donnernder Stimme, »oder ich schlag dich mit der Stange zu Boden; meinst, ich hab dich nicht betteln sehen bei dem Kleinen?« setzte er sanft hinzu. »Geh, geh, das war ein dummer Streich, und gut ist es, daß du das Sprüchlein nicht wußtest; er ist ein Knauser, der kleine Kerl, und gibt nicht viel, und wem er gibt, der wird seines Lebens nicht froh. – Peter, du bist ein armer Tropf und dauerst mich in der Seele; so ein munterer, schöner Bursche, der in der Welt was anfangen könnte, und sollst Kohlen brennen! Wenn andere große Taler oder Dukaten aus dem Ärmel schütteln, kannst du kaum ein paar Sechser aufwenden; 's ist ein ärmliches Leben!«

»Wahr ist's und recht habt Ihr, ein elendes Leben.«

»Na, mir solls nicht drauf ankommen,« fuhr der schreckliche Michel fort; »hab schon manchem braven Kerl aus der Not geholfen, und du wärst nicht der erste. Sag einmal, wieviel hundert Taler brauchst du fürs erste?«

Bei diesen Worten schüttelte er das Geld in seiner ungeheuren Tasche untereinander, und es klang wieder wie diese

Nacht im Traum. Aber Peters Herz zuckte ängstlich und schmerzhaft bei diesen Worten, es wurde ihm kalt und warm, und der Holländer-Michel sah nicht aus, wie wenn er aus Mitleid Geld wegschenkte, ohne etwas dafür zu verlangen. Es fielen ihm die geheimnisvollen Worte des alten Mannes über die reichen Menschen ein, und von unerklärlicher Angst und Bangigkeit gejagt, rief er: »Schön Dank, Herr! Aber mit Euch will ich nichts zu schaffen haben, und ich kenn Euch schon«, und lief, was er laufen konnte. – Aber der Waldgeist schritt mit ungeheuren Schritten neben ihm her und murmelte dumpf und drohend: »Wirsts noch bereuen, Peter, wirst noch zu mir kommen; auf deiner Stirne stehts geschrieben, in deinem Auge ists zu lesen, du entgehst mir nicht. – Lauf nicht so schnell, höre nur noch ein vernünftig Wort, dort ist schon meine Grenze!«

Aber als Peter dies hörte und unweit vor ihm einen kleinen Graben sah, beeilte er sich nur noch mehr, über die Grenze zu kommen, so daß Michel am Ende schneller laufen mußte und unter Flüchen und Drohungen ihn verfolgte. Der junge Mann setzte mit einem verzweifelten Sprung über den Graben; denn er sah, wie der Waldgeist mit seiner Stange ausholte und sie auf ihn niederschmettern lassen wollte; er kam glücklich jenseits an, und die Stange zersplitterte in der Luft wie an einer unsichtbaren Mauer, und ein langes Stück fiel zu Peter herüber.

Triumphierend hob er es auf, um es dem groben Holländer-Michel zuzuwerfen; aber in diesem Augenblick fühlte er das Stück Holz in seiner Hand sich bewegen, und zu seinem Entsetzen sah er, daß es eine ungeheure Schlange sei, was er in der Hand hielt, die sich schon mit geifernder Zunge und blitzenden Augen an ihm hinaufbäumte. Er ließ sie los; aber sie hatte sich schon fest um seinen Arm gewickelt und kam mit schwankendem Kopfe seinem Gesicht immer näher; da rauschte auf einmal ein ungeheurer Auerhahn nieder, packte den Kopf der Schlange mit dem Schnabel, erhob sich mit ihr in die Lüfte, und Holländer-Michel, der dies alles von dem Graben aus gesehen hatte, heulte und schrie und raste, als die Schlange von einem Gewaltigern entführt ward.

Erschöpft und zitternd setzte Peter seinen Weg fort; der Pfad wurde steiler, die Gegend wilder, und bald fand er sich wieder an der ungeheuren Tanne. Er machte wieder wie gestern seine Verbeugungen gegen das unsichtbare Glasmännlein und hub dann an:

Schatzhauser im grünen Tannenwald,
Bist schon viel hundert Jahre alt;
Dein ist all Land, wo Tannen stehn,
Läßt dich nur Sonntagskindern sehn.

»Hasts zwar nicht ganz getroffen; aber weil du es bist, Kohlenmunk-Peter, so soll es hingehen«, sprach eine zarte, feine Stimme neben ihm. Erstaunt sah er sich um, und unter einer schönen Tanne saß ein kleines, altes Männlein in schwarzem Wams und roten Strümpfen und den großen Hut auf dem Kopf. Er hatte ein feines, freundliches Gesichtchen und ein Bärtchen so zart wie aus Spinnweben; er rauchte, was sonderbar anzusehen war, aus einer Pfeife von blauem Glas, und als Peter näher trat, sah er zu seinem Erstaunen, daß auch Kleider, Schuhe und Hut des Kleinen aus gefärbtem Glas bestanden; aber es war geschmeidig, als ob es noch heiß wäre, denn es schmiegte sich wie Tuch nach jeder Bewegung des Männleins.

»Du hast dem Flegel begegnet, dem Holländer-Michel?« sagte der Kleine, indem er zwischen jedem Wort sonderbar hüstelte; »er hat dich recht ängstigen wollen, aber seinen Kunstprügel habe ich ihm abgejagt, den soll er nimmer wiederkriegen.«

»Ja, Herr Schatzhauser,« erwiderte Peter mit einer tiefen Verbeugung, »es war mir recht bange. Aber Ihr seid wohl der Herr Auerhahn gewesen, der die Schlange totgebissen? Da bedanke ich mich schönstens. – Ich komme aber, um mich Rats zu erholen bei Euch; es geht mir gar schlecht und hinderlich; ein Kohlenbrenner bringt es nicht weit, und da ich noch jung bin, dächte ich doch, es könnte noch was Besseres aus mir werden; und wenn ich oft andere sehe, wie weit die es in kurzer Zeit gebracht haben – wenn ich nur den Ezechiel nehme und den Tanzbodenkönig, die haben Geld wie Heu.«

»Peter,« sagte der Kleine sehr ernst und blies den Rauch aus seiner Pfeife weit hinweg, »Peter, sag mir nichts von diesen. Was haben sie davon, wenn sie hier ein paar Jahre dem Schein nach glücklich und dann nachher desto unglücklicher sind? Du mußt dein Handwerk nicht verachten; dein Vater und Großvater waren Ehrenleute und haben es auch getrieben, Peter Munk! Ich will nicht hoffen, daß es Liebe zum Müßiggang ist, was dich zu mir führt.«

Peter erschrak vor dem Ernst des Männleins und errötete. »Nein,« sagte er, »Müßiggang, weiß ich wohl, Herr Schatzhauser im Tannenwald, Müßiggang ist aller Laster Anfang; aber das könnt Ihr mir nicht übelnehmen, wenn mir ein anderer Stand besser gefällt als der meinige. Ein Kohlenbrenner ist halt so gar etwas Geringes auf der Welt, und die Glasleute und Flözer und Uhrmacher und alle sind angesehener.«

»Hochmut kommt oft vor dem Fall,« erwiderte der kleine Herr vom Tannenwald etwas freundlicher; »ihr seid ein sonderbar Geschlecht, ihr Menschen! Selten ist einer mit dem Stand ganz zufrieden, in dem er geboren und erzogen ist, und was gilts, wenn du ein Glasmann wärest, möchtest du gern ein Holzherr sein, und wärest du Holzherr, so stünde dir des Försters Dienst oder des Amtmanns Wohnung an. Aber es sei! Wenn du versprichst, brav zu arbeiten, so will ich dir zu etwas Besserem verhelfen, Peter. Ich pflege jedem Sonntagskind, das sich zu mir zu finden weiß, drei Wünsche zu gewähren. Die ersten zwei sind frei, den dritten kann ich verweigern, wenn er töricht ist. So wünsche dir also jetzt etwas, aber – Peter, etwas Gutes und Nützliches!«

»Heisa! Ihr seid ein treffliches Glasmännlein, und mit Recht nennt man Euch Schatzhauser, denn bei Euch sind die Schätze zu Hause. Nu – und also darf ich wünschen, wornach mein Herz begehrt, so will ich denn fürs erste, daß ich noch besser tanzen könne als der Tanzbodenkönig und jedesmal noch einmal so viel Geld ins Wirtshaus bringe als er.«
»Du Tor!« erwiderte der Kleine zürnend. »Welch ein erbärmlicher Wunsch ist dies, gut tanzen zu können und Geld zum Spiel zu haben! Schämst du dich nicht, dummer Peter, dich selbst so um dein Glück zu betrügen? Was nützt es dir und deiner armen Mutter, wenn du tanzen kannst? Was nützt dir dein Geld, das nach deinem Wunsch nur für das Wirtshaus ist und wie das des elenden Tanzbodenkönigs dort bleibt? Dann hast du wieder die ganze Woche nichts und darbst wie zuvor. Noch einen Wunsch gebe ich dir frei; aber sieh dich vor, daß du vernünftiger wünschest!«
Peter kratzte sich hinter den Ohren und sprach nach einigem Zögern: »Nun, so wünsche ich mir die schönste und reichste Glashütte im ganzen Schwarzwald mit allem Zugehör und Geld, sie zu leiten.«
»Sonst nichts?« fragte der Kleine mit besorglicher Miene. »Peter, sonst nichts?«
»Nu – Ihr könnet noch ein Pferd dazutun und ein Wägelchen –«
»O du dummer Kohlenmunk-Peter!« rief der Kleine und warf seine gläserne Pfeife im Unmut an eine dicke Tanne, daß sie in hundert Stücke sprang. »Pferde? Wägelchen? Verstand, sag ich dir, Verstand, gesunden Menschenverstand und Einsicht hättest du wünschen sollen, aber nicht Pferdchen und Wägelchen. Nun, werde nur nicht so traurig, wir wollen sehen, daß es auch so nicht zu deinem Schaden ist; denn der zweite Wunsch war im ganzen nicht töricht. Eine gute Glashütte nährt auch ihren Mann und Meister; nur hättest du Einsicht und Verstand dazu mitnehmen können, Wagen und Pferde wären dann wohl von selbst gekommen.«

»Aber, Herr Schatzhauser,« erwiderte Peter, »ich habe ja noch einen Wunsch übrig. Da könnte ich ja Verstand wünschen, wenn er mir so überaus nötig ist, wie Ihr meinet.«
»Nichts da! Du wirst noch in manche Verlegenheit kommen, wo du froh sein wirst, wenn du noch einen Wunsch frei hast. Und nun mache dich auf den Weg nach Hause! Hier sind,« sprach der kleine Tannengeist, indem er ein kleines Beutelein aus der Tasche zog, »hier sind zweitausend Gulden, und damit genug, und komm mir nicht wieder, um Geld zu fordern; denn dann müßte ich dich an die höchste Tanne aufhängen! So hab ichs gehalten, seit ich in dem Wald wohne. Vor drei Tagen aber ist der alte Winkfritz gestorben, der die große Glashütte gehabt hat im Unterwald. Dorthin gehe morgen frühe und mach ein Bot auf das Gewerbe, wie es recht ist. Halt dich wohl, sei fleißig, und ich will dich zuweilen besuchen und dir mit Rat und Tat an die Hand gehen, weil du dir doch keinen Verstand erbeten. Aber, das sag ich dir ernstlich, dein erster Wunsch war böse. Nimm dich in acht vor dem Wirtshauslaufen, Peter! 's hat noch bei keinem lange gut getan.« Das Männlein hatte, während es dies sprach, eine neue Pfeife vom schönsten Beinglas hervorgezogen, sie mit gedörrten Tannenzapfen gestopft und in den kleinen, zahnlosen Mund gesteckt. Dann zog es ein ungeheures Brennglas hervor, trat in die Sonne und zündete seine Pfeife an. Als es damit fertig war, bot es dem Peter freundlich die Hand, gab ihm noch ein paar gute Lehren auf den Weg, rauchte und blies immer schneller und verschwand endlich in einer Rauchwolke, die nach echtem holländischem Tabak roch und, langsam sich kräuselnd, in den Tannenwipfeln verschwebte.

Als Peter nach Haus kam, fand er seine Mutter sehr in Sorgen um ihn; denn die gute Frau glaubte nicht anders, als ihr Sohn sei zum Soldaten ausgehoben worden. Er aber war fröhlich und guter Dinge und erzählte ihr, wie er im Wald einen guten Freund getroffen, der ihm Geld vorgeschossen habe, um ein anderes Geschäft als Kohlenbrennen anzufangen. Obgleich seine Mutter schon seit dreißig Jahren in der Köhlerhütte wohnte und an den Anblick berußter Leute so gewöhnt war als jede Müllerin an das Mehlgesicht ihres Mannes, so war sie doch eitel genug, sobald ihr Peter ein glänzenderes Los zeigte, ihren früheren Stand zu verachten, und sprach: »Ja, als Mutter eines Mannes, der eine Glashütte besitzt, bin ich doch was anderes als Nachbarin Grete und Bete und setze mich in Zukunft vornehin in der Kirche, wo rechte Leute sitzen.« Ihr Sohn aber wurde mit den Erben der Glashütte bald handelseinig. Er behielt die Arbeiter, die er vorfand, bei sich und ließ nun Tag und Nacht Glas machen. Anfangs gefiel ihm das Handwerk wohl; er pflegte gemächlich in die Glashütte hinabzusteigen, ging dort mit vornehmen Schritten, die Hände in die Taschen gesteckt, hin und her, guckte dahin, guckte dorthin, sprach dies und jenes, worüber seine Arbeiter oft nicht wenig lachten, und seine größte Freude war, das Glas blasen zu sehen, und oft machte er sich selbst an die Arbeit und formte aus der noch weichen Masse die sonderbarsten Figuren. Bald aber war ihm die Arbeit entleidet, und er kam zuerst nur noch eine Stunde des Tages in die Hütte, dann nur alle zwei Tage, endlich die Woche nur einmal, und seine Gesellen machten, was sie wollten. Das alles kam aber nur vom Wirtshauslaufen; den Sonntag, nachdem er vom Tannenbühl zurückgekommen war, ging er ins Wirtshaus, und wer schon auf dem Tanzboden sprang, war der Tanzbodenkönig, und der dicke Ezechiel saß auch schon hinter der Maßkanne und knöchelte um Kronentaler. Da fuhr Peter schnell in die Tasche, zu sehen, ob ihm das Glasmännlein Wort gehalten, und siehe, seine Tasche strotzte von Silber und Gold. Auch in seinen Beinen zuckte und drückte es, wie wenn sie tanzen und springen wollten, und als der erste Tanz zu Ende war, stellte er sich mit seiner Tänzerin obenan neben den Tanzbodenkönig, und sprang dieser drei Schuh hoch, so flog Peter vier, und machte dieser wunderliche und zierliche Schritte, so verschlang und drehte Peter seine Füße, daß alle Zuschauer vor Lust und Verwunderung beinahe außer sich kamen. Als man aber auf dem Tanzboden vernahm, daß Peter eine Glashütte gekauft habe, als man sah, daß er, sooft er an den Musikanten vorbeitanzte, ihnen einen Sechsbätzner zuwarf, da war des Staunens kein Ende. Die einen glaubten, er habe einen Schatz im Wald gefunden, die andern meinten, er habe eine Erbschaft getan, aber alle verehrten ihn jetzt und hielten ihn für einen gemachten Mann, nur weil er Geld hatte. Verspielte er doch noch an demselben Abend zwanzig Gulden, und nichtsdestominder rasselte und klang es in seiner Tasche, wie wenn noch hundert Taler darin wären.

Als Peter sah, wie angesehen er war, wußte er sich vor Freude und Stolz nicht zu fassen. Er warf das Geld mit vollen Händen weg und teilte es den Armen reichlich mit, wußte er doch, wie ihn selbst einst die Armut gedrückt hatte. Des Tanzbodenkönigs Künste wurden vor den übernatürlichen Künsten des neuen Tänzers zuschanden, und Peter führte jetzt den Namen Tanzkaiser. Die unternehmendsten Spieler am Sonntag wagten nicht so viel wie er, aber sie verloren auch nicht so viel. Und je mehr er verlor, desto mehr gewann er. Das verhielt sich aber ganz so, wie er es vom kleinen Glasmännlein verlangt hatte. Er hatte sich gewünscht, immer so viel Geld in der Tasche zu haben wie der dicke Ezechiel, und gerade dieser war es, an welchen er sein Geld verspielte, und wenn er zwanzig, dreißig Gulden auf einmal verlor, so hatte er sie alsobald wieder in der Tasche, wenn sie Ezechiel einstrich. Nach und nach brachte er es aber im Schlemmen und Spielen weiter als die schlechtesten Gesellen im Schwarzwald, und man nannte ihn öfter Spielpeter als Tanzkaiser, denn er spielte jetzt auch beinahe an allen Werktagen. Darüber kam aber seine Glashütte nach und nach in Verfall, und daran war Peters Unverstand schuld. Glas ließ er machen, so viel man immer machen konnte; aber er hatte mit der Hütte nicht zugleich das Geheimnis gekauft, wohin man es am besten verschleißen könne. Er

wußte am Ende mit der Menge Glas nichts anzufangen und verkaufte es um den halben Preis an herumziehende Händler, nur um seine Arbeiter bezahlen zu können.
Eines Abends ging er auch wieder vom Wirtshaus heim und dachte trotz des vielen Weines, den er getrunken, um sich fröhlich zu machen, mit Schrecken und Gram an den Verfall seines Vermögens. Da bemerkte er auf einmal, daß jemand neben ihm gehe; er sah sich um, und siehe da – es war das Glasmännlein. Da geriet er in Zorn und Eifer, vermaß sich hoch und teuer und schwur, der Kleine sei an all seinem Unglück schuld. »Was tu ich nun mit Pferd und Wägelchen?« rief er, »was nutzt mich die Hütte und all mein Glas? Selbst als ich noch ein elender Köhlersbursch war, lebte ich froher und hatte keine Sorgen. Jetzt weiß ich nicht, wann der Amtmann kommt und meine Habe schätzt und mir vergantet der Schulden wegen!«
»So?« entgegnete das Glasmännlein; »so? Ich also soll schuld daran sein, wenn du unglücklich bist? Ist dies der Dank für meine Wohltaten? Wer hieß dich so töricht wünschen? Ein Glasmann wolltest du sein und wußtest nicht, wohin dein Glas verkaufen? Sagte ich dir nicht, du solltest behutsam wünschen? Verstand, Peter, Klugheit hat dir gefehlt.« »Was Verstand und Klugheit!« rief jener. »Ich bin ein so kluger Bursche als irgendeiner und will es dir zeigen, Glasmännlein«, und bei diesen Worten faßte er das Männlein unsanft am Kragen und schrie: »Hab ich dich jetzt, Schatzhauser im grünen Tannenwald? Und den dritten Wunsch will ich jetzt tun, den sollst du mir gewähren; und so will ich hier auf der Stelle zweimalhunderttausend harte Taler und ein Haus und – o weh!« schrie er und schüttelte die Hand; denn das Waldmännlein hatte sich in glühendes Glas verwandelt und brannte in seiner Hand wie sprühendes Feuer. Aber von dem Männlein war nichts mehr zu sehen.
Mehrere Tage lang erinnerte ihn seine geschwollene Hand an seine Undankbarkeit und Torheit. Dann aber übertäubte er

sein Gewissen und sprach: »Und wenn sie mir die Glashütte und alles verkaufen, so bleibt mir doch noch immer der dicke Ezechiel. Solange der Geld hat am Sonntag, kann es mir nicht fehlen.«

Ja, Peter! Aber wenn er keines hat? – Und so geschah es eines Tages, und war ein wunderliches Rechenexempel. Denn eines Sonntags kam er angefahren ans Wirtshaus, und die Leute streckten die Köpfe durch die Fenster, und der eine sagte, da kommt der Spielpeter, und der andere, ja, der Tanzkaiser, der reiche Glasmann, und ein dritter schüttelte den Kopf und sprach: »Mit dem Reichtum kann man es machen, man sagt allerlei von seinen Schulden, und in der Stadt hat einer gesagt, der Amtmann werde nicht mehr lang säumen zum Auspfänden.« Indessen grüßte der reiche Peter die Gäste am Fenster vornehm und gravitätisch, stieg vom Wagen und schrie: »Sonnenwirt, guten Abend, ist der dicke Ezechiel schon da?« Und eine tiefe Stimme rief: »Nur herein, Peter! Dein Platz ist dir aufbehalten, wir sind schon da und bei den Karten.« So trat Peter Munk in die Wirtsstube und fuhr gleich in die Tasche und merkte, daß Ezechiel gut versehen sein müsse, denn seine Tasche war bis oben angefüllt.

Er setzte sich hinter den Tisch zu den andern und spielte und gewann und verlor hin und her, und so spielten sie, bis andere ehrliche Leute, als es Abend wurde, nach Hause gingen, und spielten bei Licht, bis zwei andere Spieler sagten: »Jetzt ists genug, und wir müssen heim zu Frau und Kind.« Aber Spielpeter forderte den dicken Ezechiel auf zu bleiben. Dieser wollte lange nicht, endlich aber rief er: »Gut, jetzt will ich mein Geld zählen, und dann wollen wir knöcheln, den Satz um fünf Gulden; denn niederer ist es doch nur Kinderspiel.« Er zog den Beutel und zählte und fand hundert Gulden bar, und Spielpeter wußte nun, wieviel er selbst habe, und brauchte es nicht erst zu zählen. Aber hatte Ezechiel vorher gewonnen, so verlor er jetzt Satz für Satz und fluchte greulich dabei. Warf er einen Pasch, gleich warf Spielpeter auch einen und immer zwei Augen höher. Da setzte er endlich die letzten fünf Gulden auf den Tisch und rief: »Noch einmal, und wenn ich auch den noch verliere, so höre ich doch nicht auf; dann leihst du mir von deinem Gewinn, Peter, ein ehrlicher Kerl hilft dem andern.«

»Soviel du willst, und wenn es hundert Gulden sein sollten«, sprach der Tanzkaiser, fröhlich über seinen Gewinn, und der dicke Ezechiel schüttelte die Würfel und warf fünfzehn. »Pasch!« rief er, »jetzt wollen wir sehen!« Peter aber warf achtzehn, und eine heisere bekannte Stimme hinter ihm sprach: »So, das war der letzte.«

Er sah sich um, und riesengroß stand der Holländer-Michel hinter ihm. Erschrocken ließ er das Geld fallen, das er schon eingezogen hatte. Aber der dicke Ezechiel sah den Waldmann nicht, sondern verlangte, der Spielpeter solle ihm zehn Gulden vorstrecken zum Spiel. Halb im Traum fuhr dieser mit der Hand in die Tasche, aber da war kein Geld; er suchte in der andern Tasche, aber auch da fand sich nichts; er kehrte den Rock um, aber es fiel kein roter Heller heraus, und jetzt erst gedachte er seines eigenen ersten Wunsches, immer so viel Geld zu haben als der dicke Ezechiel. Wie Rauch war alles verschwunden.

Der Wirt und Ezechiel sahen ihn staunend an, als er immer suchte und sein Geld nicht finden konnte, sie wollten ihm nicht glauben, daß er keines mehr habe; aber als sie endlich selbst in seinen Taschen suchten, wurden sie zornig und schwuren, der Spielpeter sei ein böser Zauberer und habe all das gewonnene Geld und sein eigenes nach Hause gewünscht. Peter verteidigte sich standhaft, aber der Schein war gegen ihn. Ezechiel sagte, er wolle die schreckliche Geschichte allen Leuten im Schwarzwald erzählen, und der Wirt versprach ihm, morgen mit dem frühesten in die Stadt zu gehen und Peter Munk als Zauberer anzuklagen, und er wolle es erleben, setzte er hinzu, daß man ihn verbrenne. Dann fielen sie wütend über ihn her, rissen ihm das Wams vom Leib und warfen ihn zur Tür hinaus.

Kein Stern schien am Himmel, als Peter trübselig seiner Wohnung zuschlich; aber dennoch konnte er eine dunkle Gestalt erkennen, die neben ihm herschritt und endlich sprach: »Mit dir ists aus, Peter Munk, all deine Herrlichkeit ist zu Ende, und das hätt ich dir schon damals sagen können, als du nichts von mir hören wolltest und zu dem dummen Glaszwerg liefst. Da siehst du jetzt, was man davon hat, wenn man meinen Rat verachtet. Aber versuch es einmal mit mir, ich habe Mitleiden mit deinem Schicksal. Noch keinen hat es gereut, der sich an mich wandte, und wenn du den Weg nicht scheust, morgen den ganzen Tag bin ich am Tannenbühl zu sprechen, wenn du mich rufst.« Peter merkte wohl, wer so zu ihm spreche, aber es kam ihn ein Grauen an; er antwortete nichts, sondern lief seinem Haus zu.

Zweite Abteilung

Als Peter am Montagmorgen in seine Glashütte ging, da waren nicht nur seine Arbeiter da, sondern auch andere Leute, die man nicht gerne sieht, nämlich der Amtmann und drei Gerichtsdiener. Der Amtmann wünschte Peter einen guten Morgen, fragte, wie er geschlafen, und zog dann ein langes Register heraus, und darauf waren Peters Gläubiger verzeichnet. »Könnt Ihr zahlen oder nicht?« fragte der Amtmann mit strengem Blick, »und macht es nur kurz, denn ich habe nicht viel Zeit zu versäumen, und in den Turm ist es drei gute Stunden.« Da verzagte Peter, gestand, daß er nichts mehr habe, und überließ es dem Amtmann, Haus und Hof, Hütte und Stall, Wagen und Pferde zu schätzen; und als die Gerichtsdiener und der Amtmann umhergingen und prüften und schätzten, dachte er, bis zum Tannenbühl ists nicht weit; hat mir der *Kleine* nicht geholfen, so will ich es einmal mit dem *Großen* versuchen. Er lief dem Tannenbühl zu, so schnell, als ob die Gerichtsdiener ihm auf den Fersen wären; es war ihm, als er an dem Platz vorbeirannte, wo er das Glasmännlein zuerst gesprochen, als halte ihn eine unsichtbare Hand auf, aber er riß sich los und lief weiter bis an die Grenze, die er sich früher wohl gemerkt hatte, und kaum hatte er, beinahe atemlos, »Holländer-Michel! Herr Holländer-Michel!« gerufen, als auch schon der riesengroße Flözer mit seiner Stange vor ihm stand.

»Kommst du?« sprach dieser lachend. »Haben sie dir die Haut abziehen und deinen Gläubigern verkaufen wollen? Nu, sei ruhig! Dein ganzer Jammer kommt, wie gesagt, von dem kleinen Glasmännlein, von dem Separatisten und Frömmler her. Wenn man schenkt, muß man gleich recht schenken, und nicht wie dieser Knauser. Doch komm,« fuhr er fort und wandte sich gegen den Wald, »folge mir in mein Haus; dort wollen wir sehen, ob wir handelseinig werden.«

»Handelseinig!« dachte Peter. »Was kann er denn von mir verlangen, was kann ich an ihn verhandeln? Soll ich ihm etwa dienen, oder was will er?«

Sie gingen zuerst über einen steilen Waldsteig hinan und standen dann mit einem Mal an einer dunkeln, tiefen, abschüssigen Schlucht; Holländer-Michel sprang den Felsen hinab, wie wenn es eine sanfte Marmortreppe wäre; aber bald wäre Peter in Ohnmacht gesunken, denn als jener unten angekommen war, machte er sich so groß wie ein Kirchturm und reichte ihm einen Arm, so lang als ein Weberbaum, und eine Hand daran, so breit als der Tisch im Wirtshaus, und rief mit einer Stimme, die heraufschallte wie eine tiefe Totenglocke: »Setz dich nur auf meine Hand und halte dich an den Fingern, so wirst du nicht fallen.« Peter tat zitternd, wie jener befohlen, nahm Platz auf der Hand und hielt sich am Daumen des Riesen.

Es ging weit und tief hinab, aber dennoch ward es zu Peters Verwunderung nicht dunkler; im Gegenteil, die Tageshelle schien sogar zuzunehmen in der Schlucht, aber er konnte sie lange in den Augen nicht ertragen. Der Holländer-Michel hatte sich, je weiter Peter herabkam, wieder kleiner gemacht und stand nun in seiner früheren Gestalt vor einem Haus, so gering oder gut, als es reiche Bauern auf dem Schwarzwald haben. Die Stube, worein Peter geführt wurde, unterschied sich durch nichts von den Stuben anderer Leute als dadurch, daß sie einsam schien.

Die hölzerne Wanduhr, der ungeheure Kachelofen, die breiten Bänke, die Gerätschaften auf den Gesimsen waren hier wie überall. Michel wies ihm einen Platz hinter dem großen Tisch an, ging dann hinaus und kam bald mit einem Krug Wein und Gläsern wieder. Er goß ein, und nun schwatzten sie, und Holländer-Michel erzählte von den Freuden der Welt, von fremden Ländern, schönen Städten und Flüssen, daß Peter, am Ende große Sehnsucht darnach bekommend, dies auch offen dem Holländer erzählte.

»Wenn du im ganzen Körper Mut und Kraft, etwas zu unternehmen, hattest, da konnten ein paar Schläge des dummen Herzens dich zittern machen; und dann die Kränkungen der Ehre, das Unglück, für was soll sich ein vernünftiger Kerl um dergleichen bekümmern? Hast du's im Kopf empfunden, als dich letzhin einer einen Betrüger und schlechten Kerl nannte? Hat es dir im Magen wehe getan, als der Amtmann kam, dich aus dem Haus zu werfen? Was, sag an, was hat dir wehe getan?«

»Mein Herz«, sprach Peter, indem er die Hand auf die pochende Brust preßte, denn es war ihm, als ob sein Herz sich ängstlich hin und her wendete.

»Du hast, nimm mir es nicht übel, du hast viele hundert Gulden an schlechte Bettler und anderes Gesindel weggeworfen; was hat es dich genützt? Sie haben dir dafür Segen und einen gesunden Leib gewünscht; ja, bist du deswegen gesünder geworden? Um die Hälfte des verschleuderten Geldes hättest du einen Arzt gehalten. Segen, ja ein schöner Segen, wenn man ausgepfändet und ausgestoßen wird! Und was war es, das dich getrieben, in die Tasche zu fahren, sooft ein Bettelmann seinen zerlumpten Hut hinstreckte? – Dein Herz, auch wieder dein Herz, und weder deine Augen noch deine Zunge, deine Arme noch deine Beine, sondern dein Herz; du hast dir es, wie man richtig sagt, zu sehr zu Herzen genommen.«

»Aber wie kann man sich denn angewöhnen, daß es nicht mehr so ist? Ich gebe mir jetzt alle Mühe, es zu unterdrücken, und dennoch pocht mein Herz und tut mir wehe.«

»Du freilich,« rief jener mit Lachen, »du armer Schelm, kannst nichts dagegen tun; aber gib mir das kaum pochende Ding, und du wirst sehen, wie gut du es dann hast.«

»Euch, mein Herz?« schrie Peter mit Entsetzen, »da müßte ich ja sterben auf der Stelle! Nimmermehr!«

»Ja, wenn dir einer eurer Herren Chirurgen das Herz aus dem Leip operieren wollte, da müßtest du wohl sterben; bei mir ist dies ein anderes Ding; doch komm herein und überzeuge dich selbst!« Er stand bei diesen Worten auf, öffnete eine Kammertür und führte Peter hinein. Sein Herz zog sich krampfhaft zusammen, als er über die Schwelle trat, aber er achtete es nicht, denn der Anblick, der sich ihm bot, war sonderbar und überraschend. Auf mehreren Gesimsen von Holz standen Gläser, mit durchsichtiger Flüssigkeit gefüllt, und in jedem dieser Gläser lag ein Herz; auch waren an den Gläsern Zettel angeklebt und Namen darauf geschrieben, die Peter neugierig las; da war das Herz des Amtmanns in F., das Herz des dicken Ezechiel, das Herz des Tanzbodenkönigs, das Herz des Oberförsters; da waren sechs Herzen von Kornwucherern, acht von Werbeoffizieren, drei von Geldmäklern – kurz, es war eine Sammlung der angesehensten Herzen in der Umgegend von zwanzig Stunden.

»Schau!« sprach Holländer-Michel, »diese alle haben des Lebens Ängste und Sorgen weggeworfen; keines dieser Herzen schlägt mehr ängstlich und besorgt, und ihre ehemaligen Besitzer befinden sich wohl dabei, daß sie den unruhigen Gast aus dem Hause haben.«

»Aber was tragen sie denn jetzt dafür in der Brust?« fragte

Peter, den dies alles, was er gesehen, beinahe schwindeln machte.

»Dies«, antwortet jener und reicht ihm aus einem Schubfach – ein steinernes Herz.

»So?« erwiderte er und konnte sich eines Schauers, der ihm über die Haut ging, nicht erwehren. »Ein Herz von Marmelstein? Aber, horch einmal, Herr Holländer-Michel, das muß doch gar kalt sein in der Brust.«

»Freilich, aber ganz angenehm kühl. Warum soll denn ein Herz warm sein? Im Winter nützt dir die Wärme nichts, da hilft ein guter Kirschgeist mehr als ein warmes Herz, und im Sommer, wenn alles schwül und heiß ist, – du glaubst nicht, wie dann ein solches Herz abkühlt. Und wie gesagt, weder Angst noch Schrecken, weder törichtes Mitleiden noch anderer Jammer pocht an solch ein Herz.«

»Und das ist alles, was Ihr mir geben könnet?« fragte Peter unmutig; »ich hoff auf Geld, und Ihr wollet mir einen Stein geben!«

»Nun, ich denke, an hunterttausend Gulden hättest du fürs erste genug. Wenn du es geschickt umtreibst, kannst du bald ein Millionär werden.«

»Hunderttausend?« rief der arme Köhler freudig. »Nun, so poche doch nicht so ungestüm in meiner Brust, wir werden bald fertig sein miteinander. Gut, Michel; gebt mir den Stein und das Geld, und die Unruh könnet Ihr aus dem Gehäuse nehmen!«

»Ich dachte es doch, daß du ein vernünftiger Bursche seist«, antwortete der Holländer freundlich lächelnd; »komm, laß uns noch eins trinken, und dann will ich das Geld auszahlen.« So setzten sie sich wieder in die Stube zum Wein, tranken und tranken wieder, bis Peter in einen tiefen Schlaf verfiel.

Kohlenmunk-Peter erwachte beim fröhlichen Schmettern eines Posthorns, und siehe da, er saß in einem schönen Wagen, fuhr auf einer breiten Straße dahin, und als er sich aus dem

Wagen bog, sah er in blauer Ferne hinter sich den Schwarzwald liegen. Anfänglich wollte er gar nicht glauben, daß er es selbst sei, der in diesem Wagen sitze. Denn auch seine Kleider waren gar nicht mehr dieselben, die er gestern getragen; aber er erinnerte sich doch an alles so deutlich, daß er endlich sein Nachsinnen aufgab und rief: »Der Kohlenmunk-Peter bin ich, das ist ausgemacht, und kein anderer.« Er wunderte sich über sich selbst, daß er gar nicht wehmütig werden konnte, als er jetzt zum ersten Mal aus der stillen Heimat, aus den Wäldern, wo er so lange gelebt, auszog; selbst nicht, als er an seine Mutter dachte, die jetzt wohl hilflos und im Elend saß, konnte er eine Träne aus dem Auge pressen oder nur seufzen, denn es war ihm alles so gleichgültig. »Ach freilich,« sagte er dann, »Tränen und Seufzer, Heimweh und Wehmut kommen ja aus dem Herzen, und dank dem Holländer-Michel, – das meine ist kalt und von Stein.«

Er legte seine Hand auf die Brust, und es war ganz ruhig dort und rührte sich nichts. »Wenn er mit den Hunderttausenden so gut Wort hielt wie mit dem Herz, so soll es mich freuen«, sprach er und fing an, seinen Wagen zu untersuchen. Er fand Kleidungsstücke von aller Art, wie er sie nur wünschen konnte, aber kein Geld. Endlich stieß er auf eine Tasche und fand viele tausend Taler in Gold und Scheinen auf Handlungshäuser in allen großen Städten. »Jetzt hab ichs, wie ichs wollte«, dachte er, setzte sich bequem in die Ecke des Wagens und fuhr in die weite Welt.

Er fuhr zwei Jahre in der Welt umher und schaute aus seinem Wagen links und rechts an den Häusern hinauf, schaute, wenn er anhielt, nichts als den Schild seines Wirtshauses an, lief dann in der Stadt umher und ließ sich die schönsten Merkwürdigkeiten zeigen. Aber es freute ihn nichts, kein Bild, kein Haus, keine Musik, kein Tanz; sein Herz von Stein nahm an nichts Anteil, und seine Augen, seine Ohren waren abgestumpft für alles Schöne. Nichts war ihm mehr geblieben als die Freude an Essen und Trinken und der Schlaf, und

so lebte er, indem er ohne Zweck durch die Welt reiste, zu seiner Unterhaltung speiste und aus Langerweile schlief. Hie und da erinnerte er sich zwar, daß er fröhlicher, glücklicher gewesen sei, als er noch arm war und arbeiten mußte, um sein Leben zu fristen. Da hatte ihn jede schöne Aussicht ins Tal, Musik und Gesang hatten ihn ergötzt, da hatte er sich stundenlang auf die einfache Kost, die ihm die Mutter zu dem Meiler bringen sollte, gefreut. Wenn er so über die Vergangenheit nachdachte, so kam es ihm ganz sonderbar vor, daß er jetzt nicht einmal lachen konnte, und sonst hatte er über den kleinsten Scherz gelacht. Wenn andere lachten, so verzog er nur aus Höflichkeit den Mund, aber sein Herz – lächelte nicht mit. Er fühlte dann, daß er zwar überaus ruhig sei – aber zufrieden fühlte er sich doch nicht. Es war nicht Heimweh oder Wehmut, sondern Öde, Überdruß, freudenloses Leben, was ihn endlich wieder zur Heimat trieb.
Als er von Straßburg herüberfuhr und den dunklen Wald seiner Heimat erblickte, als er zum ersten Mal wieder jene kräftigen Gestalten, jene freundlichen, treuen Gesichter der Schwarzwälder sah, als sein Ohr die heimatlichen Klänge, stark, tief, aber wohltönend, vernahm, da fühlte er schnell an sein Herz; denn sein Blut wallte stärker, und er glaubte, er müsse sich freuen und müsse weinen zugleich, aber – wie konnte er nur so töricht sein, er hatte ja ein Herz von Stein; und Steine sind tot und lächeln und weinen nicht.
Sein erster Gang war zum Holländer-Michel, der ihn mit alter Freundlichkeit aufnahm. »Michel,« sagte er zu ihm, »gereist bin ich nun und habe alles gesehen, ist aber alles dummes Zeug, und ich hatte nur Langeweile. Überhaupt, Euer steinernes Ding, das ich in der Brust trage, schützt mich zwar vor manchem; ich erzürne mich nie, bin nie traurig, aber ich freue mich auch nie, und es ist mir, als wenn ich nur halb lebte. Könnet Ihr das Steinherz nicht ein wenig beweglicher machen, oder – gebt mir lieber mein altes Herz! Ich hatte mich in fünfundzwanzig Jahren daran gewöhnt, und wenn es

zuweilen auch einen dummen Streich machte, so war es doch munter und ein fröhliches Herz.«

Der Waldgeist lachte grimmig und bitter. »Wenn du einmal tot bist, Peter Munk,« antwortete er, »dann soll es dir nicht fehlen; dann sollst du dein weiches, rührbares Herz wieder haben, und du kannst dann fühlen, was kommt, Freud oder Leid; aber hier oben kann es nicht mehr dein werden! Doch, Peter! gereist bist du wohl, aber so, wie du lebtest, konnte es dir nichts nützen. Setze dich jetzt hier irgendwo im Wald, bau ein Haus, heirate, treibe dein Vermögen um, es hat dir nur an Arbeit gefehlt; weil du müßig warst, hattest du Langeweile und schiebst jetzt alles auf dieses unschuldige Herz.«

Peter sah ein, daß Michel recht habe, was den Müßiggang beträfe, und nahm sich vor, reich und immer reicher zu werden. Michel schenkte ihm noch einmal hunderttausend Gulden und entließ ihn als seinen guten Freund.

Bald vernahm man im Schwarzwald die Märe, der Kohlenmunk-Peter oder Spielpeter sei wieder da und noch viel reicher als zuvor. Es ging auch jetzt wie immer; als er am Bettelstab war, wurde er in der ›Sonne‹ zur Türe hinausgeworfen, und als er jetzt an einem Sonntagnachmittag seinen ersten Einzug dort hielt, schüttelten sie ihm die Hand, lobten sein Pferd, fragten nach seiner Reise, und als er wieder mit dem dicken Ezechiel um harte Taler spielte, stand er in der Achtung so hoch als je. Er trieb jetzt aber nicht mehr das Glashandwerk, sondern den Holzhandel, aber nur zum Schein. Sein Hauptgeschäft war, mit Korn und Geld zu handeln. Der halbe Schwarzwald wurde ihm nach und nach schuldig; aber er lieh Geld nur auf zehen Prozente aus oder verkaufte Korn an die Armen, die nicht gleich zahlen konnten, um den dreifachen Wert. Mit dem Amtmann stand er jetzt in enger Freundschaft, und wenn einer Herrn Peter Munk nicht auf den Tag bezahlte, so ritt der Amtmann mit seinen Schergen hinaus, schätzte Haus und Hof, verkaufte es flugs und trieb Vater, Mutter und Kind in den Wald. Anfangs machte dies dem reichen Peter einige Unlust, denn die armen Ausgepfändeten belagerten dann haufenweise seine Türe, die Männer flehten um Nachsicht, die Weiber suchten das steinerne Herz zu erweichen, und die Kinder winselten um ein Stücklein Brot. Aber als er sich ein paar tüchtige Fleischerhunde angeschafft hatte, hörte diese Katzenmusik, wie er es nannte, bald auf; er pfiff und hetzte, und die Bettelleute flogen schreiend auseinander. Am meisten Beschwerde machte ihm das ›alte Weib‹. Das war aber niemand anders als Frau Munkin, Peters Mutter. Sie war in Not und Elend geraten, als man ihr Haus und Hof verkauft hatte, und ihr Sohn, als er reich zurückgekehrt war, hatte sich nicht mehr nach ihr umgesehen; da kam sie nun zuweilen, alt, schwach und gebrechlich, an einem Stock vor das Haus. Hinein wagte sie sich nimmer, denn er hatte sie einmal weggejagt, aber es tat ihr wehe, von den Guttaten anderer Menschen leben zu müssen, da der eigene Sohn ihr ein sorgenloses Alter hätte bereiten können. Aber das kalte Herz wurde nimmer gerührt von dem Anblicke der bleichen, wohlbekannten Züge, von den bittenden Blicken, von der welken, ausgestreckten Hand, von der hinfälligen Gestalt. Mürrisch zog er, wenn sie sonnabends an die Türe pochte, einen Sechsbätzner hervor, schlug ihn in ein Papier und ließ ihn hinausreichen durch einen Knecht. Er vernahm ihre zitternde Stimme, wenn sie dankte und wünschte, es möge ihm wohlgehen auf Erden; er hörte sie hüstelnd von der Türe schleichen, aber er dachte weiter nicht mehr daran, als daß er wieder sechs Batzen umsonst ausgegeben. Endlich kam Peter auf den Gedanken, zu heiraten. Er wußte, daß im ganzen Schwarzwald jeder Vater ihm gerne seine Tochter geben werde; aber er war schwierig in seiner Wahl, denn er wollte, daß man auch hierin sein Glück und seinen Verstand preisen sollte; daher ritt er umher im ganzen Wald, schaute hier, schaute dort, und keine der schönen Schwarzwälderinnen deuchte ihm schön genug. Endlich, nachdem er auf allen Tanzböden umsonst nach der Schönsten ausgeschaut hatte, hörte er eines Tages, die Schönste und Tugendsamste im ganzen Wald sei eines armen Holzhauers Tochter. Sie lebe still und für sich, besorge geschickt und emsig ihres Vaters Haus und lasse sich nie auf dem Tanzboden sehen, nicht einmal zu Pfingsten oder Kirmes. Als Peter von diesem Wunder des Schwarzwalds hörte, beschloß er, um sie zu werben, und ritt nach der Hütte, die man ihm bezeichnet hatte. Der Vater der schönen Lisbeth empfing den vornehmen Herrn mit Staunen, und er staunte noch mehr, als er hörte, es sei dies der reiche Herr Peter und er wolle sein Schwiegersohn werden. Er besann sich auch nicht lange, denn er meinte, all seine Sorge und Armut werde nun ein Ende haben, sagte zu, ohne die schöne Lisbeth zu fragen, und das gute Kind war so folgsam, daß sie ohne Widerrede Frau Peter Munkin wurde.

Aber es wurde der Armen nicht so gut, als sie sich geträumt hatte. Sie glaubte ihr Hauswesen wohl zu verstehen, aber sie konnte Herrn Peter nichts zu Dank machen; sie hatte Mitleiden mit armen Leuten, und da ihr Eheherr reich war, dachte sie, es sei keine Sünde, einem armen Bettelweib einen Pfennig oder einem alten Mann einen Schnaps zu reichen; aber als Herr Peter dies eines Tages merkte, sprach er mit zürnenden Blicken und rauher Stimme: »Warum verschleuderst du mein Vermögen an Lumpen und Straßenläufer? Hast du was mitgebracht ins Haus, das du wegschenken könntest? Mit deines Vaters Bettelstab kann man keine Suppe wärmen, und wirfst das Geld aus wie eine Fürstin? Noch einmal laß dich betreten, so sollst du meine Hand fühlen!« Die schöne Lisbeth weinte in ihrer Kammer über den harten Sinn ihres Mannes, und sie wünschte oft, lieber heim zu sein in ihres Vaters ärmlicher Hütte, als bei dem reichen, aber geizigen, hartherzigen Peter zu hausen. Ach, hätte sie gewußt, daß er ein Herz von Marmor habe und weder sie noch irgendeinen Menschen lieben könnte, so hätte sie sich wohl nicht gewundert. Sooft sie aber jetzt unter der Türe saß, und es ging ein Bettelmann vorüber und zog den Hut und hub an seinen

Spruch, so drückte sie die Augen zu, das Elend nicht zu schauen, sie ballte die Hand fester, damit sie nicht unwillkürlich in die Tasche fahre, ein Kreuzerlein herauszulangen. So kam es, daß die schöne Lisbeth im ganzen Wald verschrieen wurde und es hieß, sie sei noch geiziger als Peter Munk. Aber eines Tages saß Frau Lisbeth wieder vor dem Haus und spann und murmelte ein Liedchen dazu; denn sie war munter, weil es schön Wetter und Herr Peter ausgeritten war über Feld. Da kömmt ein altes Männlein des Weges daher, das trägt einen großen, schweren Sack, und sie hört es schon von weitem keuchen. Teilnehmend sieht ihm Frau Lisbeth zu und denkt, einem so alten, kleinen Mann sollte man nicht mehr so schwer aufladen.

Indessen keucht und wankt das Männlein heran, und als es gegenüber von Frau Lisbeth war, brach es unter dem Sack beinahe zusammen. »Ach, habt die Barmherzigkeit, Frau, und reichet mir nur einen Trunk Wasser!« sprach das Männlein; »ich kann nicht weiter, muß elend verschmachten.«

»Aber Ihr solltet in Eurem Alter nicht mehr so schwer tragen«, sagte Frau Lisbeth.

»Ja, wenn ich nicht Boten gehen müßte, der Armut halber und um mein Leben zu fristen«, antwortete er; »ach, so eine reiche Frau wie Ihr weiß nicht, wie wehe Armut tut und wie wohl ein frischer Trunk bei solcher Hitze.«

Als sie dies hörte, eilte sie ins Haus, nahm einen Krug vom Gesims und füllte ihn mit Wasser; doch als sie zurückkehrte und nur noch wenige Schritte von ihm war und das Männlein sah, wie es so elend und verkümmert auf dem Sack saß, da fühlte sie inniges Mitleid, bedachte, daß ja ihr Mann nicht zu Hause sei, und so stellte sie den Wasserkrug beiseite, nahm einen Becher und füllte ihn mit Wein, legte ein gutes Roggenbrot darauf und brachte es dem Alten. »So, und ein Schluck Wein mag Euch besser frommen als Wasser, da Ihr schon so gar alt seid,« sprach sie; »aber trinket nicht so hastig und esset auch Brot dazu!«

Das Männlein sah sie staunend an, bis große Tränen in seinen alten Augen standen; er trank und sprach dann:
»Ich bin alt geworden, aber ich hab wenige Menschen gesehen, die so mitleidig wären und ihre Gaben so schön und herzig zu spenden wüßten wie Ihr, Frau Lisbeth. Aber es wird Euch dafür auch recht wohlgehen auf Erden; solch ein Herz bleibt nicht unbelohnt.«
»Nein, und den Lohn soll sie zur Stelle haben,« schrie eine schreckliche Stimme, und als sie sich umsahen, war es Herr Peter mit blutrotem Gesicht.
»Und sogar meinen Ehrenwein gießest du aus an Bettelleute, und meinen Mundbecher gibst du an die Lippen der Straßenläufer? Da, nimm deinen Lohn!« Frau Lisbeth stürzte zu seinen Füßen und bat um Verzeihung; aber das steinerne Herz kannte kein Mitleid, er drehte die Peitsche um, die er in der Hand hielt, und schlug sie mit dem Handgriff von Ebenholz so heftig vor die schöne Stirne, daß sie leblos dem alten Mann in die Arme sank. Als er dies sah, war es doch, als reuete ihn die Tat auf der Stelle; er bückte sich herab, zu schauen, ob noch Leben in ihr sei, aber das Männlein sprach mit wohlbekannter Stimme: »Gib dir keine Mühe, Kohlenpeter; es war die schönste und lieblichste Blume im Schwarzwald, aber du hast sie zertreten, und nie mehr wird sie wieder blühen.«
Da wich alles Blut aus Peters Wangen, und er sprach: »Also Ihr seid es, Herr Schatzhauser? Nun, was geschehen ist, ist geschehen, und es hat wohl so kommen müssen. Ich hoffe aber, Ihr werdet mich nicht bei dem Gericht anzeigen als Mörder.«
»Elender!« erwiderte das Glasmännlein. »Was würde es mir frommen, wenn ich deine sterbliche Hülle an den Galgen brächte? Nicht irdische Gerichte sind es, die du zu fürchten hast, sondern andere und strengere; denn du hast deine Seele an den Bösen verkauft.«
»Und hab ich mein Herz verkauft,« schrie Peter, »so ist nie-

mand daran schuld als du und deine betrügerischen Schätze; du tückischer Geist hast mich ins Verderben geführt, mich getrieben, daß ich bei einem andern Hilfe suchte, und auf dir liegt die ganze Verantwortung.« Aber kaum hatte er dies gesagt, so wuchs und schwoll das Glasmännlein und wurde hoch und breit, und seine Augen sollen so groß gewesen sein wie Suppenteller, und sein Mund war wie ein geheizter Backofen, und Flammen blitzten daraus hervor. Peter warf sich auf die Kniee, und sein steinernes Herz schützte ihn nicht, daß nicht seine Glieder zitterten wie eine Espe. Mit Geierskrallen packte ihn der Waldgeist im Nacken, drehte ihn um, wie ein Wirbelwind dürres Laub, und warf ihn dann zu Boden, daß ihm alle Rippen knackten. »Erdenwurm!« rief er mit einer Stimme, die wie der Donner rollte, »ich könnte dich zerschmettern, wenn ich wollte, denn du hast gegen den Herrn des Waldes gefrevelt. Aber um dieses toten Weibes willen, die mich gespeist und getränkt hat, gebe ich dir acht Tage Frist. Bekehrst du dich nicht zum Guten, so komme ich und zermalme dein Gebein, und du fährst hin in deinen Sünden.«

Es war schon Abend, als einige Männer, die vorbeigingen, den reichen Peter Munk an der Erde liegen sahen. Sie wandten ihn hin und her und suchten, ob noch Atem in ihm sei; aber lange war ihr Suchen vergebens. Endlich ging einer in das Haus und brachte Wasser herbei und besprengte ihn. Da holte Peter tief Atem, stöhnte und schlug die Augen auf, schaute lange um sich her und fragte dann nach Frau Lisbeth; aber keiner hatte sie gesehen. Er dankte den Männern für ihre Hilfe, schlich in sein Haus und schaute sich um, aber Frau Lisbeth war weder im Keller noch auf dem Boden, und das, was er für einen schrecklichen Traum gehalten, war bittere Wahrheit. Wie er nun so ganz allein war, da kamen ihm sonderbare Gedanken; er fürchtete sich vor nichts, denn sein Herz war ja kalt, aber wenn er an den Tod seiner Frau dachte

– kam ihm sein eigenes Hinscheiden in den Sinn und wie belastet er dahinfahren werde, schwer belastet mit Tränen der Armen, mit tausend ihrer Flüche, die sein Herz nicht erweichen konnten, mit dem Jammer der Elenden, auf die er seine Hunde gehetzt, belastet mit der stillen Verzweiflung seiner Mutter, mit dem Blut der schönen, guten Lisbeth; und konnte er doch nicht einmal dem alten Mann, ihrem Vater, Rechenschaft geben, wann er käme und fragte: »Wo ist meine Tochter, dein Weib?« Wie wollte er einem andern Frage stehen, dem alle Wälder, alle Seen, alle Berge gehören und – die Leben der Menschen?

Es quälte ihn auch nachts im Traume, und alle Augenblicke wachte er auf an einer süßen Stimme, die ihm zurief: »Peter, schaff dir ein wärmeres Herz!« Und wenn er erwacht war, schloß er doch schnell wieder die Augen, denn der Stimme nach mußte es Frau Lisbeth sein, die ihm diese Warnung zurief. Den andern Tag ging er ins Wirtshaus, um seine Gedanken zu zerstreuen, und dort traf er den dicken Ezechiel. Er setzte sich zu ihm, sie sprachen dies und jenes, vom schönen Wetter, vom Krieg, von den Steuern und endlich auch vom Tod und wie da und dort einer so schnell gestorben sei. Da fragte Peter den Dicken, was er denn vom Tode halte und wie es nachher sein werde. Ezechiel antwortete ihm, daß man den Leib begrabe, die Seele aber fahre entweder auf zum Himmel oder hinab in die Hölle.

»Also begrabt man das Herz auch?« fragte der Peter gespannt.

»Ei, freilich, das wird auch begraben.«

»Wenn aber einer sein Herz nicht mehr hat?« fuhr Peter fort.

Ezechiel sah ihn bei diesen Worten schrecklich an. »Was willst du damit sagen? Willst du mich foppen? Meinst du, ich habe kein Herz?«

»Oh, Herz genug, so fest wie Stein«, erwiderte Peter.

Ezechiel sah ihn verwundert an, schaute sich um, ob es nie-

mand gehört habe, und sprach dann: »Woher weißt du es? Oder pocht vielleicht das deinige auch nicht mehr?«
»Pocht nicht mehr, wenigstens nicht hier in meiner Brust!« antwortete Peter Munk. »Aber sag mir, da du jetzt weißt, was ich meine, wie wird es gehen mit unseren Herzen?«
»Was kümmert dich dies, Gesell?« fragte Ezechiel lachend. »Hast ja auf Erden vollauf zu leben, und damit genug. Das ist ja gerade das Bequeme in unsern kalten Herzen, daß uns keine Furcht befällt vor solchen Gedanken.«
»Wohl wahr; aber man denkt doch daran, und wenn ich auch jetzt keine Furcht mehr kenne, so weiß ich doch wohl noch, wie sehr ich mich vor der Hölle gefürchtet, als ich noch ein kleiner, unschuldiger Knabe war.«
»Nun – gut wird es uns gerade nicht gehen«, sagte Ezechiel. »Hab mal einen Schulmeister darüber befragt; der sagte mir, daß nach dem Tod die Herzen gewogen werden, wie schwer sie sich versündiget hätten. Die leichten steigen auf, die schweren sinken hinab, und ich denke, unsere Steine werden ein gutes Gewicht haben.«
»Ach, freilich,« erwiderte Peter, »und es ist mir oft selbst unbequem, daß mein Herz so teilnahmslos und ganz gleichgültig ist, wenn ich an solche Dinge denke.«
So sprachen sie; aber in der nächsten Nacht hörte er fünf- oder sechsmal die bekannte Stimme in sein Ohr lispeln: »Peter, schaff dir ein wärmeres Herz!« Er empfand keine Reue, daß er sie getötet, aber wenn er dem Gesinde sagte, seine Frau sei verreist, so dachte er immer dabei: »Wohin mag sie wohl gereist sein?« Sechs Tage hatte er es so getrieben, und immer hörte er nachts diese Stimme, und immer dachte er an den Waldgeist und seine schreckliche Drohung; aber am siebenten Morgen sprang er auf von seinem Lager und rief: »Nun ja, will sehen, ob ich mir ein wärmeres schaffen kann, denn der gleichgültige Stein in meiner Brust macht mir das Leben nur langweilig und öde.« Er zog schnell seinen Sonntagsstaat

an und setzte sich auf sein Pferd und ritt dem Tannenbühl zu.

Im Tannenbühl, wo die Bäume dichter standen, saß er ab, band sein Pferd an und ging schnellen Schrittes dem Gipfel des Hügels zu, und als er vor der dicken Tanne stand, hub er seinen Spruch an:

Schatzhauser im grünen Tannenwald,
Bist viele hundert Jahre alt;
Dein ist all Land, wo Tannen stehn,
Läßt dich nur Sonntagskindern sehn.

Da kam das Glasmännlein hervor, aber nicht freundlich und traulich wie sonst, sondern düster und traurig; es hatte ein Röcklein an von schwarzem Glas, und ein langer Trauerflor flatterte herab vom Hut, und Peter wußte wohl, um wen es traure.

»Was willst du von mir, Peter Munk?« fragte es mit dumpfer Stimme.

»Ich hab noch einen Wunsch, Herr Schatzhauser«, antwortete Peter mit niedergeschlagenen Augen.

»Können Steinherzen noch wünschen?« sagte jener. »Du hast alles, was du für deinen schlechten Sinn bedarfst, und ich werde schwerlich deinen Wunsch erfüllen.«

»Aber Ihr habt mir doch drei Wünsche zugesagt; einen hab ich immer noch übrig.«

»Doch kann ich ihn versagen, wenn er töricht ist«, fuhr der Waldgeist fort; »aber wohlan, ich will hören, was du willst!«

»So nehmet mir den toten Stein heraus und gebet mir mein lebendiges Herz!« sprach Peter.

»Hab ich den Handel mit dir gemacht?« fragte das Glasmännlein; »bin ich der Holländer-Michel, der Reichtum und kalte Herzen schenkt? Dort, bei ihm mußt du dein Herz suchen.«

»Ach, er gibt es nimmer zurück«, antwortete Peter.

»Du dauerst mich, so schlecht du auch bist«, sprach das

Männlein nach einigem Nachdenken. »Aber weil dein Wunsch nicht töricht ist, so kann ich dir wenigstens meine Hilfe nicht abschlagen. So höre, dein Herz kannst du mit keiner Gewalt mehr bekommen, wohl aber durch List, und es wird vielleicht nicht schwer halten; denn Michel bleibt doch nur der dumme Michel, obgleich er sich ungemein klug dünkt. So gehe denn geraden Weges zu ihm hin und tue, wie ich dir heiße!« Und nun unterrichtete er ihn in allem und gab ihm ein Kreuzlein aus reinem Glas: »Am Leben kann er dir nicht schaden, und er wird dich freilassen, wenn du ihm dies vorhalten und dazu beten wirst. Und hast du denn, was du verlangt hast, erhalten, so komm wieder zu mir an diesen Ort!«

Peter Munk nahm das Kreuzlein, prägte sich alle Worte ins Gedächtnis und ging weiter nach Holländer-Michels Behausung. Er rief dreimal seinen Namen, und alsobald stand der Riese vor ihm. »Du hast dein Weib erschlagen?« fragte er ihn mit schrecklichem Lachen, »hätt es auch so gemacht; sie hat dein Vermögen an das Bettelvolk gebracht. Aber du wirst auf einige Zeit außer Landes gehen müssen, denn es wird Lärm machen, wenn man sie nicht findet, und du brauchst wohl Geld und kommst, um es zu holen?«

»Du hasts erraten,« erwiderte Peter, »und nur recht viel diesmal, denn nach Amerika ists weit.«

Michel ging voran und brachte ihn in seine Hütte; dort schloß er eine Truhe auf, worin viel Geld lag, und langte ganze Rollen Gold heraus. Während er es so auf den Tisch hinzählte, sprach Peter: »Du bist ein loser Vogel, Michel, daß du mich belogen hast, ich hätte einen Stein in der Brust und du habest mein Herz!«

»Und ist es denn nicht so?« fragte Michel staunend; »fühlst du denn dein Herz? Ist es nicht kalt wie Eis? Hast du Furcht oder Gram, kann dich etwas reuen?«

»Du hast mein Herz nur stille stehen lassen, aber ich hab es noch wie sonst in meiner Brust, und Ezechiel auch, der hat es mir gesagt, daß du uns angelogen hast; du bist nicht der Mann dazu, der einem das Herz so unbemerkt und ohne Gefahr aus der Brust reißen könnte; da müßtest du zaubern können.«

»Aber ich versichere dich,« rief Michel unmutig, »du und Ezechiel und alle reichen Leute, die es mit mir gehalten, haben solche kalte Herzen wie du, und ihre rechten Herzen habe ich hier in meiner Kammer.«

»Ei, wie dir das Lügen von der Zunge geht!« lachte Peter. »Das mach du einem andern weis! Meinst du, ich hab auf meinen Reisen nicht solche Kunststücke zu Dutzenden gesehen? Aus Wachs nachgeahmt sind deine Herzen hier in der Kammer. Du bist ein reicher Kerl, das geb ich zu; aber zaubern kannst du nicht.«

Da ergrimmte der Riese und riß die Kammertüre auf. »Komm herein und lies die Zettel alle, und jenes dort, schau, das ist Peter Munks Herz; siehst du, wie es zuckt? Kann man das auch aus Wachs machen?«

»Und doch ist es aus Wachs«, antwortete Peter. »So schlägt ein rechtes Herz nicht; ich habe das meinige noch in der Brust. Nein, zaubern kannst du nicht!«

»Aber ich will es dir beweisen!« rief jener ärgerlich; »du sollst es selbst fühlen, daß dies dein Herz ist.« Er nahm es, riß Peters Wams auf und nahm einen Stein aus seiner Brust und zeigte ihn vor. Dann nahm er das Herz, hauchte es an und setzte es behutsam an seine Stelle, und alsobald fühlte Peter, wie es pochte, und er konnte sich wieder darüber freuen.

»Wie ist es dir jetzt?« fragte Michel lächelnd.

»Wahrhaftig, du hast doch recht gehabt«, antwortete Peter, indem er behutsam sein Kreuzlein aus der Tasche zog. »Hätt ich doch nicht geglaubt, daß man dergleichen tun könne!«

»Nicht wahr? Und zaubern kann ich, das siehst du; aber komm, jetzt will ich dir den Stein wieder hineinsetzen.«

»Gemach, Herr Michel!« rief Peter, trat einen Schritt zurück und hielt ihm das Kreuzlein entgegen. »Mit Speck fängt man

Mäuse, und diesmal bist du der Betrogene.« Und zugleich fing er an zu beten, was ihm nur beifiel. Da wurde Michel kleiner und immer kleiner, fiel nieder und wand sich hin und her wie ein Wurm und ächzte und stöhnte, und alle Herzen umher fingen an zu zucken und zu pochen, daß es tönte wie in der Werkstatt eines Uhrenmachers. Peter aber fürchtete sich, es wurde ihm ganz unheimlich zumut, er rannte zur Kammer und zum Haus hinaus und klimmte, von Angst getrieben, die Felswand hinan; denn er hörte, daß Michel sich aufraffte, stampfte und tobte und ihm schreckliche Flüche nachschickte. Als er oben war, lief er dem Tannenbühl zu; ein schreckliches Gewitter zog auf, Blitze fielen links und rechts an ihm nieder und zerschmetterten die Bäume, aber er kam wohlbehalten in dem Revier des Glasmännleins an.

Sein Herz pochte freudig, und nur darum, weil es pochte. Dann aber sah er mit Entsetzen auf sein Leben zurück wie auf das Gewitter, das hinter ihm rechts und links den schönen Wald zersplitterte. Er dachte an Frau Lisbeth, sein schönes, gutes Weib, das er aus Geiz gemordet; er kam sich selbst wie der Auswurf der Menschen vor, und er weinte heftig, als er an Glasmännleins Hügel kam.

Schatzhauser saß schon unter dem Tannenbaum und rauchte aus einer kleinen Pfeife, doch sah er munterer aus als zuvor. »Warum weinst du, Kohlenpeter?« fragte er. »Hast du dein Herz nicht erhalten? Liegt noch das kalte in deiner Brust?«

»Ach, Herr!« seufzte Peter, »als ich noch das kalte Steinherz trug, da weinte ich nie, meine Augen waren so trocken als das Land im Juli; jetzt aber will es mir beinahe das alte Herz zerbrechen, was ich getan! Meine Schuldner hab ich ins Elend gejagt, auf Arme und Kranke die Hunde gehetzt, und Ihr wißt es ja selbst – wie meine Peitsche auf ihre schöne Stirne fiel!«

»Peter! Du warst ein großer Sünder!« sprach das Männlein. »Das Geld und der Müßiggang haben dich verderbt, bis dein Herz zu Stein wurde, nicht Freud, nicht Leid, keine Reue,

kein Mitleid mehr kannte. Aber Reue versöhnt, und wenn ich nur wüßte, daß dir dein Leben recht leid tut, so könnte ich schon noch was für dich tun.«
»Will nichts mehr«, antwortete Peter und ließ traurig sein Haupt sinken. »Mit mir ist es aus, kann mich mein Lebtag nicht mehr freuen; was soll ich so allein auf der Welt tun? Meine Mutter verzeiht mir nimmer, was ich ihr getan, und vielleicht hab ich sie unter den Boden gebracht, ich Ungeheuer! Und Lisbeth, meine Frau! Schlaget mich lieber auch tot, Herr Schatzhauser, dann hat mein elend Leben mit einmal ein Ende.«
»Gut,« erwiderte das Männlein, »wenn du nicht anders willst, so kannst du es haben; meine Axt hab ich bei der Hand.« Er nahm ganz ruhig sein Pfeiflein aus dem Mund, klopfte es aus und steckte es ein. Dann stand er langsam auf und ging hinter die Tannen. Peter aber setzte sich weinend ins Gras, sein Leben war ihm nichts mehr, und er erwartete geduldig den Todesstreich. Nach einiger Zeit hörte er leise Tritte hinter sich und dachte: »Jetzt wird er kommen.«
»Schau dich noch einmal um, Peter Munk!« rief das Männlein. Er wischte sich die Tränen aus den Augen und schaute sich um und sah – seine Mutter und Lisbeth, seine Frau, die ihn freundlich anblickten. Da sprang er freudig auf: »So bist du nicht tot, Lisbeth? Und auch Ihr seid da, Mutter, und habt mir vergeben?«
»Sie wollen dir verzeihen,« sprach das Glasmännlein, »weil du wahre Reue fühlst, und alles soll vergessen sein. Zieh jetzt heim in deines Vaters Hütte und sei ein Köhler wie zuvor; bist du brav und bieder, so wirst du dein Handwerk ehren und deine Nachbarn werden dich mehr lieben und achten, als wenn du zehen Tonnen Goldes hättest.« So sprach das Glasmännlein und nahm Abschied von ihnen.
Die drei lobten und segneten es und gingen heim.
Das prachtvolle Haus des reichen Peters stand nicht mehr, der Blitz hatte es angezündet und mit all seinen Schätzen nie-

dergebrannt; aber nach der väterlichen Hütte war es nicht weit; dorthin ging jetzt ihr Weg, und der große Verlust bekümmerte sie nicht.

Aber wie staunten sie, als sie an die Hütte kamen! Sie war zu einem schönen Bauernhaus geworden, und alles darin war einfach, aber gut und reinlich.

»Das hat das gute Glasmännlein getan!« rief Peter.

»Wie schön!« sagte Frau Lisbeth, »und hier ist mir viel heimischer als in dem großen Haus mit dem vielen Gesinde.«

Von jetzt an wurde Peter Munk ein fleißiger und wackerer Mann. Er war zufrieden mit dem, was er hatte, trieb sein Handwerk unverdrossen, und so kam es, daß er durch eigene Kraft wohlhabend wurde und angesehen und beliebt im ganzen Wald. Er zankte nie mehr mit Frau Lisbeth, ehrte seine Mutter und gab den Armen, die an seine Türe pochten. Als nach Jahr und Tag Frau Lisbeth von einem schönen Knaben genas, ging Peter nach dem Tannenbühl und sagte sein Sprüchlein. Aber das Glasmännlein zeigte sich nicht. »Herr Schatzhauser!« rief er laut, »hört mich doch; ich will ja nichts anderes als Euch zu Gevatter bitten bei meinem Söhnlein!«

Aber er gab keine Antwort; nur ein kurzer Windstoß sauste durch die Tannen und warf einige Tannenzapfen herab ins Gras. »So will ich dies zum Andenken mitnehmen, weil Ihr Euch doch nicht sehen lassen wollet«, rief Peter, steckte die Zapfen in die Tasche und ging nach Hause; aber als er zu Hause das Sonntagswams auszog und seine Mutter die Taschen umwandte und das Wams in den Kasten legen wollte, da fielen vier stattliche Geldrollen heraus, und als man sie öffnete, waren es lauter gute, neue badische Taler, und kein einziger falscher darunter. Und das war das Patengeschenk des Männleins im Tannenwald für den kleinen Peter.

So lebten sie still und unverdrossen fort, und noch oft nachher, als Peter Munk schon graue Haare hatte, sagte er: »Es ist doch besser, zufrieden zu sein mit wenigem, als Gold und Güter haben und ein kaltes Herz.«

ADALBERT STIFTER

Der Hagestolz

Gegenbild

Auf einem schönen grünen Platze, der bergan steigt, wo Bäume stehen und Nachtigallen schlagen, gingen mehrere Jünglinge in dem Brausen und Schäumen ihres jungen, kaum erst beginnenden Lebens. Eine glänzende Landschaft war rings um sie geworfen. Wolkenschatten flogen, und unten in der Ebene blickten die Türme und Häuserlasten einer großen Stadt.

Einer von ihnen rief die Worte: »Es ist nun für alle Ewigkeit ganz gewiß, daß ich nie heiraten werde.«

Es war ein schlanker Jüngling mit sanften, schmachtenden Augen, der dieses gesagt hatte. Die andern achteten nicht sonderlich darauf, mehrere lachten, knickten Zweige, bewarfen sich und schritten weiter.

»Ha, wer wird denn heiraten,« sagte einer, »die lächerlichen Bande eines Weibes tragen und wie der Vogel auf den Stangen eines Käfiges sitzen?«

»Ja, du Narr, aber tanzen, verliebt sein, sich schämen, rot werden, gelt?« rief ein dritter, und es erschallte wieder Gelächter.

»Dich nähme ohnehin keine.«

»Dich auch nicht.«

»Was liegt daran?«

Die nächsten Worte waren nicht mehr verständlich. Es kam noch durch die Stämme der Bäume ein lustiges Rufen zurück und dann nichts mehr; denn die Jünglinge gingen bereits auf der schiefen Fläche, die sich von dem Platze wegzieht, empor und setzten die Gebüsche der Fläche in Bewegung. Rüstig schritten sie in der funkelnden Sonne hinan, ringsum sind grünende Zweige, und auf ihren Wangen und in ihren Augen leuchtet die ganze unerschütterliche Zuversicht in die Welt. Um sie herum liegt der Frühling, der ebenso unerfahren und zuversichtlich ist wie sie.

Der Jüngling, aus dessen Munde der Entschluß der Nichtvermählung hervorgegangen war, hatte in der Sache nichts mehr gesprochen, und sie war vergessen.

Ein neues Geplauder und ein fröhliches Sprechen tanzte von den beweglichen Zungen. Sie redeten zuerst von allem und oft alle zugleich. Dann reden sie von dem Höchsten, dann von dem Tiefsten und haben beides schnell erschöpft. Dann kommt der Staat. Es wird in ihm die unendlichste Freiheit vorgeschlagen, die größte Gerechtigkeit und unbeschränkteste Duldsamkeit. Wer gegen dieses ist, wird niedergeworfen und besiegt. Der Landesfeind muß zerschmettert werden, und von dem Haupte der Helden leuchtet dann der Ruhm. Während sie so, wie sie meinten, von dem Großen redeten, geschieht um sie her, wie sie ebenfalls meinten, nur das Kleine; es grünen weithin die Büsche, es keimt die brütende Erde und beginnt mit ihren ersten Frühlingstierchen wie mit Juwelen zu spielen.

Hierauf singen sie ein Lied, dann jagen sie sich, stoßen sich gegenseitig in den Hohlweg oder ins Gebüsch, schneiden Ruten und Stäbe und kommen dabei immer höher auf den Berg und über die Wohnungen der Menschen.

Wir müssen hier bemerken: welch ein rätselhaftes, unbeschreibliches, geheimnisreiches, lockendes Ding ist die Zukunft, wenn wir noch nicht in ihr sind – wie schnell und unbegriffen rauscht sie als Gegenwart davon – und wie klar, verbraucht und wesenlos liegt sie dann als Vergangenheit da! Alle diese Jünglinge stürmen schon in sie hinein, als könnten sie dieselbe gar nicht erwarten. Der eine prahlt mit Dingen und Genüssen, die über seine Jahre gehen, der andere tut langweilig, als hätte er schon alles erschöpft, und der dritte redet Worte, die er bei seinem Vater, Männer und Greise hatte reden gehört. Dann haschen sie nach einem vorüberflatternden Schmetterlinge und finden auf dem Wege einen bunten Stein.

Immer höher streben sie hinauf. Oben an dem Waldesrande schauen sie auf die Stadt zurück. Sie sehen allerlei Häuser und Gebäude und wetten, ob sie es sind oder nicht. Dann dringen sie in die Schatten der Buchen hinein.

Der Wald geht fast mit ebenem Boden dahin. Jenseits desselben aber steigen glänzende Wiesen mit einzelnen Fruchtbäumen besetzt in ein Tal hinab, das still und heimlich um die Bergeswölbung läuft und von diesen Bergen zwei spiegelhelle dahinschießende Bäche empfängt. Die Wasser rieseln lustig über die geglätteten Kiesel, an dichten Obstwäldern, Gartenplanken und Häusern vorbei und von dort wieder in die Weinberge hinaus. Alles dieses ist so stille, daß man in mancher klaren Nachmittagsluft weithin den Hahn krähen hört oder den einzelnen Glockenschlag vernimmt, der von dem Turme der Kirche fällt. Selten besucht ein Städter das Tal, und noch keiner hat in demselben seine Sommerwohnung aufgeschlagen.

Unsere Freunde aber laufen mehr, als sie gehen, über die Wiese in die sanft geschwungene Wiege hinab. Lärmend kommen sie an den Gartengehegen herunter, schreiten über den ersten Steg, über den zweiten, gehen dem Wasser entlang und dringen endlich in einen Garten hinein, der von Flieder, Nußbäumen und Linden strotzt. Es ist der Garten eines Gasthauses. Hier umringen sie einen der Tische, wie sie mit den Füßen in dem Grase stecken, aufgenagelte Platten haben und auf den Platten eingeschnittene Herzen und Namen von denen zeigen, die vorlängst an dem Tische gesessen waren. Sie bestellten sich ein Mittagsessen, und zwar ein jeder dasjenige, was er wollte. Als sie es verzehrt hatten, spielten sie eine Weile mit einem Pudel, der sich in dem Garten vorfand, zahlten und gingen dann fort. Sie gingen durch die Mündung des Tales in ein anderes, breiteres hinaus, in welchem ein Strom fließt. An dem Strome nahmen sie ein angebundenes Schiffchen und fuhren an einer bekannt gefährlichen Stelle über, ohne daß sie es wußten. Zufällig vorübergehende Frauen erschraken sehr, als sie die jungen Leute da fahren sahen. Jenseits des Stromes dingten sie einen Mann, der den Kahn wieder zurückführen und an der Stelle anbinden sollte, wo sie ihn genommen hatten.

Dann drangen sie durch Röhrichte und Auen vor, bis sie zu einem Damme gelangten, auf dem eine Straße lief und ein Wirtshaus stand. Bei dem Wirte mieteten sie einen offenen Wagen, um nun jenseits des Stromes in die Stadt zurückzufahren. Sie flogen an Auen, Gebüschen, Feldern, Anlagen, Gärten und Häusern vorbei, bis sie die ersten Gebäude der Vorstädte erreichten und abstiegen. Als sie ankamen, lag die Sonne, die sie heute so freundlich den ganzen Tag begleitet hatte, weit draußen am Himmel als glühende, erlöschende Kugel. Da sie untergesunken war, sahen die Freunde die Berge, auf welchen sie heute ihre Morgenfreude genossen hatten, als einfaches blaues Band gegen den gelben Abendhimmel emporstehen.

Sie gingen nun gegen die Stadt und deren staubige, bereits dämmernde Gassen. An einem bestimmten Platze trennten sie sich und riefen einander fröhlichen Abschied zu.

»Lebe wohl«, sagte der eine.

»Lebe wohl«, antwortete der andere.

»Gute Nacht, grüße mir Rosina.«

»Gute Nacht, grüße morgen den August und Theobald.«

»Und du den Karl und Lothar.«

Es kamen noch mehrere Namen; denn die Jugend hat viele Freunde, und es werben sich täglich neue an. Sie gingen auseinander. Zwei derselben schlugen den nämlichen Weg ein, und es sagte der eine zu dem andern: »Nun, Viktor, kannst du die Nacht bei mir bleiben, und morgen gehst du hinaus,

sobald du nur willst. Ist es auch wirklich wahr, daß du gar nicht heiraten willst?«
»Ich muß dir nur sagen,« antwortete der Angeredete, »daß ich wirklich ganz und gar nicht heiraten werde und daß ich sehr unglücklich bin.«
Aber die Augen waren so klar, da er dieses sagte, und die Lippen so frisch, da der Hauch der Worte über sie ging.
Die zwei Freunde schritten noch eine Strecke in der Gasse entlang, dann traten sie in ein wohlbekanntes Haus und gingen über zwei Treppen hinauf an Zimmern vorbei, die mit Menschen und Lichtern angefüllt waren. Sie gelangten in eine einsame Stube.
»So, Viktor,« sagte der eine, »da habe ich dir neben dem meinen ein Bett herrichten lassen, daß du eine gute Nacht hast, die Schwester Rosina wird uns Speisen heraufschicken, wir bleiben hier und sind fröhlich. Das war ein himmlischer Tag, und ich mag sein Ende gar nicht mehr unten bei den Leuten zubringen. Ich habe es der Mutter schon gesagt; ist es nicht so recht, Viktor?«
»Freilich,« entgegnete dieser, »es ist bei dem Tische deines Vaters so langweilig, wenn zwischen den Speisen so viele Zeit vergeht und er dabei so viele Lehren gibt. Aber morgen, Ferdinand, ist es nicht anders, ich muß mit Tagesanbruch fort.«
»Du kannst, sobald du willst,« antwortete Ferdinand, »du weißt, daß der Hausschlüssel innen in der Tornische liegt.«
Während dieses Gespräches begannen sie sich zu entkleiden und sich der lästigen, staubigen Stiefel zu entledigen. Ein Stück der Kleider ward hierhin, das andere dorthin gelegt. Ein Diener brachte Lichter und eine Magd ein Speisebrett, mit reichlicher Nahrung versehen. Sie aßen schnell und ohne Auswahl. Dann schauten sie bald bei dem einen, bald bei dem andern Fenster hinaus, gingen in dem Zimmer herum, besahen die Geschenke, die Ferdinand erst gestern bekommen hatte, zählten die roten Abendwolken, kleideten sich voll-

ends aus und legten sich auf ihre Betten. In denselben redeten sie noch fort; aber ehe einige Minuten vergingen, war keiner mehr mächtig, weder zu reden noch zu denken; denn sie lagen beide in tiefem Schlafe.

Das nämliche mochte auch mit den andern sein, welchen dieselbe Lust mit ihnen heute zuteil geworden war. --

Während die Jünglinge diesen Tag so gefeiert hatten, war auf einer anderen Stelle etwas anderes gewesen: ein Greis hatte den Tag damit zugebracht, daß er im Sonnenscheine auf der Bank vor seinem Hause gesessen war. Weit von dem grünen Baumplatze, wo die Nachtigallen geschlagen und die Jünglinge so fröhlich gelacht hatten, lag hinter den glänzenden blauen Bergen, die die Aussicht des Platzes besäumten, eine Insel mit dem Hause. Der Greis saß an dem Hause und zitterte vor dem Sterben. Man hätte ihn vorher schon viele Jahre können sitzen sehen, wenn er überhaupt gerne Augen zugelassen hätte, ihn zu sehen. Weil er kein Weib gehabt hatte, saß an dem Tage keine alte Gefährtin neben ihm auf der Bank, so wie an allen Orten, wo er vor der Erwerbung des Inselhauses gewesen sein mag, nie eine Gattin bei ihm war. Er hatte nie Kinder gehabt und nie eine Qual oder Freude an Kindern erlebt, es trat daher keines in den Schatten, den er von der Bank auf den Sand warf. In dem Hause war es sehr schweigsam, und wenn er zufällig hineinging, schloß er die Tür selbst, und wenn er herausging, öffnete er sie wieder selbst. Während die Jünglinge auf ihrem Berge emporgestrebt waren und ein wimmelndes Leben und dichte Freude sie umgab, war er auf seiner Bank gesessen, hatte auf die an Stäbe gebundenen Frühlingsblumen geschaut, und die leere Luft und der vergebliche Sonnenschein hatten um ihn gespielt. Als die Jünglinge nach Vollbringung des Tages auf ihr Lager gesunken und in Schlummer verfallen waren, lag er auch in seinem Bette, das in einer wohlverwahrten Stube stand, und drückte die Augen zu, damit er schlafe. –

Die nämliche Nacht ging mit dem kühlen Mantel aller ihrer

Sterne gleichgültig herauf, ob junge Herzen sich des entschwundenen Tages gefreut und nie an einen Tod gedacht hatten, als wenn es keinen gäbe – oder ob ein altes sich vor gewalttätiger Verkürzung seines Lebens fürchtete und doch schon wieder dem Ende desselben um einen Tag näher war.

Eintracht

Als das erste blasse Licht des andern Tages leuchtete, ging Viktor schon in den noch öden Gassen der Stadt dahin, daß seine Tritte hallten. Es war anfänglich noch kein Mensch zu erblicken; dann begegnete ihm manche verdrießliche, verschlafene Gestalt, die zu früher Arbeit mußte; und ein beginnendes fernes Wagenrasseln zeigte, daß man schon anfange, Lebensmittel in die große, bedürfende Stadt zu führen. Er strebte dem Stadttore zu. Außer demselben wurde er von dem kühlen, feuchten Grün der Felder empfangen. Der erste Sonnenrand zeigte sich am Erdsaume, und die Spitzen der nassen Gräser hatten rotes und grünes Feuer. Die Lerchen wirbelten freudig in der Luft, während die nahe Stadt, die doch sonst so lärmte, fast noch völlig stumm war.

Als er sich außer den Mauern fühlte, schlug er sogleich einen Weg durch die Felder gegen jenen grünen Baumplatz ein, von welchem wir sagten, daß gestern dort die Nachtigallen geschlagen und die Jünglinge gescherzt hatten. Er erreichte ihn nach einer nicht ganz zweistündigen Wanderung. Von da machte er den nämlichen Weg wie gestern mit den Freunden. Er stieg die schiefe Berglehne mit den Gebüschen hinan, er kam an den Rand des Waldes, sah sich da nicht um, drang unter die Bäume ein, eilte fort und stieg dann über die Wiese mit den Fruchtbäumen in das Tal hinab, von dem wir sagten, daß es so stille ist und daß in demselben die zwei spiegelnden Bäche rinnen.

Als er in dem Grunde des Tales angekommen war, ging er über den ersten Steg, nur daß er heute, gleichsam wie zu einer

Begrüßung, ein wenig auf die glänzenden Kiesel hinabsah, über welche das Wasser dahinrollte. Dann ging er über den zweiten Steg und ging an dem Wasser dahin. Aber er ging heute nicht bis zu dem Gasthausgarten, in welchem sie gestern gegessen hatten, sondern viel früher bog er an einer Stelle, wo ein großer Fliederbusch stand, der seine Äste und Wurzeln mit dem Wasser spielen ließ, von dem Wege ab und ging in den Flieder und das Gebüsche hinein. Dort war eine aschgraue Gartenplanke, die ihre Farbe von den unzähligen Regen und Sonnenstrahlen erhalten hatte, und in der Planke war ein kleines Türchen. Das Türchen öffnete Viktor und ging hinein. Es war wie ein Gartenplatz hier, und etwas ferner auf dem Platze blickte die lange weiße Wand eines niederen Hauses, sich sanft von Holundergesträuchen und Obstbäumen abhebend, herüber. Das Haus hatte glänzende Fenster, und hinter denselben hingen ruhige, weiße Vorhänge nieder.

Viktor ging an dem Gebüschrande gegen die Wohnung zu. Als er auf den freien Sandplatz vor dem Hause gekommen war, auf dem der Brunnen stand und ein bejahrter Apfelbaum war, an den sich wieder Stangen und allerlei andere Dinge lehnten, wurde er von einem alten Spitz angewedelt und begrüßt. Die Hühner, ebenfalls freundliche Umwohner des Hauses, scharrten unter dem Apfelbaume unbeirrt fort. Er ging in das Haus hinein und über den knisternden Flursand in die Stube, aus welcher ein reiner, gebohnter Fußboden heraussah.

In der Stube war bloß eine alte Frau, die gerade ein Fenster geöffnet hatte und damit beschäftigt war, von den weißgescheuerten Tischen, Stühlen und Schreinen den Staub abzuwischen und die Dinge, die sich etwa gestern abends verschoben hatten, wieder zurechtzustellen. Durch das Geräusch des Hereintretenden von ihrer Arbeit abgelenkt, wendete sie ihr Antlitz gegen ihn. Es war eines jener schönen alten Frauenantlitze, die so selten sind. Ruhige, sanfte Farben waren auf ihm, und jedes der unzähligen kleinen Fältchen war eine Güte und eine Freundlichkeit. Um alle diese Fältchen waren hier noch die unendlich vielen andern einer schneeweißen gekrauseten Haube. Auf jeder der Wangen saß ein kleines, feines Fleckchen Rot.

»Schau, bist du schon da, Viktor,« sagte sie, »ich habe auf die Milch wieder vergessen, daß ich sie warm gehalten hätte. Es steht wohl alles an dem Feuer, aber dasselbe wird ausgegangen sein. Warte, ich will es wieder anblasen.«

»Ich bin nicht hungrig, Mutter,« sagte Viktor; »denn ich habe bei Ferdinand, ehe ich fortging, zwei Schnitten Kaltes von dem gestrigen Abendmahle, das noch dastand, gegessen.«

»Du mußt aber hungrig sein,« antwortete die Frau, »weil du schon bei vier Stunden in der Morgenluft und dann durch den feuchten Wald gegangen bist.«

»So weit ist es ja nicht über die Thurnwiese herüber.«

»Ja, weil du immer läufst und meinst, die Füße dauern ewig – aber sie dauern nicht ewig –, und im Gehen merkst du auch die Müdigkeit nicht, aber wenn du eine Weile sitzest, dann schmerzen die Füße.«

Sie sagte nichts weiter und ging in die Küche hinaus. Viktor setzte sich indessen auf einen Stuhl nieder.

Als sie wieder hereingekommen war, sagte sie: »Bist du müde?«

»Nein«, antwortete er.

»Du wirst wohl müde sein – freilich müde –, warte nur, warte ein wenig, es wird gleich alles warm sein.«

Viktor anwortete nicht darauf, sondern tief niedergebückt gegen den Spitz, der mit ihm hereingegangen war, strich er mit der flachen Hand über die weichen, langen Haare desselben, der sich ebenfalls liebkosend an dem Jünglinge aufgerichtet hatte und beständig in seine Augen schaute – er strich immer an der nämlichen Stelle und blickte auch immer auf diese nämliche Stelle, als wäre eine recht schwere, tiefe Bewegung in seinem Herzen.

Die alte Mutter setzte indessen ihr Geschäft fort. Sie war sehr fleißig. Wenn sie den Staub nicht erreichen konnte, so stellte sie sich auf die Spitzen ihrer Zehen, um den unsauberen Gast fortzubringen. Hierbei schonte und liebte sie die ältesten, unbrauchbarsten Dinge. Da lag auf einem Schreine ein altes Kinderspielzeug, das schon lange nicht gebraucht worden war und vielleicht nie mehr gebraucht werden wird – es war ein Pfeifchen mit einer hohlen Kugel, in der klappernde Dinge waren – sie wischte es ringsum sauber ab und legte es wieder hin.

»Aber warum erzählst du denn nichts?« sagte sie plötzlich, da sie das ringsum herrschende Schweigen zu bemerken schien.

»Weil mich schon gar nichts mehr freut«, antwortete Viktor.

Die Frau sagte kein Wort, kein einziges Wörtlein auf diese Rede, sondern sie setzte ihr Abwischen fort und ihr stetes Ausschlingen des Tuches beim offenen Fenster.

Nach einer Weile sagte sie: »Ich habe dir oben den Koffer und die Kisten schon hergerichtet. Da du gestern aus warest, habe ich den ganzen Tag damit verbracht. Die Kleider habe ich zusammengelegt, wie sie in den Koffer getan werden müssen. Auch die Wäsche, welche ausgebessert ist, liegt dabei. Die Bücher mußt du schon selber besorgen und ebenso das, was du in das Ränzlein zu tun gedenkst. Ich habe dir einen weichen, feinen Lederkoffer gekauft, wie du einmal gesagt hast, daß sie dir so gefallen. – Aber wo willst du denn hin, Viktor?«

»Einpacken.«

»Mein Gott, Kind, du hast ja noch nichts gegessen. Warte nur ein Weilchen. Jetzt wird es wohl schon warm sein.«

Viktor wartete. Sie ging hinaus und brachte zwei Töpfchen, eine Schale, eine Tasse und ein Stück Milchbrot auf einem runden, reinen, messingberänderten Brette herein. Sie stellte alles nieder, schenkte ein, kostete, ob es gut und gehörig warm sei, und schob dann das Ganze vor den Jüngling hin, es dem Dufte der Dinge überlassend, ob er ihn anlocken werde oder nicht. Und in der Tat: ihre Erfahrung täuschte sie nicht; denn der Jüngling, der anfangs nur ein wenig zu kosten begann, setzte sich endlich wieder nieder und aß mit all dem guten Behagen und Gedeihen, das so sehr der Jugend eigen ist.

Sie war indessen allgemach fertig geworden, und ihre Abwischtücher zusammenlegend, schaute sie zuzeiten freundlich und lächelnd auf ihn hin. Als er endlich alles Hereingebrachte verzehrt hatte, gab sie dem Spitz noch die kleinen Überreste, die da waren, und trug dann das Geschirr wieder in die Küche hinaus, daß es von der Magd gereinigt werde, wenn sie nach Hause komme; denn dieselbe war auf den Kirchenplatz des Tales hinausgegangen, um manche Bedürfnisse für den heutigen Tag einzukaufen.

Als sie wieder von der Küche hereingekommen war, stellte sich die Frau vor Viktor hin und sagte: »Jetzt hast du dich erquickt, und nun höre mich an. Wenn ich wirklich deine Mutter wäre, wie du mich immer nennst, so würde ich recht böse auf dich werden, Viktor; denn siehe, ich muß dir sagen, daß dein Wort groß Unrecht ist, welches du erst sagtest, daß dich nichts mehr freue. Du verstehst es jetzt nur noch nicht, wie unrecht es ist. Wenn es selbst etwas Trauriges wäre, das auf dich harrt, so solltest du ein solches Wort nicht sagen. Siehe mich an, Viktor, ich bin jetzt bald siebenzig Jahre alt und sage noch nicht, daß mich nichts mehr freue, weil einen alles, alles freuen muß, da die Welt so schön ist und noch immer schöner wird, je länger man lebt. Ich muß dir nur gestehen – und du wirst selber auf meine Erfahrung kommen, wenn du älter wirst –: als ich achtzehn Jahre alt war, sagte ich auch alle Augenblicke, micht freut nichts mehr – ich sagte es nämlich, wenn mir diejenige Freude versagt wurde, die ich mir gerade einbildete. Dann wünschte ich alle Zeit weg, welche mich noch von einer künftigen Freude trennte, und bedachte nicht, welch ein kostbares Gut die Zeit ist. Wenn man älter wird, lernt man die Dinge und Weile, welche auch noch immer kürzer wird, erst recht schätzen. Alles, was Gott sendet, ist schön, wenn man es auch nicht begreift – und wenn man nur recht nachdenkt, so sieht man, daß es bloß lauter Freude ist, was er gibt; das Leid legen wir nur selber dazu. Hast du im Hereingehen nicht gesehen, wie der Salat an der Holzplanke, von dem noch gestern kaum eine Spur war, heute schon aller hervor ist?«

»Nein, ich habe es nicht gesehen«, antwortete Viktor.

»Ich habe ihn vor Sonnenaufgang angeschaut und mich darüber gefreut«, sagte die Frau. »Ich werde es mir von nun an sogar so einrichten, daß kein Mensch von mir mehr sagen kann, er habe mich eine Träne aus Schmerz weinen gesehen, wenn auch ein Schmerz käme, der doch wieder nur eine andere Art Freude ist. In meiner Jugend habe ich große, große und heiße Schmerzen gehabt; aber sie sind alle zu meinem Wohle und zu meiner Besserung – oft sogar zu irdischem Glücke ausgefallen. Ich sage das alles, Viktor, weil du bald fortgehst. Du solltest Gott sehr danken, mein Kind, daß du die jungen Glieder und den gesunden Körper hast, um hinausgehen und alle die Freuden und Wonnen aufsuchen zu können, die nicht zu uns hereinkommen. –– Siehe, du hast kein Vermögen – dein Vater hat von dem Mißgeschicke, das ihn hienieden traf, vieles selbst verschuldet, jenseits wird er wohl die ewige Seligkeit haben; denn er war ein guter Mann und hat immer ein weiches Herz gehabt wie du. Als sie dich nach der Verordnung des Testamentes deines verstorbenen Vaters zu mir brachten, damit du bei mir lebest und auf dem Dorfe für dich lernest, um was sie dich dann immer in der Stadt fragen würden, hattest du soviel als nichts. Aber du bist herangewachsen, und nun hast du sogar das Amt erhalten, um welches so viele geworben haben und um welches sie dich beneiden. Daß du jetzt fort mußt, ist nichts und liegt in der Natur begründet; denn alle die Männer müssen von der

Mutter und müssen wirken. Du hast daher lauter Gutes erfahren. Du sollst deshalb zu Gott dein Gebet verrichten, daß er dir alles gegeben hat, und du sollst demütig sein, daß du die Gaben hast, es zu verdienen. -- Siehst du, Viktor, alles das zusammengefaßt, würde ich über deine Rede böse sein, wenn ich deine Mutter wäre, weil du Gott den Herrn nicht erkennst: aber weil ich deine Mutter nicht bin, so weiß ich nicht, ob ich dir so viel Liebes und Gutes getan habe, daß ich mich sonst auch erzürnen darf und zu dir sagen: Kind, das ist nicht recht von dir, und es ist ganz und gar nicht gut.«

»Mutter, ich habe es auch in dem Sinne nicht gemeint, wie Ihr es nehmt«, sagte Viktor.

»Ich weiß, mein Kind, und betrübe dich auch nicht zu sehr über meine Rede«, erwiderte die Mutter. »Ich muß dir nun auch sagen, Viktor, daß du jetzt gar nicht so arm bist, als du vielleicht denken magst. Ich habe dir oft gesagt, wie ich erschrocken bin – das heißt, aus Freude bin ich erschrocken –, als ich erfahren habe, dein Vater hätte in sein Testament gesetzt, daß du bei mir erzogen werden sollest. Er hat mich schon recht gut gekannt und hat das Vertrauen zu mir gehabt. Ich glaube, es wird nicht getäuscht worden sein. Viktor, mein liebes, mein teures Kind, ich werde dir jetzt sagen, was du hast. Du hast an Linnen – das ist der auserlesenste Teil unserer Kleider, weil er am nächsten an dem Körper ist und ihn schützt und gesund erhält – so viel, daß du täglich wechseln kannst, wie du es bei mir gelernt hast. Wir haben alles ausgebessert, daß kein Faden davon schadhaft ist. Für die Zukunft wirst du immer noch erhalten, was du brauchst. Hanna bleicht draußen Stücke, wovon die Hälfte schon für dich gerechnet ist – und Stricken, Nähen, Ausbessern werden wir besorgen. Im andern Gewande bist du anständig; du kannst dich dreimal anders anziehen, das nicht gerechnet, was du eben am Leibe hast. Es ist jetzt alles feiner hergerichtet worden, als du es bisher gehabt hast; denn ein Mann, Viktor, der sein erstes Amt antritt, ist wie ein Bräutigam, der ausgestattet wird – und er soll auch im Stande der Gnade sein wie ein Bräutigam. Das Geld, welches sie mir alle Jahre für deinen Unterhalt geben mußten, habe ich angelegt und habe immer die Zinsen wieder dazugetan. Das hast du nun alles. Der Vormund weiß es nicht und braucht es auch nicht zu wissen; denn du mußt ja auch etwas für dich haben, daß du es ausgeben kannst, wenn sich andere sehen lassen, damit dir das Herz nicht zu wehe tut. Wenn dir dein Oheim das kleine Gütchen entreißt, welches noch da ist, so betrübe dich nicht, Viktor; denn es sind so viele Schulden darauf, daß kaum mehr ein einziger Dachziegel dazu gehört. Ich bin in dem Amte gewesen und habe mir es für dich aufschlagen lassen, damit ich es weiß. Manches Mal einen Notpfennig bekommst du schon von mir auch noch. So ist alles gut. – Zu deinem Oheime mußt du nun schon die Reise machen, ehe du in das Amt eintrittst, weil er es so wünscht. Wer weiß, wozu es gut ist – du verstehst das noch nicht. Der Vormund erkennt auch die Notwendigkeit, daß du dich dem Wunsche einer Fußwanderung zu dem Oheime fügest. Hast du gestern Rosina gesehen?«

»Nein, Mutter; wir sind spät abends zurückgekommen, haben in dem Zimmer Ferdinands gespeiset, und heute bin ich mit Tagesanbruch fortgegangen, weil so viel zu tun ist. Der Vormund hat gesagt, daß ich meine Fußreise über die Stadt antreten und bei dieser Gelegenheit von ihnen allen Abschied nehmen soll.«

»Siehst du, Viktor, Rosina könntest du einmal zu deiner Frau bekommen, wenn du in deinem Berufe recht tätig bist. Sie ist sehr schön, und denke, wie ihr Vater mächtig ist. Er hat die lästige Vormundschaft über dich sehr redlich und fleißig verwaltet und ist dir nicht abgeneigt; denn er hatte immer viele Freude, wenn du deine Prüfungen gut gemacht hattest. Aber lassen wir das, zu dieser Heirat ist es noch weit hin. – – Dein Vater könnte jetzt auch so hoch sein oder noch höher; denn er hat einen gewaltigen Geist gehabt, den sie nur nicht kannten.

Deine eigene leibliche Mutter hat ihn nicht einmal gekannt. Und gut ist er gewesen, so sehr gut, daß ich jetzt noch manchmal daran denke, wie er gar so gut gewesen ist. Deine Mutter ist auch recht lieb und fromm gewesen, nur ist sie viel zu frühe für dich gestorben. -- Sei nicht traurig, Viktor – gehe nun hinauf in deine Stube und bringe alles in Ordnung. Die Kleider mußt du nicht auseinanderreißen, sie liegen schon so, wie sie in den Koffer passen. Sei bei dem Hineinlegen sorgsam, daß nichts zu sehr verknittert wird. – So. -- Ehe du hinaufgehst, Viktor, höre noch eine Bitte von deiner Ziehmutter: wenn du heute oder morgen noch mit Hanna zusammentriffst, so sage ihr ein gutes Wort; es ist nicht recht gewesen, daß ihr euch nicht immer gut vertragen habt! – So, Viktor, gehe nun; denn ein Tag ist gar nicht so lange.«

Der Jüngling sagte gar nichts auf diese Rede, sondern er stand auf und ging hinaus wie einer, dem das Herz in Wehmut schwimmt. Und wie man oft bei innerer Bewegung in der äußern ungeschickt ist, geschah es ihm auch, daß er die Schulter an die Fassung der Tür anstieß. Der Spitz ging mit ihm hinauf.

Oben in seiner Stube, in der er nun so viele Jahre gewohnt hatte, war es erst recht traurig; denn nichts stand so, wie es in den Tagen der ruhig dauernden Gewohnheit gestanden war. Nur eines war noch so: der große Holunderbusch, auf den seine Fenster hinaussahen, und das rieselnde Wasser unten, das einen feinen, zitternden Lichtschein auf die Decke seines Zimmers herauf sandte; die Berge waren noch, die sonnenhell schweigend und hütend das Tal umstehen; und der Obstwald war noch, der im Grunde des Tales in Fülle und Dichte das Dorf umhüllt und recht fruchtbar und segenbringend in der warmen Luft ruht, die zwischen die Berge geklemmt ist. Alles andere war anders. Die Laden und Fächer der Kästen waren herausgerissen und leer, und ihr Inhalt lag außen auf ihnen herum: die blütenweiße Linnenwäsche, nach Stücken geordnet – dann die Kleider, rein zusammengelegt und in gehörige Stöße abgeteilt –, andere Dinge, die teils in den Koffer gepackt werden sollten, teils in das Wanderränzchen gehörten, das schon geöffnet auf einem Sessel lag und wartete – auf dem Bette waren fremde Sachen, auf dem Boden stand der Koffer mit gelöstem Riemzeug und lagen zerrissene Papiere: nur die Taschenuhr, auf ihrem gewöhnlichen Platze hängend, pickte wie sonst, und nur die Bücher standen in den Schreinen wie sonst und harrten auf ihren Gebrauch.

Viktor sah das alles an, aber er tat nichts. Statt einzupacken, setzte er sich auf einen Stuhl, der in der Ecke des Zimmers stand, und drückte den Spitz an sein Herz. Dann blieb er sitzen.

Die Klänge der Turmuhr kamen durch die offenen Fenster herein, wie sie die Stunde ausschlug, aber Viktor wußte nicht, die wievielte es sei – die Magd, welche zurückgekommen war, hörte man aus dem Garten herauf singen – auf den fernen Bergen glitzerte es zuweilen, als wenn ein blankes Silberstück oder ein Glastäfelchen dort läge – das Lichtzittern auf der Stubendecke hatte aufgehört, weil die Sonne schon zu hoch hinübergegangen war – das Horn des Hirten war zu vernehmen, der auf den Bergen seine Tiere trieb – die Uhr schlug wieder: aber der Jüngling saß immer auf dem Stuhle, und der Hund saß vor ihm und schaute ihn unbeweglich an.

Endlich, als er die Tritte seiner Mutter über die Treppe herauf hörte, sprang er plötzlich auf und stürzte an sein Geschäft. Er riß die Flügel des Bücherkastens auseinander und begann schnell die Bücher stoßweise auf den Boden herauszulegen. Die Frau aber steckte bloß ein wenig den Kopf bei der gelüfteten Tür herein, und da sie ihn so beschäftigt sah, zog sie sich wieder zurück und ging auf den Zehen davon. Er aber, da er sich einmal in Tätigkeit gesetzt hatte, blieb auch dabei und arbeitete feuereifrig fort.

Alle Bücher wurden aus den zwei Bücherkästen herausgetan, bis sie leer waren und die ledigen Fächer in das Zimmer starrten. Dann band er die Bücher in Stöße und legte sie in eine bereitstehende Kiste, deren Deckel er, als die Bücher untergebracht waren, festschraubte und mit einer Aufschrift versah. Hierauf ging er an seine Papiere. Alle Fächer des Schreibtisches und der zwei andern Tische wurden herausgezogen und alle Schriften, die darin waren, Stück für Stück untersucht. Einiges wurde bloß angeschaut und an bestimmten Stellen zum sofortigen Einpacken zusammengelegt, anderes wurde gelesen, manches zerrissen und auf die Erde geworfen und manches in die Rock- oder Brieftasche gelegt. Endlich, da auch alle Tischfächer leer waren und auf ihren Boden nichts zeigten als den traurigen Staub, der die langen Jahre her hineingerieselt war, und die Spalten, die sich unterdessen in dem Holze gebildet hatten, band er auch die hingelegten Schriften in Bündel und legte sie in den Koffer. Nun ging er an die Kleider und an das Kofferpacken. Manches Gedenkstück früherer Tage, als ein kleines silbernes Handleuchterchen, ein Futteral mit einer Goldkette, ein Fernrohr, zwei kleine Pistolen und endlich seine geliebte Flöte, wurden unter die weiche, schonende Wäsche untergebracht. Als alles beendet war, wurde der Deckel geschlossen, das Riemzeug verschnallt, das Schloß gesperrt und oben eine Aufschrift aufgeklebt. Der Koffer und die Kiste mußten fortgesendet werden, das Ränzchen aber, welches noch auf dem Stuhle lag, sollte die Dinge enthalten, welche er auf seine Fußwanderung mitnehmen würde. Er packte es schnell voll und schnallte es dann mit seinem Riemzeug zusammen.

Als er nun mit allem fertig war, schaute er noch einmal in dem Zimmer und an den Wänden herum, ob nichts liege oder hänge, was noch eingepackt werden müsse: aber es war nichts mehr da, und die Stube blickte ihn verwüstet an. Unter dem Gewirre der fremden Dinge und der ebenfalls gleichsam fremd gewordenen Geräte stand das einzige Bett noch wie bisher; aber auch auf ihm lag verunreinigender Staub oder lagen Stücke zerrissenen Papieres. So stand er eine

Weile. Der Spitz, der bisher dem Treiben mit Verdacht schöpfenden Augen zugeschaut hatte und, keinen einzigen Handgriff außer acht lassend, bald rechts, bald links ausgewichen war, je nachdem er den Jüngling hinderte, stand nun auch ruhig vor ihm und blickte empor, gleichsam fragend: ›Was nun?‹

Viktor aber wischte sich mit der flachen Hand und mit dem Tuche den Schweiß von der Stirne, nahm eine Bürste, die dalag, fegte damit den Staub von seinen Kleidern und stieg dann die Treppe hinab.

Es war indessen viele Zeit vergangen, und die Dinge hatten sich unten geändert. In der Stube war niemand. Die Morgensonne, welche so freundlich hereingeschienen und die Fenstervorhänge so schimmerweiß gemacht hatte, als er heute früh aus der Stadt gekommen war, ist nun eine Mittagssonne geworden und stand gerade über dem Dache, ihr blendend Licht und ihren warmen Strom auf das graue Holz desselben niedersenkend. Die Obstbäume standen ruhig, ihre am Morgen so nassen und funkelnden Blätter sind trocken geworden, glänzen nur mehr matt, regen sich nicht, und die Vögel in den Zweigen picken ihr Futter. Die Fenstervorhänge sind zurückgeschlagen, die Fenster offen, und die heiße Landschaft schaut herein. In der Küche lodert ein glänzendes, rauchloses Feuer, die kochende Magd steht dabei. Alles ist in jener tiefen Stille, von der die Heiden einst sagten: ›Pan schläft.‹

Viktor ging in die Küche und fragte, wo die Mutter sei.

»In den Garten oder sonstwo herum«, antwortete die Magd.

»Und wo ist Hanna?« fragte Viktor wieder.

»Sie ist vor wenigen Augenblicken hier gewesen,« erwiderte die Magd, »ich weiß nicht, wo sie hingegangen ist.«

Viktor ging in den Garten hinaus und ging zwischen reinlichen Beeten dahin, die er so lange gekannt hatte und auf denen die verschiedenen Dinge knospeten und grünten. Der Gartenknecht setzte Pflanzen, und sein Söhnlein pumpte Wasser, wie es sonst oft gewesen war. Viktor fragte um die Mutter: man hatte sie in dem Garten nicht gesehen. Er ging weiter an Johannisbeeren, Stachelbeeren, an Obstbäumen und Hecken vorüber. Zwischen den Stämmen stand das hohe Gras, und in den Einfassungen blühten manche Blümlein. Von der Gegend des Glashauses, dessen Fenster in der Wärme offenstanden, tönte eine Stimme herbei: »Viktor, Viktor!«

Der Gerufene, welcher durch seine feurige Arbeit in seiner Stube oben einen Teil der Bekümmernis zerstreut hatte, die wegen der nahen Fortreise über ihn gekommen war, wendete bei diesem Rufe sein erheitertes Antlitz gegen die Glashäuser. Es stand ein schönes, schlankes Mädchen dort, welches ihm winkte. Er schritt den nächsten Weg durch das Gartengras zu ihr hinüber.

»Viktor,« sagte sie, als er bei ihr angelangt war, »bist du denn schon da, ich habe ja gar nichts davon gewußt, wann bist du denn gekommen?«

»Ja, sehr früh morgens, Hanna!«

»Ich bin mit der Magd einkaufen gewesen, darum habe ich dich nicht ankommen gesehen. Und wo bist du denn dann darauf gewesen?«

»Ich habe in meiner Stube meine Sachen eingepackt.«

»Die Mutter hat mir auch gar nicht gesagt, daß du schon daseiest, und so habe ich gemeint, du würdest etwa lange geschlafen haben und erst nachmittags aus der Stadt herüberkommen.«

»Das war eine törichte Meinung, Hanna. Werde ich denn bis in den Tag schlafen, oder bin ich denn ein Schwächling, der einen Spaziergang vom Tage vorher durch Ruhe verwinden muß, oder ist es etwa weit herüber, oder soll ich die Mittagshitze wählen?«

»Warum hast du denn gestern gar nicht auf unsere Fenster herübergeschaut, Viktor, da ihr vorbeiginget?«

»Weil wir Ferdinands Geburtstag feierten und nach Einverständnis der Eltern den ganzen Tag für uns besaßen. Deswegen hatten wir keinen Vater, keine Mutter, noch sonst jemanden, der uns etwas befehlen durfte. Darum war auch unser Dorf bloß der Ort, wo wir zu Mittag essen wollten, weil es so schön ist, weiter nichts. Verstehst du es!«

»Nein; denn ich hätte doch herübergeschaut.«

»Weil du alles vermengst, weil du neugierig bist und dich nicht beherrschen kannst. Wo ist denn die Mutter? Ich habe ihr etwas Notwendiges zu sagen: erst war ich nur nicht gleich gefaßt, da sie mit mir redete, jetzt weiß ich aber schon, was ich antworten soll.«

»Sie ist auf der Bleiche.«

»Da muß ich also hinübergehen.«

»So gehe, Viktor«, sagte das Mädchen, indem es sich um die Ecke des Glashauses herumwendete.

Viktor ging sofort, ohne sonderlich auf sie zu achten, gegen die ihm wohlbekannte Bleiche.

Es ist hinter dem Garten ein Platz mit kurzem, samtenem Grase, auf welchem weithin in langen Streifen die Leinwand aufgespannt lag. Dort stand die Mutter und betrachtete den wirtlichen Schnee zu ihren Füßen. Zuweilen prüfte sie die Stellen, ob sie schon trocken seien, zuweilen befestigte sie eine Schlupfe an dem Haken, mit dem das Linnen an den Boden gespannt war, zuweilen hielt sie die flache Hand wie ein Dächlein über die Augen und schaute in der Gegend herum.

Viktor trat zu ihr.

»Bist du schon fertig,« sagte sie, »oder hast du dir etwas auf Nachmittag gelassen? Nicht wahr, es ist viel, wie wenig es auch aussieht. Du bist heute weit gegangen, tue den Rest nach dem Essen oder morgen. Ich hätte gestern alles selber packen können und wollte es auch tun; aber da dachte ich: er muß selber darangehen, daß er es lernt.«

»Nein, Mutter,« antwortete er, »ich habe nichts übriggelassen, ich bin schon ganz fertig.«

»So?« sagte die Mutter, »laß sehen.«

Bei diesen Worten griff sie gegen seine Stirne. Er neigte sich ein wenig gegen sie, sie streifte ihm eine Locke, die sich bei der Arbeit niedergesenkt hatte, weg und sagte: »Du hast dich recht erhitzt.«

»Es ist schon der Tag so warm«, antwortete er.

»Nein, nein, es ist auch vom Arbeiten. Und wenn du alles getan hast, so mußt du heute und morgen schon in deinen Reisekleidern bleiben, und was wirst du denn da immer tun?«

»Ich gehe an dem Bache hinauf, an dem Buchengewände und so herum. Die Kleider behalte ich an. -- Aber ich bin wegen etwas anderem herausgekommen, Mutter, und möchte gerne etwas sagen, aber es wird Euch erzürnen.«

»So erschrecke mich nicht, Kind, und rede. Willst du noch etwas? Geht noch irgendein Ding ab?«

»Nein, es geht keines ab, eher ist um eines zuviel. Ihr habt heute eine Rede getan, Mutter, die mir gleich damals nicht zu Sinne wollte und die ich nun doch nicht wieder aus demselben bringe.«

»Welche Rede meinst du denn, Viktor?«

»Ihr habt gesagt, daß Euch zu meinem Unterhalte ein Geld angewiesen worden sei, das Ihr alle Jahre empfangen solltet. – Ihr habt gesagt, daß Ihr das Geld empfangen habt – und ferner habt Ihr gesagt, daß Ihr das Geld für mich auf Zinsen angelegt und allemal auch die Zinsen dazugetan habt.«

»Ja, das habe ich gesagt, und das habe ich getan.«

»Nun seht, Mutter, da sagt mir mein Gewissen, daß es nicht recht sei, wenn ich das Geld von Euch annehme, weil es mir nicht gebührt – und da bin ich gekommen, um es Euch vorher lieber im guten zu sagen, als daß ich nachher das Geld ausschlüge und Euch erzürnte. – Seid Ihr böse?«

»Nein, ich bin nicht böse,« sagte sie, indem sie ihn mit freudestrahlenden Augen ansah; »aber sei kein törichtes Kind, Viktor! Du siehst wohl ein, daß ich dich nicht des Gewinnes wegen in mein Haus aufgenommen habe – um des Gewinnes

willen hätte ich nie ein Kind genommen – daher ist ja das, was von dem Gelde jährlich übriggeblieben ist, von Rechts wegen dein. Höre mich an, ich werde es dir erklären. Die Kleider hat der Vormund herbeigeschafft, für Speisen hast du keine Auslagen verursacht – du aßest ja kaum wie ein Vogel, und das Gemüse und das Obst und das andere, wovon du genossest, das hatten wir ja alles selbst. Siehst du nun? – Und daß ich dich so liebgewonnen habe, das hat mir dein Vater nicht aufgetragen, das stand auch in keinem Testamente, und dafür kannst du nichts. Begreifst du nun alles?«
»Nein, ich begreife es nicht, und es ist auch nicht so. Ihr seid nur wieder zu gut, daß Ihr nichts als Scham auf mein Herz ladet. Wenn nach Abzug der Kosten wirklich in jedem Jahre etwas übriggeblieben wäre und Ihr hättet das für mich aufbewahrt, so wäre es schon nur eine Liebe und Güte gewesen; und nun sagt Ihr, daß alles übriggeblieben ist, – was man fast nur mit Schmerzen anhören kann. – Ihr habt ohnedies getan, was kaum zu verantworten ist: Ihr habt mir nicht nur eine schöne Stube gegeben, sondern habt auch gerade das hineingestellt, was mir lieb und wert war; Ihr habt mir Speise und Trank verschafft und Euch nur Arbeit. Das ganze Reisegeräte habt Ihr jetzt wieder gekauft; von Euren Feldern und Gärten habt Ihr das Nötige abgekargt, daß schöne Linnen und anderes in meiner Lade liegen – – und wenn ich in früheren Zeiten alles hatte, was ich bedurfte, so ginget Ihr hin und gabet mir noch etwas – und wenn ich auch das hatte, so stecktet Ihr mir jeden Tag noch heimlich zu, was Euch deuchte, daß es mich freuen wird. – Ihr habt mich lieber gehabt als Hanna!«
»Nein, mein Viktor, da tust du mir unrecht. Du verstehst das Gefühl noch nicht. Was nicht vom Herzen geht, geht nicht wieder zu Herzen, Hanna ist meine leibliche Tochter – ich habe sie im Schoße unter dem eigenen Herzen getragen, das ihrer Ankunft entgegenschlug – ich habe sie dann geboren: in spätem Alter ist mir das Glück zuteil geworden, als ich schon

hätte ihre Großmutter sein können – mitten unter dem Schmerze über den Tod ihres Vaters habe ich sie doch mit Freuden geboren – dann habe ich sie erzogen –– und sie ist mir daher auch lieber. Ich habe aber auch dich sehr geliebt, Viktor. Seit du in dieses Haus gekommen und aufgewachsen bist, liebte ich dich sehr. Oft war es mir, als hätte ich dich wirklich unter dem Herzen getragen –– und ich hätte dich ja eigentlich unter diesem Herzen tragen sollen; es war Gottes Wille, wenn es auch nachher anders geworden ist – ich werde dir das erzählen, wenn du älter geworden bist. – Und zuletzt, daß ich es sage, um Gott und der Wahrheit die Ehre zu geben, ihr werdet mir wohl beide gleich lieb sein. –– Mit dem Gelde machen wir es so, Viktor: man muß keinem Menschen in seinem Gewissen Gewalt antun, und ich dringe daher nicht mehr in dich; lassen wir das Geldanliegen bleiben, wo es jetzt liegt, ich werde eine Schrift verfertigen, daß es dir und Hanna ausgefolgt werde, wenn ihr großjährig seid; dann könnt ihr es teilen oder sonst darüber verfügen, wie ihr wollt. Ist es dir so recht, Viktor?«

»Ja, dann kann ich ihr alles geben.«

»Lasse das nur jetzt ruhen. Wenn die Zeit kömmt, wird sich schon finden, was mit dem Gelde zu machen sei. Ich will dir noch auf das andere antworten, was du gesagt hast, Viktor. Wenn ich dir heimlich Gutes tat, so tat ich es auch Hanna. Die Mütter machen es schon so. Seit du in unser Haus gekommen bist, ist es beinahe, als wäre ein größerer Segen gekommen. Ich konnte für Hanna jährlich mehr ersparen als sonst. Die Sorge für zwei ist geschicktere und geübtere Sorge, und wo Gott für zwei zu segnen hat, segnet er oft für drei. –– O Viktor! die Zeit ist recht schnell vergangen, seit du da bist. Wenn ich so zurückdenke an meine einstige Jugend, so ist es mir: wo sind denn die Jahre hingekommen, und wie bin ich denn so alt geworden? Da ist noch alles so schön wie gestern – die Berge stehen noch, die Sonne strahlt auf sie herunter, und die Jahre sind dahin als wie ein Tag. – Wenn du nachmittag, wie du sagst, oder etwa morgen noch einmal in den Wald hinaufgehst, so suche eine Stelle auf – man könnte sie von hier beinahe sehen – siehst du, dort oben in der Bergrinne, wo das Licht gleichsam über die grünen Buchen herabrieselt. – Die Stelle ist für dich bedeutsam. Es quillt ein Brünnlein hervor und fließt in die Bergrinne nieder, über das Brünnlein legt sich ein breiter, flacher Stein, und eine sehr alte Buche steht dabei, welche unten einen langen Ast ausstreckt, auf den man Tücher legen oder einen Frauenhut aufhängen kann.«

»Ich kenne die Stelle nicht, Mutter, aber wenn Ihr wollt, werde ich hinaufgehen und sie aufsuchen.«

»Nein, Viktor, dir ist sie doch nicht so nahe wie mir – auch wirst du andere wissen, die in deinen Augen schöner sind. Lassen wir das. Sei über alles ruhig, denke nicht mehr an das Geld, und sei nicht traurig. Ich weiß es, der Schmerz über die Scheidung ist schon in dir, und da nimmst du alles tiefer auf, als es ist. – – Du sagtest, daß du heute noch an dem Buchengewände hinaufgehen willst: hast du aber auch gesehen, wie sich kein Zweiglein in dem Garten rührt und die Baumwipfel gleichsam in den Lüften stocken; ich denke, es könnte ein Gewitter kommen, du mußt nicht zu weit gehen.«

»Ich gehe nicht zu weit, und ich kenne schon die Gewitterzeichen; wenn sich einige zeigen, gehe ich nach Hause.«

»Ja, Viktor, halte es so, und es ist gut. Willst du nach einem Weilchen mit mir in die Stube hineingehen – es ist schon bald Mittag –, oder willst du noch lieber hier herum sein, bis es Zeit zum Essen wird?«

»Ich will noch ein wenig in dem Garten bleiben.«

»So bleibe in dem Garten. Ich werde hier noch die Schlupfen befestigen und nachsehen, ob mir das Geflügel nicht wieder die Leinwand verunreinigt hat.«

Er blieb noch eine Zeit bei ihr stehen und sah ihr zu. Dann ging er in den Garten, und sie blickte ihm nach.

Hierauf befestigte sie die eine Schlupfe und dann die andere, bis keine mehr fehlte. Sie wischte das Stückchen Erde weg, das ein Gänsefuß oder ein anderer auf das Linnen gebracht hatte. Sie lüftete jetzt diese und jetzt jene Stelle, daß sie nicht zu sehr an dem Grase klebe. -- Und sooft sie aufsah, sah sie sich nach Viktor um und erblickte ihn vor dem einen oder dem andern Busche des Gartens stehend oder herumgehend oder über die Planke hinaus nach der Gegend schauend. Dies dauerte so lange, bis plötzlich in der stillen, heißen Luft das klare Mittagsglöcklein klang – für die Gemeinde das Zeichen zum Gebete und für dieses Haus nach stetiger Gewohnheit zugleich das Zeichen, daß man sich zum Mittagessen versammeln solle. Die Mutter sah noch, wie sich Viktor auf den Schall des Glöckleins umwandte und dem Hause zuschritt. Dann folgte sie ihm.

Als der Jüngling in das Haus trat, sah er, daß unterdessen Gäste gekommen waren, nämlich der Vormund und seine Familie. Man hatte, wie es bei solchen Gelegenheiten oft geschieht, Viktor eine Überraschung machen und nebstbei einen Tag auf dem Lande zubringen wollen.

»Du siehst, mein lieber Mündel,« sagte der Vormund zu dem erstaunten Jünglinge, »daß wir artig sind. Wir wollen dich heute noch einmal sehen und ein Abschiedsfest feiern. Du kannst dann übermorgen, oder wann deine Reiseanstalten fertig sind, deinen geraden Weg über die Berge wandern, ohne, wie wir verabredet haben, noch einmal die Stadt zu berühren, um von uns Abschied zu nehmen. Genieße dann nur recht deine wenigen noch übrigen Tage der Freiheit, bis du in das Joch der harten Arbeit mußt.«

»Sei mir gegrüßt, mein Sohn«, sagte die Gattin des Vormunds und küßte Viktor, der sich auf ihre Hand niederbeugen wollte, auf die Stirne.

»Nicht wahr, das ist schön geworden, wie es jetzt ist?« sagte Ferdinand, der Sohn, indem er dem Freunde die Hand schüttelte.

Rosina, die Tochter, welche ein wirklich recht schönes zwölfjähriges Mädchen war, stand seitwärts, sah freundlich um sich und sagte nichts.

Viktors Ziehmutter mußte um den bevorstehenden Besuch gewußt haben; denn der Tisch war gerade für so viele Menschen gedeckt, als da waren. Sie grüßte alle sehr freundlich, als sie hereinkam, ordnete an, in welcher Reihe man an dem Tische sitzen sollte, und sagte: »Siehst du, Viktor, wie dich alle doch liebhaben.«

Die Speisen kamen, und das Mahl begann.

Der Vormund und seine Gattin saßen obenan, neben Rosinen wurde Hanna, die Ziehschwester Viktors, gesetzt, den Mädchen gegenüber waren die Jünglinge, und ganz unten hatte sich als Wirtin die Mutter hingesetzt, die häufig aus und ein zu gehen und zu sorgen hatte.

Man genoß die ländlichen Gerichte.

Der Vormund erzählte Reiseabenteuer, die er selbst erlebt hatte, da er noch in den Schulen war, er gab Regeln, wie man mit mäßigem Frohsinne die Welt genießen solle, und unterwies Viktor, wie er sich nun zunächst zu benehmen habe. Die Gattin des Vormunds spielte auf eine künftige Braut an, und Ferdinand sagte, er würde den Freund sehr bald besuchen, wenn derselbe nur einmal in seinen Standort würde eingerückt sein. Viktor redete wenig und versprach, alles genau zu befolgen, was ihm der Vormund anriet und einprägte. Den Brief, den er ihm an den Oheim mitgab, zu welchem Viktor nun unmittelbar, und zwar auf die ausdrückliche, sonderbare und etwas eigensinnige Forderung des Oheims selbst zu Fuße zum Besuche kommen mußte, versprach er recht gut aufzubewahren und sogleich bei der Ankunft abzugeben.

Als es gegen Abend ging, machten sich die Stadtbewohner auf den Heimweg. Sie ließen ihren Wagen, der in dem Gasthause gehalten hatte, in dem engeren Tale bis zu seiner Mündung in das weitere vorausgehen und wurden von ihrer Wirtin und Viktor und Hanna begleitet.

»Lebt wohl, Frau Ludmilla,« sagte der Vormund, als er in den Wagen stieg, »lebe wohl, Viktor, und befolge alles, was ich dir gesagt habe.«

Als er in den Wagen gestiegen war, als Viktor noch einmal gedankt und man sich allseitig empfohlen hatte, flogen die Pferde davon.

Es war heute schon zu spät, daß Viktor noch weit in den Wald hinaufgegangen wäre. Er blieb zu Hause, sah verschiedene Dinge in dem Garten an und untersuchte noch einmal alle Habe, die er in sein Ränzchen gepackt hatte.

Abschied

Der andere Tag, der letzte, den Viktor in diesem Hause zuzubringen hatte, brachte nichts Ungewöhnliches. Man packte noch manches, man ordnete das schon Geordnete noch einmal, man tat, wie es in solchen Fällen sehr gewöhnlich ist, gegeneinander, als sollte gar nichts vorfallen, und so war der Vormittag bald vorüber.

Nach dem Mittagessen, als man kaum aufgestanden war, ging Viktor schon an dem Bache durch die Gegend hinauf und wandelte für sich allein dem Buchengewände und dessen Steinhängen zu.

»Laß ihn gehen, laß ihn gehen,« sagte die alte Frau für sich, »das Herz wird ihm schwer sein.«

»Mutter, wo ist denn Viktor?« fragte Hanna einmal im Laufe des Nachmittages.

»Er ist Abschied nehmen gegangen,« antwortete diese, »von der Gegend ist er Abschied nehmen gegangen. Mein Gott! er hat ja nichts anders. Der Vormund, ein so vortrefflicher und vorsorglicher Mann er ist, ist ihm doch ferne, und so sind es auch die Angehörigen des Vormundes.«

Hanna erwiderte auf diese Worte nichts – – gar nicht den leisesten Laut erwiderte sie darauf und ging zwischen das Gebüsche der kleinen Pflaumenbäume hinein.

Der Rest des Nachmittags verging in diesem Hause wie gewöhnlich. Die Menschen verbrachten ihn mit den Arbeiten, die ihnen zukamen, die Vögel in ihren Bäumen verzwitscherten ihn, die Hühner gingen in dem Hofe herum, die Gräser und Pflanzen gediehen ein wenig weiter, und die Berge schmückten sich mit Abendgold.

Als die Sonne schon von dem Himmel verschwunden war und nur mehr die goldblasse, ahnungsreiche Kuppel über dem Tale stand – darum ahnungsreich, weil sie morgen als ebenso goldblasse Frühkuppel über dem Tale stehen und denjenigen auf immer fortführen wird, den hier alle so lieben –, als diese Kuppel über dem Tale glänzte, kam Viktor von seinem Gange, auf den er sich so eilig nach dem Essen begeben hatte, zurück. Er ging längs der Gartenplanke, um das Pförtchen zu gewinnen, das von der Leinwandbleiche hineinführt. Die weißen Linnenstreifen waren nicht mehr da, nur das grünere und nassere Gras wies die Stellen, wo sie unter Tags gelegen waren – manche Fenster waren über die Gartenbeete gedeckt, weil der blanke Himmel eine kühle Nacht versprach –, von dem Hause stieg ein dünnes Rauchsäulchen auf, weil die Mutter schon vielleicht für das Abendessen sorgte. Viktor hatte sein Angesicht dem Abendhimmel zugewendet, es wurde von demselben sanft beleuchtet, die kühlere Luft floß durch seine Haare, und der Himmel spiegelte sich in dem trauernden Auge.

Hanna hatte ihn beinahe dicht an sich vorübergehen gesehen, da sie an der inneren Wand der Gartenplanke stand, aber sie hatte nicht den Mut gehabt, ihn anzureden. Das Mädchen war beschäftigt, von einem struppigen, geschornen Busche Stücke eines Seidenstoffes herabzulesen, die in einem getrennten Kleide bestanden, gefärbt worden waren und unter Tags zum Trocknen sich auf dem Busche befunden hatten. Stück nach Stück nahm sie herab und legte sie auf ein Häufchen zusammen. Da sie nach einer Weile umblickte, sah sie Viktor im Garten bei der großen Rosenhecke stehen.

Später sah sie ihn wieder bei der Hecke des blauen Holunders stehen, der schon Knospen hatte. Der Holunder aber war viel näher gegen sie her als die Rosenhecke. Dann ging er wieder ein wenig weiter, und endlich kam er zu ihr herzu und sagte: »Ich will dir etwas hineintragen helfen, Hanna.«

»Ach nein, Viktor, ich danke dir,« antwortete sie, »es sind ja nur ein paar leichte Läppchen, die ich färbte und hier trocknen ließ.«

»Hat sie dir die Sonne denn nicht sehr ausgezogen?«

»Nein, dieses Blau muß man in die Sonne legen, vorzüglich in die Frühlingssonne, da wird es immer schöner.«

»Nun, und ist es schön geworden?«

»Sieh her.«

»Ach, ich verstehe es doch nicht.«

»Es ist nicht so schön geworden wie die Bänder im vorigen Jahre, aber doch schön genug.«

»Es ist sehr feine Seide.«

»Sehr fein.«

»Gibt es noch feinere?«

»Ja, es gibt noch viel feinere.«

»Und möchtest du recht viele schöne seidene Kleider haben?«

»Nein; sie sind zum Festtagsgewande sehr vorzüglich; aber da man nicht viel Festgewand braucht, so wünsche ich nicht viel Seide. Die andern Kleider sind auch schön, und Seide ist immer ein stolzes Tragen.«

»Ist der Seidenwurm nicht ein recht armes Ding?«

»Warum, Viktor?«

»Weil man ihn töten muß, um sein Gewebe zu bekommen.«

»Tut man das?«

»Ja, man siedet sein Gespinst im Wasserdunst oder räuchert es in Schwefel, damit das Tier drinnen stirbt; denn sonst frißt es die Fäden durch und kömmt als Schmetterling heraus.«

»Armes Tier!«

»Ja – und in unsern Zeiten trennt man ihn auch von seinem armen Vaterlande – siehst du, Hanna, – wo er auf sonnigen Maulbeerbäumen herumkriechen könnte, und füttert ihn in unsern Stuben mit Blättern, die draußen wachsen und auch nicht so heiter sind wie in ihrem Vaterlande. –– Und die Schwalben und die Störche und die andern Zugvögel gehen im Herbste von uns fort, vielleicht weit, weit in die Fremde; aber sie kommen im Frühlinge wieder. –– Es muß die Welt doch eine ungeheure, ungeheure Größe haben.«

»Mein armer Viktor, rede nicht solche Dinge.«

»Ich möchte dich um etwas fragen, Hanna.«

»So frage mich, Viktor.«

»Ich muß dir noch vielmal danken, Hanna, daß du mir die schöne Geldbörse gemacht hast. Das Gewebe ist so fein und weich, und die Farben sind recht schön. Ich habe sie mir aufbewahrt und werde kein Geld hineintun.«

»Ach, Viktor, das ist ja schon lange her, daß ich dir die Börse gab, und es ist nicht der Mühe wert, daß du mir dankst. Tue du nur dein Geld hinein, ich werde dir eine neue machen, wenn diese schlecht wird, und so immerfort, daß du nie einen Mangel haben sollst. Ich habe dir zu deiner jetzigen Abreise noch etwas gemacht, das viel schöner ist als die Börse, aber die Mutter wollte, daß ich es dir erst heute abends oder morgen früh geben sollte.«

»Das freut mich, Hanna, das freut mich sehr.«

»Wo bist du denn den ganzen Nachmittag gewesen, Viktor?«

»Ich bin an dem Bache hinaufgegangen, weil ich so Langeweile hatte. Ich habe in das Wasser geschaut, wie es so eilig und emsig unserm Dorfe zurieselt, wie es so dunkel und wieder helle ist, wie es um die Steine und um den Sand herumtrachtet, um nur bald in das Dorf zu kommen, in welchem es dann doch nicht bleibt. Ich habe das Steinübergehänge angeschaut, das da steht und unaufhörlich in die Wellen blickt. Zuletzt bin ich in den Buchenwald hinaufgegangen, wo die Stämme schön sein werden, wenn ein oder zwei oder gar zehn Jahre verflossen sind. Die Mutter hat mir von einem Platze erzählt, wo ein flacher Stein über ein Brünnlein liegt und eine alte Buche mit einem tiefen, langen Aste steht. Ich konnte den Platz nicht finden.«

»Das ist das Buchenbrünnlein im Hirschkar. Es wachsen gute Brombeeren herum, ich weiß den Platz recht gut und werde ihn dir morgen zeigen, wenn du willst.«

»Morgen bin ich ja nicht mehr da, Hanna.«

»Ach so, morgen bist du nicht mehr da. Ich meine immer, daß du stets da sein sollst.«

»Ach nein. -- Liebe Hanna, teile diese seidenen Flecken ab, ich will sie dir doch hineintragen helfen.«

»Ich weiß nicht, wie du heute bist, Viktor; die Dinge da sind ja so leicht, daß ein Kind das Zehnfache davon zu tragen vermöchte.«

»Es ist auch nicht wegen der Schwere, sondern ich möchte sie dir nur tragen.«

»Nun, so trage einen Teil, ich werde sie gleich ordnen. Willst du schon in das Haus hineingehen, so raffen wir schnell zusammen, was noch da ist, und gehen.«

»Nein, nein, ich will nicht hineingehen – es ist ja nicht so spät, ich möchte noch in dem Garten bleiben. -- Und das von der Börse ist es auch nicht allein, was ich dir zu sagen habe.«

»So sprich, Viktor, was ist es denn?«

»Die vier Tauben, die ich bisher ernährt habe – sie sind freilich nicht so schön, aber sie erbarmen mir doch, wenn sie nun niemand pflegt.«

»Ich will sorgen, Viktor, ich will ihnen den Schlag am Morgen öffnen und am Abend schließen; ich will Sand streuen und ihnen Futter geben.«

»Dann muß ich dir noch für die viele Leinwand danken, die ich mitbekomme.«

»Um Gottes willen, ich habe sie dir ja nicht gegeben, sondern die Mutter – auch haben wir ja noch genug in unsern Schreinen, daß wir ihren Abgang nicht empfinden.«

»Das kleine silberne Kästchen von meiner verstorbenen Mutter, weißt du, das wie ein Trühelchen aussieht, mit der durchbrochenen Arbeit und dem kleinen Schlüsselchen, das dir immer so gefallen hat – das habe ich gar nicht eingepackt, weil ich es dir zum Geschenke da lasse.«

»Nein, das ist zu schön, das nehme ich nicht.«

»Ich bitte dich, nimm es, Hanna, du tust mir einen sehr großen Gefallen, wenn du es nimmst.«

»Wenn ich dir einen großen Gefallen tue, so will ich es nehmen und es dir aufheben, bis du kommst, und es dir sorgfältig bewahren.«

»Und die Nelken pflege, die armen Dinge an der Planke – hörst du – und vergiß den Spitz nicht; er ist zwar schon alt, aber ein treues Tier.«

»Nein, Viktor, ich vergesse ihn nicht.«

»Aber ach, das ist es ja alles nicht, was ich eigentlich zu sagen habe – – ich muß etwas anderes sagen.«

»Nun, so rede, Viktor!«

»Die Mutter hat gesagt, ich möchte heute noch ein freundliches Wort zu dir sagen, weil wir öfter miteinander gezankt haben – ich möchte noch gut reden, ehe ich auf immer fortgehe – – und da bin ich gekommen, Hanna, um dich zu bitten, daß du nicht auf mich böse seiest.«

»Wie redest du nur, ich bin ja in meinem ganzen Leben nicht böse auf dich gewesen.«

»Oh, ich weiß es jetzt recht gut, du bist immer die Gequälte und Geduldige gewesen.«

»Viktor, ängstige mich nicht, das ist dir nur heute so.«

»Nein, du warst immer gut, ich dachte es nur nicht so. Höre mich an, Hanna, dir will ich mein ganzes Herz ausschütten: ich bin ein unbeschreiblich unglücklicher Mensch.«

»Heiliger Gott! Viktor, mein lieber Viktor! Was ist dir denn so schwer?«

»Siehst du, den ganzen Tag hängen mir die niederziehenden Tränen in dem Haupte, ich muß sie zurückhalten, daß sie mir nicht aus den Augen fallen. Als ich nach dem Mittagsessen an dem traurigen Wasser und an dem Buchengewände hinaufging, war es nicht eigentlich Langeweile, sondern daß mich nur keine Augen anschauen möchten –– und da dachte ich mir: ich habe gar niemand auf der ganzen großen, weiten Erde, keinen Vater, keine Mutter, keine Schwester. Mein Oheim bedroht mir meine wenigen Habseligkeiten, weil ihm mein Vater schuldig war, und die einzigen, die mir Gutes tun, muß ich verlassen.«

»O Viktor, lieber Viktor, kränke dich nicht zu sehr. Dein Vater und deine Mutter sind freilich gestorben; aber das ist schon lange her, daß du sie kaum gekannt hast. Dafür hast du eine andere Mutter gefunden, die dich so liebt wie eine wahre – und du hast ja zeither keine Klage wegen der Verstorbenen getan. Daß wir jetzt scheiden müssen, ist sehr, sehr traurig; aber versündige dich nicht an Gott, Viktor, der uns die Prüfung auferlegt hat. Trage sie ohne Murren – ich trug sie auch schon den ganzen Tag her und murrte nicht; ich hätte sie auch getragen, wenn du gar nicht mehr zu mir gekommen wärest, um mit mir zu reden.«

»O Hanna, Hanna!«

»Und wenn du auch fort bist, werden wir sorgen, was wir dir schicken sollen, wir werden für dich beten, und ich werde alle Tage in den Garten gehen und auf die Berge schauen, über die du fortgegangen bist.«

»Nein, tue es nicht, sonst wäre es gar zu kläglich.«

»Warum denn?«

»Weil doch alles nichts hilft – und weil es nicht das allein ist, daß ich scheiden muß und daß wir uns trennen müssen.«

»Was ist es denn?«

»Daß alles vorüber ist und daß ich der einsamste Mensch auf Erden bin.«

»Aber Viktor, Viktor!«

»Ich werde nie heiraten – es kann nicht sein –– es wird nicht möglich werden. Du siehst also, ich werde keine Heimat haben, ich gehöre niemanden an; die andern werden mich vergessen – und es ist gut. – Begreifst du es? –– Ich habe es nie gewußt, aber jetzt ist es ganz klar – ganz klar. Siehst du es nicht? –– Warum schweigst du denn plötzlich, Hanna?«

»Viktor!«

»Was, Hanna?«

»Dachtest du schon?«

»Ich dachte.«

»Nun?«

»Nun – nun – es ist ja alles vergeblich, alles umsonst.«

»Bleibe ihr treu, Viktor.«

»Ewig, ewig; aber es ist umsonst.«

»Warum denn?«

»Ich sagte dir ja, daß mir mein Oheim das Gut, das einzige, was übrig blieb, nimmt. Sie ist wohlhabend, ich bin arm und kann noch lange, lange Zeit kein Weib ernähren. Da wird einer um sie werben kommen, der sie ernähren, ihr schöne Kleider und Geschenke geben kann, und den wird sie nehmen.«

»Nein, nein, nein, Viktor, das tut sie nicht – das tut sie ewig nicht. Sie wird dich ihr ganzes Leben lang lieben, wie du sie, und wird dich nicht verlassen, wie du sie nicht verläßt.«

»O liebe, liebe Hanna!«

»Lieber Viktor!«

»Und es wird gewiß eine Zeit kommen, wo ich wieder zurückkomme – da werde ich nie ungeduldig werden, und wir werden leben wie zwei Geschwister, die sich über alles, alles lieben, was nur immer diese Erde tragen kann, und die sich ewig, ewig treu bleiben werden.«

»Ewig, ewig«, sagte sie, indem sie rasch seine dargebotenen Hände ergriff. Sie brachen in bitterliche Tränen aus.

Viktor zog sie sanft gegen sich her, und sie folgte. Sie lehnte das Haupt und das Angesicht an das Tuch seines Rockes, und gleichsam als wären jetzt bei ihr alle Schleißen recht geöffnet worden, weinte und schluchzte sie so sehr, als drückte es ihr das Herz ab, weil sie ihn verlieren müsse. Er legte den Arm um sie, wie beschützend und beschwichtigend, und drückte sie an sein Herz. Er drückte sie immer fester, wie ein hilfloses Wesen. Sie schmiegte sich an ihn, wie an einen Bruder, der jetzt gar so, gar so gut ist. Er streichelte mit der einen Hand über ihre Locken, die sie gescheitelt auf dem Haupte trug, dann beugte er sich nieder und küßte ihre Haare – aber sie hob ihr Angesicht zu ihm empor und küßte ihn so heiß auf seine Lippen, so heiß, wie sie nie gedacht habe, daß sie etwas küssen könne.

Dann standen sie noch eine Weile und sprachen nichts.

Da kam der Gärtnerknabe und sagte, daß ihn die Mutter schicke und ihnen sagen lasse, daß sie zu dem Abendessen kommen möchten.

Die seidenen Flecke, welche das Gespräch eingeleitet hatten, hielten sie noch immer in den Händen, aber sie waren verknittert, und manche waren von den Tränen Hannas naß. Sie nahmen daher dieselben zusammen, wie es sich eben fügen wollte, und gingen Hand in Hand auf dem Gartenwege gegen das Haus. Als sie die Mutter kommen sah und die rotgeweinten Augen ihrer Kinder erblickte, lächelte sie und ließ dieselben in die Stube treten.

Hier wurden die Gerichte aufgetragen, die Mutter legte jedem von den beiden vor, wie sie glaubte, daß es ihnen am liebsten sei, sie fragte nicht, was sie gesprochen haben, und so aßen die drei, wie sie an jedem Abende in aller bisher vergangenen Zeit gegessen hatten.

Hanna hatte sehr große braune Augen, die sich während dem Essen jeden Augenblick ohne Anlaß mit Tränen füllen wollten.

Als man fertig war, und ehe man sich zum Schlafengehen anschickte, mußte noch Hannas Geschenk herbeigebracht werden. Es war eine Brieftasche, die mit schneeweißer Seide gefüttert war und schon das Reisegeld enthielt, das die Mutter hineingelegt hatte.

»Das Geld tue ich heraus«, sagte Viktor, »und hebe mir die Brieftasche auf.«
»Nein, nein,« sagte die Mutter, »das Geld lasse drinnen; siehst du, wie schön die gedruckten feinen Papiere in der weißen Seide ruhen? Nebst andern Dingen muß dich Hanna auch immer mit Brieftaschen versehen.«
»Ich werde sehr darauf achthaben«, antwortete Viktor.
Die Mutter schloß nun mit dem winzig kleinen Schlüsselchen das Fach der Brieftasche zu, in welchem das Geld war, und zeigte ihm, wie man das Schlüsselchen berge.
Hierauf trieb sie zum Schlafengehen.
»Lasse das, lasse das,« sagte sie, als sie Viktor anmerkte, daß er für das Reisegeld danken wollte, »gehet nun zu Bette. Um fünf Uhr des Morgens mußt du schon auf den Bergen sein, Viktor. Ich habe gesorgt, daß uns der Knecht bei rechter Zeit wecke, wenn ich mich etwa selber verschlafen sollte. Du mußt noch ein recht gutes Frühmahl einnehmen, ehe du fortgehst. – So, Kinder, gute Nacht, schlafet wohl.«
Sie hatte während dieser Worte, wie sie es jeden Abend tat, zwei Kerzen für die Kinder angezündet, jedes nahm die seine von dem Tische, wünschte der Mutter eine ehrerbietige gute Nacht und begab sich auf seine Stube.
Viktor konnte noch nicht sein Lager suchen. Die vielen unordentlichen Schatten, die die herumstehenden Dinge warfen, machten das Zimmer unwirtlich. Er ging an ein Fenster und sah hinaus. Der Holunderstrauch war ein schwarzer Klumpen geworden, und das Wasser war gar nicht mehr sichtbar: eine lichtlose Tafel war an der Stelle, wo es fließen sollte – nur ein von Zeit zu Zeit aufzuckender Funke zeigte, daß es da war und sich bewegte. Als alle Stimmen des Hauses und des Dorfes verstummt waren, zeigte auch ein leises, leises Rieseln, das bei dem offenen Fenster hereinkam, von dem Freunde, der so viele Jahre an dem Lager des Jünglings vorbeigeronnen war. Viele tausend Sterne brannten an dem Himmel, aber es

erglomm nicht ein einziger, nicht der schmalste Sichelstreifen des Mondes.

Viktor legte sich endlich auf das Bett, um die letzte Nacht hier zu verschlafen und den Morgen zu erwarten, der ihn vielleicht auf immer fortführen sollte, wo er, seit er denken konnte, sein Leben zugebracht hatte.

Dieser Morgen kam sehr bald! Als Viktor noch kaum geglaubt hatte, die ersten erquickenden Atemzüge des Schlafes getan zu haben, klopfte es leise an seine Türe, und die Stimme der Mutter, die keinen Knecht zum Aufwecken bedurft hatte, ließ sich vernehmen: »Vier Uhr ist es, Viktor, kleide dich an, vergiß nichts und komme dann hinunter. Hörst du es?«

»Ich höre es, Mutter.«

Sie ging wieder die Treppe hinab, er aber sprang von seinem Lager empor. In der doppelten Beklemmung, der des Schmerzes und der der Reiseerwartung, kleidete er sich an und ging in das Speisezimmer hinunter. Im Morgengrauen stand schon ein Frühmahl auf dem Tische – man hatte nie ein so frühes verzehrt. Schweigend aß man davon. Die Mutter sah fast unverwandt Viktor an; Hanna getraute sich nicht, ihre Augen auf irgend etwas emporzuheben. Viktor hörte bald zu essen auf. Er erhob sich von seinem Stuhle und nahm sich zusammen. Er ging ein paar Male in dem Zimmer herum, und dann sagt er: »Mutter, es wird gerade Zeit sein; ich gehe.«

Er nahm das Ränzchen über die Schultern und zog die Riemen fest, daß es gut saß. Dann nahm er den Hut, griff an die Brust, ob er die Brieftasche habe, und untersuchte, ob er überhaupt nichts vergesse. Da dieses vorüber war, ging er gegen die Mutter, die mit Hanna aufgestanden war, und sagte: »Ich danke Euch für alles, liebe Mutter...«

Mehr konnte er kaum über die Lippen bringen, und sie ließ ihn auch nicht reden. Sie führte ihn zu dem Weihwasser an die Tür, bespritzte ihn mit ein paar Tropfen, machte ihm das Zeichen des Kreuzes auf Stirne, Mund und Brust und sagte: »So, mein Kind, gehe jetzt ruhig fort. Sei gut, wie du bisher gut gewesen bist, und behalte das weiche, sanfte Herz. Schreibe oft und verschweige nicht, wenn du etwas brauchst. Gott wird deine Wege schon segnen, die du gehst, weil du stets so folgsam gewesen bist.«

Bei diesen Worten träufelten ihr die Tränen hervor, und sie rührte nur mehr die Lippen und konnte nichts sagen.

Nach einem Weilchen ermannte sie sich wieder und sprach: »Die Kisten, welche noch oben sind, und den Koffer wirst du schon an dem Bestimmungsorte deines Amtes vorfinden, wenn du dort eintriffst. Halte Vorsicht auf das Geld und auf die Empfehlungsbriefe, welche dir der Vormund gab, erhitze dich nicht und trinke nicht kalt. Es wird alles gut werden. Das Fortgehen ist auch nicht so böse, und du findest überall gute Leute, die dir geneigt sein werden. Wenn ich nicht so lange an unsere Berge und an den Apfelbaum gewohnt wäre, so ginge ich mit Freuden in die Fremde. Und so lebe wohl, mein Viktor, lebe wohl.«

Sie hatte ihn bei diesen Worten auf die Wangen geküßt. Ganz stumm reichte er die Hand an die vor Tränen vergehende Hanna und ging hinaus. Vor der Tür standen noch die Dienstleute und der Gärtner. Ohne zu sprechen, gab er rechts und links die Hand – sie gingen auseinander, und er schlug den schmalen Gartenweg gegen das Pförtchen ein.

»Wie er schön ist,« brach die Mutter fast laut weinend aus, da sie ihm mit Hanna nachsah, »wie er schön ist, die braunen Haare, der schöne Gang, die liebliche, die unbeschützte Jugend. Ach, mein Gott!«

Und die Tränen rannen ihr an den nassen Händen herunter, die sie vor das Angesicht und vor die Augen hielt.

»Du hast einmal zu mir und Viktor gesagt,« sprach Hanna, »daß dich niemand mehr aus Schmerz weinen sehen wird – und nun weinst du doch aus Schmerz, Mutter.«

»Nein, mein Kind,« antwortete die Mutter, »das sind Freudentränen, daß er so geworden ist, wie er ist. Es ist doch sonderbar: er hat seinen Vater gar nicht gekannt, und wie er da hinausging, hatte er das Haupt, den Gang und die Haltung seines Vaters. Er wird schon gut werden, und meine Tränen, mein Kind, sind Freudentränen.«

»Ach, die meinen nicht, die meinen nicht«, sagte Hanna, indem sie ihr Tuch neuerdings vor die unersättlich schmerzlichen Augen hielt.

Viktor war unterdessen durch das Pförtchen hinausgegangen. Er ging an dem großen Fliederbusch vorbei, er ging über die beiden Stege, an den vielen durch so lange Jahre bekannten Obstbäumen vorüber und stieg gegen die Wiesen und gegen die Felder hinan. Auf dieser Höhe blieb er ein wenig stehen, da er unter den schwachen, undeutlichen Tönen des Dorfes auch das wütende Heulen des Spitzes vernahm, den man hatte fangen und anbinden müssen, damit er nicht mitgehe: so brachen auf einmal die siedenden Tränen hervor, und er rief fast laut in die Lüfte: »Wo werde ich denn wieder eine solche Mutter finden und solche Geschöpfe, die mich so lieben? -- Vorgestern eilte ich so sehr aus der Stadt heraus, um noch einige Stunden in dem Tale zuzubringen, und heute gehe ich fort, um alle, alle Zeit anderswo zu sein.«

Da er endlich an eine Stelle gekommen war, die nicht mehr weit von der höchsten Schneide des Berges entfernt war, schaute er noch einmal, das letzte Mal, zurück. Das Haus konnte er noch erkennen, ebenso den Garten und die Planke. Im Grünen sah er etwas, das so rot war wie Hannas Tuch. Aber es war nur das Dächelchen eines Schornsteins.

Dann ging er noch die Strecke bis zu der Bergschneide empor – er blickte doch wieder um –, ein glänzend schöner Tag lag über dem ganzen Tale. -- Hierauf ging er die wenigen Schritte um die Kuppel herum, und alles war hinter ihm verschwunden, und ein neues Tal und eine neue Luft war vor seinen Augen. Die Sonne war indessen schon ziemlich weit heraufgekommen, trocknete die Gräser und seine Tränen und senkte ihre wärmeren Strahlen auf die Länder. Er ging schief an dem Berghange fort, und da er nach einer Weile seine Uhr hervorgezogen hatte, zeigte sie halb acht.

»Jetzt wird das Bettgestelle schon leer dastehen,« dachte er, »das letzte Gerät, das mir blieb. Die Linnen werden herausgenommen sein, und das ungastliche Holz wird hervorblikken. Oder vielleicht arbeiten die Mägde schon in meinem Gemache, um ihm eine ganz andere Gestalt zu geben.«

Und dann wandelte er weiter.

Er kam immer höher empor, der Raum legte sich zwischen ihn und das Haus, das er verlassen hatte, und die Zeit legte sich zwischen seine jetzigen Gedanken und die letzten Worte, die er in dem Hause geredet hatte. Sein Weg führte ihn stets an Berghängen hin, über die er nie gegangen war – bald kam er aufwärts, bald abwärts, im ganzen aber immer höher. Es war ihm lieb, daß er nicht mehr in die Stadt hatte gehen müssen, um sich zu beurlauben, weil er die Bekannten heute nicht gerne gesehen hätte. Die Meierhöfe und Wohnungen, die ihm aufstießen, lagen bald rechts, bald links von seinem Wege – hie und da ging ein Mensch und achtete seiner nicht.

Der Mittag zog herauf, und er wandelte fort und fort.

Die Welt wurde immer größer, wurde glänzender und wurde ringsum weiter, da er vorwärts schritt – und überall, wo er ging, waren tausend und tausend jubelnde Wesen.

Wanderung

Und noch größer und noch glänzender wurde die Welt, die tausend jubelnden Wesen waren überall, und Viktor schritt von Berg zu Berg, von Tal zu Tal, den großen kindischen Schmerz im Herzen und die frischen, staunenden Augen im Haupte tragend. Jeder Tag, den er ferne von der Heimat zubrachte, machte ihn fester und tüchtiger. Die unermeßliche Öde der Luft strich durch seine braunen Locken; die weißen, wie Schnee glänzenden Wolken bauten sich hier auf, wie sie sich in seinem mütterlichen Tale aufgebaut hatten; seine schönen Wangen waren bereits dunkler gefärbt, das Ränzlein trug er auf seinem Rücken und den Reisestab in der Hand. Das einzige Wesen, das ihn an die Heimat band, war der alte Spitz, der furchtbar abgemagert neben ihm herlief. Am dritten Tage nach der Abreise war er ihm nämlich unvermutet und unbegreiflich nachgekommen. Viktor ging eben in sehr früher Morgenstunde auf einem kühlen, breiten, feuchten Landwege durch einen Wald empor, als er umschauend, wie er es öfter zu tun pflegte, um sich an dem Blitzen der nassen Tannen zu ergötzen, ein Ding gewahrte, das sich eilfertig gegen ihn heranbewegte. Aber wie staunte er, als die dunkle Kugel, näher gekommen, an ihm emporsprang und sich als den alten, ehrlichen Spitz seiner Ziehmutter auswies. Aber in welchem Zustande war er: die schönen Haare hatten sich durch Kot verklebt und waren bis zur Haut hinein mit weißem Straßenstaube angefüllt, die Augen waren rot und entzündet; da er rasche Freudentöne ausstoßen wollte, konnte er nicht; denn seine Stimme war heiser geworden, und da er auch Freudensprünge versuchte, fiel er mit dem Hintergestelle in den Graben.

»Du armer, lieber Spitz,« sagte Viktor, indem er sich zu ihm niederkauerte; »siehst du nun, du altes törichtes Haus, was du da für Unsinn unternommen hast?«

Aber der Spitz wedelte auf diese Worte, als hätte er das größte Lob empfangen.

Das erste, was der Jüngling tat, war, daß er ihn mit einem Tuche etwas abwischte, damit er doch besser aussähe. Dann nahm er zwei Brote heraus, die er heute früh zu sich gesteckt hatte, wenn ihm etwa ein Bettelmann begegnete, setzte sich auf einen Stein und begann, sie dem Spitz stückweise vorzuwerfen, der sie heißhungrig und eilig verschlang und zuletzt noch immer auf die Hände des Jünglings schaute, als diese schon längstens leer waren.

»Jetzt habe ich nichts mehr,« sagte Viktor, »aber wenn wir zu dem ersten Bauernhause kommen, kaufen wir eine Schüssel Milch, die du ganz allein ausfressen darfst.«

Der Spitz schien beruhigt, als hätte er die Worte verstanden.

Einige Schritte weiter weg, wo von einem moosigen Felsen ein dünnes Wasserfädlein herabrann, fing Viktor in seinem ledernen Reisebecher, den ihm die Mutter gegeben hatte, so viel Wasser auf, bis er voll war, und wollte dem Spitz zu trinken geben. Allein dieser kostete nur wenig und schaute dann den Geber erwartend an; denn er war nicht durstig und mochte wohl aus allen den hundert Gräben und Bächen getrunken haben, über die er gekommen war.

Dann gingen sie miteinander weiter, und in dem ersten Wirtshause schrieb Viktor einen Brief an die Mutter zurück, daß der Spitz bei ihm sei und daß sie sich nicht kränken möge.

In Hinsicht der Milch hatte Viktor redlich Wort gehalten. Auch sonst bekam der Spitz von nun an so viel, als er nur unterzubringen vermochte; allein, obgleich er auf diesem Wege in einem Tage mehr verzehrte, als zu Hause kaum in dreien, so verfiel er doch durch die Nachwirkung der ungewohnten Anstrengung, die weiß Gott wie furchtbar gewesen sein mag, so sehr, daß er gleichsam nur mehr in seiner eigenen Haut hängend neben dem Jünglinge hertrabte.

»Es wird sich schon bessern, es wird sich schon bessern«, dachte dieser, und sie schritten weiter.

Grübelig blieb es Viktor immer, warum ihm denn das Tier gerade dieses eine Mal nachgekommen sei, da es doch sonst, wenn er auch tagelang fort war, auf einen einfachen Befehl zu Hause geblieben sei und auf ihn gewartet habe. Aber dann schloß er nicht unrecht, daß der Spitz, dessen ganze Lebensaufgabe es war, das Tun und Lassen seines höheren Freundes, des Knaben, zu beobachten, ganz wohl gewußt habe, daß dieser nun auf immer fortgehe und daß er darum das Äußerste unternommen habe, um ihm zu folgen.

Und so schritten sie nun miteinander fort; über Hügel zu Hügeln, über Felder zu Feldern – und oft konnte man den Jüngling sehen, wie er an einem Wiesenbache den Hund wusch und ihn mit Gräsern und Laubwerk trocknete – oft, wie sie ruhig nebeneinander gingen – und oft, wie der Hund neben seinem Herrn stand und die Augen zu ihm emporrichtete, wenn dieser auf einer Anhöhe stillehielt und weit und breit über die Auen schaute, über die langen Streifen der Felder, über die dunkeln Flecken der Wäldchen und über die weißen Kirchtürme der Dörfer.

An dem Wege des Wanderers wallten oft die Wellen des Kornes, das jemandem gehören mußte, Zäune umgaben es, die jemand gezogen haben mußte, und Vögel flogen nach diesen und jenen Richtungen, wie nach verschiedenen Heimaten. Viktor hatte seit Tagen mit keinem Menschen gesprochen, als wenn ihn etwa ein Fuhrmann oder ein Wanderer grüßte oder der Wirt zum Abschiede das Käppchen lüftete und sagte: »Glückliche Reise – auf Wiedersehen.«

Am achten Tage, nachdem er die Mutter und sein Tal verlassen hatte, kam er in eine Gegend, die ungleich mancher unwirtlichen, über die er bisher gewandert war, reinlich und wohltätig über sanften Hügeln dahinlag, wieder den Wechsel der Obstwälder zeigte wie zu Hause in seinem Tale, mit wohlhabenden Häusern geziert war und kein handgroßes Stücklein aufwies, das nicht benützt war und auf dem nicht etwas wuchs. In dem weiten Grün dahin war der Silberblick eines Stromes, und ferne war ein gar so sanftes, fast sehnsuchtreiches Blau der Berge. Diese Berge hatte er schon lange an seiner Linken hinziehend gehabt, nun aber schwangen sie sich in einem Bogen näher gegen die Straße und zeigten schon die mattfärbigen Lichter und Spalten in ihren Wänden.

»Wie weit ist es denn noch bis Attmaning?« frug er einen

Mann, der in der Gartenlaube eines Dorfwirtshauses saß und einen kühlen Trunk tat.

»Wenn Ihr heute noch ein gutes Stück geht, so könnt Ihr es morgen bei rechter Zeit erreichen,« erwiderte dieser, »aber da müßt Ihr den Steig nehmen und Euch schon ob der Afel gegen das Gebirge schlagen.«

»Ich will eigentlich in die Hul.«

»In die Hul? – Da werdet Ihr schlechte Aufnahme finden. Aber wenn Ihr noch über die Grisel steigen wollt, rechts am See, da kommt Ihr zu einem lustigen Hammerschmiede, den ich Euch empfehlen kann, wo es schon ein anderes Geschicke hat.«

»Ich muß aber in die Hul.«

»Nun, da habt Ihr von Attmaning noch drei schwache Stunden hinein.«

Viktor hatte sich während des Gespräches zu dem Manne niedergesetzt und sich und den Hund gelabt. Nachdem er mit seinem Nachbar noch einiges hin und her geredet hatte, machte er sich wieder auf und ging an diesem Tage nach dem Rate seines neuen Gönners noch ein gutes Stück, bis er zu der Afel kam, die ein blaues, klar fließendes Wasser war. Am andern Tage, als kaum die erste Dämmerung leuchtete, sah man ihn schon auf dem von seinem Ratgeber angezeigten und von ihm näher erfragten Fußwege von der Straße ab gegen das Gebirge wandeln. Die riesigen, hohen Lasten schritten immer näher gegen ihn und zeigten im Laufe des Vormittags mannigfaltige freundliche, schönfärbige Zeichnungen. Rauschende Wässer begegneten ihm, Kohlbauern fuhren; manchmal ging schon ein Mann mit spitzem Hute und Gemsbarte – und ehe es zwölf Uhr war, saß Viktor bereits unter dem Überdache des Gasthauses zu Attmaning, wo er wieder zu der Straße gekommen war, und sah gegen die Gebirgsöffnung hinein, wo alles in blauen Lichtern flimmerte und ein schmaler Wasserstreifen wie ein Sensenblitz leuchtete.

Attmaning ist der letzte Ort des Hügellandes, wo es an das Hochgebirge stößt. Seine hellgrünen Bäume, die nahen Gebirge, sein spitzer Kirchturm und die sonnige Lage machen es zu dem lieblichsten Orte, den es nur immer auf unserer Erde geben kann.

Viktor blieb bis gegen vier Uhr an seinem Gassentischchen – welcher Gebrauch ihn sehr freute – sitzen und ergötzte sich an dem Anblicke dieser hohen Berge, an ihrer schönen blauen Farbe und an den duftigen, wechselnden Lichtern darinnen. Dergleichen hatte er nie in seinem Leben gesehen. Was ist der größte, mächtigste Berg seiner Heimat dagegen? Als es vier Uhr schlug und die blauen Schatten allgemach längs ganzer Wände niedersanken und ihm die früher geschätzten Fernen derselben wunderlich verrückten, fragte er endlich, wohinaus die Hul liege.

»Da oben am See«, sagte der Wirt, indem er auf die Öffnung zeigte, auf welche Viktor am Nachmittage so oft hingesehen hatte.

»Wollt Ihr denn heute noch in die Hul?« fragte er nach einer Weile.

»Ja,« sagte Viktor, »und ich will die jetzige kühle Abendzeit dazu benützen.«

»Da müßt Ihr nicht säumen,« erwiderte der Wirt, »und wenn Ihr niemanden andern habt, so will ich Euch meinen Buben durch das Holz geben, daß er Euch dann weiterweise.«

Viktor meinte zwar, keines Führers zu bedürfen; denn die Bergmündung stand ja so freundlich und nahe drüben; aber er ließ es dennoch geschehen und richtete indessen seine hingelegten Reisesachen in Ordnung.

Seltsam war es ihm auch, daß die Leute, wenn sie von der Hul sprachen, immer ›oben‹ sagten, während für seine Augen die Berge dort so duftschön zusammengingen, daß er den Wasserschein tief unten liegend erachtete; obwohl er anderseits auch sah, daß die Afel gerade von jener Gegend springend und schäumend gegen Attmaning daherkam.

»Geh, Rudi, führe den Herrn da auf den Hals hinauf und zeige ihm dann in die Hul hinunter«, rief der Wirt in das Haus hinein.

»Ja«, tönte eine kindliche Stimme heraus.

Alsbald kam auch ein blondhaariger, rotbackiger Bube zum Vorscheine, sah Viktor mit freundlichen blauen Glotzaugen an und sagte: »So gehe, Herr.«

Viktor hatte seine Rechnung berichtigt und war zum Aufbruche fertig. Gleich von der Wirtsgasse aus verließ der Knabe mit ihm die Straße und führte ihn seitwärts auf einem steinigen Wege zwischen dichte, riesig große Eichen und Ahornen hinein. Der Weg ging bald bergan, und Viktor konnte manchmal durch die Wipfel der nach abwärts stehenden Bäume auf die Bergeslasten hinaussehen, die immer ernster zusammenrückten und desto dunkler wurden, je tiefer die Sonne stand, und die auch ein desto schöneres Blau gewannen, je glänzender und schimmeriger der Strahl des Abends das grüne Laub der Bäume an seiner Seite färbte. Endlich wurde der Wald ganz dicht, das Laubholz verlor sich, und die zwei Wanderer gingen in struppigem, undurchsichtigem Nadelwalde hin, der nur zuweilen durch herabgehende erstarrte Steinströme unterbrochen war. Viktor hatte von Attmaning aus den Wald gar nicht gesehen und hätte nie geglaubt, daß eine solche Wildnis zwischen ihm und dem schönen Wasserblitz liegen könne, der so nahe heraus gegrüßt hatte. Immer gingen sie fort. Stets glaubte Viktor, jetzt werde man bergab steigen, aber der Weg wickelte sich längs eines Hanges fort, der sich immer selber gebar, als rückte der Wald hinaus und schöbe auch den See vor sich her. Der Knabe lief barfuß auf dem spitzigen Steingerölle neben ihm. Endlich, da fast zwei Stunden vergangen waren, blieb der kleine Führer stehen und sagte: »Da ist der Hals. Wenn du jetzt diesen Weg da, nicht den andern, hinuntergehst, nämlich an dem Bilde des gemarterten Gilbert vorbei und um das See-Eck herum, wo die vielen Steine herabgefallen sind, da wirst du Häuser sehen, die sind die Hul. Schaue nur immer durch die Zweige hinaus, daß du das Wasser siehst, weil auch ein Weg in den Afelschlag geht, der wäre gefehlt.«

Diese Worte sagte der Knabe, und nachdem er von Viktor einen Lohn empfangen hatte, lief er desselben Weges zurück, den er den Jüngling herangeführt hatte.

Der Platz aber, von dem der Knabe so unbeachtend weglief, als wäre er eben nichts, war für Viktor von der unerwartetsten Wirkung. Die Gebirgsleute nennen häufig einen ›Hals‹ einen mäßigen Bergrücken, der quer zwischen höheren läuft und sie verbindet. Da er immer auch zwei Täler scheidet, so geschieht es nicht selten, daß, wenn man von dem einen langsam hinansteigt, man plötzlich ohne Erwartung den überraschendsten Überblick in das andere hat. So war es auch hier. Der Wald hatte sich auseinandergerissen, der See lag dem Jünglinge zu Füßen, und alle Berge, die er von dem flachen Lande und Attmaning aus schon gesehen hatte, standen nun um das Wasser herum, so stille, klar und nahe, daß er darnach langen zu können vermeinte – aber dennoch waren ihre Wände nicht grau, sondern ihre Schluchten und Spalten waren von einem luftigen Blau umhüllt, und die Bäume standen wie kleine Hölzlein darauf oder waren an andern gar nicht sichtbar, die schier mit einem ganz geglätteten Rande an dem Himmel hinstrichen.

Nicht ein Häuschen, nicht einen Menschen, nicht ein einziges Tier sah Viktor. Der See, den er von Attmaning aus als weiße Linie gesehen hatte, war hier weit und dunkel, nicht einen einzigen Lichtfunken, sondern nur das Dämmern der Schleiermauern, die ihn umstanden, gebend; und an den fernen Ufern lagen lichte Dinge, die er nicht kannte und die sich bloß in den ruhigen Wassern spiegelten.

Eine Weile stand Viktor und betrachtete das Ding. Er empfand den Harzduft und hörte aber nicht das Wehen des Nadelwaldes. Von Regungen war gar nichts zu verspüren, man müßte nur das Weiterrücken des späten Lichtes rechnen, das

an dem Schwunge der Wände hinüberging und sich die farbenkühlen Schatten folgen ließ.
Fast Furcht vor dieser Größe, die ihn hier umgab, im Herzen tragend, machte sich Viktor daran, seinen Weg weiter zu verfolgen. Er ging den Pfad, den ihm der Knabe gezeigt hatte, hinunter. Die Berge sanken allgemach in den Wald, die Bäume nahmen ihn wieder auf, und wie es schon auf dem Halse gewesen war, daß der flache See gleichsam die Berge, die er säumte, hinauszurücken schien, damit das Auge das zarte Duftbild schauen könne, das sich von dem Grün der Tannennadeln hinauswarf, so blickte auch hier immer das dämmerige Gewebe von Berg und Wasser links durch die Baumäste herauf. So wie er beim Hinaufgehen gemeint hatte, der Berg nehme keine Ende, so ging er nun auch wieder unaufhörlich und sachte hinunter. Stets hatte er den See zur Linken, als sollte er die Hand eintauchen könne, und stets konnte er ihn nicht erreichen. Endlich wich der letzte Baum hinter ihm zurück, und er stand wieder unten an der Afel, wo sie eben den See verließ und durch steilrechtes Geklippe forteilte, nicht einmal einen handbreiten Saum lassend, daß man einen Pfad für wandelnde Menschen anlegen könnte. Viktor meinte, hundert Meilen von Attmaning entfernt zu sein, so einsam war es hier. Nichts war da als er und das flache Wasser, das sich unaufhörlich und brausend in die Afel hinaus leerte. Hinter ihm stand der grüne, stumme Wald, vor ihm war die schwanke Fläche, geschlossen durch eine blaue Wand, die sich tief ins Naß zu erstrecken schien. Das einzige Werk von Menschenhand sah er in dem Stege, der über die Afel lag, und in einem Wasserbeschlage, durch den sie hindurch mußte. Langsam ging er über den Steg, und der Spitz mäuschenstille und zitternd hinter ihm her. Jenseits gingen sie auf Rasengrund neben Felsen. Bald war auch der Platz zu erkennen, von dem der Knabe gesprochen hatte: eine Menge durcheinandergeworfener Steine lag herum und erstreckte sich in den See hinaus, daß man leicht erkennen konnte, hier

mochte ein Bergsturz stattgefunden haben. Viktor bog um eine scharfe Bergecke, und sogleich lag auch die Hul vor ihm: fünf oder sechs graue Hütten, die nicht weit entfernt auf dem Seeufer hin standen und von hohen, grünen Bäumen umgeben waren. Auch der See, den ihm die vorspringende Ecke früher verdeckt hatte, erweiterte sich hier, und manche Berge und Wände, die sich ihm entzogen hatten, standen wieder da.

Als Viktor zu den Häusern gekommen war, sah er, daß jedes mit einem Schoppen in den See hinausging, unter welchem angebundene Kähne lagen. Eine Kirche sah er nicht, aber auf einer der Hütten war ein Türmchen aus vier rot angestrichenen Pfählen, zwischen denen eine Glocke hing.

»Ist hier nicht ein Ort, der Klause heißt?« fragte er einen Greis, den er gleich an der ersten Hütte unter der Tür sitzend fand.

»Ja,« erwiderte der Greis, »auf der Insel ist die Klause.«

»Könnt Ihr mir nicht sagen, wer mich dahin überführen möchte?«

»Jeder Mensch in der Hul könnte Euch hinüberführen.«

»Also könntet Ihr es auch tun?«

»Ja – aber Ihr werdet nicht aufgenommen.«

»Ich bin in die Klause bestellt und werde erwartet.«

»Wenn Ihr Geschäfte dort habt und bestellt seid, da ist es anders. Fahrt Ihr gleich wieder zurück?«

»Nein.«

»So wartet hier ein wenig.«

Nach diesen Worten ging der Alte in die Hütte hinein, von der er aber bald wieder in Begleitung eines jungen, starken, rotwangigen Mädchens zurückkam, das sich daran machte, mit ihren entblößten Armen einen Kahn weiter in das Wasser hinauszuschieben, während der Alte seinen Rock anzog und zwei Ruder herbeitrug. Man hatte für Viktor einen hölzernen Lehnsitz auf dem Kahne befestigt, auf den er sich niederließ, sein Ränzlein neben sich legend und den Kopf des Spitzes haltend, der sich gegen seinen Schoß schmiegte. Der Alte hatte verkehrt sitzend am Schiffsschnabel Platz genommen, und das Mädchen stand im Hinterteile, das Ruder in der Hand haltend. Gleichzeitig von beiden geschah der erste Schlag ins Wasser, der Kahn tat einen Stoß, glitt in die weichen Fluten hinaus und schnitt bei jedem Ruderschlage ruckweise weiter in die dunkler werdende, säuselnde Fläche. Viktor war nie auf einem so großen Wasser gefahren. Das Dorf zog sich zurück, und die Wände um den See begannen sehr langsam zu wandern. Nach einer Weile streckte sich eine buschige Landzunge hervor und wuchs immer mehr in das Wasser. Endlich riß dieselbe gar von dem Lande ab und zeigte sich als eine Insel. Gegen diese Insel richteten die zwei Rudernden ihre Fahrt. Je näher man kam, desto deutlicher hob sie sich empor, und desto breiter wurde der Raum, der sie von dem Lande trennte. Ein Berg hatte ihn früher gedeckt. Man unterschied endlich sehr große Bäume auf ihr, anfangs so, als wüchsen sie gerade aus dem Wasser empor, dann aber auf bedeutend hohem Felsenufer prangend, das fallrecht mit scharfen Klippen in die Flut niederging. Hinter dem Grün dieser Bäume wanderte ein sanfter Berg, der von dem Abende lieblich gerötet war.

»Das ist die Grisel am jenseitigen Seeufer,« sagte der Alte auf Viktors Frage, »ein bedeutender Berg, der aber doch nicht gar so beschwerlich ist. Es geht ein Pfad über ihn hinüber in die Blumau und ins Gescheid, wo die Hammerschmiede sind.«

Viktor blickte den schönen Berg an, der so wandelte und in das Grün der Bäume sank, wie sie näher kamen.

Man war endlich in den grünen Widerschein gelangt, den die Baumlasten der Insel in das Wasser des Sees senkten, und fuhr in dem Raume desselben dahin. Da tönte von der Hul herüber das Glöcklein, das zwischen den vier Pfählen hing, und forderte zum Abendgebete auf. Die zwei Schiffenden zogen sogleich ihre Ruder ein und beteten still ihren Abendsegen, während der Kahn im Zuge gleichsam von selbst längs der grauen Felsen hinging, die von der Insel in den See niederstanden. Auf den Bergen herum war hie und da ein irrendes Licht. Der See hatte sogar Streifen bekommen, deren einige glänzten und selbst Funken emporwarfen, obwohl die Sonne schon seit längerer Zeit untergegangen war. Über alles das kamen die fortwährenden emsigen Klänge des Glöckleins herüber, gleichsam von unsichtbaren Händen tönend; denn die Hul war nicht zu sehen, und rings um den See war kein Flecklein, das nur entfernt einem menschlichen Aufenthalte ähnlich gesehen hätte.

»Im Kloster der Klause muß auch noch eine Glocke sein. Ich glaube, eine schöne Aveglocke,« sagte der Alte, nachdem er seine Mütze wieder aufgesetzt und das Ruder ergriffen hatte, aber man läutet sie nie; ich wenigstens habe den Ton derselben nie gehört. Auch nicht einmal eine Uhr hört man schlagen. Mein Großvater hat gesagt, daß es sehr schön war, wenn in den vergangenen Tagen das ganze Geläute auf dem See lag – denn damals waren noch die Mönche – und wenn es in dem lichten Morgennebel dahertönte, ohne daß man wußte, woher es komme; denn Ihr werdet gesehen haben, daß wir den Berg umfahren haben und daß man von der Hul aus die Insel nicht sehen kann. Es ist der hohe Orla, dieser Berg, und zwei Mönche haben ihn einmal bei klafterhohem Schnee überstiegen, da der See gefroren war, aber nicht trug, und da sie keine Lebensmittel mehr hatten. Sie hieben mit den Knechten, die sie in dem Schiffe hatten, eine Straße in das Eis, daß der Kahn gehen konnte, und als sie an dem Berge waren, stiegen sie über den Gipfel in die Hul; denn zwischen dem Berge und dem See ist kein Fußweg möglich. Es sind seitdem wohl über hundert Jahre vergangen, und selten geschieht es, daß der See überall mit einer Decke von Eis überzogen ist.«

»Sind also einmal Mönche auf der Insel gewesen?« fragte Viktor.

»Ja«, antwortete der Greis. »In sehr alter, alter Zeit sind fremde Mönche hierhergekommen, da noch gar kein Haus an dem ganzen See stand und da noch nichts in ihm schwamm als ein Baum, der von dem Felsen in ihm herabgefallen war. Sie sind auf Flößen und Tannenästen nach der Insel übergefahren und haben zuerst die Klause gebaut, aus der nach und nach das Kloster entstanden ist und in späteren Jahren auch die Hul, wo christliche Leute fischten und zur Klause in die Messe fuhren; denn damals waren die Landesherren draußen noch ganz und gar Heiden, und sie schlugen mit ihren Knappen, die grausam und wild waren, die Priester tot, welche aus dem Schottenlande mit dem Kreuze herüberkamen, um zu bekehren. Auf der Insel, die sie sich suchten, fanden die Väter Schutz; denn Ihr werdet es schon erkennen, daß diese Steine, die da niedersteigen, wie eine Festung sind. Es ist hier ein Schaum, wenn nur ein wenig Wind geht, daß er jedes Schiff in sich begraben kann. Nur an einer einzigen Stelle kann man landen, wo nämlich die Felsen zurückweichen und eine Öffnung lassen, in der das Wasser gegen guten Sand ausläuft. Es sind daher die Väter geschützt gewesen, so wie der alte Mann geschützt ist, der sich die Insel zur Wohnung auserkoren hat. Aus dieser Ursache fischt man auch hier nur an ganz schönen und stillen Tagen, wie der heutige einer ist.«

Während dieser Rede war man nach und nach eine geraume Strecke an dem Ufer der Insel hingefahren und hatte sich dem Orte genähert, wo die Felsen niederer sind und eine sanfte, sandige Bucht bilden, die in abdachendes Waldland hinaufsteigt. Sowie die Ruderer diese Stelle gewannen, lenkten sie sogleich die Spitze des Kahnes hinein und ließen dieselbe gegen den Sand laufen. Der Alte stieg aus, zog das Schiffchen an der Kette des Schnabels noch weiter gegen das Land, damit Viktor trockenen Fußes aussteigen konnte. Dieser schritt über den Schiffschnabel hinaus, und der Spitz sprang ihm nach.

»Wenn Ihr nun diesen Pfad, der sich da gleich zeigen wird, fortgeht,« sagte der Greis, »so werdet Ihr in die Klause kommen. Es ist zwar auch ein sehr starkes Bohlenhaus auf der Griselseite, das die Mönche einmal in den absteigenden Felsen zur Aufnahme ihrer Schiffe gebaut haben, aber man kann dort nicht einfahren, weil die Bohlen immer geschlossen sind. Gott behüte Euch nun, junger Herr – und wenn Ihr Euch nicht zu lange aufhaltet und wenn der Eigentümer der Klause Euch zur Überfahrt keinen Kahn gibt, so laßt mir nur durch den alten Christoph Nachricht zukommen, und ich werde Euch an diesem Platze wieder abholen. In der Klause haben sie nicht allemal Zeit, ein Schiff abzusenden.«

Viktor hatte unterdessen das bedungene Überfahrtsgeld aus seiner kleine Börse hervorgesucht und es dem Manne gereicht. Hierauf sagte er zu ihm: »Lebt wohl, alter Freund, und wenn Ihr es erlaubt, so werde ich bei der Rückfahrt ein wenig in Eurem Hause einsprechen, und Ihr werdet mir vielleicht noch etwas von Euren alten Geschichten erzählen.«

Zu dem Mädchen, das unbeweglich in dem Hinterteile stehen geblieben war, getraute er sich nicht etwas zu sagen.

Der Greis aber antwortete: »Ei, wie werden denn meine Geschichten einem so jungen und gelehrten Herrn gefallen können?«

»Villeicht mehr, als Ihr Euch denkt, und mehr als die, die aus den Büchern herauszulesen sind«, sagte Viktor.

Der alte Mann lächelte, weil ihm die Antwort gefiel, aber er sagte nichts darauf, sondern bückte sich nieder, rollte die kurze Kette in den Schiffschnabel zurück und machte Anstalt zum Abfahren.

»Nun in Gottes Namen, junger Herr«, sagte er noch, gab dem Schiffe mit dem Fuße einen Stoß, sprang schnell in dasselbe ein, und das getroffene Fahrzeug schwankte in das Wasser zurück. Nach wenigen Augenblicken sah Viktor schon die beiden Ruder taktmäßig steigen und fallen, und das Schiff schob sich in den Wasserspiegel hinaus.

Er stieg mit einigen Schritten das Ufer vollends hinan, bis er von dem oberen Rande weit über den See schauen konnte. Er blickte den Abfahrenden nach und sagte zu seinem Begleiter, gleichsam als wäre er vernünftig und könnte die Worte verstehen: »Gott sei gedankt, da wären wir an dem Ziele unserer Wanderung. Der Herr hat uns gut und wohlbehalten geführt, das andere mag sich fügen, wie es will.«

Er tat noch einen Blick in die weite, schöne, von dem Abende andunkelnde Fläche des Sees hinaus, dann wendete er sich um und ging dem Pfade nach, der vor ihm lag, in die Büsche hinein.

Der Weg ging anfangs noch immer bergan zwischen Gebüsch und Laubbäumen hindurch – dann aber führte er eben hin. Das Gestrippe hatte aufgehört, und nur mehr ungemein starke Ahorne standen auf einer dunkeln Wiese fast nach einer gewissen Ordnung und Regel umher. Es war unverkennbar, daß hier einmal eine gute Fahrstraße gegangen war, aber sie war verkümmert und überall von wucherndem Krüppelgesträuche eingeengt. Viktor ging durch den seltsamen Ahorngarten hindurch. Hierauf gelangte er durch neuerdings beginnendes Buschwerk an einen sonderbaren Ort. Er war wie eine Wiese, auf der kleine und zum Teile verkommene Obstbäume standen. Aber mitten unter diesen Bäumen war in dem Grase eine runde steinerne Brunneneinfassung, und allenthalben zwischen den Baumstämmen standen graue steinerne Zwerge, welche Dudelsäcke, Leiern, Klarinetten und überhaupt musikalische Gerätschaften in den Händen hielten. Manche davon waren verstümmelt, und es ging auch kein Weg oder gebahnter Platz von einem zum andern, sondern sie standen lediglich in dem hohen, emporstrebenden Grase. Viktor schaute diese seltsame Welt eine Weile an, dann strebte er weiter. Sein Weg ging von diesem Garten über eine alte Steintreppe in einen Graben hinab und jenseits wieder hinauf. Wie überall Gebüsche war, so war es auch hier, aber hinter dem Gebüsche sah Viktor eine hohe, fensterlose Mauer, in welcher ein Eisengitter stand, an dem der Weg endete.

Viktor schloß nicht mit Unrecht, daß hier der Eingang in die Klause sein müsse, und er näherte sich deshalb dem Gitter. Als er angekommen war, fand er es verschlossen, und es war keine Glocke und kein Klöppel daran. Daß hier der Eingang in das Haus sei, zeigte sich nun deutlich. Hinter dem Eisengitter war ein geebneter, sandiger Platz, auf welchem Blumen standen. An dem Platze war ein Haus, von dem aber nur der Vorderteil sichtbar war, der Hinterteil sich hinter Gebüsche verlief. Unmittelbar von dem Sandplatze ging eine hölzerne Treppe in das erste Geschoß des Hauses hinauf. Jenseits des Platzes, der abermals mit Gebüschen gesäumt war, mußte wieder der See beginnen; denn es war hinter dem Grün der feine, sanfte Dunst, der gerne über Bergwässern ist, und es stiegen die rötlich schimmernden Wände der Grisel hinan.
Während Viktor so durch die Eisenstäbe hineinschaute und an ihnen allerlei Versuche machte, ob er nicht eine Vorrichtung fände, durch die das Gitter aufgehe, trat ein alter Mann aus dem Gebüsche und sah nach Viktor hin.
»Habt die Freundschaft,« sagte dieser, »öffnet mir das Tor und führt mich zu dem Herrn des Hauses, wenn nämlich dieses Gebäude die Klause heißt.«
Der Mann sagte auf die Worte nichts, sondern ging näher, schaute Viktor eine Weile an und fragte dann:
»Bist du zu Fuße gekommen?«
»Bis zu der Hul bin ich zu Fuße gegangen«, antwortete Viktor.
»Ist es aber auch wahr?«
Viktor wurde glühend rot im Angesichte; denn er hatte nie gelogen. »Wenn es nicht so wäre,« antwortete er, »so würde ich es nicht sagen. Wenn Ihr mein Oheim seid, wie es fast scheint, so habe ich hier einen Brief von meinem Vormunde, der Euch dartun wird, wer ich bin, und daß ich nur auf Euer ausdrückliches Verlangen die Fußreise hieher angetreten habe.«

Mit diesen Worten zog der Jüngling das reinlich erhaltene Schreiben, wie es ihm seine Ziehmutter anbefohlen hatte, hervor und reichte es zwischen den Eisenstäben hinein.
Der alte Mann nahm das Schreiben und steckte es ungelesen ein. »Dein Vormund ist ein Narr und ein beschränkter Mensch,« sagte er, »ich sehe, daß du deinem Vater ganz und gar gleichsiehst, da er anhob, die Streiche zu machen. Ich habe dich schon über den See fahren gesehen.«
Viktor, der in seinem Leben keine rücksichtslosen Worte gehört hatte, war stumm und wartete nur, daß der andere das Gitter öffnen werde.
Dieser aber sagte: »Nimm eine Schnur mit einem Steine und ertränke diesen Hund in dem See, dann komme wieder hieher, ich werde derweilen öffnen.«
»Wen soll ich ertränken?« fragte Viktor.
»Nun, den Hund, den du da mitgezogen.«
»Und wenn ich es nicht tue?«
»So öffne ich dir diese Pforte nicht.«
»So komme, Spitz«, sagte Viktor.
Er kehrte sich bei diesen Worten um, lief über die Treppe in den Graben, stieg jenseits empor, lief durch den Zwerggarten, durch die Ahornanlage, durch das folgende Gestrippe und langte an der Seebucht an, mit allen Kräften, deren sein Körper fähig war, hinausrufend: »Schiffer! – alter Schiffer!«
Aber es war unmöglich, daß ihn dieser hören konnte. Den Knall eines Scheibengewehres hätte man in dieser Entfernung nicht mehr vernommen. Wie eine schwarze Fliege stand das Schiffchen neben der dunkeln Fußspitze des Orlaberges, die weit in den Abendglanz des Sees hinausstach. Viktor nahm sein Sacktuch hervor, knüpfte es an seinen Stab und tat allerlei Schwenkungen in die Luft, damit er gesehen würde. Allein man sah ihn nicht, und zuletzt, wie er noch immer schwenkte, war auch die schwarze Fliege um die Bergspitze verschwunden. Der See war ganz leer, und nur

die leise schäumende Brandung sah Viktor im Abendwinde, der sich indessen gehoben hatte, längs den Felsen der Insel spielen.

»Es tut nichts – es tut auch nichts,« sagte er; »komme, Spitz, wir werden uns da am Ufer ins Gebüsche setzen und die Nacht über sitzen bleiben. Morgen zeigt sich wohl ein Kahn, den wir herzuwinken werden.«

Was es sagte, tat er auch. Er suchte eine Stelle, wo das Gras des Rasens kurz und trocken war und wo die Büsche dicht überhingen, ohne ihm die Aussicht auf den See zu benehmen.

»Siehst du,« sagte er, »wie es gut ist, wenn man täglich frühmorgens etwas zu sich steckt. Du erprobest es auf dieser Reise schon zum zweiten Male.«

Bei diesen Worten zog er die zwei Brote heraus, die er heute früh in dem Afelwirtshause mitgenommen hatte, und begann teils selber davon zu essen, teils den Hund damit zu füttern. Da dieses Geschäft vollendet war, saß der Wanderer, der das Ziel seiner Reise erreicht zu haben glaubte, heute zum ersten Male in der einfachen Herberge des freien Himmels und schaute die Gegenstände um sich herum an. Die Berge, die schönen Berge, die ihm, da er gegen sie herankam, gar so sehr gefallen hatten, wurden immer schwärzer und legten drohende, dunkle und zersplitterte Flecke auf den See, auf welchem noch das Blaßgold des Abendhimmels lag, das selbst in den dunklen Bergspiegelungen zuweilen aufzuckte. Und immer sonderbarer, in die Schatten der Nacht sich hüllend, wurden die Gegenstände um ihn herum. Die Schlacken und das schwache Gold des Sees rührten sich und flossen öfters ducheinander, zum Zeichen, daß ein sanfter Luftzug dort herrschen müsse. Viktors Auge, freilich nur an die schönen, heiteren Eindrücke des Tages gewöhnt, konnte sich doch auch nicht wegwenden von diesem allmählichen Verfärben der Dinge und von dem Einhüllen zur Ruhe der Nacht. Die große Ermüdung seiner Glieder ließ ihm das Sitzen auf dem weichen Grase und geschützt von den deckenden Gesträuchen recht angenehm erscheinen. Er saß mit dem Spitze an seiner Seite so lange, bis endlich das Dunkel mit immer größerer Schnelligkeit sich über See, Gebirge und Himmel webte. Dann beschloß er, sich niederzulegen. Er machte alle Knöpfe seines Rockes zu, wie es ihn die Ziehmutter gelehrt hatte, daß er sich nicht verkühle – er band das Halstuch, das er unter Tags abgetan hatte, wieder um – er tat sein Regenmäntelchen aus Wachstaffet heraus und nahm es über – dann richtete er sich das Ränzchen als Kissen und legte das Haupt darauf, da die Finsternis schon wie eine Mauer um ihn stand. Das Begehren nach Schlummer zog sich, da er lag, bald durch alle seine ermüdeten Glieder. Die Gesträuche flüsterten, da sich das Lüftchen von dem See bis hieher gezogen hatte, und die Brandung murmelte deutlich von Wand zu Wand.

In diese Eindrücke, deren Wirkungen immer schwächer wurden, versanken seine Sinne, und das Bewußtsein wollte eben verschwinden, als er durch ein leises Knurren seines Hundes geweckt wurde. Er schlug die Augen auf – da stand einige Schritte vor ihm dicht am Landungsplatz eine menschliche Gestalt, sich dunkel gegen das schillernde Wasser des Sees werfend. Viktor strengte seine Augen an, mehr von der Gestalt zu erkennen, aber die Umrisse zeigten nur, daß sie ein Mann sei, und es ließ sich nicht ermitteln, ob jung oder alt. Die Gestalt stand ganz ruhig und schien unverwandt auf das Wasser hinauszuschauen. Viktor richtete sich zu sitzender Stellung empor und blieb ebenfalls ruhig. Auf ein neues, stärkeres Knurren des Hundes drehte sich die Gestalt plötzlich um und rief: »Seid Ihr da, junger Herr?«

»Ein junger Wandersmann mit seinem Hunde ist da,« sagte Viktor, »was wollt Ihr?«

»Daß Ihr zum Abendessen kommt, denn die Stunde ist fast schon vorüber.«

»Zum Abendessen? – zu wessen Abendessen? – und wer ist es, den Ihr suchet?«

»Ich suche unsern Neffen; denn der Oheim wartet schon eine Viertelstunde.«
»Seid Ihr sein Gesellschafter, oder sein Freund?«
»Ich bin sein Diener, namens Christoph.«
»Des Herrn der Klause, meines Oheims?«
»Des nämlichen. Er hat die Anzeige Eurer Herreise erhalten.«
»Nun, so sagt ihm,« sprach Viktor, »daß ich hier die ganze Nacht sitzen will und daß ich mir eher einen Stein um den Hals hängen und mich in den See werfen lasse, als daß ich den Hund ertränke, der mit mir ist.«
»Ich werde es ihm sagen.«
Mit diesen Worten kehrte sich der Mann um und wollte fortgehen.
Viktor rief ihm noch einmal nach: »Christoph, Christoph.«
»Was wollt Ihr, junger Herr?«
»Ist kein anderes Haus oder eine Hütte oder sonst ein Ding auf der Insel, in welchem man übernachten könnte?«
»Nein, es ist nichts da,« antwortete der Diener, »das alte Kloster ist zugesperrt, die Kirche auch, die Speicher sind mit altem Geräte vollgepfropft, ebenfalls verschlossen, und sonst ist nichts da.«
»Es ist auch gut,« sprach Viktor, »das Haus meines Oheims besuche ich durchaus nicht – von diesem Hause verlange ich keinen Schutz. –– Mir deucht, der alte Schiffmann, der mich herübergeführt hat, hat Euren Namen genannt und hat gesagt, daß Ihr manchmal in die Hul hinaus kämet.«
»Ich hole unsere Lebensmittel und andere Dinge herüber.«
»So hört mich an, ich will Euch Euren Fährlohn reichlich zahlen, wenn Ihr mich heute noch in die Hul hinüber schifft.«
»Und wenn Ihr noch mehr zahltet, als ich verlangen wollte, so wäre es dreimal unmöglich. Erstens stehen alle Kähne in dem Bohlenverschlusse, das Tor ist gesperrt, und jeder Kahn liegt noch mit einem Schlosse an seinem Balken angeschlos-

sen, wovon ich keinen Schlüssel habe. Zweitens, wenn auch ein Kahn wäre, so wäre kein Fährmann. Ich werde es Euch erklären. Seht Ihr dort gegen den Orla zu die weißen Flecke, die auf dem See sind? Das sind Nebelflecken, die gleichsam auf den Steinen des Orla-Ufers sitzen. Wir heißen sie die Gänse. Und wenn die Gänse einmal in einer Reihe da sitzen, dann kömmt Nebel. Wenn die Abendwehe, das ist der Wind, der nach jedem Sonnenuntergange aus den Schluchten auf den See herausgeht, aufhört, dann ist in einer halben Stunde der See mit Nebel angefüllt, und da kann man nicht wissen, wohin ein Kahn zu leiten ist. Unter dem Wasser laufen die Gebirgsgrate hin, die oft nur ein wenig bedeckt sind. Wenn man zu einem solchen Grate geriete und ein Leck in das Schiff stieße, da müßte man aussteigen und in dem Wasser stehen bleiben, bis man am Tage von jemanden gesehen würde. Aber man würde von niemanden gesehen, weil die Fischer niemals zu den Gebirgsgraten hinzu fahren. Begreifet Ihr das, junger Herr?«

»Ja, ich begreife es«, antwortete Viktor.

»Und zum dritten kann ich Euch nicht überführen, weil ich sonst ein ungetreuer Diener wäre. Der Herr hat mir keinen Auftrag gegeben, Euch in die Hul zu führen, und wenn er dies nicht tut, so führe ich Euch nicht über.«

»Gut,« antwortete Viktor, »so bleibe ich hier so lange sitzen, bis morgen ein Fahrzeug so nahe kömmt, daß ich es herzuzuwinken vermag.«

»Es kömmt aber kein Fahrzeug so nahe,« erwiderte der Diener; »es ist über unseren See kein Warenzug, weil der einzige Weg, der vom andern Ufer weiterführt, nur ein Fußweg über die Grisel ist und die Wanderer zu diesem Fußwege an dem unserer Insel entgegengesetzten Seeufer hinfahren. Dann ist die Brandung an den Gestaden der Insel so groß, daß sich wenige Fische da aufhalten und selten Fischerboote so nahe kommen. Es könnten acht oder mehr Tage vergehen, ehe Ihr eines seht.«

»So muß mich morgen mein Oheim in die Hul zurückführen lassen, weil ich auf sein Verlangen hiehergekommen bin und weil ich nicht mehr länger dableiben will«, sagte Viktor.

»Es kann sein, daß er es tut,« antwortete der Diener, »ich weiß das nicht, aber jetzt wartet er mit dem Abendessen auf Euch.«

»Wie kann er warten,« sagte Viktor, »da er gemeint hat, ich solle meinen Spitz ertränken, da er gesagt hat, daß er nicht öffnen wolle, wenn ich es nicht tue, und da er mich hierauf fortgehen sah und mich nicht zurückgerufen hat.«

»Das weiß ich alles nicht,« erwiderte Christoph, »aber Eure Ankunft ist in der Klause bekannt, und es war auf dem Tische für Euch gedeckt. Der Herr hat mir aufgetragen, Euch zu rufen, weil Ihr die Eßstunde nicht wißt, sonst hat er nichts gesagt. Weil ich es aber gesehen habe, wie Ihr von dem Eisengitter fortgelaufen seid, so dachte ich gleich, als er mir den Auftrag gab, Euch zum Essen zu rufen, ich müsse an diesen Ort gehen, ich würde Euch hier finden. Anfangs, da ich Euch nicht sah, meinte ich gar, Ihr seid gleich wieder über das Wasser davongefahren, aber es war ja nicht möglich, der Mann, der Euch gebracht hat, muß ja schon um die Orlaspitze zurückgewesen sein, als Ihr hieher wieder zurückkamet.«

Als Viktor hierauf nichts erwiderte, stand der Mann noch ein Weilchen, dann sagte er wieder: »Der Herr wird gewiß bereits zu essen begonnen haben; denn er hat seine festgesetzten Stunden und geht davon nicht ab.«

»Das ist mir eine gleichgültige Sache,« antwortete Viktor, »er mag essen und sich sättigen, von seinem Mahle verlange ich nichts; denn ich und mein Spitz haben unsere Brote, die ich mir aufgehoben habe, schon verzehrt.«

»Nun, so muß ich also gehen und ihm das melden,« sprach der Diener weiter, – »aber das müßt Ihr bedenken, daß Ihr, wie Ihr vorher selber sagtet, gekommen seid, weil es der Oheim begehrt hat, daß er also mit Euch zu sprechen wünscht und daß Ihr das selber unmöglich macht, wenn Ihr in dem Gebiete seines Hauses unter freiem Himmel sitzen bleibt.«

»Ich wollte zu ihm gehen,« erwiderte Viktor, »ich wollte mit ihm sprechen und ihn ehrerbietig grüßen, die Mutter hat mir auch gesagt, daß es gut sei, und der Vormund hat es auch befohlen – aber ehe ich dem Tiere, das mich mit Lebensgefahr aufgesucht und begleitet hat, etwas zuleide tun lasse, will ich selber eher Verwundung und Tod ertragen.«

»Es wird dem Tiere nichts geschehen,« sagte Christoph, »der Herr hat Euch nur einen guten Rat gegeben; wenn Ihr ihn nicht befolgt, so kümmert es ihn nicht. Er denkt gewiß nicht mehr darauf; denn sonst hätte er mich ja nicht geschickt, Euch zum Essen zu holen.«

»Wenn Ihr mir verbürgen könnt, daß dem Hunde nichts geschieht, so will ich mit Euch gehen«, sagte Viktor.

»Das kann ich Euch verbürgen,« antwortete der Diener, »der Herr vergaß der Geringfügigkeit eines Hundes und wird ihm nichts anhaben.«

»So komme, lieber Spitz«, sagte Viktor, indem er aufstand.

Er suchte gleichsam mit zitternden Händen eine Schnur aus seinem Ränzlein hervor, dergleichen er immer zu verschiedenen Dingen im Vorrate mitzuführen pflegte, und befestigte dieselbe an dem Ringe des Halsbandes, das der Spitz trug. Hierauf nahm er das Ränzlein auf die Schulter, hob seinen Reisestab vom Boden auf und folgte dem alten Christoph, der ihn den nämlichen Weg führte, den er in der Abenddämmerung gegangen und dann wieder zurückgelaufen war. Er wäre in der Nacht schwer zu finden gewesen, wenn nicht der alte Christoph vorangegangen wäre. Sie gingen durch das Gestrippe, durch die Ahorne, durch den Zwerggarten, durch den breiten Graben und kamen zu dem eisernen Gitter. Christoph zog hier ein kleines Ding aus seiner Tasche, das Viktor für einen Schlüssel hielt; aber es war ein Pfeifchen, und der Diener tat damit einen gellenden Pfiff. Sogleich öffnete sich das Tor von unsichtbaren Händen – Viktor begriff es gar nicht – und schlug sich hinter ihnen wieder krachend zu. Viktor blickte von dem Sandplatze, auf dem sie nun waren, sogleich auf das Haus. An der ganzen Vorderseite desselben waren nur drei Fenster erleuchtet, zwei im oberen und eines im Erdgeschosse, alles andere war in Finsternis. Christoph führte den Jüngling über die Holztreppe, welche gut gedeckt war, von dem Sandplatze in das erste Geschoß hinauf. Sie kamen in einen Gang und von demselben in das Zimmer, dem die zwei erleuchteten Fenster angehörten. In dem Zimmer ließ Christoph den Jüngling, ohne weiter ein Wort zu sagen, stehen und ging wieder rückwärts hinaus. An dem Tische dieses Zimmers saß der Oheim Viktors ganz allein und aß. Er hatte abends, da ihn Viktor zum ersten Male sah, einen weiten, grautuchenen Rock angehabt, jetzt hatte er diesen abgelegt und stak in einem weiten, großblumigen Schlafrocke und hatte ein rotes, goldgerändertes Käppchen auf.

»Ich bin nun schon an den Krebsen,« sprach er zu dem eintretenden Jünglinge, »du bist zu lange nicht gekommen, ich habe meine festgesetzte Stunde, wie es die Gesundheit fordert, und gehe von derselben nicht ab. Man wird dir gleich etwas auftragen. Setze dich auf den Stuhl, der mir gegenübersteht.«

»Die Mutter und der Vormund lassen Euch viele Grüße sagen«, hob Viktor an, indem er mit dem Ränzlein auf dem Rücken stehenblieb und zuerst die Aufträge seiner Angehörigen, dann seine eigene Ehrerbietung und Begrüßung darbringen wollte.

Der Oheim aber tat mit beiden Händen, in deren jeder er ein Stück eines zerbrochenen Krebsen hielt, einen Zug durch die Luft und sagte: »Ich kenne dich ja schon an dem Angesichte – so fange an, hier zu sein, wohin ich dich beschieden habe und wo ich dich als den Beschiedenen erkenne. Wir sind jetzt bei dem Essen, daher setze dich nieder und iß. Was sonst alles zu tun ist, wird schon geschehen.«

Viktor legte also sein Ränzlein auf einen Stuhl, den Wanderstab lehnte er in einen Winkel, und dann ging er gegen den angewiesenen Stuhl, den Spitz an der Schnur hinter sich herzerrend. Der alte Mann, dem er gegenübersaß, hielt sein mageres Angesicht gegen den Teller nieder, und das Angesicht rötete sich während dem Essen. Er riß mit den Händen die Krebse sehr geschickt auseinander, lösete das Fleisch aus und saugte den Saft aus dem Korbe des Oberleibes und dem Geflechte der Füße. Dem Jünglinge war das wohlwollende Herz, das er hieher hatte bringen wollen, erstickt, und er saß stumm dem Verwandten gegenüber, der ebenfalls stumm in dem Geschäfte seines Essens fortfuhr. Es standen mehrere verschieden gestaltete und verschiedenfärbige lange Flaschen auf dem Tische, in denen verschiedene Weine sein mußten und aus denen der Oheim wahrscheinlich schon getrunken hatte; denn bei jeder Flasche stand ein eigentümliches Glas mit einem Restchen Wein am Boden. Nur eine Flasche stand noch neben dem Teller, und aus derselben schenkte der alte Mann von Zeit zu Zeit ein Schlückchen in ein kleines, grünbauchiges Stengelglas. Für Viktor war indessen eine Suppe gebracht worden, von welcher er mit seiner rechten Hand aß, während er mit der Linken das Haupt des unten sitzenden Spitzes an sein Knie drückte. In der Zeit, in welcher er seine Suppe aß, waren von einem alten Weibe nach und nach so viele Speisen für ihn herbeigetragen worden, daß er in Verwunderung geriet. Er aß davon, bis er satt war, dann ließ er das übrige stehen. Der Oheim hatte ihm von den Weinen nichts angetragen, Viktor verabscheute auch noch den Wein, sondern schenkte sich von dem Wasser, das in einer kristallschönen Flasche von derselben alten Frau, die aufwartete, alle Augenblicke erneuert wurde, ein und erkannte, daß er nie ein so vortreffliches, frisches, pralles und starkes Wasser getrunken habe. Während er sich sättigte, aß der Oheim noch ein Stückchen Käse, dann allerlei Früchte und Zuckerwerk. Hierauf trug der alte Mann die verschiedenen Teller, auf denen Glasglocken über den Dingen des Nachtisches standen, eigenhändig in Schreine, die in die Mauern gefügt waren, und sperrte sie ein. Dann tat er die Restchen Wein jedes in seine Flasche und schloß die Flaschen in ähnliche Schreine ein.

Auf der Stelle des Zimmers, auf welcher der Oheim während dem Essen gesessen war, war ein dichter Teppich gebreitet, und auf dem Teppiche lagen drei alte, fette Hunde, denen der Greis von Zeit zu Zeit bald eine Krebsschere, bald eine Mandel, bald ein Stückchen Zuckerwerk hinabgereicht hatte. Schon als Viktor mit dem Spitz eingetreten war, hatten alle drei geknurrt, und während dem Essen, wenn er dem armen Spitz ein Stückchen hinabreichte, grinsten sie wieder und ließen ein schwaches Murren hören.

Solange der Oheim bei seinem Nachtmahle beschäftigt gewesen war, hatte er zu Viktor nicht gesprochen, gleichsam als wäre zu keinem andern Dinge Zeit; jetzt aber sagte er: »Hast du das Gerippe doch wieder mitgeschleppt? Wer ein Tier hat, muß es auch ernähren können. Ich habe dir den Rat gegeben, daß du es in den See würfest, aber du hast ihn nicht befolgt. Die Hunde der Studenten habe ich nie leiden können; sie sind wie traurige Gespenster. Und gerade dieses Volk will immer Hunde haben. Wo hast du ihn denn mitgenommen und brachtest ihn zu mir, ohne ihm unterweges etwas zu fressen zu geben?«

»Es ist der Hund meiner Ziehmutter, Oheim,« sagte Viktor, »ich habe ihn nirgends mitgenommen, weder gekauft noch ertauscht; sondern am dritten Tage nach meiner Abreise ist er mir nachgekommen. Er muß stark gerannt sein, was er in seinem früheren Leben nicht gewohnt war; er muß auch große Angst ausgestanden haben, wozu er ebenfalls bei der Ziehmutter nie Ursache gehabt hatte – und deshalb ist er in den darauffolgenden Tagen so mager geworden, wie er nie gewesen ist, obwohl ich ihm gegeben habe, was er nur immer verlangte. Erlaubt daher, daß ich ihn in Eurem Hause bei mir behalte, damit ich ihn der Ziehmutter wieder übergeben kann, sonst müßte ich sogleich zurückreisen und ihn ihr überbringen.«

»Und da hast du ihn immer so Tag und Nacht bei dir gehabt?«

»Freilich.«

»Daß er dir einmal die Kehle abfrißt.«

»Das tut er ja nie. Wie fiele ihm denn das ein? Er ist bei meinen Füßen gelegen, wenn ich rastete oder schlief, er hat sein Haupt auf dieselben gelegt, und er würde eher verhungern, ehe er mich verließe oder mir ein Leid täte.«

»So gib ihm zu essen und denke auf das Wasser, daß er nicht wütend wird.«

Das alte Weib hatte, als das Abendmahl aus war, nach und nach die Schüsseln, Teller und andere Rest desselben fortgetragen; jetzt kam auch Christoph, den Viktor, seit er mit ihm hiehergekommen war, nicht mehr gesehen hatte.

Der Oheim sagte zu dem hereintretenden Diener: »Sperre ihnen die Stalltür gut zu, daß keiner herauskomme, lasse sie aber vorher auf dem Sande unten ein wenig herumgehen.«

Auf diese Worte erhoben sich die drei Hunde wie auf ein bekanntes Zeichen. Zwei folgten Christoph von selber, den dritten nahm er bei dem Balge und schleppte ihn hinaus.

»Ich werde dir deine Schlafkammer selber zeigen«, sagte der Oheim zu Viktor.

Er ging bei diesen Worten in die Tiefe des Zimmers, wo es bedeutend dunkel war, weil nur ein Licht auf dem Tische brannte. Dort nahm er von einem Gestelle oder sonst von etwas, das man nicht erkennen konnte, einen Handleuchter, kam wieder hervor, zündete die Kerze des Handleuchters an und sagte: »Jetzt folge mir.«

Viktor nahm sein Ränzlein mit dem einen Riemen in den Arm, faßte seinen Stab, zog den Spitz an der Schnur und ging hinter dem Oheime her. Dieser führte ihn bei der Tür hinaus in einen Gang, in welchem der Reihe nach uralte Kästen standen, dann rechtwinklig in einen andern, und endlich ebenso

in einen dritten, der durch ein eisernes Gitter verschlossen war. Der Oheim öffnete das Gitter, führte Viktor noch einige Schritte vorwärts, öffnete dann eine Tür und sagte: »Hier sind deine zwei Zimmer.«
Viktor trat in zwei Gemächer, wovon das erste größer, das zweite kleiner war.
»Du kannst den Hund in die Nebenkammer einsperren, daß er dir nichts tut,« sagte der Oheim, »und die Fenster verschließe wegen der Nachtluft.«
Mit diesen Worten zündete er die auf dem Tische des ersten Zimmers stehende Kerze an und ging ohne weiteres fort. Viktor hörte, daß er das Gitter des Ganges zusperrte, dann verklang der schleichende Tritt der Pantoffeln, und es war die Ruhe der Toten im Hause. Um sich zu überzeugen, daß er hinsichtlich des Gitters recht gehört habe, ging Viktor auf den Gang hinaus, um nachzusehen. Es war in der Tat so: das eiserne Gitter war mit seinen Schlössern verschlossen.
›Du armer Mann,‹ dachte Viktor, ›fürchtest du dich etwa vor mir?‹
Dann stellte er die Kerze, die er auf den Gang mit hinausgenommen hatte, wieder auf den Tisch neben das zinnene, verbogene Waschbecken und schritt gegen das große, vergitterte Fenster vor. Es waren zwei hart nebeneinander in steinene Simse gefügte Fenster. Viktor sah, da das Glas geöffnet stand, durch das eiserne Gitter in die Nacht hinaus, und der Druck, der gleichsam auf seiner Seele lag, begann sich zu lösen. Es war ein blasser, mit wenigen Sternen besetzter Nachthimmel, der zu ihm hereinblickte. Es mochte ein kleiner Ranft des wachsenden Mondes hinter dem Hause stehen, denn Viktor sah das schwache Licht desselben auf den Blättern eines Baumes glänzen, der vor dem Hause war – aber die Berge, die gegenüberstanden, zeigten sich völlig lichtlos. Die im Laufe dieses letzten Tages vielfach genannte Grisel erkannte er gleich. Sie stand wie ein flacher, schwarzer Schattenriß auf dem Silber des Himmels, bog sich niedergehend

ein wenig aus, und an dem Buge stand ein Stern wie ein niederhängendes irdisches Ordenssternlein.

Viktor schaute lange hinaus.

›Nach welcher Gegend hin‹, dachte er, ›wird das Tal meiner Mutter sein und wird das liebe schimmernde Häuschen zwischen den dunkeln Büschen stehen?‹

Er hatte nämlich durch die vielfachen Windungen des Weges an der Afel herein und durch die Kreuzgänge des Hauses die Richtung der Weltgegenden verloren.

›Jetzt werden dort auch die Sterne niederscheinen, der Holunder wird still sein, und die Wasser werden rieseln. Mutter und Hanna werden schlummern, oder sie sitzen noch an dem Tische, wo sie das Abendmahl verzehrt haben, mit ihrer Arbeit und denken an mich oder reden wohl gar von mir.‹

Vor seinen jetzigen Fenstern war wohl auch ein Wasser, ein viel größeres als der Bach in seinem Muttertale, aber er konnte es nicht sehen, denn ein ruhiger weißer Nebel lag darauf, der oben durch eine waagrechte, gleichsam feste Linie abgeschnitten war.

›Von der Stube, in welcher ich schlief, schaut jetzt niemand nieder, um die Funken in dem regsamen Bache zu sehen, um die Bäume zu sehen, die herumstehen, oder auch die Berge, auf welche sich die Felder emporziehen.‹

Es kam, während er so hinausschaute, nach und nach eine kalte, sehr feuchte Nachtluft durch die Fenster herein. Viktor schloß sie also zu und besah, ehe er sich niederlegte, auch das zweite Gemach. Es war wie das erste, nur daß es kein Bett hatte. Ein rußiges Bild sah von einer Nische nieder, darauf ein Mönch abgemalt war. Viktor schloß auch hier das schmale Fenster und ging zu seiner Lagerstätte hinaus. Den Spitz hatte er unwillkürlich immer an der Schnur mit sich geführt; nun aber lösete er den Knoten an dem Ringe, nahm ihm das Halsband ab und sagte: »Lege dich hin, wo du willst, Spitz, wir werden uns wechselweise nicht absperren.«

Der Hund sah ihn an, als wollte er deutlich sagen, daß ihm

alles befremdend vorkomme und daß er nicht wisse, wo er sei.

Viktor schloß nun auch seinerseits das Schloß seines Zimmers zu und entkleidete sich. Es fiel ihm während dieser Handlung auf, daß er heute abends in dem ganzen Hause nur drei Menschen gesehen habe – und daß diese lauter alte gewesen sind.

Als er sein Nachtgebet, das er gewissenhaft seit den ersten Tagen seiner Kindheit immer verrichtete, gesprochen hatte, legte er sich in das Bett. Er ließ eine Weile noch das Licht auf seinem Bett-Tischchen brennen, bis ihm die Augenlider zu schwer wurden und die Sinne zu schwinden begannen. Dann löschte er die Kerze aus und drehte sich gegen die Wand.

Der Spitz lagerte sich, wie gewöhnlich, zu den Füßen seines Bettes, tat ihm nichts Leides, und beiden ermüdeten Wesen war die Nacht wie ein Augenblick.

Aufenthalt

Als Viktor des andern Morgens erwachte, erschrak er über die Pracht, die sich ihm darstellte. Die Grisel stand drüben in allen ihren Spalten funkelnd und leuchtend, und obwohl sie in der Nacht der höchste Berg geschienen hatte, so standen doch nun höhere neben ihr, die er in der Nacht nicht gesehen hatte und die nun sanft blau niederschienen und an vielen Stellen Schneeflecken zeigten, die sich wie weiße Schwäne in die Spalten duckten. Alles glänzte und flimmerte durcheinander, hohe Bäume standen vor dem Hause in einer solchen Nässe, wie er sie nie gesehen hatte, die Gräser troffen, überall gingen breite Schatten nieder, und das Ganze erschien noch einmal in dem See, der, von jeder Flocke Nebel rein gefegt, wie der zarteste Spiegel dahinlag. Viktor hatte seine Fenster aufgerissen und steckte das blühende Angesicht zwischen den Eisenstäben hinaus. Sein Erstaunen war außerordentlich.

Mit alle dem Getümmel an Lichtern und Farben herum bildete das todähnliche Schweigen, mit dem diese ungeheuren Bergeslasten herumstanden, den schärfsten Gegensatz. Kein Mensch war zu sehen – auch vor dem Hause nicht –, nur einige Vögel zwitscherten zeitweilig in den Ahornen. Welch ein Morgenlärm mochte nicht in all diesen Höhen sein, aber er war nicht zu vernehmen, weil sie zu ferne standen, Viktor streckte den Kopf, soweit er konnte, hinaus, um herumschauen zu können. Er sah einen ziemlichen Teil des Sees. Überall schritten Wände an demselben hin, und der Jüngling konnte durchaus nicht erraten, wo er hereingekommen war. Auch die Sonne war an einem ganz andern Orte aufgegangen, als er erwartet hatte, nämlich hinter dem Hause, und seine Fenster waren noch im Schatten, was eben das Licht der gegenüberliegenden Wände noch erhöhte. Mit dem Monde, den er gestern seiner Lichtwirkung nach höchstens für eine schmale Sichel gehalten hatte, war er ebenfalls im Irrtume; denn er stand nun als Halbmond noch am Himmel, gegen die Zacken der Gebirge sich niederneigend. Viktor kannte die Wirkung der Lichter in den Bergen noch nicht. Welche Flut hätte auf die fernen Wände fallen müssen, daß sie so erleuchtet dagestanden wären wie der Kirchturm seines Dorfes, der im Mondscheine immer so schimmernd weiß und scharf in die dunkelblaue Nachtluft emporgestanden war. Obwohl die Sonne schon ziemlich hoch stand, so war doch die Luft, die zu seinen Fenstern hereinströmte, noch so kalt und naß, wie er sie zu Hause nicht gewohnt war; allein sie belästigte ihn nicht, sondern sie war zugleich so fest und hart, daß sie alle seine Lebensgeister anregte.

Er trat endlich von dem Fenster zurück und fing an, sein Ränzlein auszupacken, um sich anders anzukleiden als er auf der Reise gewesen war; denn heute, dachte er, wird der Oheim zu ihm sprechen und wird ihm erklären, warum er ihn zu sich auf diese vereinsamte Insel habe kommen lassen. Er legte reine Wäsche heraus, er bürstete den Staub von dem zweiten Anzuge, den er außer dem Reisekleide noch mit sich führte, er benützte reichlich das spiegelklare, in dem zinnenen Kruge vorhandene Wasser, um den Reisestaub von sich zu waschen, und zog sich dann so zusammenstimmend und passend an, wie er es in dem überreinlichen Hause seiner Ziehmutter gelernt hatte. Selbst den Spitz, der ein so unwillkommener Gast in diesem Hause war, hatte er vorher noch gekämmt und gebürstet. Dann legte er ihm wieder das Halsband um und knüpfte seine Schnur an den Ring desselben. Als sie beide ganz und gar fertig waren, schloß er seine Türe auf und wollte in das Zimmer gehen, wo sie gestern abends gegessen hatten, um den Oheim zu suchen. Als er aber auf dem Gange war, fiel ihm ein, daß er heute zum ersten Male sein Morgengebet vergessen habe. Es mußte in der Wirkung der großen, nie gekannten Eindrücke des heutigen Morgens geschehen sein. Er ging daher noch einmal in das Zimmer zurück, stellte sich wieder an das Fenster und sagte die einfachen Worte, die er sich einst heimlich und ohne daß jemand etwas davon wußte, zu diesem Zwecke zusammengedacht hatte. Dann trat er zum zweiten Male den Weg zu dem Oheime an.

Das eiserne Gitter am Gange war nicht mehr versperrt, er trat durch dasselbe hindurch und fand leicht den Gang, aus welchem er gestern in das Speisezimmer war geführt worden – aber der Gang hatte gar keine Tür, die in ein Gemach hätte leiten können, sondern es standen in demselben lauter alte Kästen, die er schon gestern beim Schlafengehen im Kerzenscheine gesehen hatte. Die Gangfenster waren von unten gegen oben mit Brettern verschlagen, nur eine kleine Öffnung war oben frei, daß durch das Glas das Licht hereinfallen konnte, gleichsam als scheute man die Freiheit und Klarheit des Lichtes und liebte die Finsternis in diesen Gängen. Da Viktor so suchte, trat aus einem der Kästen die alte Frau heraus, die gestern zum Abendessen die Speisen gebracht hatte. Sie trug Tassen und Schalen und ging wieder in einen solchen

Kasten hinein. Da Viktor an dem, wo sie herausgekommen war, näher schaute, entdeckte er, daß derselbe ein verlarvtes Türfutter sei und zur Hinterwand die Tür habe, durch die er gestern zu dem Oheime hineingegangen war, wie er an dem Ringe und Klöppel erkannte, die er gestern beim Lichte bemerkt hatte. Er klopfte leicht mit dem Klöppel, und auf einen Laut drinnen, der wie ›Herein‹ klang, öffnete er und ging hinein. Er gelangte wirklich in das gestrige Speisezimmer und traf den Oheim.

Die vielen gleichen Kästen, die sich etwa in dem Gebäude vorgefunden hatten, schienen nur darum in den Gang gestellt worden zu sein, daß jemand, der in unredlicher Absicht durch eine Tür hineingehen wollte, diese Absicht nicht leicht erreiche, weil er die kostbarste Zeit durch Untersuchung der wahren und falschen Türkästen vergeuden mußte. Zu demselben Zwecke größerer Sicherheit schienen auch die Gänge verfinstert worden zu sein.

Der Oheim hatte heute den grauen, weiten Rock an, in dem ihn Viktor gestern an dem Eisengitter hatte stehen gesehen. Er stand jetzt im Zimmer auf einem Schemel und hatte einen ausgestopften Vogel in der Hand, von dem er mit einem Pinsel den Staub abbürstete.

»Ich werde dir heute die Stundeneinteilung meines Hauses geben, die durch Christoph aufgeschrieben ist, daß du dich darnach richten kannst; denn ich habe mein Frühstück schon nehmen müssen, weil die Zeit da war«, sagte er zu dem hereingekommenen Viktor ohne weiteren Morgengruß oder sonstiger Bewillkommnung.

»Ich wünsche Euch einen sehr guten Morgen, Oheim,« sagte Viktor, »und bitte um Verzeihung, daß ich die Frühmahlstunde versäumt habe, ich wußte sie nicht.«

»Freilich konntest du sie nicht wissen, Narr, und es verlangte niemand, daß du sie einhaltest. Gieße dem Hunde in jenen hölzernen Trog Wasser ein.«

Mit diesen Worten stieg er von dem Schemel herunter, ging

zu einer Leiter, bestieg sie und setzte den Vogel in das obere Fach eines Glasschreines. Für den hineingestellten nahm er einen andern heraus und fing dasselbe Bürsten mit ihm an. Viktor konnte jetzt bei Tage erst sehen, wie ungemein hager und verfallen der Mann sei. Die Züge drückten kein Wohlwollen und keinen Anteil aus, sondern waren in sich geschlossen, wie von einem, der sich wehrt und der sich selber unzählige Jahre geliebt hat. Der Rock schlotterte an den Armen, und von dem Kragen desselben ging der rötliche, runzlige Hals empor. Die Schläfen waren eingesunken, und das zwar noch nicht völlig ergraute, aber aus vielen mißhelligen Farben gemischte Haar war struppig um dieselben herum, niemals, seit es wuchs, von einer liebenden Hand gestreichelt. Die Augen, die unter den herabgesunkenen Brauen hervorgingen, hafteten auf dem kleinen Umkreise des toten Vogels. Der Rockkragen war an seinem oberen Rande sehr schmutzig, und an dem Ärmel sah ein gebauschtes Stück Hemd hervor, das ebenfalls schmutziger war, als es Viktor je bei seiner Ziehmutter gesehen hatte. Und überall waren leblose oder verdorbene Dinge um den Mann herum. Es befanden sich in dem Zimmer eine Menge Gestelle, Fächer, Nägel, Hirschgeweihe und dergleichen, an welchen allen etwas hing und auf welchen allen etwas stand. Es wurde aber mit solcher Beharrung gehütet, daß überall der Staub darauf lag und daß sich vieles schon jahrelang nicht von dem Platze gerührt hatte. In den Halsbändern der Hunde, wovon ein ganzer Bündel dahing, war innerlich der Staub; die Falten der Tabaksbeutel waren erstarrt und undenklich lange schon nicht geändert worden; die Röhre der Pfeifensammlung klafften, und die Papiere unter den unzähligen Schwersteinen waren gelb. Das Zimmer, welches statt der Decke ein bedeutend spitzes Gewölbe hatte, war ursprünglich bemalt gewesen, aber die Farbe in ihren Lichtern und Schatten war in ein gleichmäßiges uraltes Dunkel übergegangen. Auf dem Fußboden lag ein ausgebleichter Teppich, und nur dort, wo der

Mann während des Speisens zu sitzen pflegte, war ein neuerer, kleinerer mit blühenden Farben gelegt. Jetzt wälzten sich eben die drei Hunde auf ihm. – Es war ein sehr starker Gegensatz, wie Viktor in dem Zimmer dieses alten Mannes stand. – Sein schönes Angesicht blühte in fast mädchenhafter Unschuld, es war voll Lebenslust und Kraft, die einfärbigen dunkeln Haare lagen gut geordnet um dasselbe, und in seinem Anzuge war er so rein, als wäre derselbe in diesem Augenblicke von liebreichen Mutterhänden besorgt worden.

Er blieb, wie er in das Zimmer getreten war, stehen und sah dem Oheime zu. Dieser aber fuhr in seinem Geschäfte fort, als wenn gar niemand zugegen wäre. Er mußte es schon sehr lange nicht verrichtet haben und heute bei Anbruch des Tages darangegangen sein; denn es war bereits eine ziemliche Zahl Vögel geputzt, und die andern standen noch ganz grau vom Staube hinter ihren Gläsern. Die alte Frau, welche vorhin an Viktor vorübergegangen war, ohne ihn anzureden, brachte jetzt auf einem Brette ein Frühstück herein und setzte es ebenfalls schweigend auf den Tisch. Viktor schloß, daß es für ihn sei, da es eben bei seinem Erscheinen gebracht worden war. Er setzte sich daher dazu und verzehrte davon so viel, als er morgens zu essen gewohnt war; denn es stand auf dem Brette weit mehr, als er bedurfte. Es war ein Frühmahl, wie es in England gebräuchlich ist, von Tee und Kaffee angefangen bis zu Eiern, Käse, Schinken und kaltem Rindsbraten. Der Spitz hatte es hiebei am besten; denn Viktor gab ihm so viel, als er vielleicht niemals zu seinem Morgenmahle bekommen hatte.

»Hast du schon Wasser in den Trog gegossen?« fragte der Oheim. »Nein,« entgegnete Viktor, »ich vergaß es in dem Augenblicke, aber ich tue es gleich.«

Wirklich hatte der Jüngling im Anschauen seines Oheims auf den Wunsch desselben vergessen. Er nahm daher den großen gläsernen Krug, der mit demselben herrlichen Quellwasser wie gestern auf dem Tische stand, und goß davon einen Teil in einen kleinen hölzernen, wohlgebohnten Trog, der an der Wand neben der Tür stand. Nachdem der Spitz getrunken hatte, ging der Oheim von seinem Geschäfte weg und rief seine Hunde zu dem Wasser; da aber keiner Lust bezeigte, weil sie wahrscheinlich ohnehin schon getränkt waren, so drückte der Oheim an einem Stabe, der von der Wand des Troges emporstand, nieder, worauf sich im Boden des Gefäßes eine metallene Platte öffnete und die Flüssigkeit abrinnen ließ. Viktor lächelte fast über diese Einrichtung; denn zu Hause bei ihm war das alles einfacher und freundlicher: der Spitz war in freier Luft, er trank am Bache und verzehrte sein Essen unter dem Apfelbaume.

»Ich zeige dir vielleicht einmal das Bildnis deines Vaters,« sagte der Oheim, »daß du siehst, wie ich dich gleich erkannte.«

Nach diesen Worten stieg der alte Mann wieder auf die Leiter und nahm einen neuen Vogel heraus. Viktor stand immer in dem Zimmer und wartete, daß der Oheim mit ihm über die Angelegenheit seiner Herreise zu sprechen beginnen werde. Aber dieser tat es nicht und putzte stets an seinen Vögeln fort. Nach einer Weile sagte er: »Das Mittagsmahl ist genau um zwei Uhr. Stelle deine Uhr nach dieser dort und komme darnach.«

Viktor erstaunte und fragte: »Ihr werdet mich also vor dieser Zeit gar nicht mehr zu sprechen verlangen?«

»Nein«, antwortete der Oheim.

»So will ich hinausgehen, um Euch in Eurer Zeitverwendung nicht zu stören, und will den See, die Berge und die Insel betrachten.«

»Tue, was dir immer gefällt«, sagte der Oheim.

Viktor ging eilig hinaus, allein er fand die Tür der hölzernen Treppe verschlossen. Daher ging er wieder zu dem Oheime zurück und bat, daß er möchte öffnen lassen.

»Ich werde dir selber aufmachen«, sagte dieser.

Er stellte seinen Vogel hin, ging mit Viktor hinaus, zog einen

Schlüssel aus seinem grauen Rocke und schloß damit die Tür der Holztreppe auf, die er hinter dem Jünglinge sogleich wieder versperrte.

Dieser lief die Treppe auf den Sandplatz hinab. Da hier die Flut des Lichtes seinen erfreuten Augen entgegenschlug, wendete er sich ein wenig um, um das Haus von außen zu betrachten. Es war ein festes, dunkles Gebäude mit dem einzigen Geschosse, in welchem er die heutige Nacht geschlafen hatte. An den offenen Fenstern erkannte er seine Zimmer. Denn alle andern waren zu und prangten vielfach mit den schönen Farben der Verwitterung. Sie standen sämtlich hinter festen, starken Eisengittern. Das Haupttor war verrammelt, und die hölzerne überdeckte Treppe zu dem Sandplatze herab schien der einzige Eingang zu sein. Wie war das anders als zu Hause, wo Fenster an Fenster offen stand, weiße, sanfte Vorhänge wehten und man von dem Garten aus das lustige Küchenfeuer flackern sehen konnte.

Viktor wendete seine Augen nun gegen den freien Platz, der vor dem düsteren Hause wegging. Er war das Freundlichste dieser Umgebung. Hinten an den Seiten des Hauses hatte er hohe Bäume, dann war er mit Sand bestreut, hatte hie und da ein Bänklein, mehrere Blumenstellen und lief gegen den See in einen wirklichen Blumengarten und dann in Gebüsch aus. Zu beiden Seiten waren Bäume und Gesträuche. Viktor ging auf diesem Platze herum, und Luft und Sonnenschein taten ihm sehr wohl.

Dann aber strebte er weiter, um die Dinge hier zu sehen. Eine uralte Lindenallee war ihm aufgefallen, die von dem Gebäude des Oheims weiterführte. Die Bäume waren so hoch und dicht, daß der Boden unter ihnen feucht war und das Gras sich mit dem schönsten, zartesten Grün färbte. Viktor ging in der Mitte dieser Allee fort. Er gelangte zu einem andern Gebäude, dessen hohes, breites Tor verschlossen und eingerostet war. Über dem Bogen des Tores standen die steinernen Zeichen geistlicher Hoheit, Stab und Inful, nebst den andern

Wappenzeichen des Ortes. Am Fuße des Bogens und des ganzen Holztores war weiches, dichtes Gras, zum Zeichen, daß hier lange kein menschlicher Tritt gewandelt war. Viktor sah, daß er durch diese Pforte nicht in das Gebäude kommen konnte, er ging daher an demselben außen entlang und betrachtete es. Das Mauerwerk war ein aschgraues Viereck mit fast schwarzem Ziegeldache. Die überwuchernden Bäume der Insel waren hoch darüber hinausgewachsen. Die Fenster hatten Gitter, aber hinter den meisten derselben standen statt des Glases graue, vom Regen ausgewaschene Bretter. Es war wohl noch ein Pförtchen in dieses Haus, aber dasselbe war wie der Haupteingang verrammelt. Weiter zurück war eine hohe Mauer, welche wahrscheinlich den ganzen Zusammenhang von Gebäuden und Gärten umschloß und als Eingang das Eisengitter des Oheims hatte. In einem ausspringenden Winkel dieser Mauer lag der Klostergarten, von dem aus Viktor die zwei dicken, aber ungewöhnlich kurzen Türme der Kirche erblickte. Die Obstbäume waren sehr verwildert und hingen häufig zerrissen darnieder. Einen Gegensatz mit dieser trauernden Vergangenheit machte die herumstehende blühende, ewig junge Gegenwart. Die hohen Bergwände schauten mit der heitern Dämmerfarbe auf die grünende, mit Pflanzenleben bedeckte Insel herein, und so groß und so überwiegend war ihre Ruhe, daß die Trümmer der Gebäude, dieser Fußtritt einer unbekannten menschlichen Vergangenheit, nur ein graues Pünktlein waren, das nicht beachtet wird in diesem weithin knospenden und drängenden Leben. Dunkle Baumwipfel schatteten schon darüber, die Schlingpflanze kletterte mauerwärts und nickte hinein, unten blitzte der See, und die Sonnenstrahlen feierten auf allen Höhen ein Fest in Gold- und Silbergeschmeide.

Viktor hätte recht gerne die ganze Insel durchgewandert, die nicht groß sein mußte und die er gerne erkundschaftet hätte, aber er überzeugte sich schon, daß wirklich, wie er vermutet hatte, das ehemalige Kloster samt allen Nebengebäuden und

Gartenanlagen von einer Mauer umfangen war, wenn auch oft blühende Gebüsche die Steine derselben verdeckten. Er ging wieder auf den Sandplatz zurück. Hier stand er eine gute Weile vor dem Gittertore, sah die Stäbe an und versuchte an dem Schlosse. Doch zu dem Oheime hinaufgehen und ihn bitten, daß er öffnen lasse – das vermochte er nicht, er hatte einen Widerwillen davor. Außer den zwei alten Dienern, dem betagten Christoph und der alten Frau, war es wie ausgestorben in dem ganzen Gebäude. Er ließ daher von dem Gitter ab und wandelte auf dem offenen Platze vorwärts gegen den See, um von dem Felsenufer, wenn hier auch eines wäre, in das Wasser hinabzuschauen. Es war ein Felsenufer, und zwar, da er am äußersten Rande draußen stand, ein häuserhohes. Unten säumte das Wasser sanft den Strand; gegenüber stand die Grisel mit freundlichem Bergfuße, der seine weißen Steine und seine schimmernden Dinge im Wasser spiegelte. Und wenn er auf die Bergmauern ringsum schaute, an denen das Wasser dunkel, reglos und faltenlos lag, so war ihm wie in einem Gefängnisse und als sollte es ihm hier beinahe ängstlich werden. Er versuchte, ob nicht eine Stelle zum Hinunterklettern an das Wasser zu finden wäre, aber die von Regen und Sturm gepeitschte Wand war glatt wie Eisen, ja sie ging sogar gegen das Wasser zu einwärts und überwölbte sich. Wie groß müssen erst die Wände der Grisel sein, dachte Viktor, die, schon von hier aus gesehen, wie Paläste emporsteigen, während das Felsenufer der Insel, da wir herfuhren, nur wie ein weißer Sandstreifen erschienen war.

Als er hier wieder eine Weile gestanden war, ging er längs des Saumes dahin, bis er an die Einfangungsmauer an die Seite des Klosters käme. Er kam dahin, und die Mauer stieg mit glattem Rande fallrecht in das Wasser nieder. Dann wendete er um und wandelte wieder an dem Saume fort, bis er neuerdings an die Mauer an der dem Kloster entgegenliegenden Seite käme. Aber ehe er dahin gelangte, traf er etwas anderes.

Es stand eine gemauerte Höhlung da, wie die Tür eines Kellers, die hinter sich abwärtsgehende Stufen zeigte. Viktor meinte, dies könnte eine Treppe sein, die zum See hinabführe, um etwa Wasser heraufzuholen. Sogleich schlug er den Weg hinab ein, der in der Tat wie eine überwölbte Kellerstiege war und auf unzähligen Stufen niederführte. Er gelangte wirklich an das Wasser, aber wie erstaunte er, als er statt eines armen Schöpfungsplatzes, wie etwa zum Begießen der Pflanzen nötig wäre, einen wahrhaften Wassersaal erblickte. Da er aus dem Dunkel der Treppe herauskam, sah er zwei Seitenwände aus großen Quadern in den See hinauslaufen, steinerne Simse an ihren Seiten führend, daß man auf ihnen neben dem Wasserspiegel, der den Fußboden der Halle bildete, hingehen konnte. Oben war ein festes Dach, die Mauern hatten keine Fenster, und alles Licht kam durch die gegen den See gerichtete Wand herein, die ein Gitter aus sehr starken Eichenbohlen war. Die vierte, nämlich die Rückwand, bildete der Fels der Insel. Viele Pflöcke waren in den Grund getrieben, und an manchen derselben hing mittels eines Eisenschlosses ein Kahn. Der Raum war sehr groß und mußte einst viele solche Kähne in sich liegen gehabt haben, wie das vielfach abgeschleifte Ansehen der Eisenringe der Pflöcke zeigte; aber jetzt waren nur mehr vier da, die ziemlich neu waren, sehr gut gebaut und mit Ketten und versperrten Schlössern in den Ringen hingen. Das Bohlenwerk hatte mehrere Türen zum Hinausfahren in den See, aber sie waren alle verschlossen, und die Balken gingen unersichtlich tief in das Wasser hinab.

Viktor blieb stehen und sah in die grünblinkenden Lichter des Sees, die zwischen den schwarzen Balken des Eichenholzes hereinschienen. Er setzte sich dann nach einer Weile auf den Rand eines Kahnes, um mit der Hand die Wärme des Seewassers zu prüfen. Es war nicht so kalt, als er es wegen seiner durchsichtigen Klarheit geschätzt hatte. Seit seiner Kindheit war das Schwimmen eines seiner liebsten Vergnügen gewesen. Als er daher gehört hatte, das Haus seines Oheims liege auf einer Insel, nahm er sein Schwimmkleid in dem Ränzlein mit, um dieser Übung recht oft nachzugehen. Dies fiel ihm hier in dem Wassersaale augenblicklich ein, und er begann, die Stellen wegen künftigen Schwimmübungen mit den Augen zu prüfen, aber er erkannte gleich die Unmöglichkeit; denn wo die Kähne hingen, war es zu seicht, und wo es tiefer wurde, gingen gleich die Bohlen in das Wasser nieder. Zum Durchkommen durch die Bohlen war ebenfalls keine Aussicht vorhanden; denn sie waren so enge aneinander, daß sich nicht der schlankste Körper hätte hinauszwängen können. Es blieb daher nichts übrig, als sich dieses Wasserhaus für die Zukunft zum bloßen Badeplatze zu bestimmen.

Zum Teile erfüllte er diese Absicht gleich auf der Stelle. Er legte so viel von seinen Kleidungsstücken ab, als nötig war, einige Körperteile, namentlich Schultern, Brust, Arme und Füße zu waschen. Den Spitz badete er ebenfalls. Hierauf legte er seine Kleider wieder an und stieg die Stufen zurück empor, die er herabgegangen war. Als er sodann an dem Ufer fortging, traf er an das andere Ende der Einschlußmauer. Es ging wie das erste fallrecht in den See nieder und war so aus dem Felsen heraus gebaut, daß kaum ein Kaninchen um den Mauerrand hätte herumschlüpfen können. Viktor blieb eine Weile lässig an dieser Stelle stehen – dann war, sozusagen, sein Tagwerk aus. Er ging auf den Sandplatz zurück und setzte sich dort auf eine Bank, um von dem Bade auszuruhen und den Spitz zu trocknen. Das Haus des Oheims, welches er nun gegenüber hatte, war, wie es am Morgen gewesen war. Nur die Fenster des Zimmers, in welchem er geschlafen hatte, standen offen, weil er sie selbst geöffnet hatte, alles andere war zu. Niemand ging heraus, niemand ging hinein. Die Schatten wendeten sich nach und nach, und die Sonne, die morgens hinter dem Hause gestanden war, beleuchtete nun die vordere Seite desselben. Viktor war es, wie er so dasaß und auf die dunkeln Mauern schaute, als sei er schon ein

Jahr von seiner Heimat entfernt. Endlich wies der Zeiger seiner Uhr auf zwei. Er hob sich daher, ging die Holztreppe empor, der Oheim öffnete ihm auf sein Klopfen mit dem Klöppel die Stiegentür, ließ ihn hinter sich in das Speisezimmer gehen, und sofort setzten sich beide zu Tische.

Das Mittagsmahl unterschied sich von dem gestrigen Abendmahle nur darin, daß beide, Oheim und Neffe, zusammen aßen. Sonst war es wie gestern. Der Oheim sprach wenig oder eigentlich soviel wie nichts; die Speisen aber waren mannigfaltig und gut. Es standen wieder mehrere Weine auf dem Tische, und der Oheim trug Viktor sogar davon an, wenn er nämlich schon Wein trinke; dieser aber schlug das Anerbieten aus, indem er sagte, daß er bisher immer Wasser getrunken habe und dabei bleiben wolle. Der Oheim sprach auch heute nichts von dem Reisezwecke, sondern da das Essen aus war, stand er auf und beschäftigte sich mit allerlei Dingen, die in dem Gemache waren, und kramte in denselben herum. Viktor begriff sogleich, daß er entlassen sei, und begab sich seiner Neigung zufolge ins Freie.

Nachmittags, da die Hitze in diesem Talbecken, so wie morgens die Kühle, sehr groß war, sah Viktor, da er über den Blumenplatz ging, den Oheim auf einer Bank mitten in den Sonnenstrahlen sitzen. Derselbe rief ihn aber nicht hinzu, und Viktor ging auch nicht hinzu.

So war der erste Tag aus. Das Abendessen, wozu Viktor um neun Uhr beschieden war, endete für ihn wie gestern. Der Oheim führte ihn in seine Zimmer und sperrte das Eisengitter des Ganges ab.

Den alten Christoph hatte Viktor den ganzen Tag nicht gesehen, nur die alte Frau allein wartete bei Tische auf – wenn man nämlich das ›aufwarten‹ nennen kann, daß sie die Speisen brachte und forttrug. Alles andere hatte der Oheim selber getan; auch die Käse und Weine hatte er wieder eingesperrt.

Als man des andern Morgens vom Frühstücke aufgestanden war, sagte er zu Viktor: »Komme ein wenig herein da.«
Mit diesen Worten schloß er eine kaum erkennbare Tapetentür des Speisezimmers auf und schritt in ein anstoßendes Gemach, wohin ihm Viktor folgte. Das Gemach war wüste eingerichtet und enthielt mehr als hundert Feuergewehre, die nach Gattungen und Zeiten in Glasschreinen waren. Hüfthörner, Waidtaschen, Pulvergefäße, Jagdstöcke und noch tausenderlei dieser Dinge lagen herum. Sie gingen durch dieses Zimmer hindurch, dann durch das anstoßende, das wieder leer war, bis sie in ein drittes kamen, in dem einige alte Geräte standen. An der Wand hing ein einziges Bild. Es war rund, wie die Schilde, worauf man die Wappen zu malen pflegt, und war von einem breiten, ausgeflammten und durchbrochenen Goldrahmen hohen Alters umschlossen.
»Das ist das Bild deines Vaters, dem du sehr gleichsiehst«, sagte der Oheim.
Ein blühend schöner Jüngling, fast eher noch ein Knabe zu nennen, war in einem bauschigen, braunen, mit Goldtressen besetzten Kleide auf dem runden Schilde abgebildet. Die Malerei, obwohl kein Meisterstück ersten Ranges, war doch mit jener Genauigkeit und Tiefe der Behandlung begabt, wie wir sie noch recht oft auf den Familienbildern des vorigen Jahrhunderts sehen. Jetzt nimmt Oberflächlichkeit und Roheit der Farbe überhand. Besonders rein waren die Goldborten ausgeführt, die noch jetzt mit düsterem Lichte funkelten und von den schneeweiß eingestaubten Locken und dem lieblichen Angesichtchen, dessen Schatten ganz besonders rein und durchsichtig waren, sich gut abhoben.
»Es ist in der adeligen Schule die närrische Sitte gewesen,« sagte der Oheim, »daß alle Zöglinge zum Andenken abgebildet und in solchen runden Schildern mannigfaltig bald in Gängen, bald in Vorsälen und gar in Zimmern aufgehängt wurden. Die Rahmen kauften sie sich selber dazu. Dein Vater ist immer eitel gewesen und ließ sich malen. Ich war viel

schöner als er und saß nicht. Als die Schule einging, kaufte ich das Bild hieher.«
Viktor, der sich seines Vaters sowie seiner Mutter gar nicht mehr erinnern konnte, da sie ihm beide, zuerst die Mutter und sehr bald darauf der Vater, in frühester Kindheit weggestorben waren, stand nun vor dem Bilde dessen, dem er das Leben verdankte. In das weiche Herz des Jünglings kam nach und nach das Gefühl, das Waisen oft haben mögen, wenn sie, während andere ihre Eltern in Leib und Leben vor sich haben, bloß vor den gemalten Bildern derselben stehen. Es ist ein von einer tiefen Wehmut reiches und doch einen traurigsüßen Trost gebendes Gefühl. Das Bild wies in eine weite, längst vergangene Zeit zurück, wo der Abgebildete noch glücklich, jung und hoffnungsreich gewesen war, so wie der Betrachter jetzt noch jung und voll der unerschöpflichsten Hoffnungen für diese Welt ist. Viktor konnte sich nicht vorstellen, wie vielleicht derselbe Mann später in dunklem, einfachem Rocke und mit dem eingefallenen, sorgenvollen Angesichte vor seiner Wiege gestanden sein mag. Noch weniger konnte er sich vorstellen, wie er dann auf dem Krankenbette gelegen ist und wie man ihn, da er tot und erblaßt war, in einen schmalen Sarg getan und in das Grab gesenkt habe. Das alles ist in eine sehr frühe Zeit gefallen, wo Viktor die Eindrücke der äußeren Welt noch nicht hatte oder dieselben nicht für die nächste Stunde zu bewahren vermochte. Er sah jetzt in das ungemein liebliche, offene und sorgenlose Angesichtchen des Knaben. Er dachte, wenn er noch lebte, so würde er jetzt auch alt sein wie der Oheim; aber er konnte sich nicht vorstellen, daß der Vater dem Oheime ähnlich sehen würde. Da er noch lange stand, keimte in ihm der Entschluß, wenn er überhaupt mit dem Oheime auf einen bessern Fuß zu stehen käme, als er jetzt stand, daß er ihm die Bitte vortragen wolle, ihm das Bild zu schenken, denn dem Oheime könne ja so viel nicht daran gelegen sein, da er es in diesem ungeordneten Zimmer ganz

allein auf der Wand hängen und den vielen Staub auf dem Rahmen liegen lasse.
Der Oheim stand indessen an der Seite und sah das Bild und den Jüngling an. Er hatte keine sonderliche Teilnahme gezeigt, und wie Viktor die erste Bewegung machte, sich von dem Bilde zu entfernen, ging er gleich voran, um ihn aus den Zimmern zu führen, wobei er weder von dem Bilde noch von dem Vater etwas anders sagte als die Worte: »Es ist eine erstaunliche Ähnlichkeit.«
Als sie wieder in das Tafelzimmer gekommen waren, schloß er sorgfältig die Tapetentür und begann, auf die gewöhnliche Weise in dem Gemache herumzugehen und in den herumliegenden und -stehenden Sachen zu greifen, zu stellen und zu ordnen, woraus Viktor aus Erfahrung erkannte, daß er jetzt vorderhand nichts mehr mit ihm zu tun haben wolle.
Er beschloß daher, wieder auf die Insel hinunterzugehen. Die Treppentür war abermals geschlossen. Viktor wollte nicht zu dem Oheime gehen, daß er ihm öffne, sondern er dachte an den Kasten, in welchen gestern das alte Weib mit den Schalen hineingegangen war, und vermutete, daß durch denselben ein Ausweg sein müsse. Er fand den Kasten bald, öffnete ihn und sah wirklich abwärts führende Stufen, die er einschlug. Allein er gelangte auf denselben nicht in das Freie, sondern in die Küche, in welcher er niemanden traf als das alte Weib, welches mit der Herrichtung der vielen verschiedenen Dinge beschäftigt war, die zu dem Mittagsmahle gehörten. Nur noch ein jüngeres, beinahe blödsinnig aussehendes Mädchen unterstützte sie hiebei. Viktor fragte das Weib, ob sie ihn nicht in den Garten hinauslassen könne.
»Freilich«, sagte sie, führte ihn dieselbe Treppe hinauf, die er heruntergekommen war, und holte den Oheim heraus, welcher sofort öffnete und den Jüngling hinausließ.
Viktor erkannte nun, daß die Holztreppe der einzige Aus-

gang sei und daß man den mit solchem Mißtrauen geschlossen halte, obwohl das Ganze ohnehin mit einer undurchdringlichen Mauer umgeben sei.

Der Tag verging wie der gestrige. Viktor kam um zwei Uhr zum Mittagessen und ging dann wieder fort. Gegen Abend ereignete sich etwas Ungewöhnliches. Viktor sah ein Schiff gegen die Insel kommen und gerade gegen das Wasserbohlenwerk zufahren, das er gestern entdeckt hatte. Viktor lief eilig die Treppen zum Wasserhause hinab. Das Schiff kam herzu, das Bohlentor wurde von außen mit einem Schlüssel geöffnet, und der alte Christoph fuhr ganz allein in einem Kahne herein. Er hatte Lebensmittel und andere Bedürfnisse geholt und war deswegen in der Hul und in Attmaning gewesen. Viktor begriff nicht, da er die Ladung sah, wie der alte Mann diese Menge Dinge herbeigeschafft und über den See gerudert habe. Auch war ihm leid, daß ihm die Abfahrt des alten Dieners nicht bekannt gewesen sei, weil er ihm einen Brief mitgegeben hätte, der an die Mutter laufen sollte. Christoph fing an, die Dinge auszuladen und die verschiedenen Fleischgattungen mit Hülfe des blödsinnigen Mädchens auf einer Tragbahre in die Eisgrube zu tragen. Viktor sah hiebei ein ganz niederes eisernes Türchen an der Hinterseite des Hauses öffnen. Als er über die Treppe hinter dem Türchen hinabging, erblickte er im Scheine der Laterne, die man dort angezündet hatte, eine gewaltige Last Eises, auf der allerlei Vorratsdinge herumlagen und die eine fürchterliche Kälte in diesem Raume verbreitete. In später Dämmerung war die Arbeit des Ausladens vollendet.

Der dritte Tag verging wie die ersten zwei. Und es verging der vierte, und es verging der fünfte. Drüben stand immer die Grisel, rechts und links standen die blaulichen Wände, unten dämmerte der See, und mitten leuchtete das Grün der Baumlast der Insel, und in diesem Grün lag wie ein kleiner grauer Stein das Kloster mit dem Hause. Der Orla ließ manches blaue Stück durch die Baumzweige darauf niederschimmern.

Viktor war bereits an allen Stellen der Einfassungsmauer gewesen, auf allen Bänken des Sandplatzes oder Gartens war er gesessen, und auf allen Vorgebirgen des Ufersaumes des eingefaßten Platzes war er gestanden.

Am sechsten Tage konnte er es nicht mehr so aushalten, wie es war, und er beschloß, der Sache ein Ende zu machen.

Er kleidete sich früh morgens sorgfältiger an, als er es gewöhnlich tat, und erschien so bei dem Frühstücke. Nachdem dasselbe vorüber war und er schon neben dem Oheime in dem Zimmer stand, sagte er: »Oheim, ich wünschte mit Euch etwas zu reden, wenn Ihr nämlich Zeit habt, mich anzuhören.«

»Rede«, sagte der Oheim.

»Ich möchte Euch die Bitte vortragen, mir in Gefälligkeit den Grund zu eröffnen, weshalb ich auf diese Insel kommen mußte, wenn Ihr nämlich einen besonderen Grund hattet; denn ich werde morgen meine Abreise wieder antreten.«

»Die Zeit bis zur Übernahme deines Amtes dauert ja noch über sechs Wochen«, antwortete der Oheim.

»Nicht mehr so lange, Oheim,« sagte Viktor, »nur noch fünfunddreißig Tage. Ich möchte aber noch einige Zeit, bevor ich in das Amt trete, in meinem zukünftigen Aufenthaltsorte zubringen und möchte deshalb morgen abreisen.«

»Ich entlasse dich aber nicht.«

»Wenn ich Euch darum bitte, und wenn ich Euch ersuche, mich morgen oder, wie es Euch gefällig ist, übermorgen in die Hul hinüberführen zu lassen, so werdet Ihr mich entlassen«, sagte Viktor bestimmt.

»Ich entlasse dich erst an dem Tage, an dem du notwendig abreisen mußt, um zu rechter Zeit bei deinem Amte eintreffen zu können«, erwiderte hierauf der Oheim.

»Das könnt Ihr ja nicht«, sagte Viktor.

»Ich kann es wohl,« antwortete der Oheim; »denn die ganze Besitzung ist mit einer starken Mauer umfangen, die noch von den Mönchen herrührt, die Mauer hat das Eisengitter zum Ausgange, das niemand anderer als ich zu öffnen versteht, und der See, welcher die fernere Grenze macht, hat ein so steiles Felsenufer, daß niemand zu dem Wasser hinunterkommen kann.«

Viktor, der von Kindheit an nie die kleinste Ungerechtigkeit hatte dulden können und der offenbar das Wort ›können‹ im sittlichen Sinne genommen hatte, wie es sein Oheim im stofflichen nahm, wurde bei den letzteren Worten im ganzen Angesichte mit der tiefsten Röte des Unwillens übergossen und sagte: »So bin ich ja ein Gefangener?«

»Wenn du es so nennst und meine Anstalten es so fügen, so bist du einer«, entgegnete der Oheim.

Viktors Lippen bebten nun, er konnte vor Erregung kein Wort sagen – dann aber rief er doch zu dem Oheime: »Nein, Oheim! das können Eure Anstalten nicht fügen, was Ihr beliebig wollt; denn ich gehe an das Felsenufer hinvor und stürze mich gegen den See hinunter, daß sich mein Körper zerschmettert.«

»Tue das, wenn du die Schwäche besitzest«, sagte der Oheim.

Nun konnte Viktor in der Tat keine Silbe mehr hervorbringen – er schwieg eine Weile, und es stiegen in ihm Gedanken auf, daß er sich an der Härte dieses abscheulichen Mannes rächen werde. Auf der andern Seite schämte er sich auch seiner kindischen Drohung und erkannte, daß sich selber zu verletzen kein wesentlicher Widerstand gegen den Mann wäre. Er beschloß daher, ihn durch Duldung auszutrotzen. Darum sagte er endlich: »Und wenn der Tag gekommen ist, den Ihr genannt habt, lasset Ihr mich dann in die Hul hinüberführen?«

»Ich lasse dich dann in die Hul hinüberführen«, antwortete der Oheim.

»Gut, so bleibe ich bis dahin,« entgegnete Viktor; »aber das sage ich Euch, Oheim, daß von nun an alle Bande zwischen uns zerschnitten sind, und daß wir nicht mehr in einem verwandtschaftlichen Verhältnisse stehen können.«

»Gut«, antwortete der Oheim.

Viktor setzte noch im Zimmer sein Barett auf das Haupt, zerrte den Spitz, den er bei sich hatte, an der Schnur hinter sich her und ging zur Tür hinaus.

Der Jüngling betrachtete sich nun von jeder Rücksicht, die er sonst gegen den Oheim beobachten zu müssen geglaubt hatte, frei und beschloß, fortan jede Handlungsweise sich zu erlauben, die ihm nicht von seinem Sittlichkeitsgefühle verboten oder von den Grenzen der offenbaren Gewalt unmöglich gemacht worden wäre.

Er ging von dem Oheime in sein Zimmer und schrieb dort über zwei Stunden. Dann ging er ins Freie. An der Treppentür war von innen und außen ein Ring, der als Klöppel diente. Wollte Viktor von nun an entweder hinein oder hinaus, so ging er nicht mehr, wie bisher, zu dem Oheime, daß er ihm öffne, sondern er stellte sich an die Tür und schlug mit dem Klöppel gegen dieselbe. Auf dieses Zeichen kam der Oheim allemal, wenn er in seinem Zimmer war, heraus und öffnete. War er selber im Freien, so stand die Tür ohnehin offen. Bei dem Mittagsmahle des ersten Tages redete Viktor nichts, der Oheim fragte ihn auch nichts, und als das Essen vorüber war, standen beide auf, und Viktor ging sogleich fort. Auf dieselbe Weise war das Abendmahl.

Viktor ging nun daran, alle Teile des eingeschlossenen Raumes zu durchforschen. Er drang in die Gebüsche, welche hinter dem Hause standen, er ging von Baum zu Baum und sah jeden an und untersuchte ihn um seine Eigenschaften und um seine Gestalt. Einmal drang er durch alle Gebüsche und Schlinggewächse, welche an der Innenseite der Einschlußmauer des Besitztumes waren, längs der ganzen Mauer dahin. Sie war, wie dumpfig und morsch sie auch an vielen Stellen von den unsäglichen Gewächsen, die an ihr wuchsen, war, dennoch überall ganz genug und fest genug. In dem

Hause, in welchem er mit dem Oheime wohnte, durchsuchte er alles Treppe auf, Treppe ab, Gang aus, Gang ein, aber es war bei diesen Untersuchungen nicht viel zu finden. Überall, wo sich eine Tür oder ein Tor zeigte, waren die Schlösser gut versperrt, zum Teile standen große, schwere Kästen davor, in denen einst Getreide oder dergleichen gewesen sein mochte, und hinderten auf ewig das Öffnen, wie ja auch die meisten Fenster der Gänge, wie Viktor gleich am ersten Tage bemerkt hatte, bis auf einen kleinen Teil, durch den das Licht kam, mit Brettern verschlagen waren. Außer den Gängen, die zwischen dem Speisezimmer und seinen zwei Wohnzimmern liefen, und außer der Treppe, über welche er in die Küche hinabgelangen konnte – welche zwei Dinge er ohnehin schon lange kannte –, entdeckte er im Hause seines Oheims nichts als etwa die Treppe, welche einst abwärts zu dem Ausgange geführt hatte, nun aber an einem Tor endete, das niedrig, verschlossen und mit Rost bedeckt war.

Was Viktor am meisten reizte, war das alte Kloster. Er ging an allen Seiten des grauen einsamen Vierecks herum, und eines Tages, da er in dem verfallenen Klostergarten war, von dem man die Türme sehen konnte, gelang es ihm, über eine niedere Quermauer, aus welcher er mehrere Ziegel herausbrechen konnte, in einen Zwinger zu steigen und aus demselben in innere, nicht verschlossene Räume zu kommen. Er wanderte durch einen Gang, wo die alten Äbte aus und ein gegangen waren, abgebildet waren, aus schwarzen Bildern niedersahen und blutrote Namen und Jahreszahlen zu ihren Füßen hatten. In die Kirche gelangte er und stand an den von Gold und Silber entblößten Altären – dann war er über manche von ewigem Treten zerschleifte Steinschwelle in zufällig offen stehende Zellen gekommen, in denen es nun hallte und wo dumpfe Luft stand. Zuletzt war er in die Türme gestiegen und hatte die ruhigen, verstaubten Glocken hängen gesehen. Als er wieder über die Quermauer in den Obstgarten hinaus geklettert war, lösete er den Spitz, den er an einem Strunke angebunden hatte und der indessen stille dagesessen war, wieder los und ging mit ihm fort.

Mehrere Tage darnach, als er mit dem Oheime den seltsamen Auftritt gehabt hatte, ging er einmal in das Bohlenhaus hinab, um sich, wie er es öfters getan hatte, mehrere Teile seines Körpers in dem erquickenden Wasser zu waschen. Als er auf den letzten Stufen so saß und, um sich abzukühlen, vor sich hinschaute, bemerkte er in der Tiefe des Wassers, weil ein ganz besonders schöner Tag war oder weil er jetzt überhaupt alles schärfer beobachtete, daß einer der Bohlenzähne des Tores, die in das Wasser hinabragten, kürzer sei als die andern und so eine Lücke bilde, durch die man vielleicht mittels Tauchen in den See hinaus gelangen könne. Er beschloß auf der Stelle, den Versuch zu machen. Zu diesem Zwecke ging er in seine Stube und holte sich sein Schwimmkleid. Da er mit demselben zurückgekommen war, sich ausgekühlt und entkleidet hatte, ging er der größeren Tiefe des Wassers zu, legte den Körper längs der Fläche, tauchte vorsichtig, schwamm vorwärts, hob das Haupt und war außer den Bohlen. Selbst den Spitz, welchem er die Schnur abgenommen hatte, konnte er, weil er schlank war, zwischen den Bohlen zu sich hinausbringen. Nun schwamm er freudig in großen Kreisen aufwärts und abwärts des Bohlentores in dem tiefen See herum. Der Spitz neben ihm. Als seine Kraft gesättigt war, näherte er sich wieder der Bohlenlücke, tauchte und kam unter die Kahnpflöcke und unter das Bohlenhaus hinein. Er kleidete sich nach diesem Bade an und ging fort. Das tat er nun alle Tage. Wenn die größte Hitze sich milderte, ging er in das Schiffhaus, machte sich schwimmgerecht und schwamm, solange es ihm gefiel, außer dem Bohlentore herum.

Es fiel ihm wohl in dieser Zeit ein, daß er seine Kleider nebst einem Vorrate von Brot durch die Bohlen hinausschaffen und sie, an eine Schnur gebunden, schwimmend hinter sich herziehen könnte, bis er das nächste hereingehende Ende der

Anschlußmauer umschwommen hätte. Dort könnte er aussteigen, in einem Verstecke die Kleider trocknen und sie dann anziehen. Es würde doch möglich sein, wenn das Brot nur aushielte, eine Zeit zu erwarten, in der man ein auf dem See fischendes Schiffchen herzu rufen könnte. Ja selbst das fiel ihm in Zeitpunkten der erregtesten Einbildungskraft ein, daß er mit einiger Anstrengung seiner Körperkräfte und mit Aufrufung seines Geistes von der Insel etwa bis an den Orlaberg hinüber schwimmen könnte, wo er sich dann durch Klettern und Wandern in die Hul hinüber finden müßte. Es kam ihm die Ungeheuerlichkeit dieses Wagestückes nicht so ungeheuer vor, weil ja auch die Mönche einmal über den Orla in die Hul gestiegen sind, und noch dazu im Winter; aber das bedachte er nicht, daß die Mönche Männer waren, die das Gebirge kannten, er aber ein Jüngling sei, der in diesen Dingen gar keine Erfahrung besitze. Aber wie lockend auch alle diese Vorspiegelungen sein mochten, so konnte er doch keiner derselben eine Folge geben, weil er dem Oheime versprochen hatte, bis zu dem notwendigen Tage dazubleiben – und dieses Versprechen wollte er halten. Darum kam er von dem Schwimmen immer wieder unter dem Bohlentore herein.

Außer dem Schwimmen brachte er die andere Zeit mit anderen Dingen hin. Er hatte jede und alle Stellen des eingeschlossenen Raumes schon besucht und kennengelernt. Er wurde nun auf das Gehen und Kommen der Lichter auf den Bergen aufmerksam und erkannte nach und nach die Schauer der Farben, die über sie gingen, wenn gemach die Tageszeiten wechselten oder wenn die Wolken schneller an der blanken Decke des Himmels hinliefen. Oder er horchte durch die toten Lüfte, wenn er so saß, wenn die Sonne am Mittage stand oder eben am Bergrande untergegangen war, ob er denn nicht das Gebetglöcklein der Hul hören könne – denn auf der Insel war wirklich weder der Schlag einer Turmuhr noch der Klang einer Glocke zu vernehmen: – aber er hörte niemals etwas, denn die grüne, dichte Baumwand des größeren Teiles der Insel war zwischen seinem Ohre und dem Klange, den er damals abends so schön an dem Felsenufer gehört hatte. – Es waren nach lange dauernden Sternnächten – denn Viktor war zur Zeit des abnehmenden Mondes gekommen – endlich auch sehr schöne Mondnächte erschienen. Viktor öffnete da gerne seine Fenster und sah, da er von Menschen geschieden war, das zauberhafte Flimmern und Glitzern und Dämmern auf See und Felswänden und sah die schwarzen, vom Lichte nicht getroffenen Blöcke mitten in dieser Flirrwelt wie Fremdlinge schweben.

Mit Christoph und der alten Magd, wenn sie ihm begegneten, redete er kein Wort, weil er es nicht für würdig hielt, da er schon mit dem Herrn nicht spreche, mit seinen Dienern Reden zu wechseln.

So ging die Zeit nach und nach dahin.

Eines Tages, als er gegen fünf Uhr über den Blumenplatz gegen das Bohlenhaus zuschritt, um zu schwimmen, und wie gewöhnlich den armen Spitz an der Schnur hinter sich herzog, redete ihn der Oheim, der nach seiner Art auf einer Bank in der Sonne saß, an und sagte: »Du darfst den Hund nicht so an der Schnur führen, du kannst ihn schon frei mit dir gehen lassen, wenn du willst.«

Viktor warf seine Augen erstaunt gegen den Mann und sah wenigstens keine Unehrlichkeit in seinem Angesichte, wenn auch sonst nichts anderes.

Am folgenden Tage ließ er den Spitz des Nachmittags versuchsweise frei. Es geschah ihm nichts, und er ließ ihn von nun an alle Tage frei mit sich gehen.

So verfloß wieder einige Zeit.

Ein anderes Mal, als Viktor eben schwamm und zufällig seine Augen emporrichtete, sah er den Oheim in einer Tür, die sich aus dem Dache des Bohlenhauses öffnete, stehen und auf ihn herunterschauen. In den Mienen des alten Mannes schien sich Anerkennung auszusprechen, wie der Jüngling so geschickt die Wasserfläche teilte und öfter mit freundlichen Augen auf den Hund sah, der neben ihm herschwamm. Auch die hohe Schönheit des Jünglings war eine sanfte Fürbitte für ihn, wie die Wasser so um die jugendlichen Glieder spielten und um den unschuldsvollen Körper flossen, auf den die Gewalt der Jahre wartete und die unenträtselbare Zukunft des Geschikkes. -- Ob sich auch etwas Verwandtschaftsneigung in dem alten Manne gegen das junge, einzige Wesen regte, das ihm an Blut näher stand als alle übrigen auf der Erde – wer kann es wissen? Auch ob er heute das erste Mal oder schon öfter zugeschaut hatte, war ungewiß; denn Viktor hatte früher nie gegen das Bohlentor emporgeblickt; – aber am andern Tage um fünf Uhr nachmittags, als Viktor über den Gartenplatz ging, den Oheim an den Blumen, der einzigen lieblichen Beschäftigung, bei der er ihn je erblickt hatte, herumarbeiten sah und, ohne ihn anzureden, vorübergegangen war, fand er zu seiner größten Überraschung, da er in das Schiffhaus gekommen war, eine der Bohlentüren offen stehen. Er war geneigt, dieses Ereignis irgendeinem ihm unbekannten Umstande zuzuschreiben; allein am nächsten Tage und alle folgenden Tage stand um fünf Uhr das Bohlenhaus offen, während es den ganzen übrigen Teil des Tages immer gesperrt war.

Viktor wurde durch diese Sachen aufmerksam und erkannte leicht, daß er von dem Oheime beobachtet werde.

Als er, weil die Zeit gar so todlangsam hinging, wieder einmal, was er seit seiner Gefangenschaft aus Stolz nie getan hatte, sehnsüchtig an dem eisernen Gitter der Einschlußmauer stand und sein Angesicht zwischen zwei Stäbe legte, um hinauszuschauen, hörte er plötzlich in dem Eisen ein Rasseln; eine Kette, die er schon öfter an den Stäben bemerkt hatte, wie sie emporging und sich in die Mauer verlor, bewegte sich, und in dem Augenblicke fühlte er an dem sanften Nachgeben der Stäbe auswärts, daß das Gitter offen sei und ihn hinauslasse. Er ging hinaus und ging in einigen Teilen der Insel herum. Er hätte jetzt die Gelegenheit zur Flucht benützen können, aber weil ihn der Oheim freiwillig hinausgelassen hatte, benützte er sie nicht und begab sich wieder freiwillig in sein Gefängnis. Bei seiner Annäherung an das Gitter war dasselbe zu, öffnete sich aber, als er herantrat, und ließ ihn herein, sich hinter ihm wieder schließend.

Durch alle diese Sachen hätte Viktor weicher werden müssen, wenn der Mann nicht schon vorher am sanftesten sein Herz dadurch gerührt hätte, daß er ihm den Spitz freigemacht hatte.

Der Jüngling fing nun folgerechterweise auch seinerseits an, den Greis näher zu beobachten und oftmals zu denken: ›Wer weiß, ob er so hart ist und ob er nicht vielmehr ein unglücklicher alter Mann sei.‹

So lebten die zwei Menschen nebeneinander hin, zwei Sprossen desselben Stammes, die sich hätten näher sein sollen als alle andern Menschen und die sich so ferne waren wie keine andern – zwei Sprossen desselben Stammes und so sehr verschieden: Viktor das freie, heitere Beginnen, mit sanften Blitzen des Auges, ein offener Platz für künftige Taten und Freuden – der andere das Verkommen, mit dem eingeschüchterten Blicke und mit einer herben Vergangenheit in jedem Zuge, die er sich einmal als einen Genuß, also als einen Gewinn, aufgeladen hatte. In dem ganzen Hause lebten nur vier Personen: der Oheim, der alte Christoph, Rosalie, so hieß die alte Haushälterin und Köchin, und endlich das blödsinnige, auch schon alte Mädchen Agnes, welche Rosaliens Handlangerin war. Unter diesen alten Menschen und neben dem alten Gemäuer ging Viktor herum wie ein nicht hieher gehöriges Wesen. Sogar die Hunde waren sämtlich alt; die Obstbäume, die sich vorfanden, waren alt; die steinernen Zwerge, die Bohlen im Schiffhause waren alt! Nur einen Genossen hatte Viktor, der blühend war wie er, nämlich die Laubwelt, die lustig in der Verfallenheit sproßte und keimte.

Viktor hatte sich schon früher öfter mit einer Tatsache beschäftigt, die ihn nachdenken machte. Er wußte nämlich nicht, wo sein Oheim das Schlafzimmer habe, und konnte es trotz aller Beobachtungen nicht entdecken. Er dachte daher, vielleicht verberge er es gar aus Mißtrauen. Einmal, da der Jüngling über die Treppe in die Küche hinabgeriet, hörte er eben die Haushälterin sagen: »Er traut ja niemanden; wie könnte man ihm denn beibringen, daß er aus der Hul einen Menschen in Dienst nehme? das tut er nicht. Er rasiert sich darum selbst, daß ihm niemand den Hals abschneide, und er sperrt nachts die Hunde ein, daß sie ihn nicht fressen.«

An diese Umstände äußerster Hülflosigkeit mußte Viktor nun immer denken, und dies um so mehr, als sich gerade jetzt gegen ihn mildere Zeichen einstellten. Die eiserne Gittertür im Gange zu seinem Schlafzimmer wurde nicht mehr gesperrt, das Bohlentor stand zur Schwimmzeit regelmäßig offen, und zum eisernen Hauptgitter der Mauer hatte Viktor statt eines Schlüssels ein Pfeifchen von dem Oheime empfangen, auf dessen Pfiff das Gitter sich öffnete; denn es war nicht wie gewöhnlich zu sperren und zu öffnen, sondern durch eine Vorrichtung von einem Zimmer des Oheims aus, man wußte nur nicht, von welchem.

Die ersten ordentlichen Unterredungen zwischen den zwei Verwandten wurden durch eine seltsame Veranlassung eingeleitet, man könnte sagen: aus Neid. Da nämlich eines Abends Viktor von einem Streifzuge durch die Insel, wie er sie jetzt öfters machte, in Begleitung aller vier Hunde zurückkam – auch der des Oheims; denn sie hatten sich schon länger an ihn angeschlossen und waren in seiner und des Spitzes Gesellschaft lustiger und rühriger geworden, als sie es früher gewesen waren –, sagte der Oheim, der zufälligerweise noch in dem Garten war und dieses sah: »Dein Spitz ist auch weit besser als meine drei Bestien, denen nicht zu trauen ist. Ich weiß nicht, wie sie sich so an dich hängen?«

Dem Jünglinge fuhren auf diese Rede die Worte, weil sie ihm so nahelagen, aus dem Munde: »Habt sie nur lieb, wie ich den Spitz, und sie werden auch so gut sein.«

Der Mann sah ihn mit sonderbar forschenden Augen an und sagte gar nichts auf diese Rede. Aber sie wurde der Anker, an den abends bei Tische andere Gespräche über andere Gegenstände angeknüpft wurden. Und so ging es dann weiter, und Oheim und Neffe sprachen jetzt wieder miteinander, wenn sie zusammenkamen, was namentlich bei den drei Mahlzeiten des Tages der Fall war.

Besonders lebhaft wurde Viktor einmal, da ihn der Greis zufällig oder absichtlich veranlaßte, von seiner Zukunft und von seinen Plänen zu reden. Er werde jetzt in sein Amt eintreten, sagte Viktor, werde arbeiten, wie es nur seine Kraft vermag, werde jeden Fehler, den er antreffe, verbessern, werde seinen Obern alles vorlegen, was zu ändern sei, werde kein Schlendern und keinen Unterschleif dulden – in freien Stunden werde er die Wissenschaften und Sprachen Europas vornehmen, um sich auf künftige Schriftstellerarbeiten vorzubereiten, dann wolle er auch das Kriegswesen kennenlernen, um in dem höheren Staatsdienste einmal den ganzen Zusammenhang überschauen zu können oder in Zeiten der Gefahr selbst zu Feldherrndiensten tauglich zu sein. Wenn er sonst noch Talent habe, so möchte er auch die Musen nicht ganz vernachlässigen, ob ihm vielleicht etwas gelänge, was sein Volk zu begeistern und zu entflammen vermöge.

Der Oheim hatte während dieser Rede Kügelchen aus Brot gedreht und hatte, lächelnd mit den schmalen, zusammengekniffenen Lippen, zugehört.

»Wenn du nur das alles zusammenbringst,« sagte er, »jetzt kannst du schon gut schwimmen, das heißt ziemlich gut; ich habe dir gestern wieder eine Weile zugeschaut – aber der Bogen der rechten Hand ist noch ein wenig zu kurz, es ist, als zögest du die Hand zurück, und die Fußbewegung ist auch noch zu heftig. Willst du denn nicht auch einmal zu jagen versuchen? Verstehst du ein Gewehr loszuschießen und zu laden? Ich gebe dir ein paar aus meiner Gewehrkammer, und du kannst damit durch die ganze Insel herumgehen.«

»Freilich verstehe ich ein Feuergewehr zu behandeln,« antwortete Viktor, »aber die Singvögel, die ich hier sehe, mag ich nicht schießen; denn sie erbarmen mir zuviel, und auf der ganzen Insel sehe ich nur veraltete Obstbäume und junges, darüber wachsendes Waldlaub, da wird schwerlich ein Fuchs oder ein anderes schießbares Wild sein.«

»Du wirst schon finden, nur muß man das Suchen verstehen.«

Mit diesen Worten trank der Oheim seinen Wein aus, aß sein Zuckerwerk und ließ den Gegenstand fallen. Hierauf gingen sie bald schlafen. Viktor wurde jetzt nicht mehr wie in den ersten Tagen von seinem Oheime in das Schlafgemach geleitet, sondern seit das Schlafgitter nicht mehr gesperrt wurde, zündete er sich nach Beendigung des Mahles ein Licht an, wünschte dem Oheim gute Nacht und verfügte sich mit dem Spitz, der jetzt auch in Eintracht mit den andern Hunden aß, in seine zwei Gemächer.

In diesen Verhältnissen verging endlich alle Zeit, die Viktor nach dem eigentlich erzwungenen Vertrage noch auf der Insel zu verleben gehabt hatte. Er war nie in Versuchung gekommen, etwas über diese Sachlage zu sagen, weil er zu stolz dazu war. Aber als der letzte Tag vergangen war, den er noch da sein konnte, um dann zu rechter Zeit in sein Amt einzutreffen, pochte ihm das Herz in dem Leibe. Man war mit dem Abendmahle fertig. Der Oheim war aufgestanden und kramte in allerlei Papieren und schob sie nach Art des Alters mit ungeschickten Händen durcheinander. Dann legte er sie aber samt und sonders in einen Winkel und ließ sie dort liegen. Viktor sah schon aus dem ganzen Benehmen, daß der Greis nichts mehr über den Gegenstand sagen werde, er nahm daher sein Licht und begab sich zu Bette.

Das Frühstück wurde am andern Tag mit derselben Langsamkeit verzehrt wie bisher immer. Viktor hatte auf seiner Stube sein Ränzlein vollständig gepackt und saß jetzt auf seinem Frühmahlstuhle und wartete, was der Oheim beginnen werde. Der alte Mann, der mit dem schlotternden grauen Rocke angetan war, stand auf und ging ein paarmal durch die Tapetentür ein und aus. Dann sagte er zu Viktor: »Du wirst dieser Tage, heute oder morgen, fort wollen?«

»Heute, Oheim, muß ich fort, wenn ich nicht zu spät kommen soll«, antwortete Viktor.

»Du kannst ja draußen in Attmaning Fahrgelegenheit nehmen.«

»Das ist schon eingerechnet, das muß ich ohnehin tun«, sagte Viktor; »denn da Ihr nichts über die Sache erwähntet, habe ich bis zu dem letzten Augenblicke gewartet.«

»Du mußt also heute,« sagte der Greis zögernd, – »du mußt – wenn du also mußt, so soll dich Christoph überführen, wie ich es gesagt habe. Sind deine Habseligkeiten schon in Ordnung?«

»Ich habe bereits gestern alles eingepackt.«

»Gestern hast du schon eingepackt –– und freust dich also sehr – so, so, so! –– Ich wollte doch noch etwas zu dir sagen –– was wollte ich sagen? –– Höre, Viktor!«

»Was, Oheim?«

»Ich denke – und meine – wenn du es nun versuchtest, wenn du freiwillig noch ein wenig bei einem alten Manne bliebest, der niemanden hat.«

»Wie kann ich denn?«

»Deinen Urlaub hätte ich da – warte, in den Pfeifentisch, glaube ich, habe ich ihn gelegt.«

Mit diesen Worten schob der Oheim nun mehrere Fächer an dem Tische und Schreine, auf denen die Pfeifen und Beutel waren, aus und ein, bis er aus einem ein Papier hervorzog und es an Viktor hinreichte.

»Siehst du da.«

Der Jüngling war im höchsten Grade erstaunt und verlegen; denn das Papier war in der Tat ein Urlaub auf unbestimmte Zeit.

»Du kannst es nun halten, wie du willst«, sagte der Oheim.

»Ich lasse dich sogleich überführen – aber ich habe dich ersucht, noch ein wenig dazubleiben, ob wir vielleicht gut miteinander lebten. Du kannst während der Zeit in die Hul, oder wohin es dir sonst gefällt, fahren, und wenn du endlich abreisen willst, so kannst du abreisen.«
Viktor wußte nicht, wie ihm war. Er hatte lange auf den heutigen Tag gewartet – nun sah er den merkwürdigen Mann, den er eigentlich haßte, vor sich stehen und bitten. Das alte, eingeschrumpfte Angesicht kam ihm unsäglich verlassen vor – ja es war ihm, als zittere sogar irgendein Gefühl darinnen. Das gute, schöne Herz, das der Jüngling immer gehabt hatte, regte sich in ihm. Nur einen Augenblick stand er, dann sagte er mit der Offenheit, die ihm eigen war: »Ich will gerne noch eine Zeit dableiben, Oheim wenn Ihr es wünscht und nach Einsicht und Gründen für gut erachtet.«
»Ich habe keinen andern Grund, als daß du noch ein wenig da seist«, sagte der alte Mann.
Dann nahm er das Papier, welches den Urlaub enthielt, von dem Tische und legte es, nachdem er drei Fächer versucht hatte, in ein viertes, in dem Steine staken.
Viktor, der heute morgens, nicht ahnend, daß sich die Sache so entwickeln werde, seine Zimmer verlassen hatte, begab sich nun in dieselben zurück und packte langsam sein Ränzlein aus. Er war nun doppelt ungewiß und doppelt gespannt, wohin das alles ziele und was das sei, daß der Oheim sich eigens Mühe gegeben habe, ihm schon einen Urlaub auszuwirken, ehe er noch in das Amt eingerückt sei. – Einen Augenblick zuckte es ihm durch das Haupt: wie? wenn es Zuneigung wäre, wenn der Mann doch ein lebendiges, menschliches Wesen lieber hätte als die tote, starre Fülle von Dingen und Kram, womit er sich umringte? Aber dann fiel ihm ein, mit welcher Gleichgültigkeit der Greis das Papier von dem Tische weggenommen und ein Fach gesucht habe, in das er es verbergen könne. Viktor hatte überhaupt schon länger bemerkt, daß der Oheim nie ein Ding wieder in die nämliche,

sondern stets in eine neue Lade lege. Und bei dem Herumsuchen hatte er den Jüngling nicht beobachtet und ihn hinausgehen lassen, ohne ihn anzureden.

So war er also wieder da.

In dem Hause hatte der Oheim ein Bücherzimmer, aber er las seit langem nichts mehr, so daß Staub und Motten in den Werken waren. Zu diesem Zimmer gab er Viktor den Schlüssel, und diesen freute die Sache sehr. Er hatte nie eine Büchersammlung gesehen, außer den öffentlichen der Stadt, in denen er aber, wie es begreiflich ist, nicht herumsuchen durfte. Er merkte sich den Gang und ging oft in das Zimmer. Er stellte die Leiter an alle Fächer, putzte zuerst alle Bücher, und dann las und betrachtete er die Dinge, wie sie ihm in die Hand kamen und wie sie ihn anzogen.

Großes Vergnügen gewährte es ihm auch, wenn er auf die Diele des Bohlenhauses gehen und aus der Tür, von der ihm der Oheim zugeschaut hatte, in den See hinabspringen konnte. Die Mönche hatten die Tür und die Diele gehabt, um Dinge aus dem Schiffe gleich aufziehen zu können, die sonst schwer über die Treppe emporzubringen gewesen wären. Aus dem Büchsenschranke des Oheims hatte er sich doch ein schönes altdeutsches Gewehr herausgenommen und freute sich, es zu putzen und trotz seiner Ungefügigkeit loszuschießen. Seit langem mochten das wieder die ersten Knalle auf der Insel sein, welche den Widerhall der Berge erweckten. Christoph hatte dem Jünglinge einen finstern Gang gezeigt, durch welchen man gleich aus dem Hause des Oheims in das Kloster hinübergehen konnte. Auch hatte er dem Jüngling manche Räume aufgesperrt, die sonst immer verschlossen waren. Er zeigte ihm den großen Saal, in welchem goldene Leisten und Verzierungen waren, die Fenster weiß, grau und blau bemalt schimmerten, lange hölzerne Bänke an der Wand hin liefen, auf denen die Mönche gesessen waren, und ein ungemein großer Ofen stand, in welchem die einzelnen Täfelchen bunt eingebrannte Heiligenbilder und Geschichten enthielten. Er zeigte ihm das Kapitelzimmer, wo beraten wurde und jetzt nur mehr die schlichten rohen Holzbänke standen und wenige dagelassene wertlose Bilder hingen. Er zeigte ihm die leere Schatzkammer, er zeigte ihm die Sakristei, wo die Fächer der Kelche offen standen und nichts als die verschossene, einst dunkelrote Ausfütterung zeigten und wo die Laden, einst der Aufbewahrung der Paramente, nun Staub enthielten. Zurück gingen sie durch die Kirche, die Kreuzgänge und die Sommerabtei, wo noch manch schönes Bild, manche Holz- und Steinverzierung unberührt starrte, weil man deren Wert nicht gekannt hatte, als man die Dinge aus dieser Gotteswohnung fortschaffte.

Nicht bloß in den Gebäuden und auf der ganzen Insel durfte Viktor herumgehen und alles untersuchen, sondern der Oheim bot ihm auch an, daß er ihn in einem Kahne an alle Punkte des Sees fahren lassen wolle, wohin er nur verlange. Der Jüngling hatte wenig Gebrauch davon gemacht, weil er eigentlich, der nie in dem hohen Gebirge gewesen war, nicht wußte, wie er die Schätze desselben heben soll, daß sie ihm freude- und gewinnbringend würden. Er fuhr nur selber zweimal zu dem Orla hinüber und stand an dem Ufer und sah die hohen, grauen und zeitweise flimmernden Wände an.

Trotz allem begann sich allgemach in Viktor die Reue zu regen, daß er wieder dageblieben sei; namentlich da er nicht Zweck und Ursache des ganzen Verfahrens zu ermitteln imstande war.

»Ich werde dich doch nun bald fortlassen«, sagte der Oheim eines Tages nach dem Mittagtische, da eben ein prachtvolles Gewitter über die Grisel ging und den rauschenden Regen wie Diamantengeschosse in den See niedersandte, daß er sich in kleinen Sprüngen regte und wallte. Sie waren aus der Ursache dieses Gewitters etwas länger bei dem Tische sitzengeblieben.

Viktor antwortete auf die Rede gar nichts, sondern horchte, was ferner kommen würde.

»Es ist zuletzt doch alles vergeblich,« hob der Oheim wieder mit langsamer Stimme an, »es ist doch vergeblich – Jugend und Alter taugen nicht zusammen. Siehe, du bist gut genug, du bist fest und aufrichtig und bist mehr, als dein Vater in diesen Jahren war. Ich habe dich die Zeit her beobachtet, und man dürfte vielleicht auf dich bauen. Du hast einen Körper, den die natürliche Kraft stark und schön gemacht hat, und du übst gerne die Kraft, sei es, daß du unter den Felsen herumgehst oder in der Luft wanderst oder in dem Wasser schwimmst –– aber was hilft das alles? Es ist für mich ein Gut, das weit, ja sehr weit jenseits aller Räume liegt. Mir sagte schon immer die heimliche Stimme: du wirst es nicht erreichen, daß sein Auge auf dich schaut, du wirst das Gut seines Herzens nicht erlangen, weil du es nicht gesäet und gepflanzt hast. Ich erkenne, daß es so ist. Die Jahre, die da zu nützen gewesen wären, sind nun vorüber, sie neigen jenseits der Berge hinunter, und keine Gewalt kann sie auf die erste Seite herüberzerren, auf der nun schon die kalten Schatten sind. Darum gehe nur zu dem alten Weibe, von dem du kaum mehr einen Brief erwarten kannst – gehe hin und sei dort heiter und freudig.«

Viktor war im äußersten Maße betroffen. Der Greis saß gerade so, daß die Blitze in sein Antlitz leuchteten, und manchmal war es in dem dämmrigen Zimmer, als ob das Feuer durch die grauen Haare des Mannes flösse und ein rieselndes Licht über seine verwitterten Züge ginge. War dem Jünglinge früher das inhaltlose Schweigen und die tote Gleichgültigkeit an dem Manne öde und bekümmernd gewesen, so war er nun durch diese Aufregung um so ergriffener. Der Alte hatte seinen langen Körper in dem Lehnstuhle aufgerichtet, und er zeigte fast tiefe Bewegung. Eine Weile antwortete der Jüngling nichts auf die Rede des Oheims, die er mehr ahnte als verstand. Dann aber sagte er: »Ihr habt von Briefen geredet, Oheim; ich bekenne aufrichtig, daß es mich schon sehr unruhig gemacht, daß ich auf die mehreren

Briefe, die ich nach Hause sandte, noch immer keine Antwort habe, obwohl Christoph schon mehr als zwanzigmal, seit ich hier bin, in der Hul und in Attmaning draußen gewesen ist.«

»Ich wußte es wohl,« antwortete der Oheim, »aber du kannst gar keine Antwort erhalten.«

»Warum denn nicht?«

»Weil ich es so eingerichtet und mit ihnen verabredet habe, daß sie dir, solange du hier bist, nicht schreiben. Sie sind im übrigen, wenn du bekümmert sein solltest, alle wohl und gesund.«

»Das ist nicht gut, Oheim, daß Ihr das getan habt,« sagte Viktor ergriffen, »die Worte, welche mir meine Ziehmutter in einem Briefe geschickt hätte, hätte ich sehr gerne empfangen.«

»Siehst du, wie du das alte Weib liebst,« sagte der Oheim, »ich habe es immer gedacht!«

»Wenn Ihr jemanden liebtet, so würde Euch wieder jemand lieben«, antwortete Viktor.

»Dich hätte ich geliebt«, schrie der Greis heraus, daß Viktor fast erzitterte. Es war einige Augenblicke stille.

»Und der alte Christoph liebt mich,« fuhr er fort, »und vielleicht auch die alte Magd.«

»Was schweigst du denn?« sagte er nach einiger Zeit zu dem Jünglinge – »wie sieht es denn mit der Gegenliebe aus? Nun, so rede einmal.«

Viktor schwieg und wußte kein einziges Wort herauszubringen.

»Siehst du,« sagte der Greis wieder, »ich habe es ja gewußt. Sei nur ruhig, es ist alles gut, es ist schon gut. Du willst fort, und ich werde dir ein Schiff geben, daß du fort kannst. – So lange wirst du doch warten, bis der Regen vorüber ist?«

»So lange und noch länger, wenn Ihr Ernstliches mit mir zu reden habt,« sagte der Jüngling, »aber das werdet Ihr doch erkennen müssen, daß keine bloße bittere Willkür einen Menschen binden könne. Es ist doch seltsam, wenn man das geringste Wort dafür wählen soll, daß Ihr mich anfangs auf dieser Insel gefangen hieltet, auf die Ihr mich zuvor gerufen habt und auf die ich im Vertrauen kam, weil Ihr es verlangtet und weil der Vormund und die Mutter mir es ans Herz legten. Ferner ist es seltsam, daß Ihr mich von den Briefen meiner Mutter abschneidet, und noch seltsamer ist es, was vielleicht vorher vorgefallen ist, vielleich nicht.«

»Du redest, wie du es verstehst«, antwortete der Oheim, indem er den Jüngling lange ansah. »Dir mag manches herbe erscheinen, dessen Ziel und Ende du nicht begreifst. Es ist da nichts Seltsames in dem, was ich tat, sondern es ist klar und deutlich. Ich wollte dich sehen, weil du einmal mein Geld erbst, und ich wollte dich deshalb lange sehen. Es hat mir niemand ein Kind geschenkt, weil alle Eltern die ihrigen selber behalten; wenn einer meiner Bekannten gestorben ist, bin ich irgendwo anders hingezogen, und endlich kam ich auf diese Insel, deren Grund und Boden samt dem Hause, das einmal das Gerichtshaus der Mönche gewesen ist, ich erworben habe, und wo ich Gras und Bäume wachsen lassen wollte, wie sie wuchsen, um unter ihnen herumzuwandeln. Ich wollte dich sehen. Ich wollte doch deine Augen, deine Haare, deine Glieder, und wie du sonst bist, sehen, so wie man einen Sohn ansieht. – Ich mußte dich daher allein haben und festhalten. Wenn sie dir immer schreiben, so halten sie dich in derselben süßlichen Abhängigkeit wie bisher. Ich mußte dich in die Sonne und in die Luft hervorreißen, sonst wirst du ein weiches Ding, wie dein Vater, und wirst, wie er, so nachhaltlos, daß du das verrätst, was du zu lieben meinest. Du bist wohl stärker geworden als er, du stößest mit deinen Waffen wie ein junger Habicht zu; das ist schon recht, ich lobe es: aber du solltest doch dein Herz nicht an bebenden Weibern üben, sondern an Felsen – und ich wäre eher ein Fels als etwas anders. Daß ich dich so festgehalten habe, mußte sein; wer zuweilen nicht den Steinblock der Gewalttat schleudern kann, der vermag auch nicht von Urgrund aus zu wirken und zu helfen. Du weisest bei Gelegenheit die Zähne und hast doch ein gutes Herz. Das ist recht. Du wärest endlich doch ein Sohn geworden, es hätte dich hingerissen, mich zu achten und zu lieben – und wenn du das getan hättest, dann wären dir die andern zahm und klein gewesen, die auch an mir nie bis zum Innern dringen konnten. Aber ich erkannte, daß, bis du dahin kämest, eher hundert Jahre vergingen, und darum gehe, wohin du willst, es ist alles aus. – – Wie oft habe ich dich verlangt, daß sie dich senden sollen, ehe sie es taten. Dein Vater hätte dich *mir* geben sollen – aber er hat gemeint, ich sei ein Raubtier, das dich zerrisse; ich hätte dich eher zu einem Adler gemacht, der die Welt in seinen Fängen hält und sie auch, wenn es sein muß, in den Abgrund wirft. Allein er hat zuerst das Weib geliebt, dann hat er es verlassen und war doch nicht stark genug, dasselbe auf immer von hinnen zu tun, sondern er dachte stets an dasselbe und steckte dich, da er starb, unter die Flügel desselben, daß du fast eine Henne würdest, um Küchlein zu locken und nur zu kreischen, wenn ein Pferdehuf eins zertritt. Schon diese wenigen Wochen bei mir bist du mehr geworden, da du gegen Gewalt und Druck ankämpfen mußtest, und du würdest immer mehr werden. Ich habe verlangt, daß du den Weg zu Fuße hieher machest, daß du die Luft, die Müdigkeit, die Selbstbezwingung ein wenig kennen lernest. Was ich nach dem Tode deines Vaters Hippolyts tun konnte, tat ich, du wirst es gleich später hören. Ich ließ dich auch zu dem Zwecke zu mir kommen, daß ich dir nebst andern, was du hier solltest, einen guten Rat gäbe, den dir weder der Federmann, dein Vormund, noch das Weib geben können und den du dann beliebig befolgen kannst oder nicht. Weil du vielleicht heute noch, gewiß aber morgen fortgehen willst, will ich dir den Rat sagen. Höre mich. Du hast also im Sinne, in ein Amt zu treten, das sie dir verschafften, damit du dein Brot hast und versorgt bist?«

»Ja, Oheim.«

»Siehst du, und ich habe dir schon einen Urlaub ausgewirkt.

Wie nötig mußt du also sein, und wie wichtig das Amt, das unausgefüllt auf dich warten kann. Einen Urlaub auf unbestimmte Zeit habe ich hier. Ich kann jeden Augenblick einen Abschied haben, sobald ich nur will. Das Amt bedarf also nicht deiner einzelnen bestimmten Fähigkeiten, ja es harrt schon einer, der nach deinem Austritte das Amt braucht. Du kannst auch jetzt noch in der Tat gar nichts leisten, was wirklich des Antrittes eines Amtes wert wäre, da du kaum ein Jüngling geworden bist und kaum erst ein Sandkorn von der Erde bekommen hast, daß du es kennen lernest – und du kennst es noch nicht einmal. Wenn du also jetzt einträtest, so könntest du höchstens etwas wirken, was niemand frommt und was dir doch langsam das Leben aus dem Körper frißt. Ich wüßte dir etwas anderes. Das Größte und Wichtigste, was du jetzt zu tun hast, ist: heiraten mußt du.«

Viktor richtete sein klares Auge gegen ihn und fragte: »Was?!«

»Heiraten mußt du – eben nicht auf der Stelle, aber jung mußt du heiraten. Ich werde dir das zeigen. Jeder ist um sein selbst willen da. Das sagen wohl nicht alle, aber sie handeln alle so. Und die es nicht sagen, deren Handlungen sind oft desto ungeschlachter selbstsüchtig. Das wissen die auch recht gut, die sich dem Amte widmen: denn das Amt ist ihnen der Acker, welcher Früchte geben soll. Jeder ist seiner selbst willen da; aber nicht jeder kann es machen, daß er da ist, und mancher streckt sein Leben für etwas dahin, das weniger ist als sieben Pfennige. Der Mann, der zu deinem Schutze aufgestellt ist, meinte gut zu sorgen, wenn er beizeiten dein junges Blut einpferche, ganz allein dazu, damit du immer satt zu essen und zu trinken habest; das Weib in ihrer kleinen Gutherzigkeit darbte ein Sümmchen zusammen, ich weiß sogar genau, wie groß es ist, ein Sümmchen, wofür du dir auf einige Zeit Strümpfe anschaffen kannst. Sie hat es wohl gut gemeint, wohl am besten; denn sie ist in ihrem Willen vortrefflich. Aber was soll das alles? – – Jeder ist um sein selbst willen da, aber nur dann ist er da, wenn alle Kräfte, die ihm beschieden worden sind, in Arbeit und Tätigkeit gesetzt werden – denn das ist Leben und Genuß –, und wenn er daher dieses Leben ausschöpft bis zum Grunde. Und sobald er so stark ist, seinen Kräften allen, den großen und kleinen, nur allen, diesen Spielraum zu gewinnen, so ist er auch für andere am besten da, wie er nur immer da zu sein vermochte, wie es ja gar nicht anders sein kann, als daß wir auf die wirken, die rings um uns gegeben sind; denn Mitleid, Anteil, Hülfreichigkeit sind ja auch Kräfte, die ihre Tätigkeit verlangen. Ich sage dir sogar, daß die Hingabe seiner selbst für andere – selber in den Tod –, wenn ich den Ausdruck gebrauchen darf, gerade nichts anders ist als das stärkste Aufplatzen der Blume des eigenen Lebens. Wer aber in seiner Armut nur eine Lebenskraft einspannt, um nur eine einzige Forderung zu stillen, etwa gar die des Hungers, der ist für sich selber in einer einseitigen und kläglichen Verrückung, und er verdirbt die, die um ihn sind. – O Viktor, kennst du das Leben? kennst du das Ding, das man Alter heißt?«

»Wie sollte ich, Oheim, da ich noch so jung bin?«

»Ja, du kennst es nicht, und du kannst es auch nicht kennen. Das Leben ist unermeßlich lange, solange man noch jung ist. Man meint immer, noch recht viel vor sich zu haben und erst einen kurzen Weg gegangen zu sein. Darum schiebt man auf, stellt dieses und jenes zur Seite, um es später vorzunehmen. Aber wenn man es vornehmen will, ist es zu spät, und man merkt, daß man alt ist. Darum ist das Leben ein unabsehbares Feld, wenn man es von vorne ansieht, und es ist kaum zwei Spannen lang, wenn man am Ende zurückschaut. Auf dem Felde zeitigen so manche andere Früchte, als man zu säen geglaubt hat. Es ist ein schillernd Ding, das so schön ist, daß man sich gerne hineinstürzt und meint, es müsse ewig währen –– und das Alter ist ein Dämmerungsfalter, der recht unheimlich um unsere Ohren weht. Darum möchte man die Hände ausstrecken, um nicht fort zu müssen, weil man so viel versäumt hat. Wenn ein uralter Mann auf einem Hügel mannigfaltiger Taten steht, was nützt es ihm? Ich habe vieles und allerlei getan und habe nichts davon. Alles zerfällt im Augenblicke, wenn man nicht ein Dasein erschaffen hat, das über dem Sarge noch fortdauert. Um wen bei seinem Alter Söhne, Enkel und Urenkel stehen, der wird oft tausend Jahre alt. Es ist ein vielfältig Leben derselben Art vorhanden, und wenn er fort ist, dauert das Leben doch noch immer als dasselbe, ja man merkt es nicht einmal, daß ein Teilchen dieses Lebens seitwärts ging und nicht mehr kam. Mit meinem Tode fällt alles dahin, was ich als Ich gewesen bin ---. Darum mußt du heiraten, Viktor, und mußt sehr jung heiraten. Darum mußt du auch Luft und Raum haben, um alle deine Glieder rühren zu können. Dafür nun habe ich gesorgt, weil ich wußte, daß es alle jene nicht konnten, denen man dich anvertraut hat. Nach dem Tode deines Vaters nahm man mir die Macht, und ich habe doch besser gesorgt als die andern. Ich habe mich daran gemacht, dein Gut zu retten, das sonst verloren war. Staune nicht, sondern höre mich lieber. Wozu soll dir auch das Sümmchen deiner Mutter oder die ewige Versorgung deines Vormundes? Zu nichts, als daß du zerknickt und verkümmert würdest. Ich bin geizig gewesen, aber vernünftiger geizig, als mancher freigebig ist, der sein Geld wegwirft und dann weder sich noch andern helfen kann. Deinem Vater lieh ich bei Lebzeiten kleine Summen, wie Brüder sonst einander schenken, er gab mir Bescheinigungen darüber, die ich auf sein Besitztum eintragen ließ. Da er nun tot war und die andern Gläubiger, die ihn verlockt hatten, kamen, um das arme Nest zu plündern, da war ich schon da und entriß es mit meinem Rechte ihnen und deinem Vormunde, der auch ein kleines Restchen für dich erstreiten wollte. Die Kurzsichtigen! -- Den Gläubigern gab ich nach und nach, was sie eingesetzt hatten, samt den Zinsen, aber nicht, was sie hatten erschinden wollen. Nun ist das Gut schuldenfrei, und der fünfzehnjährige Ertrag liegt für dich in der Bank. Morgen, ehe du fortgehst, gebe ich dir die Papiere; denn da ich jetzt das alles gesagt habe, ist es gut, daß du bald fortgehest. Ich habe den Christoph in die Hul geschickt, daß dich der Fischer, der dich gebracht hat, morgen an dem Landungsplatze wieder hole; denn Christoph hat keine Zeit, dich hinüberzuführen. Willst du morgen nicht fahren, sondern später, so können wir dem Fischer sein Fahrgeld geben und ihn wieder leer zurückgehen lassen. – Ich meine, du sollst ein Landwirt sein, wie es auch die alten Römer gerne gewesen sind, die recht gut gewußt haben, wie man es anfangen soll, daß alle Kräfte recht und gleichmäßig angeregt werden. – Aber du kannst übrigens tun, wie du willst. Genieße nach deiner Art, was du hast. Bist du weise, so ist es gut: bist du ein Tor, so kannst du im Alter dein Leben bereuen, wie ich das meinige bereut habe. Ich habe vieles getan, was gut war, ich habe sehr vieles genossen, was das Leben hat und mit Recht zum Genusse gibt – das war gut: aber ich habe vieles unterlassen, was die Reue und das Nachdenken erweckte, als beide vergebens waren. Denn das Leben flog, ehe es erhascht werden konnte. Du bist wahrscheinlich auch mein Erbe, und darum möchte ich, daß du besser tätest als ich. Daher ist mein Rat – ich sage ›Rat‹, nicht Bedingung; denn kein Mensch soll gebunden werden. – Reise jetzt zwei bis drei Jahre, komme dann zurück, heirate, behalte anfangs den Verwalter, den ich dir auf das Gut gesetzt habe; denn er wird dich gehörig anweisen. – Das ist meine Meinung, du aber tue, wie du willst.«

Nach diesen Worten hatte der alte Mann zu reden aufgehört. Er legte sein Tellertuch, wie er es gewöhnlich tat, zusammen, rollte es zu einer Walze und schob es so in den silbernen Reif, den er zu diesem Zwecke hatte. Dann stellte er die verschiedenen Flaschen in eine gewisse Ordnung zusammen, legte die Käse und Zuckerbäckereien auf ihre Teller und stürzte die gehörigen Glasglocken darauf. Von all den Sachen trug er aber nichts von dem Tische weg, wie er es sonst immer pflegte, sondern ließ sie stehen und blieb davor sitzen.

Das Gewitter war indessen vorübergegangen, es zog mit sanfteren Blitzen und schwächerem Rollen jenseits der östlichen Gebirgszacken hinunter, die Sonne kämpfte sich wieder hervor und füllte das Gemach allmählich mit lieblichem Feuer. Viktor saß dem Oheime gegenüber, er war erschüttert und konnte kein Wort sagen.

Nach einer bedeutenden Weile fing der Greis, der immer so vor seinen Dingen dagesessen war, wieder zu reden an und sagte: »Wenn du schon eine Vorneigung zu einer Frauenperson hast, so tut das bei dem Heiraten gar nichts, es ist nicht hinderlich und fördert oft nicht, nimm sie nur: hast du aber keine solche Vorneigung, so ist es auch gleichgültig; denn derlei Dinge sind nicht beständig, sie kommen und vergehen, wie es eben ist, ohne daß man sie lockt und ohne daß man sie vertreibt. Ich habe einmal eine solche Empfindung gehabt, du wirst es ohnehin wissen – und weil ich gerade davon rede, so werde ich dir das Bild zeigen, wie sie damals ausgesehen hat – ich habe sie selber malen lassen -- warte, vielleicht finde ich noch das Bild.«

Bei diesen Worten stand der Greis auf und suchte lange in seinen Laden herum, bald in diesem Zimmer, bald in einem andern, aber er konnte das Bild nicht finden. Endlich zog er es mit einer staubigen goldenen Kette aus einem Fache hervor. Er wischte das Glas des Bildes mit dem grauen Rockärmel ab, reichte es Viktor und sagte: »Siehst du!«

Dieser aber wurde eine Purpurflamme und rief: »Das ist Hanna, meine Schwester.«

»Nein,« sagte der Oheim, »das ist Ludmilla, ihre Mutter. Wie kannst du denn auf Hanna kommen? Diese war noch lange nicht geboren, als das Bild gemalt wurde. Hat dir denn deine Ziehmutter nichts von mir erzählt?«

»Ja, sie hat von Euch erzählt, daß Ihr mein Oheim seid und in großer Abgeschiedenheit auf der Insel eines entfernten Gebirgssees lebet.«

»Sie hält mich für den ärgsten Bösewicht.«

»Nein, Oheim, das tut sie nicht. Sie hat noch von gar niemanden Böses gesagt, und wenn sie von Euch redete, so sprach sie immer so, daß wir meinten, Ihr seid sehr weit in der Welt herumgereist, seid alt geworden und lebet nun sehr einsam und von der Welt getrennt, die Ihr sonst gerne in allen ihren Teilen besucht habt.«

»Und sonst sagte sie gar nichts von mir?«

»Nein, Oheim, gar nichts.«

»Hm –– das ist schön von ihr. Ich hätte mir das schon wohl denken können. Wenn sie nur um ein weniges stärker gewesen wäre und den klaren Verstand, der ihr Anteil war, nur über ein größer Stück Welt hätte ausdehnen können – alles wäre anders geworden. Und daß ich dir dein Gütchen rauben wolle, davon sagte sie auch nichts?«

»Rauben sagte sie nie, sondern daß Ihr das Recht darauf habt.«

»Das habe ich auch, aber ich bin schon in der Jugend sehr tätig gewesen, habe Handelschaft begonnen, habe meine Geschäfte ausgedehnt und mehr erworben, als mir je not tut, so daß ich des kleinen Besitztumes schon gar nicht bedürftig bin.«

»Die Ziehmutter hat auch schon immer in der Zeit her darauf gedrungen, daß ich zu Euch komme, als Ihr es begehrtet, aber der Vormund hat es gehindert.«

»Siehst du!? –– dein Vormund hat überall einen guten Willen, aber der Tisch, auf dem er schreibt, deckt ihm die Welt und das Meer und alles zu. Er hat etwa gedacht, du vergessest, wenn du bei mir bist, einige Dinge, die du lerntest und die dir für das ganze Leben hindurch unnütz sind. – Deine Ziehmutter habe ich einmal zu meiner Gattin machen wollen, wie du siehst; das wird sie dir also auch nicht gesagt haben?«

»Nein, sie nicht und der Vormund nicht.«

»Wir sind sehr jung gewesen, sie war eitel, und ich sagte einmal, daß ich ihr Bild wolle malen lassen. Sie willigte ein, und der Künstler, der mit mir von der Stadt kam, hat sie auf dieser länglichen Elfenbeinplatte gemalt. Ich behielt das Bild und ließ später den goldenen Reif darum und die goldene Kette daran machen. Ich war ihr darnach sehr zugeneigt und erwies ihr viele Aufmerksamkeiten. Wenn ich von den Reisen, die ich machte, um meine Handelsfreunde kennenzulernen und um allerlei neue Geschäfte und Verbindungen anzuknüpfen, nach Hause kam, war ich sehr freundlich und brachte ihr auch das eine und andere sehr schöne Geschenk mit. Sie aber gab mir meine Aufmerksamkeiten nicht zurück, sie war freundlich, aber nicht zugeneigt, ohne daß sie mir einen Grund sagte, und sie nahm meine Geschenke nicht an, ohne daß sie mir ebenfalls einen Grund sagte. Als ich ihr endlich geradezu erklärte, ich würde sie ohne weiteres zu meiner Gattin machen, wenn sie es nur jetzt oder etwa späterhin so wolle, antwortete sie, das sei allerdings sehr ehrenvoll, aber sie könne die Neigung nicht empfinden, die ihr für eine lebenslängliche Verbindung notwendig erscheine. Als ich nach einiger Zeit einmal zu dem Buchenbrünnlein im Hirschkar hinaufging, sah ich sie auf dem breiten Steine sitzen, der neben dem Brünnlein liegt. Ihr Tuch, das sie gerne an kühleren Tagen um die Schultern trug, hing an dem flachen Aste einer Buche, die etwas weiter zurücksteht und nicht hoch vom Boden diesen Ast gerade wie eine Stange zum Aufhängen ausstreckt. Ihr Hut war gleichfalls neben dem Tuche. Auf dem Steine aber saß bei ihr mein Bruder Hippolyt, und sie hielten sich umschlungen. Es war dieser Ort schon lange der ihrer Zusammenkünfte gewesen, ich habe dies erst viel später erfahren. Anfangs wollte ich ihn ermorden, dann aber riß ich das Tuch, das mich wie ein Vorhang verbarg, herunter und schrie: ›So wäre es ja am Ende besser, Ihr tätet alles öffentlich und heiratet einander.‹ – Von diesem Tage fing ich an, seine Liegenschaften zu ordnen und sein Amt zu befördern, daß sie sich nehmen könnten. Als aber dein Vater auf einige Zeit fort mußte, um noch etwas höher zu steigen, als er dort einen väterlichen Freund, der in einer augenblicklichen Verlegenheit Amtsgelder verwendete, von Pflicht wegen anzeigen sollte, als man in der Stadt schon davon flüsterte, als der Alte sich töten wollte, dein Vater noch in der Nacht hinlief, das Geld erlegte, zur Entkräftung jedes Gerüchtes die Tochter des Mannes, deine nachherige Mutter, zur Frau begehrte, und als die Verbindung wirklich vollzogen war: trat ich mit Hohn vor Ludmilla hin und zeigte ihr, wie sie ihren Verstand und ihr Herz nicht verwenden konnte. – Sie zog mit ihrem späteren Gatten auf das Gütchen hinaus, wo sie nun lebt. – Aber das sind alte Geschichten, Viktor, die sind schon lange, lange geschehen und sind in Vergessenheit geraten.«

Nach diesen Worten nahm er das Bild von dem Tische, wo er es, während er wieder in seinem Sessel gesessen war, liegen gelassen hatte, stand auf, umwickelte es mit der Kette und steckte es in ein kleines Fach neben der Pfeifensammlung.

Das Gewitter war indessen völlig aus geworden, nur sammelten sich, wie es in dergleichen Fällen vorkommt, noch immer gelegentliche Nebel und Wolkenteile in dem Gebirgskessel, welche die Sonne, die ihre heißen Blicke schon länger hervorgeschossen hatte, bald durchscheinen ließen, bald verhüllten.

Wenn der Oheim nach dem Essen einmal aufgestanden war, so setzte er sich nicht leicht wieder nieder. So geschah es auch jetzt. Er nahm seine Flaschen von dem Tische, tat sie in ihre Wandkästchen und sperrte zu. Ebenso verfuhr er mit dem Käse und mit den Zuckersachen und goß zur Vorsicht den Hunden noch einmal frisches Wasser in ihren Trog.

Als er mit allem dem fertig war, trat er an das Fenster und schaute auf den Gartenplatz hinunter.

»Siehst du,« sprach er zu Viktor, »es ist genau so, wie ich dir neulich sagte. Der Sand ist beinahe trocken, und in einer Stunde wird man sehr bequem auf ihm herumgehen können. Es ist eine Eigenschaft des hiesigen Quarzbodens, der nur locker auf dem Felsengrunde aufliegt, daß er den Platzregen einschluckt wie ein Sieb. Darum muß ich bei den Blumen immer so viel Humus nachführen lassen, und darum vergehen die Obstbäume der Mönche so gerne, während die Rüstern, die Eichen, die Buchen und die andern unserer Bergbäume so gedeihen, weil sie den Felsen suchen, dort Spalten treiben und in sie eindringen.«

Viktor ging ebenfalls zu dem Fenster hin und schaute hinunter.

Als später die Haushälterin kam und den Tisch abräumte und als Christoph, der von der Hul schon zurück war, die Hunde hinausführte, ging der Oheim durch die Tapetentür in sein Gewehrzimmer.

Der Jüngling aber, der eigentlich nach dem Gewitter im Freien in Weite und Breite herumgeschweift wäre, ging jetzt in seine Zimmer und starrte bei dem Fenster hinaus. – –

Nach einer Weile sah er den Oheim, wie er unten auf dem Gartenplatze Blumen an die Stäbe band.

Da er dann noch längere Zeit in dem einen Zimmer hin und her gegangen war, schritt er doch wieder bei der Tür hinaus und ging in das Freie. Er ging über den Sandplatz, den der Oheim verlassen hatte, gegen das Seeufer zu, wo ein erhöhter Platz des Felsensaumes war, der eine bedeutende Umsicht gewährte. Dort blieb er stehen und schaute in die Gegend hinaus. Es war unterdessen schon der Abend gekommen. Einige Berge lagen mit dunkeln Wolkenstückchen in Umarmung, andere ragten wie glühende Kohlen aus den Trümmern, und Inseln blassen Himmels schillerten ungesehen über dem Haupte des Jünglings. Dieser schaute in das Bild so hinaus, bis nach und nach alles verglomm und erlosch und nichts mehr als die dichte Finsternis da war.

In derselben ging er, an den schwarzen Geistern der Bäume vorbei, langsam und nachdenkend in das Haus.

Er hatte beschlossen, morgen doch die Insel zu verlassen.

Als die Zeit des Abendessens gekommen war, begab er sich

aus seinem Gemache über den Gang ins Speisezimmer. Der Oheim saß schon an dem Tische, und sofort wurde aufgetragen. Der Greis eröffnete dem Jünglinge, daß der alte Christoph von der Hul die Nachricht gebracht habe, daß der Fischer morgen mit Tagesanbruch an dem Landungsplatze harren werde, wo er Viktor bei seiner Ankunft ausgesetzt habe.

»Du kannst also«, schloß der Oheim, »morgen nach dem Frühstücke fortfahren, wenn du es dir so vorgenommen hast; denn du bist vollkommen dein Herr und kannst tun, wie es dir gefällt.«

»Ich habe mir wohl in den Sinn genommen, morgen fortzureisen,« entgegnete Viktor, »aber ich lege es doch in Eure Hand, Oheim, und werde tun, was Ihr für gut haltet.«

»Wenn es so ist,« sagte der Oheim, »so halte ich, wie ich schon am Mittage sagte, für gut, daß du morgen gehest. Was die Zukunft bringen kann, das bringt sie, und wie du meinen Rat befolgen willst, so befolgst du ihn, Du bist in allen Stükken ohne Bande.«

»Ich werde also morgen den Fischer auf dem Landungsplatze aufsuchen«, entgegnete Viktor.

Diese Worte waren die einzigen, welche die zwei Verwandten über ihre Verhältnisse während des Abendessens gesprochen haben. Über fremde Gegenstände redeten sie noch mehreres. Namentlich erzählte der Oheim, daß der alte Christoph schon vor dem Gewitter in die Hul hinausgefahren sei, daß das Gewitter dort und besonders gegen den Ausfluß der Afel hin fürchterlich gewirtschaftet habe, es seien bei dem Bergsturze neue, und zwar ungeheure Trümmer herabgefallen, und es habe das Wasser die Ufer in erschreckender Weise ausgestoßen.

»Und bei uns, da es über die Grisel ging,« fuhr er fort, »war es so sanft und zahm, daß es mir die Blumen gut befeuchtete und kaum einige von ihren Stäben herabgeschlagen hat. Christoph, der nach dem Gewitter herübergefahren war, wunderte sich, daß er bei uns so wenig Verwüstung antraf.«

Als das Abendmahl vorüber war, wünschten sich die beiden Verwandten zum letzten Male gute Nacht und begaben sich zu Bette. Nur Viktor packte noch, und wie er dachte, dieses Mal gewiß mit Erfolg, sein Ränzchen und richtete sich die Reisekleider auf einen Sessel.

Als der andere Morgen anbrach, kleidete er sich in diese Kleider, nahm seinen Reisestab in die Hand und hing das Ränzlein mit einem Tragriemen an seinen Arm. Der Spitz, der das alles verstand, tanzte vor Freuden.

Das Frühstück wurde unter unbedeutenden Gesprächen verzehrt.

»Ich werde dich bis zu dem Gitter begleiten«, sagte der Oheim, als Viktor aufgestanden war, sein Ränzlein auf den Rücken genommen hatte und Miene machte, sich zu beurlauben.

Der Greis war in ein Nebenzimmer gegangen und mußte dort auf eine Feder gedrückt haben oder sonst einer Vorrichtung zugegangen sein; denn Viktor hörte in dem Augenblicke das Rasseln des Gitters und sah durch das Fenster, wie dasselbe sich langsam öffnete.

»So,« sagte der Oheim, indem er herausging, »es ist in Bereitschaft.«

Viktor griff nun nach dem Stabe und setzte seinen Hut auf das Haupt. Der Greis ging mit ihm über die Treppe hinab und über den Gartenplatz bis zu dem Gitter. Beide sagten sie auf dem Wege kein Wort. An dem Tore blieb der Oheim stehen, zog ein Päckchen aus der Tasche und sagte: »Hier hast du die Papiere.«

Viktor aber antwortete: »Erlaubt mir, Oheim, daß ich sie nicht annehme.«

»Was? nicht annehmen? was kömmt dir denn bei?«

»Erlaubt es mir und tut meinen Gefühlen keine Gewalt an,« sagte Viktor, »lasset mir in diesem Dinge meine Weise, daß Ihr seht, daß ich uneigennützig bin.«

»Ich zwinge dich nicht«, sagte der Greis und schob seine Papiere wieder in die Tasche.

Viktor sah ihn eine Weile an. Aus den hellen Augen drangen ihm die schimmernden Tränen – Zeugen eines tiefen Gefühles –, dann bückte er sich plötzlich nieder und küßte heftig die runzlige Hand.

Der alte Mann gab einen dumpfen, unheimlichen Laut von sich – es war wie Schluchzen – und stieß den Jüngling bei dem Gitter hinaus.

Man vernahm gleich darauf den rasselnden Laut und den Stoß, wie sich das Tor zumachte und in das Schloß fiel. Viktor wendete sich um und sah den Greis von rückwärts, wie er, mit seinem grauen Rocke angetan, seinem Hause zuschritt. Der Jüngling drückte sein Tuch gegen die Augen, die heftig strömten und nicht enden wollten. Dann kehrte er sich gleichfalls wieder ab und begab sich auf den Weg, der ihn zu der Stelle führte, wo er zum ersten Male diese Insel betreten hatte. Er ging an der einen Seite in den Graben hinab, an der andern hinauf, er ging durch den Zwerggarten, durch das Wäldchen der großen Bäume und durch das Gestrüpp. Als er an dem Landungsplatze angekommen war, waren seine Augen zwar schon getrocknet, aber noch sanft gerötet. Der Greis aus der Hul erwartete ihn schon hier, und auch das freundliche, blauäugige Mädchen stand in dem Hinterteile des Schiffes. Viktor stieg mit dem Spitze ein und setzte sich nieder. Sofort wurde das Schiff zurückgeschoben, wendete mit seinem Schnabel um, nach auswärts zu, und schwankte in die Wässer hinaus, während die Insel zurücktrat.

Als man an die Spitze des Orla gekommen war, war sie schon weit zurück und ragte, wie einst, mit ihren grünen Bäumen aus dem Wasser heraus. Da das Schiffchen nun mit seinem Körper die Wendung machte, um den Grat des Orla herum, so deckte derselbe die Insel und ließ sie wie eine grüne Zunge hervorschauen, die, wie sie sich bei der Herreise verlängert hatte, sich nun hinter die Wände zurückzog. Zuletzt, als sie sich der Hul näherten, waren wie damals, als Viktor ankam, nur mehr die blauen Wände um das einsame Wasser, und der blaue Widerschein war in ihm.

In der Hul hielt sich Viktor ein wenig auf, um mit dem alten Fischer etwas zu reden und ihm den Fährlohn zu geben. An die Märchen aber, von denen bei der Hinfahrt die Rede gewesen war, dachte man nicht.

In der Hul hatte der Jüngling schon die Verwüstung des gestrigen Gewitters an den Durchfurchungen des Bodens und an den Zerstörungen der Ufer gesehen. Bei dem Steinsturze aber lagen furchtbare Trümmer herunten, die sich bei dem Eindringen des Wassers gelöst hatten und von der Höhe herabgefallen waren. Er ging von diesem Bilde der Zertrümmerung vorwärts gegen den Ausfluß der Afel und von da durch den langen Waldweg empor.

An dem Halse blieb er stehen und schaute auf den See zurück. Die Grisel war kaum ein wenig zu sehen, aber die kahle, dämmernde Wand, die er bei seiner ersten Hieherkunft so bewundert hatte, war der Orlaberg. Er schaute ihn jetzt eine Zeit an und dachte, hinter ihm ist die Insel, und auf derselben wird es jetzt sein wie so oft, wenn er von seinen Ausflügen zurückgekommen ist – von den wehenden Ahornen, von der rauschenden Brandung –, daß nämlich irgendwo die zwei einsamen Greise sitzen, der eine hier, der andere dort, und daß keiner mit dem andern redet.

Nach zwei Stunden war er in Attmaning, und da er aus den dunkeln Bäumen gegen den Ort hinausschritt, hörte er zufällig das Läuten der Glocken desselben, und nie hat ihm ein Ton so süß gedeucht als dieses Läuten, das so lieblich in seine Ohren fiel, weil er diesen Klang so lange nicht gehört hatte. Auf der Wirtsgasse waren Viehhändler mit den schönen braunen Tieren des Gebirges, die sie gegen das Flachland hinaustrieben, und in der Stube war alles voll Menschen, da eben Wochenmarkt war. Viktor war es, als hätte er unterdessen lange geträumt und wäre jetzt wieder in der Welt.

Nachdem er bei dem Wirte, der ihm damals den Knaben mitgegeben hatte, sein Mahl verzehrt hatte, begab er sich diesmal nicht mit dem Knaben, sondern mit dem stattlichen Wirtswägelchen auf die Weiterreise, das mit ihm dem Laufe der Afel entlang in die offeneren Länder hinausrollte.
Als er wieder zu den Feldern der Menschen, zu ihren Fahrstraßen und ihrem lustigen Treiben hinausgekommen war, als sich die Fläche, mit sanften Hügeln geschmückt, in unermeßliche Länge und Breite vor ihm ausdehnte und die verlassenen Gebirge nur mehr wie ein blauer Kranz hinter ihm schwebten: ging ihm das Herz in dieser großen Umsicht auseinander und eilte ihm weit, weit über jenen fernen, kaum sichtbaren Strich des Gesichtskreises voraus, hinter dem die über alles geliebte Ziehmutter und ihre Tochter Hanna wohnen mußten.

Rückkehr

Nachdem Viktor, weil ihm das Gehen bei weitem lieblicher dünkte, das gemietete Fuhrwerk verlassen und sich für den Rest der Reise auf die gewöhnliche Wanderung begeben hatte, nachdem er auf dem langen Wege zur Mutter, den er darum eingeschlagen hatte, um auch sie, die verehrte und geliebte, um Rat zu fragen, was nun bei der neuen Gestalt der Dinge zunächst zu tun sei, viele Zeit zugebracht hatte: ging er nach so manchem Tage, an dem er durch Felder und Wälder, über Höhen und Niederungen mit seinem Spitze gewandert war, wieder über die glänzenden Wiesen in das mütterliche Tal hinab, über die er vor so vielen Wochen mit seinen Freunden hinabgegangen war. Er ging über den ersten Steg, er ging über den zweiten, an dem großen Holunder vorbei und durch das alte kleine Gartenpförtchen hinein. Als er näher gegen das Haus gekommen war, sah er die Mutter auf der Gasse vor dem Apfelbaume in der reinen weißen Schürze stehen, die sie gewöhnlich an Vormittagen umhatte, wo sie in der Küche und in dem ganzen Wirtschaftskreise nachsehen mußte.

»Mutter!« rief er, »da bringe ich euch den Spitz wieder, er ist gut versorgt und erhalten gewesen – und auch ich komme noch einmal, weil ich manches mit Euch zu reden habe.«

»Ach, Viktor, du bist es!« rief die alte Frau; »so sei gegrüßt, mein Sohn, sei tausendmal gegrüßt, du liebes Kind.«

Mit diesen Worten ging sie ihm entgegen, schob das Käppchen, das er aufhatte, ein wenig zurück, streichelte mit der Hand über die Stirne und die Locken, nahm ihn mit der andern bei seiner Rechten und küßte ihn auf die Stirne und auf die Wange.

Der Spitz, welcher von der Gartenpforte an gegen das Haus vorausgeschossen war, tanzte nun um die Mutter herum und bellte furchtbar.

Die Fenster und Türen des Hauses standen, wie gewöhnlich an schönen Tagen, offen, daher lief auf diese Schalle, die sie hinein gehört hatte, Hanna aus dem Hause heraus und blieb plötzlich stehen, ohne ein Wort hervorbringen zu können.

»So grüßet euch, Kinder, grüßt euch nach der ersten Abwesenheit voneinander, die ihr erlebt habt«, sagte die Mutter.

Vitkor ging näher und sagte verschämt: »Gott grüße dich, liebe Hanna.«

»Gott grüße dich, lieber Viktor«, antwortete sie, indem sie die dargereichte Hand annahm.

»Nun geht aber hinein, Kinder,« sagte die Mutter, »Viktor muß seine Sachen ablegen und muß sagen, was er bedarf, ob er etwa müde ist und was wir ihm zu essen geben können.«

Bei diesen Worten machte sie Anstalt, hineinzugehen und die zwei Kinder, wie sie sie nannte, mitzunehmen. Viktor legte in dem großen Zimmer an dem Tische, den er nicht so bald wieder zu sehen gehofft hatte, sein Ränzlein ab, lehnte den Reisestab in einen Winkel und setzte sich auf einen Stuhl nieder. Die Mutter setzte sich in dem großen Lehnsessel neben ihn.

Der Spitz, gleichsam weil er so wichtig geworden war und zu den Angekommenen gehörte, ging mit hinein; aber als man zu reden und sich zu erzählen angefangen hatte, ging er wieder hinaus, und weil er recht gut eingesehen hatte, daß nun alle Gefahr, von seinem Freunde Viktor getrennt zu werden, verschwunden war, sah man ihn später in seiner Hütte unter dem Apfelbaume liegen und die Müdigkeit, die er sich auf all diesen durchgemachten Wegen gesammelt hatte, behaglich verschlafen.

Als die Mutter, da sie bei dem Tische saßen, in Viktor gedrungen war, daß er sage, ob er Hunger habe, ob er sonst irgend etwas bedürfe, daß er tun solle, was er wolle, um sich zu erholen – als er geantwortet hatte, daß er nichts bedürfe, daß er nicht müde sei, daß er spät das Morgenmahl genossen habe und daher schon bis zu der gewöhnlichen Mittagsstunde warten könne – als sie endlich hinausgegangen war, um für ein hinlänglicheres und besseres Mahl Anstalten zu treffen: kam sie wieder herein, setzte sich zu ihm und begann über seine Angelegenheiten zu reden.

»Viktor,« sagte sie, »als du mehrere Tage fort warst, kam ein Brief von dem Oheime, in welchem er verlangte, daß wir die ganze Zeit, die du bei ihm sein wirst, nicht an dich schreiben sollen. Ich dachte, daß er einen Grund zu dieser Forderung haben müsse, daß er vielleicht etwas Nützliches mit dir vorhabe, und willigte ein. Du wirst dich recht gekränkt haben, da du keine Silbe, keinen Gruß und kein freundliches Wort von uns vernommen hast.«

»Mutter, der Oheim ist ein herrlicher, vortrefflicher Mann«, fiel Viktor ein.

»Es ist gestern wieder ein Brief und allerlei Schriften von ihm an den Vormund gekommen,« sagte die Mutter, »der Vormund ist zu uns herausgefahren und hat uns den Brief vorgelesen. Der Oheim meinte, daß du schon bei uns sein müssest, und verlangte, daß man dir den Brief mitteile. Nun, du wirst schon erfahren, was er enthält. – Ja, er ist ein vortrefflicher Mann, niemand kann das besser wissen als ich; darum habe ich auch immer darauf gedrungen, daß man dich zu ihm gehen lasse, wie er es verlangte, bis der Vormund einwilligte. Aber, mein Viktor, er hat auch eine rauhe und harte Seite, darum hat er es nie machen können, daß ihn jemand liebe. Mir fiel manches Mal bei ihm der Spruch der heiligen Bücher ein, wo einmal die göttliche Gestalt erscheinen sollte: sie war nicht in dem Rollen des Donners, sie war nicht in dem Brausen des Sturmes; aber in dem Säuseln des Lüftchens war sie, das längs des Baches hinab durch die fruchtbaren Büsche ging. Ich habe einmal, da wir noch alle jung waren, gar nicht gewußt, daß ich ihn hochachten müsse. Ich werde dir einstens, wenn du älter geworden bist, etwas von uns erzählen.«

»Mutter, er hat es mir selber erzählt«, sagte Viktor.

»Er hat es dir erzählt, Kind?« erwiderte die alte Frau, »dann ist er dir geneigter gewesen als ich dachte.«

»Er hat mir die Tatsache nur in kurzen Worten gesagt.«

»Ich werde sie dir einmal in längeren erzählen, dann wirst du sehen, welche kummervollen, traurigen Tage über mich gegangen sind, bis alles so freundlich und herbstlich mit mir geworden ist, wie es ist. Dann wirst du auch einsehen, warum ich dich so sehr liebe, du mein armer, lieber Viktor.« Mit diesen Worten tat sie nach Art des Alters ihren Arm um sein Haupt, zog es etwas näher und legte ihre Wangen an seine Locken, als wäre sie tief gerührt.

Als sie sich wieder gefaßt und zurückgeneigt hatte, sagte sie: »Viktor, in dem Briefe ist gestanden, was er in der letzten Zeit mit dir geredet hat und was er für dich getan hat.«

Hanna ging, als die Mutter diese Worte sagte, schnell aus dem Zimmer hinaus.

»Er hat die Papiere,« fuhr die Mutter fort, »welche dir das Eigentum des Gutes übergeben, an den Vormund geschickt, du sollst es mit Freude und Dankbarkeit annehmen.«

»Es ist schwer, Mutter, es ist so seltsam ––«

»Der Vormund sagt, daß du alles genau so erfüllen sollest, wie es der Oheim begehrt. Du brauchst jetzt gar nicht mehr in dein Amt zu treten, in das er dich hat bringen wollen; denn diese Wendung der Dinge hat niemand vorhersehen können, und es steht dir ein herrliches Leben bevor.«

»Wird aber Hanna wollen?« sagte Viktor.

»Wer spricht denn von Hanna?« antwortete die Mutter mit vor Freude glänzenden Augen.

Viktor aber konnte vor glühender Verwirrung nichts sagen, er saß da, als müßten ihm vor Schamrot die Wangen zerspringen.

»Sie wird schon wollen,« sagte die Mutter wieder, »laß es nur gut sein, Kind, es wird alles zum besten ausfallen. Jetzt werden wir an deiner Ausrüstung zu der großen Reise arbeiten. Du bist jetzt dein eigener Herr, der Mittel hat – da muß alles anders werden, und auch wegen der Reise müssen die Sachen nach anderer Art hergerichtet werden. Es wird dies schon meine Sorge sein. Jetzt aber muß ich auch für das Mittagessen sorgen, sieh dir indessen das Haus an, ob sich nichts verändert hat, oder tue, war dir gefällt – die Speisestunde wird ohnehin bald heranrücken.«

Mit diesen Worten erhob sie sich und ging in die Küche.

Als das Mittagmahl bereitet und aufgetragen war, saßen die drei wieder bei dem Tische, wie sie jetzt lange nicht beieinander gesessen waren.

Nachmittag ging Viktor in die Gegend hinaus und besuchte alle Plätze, die ihm einst lieb und bekannt gewesen waren: Hanna aber lief in dem Hause herum und tat alles verkehrt.

Als er abends nach dem Essen schlafen gehen wollte und die Mutter mit der Kerze in der Hand mit ihm ging, führte sie ihn in seine alte Stube, und da sie eintraten, sah er, daß sie gar nicht verändert worden war, wie er es sich doch so lebhaft bei seiner Abreise vorgespiegelt hatte. Sogar der Koffer und die Kisten standen da, wie er sie eingepackt hatte.

»Siehst du,« sagte die Mutter, »wir haben alles stehengelassen, weil der Oheim schrieb, daß wir nichts fortschicken sollen, indem es noch ungewiß ist, wie sich das Schicksal gestalten werde. – Und nun, gute Nacht, Viktor.«

»Gute Nacht, Mutter.«

Und er sah, da sie fort war, durch sein Fenster wieder auf die dunkeln Büsche nieder und auf das rieselnde Wasser, in welchem sich die Sternlein spiegelten. Und als er schon im Bette lag, hörte er noch das Rieseln der Wässer, wie er es so viele Abende seiner Kindheit und seiner Jünglingszeit gehört hatte.

Beschluß

Wenn wir zu dem in den obigen Abschnitten dargestellten Jünglingsbilde noch etwas hinzufügen dürfen, so kann es folgendes sein.

Nachdem die Ausrüstung fertig war, welche die Mutter für Viktors Reise ins Werk zu setzen hatte, und nachdem man über alles, was in der Zukunft für das Wohl des jungen Mannes ersprießlich sein könnte, im reinen war, ereignete sich im tiefen Herbste desselben Jahres wieder ein Abschied – aber derselbe war kein so trauriger wie der erste, da er nicht sozusagen für das ganze Leben, sondern nur für eine kleine Zeit notwendiger Abwesenheit galt, auf welche kleine Zeit dann eine lange, schöne, glückselige folgen sollte.

Daß Hanna recht gerne eine sehr nahe Teilnehmerin jener glücklichen Zeit werden wollte, zeigten ihre feurigen, heftigen Küsse, mit denen sie die Lippen Viktors bedeckte, als sie einen einsamen Abschied voneinander nahmen, als er sie heftig und schmerzlich an sich drückte und von ihr nicht lassen zu können vermeinte. Die zwei Ziehgeschwister weinten bei diesem glückverheißenden Abschiede so sehr, als ob er der trennendste und zerreißendste gewesen wäre und lange nicht oder vielleicht nie mehr eine Wiedervereinigung hoffen ließe.

Die Mutter Ludmilla aber ging in stiller Freudigkeit herum, sie gesegnete den Sohn beim Abschiede und dachte immer, wie sie es denn durch das wenige Gute, das sie in ihrem Leben stets mehr ausführen gewollt als gekonnt hatte, verdient habe, daß sie nun Gott in ihrem Alter so sehr belohne, ach so sehr, so sehr belohne.

Als er fort war, begann das stille, einfache Leben in dem Tale und Hause wieder, wie es bisher immer geführt worden war. Die Mutter tat in Unschuld die Geschäfte des Hauses, besorgte alles auf das beste, erwies Gutes, wo sie es konnte, und ließ eine Fülle häuslicher Habe und Bequemlichkeit für eine nahe Zeit ausrüsten und arbeiten: Hanna war eine ergebene Tochter, die nur immer den Willen der Mutter tat und in innerer Bewegung und Erregung wartete, was die Zukunft bringen werde.

Als vier Jahre herum waren und die Briefe aus fremden Ländern, die alle dieselben lieben und bekannten Schriftzüge trugen, zu einem sehr großen Stoße angewachsen waren, kam der Briefschreiber selber, und die Briefe hörten auf. Viktor kam so verändert zurück, daß selber die Ziehmutter staunte und überrascht wurde; denn aus dem fast kindischen Jünglinge war in der kurzen Zeit ein Mann geworden. Aber nur sein Verstand und sein Geist hatten sich herausgebildet, das gute Herz, das sie in ihn gelegt, war unausrottbar geblieben, es war ebenso kindlich und unversehrt, wie sie es ihm in der zarten Kindheit gegeben und dann weitergepflegt hatte; denn ihr Herz vermochte sie ihm zu geben; was aber der starke Mann braucht und was das harte Leben von ihm heischt, nicht. Hanna sah an Viktor keine Veränderung; denn sie hielt ihn von Kindheit auf für gewandter und tüchtiger als sich; daß sie aber eine gute, einfache, große Seele habe, welche unbeugsam das Gute tut, wie das Wasser abwärts fließt, das wußte sie nicht, und das setzte sie als Gemeingut bei allen Menschen voraus.

Nicht sehr lange Zeit nach seiner Zurückkunft stand Viktor mit Hanna zur ewigen Verbindung an dem Altare – zwei Wesen, deren Antlitze die Abbilder von zwei anderen waren, die einmal auch gerne vor demselben Altare gestanden wären, aber durch Unglück und Verschuldung auseinandergerissen worden waren und dann lebenslänglich bereuten.

Alle Freunde, die einst jenen Spaziergang zur Feier von Ferdinands Geburtstag mitgemacht hatten, waren bei diesem Feste Viktors und Hannas zugegen. Dann war auch noch der Vormund und seine Gattin, dann Rosina, jetzt selber schon eine junge Frau, dann Rosinas und Hannas Gespielinnen und noch andere Menschen.

Nach Vollendung der Festlichkeiten führte Viktor Hanna mit Triumph auf sein Gut. Die Mutter ging nicht mit; sie sagte, sie werde schon noch sehen, wie sich alles fügen werde.

Der Oheim war trotz der Bitten Viktors, der selber bei ihm gewesen war, nicht zu der Vermählung seines Neffen gekommen. Er saß ganz einsam auf seiner Insel; denn wie er einmal selber gesagt hatte, es war alles, alles zu spät, und was versäumt war, war nicht nachzuholen.

Wenn man von dem Manne das Gleichnis des unfruchtbaren Feigenbaumes anwenden wollte, so dürfte man vielleicht die Worte sagen: ›Der gütige, milde und große Gärtner wirft ihn nicht in das Feuer, sondern er sieht an jedem Frühlinge in das früchtelose Laub und läßt es jeden Frühling grünen, bis einmal auch die Blätter immer weniger sind und zuletzt nur die dürren Äste emporragen. Dann wird der Baum aus dem Garten weggetan und seine Stelle weiters verwendet. Die übrigen Gewächse aber blühen und gedeihen fort, und keines kann sagen, daß es aus seinen Körnern entsprossen ist und die süßen Früchte tragen wird wie er.‹ Dann scheint immer und immer die Sonne nieder, der blaue Himmel lächelt aus einem Jahrtausend in das andere, die Erde kleidet sich in ihr altes Grün, und die Geschlechter steigen an der langen Kette bis zu dem jüngsten Kinde nieder: aber er ist aus allen denselben ausgetilgt, weil sein Dasein kein Bild geprägt hat, seine Sprossen nicht mit hinuntergehen in dem Strome der Zeit. – Wenn er aber auch noch andere Spuren gegründet hat, so erlöschen diese, wie jedes Irdische erlischt – und wenn in dem Ozean der Tage endlich alles, alles untergeht, selbst das Größte und das Freudigste, so geht er eher unter, weil an ihm schon alles im Sinken begriffen ist, während er noch atmet und während er noch lebt.

Hinweise zu den Texten

Bei den genannten Quellen handelt es sich nicht um die Ausgaben, die der Auswahl von Hugo von Hofmannsthal von 1912 zugrunde lagen. Die Angaben wurden für die Neuausgabe 1988 erstellt.

LUDWIG ACHIM VON ARNIM (1781-1831)
Der tolle Invalide auf dem Fort Ratonneau, S. 375
Aus: Achim von Arnim, Erzählungen. Ausgewählt von Hermann Hesse. insel taschenbuch 1018. © dieser Ausgabe Insel Verlag Frankfurt am Main 1987

CLEMENS BRENTANO (1778-1842)
Geschichte vom braven Kasperl und dem schönen Annerl, S. 771
Aus: Clemens Brentano, Gedichte, Erzählungen, Briefe. Herausgegeben von Hans Magnus Enzensberger. insel taschenbuch 557. © dieser Ausgabe Insel Verlag Frankfurt am Main 1981

GEORG BÜCHNER (1813-1837)
Lenz, S. 347
Aus: Georg Büchner, Werke und Briefe. Erster Band. Dichtungen, Übersetzungen, Der Hessische Landbote, Über Schädelnerven. Neue, durchgesehene Ausgabe. Herausgegeben von Fritz Bergemann. © Insel Verlag Frankfurt am Main 1958

ANNETTE FREIIN VON DROSTE-HÜLSHOFF (1797-1848)
Die Judenbuche, S. 400
Aus: Annette von Droste-Hülshoff, Die Judenbuche. Ein Sittengemälde aus dem gebirgichten Westfalen. Mit Illustrationen von Max Unold. insel taschenbuch 399. © Insel Verlag Frankfurt am Main 1979

JOSEPH VON EICHENDORFF (1788-1857)
Aus dem Leben eines Taugenichts, S. 248
Aus: Joseph Freiherr von Eichendorff, Aus dem Leben eines Taugenichts. Mit Illustrationen von Adolf Schrödter und einem Nachwort von Ansgar Hillach. insel taschenbuch 202. © Insel Verlag Frankfurt am Main 1976

FRIEDRICH DE LA MOTTE-FOUQUÉ (1777-1843)
Undine, S. 663
Aus: Friedrich de la Motte-Fouqué, Undine und andere Erzählungen. Herausgegeben von Ralph-Rainer Wuthenow. Mit Rezensionen von Edgar Allan Poe. insel taschenbuch 311. Insel Verlag Frankfurt am Main 1978

JOHANN WOLFGANG VON GOETHE (1749-1832)
Novelle, S. 13
Aus: Goethe, Werke. Zweiter Band. Dramen, Novellen. Insel Verlag Frankfurt am Main 1965

JEREMIAS GOTTHELF (1797-1854)
Barthli der Korber, S. 585
Aus: Jeremias Gotthelf, Große deutsche Ausgabe. Herausgegeben von Hans Löwe. Kleine Erzählungen. Dritter Band. F. W. Hendel Verlag, Naunhof und Leipzig 1939

FRANZ GRILLPARZER (1791–1872)
Der arme Spielmann, S. 903
Aus: Franz Grillparzer. Der arme Spielmann. Erzählung. Mit einem Nachwort von Richard Brinkmann. insel taschenbuch 690. © dieser Ausgabe Insel Verlag Frankfurt am Main 1983

WILHELM HAUFF (1802-1827)
Das kalte Herz, S. 1001
Aus: Wilhelm Hauff, Werke. Herausgegeben von Bernhard Zeller. Zweiter Band. Märchen, Aus den Memoiren des Satan, Briefe. © Insel Verlag Frankfurt am Main 1969

FRIEDRICH HEBBEL (1813-1863)
Aus meiner Jugend, S. 56
Unter dem Titel »Meine Kindheit« in: Friedrich Hebbel, Erzählungen und Tagebuchblätter. Ausgewählt und mit einem Nachwort versehen von Hermann Hesse. insel taschenbuch 1029. © dieser Ausgabe Insel Verlag Frankfurt am Main 1987

E.T.A. HOFFMANN (1776-1822)
Der Elementargeist, S. 951
Aus: E.T.A. Hoffmann, Werke. Vierter Band. Meister Floh, Letzte Erzählungen. Nachwort von Hans Mayer. © Insel Verlag Frankfurt am Main 1967

JEAN PAUL (1763-1825)
Leben des vergnügten Schulmeisterlein Maria Wuz in Auenthal, S. 134
Aus: Jean Paul, Leben des vergnügten Schulmeisterlein Maria Wutz in Auenthal. Eine Art Idylle. Mit einem Nachwort von Peter Bichsel. insel taschenbuch 778. © dieser Ausgabe Insel Verlag Frankfurt am Main 1984

GOTTFRIED KELLER (1819-1890)
Spiegel, das Kätzchen, S. 92
Aus: Gottfried Keller, Die Leute von Seldwyla. Vollständige Ausgabe der Novellensammlung. Mit einem Vorwort von

Gerhard Kaiser. insel taschenbuch 958. Insel Verlag Frankfurt am Main 1987

HEINRICH VON KLEIST (1777-1811)
Das Erdbeben in Chili, S. 38
Aus: Heinrich von Kleist, Werke und Briefe in vier Bänden. Herausgegeben von Siegfried Streller in Zusammenarbeit mit Peter Goldammer und Wolfgang Barthel, Anita Golz und Rudolf Loch. Band III. Erzählungen, Gedichte, Anekdoten, Schriften. insel taschenbuch 983. Insel Verlag Frankfurt am Main 1986. Lizenzausgabe mit freundlicher Genehmigung des Aufbau-Verlags Berlin und Weimar

EDUARD MÖRIKE (1804-1875)
Mozart auf der Reise nach Prag, S. 179
Aus: Eduard Mörike, Mozart auf der Reise nach Prag. Eine Novelle. Mit Illustrationen von Hugo Steiner-Prag und einem Nachwort von Traude Dienel. insel taschenbuch 376. © Insel Verlag Frankfurt am Main 1979

FRIEDRICH SCHILLER (1759-1805)
Der Geisterseher, S. 454
Aus: Friedrich Schiller, Der Geisterseher und andere Erzählungen. Mit einer Einleitung von Emil Staiger und Erläuterungen von Manfred Hoppe. Mit zeitgenössischen Illustrationen. insel taschenbuch 212. Insel Verlag Frankfurt am Main 1976

CHARLES SEALSFIELD (1793-1864)
Die Erzählung des Obersten Morse, S. 809
Auszug aus: Die Prärie am Jacinto. In: Charles Sealsfield, Das Kajütenbuch oder Nationale Charakteristiken. © Insel Verlag Frankfurt am Main 1959. insel taschenbuch 392, 1979. Illustriert von Theodor Eberle (S. 33-186)

ADALBERT STIFTER (1805-1868)
Der Hagestolz, S. 1048
Aus: Adalbert Stifter, Gesammelte Werke. Zweiter Band. Studien II. Insel Verlag Frankfurt am Main 1959

LUDWIG TIECK (1773-1853)
Der blonde Eckbert, S. 750
Aus: Ludwig Tieck, Schriften in zwölf Bänden. Band 6. Phantasus. Herausgegeben von Manfred Frank. Bibliothek deutscher Klassiker 2. © Deutscher Klassiker Verlag Frankfurt am Main 1985

Inhalt